J. RIZZI

DER BROCKHAUS IN FÜNFZEHN BÄNDEN

DER BROCKHAUS

in fünfzehn Bänden

Zehnter Band

Nas – Pfa

F. A. BROCKHAUS
Leipzig · Mannheim

Redaktionelle Leitung: Marianne Strzysch, Dr. Joachim Weiß

In Band 15 ist die Redaktion vollständig genannt.

Einbandgestaltung: James Rizzi

Einbandtypographie: Jürgen Sauerhöfer

Herstellung: Günter Schwab

Typographische Konzeption: Norbert Wessel

Satz: Bibliographisches Institut & F. A. Brockhaus AG (PageOne Siemens Nixdorf) und Mannheimer Morgen Großdruckerei und Verlag GmbH

Druck: Neue Stalling GmbH, Oldenburg

Bindearbeit: Großbuchbinderei Lachenmaier, Reutlingen

Papier: 120 g/m² holzfrei, mattgestrichen, chlorfrei der Papierfabrik Aconda Paper S.A., Spanien

Die Deutsche Bibliothek – CIP-Einheitsaufnahme
Der **Brockhaus**: in 15 Bänden /
[red. Leitung: Marianne Strzysch; Joachim Weiß]. –
Leipzig; Mannheim: Brockhaus.
Bd. 10. Nas–Pfa. – 1999
ISBN 3-7653-2360-8

ISBN für das Gesamtwerk 3-7653-2350-0
Band 10: 3-7653-2360-8

Printed in Germany

NASA, Abk. für engl. **N**ational **A**eronautics and **S**pace **A**dministration, zivile Luft- und Raumfahrtbehörde der USA, gegr. 1958, Sitz: Washington (D.C.). Die NASA verfügt über eine große Anzahl eigener Forschungsanstalten, z.B. das mit der Entwicklung von Raumsonden und Satelliten befasste Ames Research Center in Moffett Field (Calif.), das George C. Marshall Space Flight Center in Huntsville (Ala.) für die Entwicklung großer Trägerraketen, der Rendezvoustechnik und von Zukunftsprojekten, das Lyndon B. Johnson Space Center in Houston (Tex.), das als Kontrollzentrum für Unternehmen mit bemannten Raumflugkörpern dient, sowie über versch. Raumflugstartplätze, bes. das John F. Kennedy Space Center auf Kap Canaveral (Fla.). Forschungs- und Tätigkeitsschwerpunkte sind u.a. Raketen- und Raumfahrtprogramme wie die bemannte Mondlandung, bemannte Raumstationen, wieder einsetzbare bemannte Raumtransporter (→Spaceshuttle), →Satelliten, Erforschung des Sonnensystems. – Zur Kosteneinsparung wurde mit Russland eine umfangreiche Kooperation bei bemannten Raumflügen vereinbart. Außerdem soll die Abwicklung der Spaceshuttle-Missionen einem privaten Unternehmen übertragen werden.
Weiteres Bild Houston

Nasal [lat.] *der* (Nasallaut, Nasenlaut), Konsonant oder Vokal, bei dessen Aussprache die Luft in den Nasenraum gelangen kann. Bei den **Nasalkonsonanten** wird die Luft im Mundraum völlig gestoppt und kann nur über den Nasenraum entweichen (Halbverschlusslaut), z.B. [m, n, ɲ, ŋ]. Bei den **Nasalvokalen** (nasalierten Vokalen) kann zusätzlich zur Hauptartikulation Luft in den Nasenraum gelangen.

Nasarbajew, Nursultan Abischewitsch, kasach. Politiker, *im Gebiet Almaty 6.7.1940; Ingenieur, 1962–91 Mitgl. der KP, 1984–89 Vors. des Min.rates der Kasach. SSR, wurde 1989 KP-Chef und Vors. des Obersten Sowjets Kasachstans, 1990 Staatspräs. (1991 und 1995 bestätigt).

Nase (Nasus), Geruchsorgan vorn am Kopf der Wirbeltiere, bei den Luft atmenden Landwirbeltieren auch Teil des Atmungsweges. Bei den meisten Wirbeltieren und auch beim Menschen besteht eine Verbindung zw. den beiden äußeren N.-Öffnungen (N.-Löcher) und der Mund- bzw. Rachenhöhle. Die N. des Menschen gliedert sich in die **äußere N.** und in die **N.-Höhle.** Die äußere N. wird im Bereich der N.-Wurzel v.a. vom paarigen, schmalen **N.-Bein** (Os nasale) gebildet. Daran anschließend formen nach vorn zu versch. hyaline Knorpelstücke als knorpeliges N.-Skelett die nachgiebige, für den Menschen typ. (äußere) N. Die knorpelige **N.-Scheidewand** (N.-Septum) trennt die N.-Höhlen voneinander; ihr oberer Rand biegt nach beiden Seiten um und bestimmt so mit dem N.-Bein zus. die Form des N.-Rückens. Bis auf das Riechepithel sind die N.-Höhlen von Schleimhaut mit Flimmerepithel ausgekleidet, das eingedrungene Staubpartikel rachenwärts transportiert. Von der Außenwand ragen bis fast zur N.-Scheidewand drei übereinander liegende **N.-Muscheln** in die N.-Höhle vor, die dadurch drei überdachte N.-

Nursultan Nasarbajew

NASA: Das John F. Kennedy Space Center auf Kap Canaveral dient als Raumflugstartplatz der NASA; im Vordergrund die Startrampe mit einem Spaceshuttle

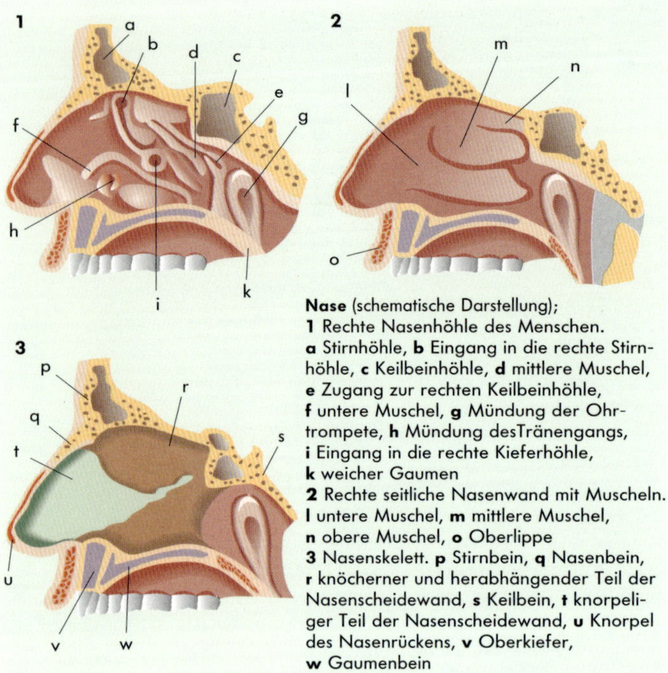

Nase (schematische Darstellung); **1** Rechte Nasenhöhle des Menschen. **a** Stirnhöhle, **b** Eingang in die rechte Stirnhöhle, **c** Keilbeinhöhle, **d** mittlere Muschel, **e** Zugang zur rechten Keilbeinhöhle, **f** untere Muschel, **g** Mündung der Ohrtrompete, **h** Mündung desTränengangs, **i** Eingang in die rechte Kieferhöhle, **k** weicher Gaumen **2** Rechte seitliche Nasenwand mit Muscheln. **l** untere Muschel, **m** mittlere Muschel, **n** obere Muschel, **o** Oberlippe **3** Nasenskelett. **p** Stirnbein, **q** Nasenbein, **r** knöcherner und herabhängender Teil der Nasenscheidewand, **s** Keilbein, **t** knorpeliger Teil der Nasenscheidewand, **u** Knorpel des Nasenrückens, **v** Oberkiefer, **w** Gaumenbein

Gänge erhält. In den unteren N.-Gang mündet der Abflusskanal der Tränendrüsen, in den mittleren münden fast alle Nebenhöhlen. Vor der oberen N.-Muschel liegt das Riechepithel mit den Geruchssinneszellen (als Riechkegel und Riechhärchen). Die beiden unteren dienen dem Reinigen, Anfeuchten und Vorwärmen der Luft. (→Geruchssinn)

Nase (Chondrostoma nasus), bis zu 50 cm langer, Schwärme bildender Karpfenfisch, v.a. in Fließgewässern Mitteleuropas; mit unterständigem Maul und nasenförmigem Oberkiefer.

Nase

Im Allgemeinen reden wir von der Nase als »einem« Organ. Aber es besteht, wie Auge und Ohr, aus zwei Teilen. Jede unserer »beiden Nasen« kontrolliert einen Lungenflügel. Wie wichtig die Tätigkeit beider Nasenlöcher ist, zeigt sich im Schlaf. Wenn wir auf der Seite liegen, übernimmt das oben liegende Nasenloch die Haupttätigkeit und ermüdet in ein bis drei Stunden. Der entstehende innere Druck veranlasst den Schläfer, den Kopf zu wenden, um das andere Nasenloch freizubekommen. Der übrige Körper folgt dieser Aktion, und wir drehen uns auf die andere Seite.

Nasen|affe (Nasalis larvatus), Schlankaffe mit bis 10 cm langer, gurkenförmiger Nase und etwa 75 cm Kopf-Rumpf-Länge; sein buntes Fell bildet an Hals und Schultern einen Kragen; Dschungelbewohner Borneos.

Nasenbären (Coatis, Nasua), Gattung etwa 60 cm langer, schlanker, hochbeiniger Kleinbären mit schmalem Kopf, spitzer Schnauze, bräunl. Fell, weißer Gesichtszeichnung und dunkel geringeltem Schwanz; tagaktive, klettergewandte Baum- und Bodentiere Amerikas, die sich von Früchten und Kleintieren ernähren (z.B. der **Rote N.**).

Nasenbeutler, die →Bandikuts.

Nasenbluten (Epistaxis), Blutung vorwiegend aus Gefäßen der Schleimhaut der vorderen Nasenscheidewand; v.a. bei Schleimhautrissen, jedoch auch bei Herz-Kreislauf-Störungen (Bluthochdruck), Bluterkrankungen, Arteriosklerose, Geschwülsten und Infekten der oberen Luftwege.

Nasenbremsen (Nasendasseln, Oestrinae), Dasselfliegen, deren Larven im Nasenrachenraum von Säugetieren leben. Die Larven der **Schafbremse** oder **Schafbiesfliege** (Oestrus ovis) rufen die →Bremsenlarvenkrankheit hervor.

Nasennebenhöhlen (Nebenhöhlen, Sinus paranasales), von der Nasenhöhle aus in die angrenzenden Knochen hinein ausgedehnte, von Schleimhaut ausgekleidete Lufträume der Nase. Beim Menschen sind die (bei der Geburt nur angelegten) paarigen N. im 12. bis 14. Lebensjahr voll entwickelt, sie können sich jedoch bis ins Alter hinein weiter ausdehnen. Die N. erstrecken sich vom mittleren Nasengang aus in den Oberkiefer **(Kiefernhöhle),** ins Stirnbein **(Stirnhöhle)** sowie in die vorderen Siebbeinzellen des Siebbeins hinein, vom oberen Nasengang aus in die hinteren Siebbeinzellen und vom oberen Winkel zw. Nasenwand und Keilbeinunterseite aus ins Keilbein **(Keilbeinhöhle).** Die N. beeinflussen als Resonatoren die Klangfarbe der Stimme.

Nasennebenhöhlen|entzündung (Sinusitis), entzündl., durch Viren oder Bakterien hervorgerufene Veränderung der Schleimhaut der Nasennebenhöhlen, der lufthaltigen Räume in den Knochen des Schädels; entweder von der Nasenhaupthöhle übergreifend (z.B. beim Schnupfen) oder von der Umgebung (z.B. Zahnwurzelvereiterung) fortgeleitet; unterschieden werden akute und chron. Entzündungen der Kiefer-, Stirn-, Siebbein- und Keilbeinhöhlen oder auch aller Nasennebenhöhlen. Zur Behandlung dienen v.a. Inhalationen und Antibiotika.

Nasenschmuck, hauptsächlich von Völkern Ozeaniens, S-Asiens, Afrikas und Südamerikas in Durchbohrungen der Nasenscheidewand oder der Nasenflügel getragene Stäbe, Knöpfe, Ringe oder Gehänge aus Holz, Knochen, Muscheln, Metall u.a., die z.T. bis über den Mund reichen. (→Piercing)

Nash [næʃ], **1)** John, brit. Baumeister, *London Sept. 1752, †East Cowes Castle (Isle of Wight) 13.5. 1835; Günstling Georgs IV., gestaltete als Stadtplaner in London Regent Street und Regent's Park, baute in Brighton den Royal Pavilion im Mogulstil.

2) John F., amerikan. Mathematiker, *Bluefield (W. Va.) 13. 6. 1928; Lehrtätigkeit in Princeton (N. J.) und Mitarbeit an versch. Forschungsprojekten am Massachusetts Institute of Technology; seine Hauptarbeitsgebiete sind die Spieltheorie und die reine Mathematik. Für Arbeiten zur Spieltheorie erhielt N. 1994 zus. mit J. C. Harsanyi und R. Selten den Nobelpreis für Wirtschaftswissenschaften.

3) Paul, brit. Maler, *London 11. 5. 1889, †Boscombe (bei Bournemouth) 11. 7. 1946; setzte sich in Lithographien und Gemälden mit den Schrecknissen der beiden Weltkriege auseinander. Beeinflusst von W. Blake und dem Surrealismus gestaltete er landschaftl. Motive, in denen sich fantast. und konstruktive Elemente zu einer magisch-poet. Komposition vereinigen.

Nashe [næʃ], Thomas, englischer Schriftsteller, *Lowestoft (Cty. Suffolk) Nov. 1567, †London 1601; setzte sich in streitbaren Pamphleten satirisch mit literar. Tendenzen sowie in Prosasatiren mit dem Puritanismus auseinander; »Der unglückl. Reisende oder Die Abenteuer des Jack Wilton« (1594) gilt als erster engl. Schelmenroman.

Nasenbären: Roter Nasenbär (Körperlänge etwa 60 cm)

Nashörner (Rhinocerotidae), Familie massiger Unpaarhufer mit hornigem Nasenaufsatz und dicker, fast nackter Haut; bis 4 m lang und bis 1,90 m hoch; Pflanzenfresser; gebären nach 15–18 Monaten Tragzeit ein Jungtier. In ind. Reservaten kommt das einhörnige **Panzer-N.** (Rhinoceros unicornis) vor, in Afrika südlich der Sahara das **Spitzmaul-N.** (Diceros bicornis) und das **Breitmaul-N.** (Ceratotherium simum) mit zwei Hörnern. BILDER S. 8

Nase (Länge bis zu 50 cm)

Nashornfische (Einhornfische, Naso), Gattung der Doktorfische im trop. Indopazifik; mit Knochenzapfen auf der Stirn.

Nashville-Davidson: Museum im Zentrum der Countrymusic

Nashornkäfer (Oryctes), Gattung der Blatthornkäfer, deren Männchen auf dem Kopf ein gebogenes Horn tragen. Der aus dem Mittelmeerraum stammende, bis 43 mm lange **Europ. N.** (Oryctes nasicornis) lebt als Larve in Holz, Gerberlohe und Kompost.

Nashornvögel (Hornvögel, Bucerotidae), Familie trop. Rackenvögel mit seitlich zusammengedrücktem Schnabel, der einen horn- oder kastenförmigen Aufsatz hat. Die Flügel sind rund und kurz, der Schwanz ist auffallend lang. Die Weibchen vieler Arten mauern sich zur Brut mit Lehm in eine Baumhöhle ein; nur der Schnabel ragt ins Freie und ermöglicht eine Fütterung durch das Männchen. Zu den N. gehören die afrikan. truthahngroßen, bodenbewohnenden **Hornraben** (Bucorvus) und der ind. **Doppelhornvogel** (Buceros bicornis). INFOKASTEN S. 8

Nashornvögel: Doppelhornvogel

Nashville-Davidson [ˈnæʃvɪl ˈdeɪvɪdsn] (bis 1963 Nashville), Hauptstadt von Tennessee, USA, am Cumberland River, 488 400 Ew.; Verlagsort der Methodisten, vier Univ.; Glas-, Leder-, Textil- u. a. Ind.; Zentrum der Countrymusic mit Konzerthalle und Museum, Vergnügungspark und bed. Tonträgerproduktion. – 1779 als Fort Nashborough gegründet.

Nasigoreng [indones. »gebratener Reis«] *das,* indones. Gericht aus gekochtem Reis, Fleisch (Schwein, Huhn), Zwiebeln, Knoblauch, Paprika und Garnelen, mit Butter, Zucker und Fleischbrühe versetzt in der Pfanne leicht geröstet.

Nasik (Nashik), Stadt im Bundesstaat Maharashtra, Indien, in den W-Ghats, 646 900 Ew.; hinduist. Wallfahrtsort; Druckerei, Baumwoll- und Seidenverarbeitung, Herstellung von Autovergasern. – Bei N. buddhist. Höhlentempel und Klöster (1. Jh. v. Chr. bis 2. Jh. n. Chr.), darunter eine Caityahalle mit monolith. Stupa in der Apsis und reliefierter, durchbrochener Fassade.

John F. Nash

Nasiriya (Nasirijeh), Stadt in S-Irak, 140 000 Ew., Mittelpunkt der Bewässerungsgebiete am unteren Euphrat.

Nashörner (von links): Panzernashorn (Länge 2,1–4 m), Spitzmaulnashorn (Länge 3–3,7 m) und Breitmaulnashorn (Länge 3,6–4 m)

Eckart von Naso

Nạso, Eckart von, Schriftsteller, *Darmstadt 2. 6. 1888, †Frankfurt am Main 13. 11. 1976; 1918–45 Dramaturg und Regisseur am Berliner Staatl. Schauspielhaus, zuletzt unter G. Gründgens Chefdramaturg; 1953/54 Chefdramaturg in Frankfurt am Main, bis 1957 in Stuttgart. N. begann mit Dramen, wurde aber v. a. bekannt mit Romanen (»Seydlitz«, 1932), Erzählungen, Novellen und biograph. Arbeiten (»Moltke«, 1937).

Nasreddịn Hodja [-'hɔdʒa] (Nasreddin Hodscha, Nasrettin Hoça), türk. Volksweiser, der im 13. Jh. gelebt haben soll, Held einer Schwanksammlung (älteste Handschrift 1571); wurde als »türk. Eulenspiegel« in Europa bekannt.

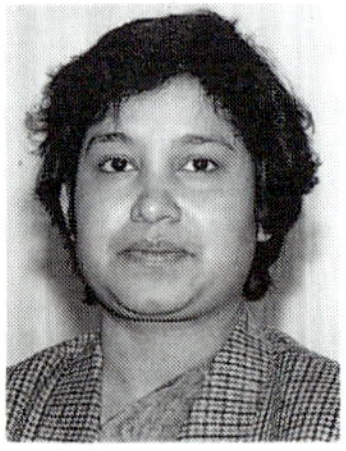

Taslima Nasrin

Nasrịn (Nasreen), Taslima, Schriftstellerin und Ärztin aus Bangladesh, *1962; Thema ihrer literar. Werke (Romane und Lyrikbände in Bengali) ist die Unterdückung der Frau in der heutigen islam. Gesellschaft; nach Veröffentlichung ihres Romans »Scham« (1993) wurde von einem islam. Gericht das Todesurteil gegen sie ausgesprochen; seit 1994 lebt N. in Schweden.

Nạssau, 1) Stadt im Rhein-Lahn-Kreis, Rheinl.-Pf., an der unteren Lahn, 5100 Ew.; Herstellung von Haushaltsartikeln. – Rathaus (Fachwerkbau, 1607–09); Burg N. (um 1125; verfiel Ende des 16. Jh., 1971 ff. wieder aufgebaut), unterhalb Ruine der Burg Stein (1234), Stammburg der Herren vom und zum Stein, sowie deren 1621 im Spätrenaissancestil erbautes Schloss (1755 und 1814/19 erweitert). – 915 erstmals erwähnt; 1348 Stadtrecht.

Nashornvögel

Die Tokos aus der Familie der Nashornvögel und die Zwergmungos sind eine sehr praktische Jagdgemeinschaft eingegangen. Wenn die Mungos durchs Gras streifen, stöbern sie gut getarnte Heuschrecken auf. Die gehören zwar auch zu ihrer Nahrung, aber diejenigen, die rasch ein paar Meter weiterschwirren, werden Beute der Tokos. Die Tokos treiben die verspielten Zwergmungos relativ rabiat zur Jagd an, warnen sie aber vor Greifvögeln und vergreifen sich auch nicht an den Mungojungen. Dabei würde deren Größe schon stimmen, denn die über einen halben Meter großen Tokos haben sonst keine Mühe, eine wesentlich größere Ratte zu verschlingen.

2) ['næsɔ:], Hauptstadt der Bahamas an der N-Küste der Insel New Providence, 172 200 Ew.; Zentrum des Handels und Bankwesens; Konservenind., Rumdestillation, Bootswerft; Tiefwasserhafen, internat. Flughafen; Fremdenverkehr.

Nạssau, seit dem 11. Jh. im Unterlahngebiet bezeugtes Grafengeschlecht (seit 1160 nach Burg N. benannt). Die Grafschaft N. (im Raum des Taunus und des Westerwaldes zw. Main, Mittelrhein, Sieg und Wetterau) wurde 1255 geteilt zw. Otto I. (†1289/90), der das Gebiet nördlich der Lahn mit Siegen und Dillenburg erhielt, und Walram II. (†um 1276), dem die südl. Gebiete mit Wiesbaden, Idstein und Weilburg zufielen. – Die **otton. Linie** teilte sich 1303 in die Linien Hadamar (ältere Linie, bis 1394) und Dillenburg, die durch Heiraten 1386 die Grafschaft Diez, 1403/04 Breda, 1530 das Fürstentum Oranien gewann. Wilhelm I. von N.-Dillenburg, seit 1544 »Prinz« von Oranien, begründete das (ältere) Haus **Oranien-N.,** das mit Wilhelm Heinrich von Oranien-N. 1689 auf den brit. Thron gelangte. Die (neue) Linie N.-Diez (seit 1607; 1652 Reichsfürsten) beerbte 1702 Oranien-N. (seitdem neueres Haus Oranien-N.) und u. a. 1711 Hadamar (jüngere Linie; seit 1607). Wilhelm VI. von Oranien-N. wurde 1815 als Wilhelm I. König der Niederlande, seitdem stellt sein Haus dort die Herrscher; für den Verlust der dt. Gebiete erhielt er das Großherzogtum Luxemburg. – Aus der **walram. Linie** stammten der Röm. König Adolf von N. (1292–98) und im 14./15. Jh. vier Mainzer Erzbischöfe. Die walram. Linie teilte sich 1355 in die Idsteiner (bis 1605) und die Weilburger Linie (1381 Erwerb der Grafschaft Saarbrücken). 1806 Vereinigung zum **Herzogtum N.** (Hptst.: Wiesbaden) und Beitritt zum Rheinbund; 1866/68 als Prov. **Hessen-N.** Preußen angeschlossen. Herzog Adolf von N. (1839–66) wurde 1890 Großherzog von Luxemburg.

Nạsser (Abd el-N., Abd an-Nasir), Gamal, ägypt. Politiker, *Beni Mor (Prov. Assiut) 15. 1. 1918, †Kairo 28. 9. 1970; 1952 maßgeblich am Staatsstreich gegen König Faruk beteiligt, wurde Oberbefehlshaber der ägypt. Streitkräfte, 1953 stellv. MinPräs., im April 1954 MinPräs. und im

Nov. 1954 auch Staatspräs. (1956 durch Wahl bestätigt). Er stand 1958–61 an der Spitze der →Vereinigten Arabischen Republik. Innenpolitisch festigte N. seine Position durch die Proklamation eines arab. Sozialismus mit dem Ziel einer Bodenreform, der Industrialisierung und dem Bau des Assuan-Staudammes. Die Verstaatlichung des Sueskanals 1956 und der Widerstand gegen die frz.-brit.-israel. Intervention sicherten ihm eine führende Stellung innerhalb der arab. Welt. N. galt neben Nehru und Tito als Wortführer der blockfreien Staaten. Der 3. Israelisch-Arab. Krieg 1967 schwächte vorübergehend seine Position.

Nassersee (Assuanstausee), der durch den Bau des Assuanhochdamms entstandene Stausee des Nils südlich von →Assuan in Ägypten, bis in die Rep. Sudan hineinreichend, 550 km lang, bis 10 km breit.

Nast [næst], Thomas, amerikan. Maler und Zeichner dt. Herkunft, *Landau in der Pfalz 27. 9. 1840, †Guayaquil (Ecuador) 7. 2. 1912; kam 1846 in die USA; ab 1855 arbeitete er als Illustrator für »Illustrated Newspaper«, ab 1862 für »Harper's Weekly«. Er zeichnete Szenen vom italien. Einigungskrieg und vom amerikan. Sezessionskrieg, später v.a. polit. Karikaturen. Von ihm stammen die amerikan. Parteisymbole: Esel (Demokraten) und Elefant (Republikaner).

Nastie [zu grch. nastós »(fest)gedrückt«] *die,* durch einen Reiz ausgelöste Krümmungsbewegung eines Pflanzenorgans, deren Richtung, unabhängig von der Reizquelle, vom Bau des Organs abhängt. Nach der Reizart unterscheidet man u.a.: **Photo-N.** (durch Lichtreiz), **Thermo-N.** (durch Wärme- oder Kältereiz), **Seismo-N.** (durch Erschütterung), **Chemo-N.** (durch chem. Reiz).

Natal, 1) ['na:tal, engl. nə'tæl] ehem. Provinz der Rep. Südafrika, →KwaZulu-Natal.

2) [na'tal] Hauptstadt und Hafen des Staates Rio Grande do Norte, Brasilien, 606 700 Ew.; Univ., kath. Erzbischofssitz; Zentrum der Salzgewinnung, Textilind., Zuckerfabriken; Flughafen.

Natalität [lat.] *die,* Geburtenhäufigkeit.

Natchez ['nætʃɪz], nordamerikan. Indianerstamm am unteren Mississippi; seit 1730 in drei Kriegen mit den Franzosen fast aufgerieben; die wenigen Nachfahren leben heute in Oklahoma. Die N. lebten von Feldbau. In ihren befestigten Siedlungen standen auch Versammlungshäuser und Tempel (auf Erdpyramiden). Die Oberhäuptlinge, denen Abstammung von der Sonne zugeschrieben wurde, übten absolute Herrschaft aus. Span. Konquistadoren trafen die N.-Kultur 1541 noch in voller Blüte an.

Nathan, Hofprophet und Ratgeber Davids; verhieß ihm die ewige Dauer seiner Dynastie (2. Sam. 7, 11–16).

Nathans ['neɪθənz], Daniel, amerikan. Mikrobiologe, *Wilmington (Del.) 30. 10. 1928; zerlegte mithilfe von Restriktionsenzymen erstmals die DNS eines Virus (Affenvirus SV 40) und beschrieb die Genlokalisation bei diesem Virus; erhielt 1978 mit W. Arber und H. O. Smith den Nobelpreis für Physiologie oder Medizin.

Daniel Nathans

Nation [aus lat. natio »Geburt«, »Geschlecht«, »Art«, »Stamm«, »Volk«, zu nasci »geboren werden«] *die,* polit. Gemeinschaft, gekennzeichnet durch das Bewusstsein der polit. und/oder kulturellen Eigenständigkeit, das Bewusstsein einer als gemeinsam empfundenen Geschichte, Tradition, Religion, Kultur und Sprache oder eines gemeinsamen Wohngebietes und den Willen zur Zusammengehörigkeit.

Seit dem 18. Jh. entwickelte sich die N. zu einem Kernbegriff des staatlich-polit. Denkens. Die westeurop. (frz.) Auffassung begreift seitdem N. als eine historisch geformte Willensgemeinschaft, die in der Einheit des Staatswesens hervortritt **(Staats-N.).** Die Eigenart der dt. Geschichte, die erst spät einen dt. Nationalstaat hervorbrachte, hat sich in einer weniger eindeutigen Vorstellung von N. niedergeschlagen (→deutsche Nation). Die dt. Denker der klass. und romant. Epoche (J. G. Herder, J. Möser, J. G. Fichte) betonten die volkhaftkulturelle, vorstaatl. N. **(Kultur-N.).** Das Nationalstaatsprinzip beruht auf der Verbindung der Idee der N. mit den seit der Frz. Revolution lebendig gebliebenen polit. Grundsätzen der Volkssouveränität und der Selbstbestimmung: Der Staat ist nicht mehr das Ergebnis einer Territorialpolitik, sondern er wird nur durch die in ihm sich organisierende N. legitimiert **(Nationalstaat).** Dieses Prinzip ist seit dem frühen 19. Jh. ein wirkungsvolles polit. Postulat, das als Rechtfertigung für die Gründung neuer Staaten diente (z.B. Dtl., Italien, Wiederherstellung Polens). Mit der Ausbildung der modernen N. ab diesem Zeitpunkt gewann auch das Bewusstsein, einer polit. und sozialen Gemeinschaft anzugehören, die eine staatlich organisierte N. bildet oder bilden will **(Nationalbewusstsein),** an Bedeutung. (→Nationalismus)

📖 SCHULZE, HAGEN: *Staat u. N. in der europ. Geschichte. München* ²*1995.* – HOBSBAWM, E. J.: *Nationen u. Nationalismus. Mythos u. Realität seit 1780. A. d. Engl. Neuausg. München 1996.* – *Mythos u. N., hg. v.* H. BERDING. *Frankfurt am Main 1996.*

national, 1) die Nation betreffend; innerstaatlich; Ggs.: international.

2) überwiegend die Interessen der eigenen Nation vertretend, vaterländisch.

Gamal Abd el-Nasser

National Association for the Advancement of Colored People ['næʃnl əsəʊsɪ'eɪʃn fɔ: ði: əd'vɑ:nsmənt əv 'kʌləd 'pi:pl], Abk. **NAACP,** Bürgerrechtsorganisation in den USA, die sich für

Nationales Olympisches Komitee: Emblem des NOK für Deutschland

die Überwindung der Rassendiskriminierung einsetzt; gegr. 1909. Sie wird von Farbigen und Weißen getragen; ihr wichtigster Erfolg war das Urteil des Obersten Bundesgerichts gegen die Rassentrennung in Schulen (1954).

National Banks ['næʃnl 'bæŋks], zu den Commercial Banks zählende Gruppe privater Kreditinstitute in den USA, die im Ggs. zu den State Banks nicht aufgrund der Genehmigung eines einzelnen Staates, sondern auf der Grundlage eines Bundesgesetzes tätig sind. N. B. müssen dem →Federal Reserve System angehören.

National Broadcasting Company ['næʃnl 'brɔːdkɑːstɪŋ 'kʌmpənɪ], →NBC.

Nationaldemokratische Partei Deutschlands, 1) Abk. **NPD,** 1964 gegr. Partei in der Bundesrep. Dtl. (Fusion der Dt. Reichspartei mit kleineren Rechtsgruppen), wurde zum Sammelbecken neonazist. und nationalist. Kräfte; 1966/68–72 zeitweilig in sieben Landtagen vertreten.

2) Abk. **NDPD,** 1948–90 polit. Partei der DDR, als Mitglied des Demokrat. Blocks von Okt. 1949 bis Dez. 1989 an der Reg. der DDR beteiligt; schloss sich im März 1990 dem Bund Freier Demokraten an und ging mit ihm in der FDP auf.

Nationaldenkmal, aus nat. Anspruch heraus v.a. im 19. Jh. errichtetes Denkmal, in dem sich die Nation zur Selbstdarstellung brachte und in dem die Erinnerung an herausragende Ereignisse historisch-polit. und kulturellen Charakters wach gehalten werden sollte. Am Beginn dieses Konzepts des N. steht das Panthéon in Paris.

Nationale Forschungs- und Gedenkstätten der klassischen deutschen Literatur in Weimar, →Stiftung Weimarer Klassik.

Nationale Front der DDR, bis 1973 Nationale Front des Demokratischen Deutschland, gegr. 1949, umfasste unter Führung der SED im Sinne ihrer Blockpolitik alle polit. Parteien und Massenorganisationen der DDR; bereitete u.a. Wahlen ideologisch vor und stellte die Listen der Wahlkandidaten auf; 1989 faktisch aufgelöst.

National|einkommen, Bez. für das Volkseinkommen in sozialist. Planwirtschaften.

Nationaler Verteidigungsrat der DDR, Abk. **NVR,** am 10. 2. 1960 gegr. Gremium, das unter Leitung eines durch die Volkskammer der DDR gewählten Vors. (1960–71 W. Ulbricht, 1971–89 E. Honecker, Okt.–Dez. 1989 E. Krenz) und zwölf weiterer, durch den Staatsrat berufener Mitgl. die Landesverteidigung organisieren und sichern sollte; im Dez. 1989 aufgelöst. – In den Protokollen der Sitzungen vom 20. 9. 1961 und vom 3. 5. 1974 ist die Anwendung von Schusswaffen bei Grenzverletzungen an der innerdt. Grenze festgehalten.

Nationales Komitee für Elitesport, Abk. **NKES,** koordinierendes Organ zur Förderung von Spitzensportlern in der Schweiz, gegr. 1966, Sitz: Bern.

Nationales Olympisches Komitee, Abk. **NOK,** Körperschaft, die Sachwalter und höchster Repräsentant der olymp. Bewegung in einem Staat ist. Präs. des NOK für Dtl. ist W. Tröger.

Nationale Volks|armee, Abk. **NVA,** die Streitkräfte der DDR; 1956 aus den Verbänden der seit 1952 bestehenden Kasernierten Volkspolizei (KVP) und der seit 1950 getarnt aufgebauten See- und Luftstreitkräfte aufgestellt. Die NVA unterstand dem Oberbefehl des Warschauer Pakts. Oberste nat. militär. Führungs- und Verwaltungsbehörde war das Ministerium für Nat. Verteidigung, weisungsbefugte höhere staatl. Institutionen waren der Staatsrat sowie der Nat. Verteidigungsrat. Am 24. 1. 1962 wurde die allg. Wehrpflicht für Männer vom 18. bis 50. Lebensjahr mit einer Grundwehrdienstzeit von 18 Monaten eingeführt. Kriegsdienstverweigerung war nicht möglich, jedoch konnten Wehrpflichtige aus religiösen oder ähnl. Gründen den Dienst mit der Waffe ablehnen und als sog. Bausoldaten waffenlosen Wehrdienst in Baueinheiten der NVA leisten. Die Präsenzstärke der NVA betrug 1989 173 000 Mann (darunter 92 000 Wehrpflichtige). Für den Mobilmachungsfall war die Verstärkung durch 323 000 Reservisten vorgesehen. Im Zuge der Vereinigung Dtl.s hatte die NVA am 3. 10. 1990 als eigenständige Streitkraft zu bestehen aufgehört. Die zu diesem Zeitpunkt existierenden Einheiten, Verbände und Dienststellen wurden z. T. mit der Absicht der vorläufigen oder längerfristigen Übernahme im Rahmen der Bundeswehr »reaktiviert«. Mit der Reduzierung der Truppenstärke der Bundeswehr ab 1990 sank die Zahl der im Osten stationierten Soldaten auf etwa 50 000 Mann (darunter etwa 25 000 frühere Offiziere und Unteroffiziere).

📖 Koop, V.: *Abgewickelt? Auf den Spuren der N. V. Bonn 1995.*

Nationalfarben, die →Landesfarben.

Nationalfeiertag, i.d.R. gesetzl. Feiertag zur Erinnerung an ein für die jeweilige Nation wichtiges polit. Ereignis.

Nationalflagge, Hoheits- und Ehrenzeichen eines Staates (Staatsflagge). (→Flagge)

Nationalgalerie, →Nationalmuseum.

Nationalgarde, 1) (Garde nationale) Bürgerwehr in Frankreich; bestand mit Unterbrechungen 1789–1871.

2) (National Guard) freiwillige Miliztruppe in den USA; einerseits militär. Organ der Bundesstaaten (zur Aufrechterhaltung der öffentl. Ordnung), andererseits Reserveformation für die US-Streitkräfte, die vom Mobilisierungstag ab dem Bund zur Verfügung zu stehen hat. Im Fall des nat. Notstandes kann der Präs. der USA die N. einberufen, ohne den Aufruf der Gouv. der Einzelstaaten abwarten zu müssen.

Nationalhymne, patriot. Gesang mit (meist) volkstüml. Melodie, vielfach als Ausdruck des National- und Staatsbewusstseins empfunden. N. werden bei feierlichen polit. und sportl. Anlässen gespielt und gesungen.

Nationalisierung, 1) Überführen von privaten Produktionsmitteln oder Bodenschätzen in Staatseigentum, gegen Entschädigung oder entschädigungslos. (→Konfiskation)

2) die Enteignung ausländ. Besitzes und dessen Übernahme durch inländ. Stellen. (→Eigentum, Abschnitt Völkerrecht)

Nationalismus *der,* auf den Begriff der Nation und den souveränen Nationalstaat als zentrale Werte bezogene Ideologie. Nationalbewusstsein und N. sind geeignet, soziale Großgruppen zu integrieren und abzugrenzen, wobei der N. nach außen und nach innen militant auftreten kann; er ist Mittel versch. Bewegungen zur Ausbildung einer eigenen Nation. Der aggressive N., der die eigene Nation absolut setzt (Chauvinismus) und damit die Existenz anderer Nationen bedroht, war bes. für die Zeit zw. den beiden Weltkriegen charakteristisch. Die danach in Europa als Folge v.a. der Weltkriegserfahrungen und der internat. Bündnisbeziehungen zunächst relativierte polit. Wirksamkeit des N. wuchs seit 1989 mit dem polit. Umbruch in Mittel-, O- sowie SO-Europa und dem damit verbundenen offenen Ausbruch schwelender Nationalitätenfragen, bes. seit dem Zerfall der UdSSR und Jugoslawiens (1991), wieder an. Mit dem Erstarken des islam. Fundamentalismus gewann der N. bes. im arab. Raum an Bedeutung.

📖 SCHIEDER, T.: *Der Nationalstaat in Europa als histor. Phänomen. Köln 1964.* – DEUTSCH, K. W.: *Der N. u. seine Alternativen. A. d. Amerikan. München 1972.* – ROTHERMUND, D.: *N. u. sozialer Wandel in der Dritten Welt, in: N. u. sozialer Wandel, hg. v.* O. DANN. *Hamburg 1978.* – WINKLER, H. A. *u.* SCHNABEL, T.: *Bibliographie zum N. Göttingen 1979.* – *N., hg. v.* H. A. WINKLER. *Königstein im Taunus ²1985.* – MICKSCH, J.: *Kulturelle Vielfalt statt nat. Einfalt. Eine Strategie gegen N. u. Rassismus. Frankfurt am Main 1989.* – POLIAKOV, L.: *Der arische Mythos. Zu den Quellen von Rassismus u. N. A. d. Frz. Hamburg 1993.* – DANN, O.: *Nation u. N. in Deutschland, 1770–1990. München ³1996.*

Nationalität, 1) die Zugehörigkeit zu einer Nation; im Rechtssinn die Staatsangehörigkeit.

2) nat. Minderheit innerhalb eines Staates.

Nationalitätenfrage, Bez. für polit., wirtsch.-soziale und kulturelle Probleme, die sich aus dem Zusammenleben versch. (Teil-)Nationen in einem Staat ergeben. Die N. spielt v.a. in Vielvölkerstaaten eine große Rolle, aber ebenso in Nationalstaaten, in denen nat. Minderheiten polit. Mitbestimmung und Autonomierechte (z.B. Recht auf Benutzung der eigenen Sprache) fordern. – Die N. entwickelte sich mit dem Verständnis von Staat und Gesellschaft als →Nation. In Staaten mit Gruppen unterschiedl. Selbstverständnisses entstand, bes. seit dem 19. Jh., die Notwendigkeit einer **Nationalitätenpolitik,** deren Maßnahmen sowohl Gewährung von Autonomierechten als auch Unterdrückung (Vernichtung, Ausweisung) von Nationalitäten und diskriminierende oder gewaltsame Assimilation umfassen kann.

Im 19. und frühen 20. Jh. erlangte die N. mit dem beginnenden Freiheitskampf der unterdrückten Völker besondere Brisanz in Mittel-, O- und SO-Europa sowie auf der Arab. Halbinsel. Im Vielvölkerstaat Österreich-Ungarn (1867–1918) misslangen alle Versuche, die N. in den beiden Reichshälften (Zis- und Transleithanien) zu lösen; nach seinem Zerfall 1918 entstanden auf seinem Boden mit den Pariser Vorortverträgen 1919/20 drei Nachfolgestaaten; das dabei proklamierte Selbstbestimmungsrecht der Völker wurde allerdings durch die Grenzziehungen seitens der Ententemächte verletzt, und neue Minderheitensituationen entstanden (u.a. Sudetendeutsche in der Tschechoslowakei, Ungarn in Rumänien, der Slowakei, Karpatoukraine und Wojwodina). – Auch das Osmanische Reich (um 1300–1918/23) vermochte keine erfolgreichen Ansätze zur Lösung der N. auf dem Balkan (→Balkankriege) sowie gegenüber den Arabern zu entwickeln: Vor und während des 1. Weltkrieges kam es zum Völkermord an den Armeniern; seine Auflösung führte im arab. Raum ebenfalls zur Entstehung neuer Nationalstaaten. Die Bemühungen der Kurden um Anerkennung ihrer nat. Identität blieben erfolglos. – Neben versch. anderen europ. nat. Konflikten entstanden v.a. durch die Veränderungen im Gefolge des 2. Weltkrieges neue Krisenherde. – Die mit der Beendigung des Ost-West-Konflikts und dem Zusammenbruch des Ostblocks 1989/91 einhergehenden neuen nat. Eigenentwicklungen führten zu zunehmenden Spannungen (z.B. im Zweivölkerstaat Tschechoslowakei). Im Vielvölkerstaat Jugoslawien brachen die nat. Gegensätze nach der Phase der kommunist. Herrschaft wieder auf. Nach seinem Zerfall kam es ab 1991/92 zu krieger. Auseinandersetzungen um die Findung eigener nat. Identität. Bes. in →Bosnien und Herzegowina eskalierte sie ab 1993 in einem blutigen Bürgerkrieg. – Im zarist. Russland war die N. weitgehend unbeachtet geblieben; die v.a. durch Eroberungen seit dem 17.–19. Jh. dem Russ. Reich angeschlossenen nichtruss. Völker (z.B. Polen, Ukrainer, Finnen, Balten) waren, in Verbindung mit dem Panslawismus, häufig einer brutalen Russifizierungspolitik unterworfen worden. Nach dem Sturz des Zaren und der Errichtung eines kommunist. Staates auf föderativer Grundlage (1922 als Sowjetunion konstituiert) fand die N. zwar durch die Gewährung der Autonomie (in unterschiedl. Form) für die einzelnen Völkerschaften Beachtung, wurde jedoch durch die Alleinherrschaft der (russisch dominierten) bolschewist. Partei, die gewaltsame Einführung einheitl. polit. und wirtsch. Verhältnisse sowie die Nivellierung der kulturell-ethn. Unterschiede weitgehend wieder aufgehoben und blieb damit formal. Unter Stalins Herrschaft (1924/27–53) kam es zur Deportation ganzer Nationalitäten aus ihrem Heimatgebiet (z. B. Wolgadeutsche, Krimtataren); in den wirtsch. Zentren nichtruss. Gebiete wurden Russen angesiedelt, die dort die wirtschaftlich-polit. Elite stellten. Im Rahmen der sowjet. Reformpolitik seit 1985 erlangte die in der UdSSR ungelöste N. erneut Aktualität mit der (Neu-)Formierung von Autonomie- und Unabhängigkeitsbewegungen. Jahrzehntelang aufgestaute Nationalitätenprobleme zwischen oder innerhalb der Unionsrepubliken entluden sich in blutigen, oft bürgerkriegsähnl. ethnischen Konflikten (z. B. zw. Armeniern und Aserbaidschanern, zw. Georgiern und Abchasen sowie Südosseten) und erschütterten die Sowjetunion, die mit den Unabhängigkeitserklärungen der Unionsrepubliken und der Gründung der Gemeinschaft Unabhängiger Staaten (GUS) 1991 ihr Ende fand. – Zur N. in Afrika →Apartheid, →Tribalismus.

📖 *Nationen, Nationalitäten, Minderheiten. Probleme des Nationalismus in Jugoslawien, Ungarn, Rumänien, der Tschechoslowakei, Bulgarien, Polen, der Ukraine, Italien u. Österreich 1945–1990, hg. v.* V. HEUBERGER *u. a. Wien 1994.* – SINGER, R.: *Stichwort Nationalitätenkonflikte. München 1995.*

Nationalitätenstaat (Vielvölkerstaat), ein Staat, dessen Bevölkerung ethnisch nicht homogen ist und dessen einzelnen Volksgruppen ein gewisser Grad an Selbstverwaltung gewährt wird, z. B. Österreich-Ungarn (1867–1918), Sowjetunion (1917/22–91), Jugoslawien (1918/19–91/92). Ggs.: Nationalstaat.

Nationalitätszeichen (Unterscheidungszeichen), Staatszugehörigkeitszeichen für Kfz (ÜBERSICHT Kraftfahrzeugkennzeichen) und im Luftverkehr.

Nationalkirche, eine kirchenrechtlich selbstständige Kirche, die eine Nation im staatl. oder ethn. Sinn umfasst oder von ihr als Einheitskirche anerkannt wird. Beispiele für N. sind die unabhängigen altoriental. und orth. Kirchen und die luth. Kirchen Skandinaviens. Die kath. Kirche kennt aufgrund ihres Kirchenverständnisses keine volle kirchenrechtl. Selbstständigkeit ihrer (nat.) Teilkirchen.

Nationalkomitee Freies Deutschland, führende Organisation der während des 2. Weltkriegs in der UdSSR entstandenen Bewegung »Freies Deutschland«, gegr. auf sowjet. Veranlassung im Juli 1943 in Krasnogorsk bei Moskau von dt. Kriegsgefangenen und kommunist. Emigranten, mit dem Ziel, durch Sturz des Hitlerregimes den Krieg zu beenden. Der Bund Dt. Offiziere arbeitete mit dem N. F. D. eng zusammen. Zahlreiche Mitgl. des N. F. D. wurden nach dem Zusammenbruch des nat.-soz. Regimes 1945 in Schlüsselstellungen der SBZ eingesetzt. N. F. D. und Bund Dt. Offiziere lösten sich im Nov. 1945 auf.

📖 *Das N. »F. D.« u. der Bund Deutscher Offiziere, hg. v.* G. R. ÜBERSCHÄR. *Frankfurt am Main 1995.*

Nationalkonvent, →Konvent.

Nationalliberale Partei, 1866 gebildete rechtsliberale Partei (Gründungsprogramm 12. 6. 1867; in Württemberg unter dem Namen Dt. Partei, in Bayern Fortschrittspartei); sie war ein Zusammenschluss des rechten Flügels der Dt. Fortschrittspartei mit liberalen Gruppen in den von Preußen 1866 annektierten Provinzen. Die N. P. unterstützte Bismarcks Politik der Einigung Dtl.s »von oben« und galt daher als »Reichsgründungspartei«. Unter J. Miquel wurde die Partei zur anpassungsbereiten, aber auch unentbehrl. Reg.partei (1871–81 stärkste Partei im Reichstag). Nach ihrer Auflösung 1918 gründete G. Stresemann die Dt. Volkspartei, die die Tradition der N. P. fortsetzte, während eine Minderheit mit Politikern der Fortschrittl. Volkspartei die Dt. Demokrat. Partei ins Leben rief.

Nationalmannschaft, *Sport:* vom jeweiligen nat. Fachverband getroffene Auswahl von Spitzensportlern für internat. Wettkämpfe.

Nationalmuseum (Nationalgalerie), Bez. für a) ein überregional bed. Museum, in dem ausgewählte nat. Kunst- und Kulturgüter präsentiert werden (Dtl., Italien, Griechenland und Dänemark), b) eine Sammelstätte des künstler. und kulturellen Eigentums der Nation (z. B. Großbritannien, Frankreich, USA). Die Entwicklung der Museen in den letzten Jahrzehnten hat des Öfteren zur Überschneidung und Vermischung der beiden Aufgaben geführt. Begriff und Gründungen stehen in engem Zusammenhang mit der Herausbildung des Nationalbewusstseins.

Nationalökonomie, die →Volkswirtschaftslehre.

Nationalpark, großräumige Naturlandschaft, die durch ihre besondere Eigenart oft keine Parallelen auf der Erde mehr hat; Gebiet von nat. Bedeutung, das i. d. R. im Besitz des Staates ist und durch diesen finanziert und verwaltet wird; steht

Nationalpark: Der Müritz-Nationalpark um den größten See der Mecklenburgischen Seenplatte wurde 1990 eingerichtet

unter strengem Naturschutz mit weitgehenden Nutzungsverboten, jedoch sind geeignete Erholungseinrichtungen zugelassen. In Dtl. gibt es die N. »Bayerischer Wald« (gegr. 1970), »Berchtesgaden« (1978), »Schleswig-Holstein. Wattenmeer« (1985), »Niedersächs. Wattenmeer« (1986), »Hamburg. Wattenmeer« (1990), »Vorpommersche Boddenlandschaft« (1990), »Jasmund« (1990), »Müritz-Nationalpark« (1990), »Hochharz« (1990), »Sächsische Schweiz« (1990); »Oberharz« (1994); »Unteres Odertal« (1995), »Hainich« (1998). ÜBERSICHT Naturparks

Nationalprodukt, veraltete Bez. für Sozialprodukt.

Nationalrat, in Österreich die erste gesetzgebende Kammer des Bundes (→Österreich, polit. System); in der Schweiz eine der beiden Kammern der Bundesversammlung, deren 200 Mitgl. von der Bev. direkt gewählt werden (→ Schweiz, polit. System). In beiden Ländern ist N. auch Titel für die Abgeordneten des Nationalrats.

Nationalsozialismus, nach dem 1. Weltkrieg in Dtl. aufgekommene, radikal völkisch-nat., extrem chauvinist., rassist. und antisemit. politische Bewegung sowie die darauf basierende faschistisch-diktator. Herrschaft im »Dritten Reich« 1933–45 (→deutsche Geschichte). In der Ideologie des N. flossen geistige und soziale Strömungen zusammen, deren Gedankengut weite Kreise über die eigentl. dt.-völk. Bewegung hinaus erfasste: auf Expansion gerichteter Nationalismus, der eine Weltmachtstellung für ein Mitteleuropa beherrschendes Dtl. forderte; Bestrebungen, die Nation durch innere soziale Versöhnung des dt. Volkes über die Klassengegensätze hinweg unter Ablehnung des internat. »marxist.« Sozialismus zur Machtpolitik nach außen zu befähigen; auf Volkstums- und Rassentheorien gründende antisemit. Feindbilder, die bei sozial verunsicherten kleinbürgerl. und bäuerl. Bev.gruppen polit. Rückhalt fanden. – Die tief greifenden Erschütterungen, die der 1. Weltkrieg bewirkte, verliehen dem zunächst noch wenig zielgerichteten Ideenkonglomerat des N. in der labilen, durch Umsturz, wirtsch. Not, Versailler »Friedensdiktat« und mangelnde demokrat. Substanz vorbelasteten Weimarer Rep. erhebl. Sprengwirkung: In den »Sündenböcken« KPD und SPD machte man konkrete Feinde aus, und bes. der Antisemitismus bot ein Deutungsmuster für Niederlage und Umsturz (angebl. Weltmachtstreben des Judentums, verkörpert in den marxist. Parteien und im »internat. Kapitalismus«), das von Gruppen, die den alten Machteliten nahe standen (Alldeutsche, DNVP) oder sozialen Abstieg befürchteten, propagandistisch gezielt verbreitet wurde. Aus einer der irrationalen und extremist. Protestgruppen, die auf diesem Boden emporwucherten, ging die →Nationalsozialistische Deutsche Arbeiterpartei (NSDAP) hervor.

Als eigentl. Programm des N. muss die einfache polit. Gesamtkonzeption gelten, die A. →Hitler (seit 29. 7. 1921 Vors. der NSDAP) seit 1920/21 propagierte. In der hingebungsvoll vertretenen Grundposition, dass sich das dt. Volk gegen den konzentrierten Angriff des Judentums wehren und zu neuer, seinem Elitecharakter angemessener Großmachtstärke aufsteigen müsse, besaßen Hitler und die Propaganda des N. ein auf ein eingängiges Freund-Feind-Schema reduziertes polit. Erklärungsmodell. Von seiner Überzeugung von der fast unbegrenzten Manipulierbarkeit des Menschen bestärkt, sah Hitler seine zentrale Aufgabe und die der NSDAP darin, die Willenskraft und Tatbereitschaft der Massen auf das Ziel zu lenken, eines Tages gewaltsam die Träger der 1918 angeblich über Dtl. hereingebrochenen »Judenherrschaft« zu beseitigen. Die nat.-soz. Weltanschauung, die Hitler v.a. in »Mein Kampf« (1924/25) und in seinem »Zweiten Buch« (1928) darlegte, ist keine im Einzelnen ausgearbeitete, von Widersprüchen freie Lehre. Im Zentrum stehen ein radikaler, universaler, rassisch begründeter Antisemitismus (der den Kampf gegen Marxismus, Bolschewismus, Pazifismus, Liberalismus, Demokratie als angeblich jüd. Existenzweisen einschließt) und die Lebensraumdoktrin. Ausgangspunkt ist die Auffassung von Geschichte als einem stetigen Kampf der Völker um Selbsterhaltung und um Sicherung und Vermehrung des dazu notwendigen Lebensraums. Siegreich bleibt jeweils das Stärkere, d.h. »rassisch Wertvollere«; als Endziel der Geschichte propagierte Hitler die Herrschaft eines »Herrenvolkes«. Im Rahmen dieses rassist., die Ebenbürtigkeit aller Menschen verneinenden Denkschemas bildet sich – gleichsam als Unterfaktor – die »rassisch wertvolle« Persönlichkeit aus, die einen Führungsanspruch gegenüber der sich unterordnenden Volksgemeinschaft erheben darf (→Führerprinzip). Im jüd. Volk sah Hitler den Gegner dieser »Naturgesetze«; für das »rassisch hoch stehende«, zahlenmäßig zunehmende dt. Volk leitete er daher die zentrale Aufgabe ab, die Juden zu bekämpfen und neuen Lebensraum zu erobern. Der Krieg galt dabei als ein legitimes Mittel; programmat. Einzelforderungen wurden in erster Linie unter dem Gesichtspunkt ihrer agitator. Verwendbarkeit und Integrationskraft betrachtet.

Grundlegend für den Erfolg des N. in Dtl. vor und nach 1933 war, dass er einer breiten ideolog., politisch wirksamen Strömung in der tief greifenden sozialen Krise einer verspäteten bürgerlich-industriellen Gesellschaft mit seiner Propaganda und mit seinem gewalttätigen Aktivismus vielfältige Möglichkeiten zur Identifikation und zur Aggressionsentladung eröffnete.

Die Ernennung Hitlers zum Reichskanzler am 30. 1. 1933 leitete den 18-monatigen Prozess der nat.-soz. »Machtergreifung« ein; der »Tag von Potsdam« (21. 3. 1933, Staatsakt zur ersten Sitzung des neuen Reichstages) sollte das Bündnis des kaiserl. Dtl. mit dem neuen »tausendjährigen« Reich zur Schau stellen. Gestützt auf die weitgehende (z.T. durch Terror bedingte) Loyalität von Bürokratie und Militär geschah der Machtwechsel durch die Eroberung machtpolitisch entscheidender Positionen (Länderreg., Eindringen der Gauleiter in die regionalen staatl. Führungsämter, Geheime Staatspolizei, Errichtung des Reichsministeriums für Volksaufklärung und Propaganda), durch die zwangsweise, z.T. offen terrorist. Ausschaltung polit. Gegner und ihrer Organisationen (→Reichstagsbrand, →Ermächtigungsgesetz, Parteien- und Gewerkschaftsverbot, →Konzentrationslager); daneben erfolgte die Beseitigung rechtsstaatl. Sicherungen und die »Gleichschaltung« und Lähmung polit. und gesellschaftl. Institutionen (Parlamente, Länder, Presse, Berufsverbände) sowie die Einschüchterung potenziellen Widerstands. Nach Hindenburgs Tod am 2. 8. 1934 vereinigte Hitler die Ämter des Reg.chefs und Reichspräs. als »Führer und Reichskanzler« auf sich; auf den Ebenen unterhalb des »Führers« entstand keine eindeutige Aufgabenverteilung zw. staatl. und Parteiinstanzen. Der N. beanspruchte, die »monolith. Einheit« des polit. Willens geschaffen und organisiert zu haben, die er zuvor gegen Demokratie, Parlamentarismus und den Pluralismus polit. und gesellschaftl. Gruppen gefordert hatte. Rascher gewaltsamer Übergriff auf polit. Gegner (Kommunisten, Sozialdemokraten), Repressalien gegen Juden (ab 1935/38 forciert, →Judenverfolgungen, →Kristallnacht) sowie Kirchen (→Kirchenkampf) und Vertreibungsmaßnahmen erhöhten die gewünschte psycholog. Wirkung propagandist. Agitation. (→Geheime Staatspolizei).

Auch nach dem Abschluss der Machtergreifungsphase blieb das Spannungsfeld von Parteidienststellen und Staatsapparat erhalten; Fraktionen innerhalb derselben Organisation (auch in dem zunehmend mächtiger werdenden Abwehr- und »Überwachungsorden« SS) befehdeten einander, was in der Konkurrenz um die Gunst der obersten Entscheidungsinstanz die Radikalisierung von Maßnahmen häufig erst herbeiführte. Den Anspruch auf Überwindung des tradierten Wirtschafts- und Sozialsystems hat der N. nie aufgegeben. In den Jahren der nat.-soz. Herrschaft zeichneten sich neue Wege des Aufstiegs und der Elitebildung weitgehend unabhängig von sozialer Herkunft und materieller Lage ab und ließen Dtl. trotz geistiger und polit. Unfreiheit für viele als eine sozial offenere Gesellschaft als zuvor erscheinen. Die relative Stabilität des Systems und die Gefolgschaft, die es bis weit in den 2. Weltkrieg hinein fand, beruhten darauf, dass es dem N. gelang, sich Zustimmung aus allen sozialen Schichten zu sichern. Darin bestand auch eine der Hauptschwierigkeiten, vor denen die Widerstandsbewegung gegen das Regime stand. Für den sozialen Wandel der dt. Gesellschaft waren die mit der Aufrüstungspolitik eingeschlagenen Modernisierungstendenzen erheblich wirksamer als die in die vorindustrielle Welt zurückweisenden sozial- und agrarromantischen, großstadtfeindl. Vorstellungen (»Blut und Boden«), die in der Propaganda, in der Kulturpolitik und in der Tätigkeit versch. nat.-soz. Organisationen überwogen.

Zum Nachkriegsprogramm der Mächte der Anti-Hitler-Koalition wie auch der dt. Widerstandsbewegung gehörte die Forderung nach Beseitigung aller nat.-soz. Organisationen und des nat.-soz. Geistes als Voraussetzung für die Entstehung eines demokrat. Staatswesens in Dtl. (→Entnazifizierung). Die Zerschlagung der Organisationen nahmen die Besatzungsmächte vor. Eine offene und vorurteilslose Auseinandersetzung mit Ursachen, Ergebnissen und Schuld des N. stieß (und stößt z.T. noch heute) bei großen Teilen der dt. Bev. auf vielfältige Widerstände. – Der Versuch, den N. organisatorisch oder ideologisch wieder zu beleben (→Neofaschismus), gilt in Dtl. als verfassungsfeindlich (Art. 18 GG) und wird mit Verbot (Art. 21 GG) der Organisation geahndet. BILDER deutsche Geschichte, Europa, Italien (Geschichte)

📖 *Ploetz, Das Dritte Reich. Ursprünge, Ereignisse, Wirkungen, hg. v.* M. BROSZAT *u. a. Freiburg im Breisgau u. a. 1983.* – REBENTISCH, D.: *Führerstaat u. Verwaltung im Zweiten Weltkrieg. Stuttgart 1989.* – HILDEBRAND, K.: *Deutsche Außenpolitik 1933–45. Kalkül oder Dogma? Stuttgart u. a. [5]1990.* – *Faschismus u. N., hg. v.* K. D. BRACHER *u.* L. VALIANI. *Teilw. a. d. Italien. Berlin 1991.* – JÄCKEL, E.: *Hitlers Herrschaft. Vollzug einer Weltanschauung. Stuttgart [3]1991.* – BRACHER, K. D.: *Die dt. Diktatur. Entstehung, Struktur. Folgen des N. Köln [7]1993.* – *Anatomie des SS-Staates, Beiträge v.* H. BUCHHEIM *u. a. Neuausg. München [6]1994.* – THAMER, H.-U.: *Verführung u. Gewalt. Deutschland 1933–1945. Sonderausg. Berlin 1994.* – HILDEBRAND, K.: *Das Dritte Reich. München [5]1995.* – KERSHAW, I.: *Der NS-Staat. Geschichtsinterpretationen u. Kontroversen im Überblick. A. d. Engl. Neuausg. Reinbek 10.–13. Tsd. 1995.* – KOGON, E.: *Der SS-Staat. Das System der dt. Konzentrationslager. Neuausg. München [8]1995.* – FREI, N.: *Der Führerstaat. Nat.-soz. Herrschaft 1933 bis 1945. München [4]1996.* – *Hb. zur »Völk. Bewegung« 1871–1918, hg. v.* U. PUSCHNER *u. a. München u. a. 1996.* – HILLGRUBER, A.: *Der zweite Weltkrieg 1939–45. Kriegsziele u. Strategie der großen Mächte. Stuttgart u. a. [6]1996.*

Nationalsozialistische Deutsche Arbeiterpartei, Abk. **NSDAP,** von 1919/20 bis 1945 bestehende extrem nationalist., antisemitisch-rassist. dt. Partei, polit. Plattform des Nationalsozialismus, 1933–45 einzige zugelassene Partei in Dtl.; gegr. am 5. 1. 1919 als **Dt. Arbeiterpartei** in München, die erst mit dem Wirken A. Hitlers (ab Sept. 1919) bekannt wurde. Am 24. 2. 1920 gab die in NSDAP umbenannte Partei ihr vom Gründer A. Drexler und Hitler zusammengestelltes 25-Punkte-Programm bekannt; es verlor später seine Verbindlichkeit zugunsten von Hitlers Vorstellungen (v. a. in »Mein Kampf« dargelegt). Die NSDAP sah sich als polit. Bewegung mit militär. Charakter, die programmatisch und organisatorisch ganz auf die Person Hitlers als »Führer« ausgerichtet war (»Führerpartei«). Nach dem Scheitern des →Hitlerputsches (Nov. 1923) wurde die NSDAP verboten und zerfiel.

Nach der Neugründung (27. 2. 1925) der NSDAP und ihrer Entwicklung zur Massenpartei (Ende 1925 27000, Sept. 1929 150000, Jan. 1933 1,4 Mio., 1945 rd. 8,5 Mio. Mitgl.) sowie dem rasanten Anstieg ihrer Wählerstimmen im Zerfall der Weimarer Republik (Mai 1928 2,6%, Sept. 1930 18,3%, Juli 1932 37,8%) entstand in mehreren Stufen über den Reg.antritt Hitlers (Jan. 1933) hinaus folgende

Nationalsozialistische Deutsche Arbeiterpartei: Reichsparteitag der NSDAP 1935 in Nürnberg

Struktur: An oberster Stelle stand der »Führer« mit der »Kanzlei des Führers«. Außer dem »Stellv. des Führers« bestand, unterhalb dieser Spitze, die »Reichsleitung«; die Reichsleiter waren allein Hitler verantwortlich. Nach 1933 dienten die Reichsparteitage der ideolog. und polit. Selbstdarstellung der Partei. Auf der mittleren Ebene gliederte sich die NSDAP in Gaue (Gauleiter), auf der unteren in Kreise (Kreisleiter) und Blöcke (Blockleiter). Gliederungen besonderer Art innerhalb der Partei waren die SA, die SS, das Nat.-soz. Kraftfahrer-Korps (NSKK), die Hitler-Jugend, die Nat.-soz. Frauenschaft und der Nat.-soz. Studentenbund (NSDStB). Der NSDAP »angeschlossene« Verbände (und von Dienststellen der NSDAP geführte) Organisationen waren u. a. der Nat.-soz. Deutsche Ärztebund, der Nat.-soz. Rechtswahrerbund, der Nat.-soz. Lehrerbund, die Nat.-soz. Volkswohlfahrt, der Nat.-soz. Bund Deutscher Technik, der Reichsarbeitsdienst (Arbeitsdienst) und der Reichsnährstand. Der Anspruch der NSDAP, eine »Volkspartei« zu sein, war insgesamt nicht unzutreffend; Anhänger fand sie v. a. im alten und neuen Mittelstand. Meist kleinere selbstständige Kaufleute und Handwerker sowie mittlere und kleine Beamte und Angestellte, v. a. aus Städten und Kleinstädten, stellten den Hauptteil der Mitgl., Funktionäre und Wähler. Die 1928 einsetzende Agrarkrise führte zu erhöhter Resonanz der NSDAP unter der ländl. Bev. Der Anteil der Arbeiter unter den Mitgl. stieg nach 1930 auf bis zu 30% an (überwiegend gewerkschaftlich nicht organisierte Facharbeiter und Handwerksgesellen in

Klein- und Mittelbetrieben). – Das Parteiabzeichen war das von einem Eichenkranz umzogene und einem stilisierten Adler in die Fänge gegebene Hakenkreuz. Flaggen und Fahnen der NSDAP waren Hakenkreuzflaggen, ggf. mit Beizeichen. Auszeichnungen der NSDAP waren u. a. das »Goldene Parteiabzeichen«.

Nationalsozialistische Deutsche Arbeiterpartei: Plakat zum Reichsparteitag der NSDAP 1935 in Nürnberg

Die SS konnte tief in den Verwaltungsapparat eindringen und sich die Polizeifunktionen aneignen, ohne ihre Selbstständigkeit zu verlieren. Die NSDAP wurde durch das »Gesetz zur Sicherung der Einheit von Partei und Staat« (1. 12. 1933) als »Trägerin des dt. Staatsgedankens und mit dem Staate unlösbar verbunden« gegenüber dem Staatsapparat optisch aufgewertet, doch entsprach dem keine eindeutige institutionelle Zuordnung. Das beschränkte die Funktion der Partei im Dritten Reich weitgehend auf propagandist. Indoktrination und politisch-ideolog. Kontrolle der Bev. im Privat- und Kommunalbereich durch das Block- und Zellensystem und die ständ. Organisationen, die Schulung der Partei-Mitgl. und die Übernahme sozialer Betreuungsaufgaben (Volkswohlfahrt, Kriegsopferversorgung, →Deutsche Arbeitsfront). Einfluss auf die Reichspolitik nahm die Partei v. a. durch den Stellvertreter des Führers (seit 21. 4. 1933), R. Heß (und seinen Stabsleiter M. Bormann), der am 27. 7. 1934 durch Führererlass in den Gesetzgebungs- und Verordnungsprozess aller Reichsressorts verbindlich eingeschaltet wurde. Während des 2. Weltkrieges wuchs insbesondere dem Leiter der nach Heß' Englandflug so genannten Parteikanzlei (seit 29. 5. 1941) und Sekretär des Führers (seit 12. 4. 1943), M. Bormann, und den im Herbst 1942 zu Reichsverteidigungskommissaren ernannten Gauleitern zusätzl. Macht gegenüber staatl. Hoheitsträgern zu. – Nach der bedingungslosen Kapitulation und der militär. Besetzung Dtl.s (Mai 1945) wurde die NSDAP aufgrund des Gesetzes Nr. 2 des Alliierten Kontrollrats vom 10. 10. 1945 aufgelöst und mit allen ihren Neben- und Sonderorganisationen verboten.

Nationalstaat, Staat, dessen Bev. ganz oder überwiegend zur selben Nation gehört; Ggs.: Nationalitätenstaat.

Nationaltheater, ein für eine Nation repräsentatives und vorbildl. Theater. In Dtl. entstand im 18. Jh. die Idee eines N. in Verbindung mit den Bemühungen um ein selbstständiges nat. Drama. Ein N., wie es die 1680 gegr. Comédie Française für Frankreich ist, wurde jedoch nie verwirklicht. Das Hamburger N. (1767–69), an dem u. a. G. E. Lessing als Dramaturg wirkte, war ein Privatunternehmen, das rasch zusammenbrach. Einzelne Hoftheater (Wien 1776, Mannheim 1779, Berlin 1786) wurden in N. umbenannt, ohne dass die Idee eines N. verwirklicht worden wäre. 1919 wurde in Weimar das »Dt. Nationaltheater« eingerichtet.

National Theatre ['næʃnl 'θɪətə], 1962 von Sir L. Olivier in London gegr. brit. Nationaltheater; seit 1976 mit eigenem, drei Bühnen umfassendem Haus am südl. Themseufer (1969–76); 1962–73 von Sir L. Olivier, 1973–88 von Sir P. Hall, seit 1988 von R. Eyre geleitet.

Nationalverein (Deutscher N.), eine 1859–67 bestehende polit. Vereinigung von Nationalliberalen (R. von Bennigsen, J. Miquel) und Linksliberalen (H. Schulze-Delitzsch), die eine bundesstaatl. Einigung Dtl.s unter preuß. Führung forderte.

Nationalversammlung, gewählte Volksvertretung, die zu außergewöhnl. Zwecken einberufen ist, bes. zur Verfassunggebung. In Frankreich ging 1789 aus den Generalständen die erste N. hervor. Die ersten dt. N. waren die →Frankfurter Nationalversammlung (1848/49) sowie die preuß. verfassunggebende Versammlung von 1848. Im Dt. Reich war 1919 die Weimarer N. verfassunggebendes Organ; in Österreich wurde 1919 eine N. gewählt. In Frankreich war die N. (Assemblée nationale) während der Dritten Republik (bis 1940) die Vereinigung von Senat und Deputiertenkammer. – In zahlreichen Staaten wird die Bez. N. gleichbedeutend mit Parlament (Abgeordnetenhaus) verwendet.

National Westminster Bank PLC ['næʃnl 'westmɪnstə bæŋk piel'siː], engl. Großbank, 1968 hervorgegangen aus der Fusion der »National Provincial Bank Ltd.« (gegr. 1833) mit der »Westminster Bank Ltd.« (gegr. 1834); Sitz: London.

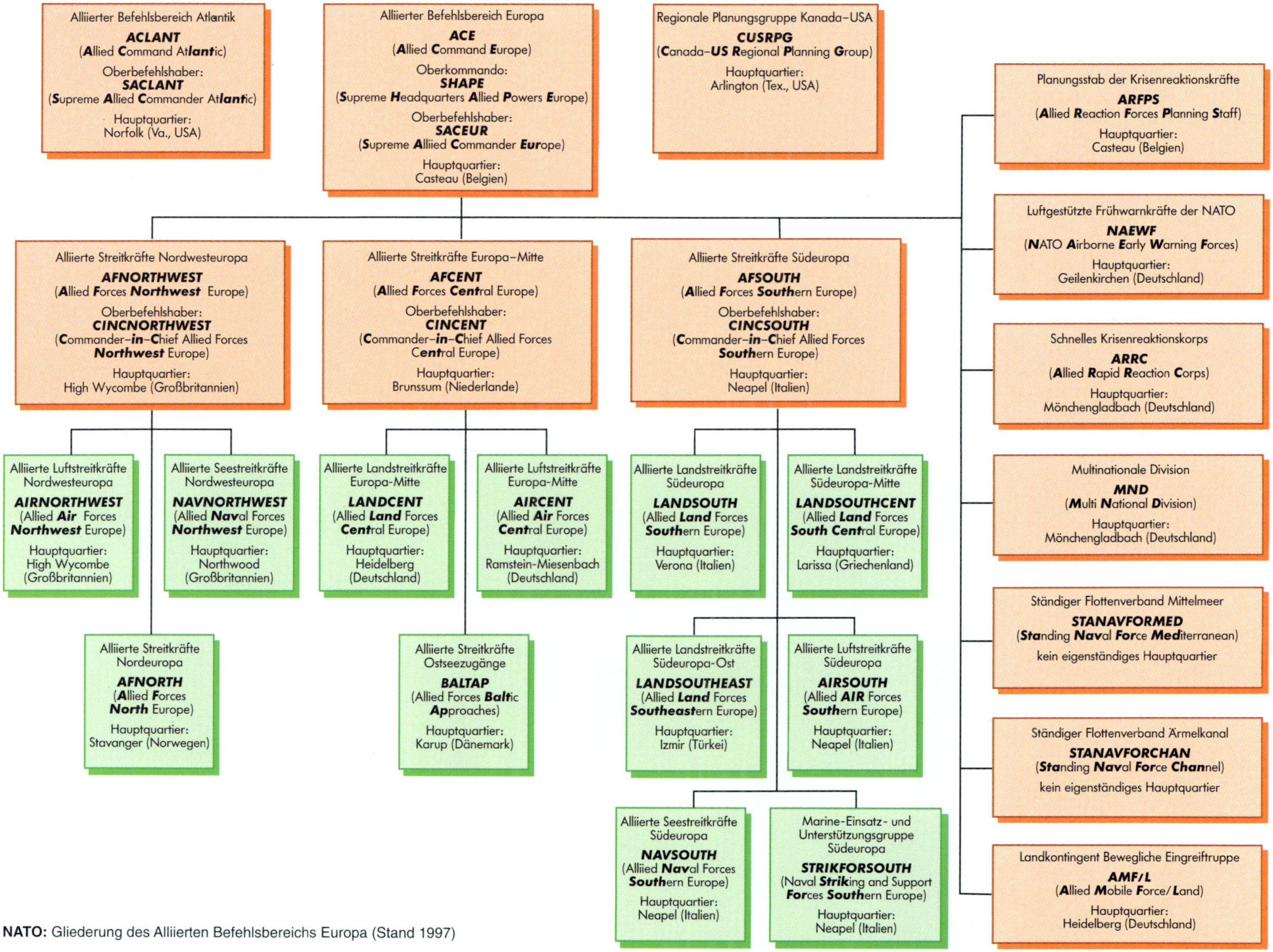

NATO: Gliederung des Alliierten Befehlsbereichs Europa (Stand 1997)

NATO
Flagge

Nativismus [lat.] *der,* **1)** *Ethnologie, Religionssoziologie:* Begriff, der die kollektiven Einstellungen sozialer Gruppen bezeichnet, die sich auf »ursprüngliche«, »angeborene« (native) Werte berufen. Nativist. Bewegungen bilden sich z.B. als Reaktion auf Fremdherrschaft und bei Minderheiten: Einer Fremdherrschaft werden die Werte und Leistungen der eigenen, »eigentlichen« Kultur entgegengesetzt.

2) *Psychologie:* die Tendenz, bestimmte Fähigkeiten und Vorstellungen des Menschen (z.B. die Raum- und Zeitvorstellung) als angeboren zu erklären; steht als psycholog. oder verhaltenswiss. Theorie im Ggs. zum Empirismus, als anthropolog. Entwicklungstheorie im Ggs. zur Milieutheorie (→Milieu).

NATO, Abk. für engl. **N**orth **A**tlantic **T**reaty **O**rganization (dt. Nordatlantikpakt, auch Nordatlant. Gemeinschaft), westl. Verteidigungsbündnis auf der Grundlage des am 4. 4. 1949 geschlossenen **Nordatlantikvertrages.** Gründungsmitgl. sind Belgien, Dänemark, Frankreich, Großbritannien, Island, Italien, Kanada, Luxemburg, die Niederlande, Norwegen, Portugal und die USA. 1952 traten Griechenland und die Türkei, 1955 die Bundesrep. Dtl. und 1982 Spanien bei.

Ziele und Aufgaben: Das wesentliche Ziel der NATO besteht auch nach Ende des Kalten Krieges darin, »die Freiheit und Sicherheit aller ihrer Mitgl. mit polit. und militär. Mitteln im Einklang mit den Grundsätzen der Charta der Vereinten Nationen zu gewährleisten« (Londoner Erklärung vom 6. Juli 1990). Gemäß NATO-Vertrag verpflichten sich die Bündnismitgl., bei Konflikten untereinander den friedl. Ausgleich zu suchen (Art. 1), die innere Festigkeit und das Wohlergehen der Mitgl.staaten und ihre wirtschaftl. Zusammenarbeit zu fördern (Art. 2), einander bei polit. oder militär. Bedrohung zu konsultieren (Art. 4). Kernauftrag ist, im Falle eines Angriffs gegen einen oder mehrere Mitgl.staaten einander Beistand zu leisten (Art. 5); eine automat. Beistandspflicht besteht jedoch im Ggs. zum WEU-Vertrag nicht; die Mitgl.staaten entscheiden vielmehr autonom und unabhängig, ob und mit welchen Mitteln sie Beistand leisten wollen. Vertragsgebiet, innerhalb dessen die Beistandsverpflichtung gilt, ist der in Art. 6 definierte geograph. Raum.

Organisation: Oberstes Organ ist der Nordatlantikrat (NATO-Rat), in dem alle 16 Mitgl. Sitz und Stimme haben. Als Rat der Ständigen Vertreter tagt dieses Gremium wöchentlich auf Botschafterebene. Auf der Ebene der Außenmin. tritt der Rat zweimal jährlich zusammen, zu grundsätzl. Entscheidungen treffen sich die Staats- und Regierungschefs (»NATO-Gipfel«). Die Verteidigungsmin. (außer demjenigen Frankreichs) bilden den gleichrangigen Verteidigungsplanungsausschuss (DPC), der in entsprechenden Intervallen wie der Rat tagt. Höchstes Beratungsgremium in nuklearen Fragen ist die Nukleare Planungsgruppe (NPG), die in ihrer Zusammensetzung dem DPC entspricht. Vors. von Rat, DPC und NPG ist der Gen.-Sekr. der NATO, dem der Internat. Stab (IS) untersteht. Dem NATO-Rat nachgeordnet sind Ausschüsse für Fachfragen (z.B. Logistik, Infrastruktur, Haushalt). Höchstes militär. Gremium ist der Militärausschuss (MC), dem die Generalstabs-

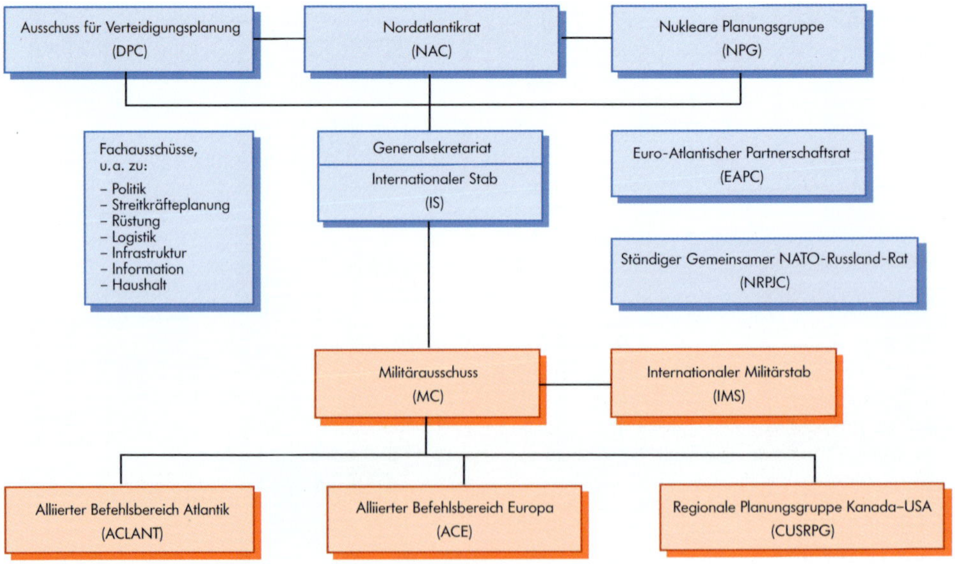

NATO: Organigramm der zivilen und militärischen Struktur

chefs der Mitgl.staaten (für Dtl. der Generalinspekteur der Bundeswehr) außer Frankreich und Island angehören. Der MC berät den NATO-Rat und den DPC und führt deren Weisungen aus; als ausführendes Organ steht ihm der Internat. Militärstab (IMS) zur Seite. Dem Militärausschuss unterstehen je ein Oberster NATO-Befehlshaber für die Kommandobereiche Europa und Atlantik, für den Bereich Nordamerika gibt es eine eigene regionale Planungsgruppe Kanada-USA.

Generalsekretäre der NATO

1952–56	Lord Ismay, Großbritannien
1956–61	P.-H. Spaak, Belgien
1961–64	D. Stikker, Niederlande
1964–71	M. Brosio, Italien
1971–84	J. Luns, Niederlande
1984–88	Lord Carrington, Großbritannien
1988–94	M. Wörner, Bundesrep. Dtl.
1994–95	W. Claes, Belgien
seit 1995	J. Solana Madariaga, Spanien

Die Streitkräfte der NATO sind im Hinblick auf Aufgabenstellung und Bereitschaftsgrad eingeteilt in Reaktionskräfte (präsente Truppenteile für einen sofortigen oder schnellen Einsatz), Hauptverteidigungskräfte (zahlenmäßig größter Anteil der Streitkräfte; z.T. gekadert und nach längerer Vorbereitungszeit einsatzbereit) und Verstärkungskräfte. Die Truppen der einzelnen Mitgl.staaten unterstehen grundsätzlich den nat. Regierungen, die Übertragung der Befehls- und Kommandobefugnis auf NATO-Befehlshaber ist durch Verfahrensregeln festgelegt.

Neuere Entwicklung: Als Konsequenz aus der seit 1989 vollkommen veränderten sicherheitspolit. Lage verabschiedete das Bündnis im Nov. 1991 ein neues strateg. Konzept (niedergelegt im Dokument MC-400), das in einem breit angelegten sicherheitspolit. Ansatz Dialog, Kooperation, kollektive Verteidigung sowie Krisenbewältigung und Konfliktverhütung als wesentl. Elemente europ. Friedenssicherung bezeichnet. Um mit den ehemaligen Gegnern im Kalten Krieg in Kontakt zu kommen, wurde im Dez. 1991 der Nordatlant. Kooperationsrat gegründet. Im Jan. 1994 lud die NATO die Staaten des Kooperationsrates und andere KSZE-Mitgl. zur »Partnerschaft für den Frieden« ein. Im Zusammenhang mit dem beginnenden Prozess der Erweiterung des Bündnisses nach Osten (im Juli 1997 wurden Polen, Ungarn und die Tschech. Republik zu Beitrittsverhandlungen eingeladen) wurde der Kooperationsrat durch den neuen »Euro-Atlant. Partnerschaftsrat« (engl. Abk. EAPC) ersetzt, gleichzeitig wurde die Beziehung der NATO zu Russland mit einer »Grundlagenakte über gegenseitige Beziehungen, Zusammenarbeit und Sicherheit« (27. 5. 1997) auf eine neue Basis gestellt.

📖 *NATO-Handbuch. Brüssel 1952 ff., erscheint unregelmäßig. Streitkräfte. Die »military balance« des Internat. Instituts für Strateg. Studien, München 1980 ff.* – KARÁDI, M. Z.: *Die Reform der Atlant. Allianz. Bündnispolitik als Beitrag zur kooperativen Sicherheit in Europa? Münster 1994.* – KOSLOWSKI, G.: *Die NATO u. der Krieg in Bosnien-Herzegowina. Vierow 1995. – NATO-Osterweiterung. Neue Mitglieder für ein altes Bündnis?, Beiträge v.* A. PRADETTO *u.a. Berlin 1996. – Ostmitteleuropa, Rußland u. die Osterweiterung der N., hg. v.* A. PRADETTO. *Opladen 1997.*

NATO-Doppelbeschluss, Bez. für den am 12. 12. 1979 vom NATO-Rat verabschiedeten Beschluss über die Stationierung neuer bodengestützter nuklearer Mittelstreckenwaffen (108 Pershing-II-Raketen und 464 Cruisemissiles) in Europa Ende 1983 als Gegengewicht zu den bereits installierten neuen sowjet. Mittelstreckensystemen (SS-20) bei gleichzeitigem Angebot an die UdSSR, bis zum vorgesehenen Beginn der Stationierung über Mittelstreckenwaffen in Europa zu verhandeln. Das Ergebnis dieser Verhandlungen (mögl. Abbau der SS-20) sollte über die Stationierung der NATO entscheiden. Der NATO-D. wurde in den europ. NATO-Staaten trotz heftiger polit. und militär. Diskussionen und des Widerstandes der Friedensbewegung überwiegend ausgeführt und bewirkte neue Abrüstungsschritte, die schließlich am 8. 12. 1987 im Rahmen einer »doppelten Nulllösung« zur Unterzeichnung des Vertrages zw. der UdSSR und den USA über die Beseitigung ihrer Raketen mittlerer und kürzerer Reichweite (INF-Vertrag) führten.

Natoire [na'twa:r], Charles Joseph, frz. Maler, *Nîmes 3. 3. 1700, †Castel Gandolfo 29. 8. 1777; Schüler u.a. von F. Lemoyne, einer der bedeutendsten Dekorationsmaler des Rokoko; Fresken, zahlr. Tafelbilder sowie Kartons für Tapisserien. BILD S. 20

Natorp, Paul, Philosoph, *Düsseldorf 24. 1. 1854, †Marburg 17. 8. 1924; neben H. Cohen der bedeutendste Vertreter der Marburger Schule des Neukantianismus; legte Untersuchungen zu den Grundlagen der Wiss. und zur prakt. Philosophie vor und entwarf eine Neukonzeption der kantschen Kategorienlehre.

Paul Natorp

Werke: Sozialpädagogik (1899); Die log. Grundlagen der exakten Wiss. (1910); Vorlesungen über prakt. Philosophie (1925).

Natrium *das,* chem. Symbol **Na,** Element aus der ersten Hauptgruppe des →Periodensystems der chem. Elemente (Alkalimetalle); Ordnungszahl 11, relative Atommasse 22,98977, Dichte 0,968 g/cm³, Schmelzpunkt 97,8 °C, Siedepunkt 881,3 °C.

Charles Natoire: »Römische Ruinen auf dem Palatin« (um 1750; Wien, Graphische Sammlung Albertina)

N. ist ein sehr weiches, leicht schneid- und pressbares, nur an frischen Schnittflächen silberweißes, sonst infolge Oxidation graubraunes Leichtmetall, das elektr. Strom und Wärme sehr gut leitet. Es ist wie alle Alkalimetalle äußerst reaktionsfähig; da es an feuchter Luft sehr rasch zu N.-Hydroxid (NaOH) reagiert, kann es nur in reaktionsträgen Flüssigkeiten (wie Petroleum) aufbewahrt werden. N. kommt in der Natur verbreitet vor; an der Zusammensetzung der festen Erdkruste ist es mit 2,63% beteiligt und liegt damit in der Häufigkeit der chem. Elemente an 6. Stelle. Entsprechend seiner Reaktionsfähigkeit findet es sich jedoch nur in Form von Verbindungen, vorwiegend in Silikaten (z.B. Albit), als Chlorid (Steinsalz oder gelöst im Meerwasser), Carbonat (Soda), Nitrat (Salpeter), Sulfat (Glaubersalz), Kryolith und Borax.

Die techn. Gewinnung des N. erfolgt durch Schmelzflusselektrolyse v.a. von wasserfreiem N.-Chlorid oder auch von N.-Hydroxid. N. wird verwendet zur Herstellung wichtiger Verbindungen wie N.-Amid und N.-Peroxid, in der Metallurgie zur Reindarstellung einiger schwer reduzierbarer Metalle, für Natriumdampflampen und als Kühlmittel in Kernreaktoren. Es ist in Form seines Ions (Na^+) ein lebenswichtiger Mineralstoff für Tiere und den Menschen, kommt in vielen Lebensmitteln vor und wird v.a. in Form von Kochsalz (NaCl) zugeführt. Na^+ ist das Hauptkation im extrazellulären Raum (rd. 98% des austauschbaren Na^+ im Gegensatz zu nur 2% im Zellinnern). Hauptaufgabe des Na^+ ist, in enger Verbindung mit Chloridionen, die Aufrechterhaltung des osmot. Drucks der extrazellulären Flüssigkeit.

N. tritt in seinen Verbindungen, die fast alle in Wasser gut löslich sind, stets positiv einwertig auf. Beim Erhitzen an der Luft verbrennt es – wie alle N.-Verbindungen – mit typisch gelber Flamme (»N.-Licht«) zu **N.-Peroxid,** Na_2O_2, ein starkes Oxidationsmittel, das u.a. als Bleichmittel verwendet wird. **N.-Hydroxid,** NaOH **(Ätznatron, kaustische Soda),** ist eine weiße, hygroskop. Substanz, die u.a. bei der Chloralkali-Elektrolyse entsteht. Natriumhydroxid wird technisch vielfach verwendet, z.B. in der Glas-, Seifen-, Waschmittel- und Zellstoffind. sowie bei der Farbstoffherstellung (z.B. in der Alkalischmelze), **N.-Fluorid,** NaF, u.a. zur Holzkonservierung, als Trübungsmittel und zur Fluoridierung des Trinkwassers, NaF-Kristalle für opt. Zwecke (UV- und IR-durchlässig), **N.-Chlorid,** NaCl, →Kochsalz. **N.-Hypochlorit,** NaOCl, ist Desinfektions- und Bleichmittel **(Eau de Labarraque), N.-Chlorat,** $NaClO_3$, Bestandteil vieler Herbizide und Oxidationsmittel. **N.-Sulfat,** $NaSO_4$, findet sich in natürl. Salzmineralen, im Meerwasser und in Mineralquellen. Aus wässrigen Lösungen scheidet es sich als **Glaubersalz,** $Na_2SO_4 \cdot 10\,H_2O$, aus. Natriumsulfat wird bei der Zellstoffgewinnung (Sulfatverfahren) sowie u.a. in der Glas-, Textil- und Farbstoffind. verwendet. Gelegentlich wird es noch als Abführmittel gebraucht. Die Lösungen von **N.-Sulfit,** Na_2SO_3, **N.-Hydrogensulfit,** $NaHSO_3$, und **N.-Disulfit,** $Na_2S_2O_5$, sind starke Reduktionsmittel, die zum Bleichen, Desinfizieren und Konservieren verwendet werden. Ein starkes Reduktionsmittel ist auch das **N.-Dithionit,** $Na_2S_2O_4$. **N.-Thiosulfat,** $Na_2S_2O_3$, dient u.a. zur Entfernung von Chlor aus Gewebe oder Papiermasse (»Antichlor«) und als Fixiersalz in der Fotografie (→fixieren). **N.-Sulfid,** Na_2S, wird u.a. als Enthaarungsmittel in der Gerberei, als Reduktionsmittel in der organ. Chemie und zur Herstellung von Schwefelfarbstoffen verwendet, **N.-Nitrat (Natronsalpeter),** $NaNO_3$, v.a. zur Herstellung von Düngemitteln, **N.-Nitrit,** $NaNO_2$, ein lösl., giftiges Salz, u.a. zur Herstellung von Diazoniumverbindungen (für Azofarbstoffe) und als Zusatz zu Pökelsalz. **N.-Carbonat,** Na_2CO_3, →Soda; **N.-Hydrogencarbonat (Natron,** veraltet: **Natriumbicarbonat, doppeltkohlensaures Natron),** $NaHCO_3$, ist ein weißes Salz, dessen Lösung infolge →Hydrolyse schwach alkalisch reagiert. Beim Erhitzen spaltet es leicht Kohlendioxid ab; Verwendung in Feuerlöschern, als Back- und Limonadenpulver und in pharmazeut. Präparaten. **N.-Borhydrid (N.-Boranat),** $NaBH_4$, ist ein wichtiges Reduktionsmittel für organ. Synthesen. Auch Natriumsalze vieler organ. Säuren haben prakt. Bedeutung, z.B. das Natriumformiat (Salz der Ameisensäure), das Natriumacetat (Salz der Essigsäure), das Natriumglutamat (Salz der Glutaminsäure).

Natriumdampflampe, eine vorwiegend mit Natriumdampf gefüllte Entladungslampe. Die mit

Natriumdampf und einem Hilfsgas (meist Neon) gefüllten **Natriumdampf-Niederdrucklampen** strahlen fast nur das gelbe Spektrallinienddublett des Natriums ab. Dieses monochromat. Licht lässt keine Farben erkennen, sodass die Niederdrucklampe trotz überragender Lichtausbeute (über 180 lm/W) nur beschränkt Verwendung findet (z.B. als Beleuchtung von Schnellstraßen). Der Lichtbogen der **Natriumdampf-Hochdrucklampen** brennt in einem Gemisch aus Edelgas, Natrium- und Quecksilberdampf. Diese Lampen haben ein keram. Entladungsgefäß, hauptsächlich aus Aluminiumoxid, das gegenüber Natrium bis zu Temperaturen von etwa 1500 K resistent ist. Bei den diesen Temperaturen entsprechenden Dampfdrücken verbreitern sich die gelben Spektrallinien des Natriums so über das sichtbare Spektralgebiet, dass auch der rote und grüne Bereich erfasst werden. Die Natriumdampf-Hochdrucklampe verbindet hohe Lichtausbeute (bis 120 lm/W) mit günstiger Lichtfarbe (gelblichweiß) und für viele Zwecke ausreichender Farbwiedergabe. Anwendungsgebiete sind Verkehrs- und Industrieanlagen.

Natterkopf: Gemeiner Natterkopf (Höhe bis zu 1 m)

Natrolith *der,* rhomb. Mineral der chem. Zusammensetzung $Na_2[Al_2Si_3O_{10}] \cdot 2H_2O$, farblos oder versch. hellfarbig, nadelige Kristalle; ein Faserzeolith (→Zeolithe).

Natron *das,* Bez. für Natriumhydrogencarbonat (→Natrium); urspr. für →Soda.

Natronlauge, Bez. für wässrige Lösungen von Natriumhydroxid (→Natrium), NaOH, die wegen der durch Dissoziation gebildeten Hydroxidionen als starke Base wirken. Die N. gehört zu den bedeutendsten chem. Zwischenprodukten.

Natronseen, →Salzseen.

Natrontal (arab. Wadi an-Natrun), Depression in Unterägypten, westlich des Nildeltas in der Libyschen Wüste, 50 km lang, bis 6 km breit, bis 24 m u. M., mit zehn Natronseen; seit 1956 landwirtsch. und industrielle Erschließung mithilfe künstl. Bewässerung.

Natsume, Sōseki, japan. Schriftsteller, *Tokio 5. 1. 1867, †ebd. 9. 12. 1916; gilt als erster bed. Autor realist. Literatur in Japan; behandelte Themen aus dem Alltagsleben des Mittelstandes und die gesellschaftl. Entwicklung seiner Zeit (»Ich bin eine Katze«, 1905; »Ein Tor aus Tokio«, 1906).

Giulio Natta

Natta, Giulio, italien. Chemiker, *Imperia 26. 2. 1903, †Bergamo 2. 5. 1979; entdeckte u.a. die stereospezif. Polymerisation von Olefinen und Acetylenverbindungen sowie die asymmetr. Synthese optisch aktiver Polymere, wofür er 1963 mit K. Ziegler den Nobelpreis für Chemie erhielt.

Natterkopf (Natternkopf, Echium), Gattung der Raublattgewächse in Mitteleuropa bis Vorderasien; Kräuter oder Sträucher mit meist blauen, violetten oder roten Blüten in Ähren; der **Gemeine N.** (Echium vulgare) ist eine bis zu 1 m hohe, zweijährige, krautige Ruderalpflanze.

Nattern (Colubridae), mit mehreren Hundert Arten weltweit verbreitete, artenreichste Familie meist schlanker, ziemlich langschwänziger, 0,3 bis 3,7 m langer Schlangen; ungiftige, z.T. auch giftige (Trugnattern), jedoch für den Menschen fast völlig ungefährl. Reptilien mit meist deutlich vom Hals abgesetztem Kopf, weit dehnbarem Maul, stark bezahnten Kieferknochen; in Dtl. nur Ringelnatter, Würfelnatter, Äskulapnatter und Schlingnatter, sämtlich geschützt. (→Giftnattern)

Natterzunge
(Höhe 10–30 cm)

Natterzunge (Natternzunge, Ophioglossum vulgare), 10–30 cm hoher einheim. Farn; treibt jährlich ein Blatt, das aus einem zungenförmigen, sterilen Teil und einer Sporangienähre besteht; auf feuchten Wiesen vorkommend.

Natrolith

Natur [von lat. natura »Geburt«] *die,* 1. der Teil der Welt, dessen Zustandekommen und gesetzmäßige Erscheinungsform unabhängig von Eingriffen des Menschen verstanden werden (im Ggs. etwa zu Kultur, Kunst, Technik); 2. der gesamte Kosmos, das Sein überhaupt; 3. die Beschaffenheit, das Wesen eines Gegenstandes. – Zu allen Zeiten galt die N. als Offenbarung des Göttlichen und erfuhr kult. Verehrung als ein Ganzes, mit dem sich der Mensch verbunden fühlte oder aus dem er sich herausgefallen erfuhr. – In der ersten Phase der Geschichte des N.-Begriffs (bis ins 17. Jh.) wird die N.

als unabhängig vom Menschen handelnd (→Natura naturans) aufgefasst. Während hier die Physik (z.B. des Aristoteles), d.h. die Wiss. von der N., nur das empir. Alltagswissen von der handelnden N. konkretisieren und untermauern soll, wird in einer zweiten Phase, in der der neuzeitl. Physik, die Erklärbarkeit der N. von den Bedingungen experimenteller Verfahren abhängig gemacht (F. Bacon, G. Galilei). In einer dritten Phase erfolgt im Zusammenhang mit der Industrialisierung schließlich die Degradierung der N. zum bloßen Objekt techn. Produktionsprozesse. So wird seit dem 19. Jh. ein empirist. N.-Begriff wirksam, der das Selbstverständnis der N.-Wissenschaften bis heute bestimmt: N. wird als Gegenstand empir. Gesetzeswiss. begriffen. Dieser N.-Begriff lässt außer Acht, dass der Mensch selbst ebenfalls Teil dieser N. ist. In der Ökologie wird heute versucht, der selbstzerstörer. Beherrschung der N. durch den Menschen entgegenzuwirken. (→Naturschutz, →Umweltschutz)

📖 *N. als Gegenstand der Wissenschaften, hg. v.* L. Honnefelder. *Freiburg u.a. 1992.* – Prigogine, I. *u.* Stengers, I.: *Dialog mit der N. Neuausg. München u.a. ²1993. – N. in der Krise. Philosoph. Essays zur Naturtheorie u. Bioethik, hg. v.* R. Löw *u.* R. Schenk. *Hildesheim u.a. 1994.* – Gloy, K.: *Das Verständnis der N., 2 Bde. München 1995–96.*

Naturalisation *die,* →Einbürgerung.

Naturalismus 2): Szenenfoto aus dem Drama »Die Weber« von Gerhart Hauptmann in einer 1971 gesendeten Fernsehaufführung mit den Schauspielerinnen Elsa Wagner (links) und Ursula Jockeit

Naturalismus [lat.] *der,* **1)** *bildende Kunst:* die naturgetreue Darstellung des Sichtbaren. Als Ausdruck einer weltanschaul. Haltung bezeichnet die Kunstwiss. – nicht immer konsequent – damit versch. Kunstströmungen oder Stile, wobei sie den N. oft mit dem Realismus gleichsetzt.

Unter N. als Stilrichtung versteht man positivist., von der Milieutheorie beeinflusste Tendenzen v.a. in der Malerei zw. 1870 und 1900, die mit dem literar. N. korrespondieren. Die Zufälligkeit des Alltäglichen wird ohne jegl. Stilisierung gegen idealisierende und heroisierende Richtungen der gründerzeitl. Kunst eingesetzt. Die Themen aus dem sozialen Alltag, der kleinbürgerl. Idylle und dem proletar. Milieu wurden z.T. in sozialkrit. Absicht unter Einbeziehung des Hässlichen und des Elends dargestellt.

2) *Literatur:* Bez. für eine Strömung (etwa 1870 bis 1900), in der die genaue Beschreibung der Natur als sinnlich erfahrbare Erscheinung zum ästhet. Prinzip erhoben ist. Mit wiss. Präzision, die Ausdruck des zeittyp. technisch-wiss. Leitbildes ist, werden auch bis dahin vernachlässigte und tabuisierte Themen (z.B. die Lebensumstände der sozial Schwächsten, Alkoholismus, Prostitution) bearbeitet. Grundlagen des N. sind die Erkenntnisse der Naturwiss. und die darauf fußende Philosophie des Positivismus sowie die Physiologie C. Bernards, die Evolutionstheorie C. Darwins, v.a. aber die Milieutheorie H. Taines. Konsequenzen aus diesen Lehren für eine literar. Theorie haben erstmals die Brüder E. und J. de Goncourt in dem als Manifest des N. geltenden Vorwort zu ihrem Roman »Germinie Lacerteux« (1864) gezogen. Zum Programmatiker des europ. N. ist É. Zola geworden (»Der Experimentalroman«, 1880). In Skandinavien entwickelte sich nach 1870 v.a. das naturalist. Drama (H. Ibsen, A. Strindberg). Starke Impulse gingen auch von russ. Schriftstellern aus (v.a. F. M. Dostojewski, L. N. Tolstoi). Der dt. N. war zunächst geprägt von programmat. Diskussionen; Zentren waren Berlin (Friedrichshagener Dichterkreis) und München. Seine Hauptphase prägt das dramatische Werk G. Hauptmanns (u.a. »Die Weber«, 1892). Weitere Dramatiker sind C. Hauptmann sowie A. Holz und J. Schlaf, die gemeinsam das Programmstück des dt. N. schrieben (»Die Familie Selicke«, 1890), sowie M. Halbe und H. Sudermann. Die naturalist. Prosa ist weniger bedeutend, ebenso wenig die Lyrik. Nach 1895 verlor der N. an Nachdruck, wirkte jedoch auf die gesamte nachfolgende literar. Entwicklung, bes. durch die Erschließung neuer Stoffbereiche, neuer dramat. Strukturen, Präzisierung der beschreibenden Darstellungsmittel sowie durch Verwendung von Umgangssprache und Dialekt im literar. Text.

Über den N. in der *Musik* (Oper) →Verismus.

📖 Daus, R.: Zola u. der frz. N. Stuttgart 1976. – Möbius, H.: Der N. Heidelberg 1982. – Hoefert, S.: Das Drama des N. Stuttgart u.a. ⁴1993. –

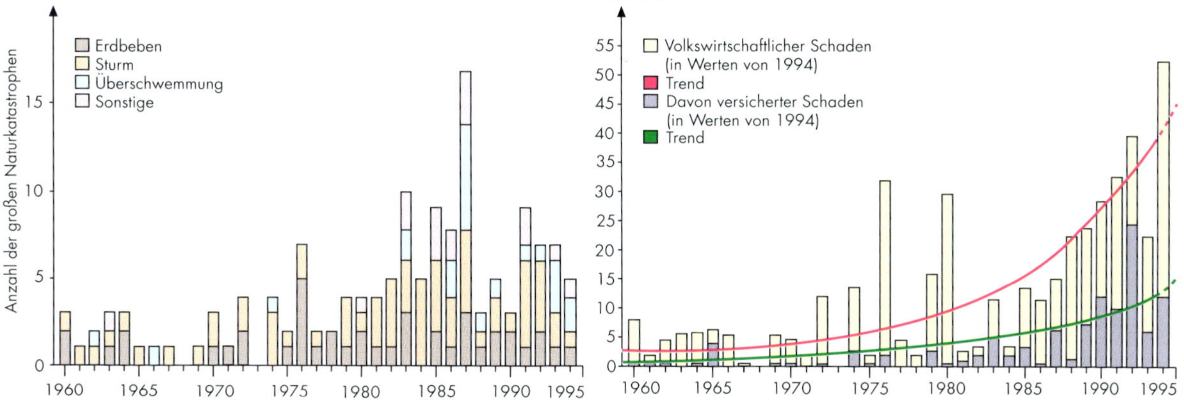

Quelle: Münchener Rückvericherungs-Gesellschaft

Naturkatastrophen: Weltweit aufgetretene große Naturkatastrophen 1960–94 (links) und die dadurch bedingten volkswirtschaftlichen Schäden (in Mrd. US-$)

KEIL, G.: Kritik des N. Berlin u.a. 1993. – MAHAL, G.: N. München ³1996.

3) *Philosophie:* Bez. für eine monist. Denkhaltung, die in der Natur den Seinsgrund aller Realität – auch der geist. Phänomene – erblickt (ontolog. N.), aus ihr alles erklären zu können behauptet (erkenntnistheoret. N.) und die Geltung sittl. Normen in ihr begründet sieht (eth. N.); bedeutendster Vertreter: T. Hobbes. – Als →Deismus und natürl. Religion bestimmte der N. die Religionsphilosophie der Aufklärung.

Naturalobligation [lat.], *Recht:* Forderung, die zwar rechtlich besteht, aber nicht eingeklagt werden kann. Die trotzdem erbrachte Leistung ist keine Schenkung, sondern Erfüllung; sie kann nicht zurückgefordert werden. Zu den N. gehören z.B. verjährte Forderungen (§222 BGB), Spiel- und Wettschulden (§762 BGB).

Naturalrestitution [lat.], *Recht:* →Schadensersatz.

Naturalwirtschaft (Naturaltauschwirtschaft), auf Eigenproduktion und Bedarfsdeckung ausgerichtete Volkswirtschaft; im Unterschied zur Geldwirtschaft eine Wirtschaftsform, in der die Güter als solche (und nicht durch Vermittlung des Geldes) getauscht werden.

Natura naturans [lat.], die schaffende →Natur im Ggs. zur »geschaffenen Natur« **(Natura naturata);** eine auf aristotel. Begriffe zurückgreifende Unterscheidung, die in der Scholastik auf das Verhältnis Gottes zur Schöpfung übertragen wurde; von Spinoza und Schelling in ihre Naturphilosophien übernommen.

Naturdenkmal, Naturschöpfung (z.B. Felsen, Wasserfall, alter oder seltener Baum), die aus wiss., naturgeschichtl. oder landeskundl. Gründen oder wegen ihrer Seltenheit und Eigenart unter Naturschutz steht.

Naturfasern, Sammelbegriff für alle (v.a. als Textilrohstoffe oder als Rohstoffe für Seile, Netze, Matten, Isoliermaterialien usw. verwendeten) Fasern natürl. Herkunft. Man unterscheidet v.a. die (aus Proteinen bestehenden) **tier. N.** (wie Seide und Wolle) und die (aus Cellulose bestehenden) **pflanzl. N. (Pflanzenfasern).** Letztere lassen sich unterteilen in die aus Pflanzenstängeln oder Blättern gewonnenen Bastfasern (Stängelfasern sind z.B. Flachsfasern, Hanf, Jute, Blattfasern z.B. Manilafaser, Sisal, Yuccafaser) sowie die aus Samenhaaren oder Fruchtwandbestandteilen gewonnenen Fruchtfasern (z.B. Baumwolle, Kapok, Kokosfaser). Daneben sind auch **mineral. N.** (einzige natürl. Mineralfaser der als Krebs erregend erkannte Asbest) bekannt.

Naturgesetze, →Gesetz.

Naturheilkunde, Heilkunde, die eine Behandlung möglichst nur mit diätet. und physikal. Mitteln anstrebt, besonderen Wert auf gesunde Lebensweise legt und v.a. mit pflanzl. Heilmitteln eine Förderung der natürl. Heilkräfte des Organismus bezweckt.

Naturkatastrophen, Sammelbez. für alle extremen Naturereignisse, die nicht nur zu großen Schäden in der Natur, sondern v.a. an vom Menschen geschaffenen Bauwerken und Infrastrukturen sowie zu zahlreichen Todesopfern, Verletzten und Obdachlosen führen. Nach ihrer Entstehungsursache kann man folgende Arten von N. unterscheiden: 1) meteorolog. N., hervorgerufen durch Stürme, Niederschläge, Hitze, Kälte, Blitzschlag; 2) hydrolog. N., bedingt durch Überschwemmungen, Sturzfluten, Muren; 3) geolog. N. infolge von Erdbeben, Erdrutsche oder Vulkanausbrüche; 4) astronom. N. (Meteoriten- oder Kometeneinschlag); 5) biolog. N. durch Seuchen und Schädlingsbefall. Die N. haben in den letzten Jahrzehnten zugenommen, wofür die weltweite Bevölkerungszunahme, die Besiedlung und Industrialisierung naturgefährdeter Räume sowie die Änderungen der Umweltbedingungen als Hauptursachen betrachtet werden. Als Folge der vermuteten deutl. Klimaänderung (u. a. durch den Treibhauseffekt) können voraussichtlich in bestimmten Regionen der Erde künftig mehr Überschwemmungen, Hagelschläge und Unwetter, trop. Wirbelstürme, Sturmfluten und Bergstürze, Hitzewellen und Dürren auftreten. Bes. Bedeutung kommt daher den Vorhersage- und Warnmethoden zu.

Naturkautschuk, →Kautschuk.

Naturkonstanten, die →physikalischen Konstanten.

Naturkost, Bez. für Lebensmittel, die ökolog. Erzeugung entstammen und eindeutig definierte Qualitätsmerkmale besitzen, zu deren Gewährleistung sich die Erzeuger verpflichten. Erzeugung und Verarbeitung von N. sind durch Richtlinien festgelegt, deren Einhaltung durch eine EG-VO gesetzlich geregelt ist.

Naturlandschaft, die vom Menschen unberührte Landschaft. Sie steht im Ggs. zur Kulturlandschaft. Es gibt heute außerhalb von Naturschutzgebieten nur noch wenige Landschaften, die vom Menschen nicht beeinflusst sind. Dazu gehören Teile der Hochgebirge, der Wüsten und der Polargebiete.

natürliche Kinder, allg. die ehel. Kinder im Unterschied zu den angenommenen; daneben, v. a. beim Adel, Bez. für nichtehel. Kinder.

natürliche Person, *Recht:* der Mensch als Träger von Rechten; Ggs.: →juristische Person. (→Rechtsfähigkeit)

natürliche Religion, religiöse Haltung, die religiöse Grundsätze allein durch »natürl.« Vernunftgebrauch zu gewinnen beansprucht. (→Deismus)

natürlicher Preis, →Marktpreis.

natürliche Sprache, eine historisch gewachsene Sprache im Unterschied zu den als Kommunikationsmittel geschaffenen künstl. Sprachen (→Programmiersprachen, →Welthilfssprachen).

natürliche Zahl, →Zahl.

Naturpark, in sich geschlossener, größerer Landschaftsbereich, der sich durch natürl. Eigenart, Schönheit und Erholungswert auszeichnet und in seinem gegenwärtigen Zustand erhalten werden soll. Als noch relativ intakte Naturräume und bestimmende Faktoren für Klima, Wasserhaushalt und Landeskultur stehen N. unter gesetzl. Schutz.

Naturphilosophie, die philosoph. Bemühungen um die Erkenntnis der Natur, ihres Wesens, ihrer Formen und Erscheinungen und deren Bewegung; urspr. zu verstehen sowohl als Naturwiss. als auch als Metaphysik der Natur. Die N. war zunächst myth. Weltentstehungslehre (→Kosmogonie) und entwickelte sich daraus zu einem ontolog. Teilgebiet der Philosophie im Rahmen einer allg. metaphysischen Weltsicht.

Ausgehend von Platons N. (v. a. im Dialog »Timaios«) und der aristotel. Physik dient die N. im MA. v. a. zur Begründung des kosmolog. Gottesbeweises, also theolog. Interessen, und weniger der Erforschung der Natur. Platon. Traditionen, spekulative Kosmologien (G. Bruno u. a.) und mystisch-theosoph. Gedankengut (Agrippa von Nettesheim, J. Böhme) aufnehmend, wird die N. der Renaissance Grundlage einer erneuten Zuwendung zur Natur, allerdings noch nicht quantifizierend-methodisch. Mit dem 16. und 17. Jh. setzt sich die quantifizierende Naturauffassung durch (N. Kopernikus, G. Galilei, Leonardo da Vinci; T. Hobbes, R. Descartes, G. W. Leibniz, I. Newton), was schließlich zur Begründung der Naturwiss. führt. Andererseits bleibt Naturwiss. als N. Teil der Philosophie, was z. B. im Titel von Newtons »Philosophiae naturalis principia mathematica« (1687) zum Ausdruck kommt; die Abgrenzung ist v. a. method. Art. Der dt. Idealismus (F. W. Schelling, G. W. F. Hegel) sucht die Natur insgesamt apriorisch aus dem Entwicklungsgang des Geistes abzuleiten und ihren Aufbau und Zusammenhang in einem universalen System darzustellen. Zu Beginn des 20. Jh. versucht der mit dem naturwiss. Materialismus (E. Haeckel) verbundene, aus dem Darwinismus hervorgegangene →Monismus, ein philosoph. Weltbild zu begründen, das die Selbstständigkeit jedes metaphys. Seins bestreitet. Andere Richtungen entwerfen ein Wirklichkeitsbild durch zusammenfassende Deutung empir. Einzelergebnisse nach einem vitalist. Grundmodell (E. Becher, H. Driesch). Seit der →Quantentheorie und der Relativitätstheorie des 20. Jh. werden die naturphilosoph. Versuche unmittelbar von dem Stand der jeweiligen Forschung her und in ihrer Sprache entwickelt (W. Heisenberg, P. Teilhard de Chardin, D. Bohm, F. Capra, C. F. von Weizsäcker). Gegenwärtig befasst sich die N. v. a. mit Problemen der Methodologie, Erkenntnis- und Wiss.theorie; im Zusammenhang mit der Ökologiebewegung auch erneut mit der Frage nach einer Bestimmung von Natur.

📖 DITFURTH, H. VON: *Zusammenhänge. Gedanken zu einem naturwiss. Weltbild. Tb.-Ausg. München 1990.* – HEISENBERG, W.: *Quantentheorie u. Philosophie. Vorlesungen u. Aufsätze. Stuttgart 1990, Nachdr. ebd. 1994.* – WEIZSÄCKER, C. F. VON: *Zum Weltbild der Physik. Stuttgart [13]1990.* – CHARON, J. E.: *Der Geist der Materie. A. d. Frz. Neuausg. Frankfurt am Main u. a. [5]1992.* – KANITSCHEIDER, B.: *Von der mechanist. Welt zum kreativen Universum. Zu einem neuen philosoph. Verständnis der Na-*

tur. Darmstadt 1993. – BATESON, G.: *Geist u. Natur. A. d. Engl. Frankfurt am Main [4]1995.*

Naturrecht, das im Wesen bzw. der Vernunft des Menschen **(Vernunftrecht)** begründete und daher unwandelbare Recht, das als höchstrangige Rechtsquelle zur Legitimierung des positiven Rechts dient. – Die Überlegungen zum N. nehmen in der ion. Naturphilosophie ihren Ausgang,

Natur- und Nationalparks in Deutschland

	Gründungsjahr	Fläche in km²
Naturparks		
Schleswig-Holstein		
Aukrug	1970	394
Holsteinische Schweiz	1986	581
Hüttener Berge - Wittensee	1970	231
Lauenburgische Seen	1959	444
Westensee	1969	250
Hamburg		
Harburger Berge	1959	38
Mecklenburg-Vorpommern		
Schaalsee	1990	162
Nossentiner/Schwinzer Heide	1994	320
Niedersachsen		
Dümmer	1972	340
Elbufer - Drawehn	1968	750
Elm - Lappwald	1976	470
Harz	1960	792
Lüneburger Heide (Naturschutzpark)	1921	234
Münden	1959	374
Nördl. Teutoburger Wald - Wiehengebirge	1962	901
Solling - Vogler	1966	530
Steinhuder Meer	1974	310
Südheide	1963	500
Weserbergland - Schaumburg - Hameln	1975	1 125
Wildeshauser Geest	1984	1 554
Sachsen-Anhalt		
Drömling	1990	257
Brandenburg		
Märkische Schweiz	1990	205
Nordrhein-Westfalen		
Arnsberger Wald	1961	482
Bergisches Land	1973	1 910
Diemelsee	1965	124
Dümmer	1972	132
Ebbegebirge	1964	777
Eggegebirge und südl. Teutoburger Wald	1965	680
Hohe Mark	1963	1 041
Homert	1965	550
Kottenforst - Ville	1959	880
Nördl. Teutoburger Wald - Wiehengebirge	1962	319
Nordeifel	1960	1 347
Rothaargebirge	1963	1 355
Schwalm - Nette	1966	435
Siebengebirge	1959	48
Hessen		
Bergstraße - Odenwald	1960	1 229
Diemelsee	1965	210
Habichtswald	1962	474
Hessische Rhön	1963	700
Hessischer Spessart	1962	730
Hochtaunus	1962	1 202
Hoher Vogelsberg	1958	384
Meißner - Kaufunger Wald	1962	421
Rhein - Taunus	1968	808
Rheinland-Pfalz		
Nassau	1962	590
Nordeifel	1960	405
Pfälzerwald	1958	1 799
Rhein - Westerwald	1962	446
Saar - Hunsrück	1980	918
Südeifel	1958	432
Baden-Württemberg		
Neckartal - Odenwald	1980	1 292
Obere Donau	1980	857
Schönbuch	1974	156
Schwäbisch-Fränkischer Wald	1979	904
Stromberg - Heuchelberg	1980	330
Bayern		
Altmühltal	1969	2 908
Augsburg - Westl. Wälder	1974	1 175
Bayerische Rhön	1967	1 245
Bayerischer Spessart	1963	1 710
Bayerischer Wald	1967	2 068
Bergstraße - Odenwald	1960	400
Fichtelgebirge	1971	1 020
Fränkische Schweiz - Veldensteiner Forst	1968	2 346
Frankenhöhe	1974	1 105
Frankenwald	1973	972
Haßberge	1974	804
Hessenreuther und Manteler Wald mit Parkstein	1975	270
Nördl. Oberpfälzer Wald	1971	644
Oberer Bayerischer Wald	1965	1 738
Oberpfälzer Wald	1971	724
Steigerwald	1971	1 280
Steinwald	1970	233
Saarland		
Saar - Hunsrück	1980	1 020
Nationalparks		
Schleswig-Holstein		
Schleswig-Holsteinisches Wattenmeer	1985	2 850
Hamburg		
Hamburgisches Wattenmeer	1990	117
Mecklenburg-Vorpommern		
Vorpommersche Boddenlandschaft	1990	805
Jasmund	1990	30
Müritz-Nationalpark	1990	318
Niedersachsen		
Niedersächsisches Wattenmeer	1986	2 400
Oberharz	1994	158
Sachsen-Anhalt		
Hochharz	1990	59
Brandenburg		
Unteres Odertal	1995	95
Sachsen		
Sächsische Schweiz	1990	93
Thüringen		
Hainich	1998	75
Bayern		
Bayerischer Wald	1970	130
Berchtesgaden	1879	210

die die Natur als ursprünglich, absolut und normsetzend dem menschl. Gesetz gegenüberstellt, dessen Gültigkeit auf bloßer Konvention beruhe. Das (christl.) MA. betrachtet das N. als Reflexion des göttl. Schöpfungsplans im Bewusstsein des Menschen. Aus der Übereinstimmung von N. und positivem Recht ergibt sich dessen Verbindlichkeit. Im Nominalismus erscheint erstmals (Wilhelm von Ockham) die Dreiheit der »natürl. Rechte«: Leben, Freiheit, Eigentum, die J. Locke als säkularisierten N.-Begriff in das Zentrum frühbürgerlicher Staatstheorie rückt. Die vom Nominalismus beeinflusste Entscheidung zugunsten des voluntaristisch orientierten N. führt unter dem Einfluss der Reformation und des Deismus zu einer Lösung des N. vom ewigen Weltgesetz. – Die Aufklärung greift den vernunftorientierten N.-Begriff erneut auf (F. Suárez, H. Grotius, S. von Pufendorf, J. Althusius), emanzipierte ihn jedoch von der Theologie. Man versucht (v.a. C. Thomasius, C. Wolff), ein alle Rechtsgebiete umfassendes System von absolut gültigen Gesetzen abzuleiten. Erst die Betonung der Relativität auch des N. durch Montesquieu führt zu einer histor. Betrachtungsweise, die in der histor. Schule den Rechtspositivismus einleitet, der das N. weitgehend abgelöst hat. Jedoch haben die Erfahrung des Faschismus/Nationalsozialismus und die Unfähigkeit des Rechtspositivismus, dem auf formal legalem Wege begangenen Unrecht entgegenzutreten, nach dem 2. Weltkrieg zur Wiederaufnahme der naturrechtl. Diskussion geführt, die allerdings keine wirkl. Wiederbelebung der N.-Lehre bewirkt.

🕮 *N. u. Politik, hg. v.* K. Ballestrem. *Berlin 1993.* – Schockenhoff, E.: *N. u. Menschenwürde. Universale Ethik in einer geschichtl. Welt. Mainz 1996.*

Naturreligionen, →Stammesreligionen.

Naturschutz, Gesamtheit der Maßnahmen zur Erhaltung und Pflege von Naturlandschaften oder naturnahen Kulturlandschaften und Naturdenkmalen, von seltenen und in ihrem Bestand gefährdeten Pflanzen- und Tierarten sowie deren Lebensräumen und ihr Schutz vor Zivilisationsschäden. Versch. Arten von Schutzgebieten können – mit unterschiedl. Schutzintensität – rechtlich freigesetzt werden: 1) **N.-Gebiete** dienen dem Schutz von Natur und Landschaft und von wild lebenden Pflanzen- und Tierarten. Sie werden aus wiss. und naturgeschichtl. Gründen sowie wegen der Seltenheit der Arten oder der hervorragenden Schönheit der Landschaft angelegt. Alle Handlungen, die zur Zerstörung, Beschädigung oder Veränderung des N.-Gebiets oder seiner Bestandteile oder zu einer nachhaltigen Störung führen können, sind verboten. Einige N.-Gebiete haben eine internat. Anerkennung erfahren. Die Erklärung zum N.-Gebiet erfolgt durch Eintragung in das Landesnaturschutzbuch bei der obersten N.-Behörde. Ein aufgrund des Gesetzes ausgesprochenes Nutzungsverbot muss der Eigentümer entschädigungslos hinnehmen, da dies im Rahmen der Sozialbindung des Eigentums liegt. 2) **Nationalparks** sollen vornehmlich einem möglichst artenreichen heim. Tier- und Pflanzenbestand dienen. 3) **Landschaftsschutzgebiete** genießen weniger Schutz als N.-Gebiete, z.B. ist landwirtsch. Nutzung im bisherigen Umfang erlaubt. 4) **Naturparks** dienen v.a. der Erholung und dem Fremdenverkehr. 5) Alte Bäume, Gehölzzonen, Quellen, Felsen werden als **Naturdenkmal** ausgewiesen. 6) Naturnahe und deshalb geschützte Landschaftsbestandteile, z.B. Hecken zur Gliederung und zum Schutz der Landschaft. – Wichtige Impulse für den N. gehen von den N.-Verbänden aus. Sie wirken bei Maßnahmen der Behörden mit und nehmen Einfluss auf die N.-Politik. Außerdem führen sie selbst Projekte durch, z.B. Ankauf und Pflege von N.-Flächen. Bundesweit tätige N.-Verbände sind u.a. der Bund für Umwelt und Naturschutz Deutschland e.V. (BUND), der Dt. Alpenverein, der N.-Bund Dtl. e.V., der Dt. N.-Ring e.V. – Bundesverband für Umweltschutz, die Dt. Sektion des Internat. Rates für Vogelschutz und die Umweltstiftung WWF – Dtl. (World Wide Fund for Nature). – Dtl. ist an versch. internat. Institutionen, die sich mit N. befassen, beteiligt: an der Internat. N.-Union (IUCN), am Internat. Wasservogelforschungsbüro (IWRB), am Umweltprogramm der UN (UNEP) und am Programm »Der Mensch und die Biosphäre« der UNESCO. (→Washingtoner Artenschutzabkommen)

Rechtliches: Die Grundlage des N.-Rechts bildet das Ges. über N. und Landschaftspflege (Bundes-N.-Ges.) i.d.F.v. 12. 3. 1987, das als Rahmen-Ges. durch Landesrecht konkretisiert wird. Die Erfordernisse und Maßnahmen zur Verwirklichung des N. und der Landschaftspflege werden unter Beachtung der Ziele und Grundsätze der Raumordnung und Landesplanung in einem Landschaftsrahmenprogramm (für ein Land), in Landschaftsrahmen- und Landschaftsplänen dargestellt. Dem Schutz wild lebender Tiere und Pflanzen dient die Bundesartenschutz-VO i.d.F.v. 18. 9. 1989.

🕮 Plachter, H.: *N. Neuausg. Stuttgart 1992.* – Barth, W.-E.: *N. Das Machbare. Prakt. Umwelt- u. N. für alle. Ein Ratgeber. Hamburg ²1995.* – Kinzelbach, R. K.: *Ökologie, N., Umweltschutz. Neuausg. Darmstadt 1995.*

NABU
Naturschutzbund Deutschland e.V.

Naturschutzbund Deutschland e.V., Abk. **NABU,** 1899 urspr. als »Bund für Vogelschutz« gegr. Naturschutzorganisation, Bundesgeschäftsstelle: Bonn; gliedert sich in zahlr. Orts- und Kreisgruppen, die Landesverbände und den Bundesverband mit rd. 220 000 Mitgl. (bundesweit ohne Bayern).

Naturstein, Bez. für die aus natürl. Vorkommen gewonnenen Gesteine, gebrochen als Schotter, Splitt oder Brechsand v.a. für den Straßenbau oder zur Betonherstellung, eben bearbeitet (grob behauen bis poliert) meist als Mauer- oder Pflastersteine, als Platten bes. für Mauerwerkverkleidungen, für Boden- und Straßenbeläge sowie für Treppenanlagen.

Naturstoffe, technisch verwertbare Rohstoffe aus der belebten und unbelebten Natur. N. i.e.S. sind organ. Stoffe natürl. Ursprungs **(Biochemikalien)** wie Eiweiße, Hormone, Vitamine.

Naturtheater, →Freilichtbühne.

Naturtöne, bei Blasinstrumenten die ohne Verwendung von Ventilen, Klappen, Grifflöchern oder Zügen allein beim →Überblasen über dem Grundton entstehenden Obertöne.

Naturvölker, kleinere Kulturgruppen, meist außerhalb von Europa, die unmittelbarer als Mitglieder von Industriegesellschaften mit ihrer natürl. Umwelt in Kontakt stehen und sie i.d.R. pfleglich behandeln. Der Begriff wurde von J. G. Herder erstmals verwendet; er sollte die abwertende Bez. »Wilde«, »Barbaren« oder »Primitive« ersetzen. Obwohl u.a. aufgrund ihrer uneinheitlichen Definition problematisch, wurde die Bez. N. beibehalten.

Naturwissenschaften, Oberbegriff für die einzelnen empir. Wiss., die sich mit der systemat. Erforschung der Natur (oder eines Teils von ihr) und dem Erkennen der Naturgesetze befassen. Man trennt die N. auch heute noch vielfach, entsprechend der unbelebten und der belebten Natur oder Materie, in die vorwiegend mathematisch formulierten **exakten N.** (Physik, Chemie, Astronomie, Geologie sowie ihre versch. Teildisziplinen oder die sie verbindenden Wiss.bereiche wie physikal. Chemie, Astrophysik, Geophysik, Meteorologie, Mineralogie u.a.) und in die **biolog. N.** (Biologie, u.a. Anthropologie, Physiologie, Genetik, Molekularbiologie und Ökologie, sowie – als Verbindungen zu den exakten N. – Biophysik und Biochemie). – Die Aufgabe der N. besteht nicht allein darin, die Naturerscheinungen und Vorgänge in der Natur sowie ihre Gesetze mittels geeigneter Experimente zu ergründen und mittels naturwiss. Theorien zu beschreiben und zu »erklären«, sondern auch darin, diese Naturerkenntnisse im Rahmen der **angewandten N.** dem Menschen allgemein nutzbar zu machen. Insofern schaffen die N. die theoret. Voraussetzungen für Technik, Landwirtschaft, Medizin und andere Bereiche menschl. Aktivität.

📖 WEIZSÄCKER, C. F. VON: *Die Tragweite der Wissenschaft. Stuttgart* [6]*1990.*

Heinrich Nauen: »Herbstwald« (um 1911; Bonn, Städtisches Kunstmuseum)

Nauarch [grch.] *der,* der Flottenführer in vielen altgrch. Staaten; sein Amt ist die **Nauarchie.**

Nauen, Stadt im Landkreis Havelland, Brandenburg, am SO-Rand des Havelländ. Luchs, 11 000 Ew.; Landtechnik, Molkerei. – Spätgot. Backsteinhallenkirche. – 1305 erstmals als Stadt erwähnt; war bis 1993 Kreisstadt.

Nauen, Heinrich, Maler und Grafiker, *Krefeld 1. 6. 1880, †Kalkar 26. 11. 1940; Expressionist, malte bes. Stillleben, Landschaften und Figurenbilder in heller, kräftiger Farbgebung.

Nauheim, Bad, →Bad Nauheim.

Naukratis [grch. »die Schiffsmächtige«], altgrch. Faktorei an einem Nilarm im S von Damanhur (Ägypten), um 650 v. Chr. von Kaufleuten aus Milet gegründet. N. war bis zur Gründung Alexandrias Mittelpunkt des grch.-ägypt. Handels; Ruinen von Heiligtümern bei Nibeira (Nebira) im westl. Nildelta.

Naumachie [grch.] *die,* urspr. die Seeschlacht, dann v.a. im antiken Rom die Aufführung einer Seeschlacht in Bassins im Amphitheater oder auf Seen in Roms Umgebung.

Naumachie

Beim Bau des Kolosseums wurde eine unterirdische Pumpenanlage mit installiert, um künstliche Seeschlachten inszenieren zu können. Aber schon vorher wurden sie veranstaltet. Augustus zum Beispiel ließ eine historische Seeschlacht zwischen Griechen und Persern aufführen, und eigens dafür baute man am Tiberufer ein Becken mit den Maßen 500 × 360 Meter. Im Jahre 52 n. Chr. lud Kaiser Claudius zu einer Naumachie auf dem Fuciner See in den Abruzzen, dem einst größten See Italiens. 19 000 Mann traten zu diesem Schauspiel an.

Naumburg (Saale): Der bis auf den Anfang des 13. Jh. zurückgehende, viertürmige Dom Sankt Peter und Paul wurde um 1330 vollendet

Naumburg (Saale) Stadtwappen

Nauman ['naʊmən], Bruce, amerikan. Künstler, *Fort Wayne (Ind.) 6. 12. 1941. Seine Arbeiten umfassen Installationen, Objekte, Plastiken, Zeichnungen, visuelle Wortspiele und Videoaufzeichnungen. In den Werken der 1980er-Jahre traten zeitkrit. Aspekte in den Vordergrund.

Friedrich Naumann

Naumann, 1) Friedrich, Politiker, *Störmthal (bei Leipzig) 25. 3. 1860, †Travemünde (heute zu Lübeck) 24. 8. 1919; zunächst Gemeindepfarrer (Langenberg bei Hohenstein-Ernstthal); seit 1890 Vereinsgeistlicher der Inneren Mission in Frankfurt a. M. und Mitarbeit im →Evangelisch-sozialen Kongress; gründete 1896 den Nationalsozialen Verein (1903 aufgelöst), der (im Ergebnis erfolglos) im Rahmen eines »sozialen Kaisertums« die Verbindung des nat. und sozialen Gedankens und die Gewinnung der Arbeiterschaft für Staat und Nation anstrebte; 1907–12 und 1913–18 MdR (bis 1910 für die Freisinnige Vereinigung, danach für die Fortschrittl. Volkspartei); 1918 Mitbegründer, 1919 Vors. der Dt. Demokrat. Partei; 1919 in die Weimarer Nationalversammlung gewählt.

Werke: Mitteleuropa (1915); Der Kaiser im Volksstaat (1917).

📖 LINDT, A.: *F. N. u. Max Weber. München 1973.*

2) Klaus Dieter, General, *München 25. 5. 1939; trat 1958 in die Bundeswehr ein. Nach Truppendienst und Stabsverwendungen v. a. bei der NATO und im Verteidigungsministerium war er 1991-96 Generalinspekteur der Bundeswehr. In seine Amtszeit fiel – nach dem Ende des Ost-West-Konfliktes – die Reform der Bundeswehr angesichts der sicherheitspolit. Veränderungen in Europa. Am 14. 2. 1996 übernahm er in Brüssel den Vorsitz des NATO-Militärausschusses. Sein Nachfolger als Generalinspekteur der Bundeswehr wurde der bisherige Inspekteur des Heeres Generalleutnant Hartmut Bagger (*1938).

Naumburger Meister, Notname für die prägende Künstlerpersönlichkeit einer got. Bildhauerwerkstatt und Bauhütte, deren wichtigste Schöpfungen der Mainzer Lettner (vor 1239) und der Westchor (zwölf Stifterfiguren, um 1250) sowie der Westlettner (Passionsreliefs an der Bühne und Kreuzigung am Portal des Lettners) des Naumburger Doms sind. Der N. M. wird zu den bedeutendsten Bildhauern des MA. gerechnet. Seine besondere Leistung ist es, authentische hochgot. Formen aus Frankreich nach Dtl. vermittelt und diese zu einem Höhepunkt naturnaher Ausdrucksfähigkeit geführt zu haben. Sein künstler. Ursprung liegt in der Bauhütte der Kathedrale von Reims (seit 1211). BILD deutsche Kunst

📖 SCHUBERT, E.: *Die Erforschung der Bildwerke des N. M. Berlin 1994.*

Naumburg (Saale), Krst. des Burgenlandkreises, Sa.-Anh., am S-Hang des Saaletales gegenüber der Unstrutmündung, 30 700 Ew.; Inst. für Obstzüchtung; Nahrungsmittel-, Textil-, Werkzeugmaschinen-, Spielwaren-, chem. Ind.; in der Umgebung Wein-, Obst- und Gemüsebau. – Bedeutendstes Bauwerk ist der **Naumburger Dom,** eine doppelchörige, viertürmige, dreischiffige Pfeilerbasilika, an der Stelle einer älteren Kirche (1042 geweiht; Krypta z. T. erhalten, um 1070/80, erweitert um 1210/20) Anfang des 13. Jh. begonnen und um 1330 mit dem Ostchor vollendet, Westchor nach 1249 ff. Der Naumburger Dom St. Peter und Paul zeigt die Ablösung spätroman. durch got., frz. geprägte Stilformen (Westlettner, Stifterfiguren des →Naumburger Meisters). Der Ostlettner (um 1225) gilt als ältester Lettner in Deutschland. Nach mehreren vernichtenden Großbränden – zuletzt 1532 – entstanden viele Bürgerhäuser und das Rathaus in der Renaissance neu. Wichtige Kirchen sind die spätgot. Stadt-(Wenzels-)Kirche (1517–23) und St. Moritz (16. Jh.), die Barockkirchen St. Othmar (1691–99) und St. Marien (1712–28). Von der Stadtbefestigung sind das spätgot. Marientor sowie die Wasserkunst von 1480 erhalten.

N. entstand bei der 1012 bezeugten namengebenden Burg (»Neue Burg«), errichtet um 1000 wohl von Markgraf Ekkehard I. von Meißen, und dem vor 1021 errichteten Stift; 1142/44 als Stadt genannt; 1028/30 wurde der Bischofssitz von Zeitz

Nauru

Fläche: 21,3 km²
Einwohner: (1995) 11 000
Hauptstadt: Yaren
Verwaltungsgliederung: 13 Gemeindebezirke
Amtssprachen: Nauruisch, Englisch
Nationalfeiertag: 31. 1.
Währung: 1 Australischer Dollar ($A) = 100 Cents (c)
Zeitzone: MEZ +10 Std. und 30 Minuten

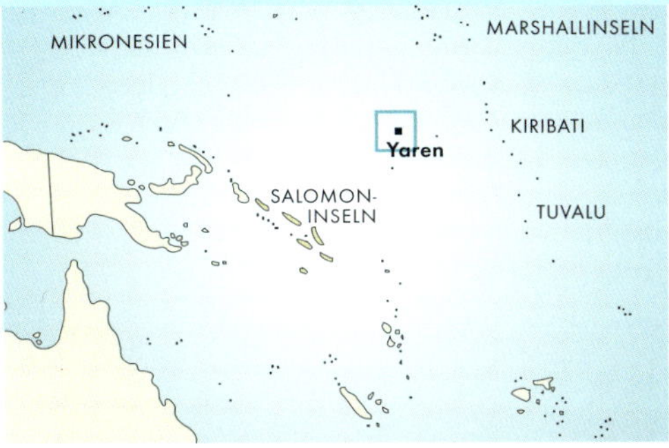

nach N. in das Stift verlegt (kam 1564 an Kursachsen, 1815 an Preußen).

Naupaktos (ngrch. Navpaktos, italien. Lepanto), Hafenstadt in W-Griechenland, am Eingang zum Golf von Korinth, 9 000 Ew.; hier siegte die venezianisch-span. Flotte unter Juan de Austria am 7. 10. 1571 über die Türken.

Nauplion (ngrch. Navplion), Haupt- und Hafenstadt des VerwBez. Argolis, Griechenland, auf der Peloponnes, 10 600 Ew.; Fremdenverkehr. – Zahlr. Bauten aus venezian. Zeit, u. a. die Festung Palamidi und das auf einer Insel gelegene Kastell Burzi. – Das antike Nauplia diente Argos als Hafenstadt. 1715 ging N. an die Türken verloren, denen es im grch. Freiheitskampf 1822 wieder genommen wurde; 1829–34 war es Hptst. Griechenlands.

Nauplius [grch.-lat.] *der,* erstes Larvenstadium der →Krebstiere.

Nauru (amtlich nauruisch Naoero, engl. Republic of N.), Inselstaat im westl. Pazifik, südlich des Äquators, bestehend aus der zu Mikronesien gerechneten Insel Nauru.

Staat und Recht: Nach der Verf. von 1968 ist N. eine parlamentar. Rep.; Staatsoberhaupt und Reg.chef ist der vom Parlament gewählte Präsident. Die Legislative liegt beim Gesetzgebenden Rat (18 Abg., auf drei Jahre gewählt). Bisher (1997) einzige Partei ist die Demokrat. Partei von N. (DPN).

Landesnatur: N. ist eine ovale, von Riffen gesäumte, bis 65 m hohe Koralleninsel mit Phosphatablagerungen, die den Korallenkalk des Untergrundes überlagern. Sie sind aus einer Anhäufung von Vogelexkrementen (Guano) entstanden. Im Innern liegt die Buadalagune (Trinkwasserreservoir). Auf dem 150–300 m breiten Küstenstreifen gibt es Bestände von Kokospalmen und Schraubenbäumen. N. hat trop. Klima mit einer Regenzeit von Nov. bis Febr. bei beständigen kühlen Meereswinden.

Bevölkerung: Die knappe Mehrzahl der Ew. sind Nauruer, ein mikronesisch-polynesisch-melanes. Mischvolk, außerdem leben Chinesen, Europäer sowie Gastarbeiter, u. a. von Kiribati und Tuvalu, auf der Insel. Es besteht allg. Schulpflicht vom 7. bis zum 17. Lebensjahr. Über 70 % der Bev. sind Christen; außerdem kommen u. a. chines. Volksreligionen und der Buddhismus vor.

Wirtschaft, Verkehr: Die wirtsch. Aktivitäten konzentrierten sich auf den Phosphatabbau. Da die Phosphatvorräte inzwischen nahezu erschöpft sind, ist N. auf die Einnahmen aus Grundstücken und Immobilien in anderen Ländern des pazif. Raumes und Wertpapieren sowie dem Verkauf von Briefmarken angewiesen. Außerdem sollen Tourismus und Fischerei entwickelt werden. – Die 5,2 km lange Eisenbahnlinie dient dem Phosphattransport; eine 19 km lange Küstenstraße führt um die Insel. N. besitzt keinen Hafen, Schiffe müssen im Tiefwasser vor der Küste ankern. Es gibt einen Flughafen.

Geschichte: 1798 von Walfängern (Captain J. Fearn) entdeckt, gehörte die Insel seit 1888 zu den dt. →Schutzgebieten. 1914 von austral. Truppen besetzt, wurde sie ab 1920 als Mandat des Völkerbundes von Australien unter Beteiligung Großbritanniens und Neuseelands verwaltet. Während der japan. Besetzung (1942–45) wurden große Teile der Bev. deportiert. Ab 1947 als UN-Treuhandgebiet von Australien verwaltet, erhielt N. am 31. 1. 1968 seine Unabhängigkeit. Im Juni 1992 ließ der Internat. Gerichtshof (IGH) in Den Haag die Klage N.s gegen Australien auf Wiedergutmachung des Schadens zu, den es als Mandatsmacht auf N. beim rücksichtslosen Phosphatabbau verursacht habe.

Nausika|a, *grch. Mythos:* in der »Odyssee« die Tochter des Phäakenkönigs Alkinoos, die den schiffbrüchigen Odysseus am Strand trifft und ins Haus ihres Vaters führt.

Nautik [grch., zu naũs »Schiff«] *die,* die zur Schifffahrt gehörenden Wissensgebiete, bes. die →Navigation sowie alle die eigentl. Schiffsführung betreffenden Bereiche. Die **Nautiker** einer Schiffsbesatzung sind der Kapitän und die naut.

Staatswappen

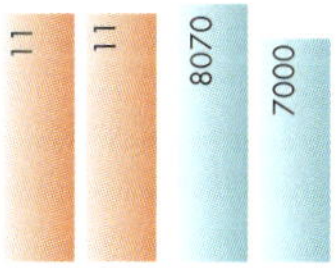

Bevölkerung (in Tausend) Bruttosozialprodukt je Ew. (in US-$)

Klaus Dieter Naumann

Offiziere (im Ggs. zu den techn. Offizieren, z.B. den Schiffsingenieuren).

Nautilus [lat.-grch.] *der* (Perlboot), Kopffüßergattung mit einer äußeren, vielkammerigen Spiralschale, von der nur die letzte (größte) Kammer den Weichkörper aufnimmt; diese ist mit den übrigen Kammern durch ein Rohr **(Sipho)** verbunden; die Mundöffnung ist von saugnapflosen Armen umgeben.

Navarra: Blick über das intensiv landwirtschaftlich genutzte Becken von Pamplona mit den Pyrenäen im Hintergrund

nautische Maße, in der Schifffahrt neben den metr. verwendete Einheiten, z.B. Seemeile, Faden, Knoten, Registertonne.

nautisches Dreieck, →astronomisches Dreieck.

Nautisches Jahrbuch, Zusammenstellung der Daten (naut. Ephemeriden) von Sonne, Mond, Planeten und der Fixsterne für die astronom. Ortsbestimmung auf See. Das N.J. wird (seit 1852) jährlich vom Dt. Hydrograph. Institut, Hamburg, herausgegeben.

Navajo [na'βaxo, span.] (Navaho), zahlenmäßig einer der größten Indianerstämme in den USA. Die rd. 192000 N. leben in großen Reservationen in Arizona, New Mexico und Utah; sie sind vorwiegend Schafzüchter, ausgezeichnete Weber und Silberschmiede. Berühmt sind ihre Darstellungen von myth. Figuren und Pflanzen mit farbigen Sanden (30 cm bis 5 m Durchmesser). Die N. besitzen einen gewählten Stammesrat und haben ein eigenes College. Ihre Sprache gehört zu den athapask. Sprachen; sie ist eine Schriftsprache mit reicher Literatur.

Navarra (frz. Navarre), histor. Landschaft, die sich vom Kamm der tief zertalten, bewaldeten westl. Pyrenäen über deren südl. Ausläufer mit den trockeneren Becken von Pamplona und Sangüesa bis ins trockene obere Ebrobecken erstreckt. – Die heutige span. Region »Comunidad Foral de N.« umfasst die Prov. N., 10391 km^2, (1991) 519300 Ew.; Hptst. ist Pamplona. Das Bergland im N ist reich an Wald und Weideland. Der S ist heiß und trocken, von dürrer Steppe bedeckt; in den fruchtbaren bewässerten Talauen (»La Ribera«) werden Wein, Getreide, Obst, Zuckerrüben und Gemüse angebaut; Zementind., Abbau von Kalisalzen.

Geschichte: Das alte Königreich N. erreichte seine größte Ausdehnung unter Sancho III. d. Gr. (1000–35). Nach dessen Tod zerfiel es und geriet unter frz. Einfluss. 1484 übernahm das Haus Albret die Herrschaft. 1512 eroberte Ferdinand II. von Aragonien das südlich der Pyrenäen gelegene Ober-N., das spanisch blieb und bis 1841 Sonderrechte besaß. Das nördl. Nieder-N. blieb im frz. Einflussbereich und gelangte 1589, als Heinrich III. von N. als Heinrich IV. König von Frankreich wurde, endgültig an Frankreich.

Navelorange [-ɔrãʒə] (Nabelorange), kernarme Kulturform der Apfelsine, die am unteren Pol eine eingeschlossene Nebenfrucht hat.

Navier [na'vje], Claude Louis Marie Henri, frz. Physiker und Ingenieur, *Dijon 15. 2. 1785, †Paris 23. 8. 1836; ab 1819 Prof. in Paris, leistete bed. Beiträge zur Mechanik, Baustatik und Hydrodynamik. Die nach ihm und G. G. Stokes benannte **Navier-Stokes-Gleichung** beschreibt die Bewegung einer zähen isotropen Flüssigkeit.

Navigation [lat.] *die,* das Führen eines Wasser-, Luft- oder Raumfahrzeugs von einem Ausgangsort auf bestimmtem Weg zu einem Zielort, einschl. der dazu erforderl. Mess- und Rechenvorgänge zur Bestimmung des augenblickl. Standortes (→Ortsbestimmung) und des →Kurses. Bei der bordautonomen N. können sämtl. zur N. erforderl. Mess- und Rechenvorgänge an Bord des Fahrzeugs vorgenommen werden (völlige Unabhängigkeit von Bodenstationen). Hierzu gehört insbesondere die Koppel-N. (Koppeln) in der Seefahrt. Dabei wird von einem bekannten Punkt aus laufend der zurückgelegte Weg in die Seekarte eingetragen. Die Koppelorte stimmen im Zeitverlauf jedoch immer weniger mit der tatsächl. Fahrzeugposition überein und müssen deshalb durch direkte Standortbestimmung (z.B. →Satellitennavigation) korrigiert werden.

Bei der **terrestr. N.** ergeben sich die Standlinien zw. Standortbestimmung aus Abstandsmessungen, Peilungen (→Decca-Navigationsverfahren, →Sonar, →Echolot), Messen von Horizontalwinkeln und Lotungen, Bestimmung des Erdmagnetfeldes mit einem Kompass oder der Erdrotation mit einem Kreiselkompass. Hilfsmittel der N. sind Seekarten, naut. Handbücher und Tafeln. Die Möglichkeiten der N. wurden durch die Benutzung von →Navigationssatelliten stark erweitert. Die **astronom. N.** setzt an die Stelle der Beobachtung von Landmarken die von Gestirnen, deren Stellung am Himmel (Aufgang, Kulmination und Untergang) den astronom. Jahrbüchern entnommen wird. Mit dem →Sextanten wird die Höhe des Gestirns über dem Horizont gemessen und danach die »astronom. Standlinie« berechnet. (→Funknavigation, →Trägheitsnavigation, →Doppler-Navigationsverfahren, →GPS).

Geschichte: Der Kompass wird als N.-Mittel im Abendland erstmals um 1190 erwähnt. Portolankarten (→Portolane) kamen um 1300 für den Mittelmeerraum auf. Genau gehende Schiffschronometer wurden 1675 erstmals als Hilfsmittel von C. Huygens empfohlen. 1903 wurde erstmals die drahtlose Telegrafie in der Schifffahrt verwendet. H. Anschütz-Kaempfe erfand 1908 den Kreiselkompass. Die Trägheits-N. (erste dt. Patentanmeldung bereits 1910) wurde ab 1956 praktisch erprobt (v.a. im militär. Bereich), die Satelliten-N. ab 1964.

📖 Böhm, W.: *Handbuch der N. Begriffe, Formeln, Verfahren, Schemata. Herford ³1994.*

Navigationsakte, Bez. für engl. Gesetze, die zur Förderung der nat. Schifffahrt erlassen wurden (erstmals 1381). Die N. von 1651 (Ergänzungen 1660, 1663, 1673) sollte die engl. Schifffahrt gegenüber dem holländ. Zwischenhandel begünstigen und die Abhängigkeit der engl. Kolonien vom Mutterland festigen. Danach durfte die Einfuhr nach England aus Übersee nur auf engl. Schiffen, die Einfuhr aus Europa nur auf engl. oder auf Schiffen des Ursprungslandes erfolgen; die engl. Küstenschifffahrt und der Verkehr der engl. Kolonien untereinander blieben engl. Schiffen vorbehalten; 1849 aufgehoben.

Ernst Wilhelm Nay: »Lofotenlandschaft« (1938; Privatbesitz)

Navigationssatelliten, i.d.R. aktive (mit Sender und Empfänger ausgestattete), seltener passive Satelliten zur Ortung und Navigation von See-, Luft- und Landfahrzeugen. Die ersten N. sind die der amerikan. Serie Transit (seit 1964), eines der wichtigsten Systeme derzeit ist →GPS. (→Satellitennavigation)

Navon, Itzhak, israel. Politiker, *Jerusalem 19. 4. 1921; schloss sich 1951 der Mapai an, war 1952–63 polit. Sekretär D. Ben Gurions, mit dem er von der Mapai zur Rafi übertrat. Er war zeitweilig Präs. des Zionist. Weltkongresses, 1978–83 Staatspräs. und 1984–90 stellv. MinPräs. und Min. für Erziehung und Kultur.

Navratilova, Martina, amerikan. Tennisspielerin tschech. Herkunft, *Prag 18. 10. 1956; gewann neunmal das Einzel in Wimbledon (1978, 1979, 1982–87, 1990), 1979–87 Weltranglistenerste.

Martina Navratilova

Nawiasky [-ki], Hans, österr. Staatsrechtslehrer, *Graz 24. 8. 1880, †St. Gallen 11. 8. 1961; wurde 1914 Prof. in Wien, lehrte 1919–33 in München, nach seiner vom nat.-soz. Dtl. erzwungenen Emigration seit 1934 in St. Gallen und seit 1946 wieder in München. Er wirkte maßgeblich an der bayer. Verfassung von 1946 und an den Vorarbeiten von Herrenchiemsee (1948) zur Schaffung des GG mit; methodisch stand N. dem Rechtspositivismus nahe.

Werke: Der Bundesstaat als Rechtsbegriff (1920); Allg. Staatslehre, 5 Tle. (1945–58).

Naxçıvan [naxtʃ-] (Nachtschiwan, russ. Nachitschewan), autonome Teilrep. in Aserbaidschan, 5500 km², (1994) 315000 Ew. (1989 zu 96% Aserbaidschaner), Hptst. ist Naxçıvan (66800 Ew.). N. liegt als Exklave zw. Armenien und Iran, umfasst halbwüstenhaftes Gebirgsland nördlich der Araksniederung; Hauptwirtschaftszweige sind Bewässerungsfeldbau (Baumwolle, Obst, Wein, Tabak), Seidenraupenzucht sowie die Verarbeitung landwirtsch. Produkte; Bergbau auf Blei, Zink, Molybdän und Steinsalz.

Naxos, die größte der Kykladeninseln, Griechenland, 428 km², 14000 Ew., bis 1001 m ü.M.; im W fruchtbar (Wein, Ölbäume, Südfrüchte, Gemüse), im O seit dem Altertum Abbau von Schmirgel und Marmor; der Fremdenverkehr konzentriert sich v.a. auf den Hauptort N. (3700 Ew.). – Schon zur Zeit der →Kykladenkultur dicht besiedelt, im 2. oder frühen 1. Jt. v. Chr. von ion. Griechen; Blütezeiten im 7. und 6. Jh. v. Chr. sowie unter venezian. Herrschaft (seit 1207; Herzogtum N.); fiel 1579 an das Osman. Reich, 1829 an Griechenland.

Nay, Ernst Wilhelm, Maler und Grafiker, *Berlin 11. 6. 1902, †Köln 8. 4. 1968; vom Expressionismus ausgehend, gelangte er zu abstrakten, später gegenstandslosen Bildern von lebhafter harmon. Farbigkeit.

Nayarit, Bundesstaat von →Mexiko (Staat).

Nazaräer (Nazoräer), Beiname Jesu (»aus Nazareth«); nach Apg. 24,5 jüd. Bez. für die ersten Christen, später Bez. für die syrisch-palästinens. Judenchristen.

Nazarener, urspr. Spottname für den 1809 von J. F. Overbeck, F. Pforr u. a. gegründeten **Lukasbund,** der eine Erneuerung der Kunst auf religiöser Grundlage erstrebte. 1810 schlossen sich die Lukasbrüder in dem ehem. Kloster Sant' Isidoro in Rom zusammen, wo sie nach dem Vorbild religiöser Bruderschaften lebten. 1811 trat ihnen P. von Cornelius bei, dem W. Schadow, J. Schnorr von Carolsfeld, die Brüder P. und J. Veit u. a. folgten. Eine weitere Grundlage bildete die Rückbesinnung auf die altdt. (A. Dürer) und italien. Malerei (P. Perugino, Raffael). Erhalten sind die Fresken der Casa Bartholdy in Rom (1816/17; abgenommen, heute Berlin, Museumsinsel) und im Casino Massimo, Rom (1817–29).

📖 SCHINDLER, H.: *N. Romant. Geist u. christl. Kunst im 19. Jh. Regensburg 1982.*

Nazarener: Johann Friedrich Overbeck, »Italia und Germania« (1811–28; München, Neue Pinakothek)

Nazareth (hebr. Nazerat, arab. En-Nasira), Stadt in N-Israel, im Hügelland von Galiläa, 49 800 Ew.; moderne Wohnsiedlungen, Kraftfahrzeugbau, Leder-, Textil- u. a. Ind. in der Oberstadt. – Zahlr. Kirchen und Klöster in der oriental. Unterstadt. – Als Vaterstadt Jesu, Wohnort seiner Eltern und Ort seiner Kindheit ist N. eine wichtige hl. Stätte des Christentums. Ob N. auch der Geburtsort Jesu ist, ist in der Forschung umstritten.

Nazareth, Daniel, ind. Dirigent, *Bombay 1948; war 1982–85 Chefdirigent des Sinfonieorchesters Berlin (West) und 1988–89 am Teatro San Carlo in Neapel, 1990–91 Musikdirektor des Verona-Gesangsfestivals; seit 1992 Chefdirigent des MDR-Sinfonieorchesters Leipzig.

Nazca: bemaltes Baumwollgewebe (300–500 n. Chr.; München, Staatliches Museum für Völkerkunde)

Nazca ['naska] (Nasca), präkolumb. Indianerkultur (300–600) im südl. Peru, benannt nach der Stadt N. Kennzeichnend sind Tongefäße und Gewebe mit leuchtenden Farben und reichen stilisierten Dekorationen. Die N. hinterließen in der Wüstenebene riesige → Scharrbilder.

Nazigold (in der Schweiz meist Raubgold genannt), schlagwortartige Bez. für Wertsachen wie Gold, Schmuck oder Kunstwerke, die von den Nationalsozialisten von Opfern des Holocaust geraubt und in die Schweiz transferiert wurden sowie für Zentralbankvermögen der vom nat.-soz. Dtl. annektierten oder besetzten Länder, die die dt. Reichsregierung oder andere dt. Stellen über die Schweiz und andere neutrale Länder in Umlauf brachten, um damit z. T. kriegswichtige Warenlieferungen zu bezahlen. Die seit langem bekannte Rolle der Schweiz, bes. ihrer Banken, bei diesen Geschäften wurde zu Beginn der 1990er-Jahre neu beleuchtet. Mit ihrer Problematik eng verknüpft ist das Schicksal **nachrichtenloser Konten.** Dabei handelt es sich um Konten, die vor oder während des 2. Weltkrieges bei Schweizer Banken eingerichtet wurden und die seit Ende des Krieges von ihren Inhabern, in vielen Fällen Verfolgte des Naziregimes, nicht mehr bewegt wurden. Als die Öffentlichkeit 1996 erfuhr, dass in der Schweiz Listen mit nachrichtenlosen Konten ohne weitere Prüfung vernichtet werden sollten, erhob sich eine lebhafte Diskussion. Unter dem Druck des Vorwurfs, Angehörigen ermordeter Juden Millionenbeträge vorenthalten zu haben, erklärten sich die Schweizer Banken bereit, in ihren Instituten nach »nachrichtenlosem« Vermögen zu fahnden und dessen Verbleib aufzuklären. Die Schweizer Reg. setzte 1996 eine Kommission ein, die sich mit der Problematik der im 2. Weltkrieg in die Schweiz gelangten Vermögen auseinander setzen soll, und richtete 1997 einen Fonds für die Opfer des Völkermordes an den Juden ein.

Nazım Hikmet

Nazım Hikmet [-'zim -], eigtl. N. H. Ran, türk. Schriftsteller, *Saloniki 20. 1. 1902, †Moskau 3. 6. 1963; Mitglied der illegalen türk. KP; Erneuerer der türk. Lyrik; schrieb auch soziale Romane und Bühnenstücke, beeinflusst von Expressionismus, Dadaismus und von W. Majakowski; in dt. Übersetzung u. a. »Türk. Telegramme« (Ged., 1956), »Gedichte« (1959), »Legende von der Liebe« (Drama, 1948).

Nazret [-z-] (Naseret, früher Adama), zentraler Ort im mittleren Awashtal, Äthiopien, 1720 m ü. M. am Ostrand des Äthiop. Grabens, 76 300 Ew.; pharmazeut. Ind., Papierfabrik, Gerbereien.

Nb, chem. Symbol für → Niob.

NBC [enbi:'si:], Abk. für **N**ational **B**roadcasting **C**ompany, amerikan. private Rundfunkgesellschaft; zählt zu den überregionalen Sendergruppen; gegr. 1926; Sitz: New York.

n. Br., Abk. für **n**ördliche(r) **Br**eite.

NC [en'si:], Abk. für engl. **N**umerical **C**ontrol, → numerische Maschinensteuerung.

N. C., Abk. für den Bundesstaat **N**orth **C**arolina, USA.

n. Chr., Abk. für **n**ach **Chr**istus.

Nd, chem. Symbol für →Neodym.

N. D., Abk. für den Bundesstaat **N**orth **D**akota, USA.

Ndebele, 1) (Amandebele, Matabele) Bantuvolk in Simbabwe. Die rd. 1,2 Mio. N. betreiben Ackerbau und Großviehhaltung.

2) (Transvaal-N.) Bantuvolk in der Rep. Südafrika; heute in zwei Gruppen gespalten: die **Nord-N.** (265 000), die sich den Nord-Sotho akkulturierten und mit diesen in der neuen Nord-Prov. leben, und die **Süd-N.** (392 000), die sich den Swasi akkulturierten (Prov. Ost-Transvaal).

N'Djamena [ndʒa-] (bis 1973 Fort-Lamy), Hauptstadt der Rep. Tschad, am rechten Steilufer des Schari, 531 000 Ew.; kath. Erzbischofssitz, Univ.; Nahrungsmittelind., Parfümfabrik, Brauerei, Bau von Rundfunkgeräten; internat. Flughafen. – N. wurde 1900 gegründet. Bei Kusseri in der Nähe von N. schlugen die Franzosen am 22. 4. 1898 den arab. Sklavenhändler Rabeh.

Ndola, Stadt in Sambia, 282 400 Ew.; Wirtschafts- und Verkehrszentrum im SO des Kupfergürtels; Kupfer- und Kobaltverhüttung, Metall-, Nahrungs- und Genussmittelind., Erdölraffinerie; internat. Handelsmesse; Verkehrsknotenpunkt, internat. Flughafen.

NDPD, Abk. für →**N**ational**d**emokratische **P**artei **D**eutschlands.

'Ndrangheta [ndraˈŋeta], Verbrecherorganisation in Kalabrien, der →Mafia und der →Camorra ähnlich.

Ne, chem. Symbol für →Neon.

Neagh [neɪ] (Lough N.), See in Nordirland, westlich von Belfast, 396 km², größter See der Brit. Inseln, rd. 12 m tief; durch den Bann entwässert.

Neal [nɪːl], John, amerikan. Schriftsteller, *Postland (Me.) 25. 8. 1793, †ebd. 20. 6. 1876; Anwalt und vielseitiger Literat. Seine sachlich z. T. falschen Artikel zu amerikan. Autoren gelten als erster Versuch amerikan. Literaturgeschichtsschreibung.

Neander, Joachim, evang. Theologe und Kirchenlieddichter, *Bremen 1650, †ebd. 31. 5. 1680; Pastor in Bremen. Sein bekanntestes Lied ist »Lobe den Herren, den mächtigen König der Ehren«.

Neandertal [nach J. Neander, der es häufig aufsuchte], schluchtartiger Talabschnitt der Düssel, im östl. Stadtgebiet von Mettmann, NRW. Fundort des Neandertalers (1856) in der **Feldhofer Grotte;** Neandertalmuseum.

Neandertaler, →Mensch (Abstammung).

Neanthropinen [grch.], die Gruppe der heute lebenden **Jetztmenschen** als (einzige rezente) Unterart (Homo sapiens sapiens) der Art Homo sapiens.

Neapel (italien. Napoli), **1)** Prov. in Kampanien, Italien, 1171 km², (1995) 3,1 Mio. Einwohner.

2) größte Stadt S-Italiens, Verw.sitz der Region Kampanien und der Prov. N., am N-Rand des Golfs von N. zw. den Phlegräischen Feldern im W und dem Vesuv im O., 1,054 Mio. Ew.; Erzbischofssitz, Univ. (gegr. 1224), Handelshochschule, Kunstakademie, Musikhochschule, Schifffahrtshochschule, Meerwasseraquarium mit biolog. Forschungsstation, Polytechnikum, orientalist. Inst., histor. Inst., vulkanolog. Inst. und Erdbebenwarte, Observatorium; Archäolog. Nationalmuseum (Funde aus Pompeji und Herculaneum u. a.), Gemäldegalerie im Schloss Capodimonte, Nationalbibliothek, Theater; Börse. N. besitzt Erdölraffinerien, Werften, Leder-, Textil-, chem., Nahrungs- und Genussmittelind.; reger Fremdenverkehr; bed. Handelshafen; Flughafen. – Die enge, winklige Altstadt wurde nach S zum Hafen hin im 19. Jh. großzügig umgestaltet. Früheste christl. Zeugnisse sind u. a. die Katakomben von San Gennaro extra moenia (seit dem 2. Jh.) und das Baptisterium San Giovanni in Fonte (5. Jh.). Künstlerisch bemerkenswerte Kirchen sind: Dom San Gennaro (13./14. Jh.; mit älteren Bauteilen; mehrfach verändert), Santa Chiara (1310–40), San Lorenzo Maggiore (um 1270–1330; Barockfassade, 1743), San Paolo Maggiore (seit 1583), das ehem. Kartäuserkloster von San Martino (gegr. 1325; seit 1886 Nationalmuseum); der Bau von San Francesco di Paola (Anfang 19. Jh.) folgt dem röm. Pantheon, davor zwei Reiterdenkmäler von A. Canova. Weltl. Bauten: Castel Nuovo (1279–84) mit Triumphbogenportal (15. Jh.), Castelli dell'Ovo und Capuano

Neapel 2) Stadtwappen

Neapel 2): Blick über die Stadt und den Golf von Neapel auf den Vesuv im Hintergrund

(13. Jh.), der Palazzo Reale (1600–02, im 19. Jh. erneuert). – N. wurde im 5. Jh. v. Chr. als grch. Kolonie **Neapolis** (»Neustadt«) gegründet und schloss 326 v. Chr. ein Bündnis mit Rom. Seit 553 byzantinisch, gewann im 7. Jh. allmählich Autonomie, bis

das Herzogtum N. 1139 von Roger II. von Sizilien unterworfen wurde; seitdem Hptst. des Königreichs Neapel.

🕮 Kluckert, E.: *N. München* ²*1989.*

3) ehem. Königreich, 1816–60 **Königreich beider Sizilien** genannt, umfasste Unteritalien und mit Unterbrechungen die Insel Sizilien.

Geschichte: Die Langobarden gründeten im 6. Jh. in Unteritalien das Herzogtum Benevent, doch stand der größte Teil Unteritaliens mit Sizilien seit etwa 550 unter byzantin. Herrschaft. Im Lauf des 11. Jh. eroberten die Normannen Unteritalien und Sizilien. Roger II. schuf hier einen zentralistisch organisierten Staat, der durch die Heirat der Erbin Konstanze mit Heinrich VI. an die Staufer kam. Unter Kaiser Friedrich II. erlebte er 1220–50 seine Glanzzeit. Die letzten Staufer, Manfred und Konradin, konnten sich gegen die Ansprüche Karls I. von Anjou, der vom Papst unterstützt wurde, nicht behaupten. Der Aufstand der »Sizilianischen Vesper« (→Sizilien, Geschichte) brachte 1282 die Trennung von N. und Sizilien, das an Aragonien fiel. 1442 eroberte Alfons V. von Aragonien N. und vereinigte das Königreich wieder mit Sizilien. 1503 waren die frz. Ansprüche endgültig zurückgewiesen. Als Sieger über Ludwig XII. gelangte Ferdinand der Katholische von Aragonien auf den Thron von N., das fortan von span. Vizekönigen verwaltet wurde. Nach dem Span. Erbfolgekrieg fielen 1713/14 N. und Sardinien an die österr. Habsburger, Sizilien an Piemont; doch tauschten die Habsburger 1720 Sizilien gegen Sardinien ein. 1735 überließ Kaiser Karl VI. das Königreich N.-Sizilien einer Nebenlinie der span. Bourbonen. 1799 wurde in N. unter dem Schutz der frz. Truppen die Parthenopeische Republik ausgerufen, die nur wenige Wochen Bestand hatte. 1806 eroberte Napoleon I. N.; er setzte zunächst seinen Bruder Joseph, 1808 seinen Schwager J. Murat als König ein. 1815 kam N. wieder unter die bourbon. Herrschaft Ferdinands, der sich ab 1816 (als Ferdinand I.) König beider Sizilien nannte. Er schlug mit österr. Hilfe 1820/21 einen Aufstand brutal nieder; nach der Niederlage der Revolution von 1848/49 verstärkte sich unter Ferdinand II. das absolutist. Regiment. Garibaldi zog – nach der Eroberung Siziliens im Mai – im Sept. 1860 in N. ein; am 21. 10. 1860 schlossen sich N. und Sizilien dem neuen Königreich Italien an. (→Italien, Geschichte)

Neapolitanische Schule, Gruppe in Neapel im 17. und 18. Jh. tätiger oder dort ausgebildeter Komponisten, die in der Oper die Da-capo-Arie zum wichtigsten Formtypus erhoben, die sinnfällig schöne Melodie (Belcanto) und die Gesangsvirtuosität (der Primadonnen und Kastraten) der Dramatik überordneten, in der Kirchenmusik den theatral. Ausdruck steigerten und die Opera buffa schufen. Als ihr Begründer gilt F. Provenzale, ihr erster führender Meister war A. Scarlatti. Weitere bekannte Vertreter waren F. Durante, L. Leo, N. Porpora, L. Vinci, N. Jommelli, N. Piccinni, G. B. Pergolesi, P. Anfossi, T. Traetta, P. A. Guglielmi, G. Paisiello, D. Cimarosa. Beeinflusst von der N. S. waren G. F. Händel, C. W. Gluck und W. A. Mozart.

Neath Port Talbot [niːθ pɔːt ˈtɔːlbət], County Borough in S-Wales, 442 km², 139 600 Ew., Zentrum: Port Talbot.

Nebel, 1) *allg.:* ein Aerosol, kolloide Verteilung feinster Flüssigkeitströpfchen in Gasen.

2) *Astronomie:* historisch bedingte Sammelbez. für Objekte versch. astronom. Klassen, die als kleine, schwach leuchtende, flächenhafte Gebiete an der Sphäre erscheinen. Mit dem bloßen Auge sichtbar sind der →Andromedanebel, die beiden →Magellanschen Wolken sowie der →Orionnebel; die meisten Objekte dieser Art sind jedoch nur im Fernrohr und auf lange belichteten Himmelsaufnahmen zu erkennen. Der Andromeda-N. und die Magellanschen Wolken gehören zu den **außergalakt. (extragalakt.) N.** Dabei handelt es sich um selbstständige Galaxien (→Sternsysteme), die nach der Form in **ellipt. N., Spiral-N.** und **unregelmäßige (diffuse) N.** unterschieden werden. Der Orion-N. gehört zu den **galakt. N.,** die aus relativ dichten Ansammlungen von →interstellarer Materie im Milchstraßensystem bestehen, wobei **Emissions-, Reflexions-** und **Dunkel-N.** (→Dunkelwolken) unterschieden werden. Zu den Emissions-N., in denen das interstellare Gas durch eingelagerte oder benachbarte heiße Sterne zum Leuchten angeregt wird, gehören die neu gebildete Sterne umgebenden **Gas-N.** und die **planetar. N.,** bei denen die Gasmassen einen sehr heißen Zentralstern meist kugelförmig umlagern und wahrscheinlich früher von diesem ausgestoßen worden sind. Die aus interstellarem Staub bestehenden Reflexions-N. leuchten nicht selbst, sondern reflektieren nur das Licht benachbarter Sterne. – In der Fachsprache werden Objekte, die in Sterne aufgelöst werden können, nicht mehr als N. bezeichnet, sondern als Galaxien oder kompakte Sternhaufen. Im Ggs. hierzu bestehen die eigentl. N. aus interstellarer Materie zw. den Sternen, die eine solche Dichte aufweist, dass sie gegen den Hintergrund sichtbar wird. – Der erste **N.-Katalog** stammt von C. Messier (→Messier-Katalog). Von Astronomen werden N. meist nach dem →NGC bezeichnet.
Bilder Andromedanebel, Magellansche Wolken

3) *Meteorologie:* in der Luft schwebende, meist mikroskopisch kleine Wassertröpfchen, die sich bei Übersättigung der Luft mit Wasserdampf bilden und durch die die horizontale Sichtweite auf weniger als 1 km herabgesetzt wird. Mit den zur Wasserdampfübersättigung führenden Vorgängen unterscheidet man die N.-Arten: **Verdunstungs-N.** entsteht durch Zunahme des Wasserdampfgehalts der Luft infolge Verdunstung; **Mischungs-N.** bildet sich durch Mischung von feuchtwarmer und kalter Luft; unter den Abkühlungs-N. ist der **Strahlungs-N.** am häufigsten. Er tritt v.a. im Herbst bei windschwachen oder windstillen Hochdruckwetterlagen (Strahlungswetterlagen) auf, wenn sich der Erdboden und die darüber liegenden Luftschichten infolge ungehinderter nächtl. Ausstrahlung bis unter den Taupunkt abgekühlt haben. – Eine flache N.-Schicht, über der die horizontale Sichtweite 1 km oder weniger beträgt, nennt man **Bodennebel.** N. bildet sich hauptsächlich bei windstillem oder windschwachem Wetter und weist z.T. unterschiedl. Dichte auf. Wenn in kürzeren Zeitabständen die Sichtweite um 1 km wechselt, weil N.-Schwaden durchziehen, heißt dieser Vorgang **N.-Treiben.** Bei zunehmendem Wind löst sich der N. auf und geht mitunter in eine tiefe Schichtwolkendecke bei einer Inversion über, die oft i. allg. Sprachgebrauch als **Hoch-N.** bezeichnet wird.

Nebel, 1) Gerhard, Schriftsteller, *Dessau 26. 9. 1903, †Stuttgart 23. 9. 1974. Sein philosoph., essayist. und kulturkrit. Werk zeigt seine Entwicklung vom nihilist. Ästheten zum Verfechter der christlich-prot. Lehre; seine Kriegstagebücher sind eine Abrechnung mit dem Militarismus.

2) Rudolf, Ingenieur, *Weißenburg i. Bay. 21. 3. 1894, †Düsseldorf 18. 9. 1978; stellte 1930 an der Berliner Chemisch-Techn. Reichsanstalt sein erstes Raketentriebwerk vor, erste Starts kleiner Flüssigkeitsraketen gelangen ihm 1930–34 in Berlin-Tegel; schrieb die Autobiographie »Die Narren von Tegel« (1972).

Nebelhorn, weit hörbares Signalgerät mit tiefem Ton auf Schiffen, Leuchttürmen u.a.; bei Nebel und schlechter Sicht zur Verkehrssicherung betätigt.

Nebelhorn, Berg in den Allgäuer Alpen, nordöstlich von Oberstdorf, Bayern, 2224 m ü.M.; Seilschwebebahn.

Nebelkammer (Wilson-Kammer), von C.T.R. Wilson konstruierte Spurenkammer zum Sichtbarmachen der Bahnspuren ionisierender Teilchen in übersättigten Dämpfen. Dabei wirken die von den Teilchen erzeugten Ionen als Kondensationskerne für den Dampf. Die sich bildenden Flüssigkeitströpfchen markieren die Teilchenspur, die fotografiert und (z.B. nach Energie und Masse der Teilchen) ausgewertet wird. N. wurden durch die (mit überhitzten Flüssigkeiten arbeitenden) →Blasenkammern verdrängt.

Nebelscheinwerfer, zusätzl. Scheinwerfer an Kfz mit weißem oder schwach gelbem Licht, dürfen nur bei erhebl. Sichtbehinderung durch Nebel, Schneefall oder starken Regen und nur in Verbindung mit dem Abblendlicht oder – bei zwei N. – auch nur mit den Begrenzungsleuchten eingeschaltet werden.

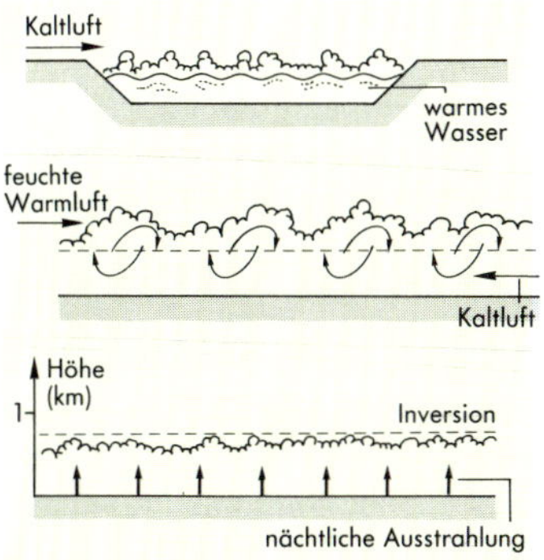

Nebel 3): schematische Darstellung der Entstehungsweise verschiedener Nebelarten; Verdunstungsnebel, Mischungsnebel und Strahlungsnebel (von oben)

Nebelschlussleuchte, rote Schlussleuchte an Kfz, deren Lichtstärke an der Blendstörgrenze liegt. N. dürfen nur außerhalb geschlossener Ortschaften bei Nebel mit Sichtweite unter 50 m benutzt werden.

Nebelwald, immergrüner Feuchtwald in der Nebelregion tropisch-subtrop. Gebirge, →Wald.

Neben|einkünfte, steuerrechtl. Begriff für nichtselbstständige Einkünfte aus einem zweiten Arbeitsverhältnis; sie unterliegen grundsätzlich der Lohnsteuer. Nicht der Lohnsteuer unterliegende N. werden nur insoweit zur Einkommensteuer herangezogen, als sie 800 DM im Jahr übersteigen (§ 46 II Nr. 1 EStG). N., die Übungsleiter, Ausbilder, Erzieher als Aufwandsentschädigung erhalten, sowie die N. aus künstler. oder krankenpfleger. Tätigkeit bleiben bis 2400 DM pro Jahr steuerfrei (§ 3 Nr. 26 Einkommensteuergesetz).

Gerhard Nebel

Rudolf Nebel

Nebenfolgen, Rechtsfolgen einer Straftat ohne speziellen Strafcharakter. Das StGB nennt als N. den Verlust der Amtsfähigkeit und der Wählbarkeit als Folge der Verurteilung wegen eines Verbrechens zu einer Mindeststrafe von einem Jahr (zeitlich begrenzt auf fünf Jahre) sowie den Verlust des Stimmrechts (§ 45 StGB).

Nebengelenker (Nebengelenktiere, Xenarthra), Unterordnung der Säugetiere mit zusätzl. Gelenken an Brust- und Lendenwirbeln (→Zahnarme).

Nebengestein, das einen bestimmten Gesteinskörper begleitende oder umgebende Gestein, z.B. das »taube« Gestein einer Erzlagerstätte.

Nebengruppen, Untergruppen im →Periodensystem der chemischen Elemente.

Nebenhoden (Epididymis), entwicklungsgeschichtlich aus dem vorderen Urnierenabschnitt hervorgegangenes, dem Hoden anliegendes, aus einem stark gewundenen Gang bestehendes, in

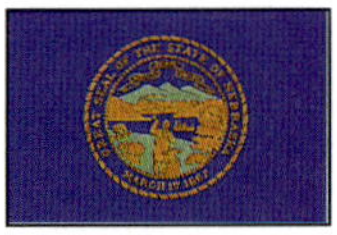

Nebraska
Flagge

N.-Kopf, N.-Körper und **N.-Schwanz** gegliedertes Organ. Der N. dient der Heranreifung befruchtungsfähiger Spermien sowie als Samenspeicher und geht in den Samenleiter über.

Nebenhoden|entzündung (Epididymitis), bakterielle Infektion des Nebenhodens mit schmerzhaftem, oft akut fieberhaftem Verlauf; manchmal auf den Hoden übergreifend.

Nebenhöhlen, die →Nasennebenhöhlen.

Neben|intervention, *Recht:* →Intervention.

Nebenklage, *Strafprozess:* der Anschluss einer berechtigten Person an die öffentl. Klage der Staatsanwaltschaft (§§ 395 ff. StPO). Die Befugnis zur N. steht bes. den Personen in jeder Phase des Verfahrens zu, die durch Mord- oder Tötungsversuch, durch Delikte gegen die sexuelle Selbstbestimmung, die persönl. Freiheit, durch Beleidigungs- oder Körperverletzungsdelikte verletzt wurden, ferner nahen Angehörigen eines Getöteten. Der Nebenkläger kann Beweisanträge stellen und selbstständig Rechtsmittel einlegen. Wird der Täter verurteilt, hat er auch die Kosten der N. zu tragen.

Nebenkosten, 1) *Betriebswirtschaftslehre:* Teil der Anschaffungskosten von Wirtschaftsgütern, der nicht im Kaufpreis enthalten ist (z. B. Zölle, Gebühren, Transportkosten, bei Grundstücken u. a. Grunderwerbsteuer).

2) *Mietrecht:* Bez. für die bei der Vermietung anfallenden Betriebskosten wie Grundsteuer, Wasser- und Stromverbrauch, Abfall- und Abwassergebühren, Heizkosten, die nach § 536 BGB grundsätzlich der Vermieter zu tragen hat. Dieser kann aber die N. in seiner Mietkalkulation berücksichtigen oder eigens als Umlage zusätzlich zur Miete berechnen.

Nebenleistung, Leistung, die aus einem Vertrag neben der Hauptleistung geschuldet wird, z. B. Zinsen, Provisionen. Der Anspruch auf N. verjährt mit dem Hauptanspruch (§ 224 BGB).

Nebenleistungsgesellschaft, Kapitalgesellschaft (AG, die vinkulierte →Namensaktien ausgibt; GmbH), deren Mitgl. durch die Satzung außer der Einlagepflicht die Verpflichtung zu sonstigen Leistungen auferlegt ist. Bei der AG sind nur wiederkehrende, nicht in Geld bestehende Leistungen möglich (§§ 55, 61 Aktien-Ges.), bei der GmbH Leistungen jeder Art (§ 3 GmbH-Ges.).

Nebenniere [lat.] (Glandula suprarenalis), dem oberen Nierenpol anliegende endokrine Drüse; besteht bei Menschen und Säugetieren aus der **N.-Rinde** (Sekretion von Glucocorticoiden, Mineralocorticoiden, Geschlechtshormonen) und dem **N.-Mark** (Sekretion von →Adrenalin und →Noradrenalin).

Nebennierenerkrankungen, durch gesteigerte, verminderte oder fehlende Hormonproduktion hervorgerufene krankhafte Veränderungen. Bei **Unterfunktion der Nebennierenrinde** kommt es zur →Addison-Krankheit; bei **Überfunktion der Nebennierenrinde** zum →Cushing-Syndrom. **Überfunktion des Nebennierenmarks** infolge eines Tumors bewirkt Bluthochdruckkrisen.

Nebennierenrindenhormone (Corticosteroide, Kortikosteroide), die wichtigsten der von der Nebennierenrinde erzeugten Hormongruppen sind: 1. die **Androgene** (→Geschlechtshormone); 2. die **Glucocorticoide,** die v. a. den Kohlenhydrat-, Fett- und Eiweißstoffwechsel beeinflussen. Bei Stress nimmt die Glucocorticoidsekretion zu, wodurch der Blutzuckerspiegel als schnell verfügbarer Energielieferant angehoben wird. Die Glucocorticoide unterdrücken außerdem allerg. und entzündl. Reaktionen, vermindern die Antikörperbildung und in lymphat. Geweben auch die RNS-Synthese. Natürliche Glucocorticoide sind: Hydrocortison (Cortisol), Cortison und Corticosteron; 3. die **Mineralocorticoide** mit überwiegender Wirkung auf die Elektrolytkonzentration und -zusammensetzung in den Körperflüssigkeiten; v. a. Aldosteron und Desoxycorticosteron.

Nebensatz, *Grammatik:* unselbstständiger Satz, der nur in Abhängigkeit von einem Hauptsatz vorkommt (ÜBERSICHT Syntax).

Nebenschilddrüsen (Beischilddrüsen, Epithelkörperchen, Glandulae parathyreoideae), bei Mensch und vierfüßigen Wirbeltieren der Schilddrüse eng anliegende Drüsen mit innerer Sekretion. Sie erzeugen das lebenswichtige, den Calciumstoffwechsel regulierende Parathormon.

Nebenschluss, *Elektrotechnik:* Zweig einer elektr. Parallelschaltung von Stromverbrauchern. Ein **N.-Widerstand (Shunt)** wird bes. in der Messtechnik angewendet, um den Messbereich von Strommessern zu vergrößern.

Nebensonne, Art eines →Halos.

Nebenstrafen, die in einem Strafverfahren in Verbindung mit der Hauptstrafe (Freiheits- oder Geldstrafe) verhängten Strafen; das StGB nennt als N. nur das → Fahrverbot. (→Nebenfolgen)

Nebentätigkeit, Tätigkeit, die neben dem Hauptberuf (Hauptamt) ausgeübt wird (bei Beamten innerhalb oder außerhalb des öffentl. Dienstes; freiwillige N. ist i. d. R. genehmigungspflichtig). Nach dem Arbeitsrecht ist die N. eines Arbeitnehmers grundsätzlich zulässig, soweit hierdurch das Arbeitsverhältnis nicht beeinträchtigt wird. Beschränkungen können sich aus Tarifvertrag, Betriebsvereinbarung oder Arbeitsvertrag ergeben. (→Nebeneinkünfte)

ne bis in idem [lat. »nicht zweimal gegen dasselbe«], Grundsatz des Strafprozessrechts, in Dtl. mit Verf.rang (Art. 103 Abs. 3 GG): Wegen einer rechtskräftig abgeurteilten Tat darf nicht noch einmal ein Strafverfahren eingeleitet werden.

Nebo, Berg am Toten Meer, Jordanien, östlich des Jordantales, 808 m ü. M.; von hier aus sah Moses vor seinem Tod das Gelobte Land.

Nebr., Abk. für den Bundesstaat **Nebr**aska, USA.

Nebra, Stadt im Burgenlandkreis, Sa.-Anh., an der Unstrut, 3 100 Ew.; 5 km flussabwärts Zementwerk Karsdorf. – Schlossruine (16. Jh.) mit frühgot. Kapelle (13. Jh.); spätgot. Kirche (1416 ff.). – Seit 1254 Stadtrecht; war bis 1994 Kreisstadt.

Nebraska [engl. nɪˈbræskə], Abk. **Nebr.,** Bundesstaat im westl. zentralen Teil der USA, 200 350 km^2, (1995) 1,64 Mio. Ew.; Hptst. ist Lincoln. N. liegt zw. dem Missouri und den Rocky Mountains im Gebiet der Great Plains; im W Ackerbau nur mit Bewässerung und als Trockenfeldbau. Angebaut werden Mais, Weizen, Hirse, Sojabohnen und Zuckerrüben; bed. Schweine- und Rinderzucht. Die Ind. verarbeitet landwirtsch. Erzeugnisse. N. besitzt Erdöl- und Erdgaslagerstätten. Die größte Stadt ist Omaha, Sitz der Staatsuniv. ist Lincoln. – N. kam 1803 als Teil der frz. Kolonie Louisiana an die USA, wurde 1867 als 37. Staat in die Union aufgenommen.

Nebukadnezar II. (babylon. Nabu-kudurri-uṣur), König von Babylonien (605–562 v. Chr.), Sohn und Nachfolger Nabopolassars; schlug 605 den Ägypterkönig Necho II. bei Karkemisch, eroberte Syrien und Palästina, zerstörte 587 Jerusalem und führte die Juden in die Babylon. Gefangenschaft. Babylon entwickelte sich unter ihm zur prächtigsten Großstadt seiner Zeit (u. a. Prozessionsstraße mit Ischtartor, Palast, Vollendung des →Babylonischen Turms). – Oper von G. Verdi »Nabucco«.

Nebularhypothese, die →kant-laplacesche Theorie.

Necho II. (ägypt. Nekaw), ägypt. König der 26. Dynastie (610–595 v. Chr.), Sohn Psammetichs I.; eroberte Syrien, verlor es aber wieder nach seiner Niederlage bei Karkemisch gegen Nebukadnezar II. (605). In seinen Diensten stehende phönik. Seefahrer umschifften erstmalig Afrika.

Neckar *der,* rechter Nebenfluss des Rheins, 367 km lang, entspringt 706 m ü. M. auf der Baar (im Schwenninger Moos, heute im Schwenninger Stadtpark), mündet in Mannheim; von Plochingen an auf einer Länge von 203 km kanalisiert (26 Staustufen), wichtigster Hafen ist Heilbronn. Nebenflüsse von rechts: u. a. Rems, Murr, Kocher, Jagst, Elz; von links: u. a. Enz, Zaber, Elsenz. Steilwandige Täler im Muschelkalk, wie bei Rottweil oder Besigheim, wechseln mit weiten Talauen im Stuttgarter und Heilbronner Becken. Unterhalb Neckarelz durchbricht der N. den Buntsandstein-Odenwald in einem vielgewundenen malerischen Tal und tritt bei Heidelberg in die Oberrheinebene.

Neckar: Blick über eine Talaue im Heilbronner Becken

Neckargemünd, Stadt im Rhein-Neckar-Kreis, Bad.-Württ., an der Mündung der Elsenz in den Neckar, 14 300 Ew.; Rehabilitationszentrum für Kinder und Jugendliche. – Got. Pfarrkirche (1720 umgebaut), Fachwerkhäuser (17.–18. Jh.). – 988 erstmals erwähnt, seit 1241 Reichsstadt.

Neckar-Odenwald-Kreis, Landkreis im Reg.-Bez. Karlsruhe, Bad.-Württ., 1 126 km^2, (1996) 146 800 Ew.; Krst. ist Mosbach.

Neckarsteinach, Stadt im Kreis Bergstraße, Hessen, an der Mündung der Steinach in den Neckar, 4 000 Ew.; Luftkurort. – Das mittelalterl. Stadtbild ist geprägt durch vier Burgen (12.–16. Jh.), die teilweise durch Wehrmauern miteinander verbunden sind. – Seit 1377 als Stadt bezeichnet.

Neckar|sulm, Stadt im Landkr. Heilbronn, Bad.-Württ., Große Kreisstadt, an der Mündung der Sulm in den Neckar, 25 800 Ew.; Fahrzeugbau

Neckarsulm: Das im 14./15. Jh. erbaute, ehemalige Deutschordensschloss beherbergt heute das Deutsche Zweirad-Museum

Aert van der Neer: »Winterlandschaft« (um 1652; München, Alte Pinakothek)

(Audi AG), Aluminiumschmelzwerk mit Kolbenfabrik u.a. Ind.; Neckarhafen; in der Umgebung Weinbau. – Schloss des Dt. Ordens (14./15. Jh., heute Dt. Zweirad-Museum), kath. Pfarrkirche (1706–10, nach Kriegszerstörung Wiederaufbau 1946ff.); Rathaus (16.–18. Jh.). – 771 erstmals erwähnt, erhielt N. 1310 Stadtrecht.

Louis Néel

Neckarwẹstheim, Gemeinde im Landkreis Heilbronn, Bad.-Württ., am mittleren Neckar, 3200 Ew.; Kernkraftwerk. – Schloss Liebenstein (16. Jahrhundert).

Nẹcker [nɛˈkɛːr], Jacques, frz. Staatsmann, *Genf 30. 9. 1732, †Coppet (Kt. Waadt) 9. 4. 1804; Vater von Madame de Staël, Bankier, 1777–81 und 1788–90 Finanzmin., veranlasste 1789 die Einberufung der Generalstände; erstrebte einen Bund zw. Königtum und drittem Stand; erreichte die Verdoppelung von dessen Abgeordnetenzahl. Seine Entlassung (1789) war einer der Anlässe zum Sturm auf die Bastille.

Jacques Necker (zeitgenössische Lithographie)

Nẹckermann, Josef, Unternehmer, *Würzburg 5. 6. 1912, †Dreieich 13. 1. 1992; gründete 1948 die spätere Neckermann Versand AG (seit 1984 Tochterges. der Karstadt AG); erfolgreicher Dressurreiter (u.a. 1964 und 1968 olymp. Goldmedaille in der Dressur-Mannschaftswertung); 1967–89 Vors. der Stiftung Dt. Sporthilfe.

Nedjd [nɛdʒd; arab. »Hochland«] (Nejd, Nedschd, Nadjd), Binnenhochland im Innern Arabiens, etwa 1000 m ü.M., die Kernlandschaft Saudi-Arabiens, mit Palmoasen in den schluchtartigen Trockentälern.

Josef Neckermann

Nedjef [ˈnɛdʒɛf] (Nedschef, Nadschaf), Wüstenstadt am Rand der Syr. Wüste, Irak, 242600 Ew.; schiit. Wallfahrtsort (Grabmoschee des 4. Kalifen →Ali aus dem 10. Jh.); Hochschule.

Ne̱e̱fe, Christian Gottlob, Komponist, *Chemnitz 5. 2. 1748, †Dessau 26. 1. 1798; Lehrer u.a. des jungen L. van Beethoven in Bonn, schuf Singspiele, Opern (»Adelheit von Veltheim«, 1780), Operetten und Lieder.

Néel [neˈɛl], Louis Eugène Félix, frz. Physiker, *Lyon 22. 11. 1904; erhielt für seine Forschungen auf dem Gebiet des Antiferro- und Ferromagnetismus und der Festkörperphysik 1970 den Nobelpreis für Physik (mit H. Alfvén). Nach ihm benannt sind die **N.-Temperatur (N.-Punkt),** die Temperatur, bei der bei antiferromagnet. Stoffen der Antiferromagnetismus verschwindet, und die **N.-Wand,** ein Wandtyp zw. Weiss-Bezirken in dünnen magnet. Schichten.

Ne̱e̱r, Aert van der, holländ. Maler, *Gorinchem 1603 (1604?), †Amsterdam 9. 11. 1677; malte mit Betonung des Stimmungshaften holländ. Flusslandschaften zur Nachtzeit, bei Mondschein oder Feuersbrunst, sowie im Licht winterl. Tage.

Neferṯari, ägypt. Königin, →Nofretiri.

Neffe, Sohn des Bruders oder der Schwester, i.w.S. auch des Vetters oder der Kusine.

Nefu̱d (Nafud), ausgedehnte Sand- und Dünenwüste im Innern Saudi-Arabiens.

Nega̱dekultur, spätneolith. Kultur des 4. Jt. v.Chr. in Oberägypten, ben. nach einem 1894/95 von W. M. F. Petrie bei Negade (nahe Luxor) gefundenen Gräberfeld. Unterschieden werden drei Phasen: Negade I (oder auch Amratien) ist u.a. gekennzeichnet durch eine mit geometr. Motiven hell bemalte, polierte rote Keramik, Steingefäße und die beginnende Verarbeitung von Rohkupfer, Negade II (oder auch Gerzéen) durch eine weit (in ganz Ägypten) verbreitete rote Tonware mit über schmauchendem Feuer geschwärztem Rand und Innerem sowie eine hellgrundige matte Keramik mit roter Bemalung (darunter Barkendarstellungen), Schminkpaletten, Rollsiegel, Elfenbeinstatuetten. Die dritte (Negade III) und jüngste Phase zeigt enge Beziehungen nach Unterägypten; u.a. schlanke, unbemalte Gefäße.

Negatio̱n [lat.] *die,* **1)** *allg.:* Verneinung, Ablehnung.

2) *Digitaltechnik:* Umkehrung des Binärwerts einer log. Variablen; gehört neben der Konjunktion und der Disjunktion zu den Grundverknüpfungen der →Schaltalgebra.

3) *Logik:* der Übergang von einer Aussage zu der ihr entgegengesetzten.

nẹgativ [lat.], **1)** *allg.:* verneinend, ablehnend; ungünstig, ergebnislos, schlecht; Ggs.: positiv.

2) *Mathematik:* kleiner als 0. **Negative Zahlen** sind reelle Zahlen, die weder 0 noch positiv sind; Zeichen: – (Minus), z.B. –2.

3) *Physik:* eine der beiden Formen elektr. →Ladung betreffend.

Nẹgativ *das,* fotografisch erzeugtes Bild, das seitenverkehrt ist, die Hell-Dunkel-Werte vertauscht und die Objektfarben in ihren Komplementärfarben zeigt. Durch Kopieren entsteht das dem Original entsprechende Positiv.

Negativdruck, Druck mit negativer Bildwirkung, z. B. weiße Schrift auf schwarzem Grund.

BROCKHAUS ENZYKLOPÄDIE

Negativdruck

Neger [von frz. nègre, zu lat. niger »schwarz«] *der,* Anfang des 17. Jh. aus dem Frz. übernommene, im 18. Jh. in Dtl. eingebürgerte Bez. für die Angehörigen des negriden Formenkreises (→Negride). Ausgehend von dem im Amerikanischen üblich gewordenen Gebrauch des Schimpfwortes »Nigger«, gilt die Bez. »N.« seit Ende des 19. Jh. zunehmend als diskriminierend und wird heute durch »Schwarze«, »Schwarzafrikaner«, »Afrikaner«, »Afroamerikaner« o. Ä. ersetzt.

Pola Negri in der Titelrolle des von Ernst Lubitsch 1918 inszenierten Films »Carmen«

Negeri Sembilan, Bundesstaat in →Malaysia.

Negev *der* (Negeb), Landschaft im S Israels, etwa 12 000 km^2; das wüstenhafte Tafelland erstreckt sich bis zum Roten Meer (Hafen: Elath), Hauptort ist Beer Sheva; Bodenschätze: Kupfer, Phosphate, Erdöl; am Toten Meer werden Kali- und Bromsalze gefördert. Im N ist Landwirtschaft durch Bewässerung möglich; Fremdenverkehr; Erdölleitung von Beer Sheva nach Elath.

Negotiation [lat.] *die,* Verkauf eines Wertpapiers im Wege der festen Übernahme durch eine Bank bzw. ein Bankenkonsortium.

Negrelli, Alois Ritter von Moldelbe, österr. Ingenieur, *Primiero (Prov. Trient) 23. 1. 1799, †Wien 1. 10. 1858; war im Eisenbahn-, Straßen-, Wasserbau in Italien, der Schweiz und Österreich führend tätig, entwarf die Pläne zum Sueskanal.

Negri, 1) Ada, italien. Schriftstellerin, *Lodi 3. 2. 1870, †Mailand 11. 1. 1945; wurde 1940 als erste Frau in die Italien. Akademie aufgenommen; schrieb von sozialem Mitleid getragene pathet. Lyrik (u. a. »Schicksal«, 1892; »Stürme«, 1894), später wandte sie sich religiösen Themen zu.

2) Pola, eigtl. Barbara Apolonia Chalupiec, Filmschauspielerin poln. Herkunft, *Lipno (bei Włocławek) 3. 1. 1897, †San Antonio (Tex.) 1. 8. 1987; Star der Ufa in Stummfilmen; verkörperte in vielen ihrer Filme den Typ des Vamps.

Alois Negrelli

Negride [zu span. negro, von lat. niger »schwarz«], typolog. Kategorie für in Afrika südlich der Sahara einheim. Menschen. N. sind gekennzeichnet durch eine extrem starke Pigmentierung (dunkelbraune bis schwarze Haare, Haut und Augen), kurzes, meist eng krauses Kopfhaar, schwache Bart- und Körperbehaarung, mittleren bis hohen Wuchs, lange Beine, mittellangen bis langen Schädel, breite, niedrige Nase mit flacher Wurzel und stark geblähten Flügeln, dicke, oft wulstige Lippen. – Die vielfach hellhäutigen Bantuide (Kafride) sind die volkreichste Teilgruppe der N.; Hauptverbreitungsgebiete sind Süd- und Ostafrika.

Ada Negri

Negritos, klein- bis zwergwüchsige (Durchschnittsgröße 137 cm), dunkelhäutige Bev.gruppen in Teilen S- und SO-Asiens (Malaiische Halbinsel, Philippinen, Andamanen).

Négritude [-'tyd, frz.] *die,* kulturphilosoph. und literar. Bewegung, die im Paris der 1930er-Jahre entstand; dort trafen schwarze Intellektuelle aus den frz. Kolonien (A. Césaire, L.-G. Damas, R. Maran aus der Karibik, L. S. Senghor aus Senegal) zusammen. Angeregt durch die literar. Bewegung der Harlem Renaissance (von Anfang der 1920er-Jahre bis Anfang der 1930er-Jahre), in der zum ersten Mal ein öffentlich wahrnehmbares Selbstverständnis schwarzer amerikan. Autoren entstand, sowie durch die Werke von Ethnologen (L. Frobenius, M. Delafosse) und das Interesse bildender Künstler (P. Picasso, G. Braque) für Afrika, wandten sie sich in der Zeitschrift »L'Étudiant Noir« gegen die eurozentr. Vorstellung eines ahistor. und kulturell wertlosen Afrika. Césaire, der den Be-

Negev: Erosionsformen in einem Trockental der Wüste

griff N. prägte, bezeichnete damit die Gemeinschaft aller Schwarzen, ihre Gesch. des Leidens unter Sklaverei und Kolonialismus sowie ihre produktiven Leistungen in der Neuen Welt. In Afrika dagegen wurde unter N. die Gesamtheit dessen verstanden, was man als eigene kulturelle Werte und Eigenschaften betrachtete: Emotivität und Einklang mit der Natur als positiver Gegensatz zu den »abendländ. Eigenschaften« Vernunft und Fortschrittsglauben, ein Ansatz, der von afrikan. Kritikern und Literaten seit den 1960er-Jahren vielfach als rassistisch, undifferenziert und rückschrittlich kritisiert wurde. (→ schwarzafrikanische Literaturen, → karibische Literaturen)

📖 HEINRICHS, H.-J.: *»Sprich deine eigene Sprache, Afrika!«. Von der N. zur afrikan. Literatur der Gegenwart. Berlin 1992.*

Negros, größte Insel der Visayan Islands, Philippinen, 12 705 km², 2,8 Mio. Ew., mit den Zentren Bacolod im W, Dumaguete im O; Anbau von Zuckerrohr, Reis, Mais, Bananen; Kokospalmenwälder.

Negrospiritual ['ni:grəʊ'spɪrɪtjʊəl], → Spiritual.

Neh., Abk. für **Neh**emia (A. T.).

Nehemia (Vulgata Nehemias), Gestalt des A. T.; hoher Beamter jüd. Herkunft am Hof des Perserkönigs Artaxerxes I.; seit 445 v. Chr. (?) Statthalter (Neh. 5,14) der pers. Prov. Juda; Reorganisator des nachexil. jüd. Gemeinwesens in Jerusalem. – Das **Buch N.** geht in seinem Grundbestand auf Aufzeichnungen N. zurück und ist Bestandteil des zw. 300 und 200 v. Chr. entstandenen chronist. Geschichtswerkes des Alten Testaments.

Caspar Neher: Bühnenbildentwurf zum 2. Akt der Oper »Lulu« von Alban Berg für das Theater an der Wien in Wien (1962)

Neher, 1) Caspar, Bühnenbildner, * Augsburg 11. 4. 1897, † Wien 30. 6. 1962; arbeitete im Sinne eines antiillusionist. Theaters, u. a. für B. Brecht, später bes. für die Opernbühne.

Carola Neher: Porträtaufnahme aus dem Jahr 1929

2) Carola, Schauspielerin, * München 2. 11. 1905, † in einem sowjet. Lager 22. 6. 1942; gehörte zu den großen Darstellerinnen der 1920er Jahre, ab 1926 in Berlin; ⚭ mit Klabund; trat u. a. in Stücken von Klabund, F. Wedekind, B. Brecht und G. B. Shaw hervor, Brecht schrieb für sie »Die heilige Johanna der Schlachthöfe«. 1934 begleitete sie ihren zweiten Mann, Anatol Becker (* 1903, † 1937), in die Sowjetunion und wurde dort 1936 verhaftet.

Nehru, Jawaharlal, ind. Staatsmann, * Allahabad 14. 11. 1889, † Delhi 27. 5. 1964; aus einer Brahmanenfamilie Kaschmirs, führte den Titel **Pandit** (»Gelehrter«); Studium der Rechtswiss. in Großbritannien; 1916 schloss er sich der Bewegung M. K. Gandhis an und wirkte für die Unabhängigkeit Indiens; ab 1929 wiederholt Präs. des Indian National Congress; mehrmals inhaftiert; seit 1947 Premiermin. des unabhängigen Indien, zeitweilig auch Außenmin. Innenpolitisch vertrat er einen demokrat. Sozialismus, außenpolitisch die Blockfreiheit Indiens und das Prinzip der friedl. Koexistenz; galt als einer der Sprecher der → Dritten Welt. Die ind. Niederlage im Grenzkrieg mit China (1962) führte zu scharfer Kritik an seiner Außen- und Verteidigungspolitik. – N. schrieb eine Autobiographie, polit. und zeitgeschichtl. Werke.

📖 BONN, G.: *N. Annäherungen an einen Staatsmann u. Philosophen. Frankfurt am Main 1992.*

Nehrung, flacher, schmaler Landstreifen, der einen Meeresteil fast abgeschnürt hat; im italien. Sprachraum auch **Lido** genannt.

Neid [ahd. nid »Hass«, »Groll«], Missgunst, feindseliges Gefühl gegen einen anderen wegen eines Wertes, dessen Besitz einem selbst nicht gegeben ist. N. richtet sich auch gegen soziale Gruppen. Motiv des N. ist ein allg. Benachteiligungsverdacht.

Neidenburg, Stadt in Polen, → Nidzica.

Neidhart von Reuental, mhd. Minnesänger aus Bayern, aus der ersten Hälfte des 13. Jh., nachweisbar etwa zw. 1210 und 1237 (oder 1242?); überliefert sind unter seinem Namen etwa 140 Lieder. In realist. Tanzliedern sprengte er die Konventionen des hohen Minnesangs; er transponierte das Modell des höf. Minnesangs in eine bäuerl. Umgebung und gilt damit als der Begründer der »dörperlichen Dichtung«.

Neigung, 1) *Astronomie:* die → Inklination.

2) *Verkehrswesen:* die Abweichung eines Verkehrsweges von der Waagerechten in % oder ‰.

Neill [ni:l], Alexander Sutherland, brit. Pädagoge, *Forfar (Angus) 17. 10. 1883, † Aldeburgh (Cty. Suffolk) 23. 9. 1973; Vertreter einer zwangfreien »Pädagogik vom Kinde aus«; gründete die Internatsschule → Summerhill.

Werke: Erziehung in Summerhill (1960); Das Prinzip Summerhill (1967); Neill, Neill, Birnenstiel (Erinnerungen, 1972).

Neiße *die,* Name von drei Flüssen: **1) Glatzer N.** (poln. Nysa Kłodzka), linker Nebenfluss der Oder, in Polen, 182 km lang, entspringt im W des Glatzer Schneegebirges, mündet zw. Oppeln und Brieg.

Neidhart von Reuental: Erste Strophe des Winterlieds »Owe diser not« in der Berliner Neidhart-Handschrift (um 1465; Berlin, Staatsbibliothek zu Berlin – Preußischer Kulturbesitz)

2) Jauersche oder **Wütende N.** (poln. Nysa Szalona), rechter Nebenfluss der Katzbach, in Polen, 51 km lang.

3) Lausitzer N. oder **Görlitzer N.** (poln. Nysa Łużycka), linker Nebenfluss der Oder, 256 km lang, entspringt mit drei Quellflüssen (Weiße N., Schwarze N., Gablonzer N.) im Isergebirge, Tschech. Rep.; von Guben an bis zur Mündung 20 km schiffbar. (→ Oder-Neiße-Linie)

Neisse, Stadt in Polen, → Nysa.

Neisser, Albert, Dermatologe, *Schweidnitz (heute Świdnica) 22. 1. 1855, † Breslau 30. 7. 1916; entdeckte (1879) den Erreger des Trippers und sicherte mit neuzeitl. Färbemethoden den Nachweis des Lepra-Erregers.

Neisseria [nach A. Neisser], Gattung gramnegativer (→ Gramfärbung), kugeliger, meist paarig auftretender Bakterien (Diplokokken), zu denen die Erreger des → Trippers (Gonokokken) und der → Genickstarre (Meningokokken) gehören.

Neiva ['nεiβa], Dep.-Hptst. in Kolumbien, 237 700 Ew.; Baumwollind.; Endpunkt der Schifffahrt auf dem oberen Río Magdalena, Eisenbahnendpunkt.

Nekrassow, 1) Nikolai Alexejewitsch, russ. Dichter, *Nemirow (Gebiet Winniza, Ukraine) 10. 12. 1821, † Sankt Petersburg 8. 1. 1878; Vertreter der politisch engagierten Poesie vor der Revolution. In seinen Gedichten und Verserzählungen verband er die neuen realistischen Tendenzen mit der folkloristisch-liedhaften und der pathetisch-anklagenden Tradition der vorausgehenden russ. Lyrik. Die Poeme schildern das schwere Los der Unterdrückten (»Frost Rotnase«, 1863; »Russische Frauen«, 1872/73). Sein Hauptwerk »Wer lebt glücklich in Rußland?« (1866–81) entwirft ein satir. Panorama des Volkslebens und der Missstände in Russland.

2) Wiktor Platonowitsch, russ. Schriftsteller, *Kiew (Ukraine) 17. 6. 1911, † Gentilly (Dép. Val-de-Marne) 3. 9. 1987; behandelt in Erzählungen und Romanen den Krieg (»In den Schützengräben von Stalingrad«, 1946), später, in bed. Prosa der Tauwetterperiode nach Stalins Tod, kritisch den sowjet. Alltag (»Ein Mann kehrt zurück«, 1954); ging 1974 nach Paris. – Romane: »Aufzeichnungen eines Gaffers«, 1976; »Zu beiden Seiten der Mauer«, 1980; »Ansichten und etwas mehr«, 1980.

nekro... [grch. nekrós »Leichnam«], tot..., todes...

Nekrolog [grch.] *der,* Nachruf, Würdigung eines Verstorbenen.

Nekrophagen [grch.], Tiere, die sich von toten Organismen ernähren; man unterscheidet → Koprophagen und → Saprophagen.

Albert Neisser

Alexander Neill
»Es gibt kein problematisches Kind, es gibt nur problematische Eltern.«

Jawaharlal Nehru

Wiktor Nekrassow

Nekrophilie [grch.] *die,* die Neigung zu sexuellen Handlungen an Leichen; seltene sexuelle Fehlentwicklung.

Nekropole [grch. »Totenstadt«] *die,* Bez. für Begräbnisstätten der Antike, die wie eine Stadt angeordnet waren (Grabhäuser, Straßen, Gänge); auch übertragen auf vor- und frühgeschichtl. Gräberfelder.

Oswald von Nell-Breuning

Nekrose [grch.] *die,* örtl., intravitaler, d.h., während des Lebens des Gesamtorganismus eintretender Tod von Zellen, Geweben oder Organen, z.B. in Infarktgebieten.

Nektar [grch.] *der,* **1)** *Botanik:* pflanzl. Drüsensekret, das aus den meist in der Blüte liegenden **Nektarien** (Honigdrüsen) ausgeschieden und Blüten aufsuchenden Insekten als »Lockspeise« geboten wird; wässrige Flüssigkeit mit hohem Gehalt an Trauben-, Frucht- und Rohrzucker sowie an versch. organ. Säuren, Duft- und Mineralstoffen.

2) *grch. Mythos:* der Trank der Götter, der wie das Ambrosia Unsterblichkeit verlieh.

Nektarilen, →Nektar.

Nektarine *die,* glattschaliger Pfirsich.

Nektarvögel (Honigsauger, Nectariniidae), Familie etwa 10–25 cm langer (einschl. Schwanz), den Kolibris äußerlich ähnelnder Singvögel in der trop. Alten Welt; mit langem, dünnem, röhrenförmigem, meist abwärts gebogenem Schnabel und vorstreckbarer, an der Spitze zweiröhriger Zunge zur Aufnahme von Insekten und Nektar. Zu den schönsten N. gehören der 12 cm lange **Königsnektarvogel** (Cinnyris regius) und der 11 cm lange **Gelbbauchnektarvogel** (Cinnyris venustus).

Nekton [grch.] *das,* zusammenfassende Bez. für die im Wasser aktiv schwimmenden Lebewesen.

Nelke [mhd. negelkīn, »Nägelchen«] *die* (Dianthus), Gattung der Nelkengewächse, meist Stauden mit grasähnl., am Grund scheidig verwachsenen Blättern, vorwiegend roten Blüten und vierklappiger, einfächeriger Kapselfrucht. Mitteleurop. Arten sind z.B.: **Heide-N.** (Dianthus deltoides) mit purpurroten Blüten; **Pfingst-N.** (Dianthus gratianopolitanus) mit rosafarbenen Blüten; **Gletscher-N.** (Dianthus glacialis) mit fleischfarbenen, am Rand gekerbten Blüten; **Karthäuser-N.** (Dianthus carthusianorum) mit braunen Kelchschuppen und Büscheln blutroter Blüten. Zierpflanzen sind z.B.: **Bart-N.** (Dianthus barbatus), staudig, mit Büscheln weißer bis roter, auch gestreifter oder gescheckter Blüten; **Garten-N.** (Dianthus caryophyllus) mit großen, nach Nelkenöl duftenden Blüten; **Feder-N.** (Dianthus plumarius) mit weißen bis blass rosenroten Blüten und zerschlitzten Blumenkronblättern. **Remontant-N.** sind jährlichmehrmals blühende N. **Edel-N.** werden als Schnittblumen in versch. Farben in Gewächshäusern gezüchtet.

Nelke (von oben): Karthäusernelke (Höhe 15–60 cm) und Gletschernelke (Höhe bis zu 5 cm)

Nelkenlöl, äther. Öl aus den Blütenknospen der Gewürznelke; enthält bis 98% Eugenol; wird für Aromen sowie in der Parfümerie verwendet.

Nelkenwurz *die* (Geum), Gattung der Rosengewächse, v.a. in der nördl. gemäßigten Zone; Stauden mit gefiederten oder geteilten Blättern und einzelnen, meist jedoch in Scheindolden stehenden großen gelben, roten oder weißen Blüten; Nussfrüchtchen meist mit hakig verlängertem Griffel. In Dtl. u.a. die gelb blühende **Echte N.** (Geum urbanum) in Laubmischwäldern und die **Bach-N.** (Geum rivale), Blüten nickend, rötlich gelb, mit braunrotem Kelch in Auwäldern.

Nell-Breuning, Oswald von, kath. Theologe, Wirtschafts- und Sozialwissenschaftler, Jesuit (1911), *Trier 8. 3. 1890, †Frankfurt am Main 21. 8. 1991; gilt als Nestor der kath. Soziallehre, befasste sich mit Problemen der Wirtschaftsethik, der Wirtschafts- und Sozialpolitik sowie der Frage der Mitbestimmung.

Werke: Die soziale Enzyklika (1932); Mitbestimmung (1950); Wirtschaft und Gesellschaft heute, 3 Bde. (1956–60); Arbeit vor Kapital (1980); Unsere Verantwortung. Für eine solidar. Gesellschaft (1987).

Nektarvögel: Das Männchen des Gelbbauchnektarvogels brütet das Gelege von zwei Eiern allein aus

Nelson, 1) [nelsn], Horatio, Viscount of N. (seit 1801), Baron of the Nile (seit 1798), Herzog von Brontë (seit 1800), brit. Admiral, *Burnham Thorpe (Norfolk) 29. 9. 1758, ⚔ bei Trafalgar 21. 10. 1805; kommandierte im nordamerikan. Unabhängigkeitskrieg eine Fregatte und nahm ab 1793 an den Koalitionskriegen teil. Als Oberbefehlshaber der brit. Flotte im Mittelmeer vernichtete er 1798 die frz. Seestreitkräfte bei Abukir. 1799 verhalf er, begleitet von seiner Geliebten Lady Emma →Hamilton, dem von den Franzosen aus Neapel vertriebenen Ferdinand IV. zur Rückkehr. N. schlug 1805 die vereinigte frz.-span. Flotte bei →Trafalgar, wodurch er die brit. Vorherrschaft zur See sicherte. Seine Tapferkeit und Tatkraft machten N. zu einem der populärsten Nationalhelden Großbritanniens. BILD Großbritannien und Nordirland

2) ['nɛlsɔn], Leonhard, Philosoph und Staatstheoretiker, *Berlin 11. 7. 1882, †Göttingen 29. 10. 1927; begründete eine an J. F. →Fries anknüpfende Philosophie (»Neufriesianismus«), die von Kant ausgehende Untersuchungen über das Erkenntnisvermögen zum Gegenstand hatte; Werke zur Ethik und Rechtswissenschaft.

Nelson River ['nelsn 'rɪvə], Fluss in Kanada, Abfluss des Winnipegsees, mündet bei Port Nelson in die Hudsonbai, mit dem Saskatchewan als Oberlauf 2575 km lang. Kraftwerke nutzen sein starkes Gefälle und die Stromschnellen.

Neman *der,* russ. Name für die →Memel.

Nemanjiden, serb. Dynastie im MA., begründet von Stephan Nemanja (um 1167–96); erreichte unter Stephan Dušan (1331–55, seit 1346 Zar) den Höhepunkt ihrer Macht.

nematische Phase, Zustand →flüssiger Kristalle.

Nematizide, Wirkstoffe zur Bekämpfung von Fadenwürmern.

Nematoden, die →Fadenwürmer.

Němcová ['njɛmtsɔva:], Božena, geb. Barbara Pankl(ová), tschech. Schriftstellerin, *Wien 4. 2. 1820, †Prag 21. 1. 1862; wirkte mit Romanen (»Großmutter«, 1855) und Erzählungen (»Der Herr Lehrer«, 1859) auf die Entwicklung der tschechischen realistischen Prosa; gab auch Sammlung tschech. und slowak. Märchen und Sagen heraus.

Nemea [grch. »Weide«], bergumschlossener Talgrund südwestlich von Korinth, Griechenland, in dem der hl. Zypressenhain mit dem Tempel (4. Jh. v. Chr.) des nemeischen Zeus lag; hier fanden seit 573 v. Chr. alle zwei Jahre die **Nemeischen Spiele** statt. Den myth. **Nemeischen Löwen** in den Bergen südlich N. erwürgte Herakles.

Nemésio [-ziu], Vitorino Mendes Pinheiro da Silva, portugies. Schriftsteller, *Praia da Vitória (auf Terceira, Azoren) 19. 12. 1901, †Lissabon 20. 2. 1978; schrieb realistisch-psycholog. Erzählungen, Romane (»Mau tempo no canal«, 1944), Lyrik und literaturkrit. Arbeiten.

Nemesis [grch. »Unwille«], *grch. Mythos:* Göttin, Wahrerin des rechten Maßes, Rächerin des Frevels. Ihre Attribute sind Elle, Steuerruder und Greif. Der N.-Kult war auch bei den Römern verbreitet.

NE-Metalle, Kurzbez. für →Nichteisenmetalle.

Nemeter, german. Stamm im Gefolge des Ariovist, unter dem (nach histor. Überlieferung) seine Ansiedlung in der Gegend von Speyer erfolgte. Nach dem archäolog. Befund siedelten dort jedoch erst im 1. Jh. n. Chr. Germanen.

Németh ['ne:mɛt], **1)** László, ungar. Schriftsteller, *Nagybánya (jetzt Baia Mare, Rumänien) 18. 4. 1901, †Budapest 3. 3. 1975; urspr. Arzt; gab 1932–35 die Zeitschrift »A Tanú« (»Der Zeuge«) heraus; schrieb neben zahlr. Essays (»Die Revolution der Qualität«, 1941) v. a. autobiograph. und Entwicklungs- sowie Gesellschaftsromane in psychologisch vertieftem Realismus, u. a. »Maske der Trauer« (1930), »Wie der Stein fällt« (1947), »Esther Égető« (1957).

2) Miklós, ungar. Politiker, *Monok (bei Miskolc) 24. 1. 1948; Volkswirtschaftler; als Sekretär des ZK der KP 1987/88 zuständig für Wirtschaftspolitik, war 1988–90 MinPräs.; entschiedener Verfechter der 1988 beschlossenen radikalen Wirtschaftsreform.

NEMP, Abk. für **n**uklearer **e**lektro**m**agnetischer **P**uls, der →EMP.

Nemrut Dağı [-da:i] *der* (Nimrud Dağı), **1)** erloschener Vulkan im Ararathochland, Türkei, westlich des Vansees, 2822 m ü. M., mit Kratersee.

2) Berg (2150 m ü. M.) in SO-Anatolien, Türkei, rd. 60 km südöstlich von Malatya, in der Nähe des antiken Arsameia am Nymphaios, mit einem über 50 m hohen Grabhügel des Königs Antiochos I. von Kommagene (69–34 v. Chr.), zwei Kultterrassen mit riesigen Statuen des Königs und zarathustr. Götter (1. Jh. v. Chr.) sowie Reliefs (UNESCO-Weltkulturerbe). Weiteres BILD Derwisch

Nemunas *der,* litauischer Name für den Fluss →Memel.

Nenndaten, die durch Normen oder Übereinkunft festgelegten Kennwerte für Bauteile, Maschinen und Geräte, die diese aufweisen oder unter den vereinbarten Bedingungen (»Nennbetrieb«) einhalten müssen und für die sie bemessen sind. Je nach Art der Teile werden, z. B. auf dem Typenschild, angegeben: Nennleistung, Nenndrehzahl, Nenndrehmoment, Nenndruck, Nennspannung, Nennverbrauch oder Nennweite.

Nenndorf, Bad, →Bad Nenndorf.

Leonhard Nelson

Božena Němcová

László Németh

Nemrut Dağı 2): Auf der Ostterrasse sind die Reste von sechs sitzenden Kolossalstatuen aus dem 1. Jh. v. Chr. erhalten; die Köpfe (z. B. im Vordergrund links) sind herabgestürzt und liegen verstreut auf der Terrasse

Pietro Nenni

Nenner, *Mathematik:* die unter dem Bruchstrich stehende Zahl (→Bruch).

Nennform, *Sprachwiss.:* der Infinitiv (ÜBERSICHT Verb).

Nenni, Pietro, italien. Politiker, *Faenza 9. 2. 1891, †Rom 1. 1. 1980; arbeitete zunächst mit B. Mussolini zusammen, trat 1921 der Sozialist. Partei bei. 1926 emigrierte N. nach Frankreich, nahm am Span. Bürgerkrieg teil, reorganisierte 1943 die Sozialist. Partei als deren Gen.-Sekr. Er war Mitgl. des Nat. Befreiungskomitees, 1945–46 stellv. MinPräs. und 1946–47 Außenmin.; führte nach 1947 den linken Flügel (N.-Sozialisten) der Partei. 1963–68 stellv. MinPräs., 1968–69 Außenmin., 1966–69 Präs. der Vereinigten Sozialist. Partei (PSI).

Nennig, Ort in der Gemeinde Perl im Landkreis Merzig-Wadern, Saarland. – Bei N. finden sich die Reste einer der prachtvollsten Villen der Römerzeit nördlich der Alpen. Der 10,30×15,65 m große Mosaikfußboden (Mitte 3. Jh. n. Chr.) zeigt pseudoperspektiv. Musterfelder mit eingestreuten Szenen aus dem Amphitheater (»Gladiatorenmosaik«).

Nennig: Das Feld aus dem Mitte des 3. Jh. entstandenen »Gladiatorenmosaik« zeigt eine Kampfszene aus dem Amphitheater

Nennspannung, *Elektrotechnik:* Spannung, nach der ein Netz benannt ist und auf die sich bestimmte Betriebsgrößen dieses Netzes beziehen.

Nennwert (Nominalwert, Nennbetrag), auf Münzen, Banknoten, Wertpapieren u. a. in Worten und/oder Zahlen angegebener Wert; kann vom Kurs- oder Effektivwert stark abweichen.

Nennwert|akti|e, →Summenaktie.

Nennwort, *Sprachwiss.:* das →Substantiv.

Nenzen, Volk in N-Russland, rd. 30 000 Menschen; Rentierzüchter, Jäger und Fischer; heute größtenteils sesshaft. Ihre Sprache (Nenzisch oder Jurak-Samojedisch) gehört zu den samojed. Sprachen. Die N. bewohnen den **Autonomen Kreis der N.** im Gebiet Archangelsk im äußersten NO des europ. Teils von Russland, 176 700 km², (1995) 49 300 Ew., Hptst. ist Narjan-Mar; ferner den Autonomen Kreis der Jamal-N. (→Jamal-Nenzen) und den Autonomen Kreis →Taimyr.

neo... [grch. neós], neu..., jung...

neoafrikanische Literatur, früherer Sammelbegriff für Literaturen in afrikan. und europ. Sprachen, die sich bes. an der Wende vom 19. zum 20. Jh. in Afrika entwickelten. (→schwarzafrikanische Literaturen, →südafrikanische Literaturen)

Neodym [grch.] *das,* chem. Symbol **Nd,** Element aus der Gruppe der →Lanthanoide im →Periodensystem der chemischen Elemente; Ordnungszahl 60, relative Atommasse 144,24, Dichte 7,003 g/cm³, Schmelzpunkt 1016 °C, Siedepunkt 3127 °C. N. ist ein silberglänzendes, verhältnismäßig unedles Metall, das als Begleiter von Cer u. a. im →Monazit vorkommt. In seinen blau bis rotviolett gefärbten Verbindungen tritt es nur in der Wertigkeitsstufe +3 auf. Verwendet wird N. meist im Gemisch mit anderen Metallen (v. a. im Cermischmetall) als Bestandteil für Leichtmetall-(bes. Magnesium-)Legierungen. N.-Verbindungen werden zum Färben von Glas und Email sowie für Porzellanfarben gebraucht. N. enthaltende Gläser werden als Sonnenschutzgläser und für →Laser verwendet.

Neoexpressionismus, i. e. S. eine Richtung der zeitgenöss. Malerei, deren kraftvoll gestaltete Handschrift und maler. Vitalität auf den dt. Expressionismus (O. Kokoschka, E. L. Kirchner) zurückweisen. Als Hauptvertreter gelten G. Baselitz, M. Lüpertz, A. Kiefer und A. R. Penck.

Neofaschismus, i. e. S. die von Anhängern des Faschismus getragene polit. Bewegung in Italien nach Mussolinis Sturz (Movimento Sociale Italiano); i. w. S. allgemeine Bez. für die auch in anderen Ländern bestehenden rechtsextremen Bewegungen und Parteien, sofern sie an Programmatik, Symbolik und Aktionsformen des Faschismus und Nationalsozialismus (daher auch **Neonazismus**) anknüpfen. Durch die Verfassungen einiger Länder (auch der Bundesrep. Dtl.) sind neofaschist. Parteien und Bewegungen, deren Programme verfassungsfeindlich sind, verboten. Diese Parteien und Bewegungen verharmlosen entweder den Nationalsozialismus oder propagieren v. a. extrem autoritäre Gesellschaftsbilder, die ethnisch homogene, hierarchisch gegliederte Volksgemeinschaft, Antisemitismus sowie Hass gegen Ausländer, Asylbewerber und einheim. Minderheiten. Zu den rechtsextremen Gruppierungen mit neofaschist. Orientierung in Deutschland werden neben anderen die 1952 verbotene Sozialistische Reichspartei

Neoimpressionismus: Paul Signac, »Hafen von Saint-Tropez« (1893; Wuppertal, Von der Heydt-Museum)

(gegr. 1949) und radikale Gruppen wie die »Aktionsfront Nationaler Sozialisten/Nationale Aktivisten« (Verbot: 1983) und die NSDAP-AO (Auslands- und Aufbauorganisation) gezählt. Neofaschist. Vorstellungen pflegen auch bestimmte subkulturelle Jugendgruppen (»Wiking-Jugend«, gegr. 1952, Nov. 1994 verboten; Teile der Skinheads). Zu den in Europa und in den USA, Kanada und Südamerika aktiven neofaschist. Gruppen bestehen organisator. Verbindungen. (→Rechtsextremismus)

Neo|impressionismus, eine Weiterentwicklung des →Impressionismus in der Malerei, von G. Seurat seit etwa 1885 in Frankreich begründet. Der N. gab nach wiss. opt. Theorien die Erscheinung der sichtbaren Welt in reinen Farben wieder, die punktartig nebeneinander gesetzt werden, daher auch **Pointillismus** (frz. point »Punkt«) oder **Divisionismus** genannt. Dem N. folgten P. Signac, C. Pissarro, der Niederländer Jan Toorop (*1858, †1928) u.a.; auch V. van Gogh erhielt Anregungen.

Neoklassik (neoklassische Wirtschaftstheorie), dem Gleichgewichtsansatz der klass. Nationalökonomie folgende Richtung der Volkswirtschaftslehre, die die Analyse der Bestimmungsgründe der Nachfrage und der Tausch- und/oder Preisverhältnisse in den Vordergrund rückt. Damit verbunden ist der Übergang von der objektiven zur subjektiven Wertlehre, wonach der Wert einer Ware nicht von den Produktionskosten, sondern von den subjektiven Bedürfnissen der Nachfrager bestimmt wird. Hauptvertreter sind W. S. Jevons, C. Menger, L. Walras, A. Marshall und V. Pareto. (→Grenznutzenschule)

Neoklassizismus (Neuklassizismus), Bez. für historisierende Tendenzen in der Kunst und v.a. der Architektur seit Ende des 19. Jh., die auf die Antike bzw. den →Klassizismus zurückgehen. Die Architektur beschränkte sich in der Übernahme klassizist. Ideen auf kolossale Säulenordnungen, einfache Grundrisse, Symmetrie, Rechtwinkligkeit und Monumentalität; auf klassizist. Ornamentik wurde weitgehend verzichtet. A. Perret, T. Garnier, L. Mies van der Rohe, A. Loos und Le Corbusier begannen mit neoklassizist. Entwürfen. V. Horta, J. Hoffmann, P. Behrens, D. H. Burnham, G. Asplund, T. Fischer und P. Bonatz kehrten am Ende ihres Schaffens zum N. zurück. Eine Sonderstellung nimmt der z.T. übersteigerte N. der nat.-soz. und faschist. Architektur in Dtl. (Haus der Kunst in München von P. L. Troost, 1933–37) und Italien (Foro Italico, Campo della Farnesina, in Rom) ein. Seit den 1930er-Jahren bis etwa 1950 wurden in der Sowjetunion zahlr. Gebäude neoklassizistisch gestaltet (Lomonossow-Univ. in Moskau, 1949–53). Neoklassizist. Tendenzen finden sich erneut in der Architektur der Postmoderne.

Neokolonialismus, krit., oft polemisch gebrauchte Bez. für die Politik der Industrieländer gegenüber den Staaten der Dritten Welt, insofern sie auf die Aufrechterhaltung der wirtsch. und indirekt der polit. Abhängigkeit der Entwicklungsländer zielt.

Neoliberalismus, wirtschaftspolit. und sozialphilosoph. Theorie, deren Vertreter (u.a. W. Eucken, W. Röpke, A. Rüstow, A. Müller-Armack, in den USA M. Friedman und die Chicago-Schule) eine Wirtschaftsordnung fordern, in der alle ökonom. Prozesse über den Markt, d.h. durch einen möglichst freien Wettbewerb, gesteuert werden. Das im 20. Jh. anknüpfend an Forderungen des klass. Liberalismus entwickelte Konzept lehnt sowohl das Laissez-faire-Prinzip als auch den Staatsinterventionismus und jede Form von Planwirtschaft ab. Der N. billigt dem Staat lediglich wirt-

Neoklassizismus: Das Haus der Kunst in München wurde 1933–37 nach Entwürfen des Architekten Paul Ludwig Troost erbaut; die Aufnahme entstand kurz nach der Fertigstellung 1937

schaftskonforme Eingriffe zu (z. B. Schaffung und Erhaltung der Rahmenbedingungen für den freien Wettbewerb). Nach dem von der Freiburger Schule entwickelten Konzept des **Ordoliberalismus** kommt dem Staat die Aufgabe zu, über marktkonforme Maßnahmen nicht nur Privateigentum, Privatinitiative und freien Wettbewerb zu garantieren, sondern auch Einfluss auf Konjunkturschwankungen und Geldwertstabilität zu nehmen sowie soziale Sicherheit des Einzelnen und Chancengleichheit zu gewährleisten. Der N. ist die Grundlage der →sozialen Marktwirtschaft.

📖 IMMEL, S.: *Bildungsökonom. Ansätze von der klass. Nationalökonomie bis zum N. Frankfurt am Main u. a. 1994.* – SIEDSCHLAG, A.: *Neorealismus, N. u. postinternat. Politik. Opladen 1997.*

Neolithikum [grch.] *das,* die →Jungsteinzeit.

neolithische Revolution, von dem brit. Urgeschichtsforscher Vere Gordon Childe (*1892, †1957) 1936 formulierte Bez. für den Übergang von der aneignenden Wirtschafts- und Lebensform (Jäger und Sammler; →Altsteinzeit, →Mittelsteinzeit) zur produktiven Wirtschaftsform (sesshafte Kulturen; →Jungsteinzeit).

Neologismus [grch.] *der,* in den allg. Gebrauch übergegangene sprachl. Neubildung.

Neomarxismus, zusammenfassende Bez. für eine Vielfalt philosoph., ideolog. und praktisch-polit. Strömungen in der Nachfolge der Lehren von K. Marx und F. Engels (→Marxismus), v. a. nach dem 2. Weltkrieg. In der Auseinandersetzung mit dem Leninismus und seiner Realisierung, bes. dem Stalinismus, sucht der N. im Rückgriff auf die Frühschriften von Marx dessen Werk neu zu deuten, wobei der Mensch als Wesen der Praxis und die Aufhebung der menschl. →Entfremdung sowie aktuelle weltpolit. Konstellationen im Mittelpunkt stehen. Politisch stehen eine Reihe der neomarxist. Theoretiker der →Neuen Linken nahe. Dem N. sind u. a. zuzurechnen: G. Lukács, E. Bloch, A. Gramsci, die Frankfurter Schule, R. Garaudy, H. Lefèbrve, L. Kołakowski, R. Havemann und der Kreis um die seit 1974/75 verbotene jugoslaw. Zeitschrift »Praxis« (u. a. G. Petrović, M. Marković, S. Stojanović). (→Eurokommunismus, →Reformkommunismus)

Neoplastizismus: Piet Mondrian, »Komposition« (1921; Privatbesitz)

Neon [grch. néon »das Neue«] *das,* chem. Symbol **Ne,** chem. Element aus der Gruppe der →Edelgase; Ordnungszahl 10, relative Atommasse 20,179, Schmelzpunkt −248,6 °C, Siedepunkt −246,1 °C. N. ist ein farb- und geruchloses, sehr reaktionsträges Gas, das in der Luft zu etwa $1{,}8 \cdot 10^{-3}$ Vol.-% enthalten ist. N. gehört zu den sehr seltenen Elementen und steht in der Häufigkeit der chem. Elemente an 77. Stelle; im Weltraum ist es nach Wasserstoff und Helium das dritthäufigste. Technisch wird N. neben anderen Edelgasen bei der fraktionierenden Destillation von verflüssigter Luft gewonnen und als Füllgas für Gasentladungs- (»N.-Röhren«) und Glimmlampen, für Laser und als Kältemittel in der →Kryotechnik verwendet.

Neo|natologie [grch.-lat.] *die,* Lehre vom Neugeborenen, Teilgebiet der Kinderheilkunde und Teil der →Perinatalmedizin.

Neophyten [grch. neóphytos »neu gepflanzt«] *die,* Pflanzenarten, die etwa seit dem 16. Jh. durch den Menschen in ein Gebiet, in dem sie nicht schon immer vorkamen, eingeführt (z. B. die Kartoffel) oder unabsichtlich eingeschleppt wurden. Einige N. erscheinen nur vorübergehend in einem Gebiet, andere, wie z. B. in Mitteleuropa die Kanad. Wasserpest, breiten sich schnell aus.

Neophytikum [grch.] *das, Geologie:* das →Känophytikum.

Neoplasma [grch.] *das,* krankhafte Gewebsneubildung (→Geschwulst).

Neoplastizismus *der,* von P. Mondrian geprägte Bez. für Kunsttheorie und -praktiken der →Stijl-Gruppe. Beeinflusst vom Kubismus, erstrebte der N. eine neue Räumlichkeit durch geometr. Klarheit und strenge Harmonie. Die Bildgestaltung beschränkte sich auf die Grundelemente der Senkrechten und Waagerechten sowie die drei Primärfarben (Gelb, Rot, Blau) und Weiß, Grau, Schwarz. Diese Formprinzipien wirkten auch auf die Architektur sowie auf industrielle Formgestaltung und Typographie.

Neopositivismus (Neupositivismus, logischer Empirismus), Sammelbez. für eine sich in Wien (→Wiener Kreis mit M. Schlick, R. Carnap, V. Kraft, O. Neurath u. a.) und Berlin (H. Reichenbach u. a.) nach 1918 formierende Richtung naturwissenschaftlich orientierter Wiss.theorie. Der N.

Nepal

Fläche: 147 181 km^2
Einwohner: (1995) 21,9 Mio.
Hauptstadt: Kathmandu
Amtssprache: Nepali
Nationalfeiertage: 11. 1., 9. 11. und 28. 12.
Währung: 1 Nepalesische Rupie (NR) = 100 Paisa (P.)
Zeitzone: MEZ +4 Std. und 30 Minuten

griff Grundlagenprobleme des →Positivismus auf und versuchte, sie unter Beibehaltung der empirist. und antimetaphys. Grundhaltung (D. Hume, A. Comte) zu lösen. So wurde u.a. ein Sinnkriterium entwickelt, um metaphys. Aussagen als »sinnlose« Scheinsätze von den analytisch wahren Sätzen der Formalwiss. und den empirisch verifizierten Sätzen der Realwiss. zu unterscheiden. Durch eine intersubjektive, universelle Sprache will der N. die Einzelwiss. zusammenfassen.

🕮 Haller, R.: *N. Darmstadt 1993.*

Neorealismus (italien. Neorealismo, Neoverismo), Stilbegriff 1) der italien. Literatur nach dem 2. Weltkrieg; knüpft an die Traditionen des →Verismus an (Konzentration auf die Ereignisse der 1940er-Jahre wie Faschismus, Krieg, Widerstand, Partisanenkämpfe, Verwendung von Umgangssprache und Dialekten), Hauptvertreter: E. Vittorini, C. Pavese, C. Levi; 2) des gesellschaftskrit. italien. Films nach dem 2. Weltkrieg (Filme von R. Rosselini, V. De Sica, L. Visconti, P. P. Pasolini).

Neo-Sannyas-Bewegung, die →Bhagvan-Bewegung.

Neozoikum [grch.] *das, Geologie:* für →Känozoikum.

NEP, russ. Abk. für Neue Ökonom. Politik, →Sowjetunion.

Nepal (amtlich Nepali: Nepal Adhirajya, dt. Königreich N.), Binnenstaat in Asien, im Himalaja; grenzt im N an China (Tibet), im W, S und O an Indien.

Staat und Recht: Nach der Verf. von 1990 ist N. eine konstitutionelle Monarchie mit Mehrparteiensystem. Staatsoberhaupt ist der König; die Exekutive wird vom Kabinett ausgeübt, dessen Mitgl. vom König auf Vorschlag des Premiermin. ernannt werden. Die Legislative liegt beim Zweikammerparlament, bestehend aus der Staatenkammer (60 Mitgl., davon 10 vom König ernannt) und dem Repräsentantenhaus (205 Abg., auf fünf Jahre gewählt). Einflussreichste Parteien: Nepales. Kongresspartei (NCP), Vereinigte Nepales. Kommunist. Partei (UNCP) und Vereinigte Marxisten-Leninisten (UML).

Landesnatur: N. gliedert sich in vier Zonen: den Hohen Himalaja mit den höchsten (z.T. vergletscherten) Bergen der Erde (Mount Everest, Kangchendzönga u.a.) und tief eingeschnittenen Flusstälern, den Vorderhimalaja mit dem fruchtbaren Nepaltal u.a. Hochtälern (mit subtrop. Klima) und im S in die Vorberge des Himalaja (Siwalikketten), vor denen sich die Schwemmlandebene des Terai ausdehnt. N. steht unter dem Einfluss des sommerl. SO-Monsuns, der 80–90% des Jahresniederschlags bringt, und des trockenen, winterl. NW-Monsuns.

Bevölkerung: In N. finden sich sowohl tibetobirman. als auch indoar. Völker. Die herrschende Schicht bilden die Nepali sprechenden →Gurkha; ferner die →Sherpa und andere Bergvölker. Dicht besiedelt sind Teile des Terai und die Hochtäler im Mittelgebirgsland, dünn besiedelt der NW und der Hohe Himalaja. – Allg. Grundschulpflicht besteht vom 6. bis 11. Lebensjahr; der Primarschulunterricht ist unentgeltlich. In Kathmandu gibt es eine Univ. (gegr. 1958). Die Analphabetenquote lag 1991 bei 74,4%. – Der hinduist. Staatsreligion gehören rd. 90% der Bev. an, rd. 5% sind Buddhisten, rd. 3% Muslime.

Wirtschaft, Verkehr: Gemessen am Bruttosozialprodukt gehört N. zu den ärmsten Ländern der Erde. In der Landwirtschaft, die 60% der Exporterlöse bringt, arbeitet ein Großteil der Erwerbstätigen (überwiegend als Kleinbauern). Die wichtigsten Anbaugebiete liegen im Terai (60% der gesamten Nutzfläche und 85% der gesamten Reisanbaufläche) und im Mittelgebirgsraum. Buchweizen, Kartoffeln und Gerste werden bis zur Anbaugrenze bei 4000 m Höhe kultiviert. Die wichtigsten Exportkulturen sind Jute, Zuckerrohr, Ingwer, Hülsenfrüchte, Heilkräuter und Tabak. Im Terai werden Wasserbüffel als Zugtiere, Milch- und Fleischlieferanten gehalten, auf den Hochweiden im N neben Schafen und Ziegen auch Yak. Brandrodungsfeldbau und unkontrollierter Brennholz-

Staatswappen

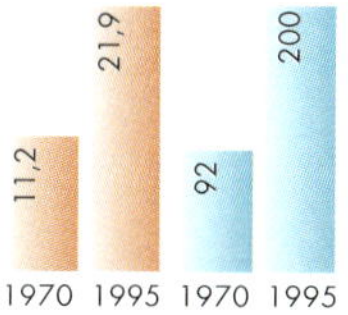

Bevölkerung (in Mio.)

Bruttosozialprodukt je Ew. (in US-$)

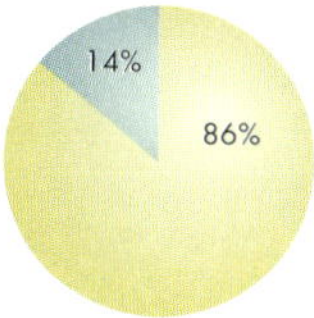

Bevölkerungsverteilung 1995

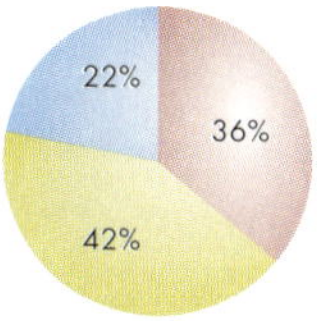

Bruttoinlandsprodukt 1995

Nepal: Das Sherpa-Dorf Kumjung, dessen Bau von Sir Edmund Hillary finanziell unterstützt wurde, befindet sich im Mount Everest Nationalpark nordöstlich von Kathmandu; im Hintergrund ist der südlich des Mount Everest gelegene, 6 856 m hohe Ama Dablam zu erkennen

gewinnung sind mehr als die Hälfte des Waldbestandes zum Opfer gefallen. Die hierdurch bewirkten Erosionsschäden (u. a. katastrophale Überschwemmungen auch in Indien und Bangladesh) sind beträchtlich. Mit der Wiederaufforstung wurde begonnen. Außer Glimmerschiefer und Kalkstein werden die nachgewiesenen Bodenschätze (Gold, versch. Erze, Kohle, Schwefel) kaum ausgebeutet. Die gering entwickelte Ind. basiert v. a. auf der Verarbeitung landwirtsch. Produkte; Eisenwalzwerk, Zement-, Kunstdüngerfabrik. Der stark zunehmende Trekking-Tourismus führt ebenfalls zu Umweltbelastungen. Tourist. Hauptanziehungsgebiete sind das Kathmandutal,

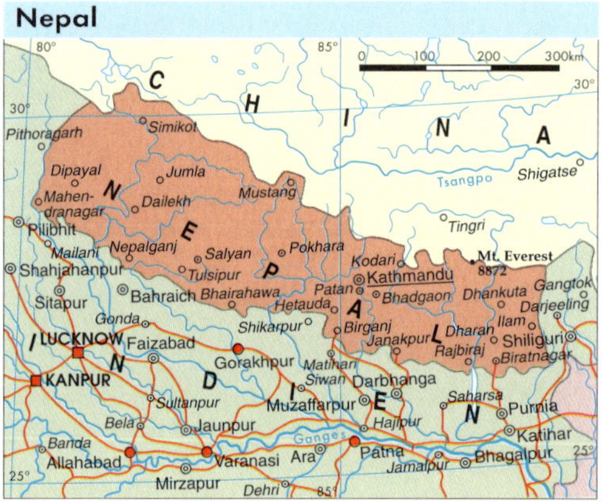

die Gebiete um den Mount Everest und den Annapurna. – Im Grenzgebiet gibt es zwei Stichbahnen zum ind. Eisenbahnnetz, zus. 102 km lang. Das Straßennetz ist 7615 km lang, davon nur die Hälfte ganzjährig befahrbar. Daneben gibt es etwa 10 000 km Maultierpfade. Hier spielen Träger und Packtiere noch eine wichtige Rolle für den Gütertransport, ebenso die 42 km lange Lastenseilbahn zw. Hitaura und Kathmandu. Internat. Flughafen in Kathmandu.

Geschichte: Das 1482 in die Königreiche Kathmandu, Patan und Bhaktapur geteilte Land wurde bis 1768 von den Fürsten der Gurkha erobert und zu einem Reich vereint. 1846–1951 übte die Familie Rana, in der das Amt des MinPräs. erblich war, die Macht aus. N. wurde Einflussgebiet Britisch-Indiens, seit 1947 der Ind. Union. Nach Einführung der konstitutionellen Monarchie (1951) erhielt das Land 1959 eine Verfassung. König Mahendra Bir Bikram Schah (1955–72) entließ 1960 Parlament und Reg., verbot 1961 alle Parteien und erließ 1962 die Panchayat-Verf., die ihm eine beherrschende polit. Stellung sicherte. 1972 bestieg Birendra Bir Bikram den Thron. Seit Mitte der 1980er-Jahre entwickelte sich unter der Führung der verbotenen Nepales. Kongresspartei v. a. in den Städten eine Demokratiebewegung. Nach blutigen antiroyalist. Unruhen im April 1990 ernannte der König Krishna Prasad Bhattarai (Kongresspartei) zum Premierminister. Mit der Verf. von 1990 wurde die konstitutionelle Monarchie wiederhergestellt und das Mehrparteiensystem eingeführt. Bei den Parlamentswahlen 1994 erhielt die kommunist. UNCP die meisten Stimmen, MinPräs. ist seit 1998 Girija Prasad Koirala (Kongresspartei).

📖 Gruber, U.: *N. Ein Königreich im Schatten des Himalaya. München 1991.* – Krämer, K.-H.: *N. – der lange Weg zur Demokratie. Unkel 1991.*

Neper [nach J. Napier] *das,* Einheitenzeichen **Np,** Pseudoeinheit zur Kennzeichnung des logarithmierten Verhältnisses zweier gleichartiger physikal. Größen (häufig als Pegel oder Maß bezeichnet), wenn dabei der natürl. Logarithmus (ln) verwendet wurde. Bei Verwendung des Zehnerlogarithmus (lg) lautet das entsprechende Hinweiswort Bel (Kurzzeichen B). (→Dezibel)

Neper ['neɪpɪə], John, →Napier, John.

Nephelin [grch.] *das,* farbloses bis graues hexagonales Mineral der chem. Zusammensetzung $(Na,K)[AlSiO_4]$; wichtiges gesteinsbildendes Mineral (Feldspatvertreter), Gemengteil in N.-Basalten **(Nephelinit),** Phonolithen u. a. Eine grobkristalline Varietät des N. ist der **Eläolith.**

Nephelometrie [zu grch. nephélē »Nebel«, »Wolke«] *die* (Tyndallometrie), opt. Analyseverfahren, das unter Ausnutzung des →Tyndall-Effekts zur quantitativen Bestimmung der Konzentration kolloidaler und feindisperser Teilchen in Flüssigkeiten oder Gasen dient. Die Streuung des Lichts kann entweder durch Messung der Intensitätsabnahme des einfallenden Lichtstrahls nach

Durchgang durch das streuende Medium **(Turbidimetrie)** oder durch Bestimmung der Intensität des seitl. abgelenkten Lichts (eigentliche Nephelometrie) ermittelt werden.

Nephrit [grch.] *der,* grüne, kryptokristalline Varietät des Aktinoliths; Vorkommen in metamorphen Gesteinen. Im Handel oft als Jade bezeichnet. N. wurde in prähistor. Zeit zur Herstellung von Werkzeugen und Waffen verwendet.

Nephritis [grch.] *die,* die →Nierenentzündung.

Nephrolithiasis [grch.] *die,* die Nierensteinkrankheit (→Harnsteine).

Nephrologie [grch.] *die,* Wiss. und Lehre von den Nieren und deren Krankheiten.

Nephros [grch.], die →Niere.

Nephtys, ägypt. Göttin, Helferin ihrer Schwester Isis, mit der sie den verstorbenen Osiris beweint. Dargestellt wird sie mit ihrer Hieroglyphe (»Hausherrin«) auf dem Kopf, in der einen Hand einen Papyrusstängel, in der anderen das Lebenszeichen.

Nepos, Cornelius, röm. Geschichtsschreiber, *in Oberitalien um 100 v.Chr., †nach 27 v.Chr.; schrieb u.a. einen chronolog. Abriss der Weltgeschichte und 16 Bücher »De viris illustribus« (Biographien berühmter Griechen und Römer).

Nepotismus [von lat. nepos »Enkel«, »Neffe«] *der,* Vetternwirtschaft, geprägt in Hinblick auf die Bevorzugung der eigenen Verwandten durch die Renaissancepäpste.

Astronomische und physikalische Daten des Neptun

Äquatordurchmesser	48 600 km
Masse	$1{,}028 \cdot 10^{26}$ kg
mittlere Dichte	$1{,}66\,g/cm^3$
Rotationsdauer	rd. 17 h
Dauer eines Umlaufs um die Sonne	165,49 Jahre
mittlere Entfernung zur Sonne	4,509 Mrd. km

Neptun, 1) *Astronomie:* von der Sonne aus der 8. Planet, Zeichen: ♆. N. ist mit bloßem Auge nicht zu sehen; seine größte scheinbare Helligkeit entspricht der eines Sterns der Größenklasse von rd. $7^{m}{,}5$. Der Planet wurde 1846 von J. G. Galle in Berlin entdeckt, nachdem seine Bahn aus den Störungen der Uranusbahn von U. J. J. Leverrier und, unabhängig von diesem, von J. Adams berechnet worden war. N. befindet sich auf einer nahezu kreisförmigen Umlaufbahn (Exzentrizität 0,010 36), die um 1,77° gegen die Ekliptik geneigt ist. Sein innerer Aufbau ist weitgehend unbekannt und dürfte dem des Uranus ähneln. Die überwiegend aus molekularem Wasserstoff bestehende dichte Atmosphäre enthält etwa 10–15 % Helium, Spuren von Methan, das durch die Absorption des (roten) Sonnenlichts für die bläul. Färbung des Planeten verantwortlich ist, und Äthan. Die Temperatur an der Wolkenobergrenze liegt bei −220 °C. N. hat ein schwaches

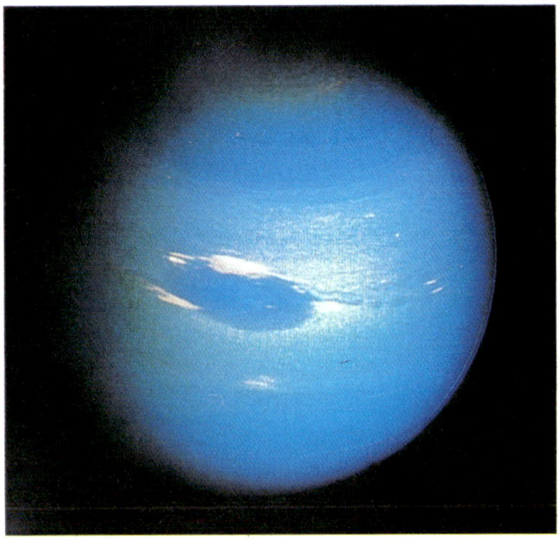

Neptun 1): Falschfarbenfotografie des Planeten mit dem Großen Dunklen Fleck (GDF) und Cirruswolken in der Bildmitte

Magnetfeld, dessen Orientierung sehr ungewöhnlich ist. Eine Fülle neuer Details erschloss 1989 die Raumsonde Voyager 2. Mit ihrer Hilfe wurde der Große Blaue oder Große Dunkle Fleck (GDF) entdeckt, offenbar – wie der Große Rote Fleck beim Jupiter – ein stabiler atmosphär. Wirbel. Mit dem Hubble-Teleskop stellte man 1994 fest, dass er wieder verschwunden, aber auf der entgegengesetzten Nordhalbkugel ein neuer Fleck entstanden war. Neben den schon bekannten N.-Monden **Triton** und **Nereide** (Durchmesser 2 720 km bzw. 340 km, Umlaufzeiten 5,877 d bzw. 359,4 d) wurden sechs weitere Trabanten entdeckt, die die vorläufige Bez. 1989 N 1 bis 1989 N 6 erhielten. Darüber hinaus bestätigten die Beobachtungen die Existenz eines Ringsystems, bestehend aus zwei schmalen, scharf begrenzten Ringen und einem diffusen Ring. INFOKASTEN S. 50

2) *röm. Mythologie:* (lat. Neptunus) altitalischer Gott des fließenden Wassers, seit dem 5. Jh. v. Chr. mit dem grch. Gott Poseidon gleichgesetzt.

Neptunmonde und -ringe

Monde (Entdeckungsjahr)	Durchmesser in km	mittlerer Bahnradius in km	Umlaufszeit
N 6 (1989)	50	48 200	7,1 h
N 5	90	50 000	7,5 h
N 3	140	52 500	8,0 h
N 4	160	62 000	9,5 h
N 2	200	73 600	13,3 h
N 1	420	117 600	26,9 h
Triton (1846)	2 720	354 590	5,877 d
Nereide (1949)	340	5 510 660	359,4 d

Ringe	Dicke in km	Radius in km	Staubanteil in %
N 3A (1989)	ca. 15	42 000	40-60
N 2A	ca. 15	53 000	40-60
N 1A	ca. 15	63 000	30-60

Neptunismus *der,* von A. G. Werner entwickelte Theorie, dass alle Gesteine durch Kristallisation aus dem Urozean entstanden seien, mit Ausnahme der aus tätigen Vulkanen stammenden. Der N. wurde v.a. von dem schott. Geologen James Hutton (*1726, †1797) widerlegt (→Plutonismus).

Neptun

Normalerweise laufen Monde mit der Drehung ihrer Planeten. Triton, der größte Mond des Neptun, tut das nicht. Daraus kann man schließen, dass Triton selber einmal ein Planet war, der seine Kreisbahn um die Sonne zog. Die sehr viel größere Masse des Neptun verursachte eine immer größer werdende Abweichung von dieser Bahn. Vor Millionen von Jahren kippte Triton dann aus seiner Umlaufbahn um die Sonne und schwenkte in eine elliptische Umlaufbahn um Neptun ein. Diese Umlaufbahn ist rückläufig zur Drehung Neptuns und seiner Bahn um die Sonne.

Neptunium *das,* chem. Symbol **Np,** künstlich hergestelltes radioaktives chemisches Element aus der Reihe der →Actinoide im →Periodensystem der chemischen Elemente, eines der →Transurane; Ordnungszahl 93, relative Atommasse 237,0482, Dichte 20,48 g/cm^3, Schmelzpunkt 639 °C, Siedepunkt rd. 3900 °C. N. ist ein silberweißes, sehr reaktionsfähiges Metall, dessen chem. Verhalten dem des Urans ähnelt. Das Isotop ^{237}Np fällt in größeren Mengen als Nebenprodukt bei der Herstellung von Plutonium im Kernreaktor an.

Nereidae, zu den →Vielborstern gehörende Ringelwürmer mit einem Paar Antennen, zwei Paar Tastern, vier Paar Tentakelzirren und einer Vielzahl von Segmenten, z.B. **Nereis diversicolor,** bis zu 20 cm lang, an der Nord-, Ostseeküste.

Nereide [nach den Nereiden] *die* (Nereid), ein Mond des Planeten →Neptun.

Nereiden *grch. Mythos:* Meernymphen, die 50 Töchter des Meergottes **Nereus,** darunter Thetis und Galatea.

Neresheim, Stadt im Ostalbkreis, Bad.-Württ., Mittelpunkt des Härtsfelds, 8200 Ew.; Museum; Metall-, Papier- und Kunststoffverarbeitung. – Der Neubau der Kirche des 1095 gegr. Benediktinerklosters (1745 begonnen), ein Spätwerk J. B. Neumanns, gehört zu den großen Barockbauten Europas. In den Klostergebäuden (1668–1714) Stuckdekorationen (Festsaal von D. Zimmermann, 1719).

Neretva *die,* Hauptfluss der Herzegowina, 218 km lang, entspringt bei Luka im Dinar. Gebirge, mündet bei Ploče (Kroatien) in die Adria.

Nerfling *der,* Art der Karpfenfische (→Orfe).

Neri, Filippo, kath. Priester, *Florenz 21. 7. 1515, †Rom 26. 5. 1595; aus der von ihm gegr. Bruderschaft zur Betreuung bedürftiger Rompilger entwickelten sich die Oratorianer (→Oratorium); der »Volksheilige Roms«, Tag: 26. 5.

neritisch [grch.], *Ökologie:* zum Flachmeerbereich (Schelf) gehörend.

Nerlinger, Oskar, Maler und Grafiker, *Schwann (heute zu Straubenhardt, Enzkreis) 23. 3. 1893, †Berlin (Ost) 25. 8. 1969. Sein Werk, das sich thematisch v.a. mit der modernen Industrie befasst, steht in der Tradition der Neuen Sachlichkeit; schuf auch lyr. Landschaftsaquarelle.

Nernst, Walther Hermann, Physiker und Physikochemiker, *Briesen (heute Wąbrzeźno) 25. 6. 1864, †Gut Ober-Zibelle (bei Bad Muskau) 18. 11. 1941; einer der Begründer der physikal. Chemie; entwickelte 1889 seine bed. Theorie der galvan. Stromerzeugung, erfand die **N.-Lampe,** einen Infrarotstrahler aus Oxiden von Seltenerdmetallen, und schuf 1899 die Grundlagen einer Theorie der elektr. Nervenreizung. Seine bedeutendste Entdeckung ist das **nernstsche Wärmetheorem** (1906), der 3. Hauptsatz der →Thermodynamik. 1920 erhielt Nernst den Nobelpreis für Chemie.

Nernst-Effekt [nach W. H. Nernst], ein galvanomagnet. Effekt: Legt man bei einem von einem elektr. Strom durchflossenen Leiter oder Halbleiter senkrecht zur Stromrichtung ein homogenes Magnetfeld an, so tritt in Richtung des Stromflusses ein Temperaturgefälle auf.

Walther Nernst: Porträtaufnahme (um 1895)

Nero, urspr. Lucius Domitius Ahenobarbus, nach Adoption durch Kaiser Claudius (50) **N. Claudius Caesar,** röm. Kaiser (54–68 n.Chr.), *Antium (heute Anzio) 15. 12. 37, †(Selbstmord) bei Rom 9. 6. 68 n.Chr.; Sohn von Gnaeus Domitius Ahenobarbus und Agrippina der Jüngeren. Nach der Vergiftung des Claudius, dessen Tochter Octavia N. 53 geheiratet hatte, durch Agrippina konnte N. den Thron besteigen und regierte in den ersten Jahren unter dem Einfluss seines ehem. Erziehers Seneca und des Prätorianerpräfekten Burrus (u.a. Reformen im Finanzwesen und in der Rechtsprechung). Machtkämpfe innerhalb der kaiserl. Familie führten zur Ermordung seines Stief-

Nero: Die Marmorbüste aus dem 1. Jh. n. Chr. gehört zu den wenigen Bildnissen, die den Sturz und Tod des Kaisers überdauert haben (Rom, Thermenmuseum)

bruders Britannicus (55) und seiner Mutter (59). 62 ließ er Octavia töten, um Poppaea Sabina heiraten zu können. Nach dem Tode des Burrus (62) umgab sich N. mit Günstlingen und wurde zum zügellosen despot. Herrscher. Seit 64 trat er öffentlich als Sänger, Schauspieler und Wagenlenker auf. Im Juli 64 brannte ein großer Teil Roms nieder; um den wohl unbegründet gegen ihn gerichteten Verdacht der Brandstiftung von sich abzulenken, ließ N. die Christen Roms verfolgen (→Christenverfolgungen). 65 gelang es ihm, die »Pison. Verschwörung« niederzuschlagen; Seneca, darin verstrickt, musste sich das Leben nehmen. 68 führten Aufstände in Gallien und Spanien, der Abfall der Prätorianer und die Ächtung durch den Senat zu seiner Flucht aus Rom und zum Selbstmord.

🕮 ROBICHON, J.: *N. Aus dem Frz. Gernsbach 1986.* – VANDENBERG, P.: *N. Kaiser u. Gott, Künstler u. Narr. Bindlach 1991.*

Neruda, 1) ['neruda], Jan, tschech. Schriftsteller, Journalist, *Prag 9. 7. 1834, †ebd. 22. 8. 1891. Seine Skizzen aus dem Prager Leben (»Kleinseitner Geschichten«, 1878) förderten die Entwicklung der tschechischen realistischen Prosa. N. war richtungweisender Feuilletonist und bed. Lyriker.

2) [ne'ruða], Pablo, eigtl. Neftalí Ricardo Reyes Basoalto, chilen. Lyriker, *Parral 12. 7. 1904, †Santiago de Chile 23. 9. 1973; nannte sich nach 1); gilt als einer der bedeutendsten zeitgenöss. Lyriker Lateinamerikas. Diplomat u. a. in Spanien (Freundschaft mit F. García Lorca) und Mexiko; trat 1945 der KP bei; nach deren Verbot lebte er als Emigrant u. a. in der Sowjetunion und in China; 1952 Rückkehr; 1970 kommunist. Präsidentschaftskandidat; 1971–73 Botschafter in Paris. N. schrieb ab 1920 zunächst in pessimistisch-dunklem Stil (»Zwanzig Liebesgedichte und ein Lied der Verzweiflung«, 1924), dann in bildreicher Sprache und surrealist. Gestaltungsweise soziale und polit. Lyrik, u. a. »Aufenthalt auf Erden« (3 Bde., 1933), »Spanien im Herzen« (1937), »Die Trauben und der Wind« (1954). Sein umfangreiches Versepos »Der große Gesang. Canto general« (1950) vereint Realität, Geschichte, Politik und Utopie des Kontinents. Populär wurden seine die natürl. und alltägl. Dinge feiernden Oden (»Elementare Oden«, 3 Tle., 1954–57). Autobiographie: »Ich bekenne, ich habe gelebt« (1974). 1971 erhielt er den Nobelpreis für Literatur.

🕮 *Der Dichter ist kein verlorener Stein. Über P. N., hg. v.* K. GARSCHA. *Darmstadt u. a. 1981.* – TEITELBOIM, V.: *P. N. Ein Lebensweg. A. d. Span. Berlin (Ost) 1987.*

Jan Neruda

Nẹrva, Marcus (Cocceius), röm. Kaiser (96–98 n. Chr.), *Narnia in Umbrien 8. 11. 30, †Rom 25. 1. 98; nach Ermordung Domitians vom Senat zum Kaiser ausgerufen. Zur Sicherung seines Kaisertums adoptierte er Trajan (Beginn der Reihe der Adoptivkaiser); führte ein Alimentationsinstitut ein, das an die Landwirtschaft Hypotheken vergab und die Erträge u. a. für Erziehungsbeihilfen verwendete.

Pablo Neruda

Nervạl, Gérard de, eigtl. Gérard Labrunie, frz. Dichter, *Paris 22.(?) 5. 1808, †(Selbstmord) ebd. 25. oder 26. 1. 1855; gehörte zum Kreis der Romantiker um V. Hugo, bed. Kenner der dt. Literatur (Übersetzer von F. G. Klopstock, H. Heine und Goethes »Faust«). In seinen eigenen Werken, so in den Novellen »Sylvia« (1853), »Aurelia oder Der Traum und das Leben« (hg. 1855) und in dem Sonettzyklus »Die Chimären« (1854), greifen Traum und Wirklichkeit ineinander. N. gilt als wichtiger Vorläufer der literar. Moderne.

Gérard de Nerval

Nerven [lat.], von Bindegewebe umhüllte Bündel von N.-Fasern, die die Organe mit dem Zentralnervensystem verbinden. Das gesamte **N.-Gewebe** besteht aus N.-Zellen, N.-Fasern und einem Stützgewebe (→Neuroglia), das von Gliazellen gebildet wird. Die **N.-Zellen (Ganglienzellen, Neurozyten)** besitzen die Fähigkeit der Erregbarkeit, der Erregungsleitung und -verarbeitung. Sie bestehen aus dem zellkernhaltigen Teil (Perikaryon) und den von hier ausgehenden versch. langen Fortsätzen (Dendriten und Axon). Die Fortsätze sind vergleichbar mit Telefonleitungen, über die die N.-Zelle Nachrichten empfängt **(Dendriten)** oder absendet **(Axon, Neurit, Achsenzylinder).** Die N.-Zelle mit all ihren Fortsätzen nennt man **Neuron.** Die Axone von motorischen und sensorischen N.-Zellen sind von einer Markscheide **(Myelinscheide, Schwann-Scheide)** umgeben, die aus speziellen Gliazellen, den Schwann-Zellen, gebildet wird. Diese Hülle besitzt im Abstand von etwa 1 mm Einschnürungen (Ranvier-Schnürringe), die von großer Bedeutung sind für die Geschwindigkeit der Erregungsleitung. Das Nervensignal springt dabei von einem Schnürring zum nächsten und pflanzt sich daher sehr schnell

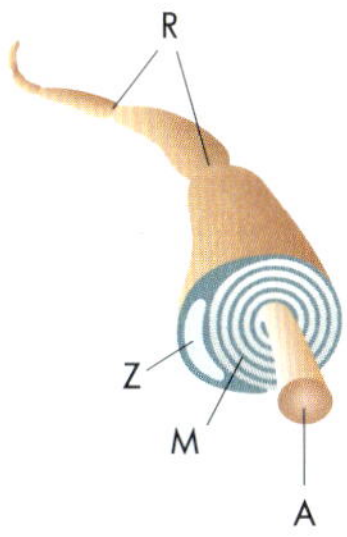

Nerven: schematische Darstellung einer myelinisierten Nervenfaser; R Ranvier-Schnürring, S Zellkern der Schwann-Zelle, M Myelinschichten, A Axon

fort. Das von einer Markscheide umgebene Axon wird als **myelinisierte N.-Faser** bezeichnet. N.-Fasern schließen sich häufig zu parallel verlaufenden, oft von einer gemeinsamen Bindegewebshülle umschlossenen **N.-Bündeln** (N.-Stränge) zusammen, die dann als N. bezeichnet werden. Makroskopisch sichtbare N. bestehen wiederum aus einer versch. großen Anzahl von N.-Faserbündeln. Innerhalb des Zentralnervensystems bezeichnet man die Faserbündel als **N.-Bahnen.** Angehäuft zusammenliegende N.-Zellkörper bilden die Ganglien. Die Fortleitung einer Erregung spielt sich in den N.-Fasern ab (→Aktionspotenzial). Die Verbindungsstellen zw. dem Ende der N.-Faser und den Dendriten anderer Nervenzellen oder zw. N.-Faser und Muskelzelle werden als Synapsen bezeichnet.

Nerven|entzündung (Neuritis), entzündliche Erkrankung eines oder mehrerer Gehirn- bzw. Körpernerven mit anatomisch nachweisbaren Veränderungen des Nervengewebes. Folgeerscheinungen sind Muskellähmungen und -schwund, subjektive Reizerscheinungen wie Missempfindungen oder Schmerzen sowie objektivierbare Störungen der Empfindungsqualitäten bzw. der Erregungsleitung im Nervensystem. Man unterscheidet **Mono-** und **Polyneuritis** (Befall eines oder mehrerer Nerven).

Nervenfaser, →Nerven.

Nervengewebe, →Nerven.

Nervengifte (Neurotoxine), natürlich oder synthetisch hergestellte chem. bzw. pharmakolog. Substanzen, die in bestimmter Dosierung eine in erster Linie am Nervensystem ansetzende Giftwirkung entfalten; z.B. betäubende Mittel (Narkotika), Krampfgifte (Alkaloide, Pilzgifte, Strychnin) oder Bakteriengifte (Tetanustoxin). Als N. wirken u.a. bestimmte Pflanzenschutzmittel, z.B. Phosphorsäureester (E605), Chlorkohlenwasserstoffe (DDT) oder N-Alkylcarbamate (Sevin) sowie die als sog. **chem. Waffen** (→ABC-Waffen) eingesetzten Substanzen.

Nervenklinik (neurologische Klinik), Krankenhaus zur Diagnose und Behandlung von Erkrankungen des Nervensystems; i.w.S. auch Bez. für psychiatrische Klinik.

Nervenknoten, das →Ganglion.

Nervenkrankheiten, pathologisch-anatomisch nachweisbare organische Erkrankungen des Zentralnervensystems oder der peripheren Nerven infolge Entzündung, Vergiftung, mechan. Einwirkung, Degeneration oder Geschwulstbildung (z.B. Epilepsie, Gehirntumor, multiple Sklerose).

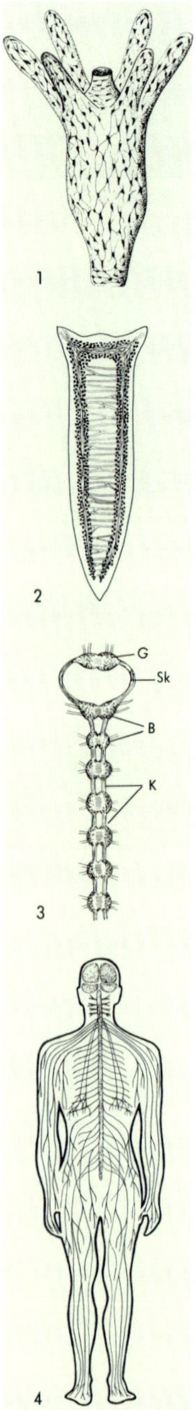

Nervensystem: 1 Nervennetz eines Süßwasserpolypen, 2 Nervensystem eines Strudelwurms mit Marksträngen, 3 Bauchganglienkette eines Ringelwurms (B Bauchganglien, G Gehirn, K Konnektive, Sk Schlundkonnektiv), 4 peripheres und Zentralnervensystem des Menschen

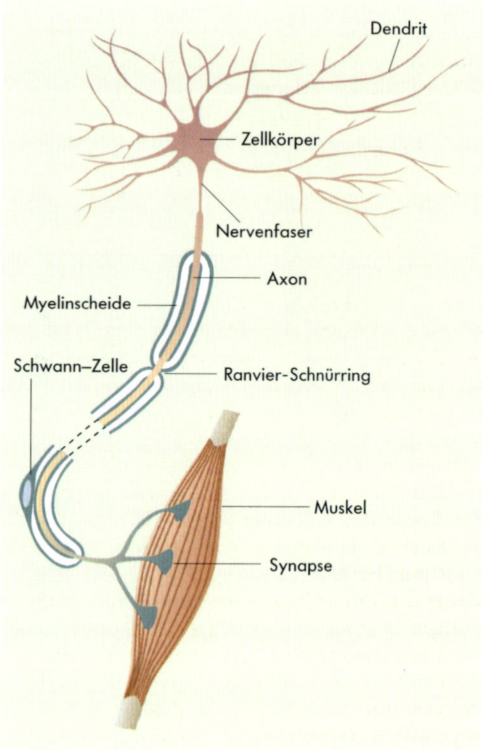

Nerven: schematische Darstellung eines Neurons mit Myelinscheide am Beispiel einer vom Rückenmark ausgehenden Nervenfaser

I.w.S. werden auch Neurosen, Psychosen und Neuropathien zu den N. gerechnet.

Nervensystem, Gesamtheit des Nervengewebes als Funktionseinheit, das in Zusammenarbeit mit →Rezeptoren und →Effektoren Reize aufnimmt, verarbeitet, teilweise speichert, koordiniert und beantwortet. In den Rezeptoren werden die aufgenommenen Signale umgeformt und kodiert. Besondere zuführende Nerven leiten die empfangenen Reize zu den zentralen Sammelstellen Gehirn und Rückenmark; dort werden sie verarbeitet. Die Befehle dieser Zentren gelangen auf den ableitenden Nervenfasern zu den Organen der Körperperipherie, wo sie entsprechende Reaktionen auslösen.

Die einfachsten N. besitzen die Hohltiere, wobei die Polypen ein **Nervennetz** besitzen, das Nerven- und Sinneszellen um Mund und Stiel konzentriert, und die Medusen ein kompliziertes ringförmiges N. Bei den Wirbellosen konzentriert sich das Nervengewebe zu Nervensträngen, die bei einigen primitiven Würmern und Weichtieren sowohl Nervenzellkörper als auch Nervenfasern enthalten und dann als **Markstränge** bezeichnet werden. Ein entscheidender Fortschritt ist die Bildung von **Ganglien** (Nervenknoten) durch Zusammenlegung mehrerer Nervenzellkörper um einen Knäuel von Nervenfasern. Bei den Gliedertieren befindet sich urspr. in jedem Körpersegment auf der Bauchseite ein Ganglienpaar. Durch die Längs- (Konnektive) und Querverbindungen zw. diesen Ganglien kommt es zur Ausbildung eines sog. Strickleiter-Nervensystems. Die Gliederfüßer schließlich haben neben diesem Bauchmark in der Kopfregion noch ein Oberschlundganglion. Dieses »Gehirn« verarbeitet und koordiniert alle Erregungen, die von den Komplex- und Stirnaugen, den Fühlern und den anderen Sinnesorganen des Kopfs eintreffen. – Bei den Weichtieren sind die Nervenzellen auf wenige Ganglien konzentriert, die paarigen Fuß-, Wand-, Seiten- und Gehirnganglien.

Bei den Wirbeltieren einschl. den Menschen konzentriert sich in der Embryonalentwicklung die Masse des Nervengewebes im Medullarrohr am Rücken, das dann im Kopfbereich das Gehirn, im Rumpfbereich das Rückenmark formt. Diesem **Zentral-N.** mit Nerven- und Gliazellen steht im übrigen Körper das **periphere N.** (Hirn- und Rückenmarknerven) gegenüber. Neben willkürmotorischen (Bewegungsnerven) und sensiblen Nerven und Ganglien enthält es ein spezielles **vegetatives (autonomes) N.** (Eingeweide-N.), das über Sympathikus und Parasympathikus die Funktion der Eingeweide steuert und kontrolliert.

Nervenzelle, → Nerven.

Nervenzusammenbruch, gemeinsprachliche Bez. für allg. nervale Erschöpfung; Versagensreaktion auf körperliche, seel. oder geistige Überbeanspruchung.

Nẹrvi, Pier Luigi, italien. Bauingenieur und Architekt, *Sondrio 21. 6. 1891, †Rom 9. 1. 1979; bed. Konstrukteur mit Stahlbeton, den er bes. bei großen Hallenbauten in räumlich-stat. Systemen aus vorzugsweise linear beanspruchten Elementen und unter Verwendung vorgefertigter Teile angewendet hat, u.a. UNESCO-Gebäude in Paris (1953–58, mit M. Breuer und B. Zehrfuss), Sportpaläste und Stadion in Rom (1956–60), Audienzhalle im Vatikan (1971).

Nẹrvi|er, kelt. Stamm der → Belgen (wohl mit Germanen durchsetzt), siedelte zw. Ardennen und Schelde; 57 v. Chr. von Cäsar unterworfen.

Nervosität *die,* Zustand psych. Spannung und damit erhöhter Reizbarkeit (»Überempfindlichkeit«); auch Bez. für Übererregbarkeit (»Überreiztheit«), die sich in Hast, Überaktivität, Unruhe und Ungeduld äußert.

Nerze [slaw.], Name zweier eng miteinander verwandter Marderarten; der **Europ. N.** (**Nörz, Sumpfotter,** Mustela lutreola) war urspr. in ganz Eurasien verbreitet; er ist bis etwa 40 cm körperlang, mit weißem Kinn und weißer Oberlippe; in Dtl. ausgerottet, Restvorkommen noch in O-Europa und Asien. Größer (bis zu 75 cm Körperlänge) und langhaariger sowie ohne weiße Oberlippe, ansonsten aber sehr ähnlich ist der **Amerikan. N.** oder **Mink** (Mustela vison), der in großen Teilen Nordamerikas verbreitet ist. – N. werden als Pelztiere seit Ende des 19. Jh. gezüchtet; etwa seit den 1920er-Jahren in Nerzfarmen, zunächst in Amerika, nach dem 2. Weltkrieg zunehmend auch in Europa. Alle Nerzzuchten gehen ausschließlich auf den Amerikan. N. zurück.

Nerze: Europäischer Nerz (Körperlänge etwa 40 cm, Schwanzlänge etwa 19 cm)

Nẹsch, Rolf, norweg. Maler und Grafiker dt. Herkunft, *Esslingen am Neckar 7. 1. 1893, †Oslo 27. 10. 1975; emigrierte 1933 nach Norwegen, bekannt bes. durch seine farbigen Metalldrucke und Materialbilder, die unter Verwendung v.a. von Glasscherben und Strandgut entstanden.

Nesin, Aziz, eigtl. Mehmet Nusref, türkischer Schriftsteller, *Konstantinopel (heute Istanbul) 20. 12. 1915, †Çesme 6. 7. 1995; verfasste satirische Kurzgeschichten, Erzählungen, Romane und Theaterstücke; Gesellschafts- und regimekrit. Linksintellektueller, mit Haftstrafen und Publikationsverboten belegt.

Ness, Loch [lɔk'nes], See in der Talfurche des Glen More, N-Schottland, 52 km², 36 km lang, durchschnittlich 1,5 km breit, bis 230 m tief. Loch N. ist 1933/34 und später bekannt geworden durch Berichte über ein Meeresungeheuer (»Nessie«), das im See gesehen worden sein soll. Auch eine technisch aufwendige Suche im Okt. 1987 konnte

Loch Ness

Inzwischen wollen fast 30 000 Menschen Nessie gesehen haben. Gibt es solche »Lebewesen« auch anderswo?

Sie finden sich überall auf dem Globus. »Champ«, das Ungeheuer des nordamerikanischen Champlainsees, hat, wie es heißt, einen schlangenförmigen, 9 m langen Leib. »Manipogo« im kanadischen Winnepegosissee hat einen Buckel und ein vom Hinterkopf abstehendes Horn. »Issie« im japanischen Ikedasee hat zwei Buckel. Das isländische Nessie-Pendant ist der »Lágarfljótsormur«, und Australien wartet natürlich mit einer Beutelvariante auf, dem »Bunyip«. Die meisten und besten Fotos aber gibt es nach wie vor von Nessie.

Johann Nepomuk Nestroy (Ausschnitt einer zeitgenössischen Lithographie)

die Frage nach der Existenz des Ungeheuers nicht beantworten.

Nessebar (Nesebar), Stadt in Bulgarien, am Schwarzen Meer, 7000 Ew.; Kur- und Badeort. – Die gut erhaltene Altstadt mit zahlreichen mittelalterl. Kirchen ist UNESCO-Weltkulturerbe. – Ende des 2. Jh. v. Chr. von den Thrakern gegr., stand N. 72 v. Chr. als **Mesambria** unter röm., später unter byzantin. und bulgar., 1371–1885 unter türk. Herrschaft.

Nesselgewächse (Urticaceae), Familie zweikeimblättriger Pflanzen, bes. in wärmeren Gebieten verbreitet; meist windblütige Kräuter, Sträucher oder Lianen mit unscheinbaren Blüten, oft mit Brennhaaren; einheimisch u. a. die **Große Brennnessel** (Urtica dioica), bis zu 1,5 m hohe Ruderalpflanze, und die **Kleine Brennnessel** (Urtica urens), bis zu 50 cm hohes Gartenunkraut.

Nesselsucht (Nesselausschlag, Quaddelsucht, Urticaria), aus Quaddeln bestehender, einmalig oder wiederholt auftretender juckender Ausschlag der Haut oder Schleimhaut; mitunter mit Fieber (Nesselfieber) verbunden; oft Ausdruck einer allerg. Reaktion; auch durch physikal. (Druck, Wärme, Kälte, Sonnenlicht) und chem. (Insektenstich, Brennnessel) Einwirkungen. Die *Behandlung* zielt auf Ausschaltung der auslösenden Ursache und erfolgt mit Calciumpräparaten, Antihistaminika und Corticosteroiden.

Nesseltiere (Cnidaria), Stamm 0,5 mm bis 2,2 m langer Hohltiere, v. a. in Meeren (einige Arten auch in Süßgewässern); mit dem Nahrungserwerb (Zooplankton, Kleintiere) sowie der Abwehr dienenden → Nesselzellen und mundnahem Tentakelkranz. N. treten primär in zwei Gestaltformen auf: als schlauchförmige, festsitzende, durch Knospung oder Teilung oft stockbildende **Polypen** und als frei schwimmende, getrenntgeschlechtige **Medusen.**

Nesselzellen (Cnidozyten), hoch spezialisierte Zellen im äußeren Epithel von Nesseltieren. Die N. enthalten eine **Nesselkapsel** (je nach Funktionsweise als Nematozyste, Spirozyste oder Ptychozyste bezeichnet); in deren Innerem ist ein **Nesselfaden** aufgerollt, der bei Berührung eines Fortsatzes **(Cnidocil)** ausgestülpt wird und sich entweder mithilfe eines Stilettapparats in das Beutetier einbohrt (Nematozyste) oder am Beutetier haften bleibt (Spirozyste); die Gifte der N. zählen zu den stärksten bekannten Giften.

Neßlers Reagenz [nach dem Agrikulturchemiker Julius Neßler, *1827, †1905], alkal. Lösung von Kaliumtetrajodomercurat(II), $K_2[HgI_4]$, zum Nachweis und zur Bestimmung kleiner Mengen von Ammoniak z. B. im Trinkwasser. Es bildet sich ein orangebrauner Niederschlag aus $[Hg_2N]I$.

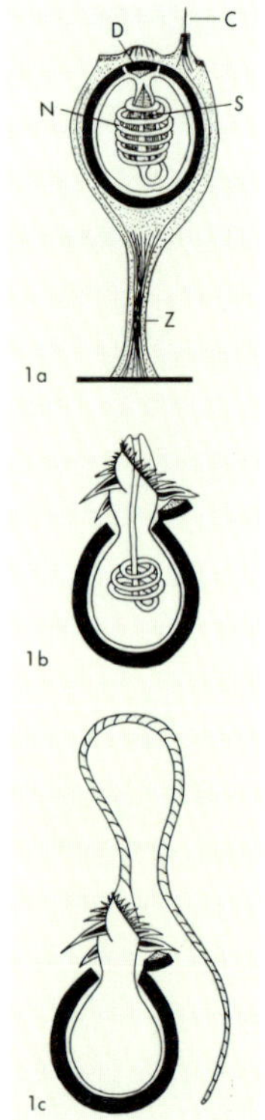

Nesselzellen: schematische Darstellung einer Nematozyste in Ruheposition (D Kapseldeckel, C Cnidocil, n Nesselfaden, S Stilettapparat, Z Zellstiel), mit abgeworfenem Kapseldeckel und auseinandergeklappten Stiletten sowie mit ausgeschleudertem Nesselfaden (von oben)

Nest, von Tieren gebaute, meist der Aufnahme der Eier bzw. der frisch geborenen Jungen sowie dem Erbrüten und/oder der Aufzucht der Nachkommen dienende Behausung; daneben für viele Tiere ein oft schwer zugängl. Aufenthaltsort, um sich gegen Feinde, Kälte oder Nässe zu schützen, zu schlafen (z. B. **Schlaf-N.** der Menschenaffen) oder ungünstige Witterungsverhältnisse zu überdauern (z. B. **Winter-N.** für Winterschläfer). Bei Staaten bildenden Insekten (z. B. Ameisen) ist das N. der Aufenthaltsort für das ganze Tiervolk. Bei Vögeln, die i. d. R. Brut-N. bauen, werden je nach Standort und Bauweise verschiedene N.-Formen unterschieden: v. a. Rohrsänger bauen an senkrecht stehenden Rohrhalmen befestigte **Pfahlbau-N.;** Beutel- und Schwanzmeisen, Webervögel und Zaunkönige bauen bis auf ein Einflugloch geschlossene Kugel- und Beutelnester.

Nestflüchter, in weit entwickeltem Zustand zur Welt kommende, schnell den Geburtsort bzw. das Nest verlassende Tiere; z. B. Hühner- und Laufvögel, Feldhasen.

Nesthocker, Jungtiere versch. Vogel- und Säugetierarten, die in einem noch unvollkommenen postembryonalen Entwicklungsstadium geboren werden. Sie kommen nackt und »blind« zur Welt und bedürfen besonderer Pflege und besonderen Schutzes durch die Eltern.

Nestlé AG ['nɛstlə-, frz. nɛst'le-], weltweit führendes schweizer. Unternehmen der Nahrungs- und Genussmittelind. (Marken wie Nescafé, Nesquick, Bärenmarke, Glücksklee, Maggi, Thomy, Sarotti, Alete, Motta, Perrier, Vittel); Sitz: Cham und Vevey; entstanden 1905 durch Fusion der Anglo-Swiss Condensed Milk Co., Cham (gegr. 1866), mit der AG Henri Nestlé, Vevey (gegr. 1867), seit 1977 jetziger Name. Die N. AG betreibt weltweit Produktionsstätten sowie Forschungs- und Entwicklungslabors; zahlr. Tochtergesellschaften.

Nestor, *grch. Mythos:* der König von Pylos, der älteste der Griechen vor Troja und ihr Ratgeber; übertragen für: weiser Berater, Ältester.

Nestor, russ. Mönch und Chronist; †1114 (?); verfasste eine Lebensbeschreibung der russ. Heiligen → Boris und Gleb; auf ihn wird die erste Fassung (1113) der ältesten ostslaw. Chronik **(Nestorchronik)** über die Anfänge des Kiewer Staates zurückgeführt.

Nestorianer, die Anhänger der Lehre des Nestorius (*um 381, †451 (?); 428–431 Patriarch von Konstantinopel). Im Ggs. zur alexandrin. Theologie (→ Kyrill von Alexandria) sind nach dieser Lehre die göttl. und die menschl. Natur in Jesus Christus getrennt; Nestorius wandte sich gegen

Johann Nepomuk Nestroy als Schuster Knieriem in seiner Posse »Der böse Geist Lumpazivagabundus …«

die Bez. Marias als »Gottesgebärerin«. 431 Verurteilung des **Nestorianismus** und Absetzung des Nestorius durch das Konzil von Ephesos; Auswanderung der N. in das Sassanidenreich; 484/486 Trennung von der Reichskirche und Gründung der **nestorian. Kirche** (auch ostsyr. bzw. »assyr.« Kirche); in der Folgezeit umfassende Missionstätigkeit in Indien (Thomaschristen), China, der Mongolei, Tibet; um 1300 in Kleinasien 27 Metropolien; heute rd. 80 000 N. im Nahen Osten (Irak, Iran, Syrien); rd. 50 000 N. in den USA und rd. 15 000 N. in S-Indien; dagegen gehören rd. 270 000 Ostsyrer der mit der kath. Kirche unierten chaldäischen Kirche an.

Nestwurz: Die Vogelnestwurz ist eine fast blattgrünlose Pflanze, die am besten in schattigen Buchenwäldern gedeiht

Nestorpapageien (Nestor), neuseeländ. Papageiengattung; krähengroße, vorwiegend dunkel gefärbte, verspielte Vögel mit langem Oberschnabel. Der **Kea** (Nestor notabilis) lebt oberhalb 600 m ü. M. Der **Kaka** (Nestor meridionalis) bewohnt Wälder.

Nest: Pfahlbaunest des Drosselrohrsängers (oben) und Beutelnest der Beutelmeise

Nestpilze (Napfpilze, Nidulariaceae), Familie der Bauchpilze, die auf faulendem Holz oder modernden Blättern wachsen; die kleinen napf- bis becherförmigen Fruchtkörper sind mit einem Deckel verschlossen.

Nestroy, Johann Nepomuk, österr. Schriftsteller und Schauspieler, * Wien 7. 12. 1801, † Graz 25. 5. 1862; zunächst Opernsänger; spielte dann meist in eigenen Stücken, ab 1831 am Theater an der Wien, ab 1845 am Leopoldstädter Theater, dem späteren Carl-Theater, das er 1854–60 leitete. Nach F. Raimund der erfolgreichste Vertreter der Altwiener Volkskomödie; scharfer Witz, rücksichtsloser Spott, desillusionierende Skepsis und boshafte Satire auf die Schwächen der Gesellschaft seiner Zeit sind verbunden mit urwüchsiger Komik und versöhnl. Humor. Viele seiner rd. 80 Bühnenwerke (oft mit Gesangseinlagen) werden heute noch gespielt, z. B. »Der böse Geist Lumpazivagabundus …« (1835), »Der Talisman« (1841) und »Einen Jux will er sich machen« (1844).

📖 CERSOWSKY, P.: *J. N. oder nix als philosophische Mussenzen. München 1992.*

Nestwurz (Vogel-N., Neottia nidus-avis), eine 20–40 cm hohe, saprophyt. Orchidee mit vogelnestähnlich verflochtenen fleischigen Wurzeln (mit endotropher → Mykorrhiza) und gelbbraunem, ährenartigem Blütenstand; Humusbewohner.

Netanjahu, Benjamin, israel. Politiker, * Tel Aviv 21. 10. 1949; war 1984–88 Botschafter bei der UN, 1988–91 stellv. Außenmin., 1991–92 stellv. Min. im Amt des MinPräs., seit 1993 Vors. des Likudblocks, wurde im Mai 1996 bei der ersten direkten Wahl eines MinPräs. mit knapper Mehrheit in dieses Amt gewählt. N. steht dem von den Regierungen Rabin und Peres eingeleiteten Friedensprozess kritisch gegenüber.

Benjamin Netanjahu

Netanya (Natanya), Seebad an der Mittelmeerküste Israels, 139 700 Ew.; Metallverarbeitung, Diamantenschleifereien, Maschinenbau, Elektronik-, Holz-, Lebensmittel-, Kunststoffindustrie.

Neto ['nɛtu], António Agostinho, angolan. Politiker und Lyriker in portugies. Sprache, * Kaxikane (bei Luanda) 17. 9. 1922, † Moskau 11. 9. 1979; mehrfach von den portugies. Kolonialbehörden inhaftiert, seit 1962 Vors. der marxist. »Volksbewegung für die Befreiung Angolas« (portugies. Abk. MPLA), seit 1975 Staatspräs. der VR Angola; setzte mit sowjet. und kuban. Hilfe die Alleinherrschaft der MPLA durch.

António Agostinho Neto

Netschajew, Sergei Gennadijewitsch, russ. Revolutionär, * Iwanowo 2. 10. 1847, † Sankt Petersburg 3. 12. 1882; stand im Exil mit M. A. Bakunin in Verbindung, verfasste »Katechismus eines Revolutionärs« (1869). 1872 in der Schweiz verhaftet und an Russland ausgeliefert, starb N. in der Haft.

Netsuke ['nɛts(ə)kə] *die,* auch *das,* im japan. Kunsthandwerk meist kunstvoll geschnitzter Knebel oder Knopf aus Holz, Elfenbein oder Horn zum Befestigen des Inro oder des Tabakbeutels am Gürtel.

Nẹttetal, Stadt im Kr. Viersen, NRW, im Niederrhein. Tiefland, an der dt.-niederländ. Grenze, 40500 Ew.; Stahl-, Maschinen-, Vergaserbau, Elektrochemie-, Elektronik- und Textilind.; Fremdenverkehr; Naturpark **Schwalm-Nette.**

nẹtto [italien.], rein, nach Abzug bestimmter relevanter Größen; Ggs.: brutto; als Handelsklausel besagt **netto Kasse,** dass keine Abzüge erlaubt sind.

Nẹttoeinkommen, Erwerbseinkommen (Einkommen aus unselbstständiger Arbeit) und Vermögenseinkommen (Einkommen aus selbstständiger Arbeit und Vermögen) einer Person oder eines privaten Haushalts nach Abzug von Steuern und Sozialversicherungsbeiträgen.

Nẹttogewicht, Gewicht einer Ware ohne Verpackung.

Nẹtto|investitionen (Erweiterungsinvestitionen), Investitionen, die einen Zuwachs der Produktionskapazitäten bewirken.

Nẹttokredit|aufnahme, →Staatsschulden.

Nẹttopreis, Preis nach Abzug von Skonto und/oder Rabatt.

Nẹttoraumzahl, →Bruttoraumzahl.

Nẹttoregistertonne, Abk. **NRT,** frühere Bez. für Nettoraumzahl, →Bruttoraumzahl.

Nẹttosozialprodukt, Abk. **NSP,** →Sozialprodukt.

Network ['netwɔ:k; engl. »Netzwerk«] *das,* eine Sendergruppe oder ein Rundfunkverbundsystem, v.a. in den USA (CBS, NBC).

Netz [ahd. nezzi, eigtl. »Geknüpftes«, zu lat. nassa »Reuse«], **1)** *allg.:* Maschenwerk, Verbundsystem, Liniensystem.

2) *Anatomie:* Bez. für die Doppelblätter des Bauchfells.

3) *Astronomie:* (lat. Reticulum) kleines Sternbild des südl. Himmels.

4) *Datenverarbeitung:* (N.-Werk) Datenkommunikationssystem, das durch Übertragung von Signalen den Datenaustausch zw. mehreren unabhängigen Geräten ermöglicht. Nach der Art der Teilnehmer unterscheidet man **offene N.,** die den weltweiten Zugriff auf Datenbanken ermöglichen, und **geschlossene N.,** die einem bestimmten Benutzerkreis vorbehalten sind. N. werden u.a. nach ihrer räuml. Ausdehnung (z.B. lokales N.), nach den Zugriffsverfahren sowie nach der Art ihrer Verknüpfung klassifiziert.

5) *Elektrotechnik:* a) **N.-Werk,** eine umfangreiche, aus Widerständen und ggf. Stromquellen bestehende Schaltung. b) **Energieversorgungs-N.,** besteht aus Kraftwerken, Kabeln, Freileitungen und Umspannwerken. Nach Spannungshöhe werden Höchstspannungs-N. (über 750 kV), Hochspannungs-N. (bis 750 kV), Mittelspannungs-N. (bis 110 kV, mitunter nur 30 kV) und Niederspannungs-N. (bis 1 kV), nach Ausführung Freileitungs-N., Kabel-N. und Installations-N., nach Art der Bereitstellung günstigere Maschen-N. und Strahlen-N. unterschieden. Maschen-N. werden (teilweise über Ländergrenzen hinweg) zu Verbund-N. zusammengeschlossen.

6) *Geodäsie* und *Kartographie:* ein System sich schneidender Linien, z.B. jedes Kartennetz.

7) *Mathematik:* a) zwei Scharen von Kurven **(Kurven-N.),** z.B. gebildet aus einem Geradenbüschel durch den Punkt *P* und konzentr. Kreisen mit *P* als Mittelpunkt. b) System von Polygonen in der Ebene, das zu einem Polyeder gefaltet werden kann (z.B. **Tetraedernetz**).

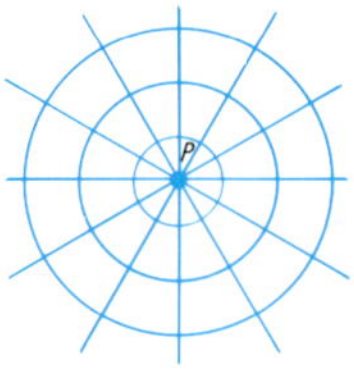

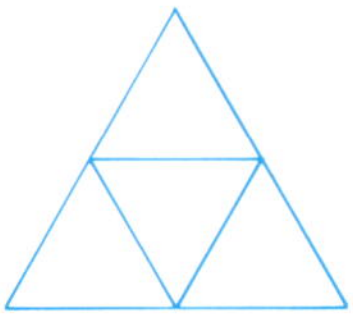

Netz 7): Geradenbüschel durch den Punkt *P* mit konzentrischen Kreisen um den Mittelpunkt *P* (oben) und Tetraedernetz

Netz|annone (Custard Apple, Ochsenherz, Annona reticulata), Art der Gattung Annone, Obstbaum des trop. Amerika mit apfelgroßen, süßen, schmackhaften Früchten, deren Oberfläche in fünfeckige Felder aufgeteilt ist.

Netzcomputer [-kɔm'pju:tər], Abk. **NC, 1)** unselbstständige Computer ohne Festplatte, vorinstallierte Betriebssysteme und Progamme, die die benötigte Software direkt über das Internet aus Datenbanken abrufen; 2) schlüsselfertige Einheitsrechner (»plug-and-play«), die sich fernwarten lassen. Sie sind v.a. für den kommerziellen Einsatz in größeren Unternehmen gedacht, um Kosten zu senken und die Wartung zu vereinfachen.

Nẹtze (poln. Noteć) *die,* rechter und schiffbarer Nebenfluss der Warthe, Polen, 388 km lang, entspringt westlich von Kutno, durchfließt den Gopłosee und das **N.-Bruch** und mündet oberhalb von Landsberg an der Warthe; durch den Brombergkanal (25 km) mit Brahe und Weichsel verbunden.

Netz|ebene, *Kristallographie:* durch drei nicht auf einer Gittergeraden liegende Gitterpunkte definierte Ebene eines Kristallgitters (Gitterebene), in der die Atome, Ionen oder Moleküle angeordnet sind.

Netzflügler (Neuropteren, Neuropteroidea), Überordnung der Insekten mit vollständiger Verwandlung und netzartig geäderten Flügeln. Die N. umfassen die Ordnungen Schlammfliegen, Kamelhalsfliegen und **Echte N. (Hafte,** Planipennia), zu denen u.a. die →Florfliegen gehören.

Netzfrequenz, die konstant gehaltene Frequenz eines Energieversorgungssystems, in Europa 50 Hz, auf anderen Kontinenten z.T. 60 Hz.

Netzgerät (Netzteil), elektr. Gerät, das die Spannung des Versorgungsnetzes in die zum Betrieb von Geräten oder Anlagen benötigte Spannung oder Stromart umformt. Das N. besteht i.d.R. aus Netztransformator, Gleichrichter und Siebschaltung; es wird oft in das betreffende Gerät integriert.

Netzgewölbe, *Architektur:* → Gewölbe.

Netzhaut (Retina), die lichtempfindl., Sinneszellen enthaltene innere Augenhaut (→ Auge).

Netzhaut|ablösung (Ablatio retinae), Ablösung der Netzhaut des Auges von ihrer Unterlage (Pigmentepithel und Aderhaut). Sie vollzieht sich ohne Schmerzen. Zur *Behandlung* wird durch Laserkoagulation der Riss verschlossen und die Netzhaut wieder angeheftet; unbehandelt führt die N. zum Funktionsausfall der Netzhaut, d.h. zu teilweiser bis völliger Blindheit.

Netzhaut|entzündung (Retinitis), infektiöse, tox. oder allerg. Entzündung der Netzhaut u.a. mit Flimmern vor den Augen, Nebelsehen und herabgesetztem Sehvermögen.

Netzmagen, ein Vormagen der → Wiederkäuer.

Netzplantechnik, Verfahren zur Analyse, Planung und Kontrolle von Projekten und zur Gewährleistung eines optimalen Einsatzes von Personal, Betriebs- und Finanzmitteln; Teilgebiet des → Operationsresearch. Die Projekte werden zunächst gedanklich in Einzeltätigkeiten (Aktivitäten, Vorgänge) zerlegt, die dann durch Kreise abgebildet und in ihrer sachlich bedingten Reihenfolge mit Pfeilen (→ Graph) verbunden werden. Der sich daraus ergebende **Netzplan** bildet die Grundlage für die Zeitplanung. Dabei werden die frühestmöglichen Zeitpunkte für den Abschluss der Einzeltätigkeiten und damit auch das frühestmögliche Projektende errechnet (kritischer Pfad). Aus der Bestimmung der spätestzulässigen, das frühestmögliche Projektende nicht gefährdenden Eintrittszeitpunkten der Einzeltätigkeiten ergeben sich gewisse zeitl. Spielräume (Pufferzeiten). Die bekanntesten Methoden der N. sind **CPM** (**Cr**itical **P**ath **M**ethod) und **MPM** (**M**etra **P**otential **M**ethod) für determinist. sowie **PERT** (**P**rogram **E**valuation and **R**eview **T**echnique) für stochast. Vorgänge.

🕮 Schwarze, J.: *N. Herne u.a.* *⁷1994.* – Altrogge, G.: *N. München ³1996.*

Netzschlange (Gitterschlange, Python reticulatus), bis zu 9 m lange südostasiat. Riesenschlange mit schwärzl. Netzzeichnung auf gelbl. bis graubraunem Grund.

Netzsperre, *Militärwesen:* im Meer verankerte und durch Bojen gehaltene Stahlnetze zur Sicherung von Seezufahrten, Meerengen, Buchten, Häfen, Schiffen gegen U-Boote oder Torpedos.

Netzvorwahl, diejenige Nummer, mit der festgelegt wird, über welche Betreibergesellschaft ein Telefongespräch geführt wird.

Netzwerk, 1) *Datenverarbeitung:* → Netz.

2) *Elektrotechnik:* → Netz.

Neu-Amsterdam, 1) urspr. Name der Stadt → New York.

2) (frz. Nouvelle-Amsterdam) unbewohnte vulkan. Insel im Ind. Ozean, 55 km², bis 911 m ü.M.; Brutplatz für Albatrosse und Pinguine; Forschungsstation. – 1522 entdeckt, seit 1893 französisch.

Neu|apostolische Kirche, christl. Religionsgemeinschaft, 1860/63 aus den Kath.-Apostol. Gemeinden hervorgegangen (Bez. seit 1907). Die N. K. wird von einem Stammapostel als Träger der höchsten geistl. Autorität geleitet und versteht sich, unter Berufung auf ihr Apostelamt, als Fortsetzung der Urkirche. Der Stammapostel ernennt die Apostel, die allein zur Schriftauslegung berufen sind. Ihre (Lehr-)Aussagen gelten neben der Bibel als zweite Glaubensquelle. Die N. K. hat heute weltweit 7 Mio. Mitgl.; in Dtl. rd. 402 000.

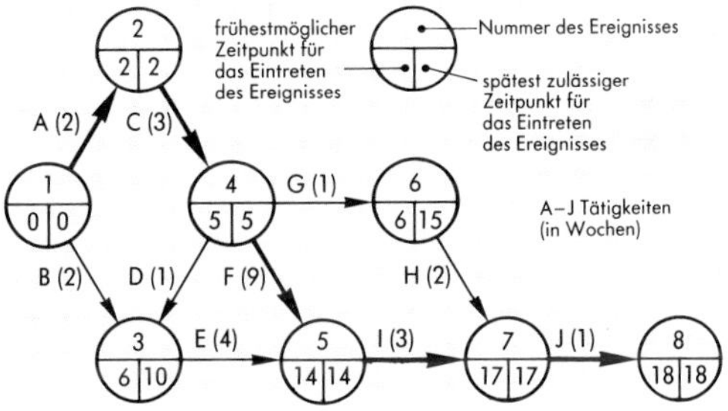

Netzplantechnik: schematische Darstellung eines CMP-Netzplans anhand der Erneuerung einer Fertigungsanlage mit folgenden Tätigkeiten (in Klammern ist die Anzahl der Wochen angegeben): A Entwurf und Genehmigung (2), B Demontage der alten Anlage (2), C Detailkonstruktion (3), D Erstellung eines Installationsplanes (1), E Vorbereitung der Installation (4), G Ausarbeitung der Bedienungsvorschriften (1), H Schulung des Personals (2), I Einbau der neuen Anlage (3), J Inbetriebnahme (1); die verstärkt gezeichneten Pfeile markieren den kritischen Pfad

Neubarock, historist. Rückgriff auf die Kunst von Hoch- und Spätbarock im 19. Jh. Die 1. Phase um 1830–40 trug der polit. Orientierung an der Kunst vor der Frz. Revolution (Ancien Régime) Rechnung, die 2. Phase (um 1860–1900) wurde zum Repräsentationsstil des Großbürgertums, v.a. in Bauten mit gesellschaftl. Funktion (Grand Opéra in Paris von C. Garnier, 1861–75). Großen Einfluss hatte der N. auf das Kunstgewerbe, v.a. Porzellan, Goldschmiedekunst, Gobelins, Glas. Ein Teil der historisierenden Malerei des späten 19. Jh. versteht sich als Erneuerung barocker Tradition (T. Couture, W. von Kaulbach, H. Makart). Bild S. 58

Friederike Caroline Neuber (Ausschnitt eines zeitgenössischen Kupferstichs)

Neuber, Friederike Caroline, geb. Weißenborn, gen. die Neuberin, Schauspielerin, Theaterleiterin, *Reichenbach/Vogtl. 9. 3. 1697, †Laubegast (heute zu Dresden) 30. 11. 1760; leitete 1727–50 eine Theatergruppe und erhielt 1727 das sächs. Privileg, in Leipzig ein festes Theater zu führen; bis 1741 Zusammenarbeit mit Gottsched; Verbannung der derben Hanswurstiaden von der Bühne.

Neubrandenburg, kreisfreie Stadt in Meckl.-Vorp., am Austritt der Tollense aus dem Tollensesee, 79 000 Ew.; FH, Fritz-Reuter-Museum, Theater; Maschinenbau, Reifenwerk, Nahrungsmittelindustrie. – Die Altstadt wurde 1945 weitgehend zerstört. Der Turm der ausgebrannten Marienkirche (13./14. Jh.) ist ein beherrschendes Element der Stadtsilhouette, der Kirchenbau wurde 1977 ff. restauriert und als Kunstsammlung und Konzerthalle eingerichtet. Johanniskirche (14. Jh.), Backstein-Stadtmauer (14. Jh.) mit Friedländer (14. Jh.), Stargarder (14. Jh.), Treptower (um 1400) und Neuem Tor (15. Jh.) sind erhalten. – In Gitterform und fast runder Anlage 1248 gegr.; kam um 1300 an Mecklenburg, 1701 an Mecklenburg-Strelitz; 1952–90 Hptst. des gleichnamigen DDR-Bezirks.

Neubrandenburg Stadtwappen

Neubraunschweig, Provinz in Kanada, → New Brunswick.

Neubreisach (frz. Neuf-Brisach), Stadt im Oberelsass, im Dép. Haut-Rhin, Frankreich, gegenüber Breisach am Rhein, 2 200 Ew. – 1699 von Ludwig XIV. durch Vauban als Festung in Achteckform angelegt. Im 2. Weltkrieg stark zerstört, steht heute unter Denkmalschutz.

Neubritannien, Insel des Bismarckarchipels, → New Britain.

Neubuddhismus, Sammelbegriff für neuzeitl. Bestrebungen, den Buddhismus dem westlich-christl. Kulturkreis zu vermitteln. Geistige Wegbereiter des N. in Dtl. waren v. a. der Philosoph A. Schopenhauer, die Theosophin Helena Blavatsky und der österr. Indologe K. E. Neumann (*1865, †1915). In Dtl. 1903 Gründung des »Buddhist. Missionsvereins für Dtl.«, 1905 der Zeitschrift »Der Buddhist«, 1958 der »Dt. Buddhistischen Union« als Dachorganisation für buddhist. Gemeinden und Zentren in Dtl., 1985 der »Buddhist. Religionsgemeinschaft in Deutschland«.

Neubarock: Zu den repräsentativen Bauten des Neubarocks gehört die 1861–75 nach Plänen von Charles Garnier erbaute Grand Opéra in Paris

Neuburg (Pfalz-N.), 1505 aus Teilen von Bayern-Landshut und Bayern-München gebildetes, der Kurpfalz als **Junge Pfalz** oder Pfalz-N. zugeteiltes Fürstentum; 1808 mit Bayern vereinigt.

Neuburg a. d. Donau, Kreisstadt des Landkreises Neuburg-Schrobenhausen, Oberbayern, 27 500 Ew.; Große Kreisstadt; Staatsarchiv; Textil-, Baustoff- und Glasindustrie. – Ehem. Residenzschloss (16./17. Jh.) mit Schlosskapelle (1543), Hofkirche (1607–18), Rathaus (1613–19, erneuert 1640–42). – Erhielt um 1000 Marktrecht.

Neuburg-Schrobenhausen, Landkreis im RegBez. Oberbayern, 740 km², (1996) 86 800 Ew.; Krst. ist Neuburg a. d. Donau.

Neuchâtel [nøʃa'tɛl], frz. Name von → Neuenburg, Schweiz.

Neudamm, Stadt in Polen, → Dębno.

Neu-Delhi [-'de:li], → Delhi.

neudeutsche Schule, seit 1859 Bez. für einen Komponistenkreis um F. Liszt (v. a. H. von Bülow, P. Cornelius, J. Raff), der sich für die Werke (Musikdramen, sinfon. Dichtung) insbesondere von R. Wagner, H. Berlioz und Liszt einsetzte. Die n. S. stand in Opposition zu den an der Wiener Klassik orientierten Komponisten wie F. Mendelssohn Bartholdy, R. Schumann und J. Brahms.

Neue Abstraktion, *Malerei:* → Postpainterly Abstraction.

Neue deutsche Welle, *Musik:* → New Wave.

Neue Einfachheit, umstrittene Bez. für Bestrebungen zeitgenössischer dt., um 1975 hervorgetretener Komponisten (u. a. P. M. Hamel, H. C. von Dadelsen, M. Trojahn, W. Rihm, H.-J. von Bose, W. von Schweinitz, D. Müller-Siemens), die in Abkehr von der extrem strukturierten seriellen und postseriellen Musik der 50er- und 60er-Jahre wieder mehr auf unmittelbar fassl. Musik abzielen und sich dabei z. T. auch traditioneller Form- und Sprachmittel bedienen.

Neue Figuration, Bez. für die figürl. Malerei nach dem 2. Weltkrieg, nach dem gleichnamigen Buchtitel (1959) des Malers und Kritikers H. Platschek (*1923). Zur N. F. gehören u. a. die der Pop-Art nahe stehenden Künstler und die Vertreter verschiedener realist. Strömungen.

Neue Hebriden, Inselgruppe im Pazif. Ozean, die seit 1980 die Rep. → Vanuatu bildet.

Neue Heimat, bis zu seiner Liquidation größter westeurop. Wohnungs- und Städtebaukonzern, Sitz: Hamburg. Vorläufer war die gemeinnützige »Kleinwohnungsbauges. Groß-Hamburg mbH«, gegr. 1926 durch den Ortsausschuss Groß-Hamburg des Allg. Dt. Gewerkschaftsbundes; Gesellschafter waren der Dt. Gewerkschaftsbund und die Einzelgewerkschaften. Der Konzern, der über die »Neue Heimat Gemeinnützige Wohnungs- und Siedlungsges. mbH« (NH) 1950–80 rd. 470000 Wohnungen errichtete, 13% des gemeinnützigen Wohnungsbestandes der Bundesrep. Dtl. verwaltete und über die »Neue Heimat Städtebau GmbH« (NHS) gewinnorientiert arbeitete, geriet Anfang der 80er-Jahre durch langjährige Misswirtschaft, Korruption und persönl. Bereicherung des Managements in wirtsch. Schwierigkeiten, die 1986 zur stillen Liquidation führten. Die Gewerkschaften mussten Verluste der N. H. aus gewerkschaftl. Streikfonds begleichen. Wohnungs- und Grundstücksbestand sowie NHS-Unternehmen wurden bis 1990 weitgehend veräußert.

🕮 SCHULZ, HANS-JÜRGEN: *Die Ausplünderung der N. H. Frankfurt am Main 1987.*

Neue Kronen-Zeitung, österr. Tageszeitung; gegr. 1900 in Wien.

neue Linke, von C. W. Mills geprägte Bez. für sozialist., v.a. marxist. Gruppen, die bes. während der 1960er-Jahre in den hoch industrialisierten Demokratien Europas und Nordamerikas auftraten; hauptsächlich von Studenten und Intellektuellen getragen. Der n. L. gelang es nicht, eine geschlossene theoret. Formulierung ihrer Ziele zu entwickeln. Gemeinsam ist ihnen jedoch eine radikale Kritik an der marktwirtsch. orientierten industriellen Welt (Leistungszwang, Konsumzwang, Establishment). Dieses System solle durch Revolution beseitigt werden, die den ursprüngl. Thesen der n. L. zufolge von »Randgruppen« (z.B. Studenten, nat. und rass. Minderheiten) getragen werden müsse und nicht von der Arbeiterschaft, die bereits zu sehr in die moderne Gesellschaft »integriert« sei. Die versch. Strömungen der n. L. verarbeiteten neomarxist. Gedankengut (H. Marcuse, T. W. Adorno, J. Habermas, M. Horkheimer), revolutionäre Theorien aus Entwicklungsländern (F. Castro Ruz, »Che« Guevara, Mao Zedong) und anarchist. Ideen (M. Bakunin). – Die Anfänge der n. L. lagen 1959 bei den Märschen für Frieden und gegen die Atombombenversuche. In den USA führte eine student. Linke neue, zunächst gewaltlose Techniken in die Kämpfe der liberalen →Bürgerrechtsbewegung ein. Der Protest gegen den Vietnamkrieg und die bestehende Gesellschaft allgemein griff bald auf Europa über (1967/68 Höhepunkt der Bewegung, u.a. in Paris, Berlin); in der Bundesrep. Dtl. trat er zunächst innerhalb der →außerparlamentarischen Opposition auf. In fast allen betroffenen Ländern wurden auf Einzelgebieten Reformen eingeleitet, in Frankreich und der Bundesrep. Dtl. bes. Bestrebungen zur Hochschulreform. Seit etwa 1969/70 wandten sich Vertreter der n. L. meist maoistisch orientierten Parteien zu; zahlr. andere suchten im Rahmen polit. Gruppierungen (z.B. →Jungsozialisten) und gesellschaftl. Organisationen (z.B. der Gewerkschaften) eine polit. Plattform, eine Minderheit organisierte sich in terrorist. Vereinigungen. Vorstellungen der n. L. fanden Eingang in die →alternative Bewegung und in die programmat. Entwicklung der Grünen.

🕮 HABERMAS, J.: *Protestbewegung und Hochschulreform. Frankfurt am Main* [3]*1970.* – MARCUSE, H.: *Das Ende der Utopie. Frankfurt am Main 1980.*

Neue Maas (niederländ. Nieuwe Maas), schiffbarer Flussarm im Rhein-Maas-Delta, Niederlande, 23 km lang, Fortsetzung des Lek.

neue Medilen, Sammelbegriff für Kommunikationsmittel zur Individual- und Massenkommunikation, die durch die Entwicklung neuer Technologien entstanden sind, dabei auch mit alten Medien vernetzt sind und teilweise in neuen Organisationsformen betrieben werden, z.B. Videotext, Videorekorder, Telefax, Bildplatte, Bildtelefon, Kabel- und Satellitenrundfunk, CD-ROM. (→Multimedia)

Neue Musik, die Musik seit 1908, die sich nach Charakter und Kompositionstechnik von den traditionsgebundenen Werken unterscheidet. Im Widerstand gegen den Zwang der Dur-Moll-Tonalität entstand die →atonale Musik, die sich bes. in der →Zwölftonmusik ausprägte. Daneben zeigten sich archaisierende und exot. Tendenzen, die in Melodie, Rhythmus und Dynamik auf frühe und außereurop. Formen der Musik zurückgriffen. Die Anwendung von Zahlenreihen führte zur →seriellen Musik. Eine bed. Erweiterung der Geräuschskala brachte die →konkrete Musik; auf elektron. Klangerzeugung anstelle der herkömml. Instrumente greift die →elektronische Musik zurück. Seit 1960 gewann eine Art von Klangfarbenkomposition an Bedeutung, in der ein sich stets verändernder Tonkomplex das Grundelement bildet. Seit der Mitte der 60er-Jahre ist die Entwicklung der N. M. durch die Auseinandersetzung mit neuen Materialien und Verfahrensweisen gekennzeichnet. Die experimentelle Musik empfängt aus der Kombination von herkömml. Instrumentarium, elektron. Klängen, Tonbandeinblendungen, Sprachlauten u.a. neue Impulse. Das klangl. Ergebnis einer Aufführung lässt sich vielfach nicht mehr grundsätzlich vorherbestimmen, sondern bleibt dem Zufall überlassen. In der Notation verläuft die Entwicklung über zusätzlich der überkommenen Notenschrift hinzugefügte (z.T. grafisch gestal-

Neubrandenburg: Das um 1400 aus Backsteinen erbaute Treptower Tor

tete) Zeichen und die →musikalische Grafik bis zur Aufzeichnung verbaler Anweisungen (Aktionsschrift, Verbalpartitur). Versuche, auch Farbe und Szene in die experimentelle Musik einzubeziehen, haben zur Multimediakunst geführt.

Charakteristisch für die Musik seit den 1970er-Jahren ist ihre Vielfalt. Der Erschließung neuer Klangräume dienen (neben freien Formen der Collage, z.B. als Kombination von musikal. und sprachl. Versatzstücken aus versch. Ländern und Epochen) mobile Praktiken wie etwa das Wandelkonzert (gleichzeitige Darbietungen in versch. Räumen mit Standortwechsel des Hörers oder einzelner Instrumentengruppen). Der Verbund versch. Medien wirkt sich – außer in den Multimedia-Realisationen i.e.S. – auch im →instrumentalen Theater aus. Weitere Erscheinungsformen der neueren Musikentwicklung sind die →Minimalmusic mit einer statuar., oft meditativen Klanglichkeit und Elementen der Popmusik sowie eine im Ggs. zur experimentellen Musik stehende, auch als »neotonal« oder »neoromantisch« bezeichnete Richtung (→Neue Einfachheit) mit deutlich traditionellen Zügen. Gegen die Beliebigkeit der »Postmoderne« der 1980er-Jahre, die von der Vielfalt der Elemente und histor. Rückbezügen lebte, versuchte Ende des Jahrzehnts die »Neue Komplexität« mit handwerklich höchst differenziert strukturierten Kompositionen anzutreten; dabei gerät sie jedoch mitunter an die Grenzen von Aufführungspraxis und Durchhörbarkeit.

Hans Neuenfels

📖 *N. M. – Quo vadis? 17 Perspektiven, hg. v.* D. DE LA MOTTE. *Mainz u.a. 1988. – Die Musik der achziger Jahre, hg. v.* E. JOST. *Mainz u.a. 1990.* – MIESSGANG, T.: *Semantics – n. M. im Gespräch. Hofheim 1991.* – DANUSER, H.: *Die Musik des 20. Jh. Sonderausg. Laaber 1996.*

Neuenahr-Ahrweiler, Bad, →Bad Neuenahr-Ahrweiler.

Neuenburg (amtl. frz. Neuchâtel), **1)** Kanton in der Schweiz, 797 km², (1995) 165 300 Ew. Der Kt. umfasst v.a. das Gebiet des Kettenjura zw. dem Neuenburger See und der schweizerisch-frz. Grenze. Die fruchtbarsten Landstriche sind das Val de Ruz und die Gebiete am Neuenburger See (Wein- und Obstanbau; in der Bergregion Almwirtschaft). Wichtige Ind.zweige sind Metallind., Maschinen- und Apparatebau, Uhren- und Schmuckind., Schokoladefabriken, Tabakverarbeitung.

Neuenburg 1)
Kantonswappen

Neuenburg 2)
Stadtwappen

2) Hauptstadt von 1), an den Hängen des Jura und am NW-Ufer des Neuenburger Sees, 31 800 Ew.; Univ. (1909 gegr.), Handelshochschule, Konservatorium, Schweizer. Zentrum für Elektronik und Mikrotechnik (CSEM); Uhren- und Schmuckind., Apparatebau. – Schloss (12.–16. Jh.), Stiftskirche (begonnen um 1180, geweiht 1276), Renaissance- und Barockbauten. – 1011 zuerst urkundlich erwähnt, 1214 Stadtrecht, Hauptort einer seit 1032 zum Hl. Röm. Reich gehörenden Grafschaft, die 1504 an die Herzöge von Orléans-Longueville kam. Nach deren Aussterben (1697) fiel das Fürstentum (seit 1648) an Friedrich I. in Preußen (1707), 1805–14 an Frankreich, wurde unter Friedrich Wilhelm III. 1814 als 21. Kanton in die schweizer. Eidgenossenschaft aufgenommen. 1848 wurde eine von der Schweiz gewährleistete republikan. Verfassung eingeführt (Aufhebung der persönl. Rechte des preuß. Königs an Neuenburg).

Neuenburger See (frz. Lac de Neuchâtel), größter schweizer. Jurarandsee, 429 m ü.M., 218 km² groß, 38 km lang, bis 8 km breit, bis 153 m tief. Reste von Uferrandsiedlungen (»Pfahlbauten«) aus der späten Jungstein- und der Urnenfelderzeit; am NO-Ende des Sees die Fundstelle La Tène.

Neuendettels|au, Gemeinde im Landkreis Ansbach, Bayern, 7 700 Ew.; Sitz der Neuendettelsauer Mission (W. →Löhe), des Evang.-Luth. Diakoniewerks und einer evang.-theolog. Hochschule.

Neuenfels, Hans, Theater- und Opernregisseur, *Krefeld 31. 5. 1941; wirkte u.a. in Heidelberg, Frankfurt am Main, Berlin, Hamburg; bekannt durch kritisch-provozierende Inszenierungen; veröffentlichte 1991 den autobiograph. Roman »Isaakaros«.

Neuengland (engl. New England), **1)** der NO-Teil der USA, bestehend aus den Bundesstaaten Maine, New Hampshire, Vermont, Massachusetts, Rhode Island, Connecticut. – Die permanente Besiedlung durch Engländer begann 1620 mit der Landung der puritan. →Pilgerväter (Gründung von Plymouth). Die in der Folgezeit entstandenen Kolonien waren 1643–84 in der »New England Confederation« (Neuenglandkonföderation) zusammengeschlossen (ohne Rhode Island). 1675/76 kam es in N. zu einem blutigen Krieg mit den Indianern (»King Philip's War«). Die in ihren Rechten vom brit. Mutterland eingeschränkten N.-Kolonien spielten eine führende Rolle in der Unabhängigkeitsbewegung (1775 Ausgangspunkt des Unabhängigkeitskrieges). Die zunehmende Industrialisierung von N. im 19. Jh. ging mit einer starken Abwanderung in die neu erschlossenen Gebiete im W der USA einher; in der 2. Hälfte des 19. Jh. begann eine neue Einwanderungswelle (v.a. Iren und Südeuropäer).

2) Distrikt im nördl. New South Wales, Australien; Schaf- und Rinderzucht, Gemüse- und Maisanbau sowie Forstwirtschaft.

Neuenstadt, Stadt in der Schweiz, →La Neuveville.

Neuenstein, Stadt im Hohenlohekreis, Bad.-Württ., auf der westl. Hohenloher Ebene, 6 100

Ew.; Maschinen- und Fahrzeuggetriebebau. – Im Renaissanceschloss (1555–64), einer maler. Vierflügelanlage, das Hohenlohe-Museum; Renaissancepfarrkirche (1610/11) mit spätgot. Chor (15. Jh.) des Vorgängerbaus. – N. wurde 1351 Stadt.

Neue Ökonomische Politik, Abk. **NÖP,** (russ. Nowaja Ekonomitscheskaja Politika, Abk. NEP), der 1921 von Lenin in Sowjetrussland eingeleitete wirtschaftspolit. Kurs, der den »Kriegskommunismus« ablöste (→Sowjetunion, Geschichte).

Neue Philosophie (frz. Nouvelle Philosophie), zusammenfassende Bez. für die Denkansätze einer Gruppe jüngerer, z. T. sehr unterschiedlich ausgerichteter frz. Philosophen (→französische Philosophie).

Neuer Bund, *christl. Theologie:* Gottesbund →Bund 2).

neue Rechte (frz. Nouvelle Droite), Sammelname einer um 1968 entstandenen geistig-kulturellen Strömung um eine Gruppierung frz. Intellektueller; sucht durch eine Synthese philosoph. und polit. Ideen sowie moderner natur- und sozialwiss. Erkenntnisse ein Gegengewicht zu Marxismus, »judäochristl. Tradition«, Liberalismus und »Amerikanismus« zu schaffen, fordert eine »meritokrat.« Gesellschaft, in der die Fähigsten herrschen sollen. Verschiedene westeurop. Parteien entwickelten unter Anknüpfung an Ideen der n. R. rechtsextreme Positionen.

📖 WORM, U.: *Die N. R. in der Bundesrepublik. Köln 1995.* – BENTHIN, R.: *Die N. R. in Deutschland u. ihr Einfluß auf den polit. Diskurs der Gegenwart. Frankfurt am Main 1996.*

neue Religionen (neureligiöse Bewegungen), in der Neuzeit (v. a. seit Mitte des 19. Jh.) entstandene religiöse Bewegungen. Typologisch kann man zw. den aus einer ganz bestimmten Religion aufgrund von Sonderoffenbarungen bzw. der besonderen Autorität einzelner Lehrer- und Führerpersönlichkeiten erwachsenen →Sekten und den Religionsgemeinschaften unterscheiden, die verschiedenartige religiöse und kulturelle Überlieferungen zu einem neuen Religionssystem verbinden. Im europ.-nordamerikan. Kulturkreis wurden dabei v. a. Elemente östl. Religionen und Weisheitslehren aufgenommen (→Anthroposophie; →New Age; →Theosophische Gesellschaft; →transzendentale Meditation). Nach der Mehrheit ihrer Anhänger wurden einige von ihnen in den 1970er-Jahren (religionswiss. nicht korrekt) →Jugendreligionen genannt. Prägend für Lateinamerika ist die Vermischung christl. (kath.) Vorstellungen mit Elementen afrikanischer Stammesreligionen (→Umbanda, →Wodu). In Afrika entwickelten sich spezielle Formen eines »schwarzen Christentums« (Kimbang. Kirche; →Kimbangu). Auf dem Boden des schiit. Islam entstand als n. R. die

Neuenstein: Das 1555–64 im Renaissancestil erbaute Schloss Neuenstein beherbergt heute das Hohenlohe-Museum; im Hintergrund rechts ist der Turm der Pfarrkirche zu erkennen

→Bahai-Religion, in Asien (Korea) vor christl. Hintergrund die →Vereinigungskirche.

📖 *Handbuch religiöse Gemeinschaften. Freikirchen, Sondergemeinschaften, Sekten, Weltanschauungen, missionierende Religionen des Ostens, Neureligionen, Psycho-Organisationen, hg. v.* H. RELLER *u. a. Gütersloh* [4]*1993.* – HUMMEL, R.: *Religiöser Pluralismus oder christl. Abendland? Darmstadt 1994.*

Neuer Kurs, 1) die Politik von Reichskanzler →Caprivi, nach Bismarcks Sturz (1890).

2) die in der DDR am 9. 6. 1953 auf Initiative der sowjet. Reg. unter G. M. Malenkow beschlossenen, nach dem 17. 6. 1953 (→Siebzehnter Juni 1953) bestätigten Maßnahmen, u. a.: Verminderung der Auflagen für die Schwerind., Förderung der Privatinitiative in Handel und Landwirtschaft, flexiblere Kirchenpolitik, mehr Rechtssicherheit, beschränkte Amnestie; 1955 z. T. revidiert.

Neuer Realismus, *Kunst:* →Nouveau Réalisme. (→Neue Figuration)

Neuer Schekel, Währungseinheit in Israel; 1 N.S. (NIS) = 100 Agorot.

neuer Stil, Abk. **n. St.,** die Zeitrechnung nach dem gregorian. →Kalender.

Neue Sachlichkeit, von G. F. Hartlaub 1923 geprägter Begriff für eine in den 1920er-Jahren in Dtl. entwickelte Kunstrichtung, für die die objektive und präzise Realitätswiedergabe charakterist. Anliegen war. Die Überschärfe und die starke Betonung der Gegenständlichkeit unter Ausschaltung von Licht und Schatten in vielen Werken lässt oft eine mag. Wirkung entstehen (mag. Realismus). Die Möglichkeiten der N. S. umfassen sowohl eine kubistisch bestimmte, formal monumentalisierte Auffassung (A. Kanoldt, G. Schrimpf) als auch eine sozial engagierte Gesellschaftskritik (O. Dix, G. Grosz). Weitere Vertreter der N. S. sind

Neue Sachlichkeit (von links): Ernst Thoms, »Trödelladen (1926; Hannover, Sprengel-Museum); Rudolf Schlichter, »Bildnis Egon Erwin Kisch« (um 1928; Mannheim, Städtische Kunsthalle)

E. Thoms, R. Schlichter, C. Schad, K. Hubbuch, A. Räderscheidt, C. Mense, G. Scholz, H. Darvinghausen, F. Radziwill, C. Grossberg, K. Völker und O. Nerlinger. – In der Literatur entstanden ähnl. Tendenzen, v.a. als Reaktion auf das Pathos des Expressionismus. Die literar. Darstellung sozialer und wirtsch. Probleme war bevorzugtes Thema, wobei dem Theater (E. Piscator) sowie den neuen Medien Film (W. Ruttmann, R. Siodmak, E. Ulmar) und Rundfunk ein besonderer Stellenwert zukam. Es entstanden die Reportage (E. E. Kisch), die wiss. Quellen aufbereitende Biographie, der desillusionierende Geschichtsroman (R. Neumann, L. Feuchtwanger). Im Drama dominierte das Zeit- und Lehrstück (B. Brecht, F. Bruckner, Ö. von Horváth, G. Kaiser, C. Zuckmayer), im Roman wurde eine besondere Form des Gegenwartsromans gepflegt (A. Döblin, H. Fallada, E. Kästner, L. Renn, Anna Seghers). Vertreter neusachl. Gebrauchslyrik waren B. Brecht, W. Mehring, E. Kästner und J. Ringelnatz.

📖 *N. S. in Deutschland, bearb. v.* E. BERTONATI. *A. d. Italien. Neuausg. Herrsching 1988.* – MICHALSKI, S.: *N. S. Malerei, Graphik u. Photographie in Deutschland 1919–1933. Köln 1992.* – PRESLER, G.: *Glanz u. Elend der 20er Jahre. Die Malerei der N. S. Köln 1992.*

Neues Bauen, programmat. Begriff für v.a. dt. Architekturströmungen des Funktionalismus nach dem 1. Weltkrieg (→moderne Architektur), die sich gegen den Stil der Wilhelmin. Epoche richteten. Bed. Beispiele für N. B. sind das Bauhaus in Dessau von M. Gropius (1925/26) und der Dt. Pavillon auf der Internat. Ausstellung in Barcelona von L. Mies van der Rohe (1928/29). – Seit etwa 1926 nannte auch H. →Häring seine Theorie vom »organ. Bauen« Neues Bauen.

Neues China (Nachrichtenagentur N. C.), →Xinhua.

Neues Deutschland, Tageszeitung der Partei des Demokrat. Sozialismus (PDS); gegr. 1946 in Berlin, 1950–89 in der DDR Zentralorgan des ZK der SED (Auflage 1996: 80 000).

Neues Forum, Abk. **NF,** am 9. 9. 1989 in Grünheide (bei Berlin) u.a. von B. Bohley und J. Reich gegr. Bürgerbewegung; entwickelte sich zur stärksten Oppositionsbewegung des Herbstes 1989 und trug wesentlich zur friedl. Revolution in der DDR bei. Am 7. 2. 1990 schloss sich das NF mit anderen Bürgerbewegungen zum Bündnis 90 zusammen, das sich als Wahlbündnis Bündnis 90/Grüne an den Bundestagswahlen 1990 beteiligte; eine Minderheit des NF gründete die Dt. Forumspartei, die im Herbst 1990 der FDP beitrat. Das NF wahrte nach der Konstituierung von Bündnis 90 als gesamtdt. Partei (Sept. 1991) und nach der Vereinigung mit der Partei Die Grünen (Bündnis 90/Die Grünen, Mai 1993) seine organisator. Eigenständigkeit als Bürgerbewegung.

Neue Städte, →New Towns.

Neues Testament, Abk. **N. T.,** →Bibel.

Neue Welle (frz. Nouvelle Vague), Erneuerungsbewegung im frz. →Film.

Neue Welt, im 16. Jh. entstandene Bez. für Amerika.

Neue Weltwirtschafts|ordnung, →Weltwirtschaft.

Neue Wilde (Junge Wilde), Maler, die seit Ende der 1970er-Jahre mit einer betont expressiven Malerei in Erscheinung getreten sind. Themen, Motive (meist figürl.) und Stile (v.a. Fauvismus und Expressionismus) werden spielerisch benutzt. Zentren dieser Richtung haben sich gebildet in Berlin (u.a. die Gruppe der »heftigen Malerei«

mit R. Fetting, H. Middendorf, Salomé, Bernd Zimmer), Hamburg und Köln (»Mühlheimer Freiheit«, 1983 aufgelöst; u.a. mit H. P. Adamski, W. Dahm, G. J. Dokoupil); bekannt wurde u.a. der Schweizer M. Disler. Vergleichbare Tendenzen gibt es in Italien (»Arte cifra«, »Transavanguardia«), in den USA (»New-Image-Painting«) und in Frankreich (»Figuration libre«).

📖 Faust, W. M. *u.* Vries, G. de: *Hunger nach Bildern. Dt. Malerei der Gegenwart. Köln 1982.*

Neue Zürcher Zeitung, Abk. **NZZ,** schweizer. Tageszeitung, gegr. 1780 als »Zürcher Zeitung«, seit 1821 heutiger Name; internat. verbreitet, auch in Dtl. und Österreich (Auflage 1996: 160340).

Neuffen, Stadt im Landkreis Esslingen, Bad.-Württ., am steilen N-Rand der Schwäb. Alb, 5900 Ew.; Strickwaren-, Strumpf-, Maschinen-, Elektrogerätefabrik. – Über N. Burgruine **Hohenneuffen,** eine der stärksten württemberg. Festungen, bes. seit 1736 ausgebaut (Bastionen, Kasematten), 1801/02 geschleift. – N. ist seit 1232 Stadt.

Neufrankreich (frz. Nouvelle France), bis 1763 (Pariser Frieden) Bez. für das frz. Kolonialreich in Nordamerika, das Kanada (Zentrum um den Sankt-Lorenz-Strom) und das Mississippibecken (Louisiane, später Louisiana) einschloss.

Neufundland, Insel vor der O-Küste Kanadas, 108860 km^2 groß. Das dünnbesiedelte Innere ist eine wellige, von niedrigen Bergzügen (bis 806 m ü.M.) durchzogene, glazial überformte Hochfläche. Die felsige Steilküste ist durch zahlr. Fjorde gegliedert. N. hat sehr kühle, feuchte Sommer und schneereiche, kalte Winter. Bildet mit dem O-Teil Labradors die kanad. Provinz → Newfoundland.

Neufundlandbänke, flaches Schelfgebiet (oft nur 50 m u. M.) vor Neufundland; die ergiebigen Fischgründe wurden durch Überfischung fast vernichtet.

Neufundländer, langhaariger, schwarzer oder brauner (selten schwarzweiß gefleckter) kräftiger Begleit- und Schutzhund mit ausgeglichenem Wesen, Schulterhöhe bis zu 75 cm.

Neufundländer: Schulterhöhe bis 75 cm

Neue Wilde: Martin Disler, »Ermordung einer Schwangeren« (1982; Privatbesitz)

Neugeborenengelbsucht (hämolytische N., Neugeborenenerythroblastose, Morbus haemolyticus neonatorum), durch Bildung von mütterl. Antikörpern und deren Übertritt in den kindl. Kreislauf hervorgerufene Zerstörung der roten Blutkörperchen des Kindes (verbunden u.a. mit Anämie und Gelbsucht). Ursache ist überwiegend eine Blutgruppenunverträglichkeit zw. Mutter und Kind (v.a. gegen das stärkste Rhesusantigen D). Die *Behandlung* besteht in einer Austauschtransfusion beim Kind. Der Verhinderung von Komplikationen bei späteren Schwangerschaften dient die → Anti-D-Prophylaxe. – Zur physiolog. Gelbsucht des Neugeborenen → Gelbsucht.

Neugeborenes, jedes lebend geborene Kind bis zum 28. Lebenstag. Die Gefährdung und die Sterblichkeit sind relativ höher als in jedem späteren Lebensabschnitt.

Neugeistbewegung, in der 2. Hälfte des 19. Jh. unter dem Einfluss der Lehren des amerikan. Heilpraktikers Phineas Parkhurst Quimby (*1802, †1866) in den USA entstandene Heilungsbewegung. Gott wird als der **Allgeist,** das alles beseelende Prinzip der Güte und Harmonie angesehen. Krankheiten und Übel im Leben des Menschen werden als Folgen eines falschen, diesen Geist verneinenden (negativen) Denkens gedeutet und können allein durch das »richtige«, ihn bejahende Denken geheilt bzw. überwunden werden.

Neugliederung des Bundesgebietes, die in Art. 29 Abs. 1 GG verankerte Möglichkeit der territorialen Neugliederung von Dtl. unter Berücksichtigung der landsmannschaftl. Verbundenheit, der geschichtl. und kulturellen Zusammenhänge, der wirtsch. Zweckmäßigkeit und der Erfordernisse der Raumordnung und Landesplanung. Die N. d. B. soll Länder schaffen, die nach Größe und Leistungsfähigkeit die ihnen obliegenden Aufgaben wirksam erfüllen können. Sie hat durch Bundes-Ges. zu erfolgen, das der Bestätigung durch Volksentscheid bedarf.

Neugotik, Wiederaufnahme des got. Stils seit dem 18. Jh.; von England ausgehend (Gothic revival), spielte die N. hauptsächlich in der europ. Baukunst des 19. Jh. eine Rolle. Zu ihrem Programm gehörten u. a. die Vollendung und Restaurierung got. Kathedralen; Hauptvertreter in Dtl.: K. F. Schinkel, E. F. Zwirner, G. Moller, G. Semper, B. Schmitz.

Neugrad, veraltete Bez. für die Einheit → Gon.

Neugranada, früherer Name von → Kolumbien.

neugriechische Kunst: Nicolas Ghika, »Land und Meer« (1965; Privatbesitz)

neugriechische Kunst, die auf die byzantin. Kunst folgende Epoche der grch. Kunst. Ihren Aufschwung nahm sie erst in der 1. Hälfte des 19. Jh. nach Beendigung der Türkenherrschaft. An der 1836 gegr. Kunstakademie in Athen förderten Lehrer wie N. Lytras, N. Gysis und K. Volanakis einen akadem. Realismus nach dem Vorbild der Münchner Akademie. Der Bildhauer L. Drosis u. a. setzten sich in ihren Werken mit dem antiken und byzantin. Erbe auseinander. Der Freilichtmalerei widmeten sich u. a. K. Parthenis und K. Maleas. Im 20. Jh. wurde der Anschluss an die internat. Strömungen gefunden (N. Ghika). Wichtige Beiträge zur zeitgenöss. Kunst leisteten Takis, C. Tsoclis und C. Xenakis in Frankreich, J. Kounellis in Italien sowie V. Chryssa und L. Samaras in den USA. Unter den Architekten traten bes. D. A. Pikonis, A. Konstantinidis, Suzana M. Antonakis und A. N. Tombazis hervor.

neugriechische Literatur, die Literatur in → neugriechischer Sprache. Die Eroberung Konstantinopels durch die Türken (1453) nahm dem grch. Volk und seiner Literatur den geistigen Mittelpunkt. Nur auf der Insel Kreta bestand im 16./17. Jh. eine eigenständige grch. Literatur (V. Kornaros mit dem Epos »Erotokritos«; Drama »Erophile« von G. Chortatzis; das geistl. Drama »Abrahams Opfer« von unbekanntem Verfasser). Die kret. Literatur dieser Zeit und das grch. Volkslied (Klephtenlieder, Klagelieder, histor. Volkslieder, Disticha u. a.) sind die stärksten Zeugnisse der n. L. zw. 1453 und 1800. Erst der grch. Freiheitskampf seit 1821 vermittelte neue Impulse (bes. durch die Werke des D. Solomos). Einen Wendepunkt bedeuteten die Achtzigerjahre. J. Psycharis ergriff gegenüber den Vertretern einer purist. Sprache leidenschaftlich die Partei der Volkssprache. E. Roidis gab der neuen Literatur ihr Programm, in K. Palamas fand sie einen bed. Dichter. Nach dem 1. Weltkrieg entstand eine Antikriegslit. (S. Myrivilis). In den Werken der Generation der 1930er-Jahre wurde der Kern der Erzählung und des Romans von der Sittenschilderung und Beschreibung in die Darstellung und psycholog. Analyse gesellschaftl., menschl. und seel. Konflikte verlegt. In der Lyrik löste schlichte Sprache (K. Kavafis) die von K. Palamas ausgegangene Tradition stilistisch differenzierter Sprachgestaltung ab. Zu den Begründern der modernen grch. Lyrik in den 30er-Jahren zählen G. Seferis, O. Elytis, N. Embirikos, N. Engonopulos u. a., die Dichter des sozialpolit. Engagements N. Vrettakos, J. Ritsos und der religiös orientierte T. Papatzonis. Die Ereignisse der Kriegs-, Besatzungs- und Bürgerkriegszeit nach 1945 fanden ihren Niederschlag v. a. in Prosa und Lyrik. Die »Generation der 30er-Jahre« trat mit mehreren Romanen und Erzählungen auf; zu den Autoren der 40er- und 50er-Jahre gehören u. a. S. Tsirkas, J. Beratis, G. Theotokas, M. Lundemis. Von den Erzählern der Nachkriegszeit sind weiterhin zu nennen A. Samarakis, V. Vassilikos, K. Tachtsis, D. Christodulu, von den jüngeren M. Kumantareas, T. Valtinos, Katerina Angelaki-Rooke, E. Venesis. Die bekanntesten Romane von N. Kazantzakis entstanden nach 1945. Das eigtl. neugrch. Theater begründete neben G. Xenopulos S. Melas. Zahlr. Erzähler schufen auch Tragödien und Schauspiele.

📖 Tzermias, P.: *Die n. L. Eine Orientierung. Tübingen 1987.* – Politis, L.: *Geschichte der n. L. A. d. Griech. Neuausg. Köln 1996.*

neugriechische Musik, die Musik der Griechen nach der Befreiung von der türk. Herrschaft 1830 (zur Antike → griechische Musik). Sie lässt sich in drei Komplexe einteilen: die Volksmusik, die nachbyzantin. Kirchenmusik und die Kunstmusik. Zu den Grundlagen der Volksmusik gehört ein reiches Repertoire an Volksliedern der verschiedensten Gattungen. Die oft kirchentonalen, melismenreichen Melodien gehen bis in das 15. Jh. zurück. Metrisch sehr differenziert sind die Volkstänze (→Sirtaki). Zu den typ. Volksmusikinstrumenten gehören die dreisaitige, mit Rundbogen gestrichene Fiedel, die pastorale Längsflöte, das schrill klingende Blasinstrument »Pipiza«, der Dudelsack und versch. Arten von Trommeln, ferner die Busukia (Ensembles persisch-türk. Lauteninstrumente), die das Bild der populären Unterhaltungsmusik und der Rembetika, einer Form städt. Gettomusik, prägen. – Die neugrch. Kirchenmusik ist eine Fortentwicklung der byzantin. Kirchenmusik. – Auf der Grundlage der Volksmusik und der Kirchenmusik entstand die grch. Kunstmusik. Die Komponisten orientierten sich zunächst (N. Mantzaros) an italien. Vorbildern, später am frz. Impressionismus, an der russisch-nat. Schule und an Stilrichtungen der dt. Musik. Zu den bekanntesten Vertretern der älteren Komponistengeneration gehören P. Petridis, M. Kalomiris und N. Skalkottas (Schüler von A. Schönberg), dessen Werk zu den bedeutendsten Leistungen der neugrch. Musik gehört. Die meisten der jüngeren Komponisten schreiben im atonalen Idiom. Zur europ. Avantgarde zählen v. a. A. Logothetis, Y. Sicilianos, J. Xenakis, der Initiator der sog. stochast. Musik, A. Kounadis, N. Mamangakis, D. Terzakis, G. Aperghis. G. Becker gründete 1962 ein Studio für Neue Musik in Athen. Ein prominenter Vertreter der politisch engagierten Musik ist M. Theodorakis.

neugriechische Sprache, Bez. für zwei Sprachformen in Griechenland: das gesprochene Neugriechisch (**Demotike** »Volkssprache«), das eine natürl. Entwicklung der grch. Sprache durch die Jahrtausende darstellt, und die purist. Sprache **(Katharevussa),** die künstl. Form eines archaisierenden, gehobenen Griechisch. Der grch. Sprachdualismus entwickelte sich in der Zeit Alexanders d. Gr. mit der Herausbildung der →Koine, während die Gelehrten ein klass. Attisch weiterpflegten; gesprochenes und geschriebenes Griechisch werden seitdem unterschieden. Die Katharevussa wurde nach Gründung des grch. Staates zur offiziellen Amtssprache erhoben und herrschte auch in der Wiss. vor; dagegen begann sich in Literatur und Kultur die Demotike auch als Schriftsprache bereits seit dem späten 19. Jh. durchzusetzen. Die Demotike ist seit 1975 (Parlamentsbeschluss) als Amts- und Wiss.sprache anerkannt. Die schon in der byzantin. Zeit in versch. Gegenden Griechenlands herausgebildeten Dialekte basieren v. a. auf der Koine der hellenist. Zeit.

Neuguinea [-gi'ne:a] (engl. New Guinea, indones. Irian), zweitgrößte Insel der Erde, nördlich von Australien, 2100 km lang, fast 800 km breit, 771900 km², etwa 4,5 Mio. Ew., v. a. →Papua. Der W-Teil gehört als Irian Jaya zu Indonesien, der O-Teil zu →Papua-Neuguinea. – Die Insel wird von mehreren parallelen Gebirgsketten durchzogen; höchster Berg ist der Gunung Jaya (5033 m ü. M.) im Zentralgebirge, das durch eine Senke mit den Flüssen Mamberamo, Sepik, Ramu vom Küstengebirge getrennt ist. Im S breitet sich eine weite Ebene aus, die z. T. als sumpfiges Schwemmland von den Flüssen Digul und Fly River gebildet wird. Das Klima ist feucht-tropisch. Zwei Drittel der Insel sind dicht bewaldet; bis zu 2000 m Höhe reicht trop. Regenwald. An den Küsten und in Sumpfgebieten Mangrovenvegetation.

Neuguinea: Der Sepik ist mit 1127 km Länge der größte Fluss im Nordosten Neuguineas

Geschichte: N. wurde 1526 von Spaniern entdeckt, 1606 als Insel erkannt. 1828 nahmen die Niederlande die W-Hälfte der Insel in Besitz, 1884 Dtl. den NO-Teil (Deutsch-N., Kaiser-Wilhelms-Land) und Großbritannien den SO-Teil (Papua). Der brit. Teil wurde 1901 Territorium des Austral. Bundes, der 1914 den dt. Teil besetzte und ihn 1921 als Mandatsgebiet des Völkerbundes, 1946 als UN-Treuhandgebiet erhielt. Beide Gebiete verschmolzen 1949 unter dem Namen Papua-N. zu einer Verwaltungseinheit. Niederländisch-N. wurde am 1. 10. 1962 den UN, am 1. 5. 1963 Indonesien unterstellt, das es 1969 als West-Irian (Irian Jaya) voll eingliederte. 1975 erlangte Papua-N. die Unabhängigkeit.

📖 BUTLER, A. *u.* BUTLER, I.: *A New Guinea bilbliography, 5 Bde. Waigani 1984–90.* – KREMNITZ, W. A.: *N. Aus dem Pflanzenreich. Fliedling-Andechs 1988.*

Neuhaus, →Schloss Neuhaus.

Neuhaus am Rennweg, Stadt im Landkreis Sonneberg, Thür., im Thüringer Wald, 836 m ü. M., 7300 Ew.; Luftkurort und Wintersportplatz; traditionelle Glasindustrie. – 1673 gegr.; seit 1933 Stadt.

Neuhausen am Rheinfall, Stadt im Kanton Schaffhausen, Schweiz, 10600 Ew.; Aluminium-Forschungsinstitut, Waffen-, chem., Textilind., Maschinen- und Waggonbau, Spielkartenfabrik; Fremdenverkehr.

Neuhegelianismus, gegen den Positivismus gerichtete Strömung von uneinheitl. Erneuerungsversuchen der Metaphysik Hegels im ersten Drittel des 20. Jh. in den meisten europ. Ländern; vertreten u. a. von T. Litt, F. Rosenzweig, B. Croce, G. Gentile, A. Kojève, F. H. Bradley.

Neuhochdeutsch, der jüngste, meist seit 1650 gerechnete Zeitabschnitt der hochdt. Sprache. (→ deutsche Sprache)

Neuholland, histor. Name für den von den Niederländern entdeckten Teil Australiens.

Neuhumanismus, die Erneuerung der humanist. Bewegung seit etwa 1750 und die damit verbundene Hinwendung zum klass. Altertum. Angebahnt wurde der N. durch die Pflege des altsprachl. Unterrichts und der klass. Philologie (M. Gesner, C. G. Heyne, J. A. Ernesti, F. A. Wolf), getragen von den Schriftstellern und Dichtern der dt. Klassik (J. J. Winckelmann, J. G. Herder, W. von Humboldt, Goethe, Schiller). Besondere Bedeutung gewann der N. im 19. Jh. für das preuß. und bayer. Schul- und Universitätswesen.

Neuilly-sur-Seine [nœˈjisyrˈsɛn], Stadt westlich von Paris, Dép. Hauts-de-Seine, Frankreich, am Bois de Boulogne, 62000 Ew.; Maschinenbau, chem. u. a. Industrie. – Am 27. 11. 1919 wurde hier der **Frieden von Neuilly** zw. Bulgarien und den Ententemächten geschlossen, der Bulgarien zu einer Kriegsentschädigung von 2,25 Mrd. Goldfranken und zur Abtretung kleinerer Grenzbezirke sowie des Strumicabogens im W an das Königreich der Serben, Kroaten und Slowenen verpflichtete; Griechenland erhielt das südl. Makedonien.

Neuiranisch, → iranische Sprachen.

Neuirland, Insel des Bismarckarchipels, → New Ireland.

Neu-Isenburg, Stadt im Landkreis Offenbach, Hessen, südlich von Frankfurt am Main, 35300 Ew.; Zeppelinmuseum; Generatoren- und Maschinenbau, Foto- und Nahrungsmittelind. (»Frankfurter Würstchen«), Bundesdruckerei. – 1699 als Hugenottensiedlung gegründet.

Neu-Isenburg
Stadtwappen

Neujahr (Neujahrstag), erster Tag eines Jahres, im gregorian. Kalender der 1. Januar. – In vielen Religionen ist N. ein Festtag, dessen rituelle und mag. Handlungen einen Neubeginn sichern sollten, der als Erneuerung der Welt und Neuschöpfung des Lebens verstanden wurde. Maskenumzüge und lärmende Feiern galten der Vertreibung böser Mächte. – Im Christentum seit dem 6. Jh. gefeiert, zunächst als Bußtag, seit dem 13./14. Jh. als Fest der »Beschneidung Christi«. – Das jüd. Neujahrsfest wird am 1. (und 2.) Tischri (Sept./Okt.) gefeiert. (→ Jahr)

Neukaledonilen (frz. Nouvelle-Calédonie), frz. Überseeterritorium im SW-Pazifik, umfasst die östlich von Australien gelegene Insel N. sowie zahlr. kleinere Inseln, 19058 km², (1991) 172000 Ew., Melanesier (Eigenbezeichnung Kanaken), Europäer, Polynesier; Hptst. ist Nouméa. – Die 410 km lange Insel N. ist gebirgig (im Mont Panié 1628 m ü. M.) und von einem Korallenriff umgeben; die Nebeninseln sind überwiegend Koralleninseln. Das Klima ist tropisch. Für die Selbstversorgung v. a. Anbau von Mais, Bataten, Jamswurzel, Gemüse; für den Export Kaffee und Kokospalmen; Viehweidewirtschaft. Führend ist der Nickelerzbergbau mit Aufbereitung und Verhüttung, außerdem Abbau von Mangan- und Chromerz sowie Jade. Ausfuhr von Nickel, Kopra, Kaffee. Fremdenverkehr. – 1774 von J. Cook entdeckt, seit 1853 in frz. Besitz, seit 1946 Überseeterritorium, seit 1988 beschränkte Selbstverwaltung.

Neukantianismus, um 1860 einsetzende Bestrebungen in der Philosophie, kantische Lehren zu erneuern und weiterzubilden, in Dtl. einflussreichste philosoph. Richtung bis etwa 1910. Die Marburger Schule (H. Cohen, P. Natorp, E. Cassirer) suchte v. a. eine wissenschaftstheoretisch-methodolog. Grundlegung der exakten Naturwiss. zu geben. In der Südwestdt. Schule (W. Windelband, H. Rickert u. a.) standen die Entwicklung einer Werttheorie und der Versuch einer Neubegründung der Geschichts- und Geisteswissenschaften (→ Wertphilosophie) im Vordergrund. Der N. trat durch den Einfluss von Phänomenologie und Existenzphilosophie im 20. Jh. in den Hintergrund.

📖 *Der N. Perspektiven u. Probleme, hg. v.* E. W. ORTH *u.* H. HOLZHEY. *Würzburg 1994.*

Neukastililen (span. Castilla la Nueva), histor. Landschaft in Spanien, der sich über die südliche Meseta erstreckende Teil von → Kastilien.

Neukirchen-Vluyn [-fly:n], Stadt im Kr. Wesel, NRW, 27900 Ew.; Steinkohlenbergbau, Lüftungs-, Verfahrenstechnik, Textilindustrie. Sitz der 1878 gegründeten evang. **Neukirchner Mission.**

Neuklassizismus, 1) *bildende Kunst:* → Neoklassizismus.

2) *Literatur:* Richtung der dt. Literatur um 1905, die in Reaktion auf den → Naturalismus die Bedeutung der formal und inhaltlich von der Klassik vorgegebenen Werte betonte **(Neuklassik);** Hauptprogrammatiker: Samuel Lublinski (* 1868, † 1910), W. von Scholz und P. Ernst.

Neukölln, VerwBez. von Berlin.

Neulandgewinnung, die →Landgewinnung.

neulateinische Literatur, unter dem Einfluss des →Humanismus seit Ende des 13. Jh. erwachsene Literatur in lat. Sprache, löste die →mittellateinische Literatur ab. Als Begründer der n. L. gilt F. Petrarca. Der bed. Zweig der n. L. Italiens war die Lyrik, doch wurden auch Epos (I. Sannazaro), Lehrgedicht, Epigramm gepflegt; die beliebte Gattung des Hirtengedichts vertrat bes. Petrarca. Als Blütezeit der n. L. Italiens gilt die Zeit des Papsttums Leos X. in Rom mit B. Castiglione, P. Bembo, G. Vida u. a. Nach Dtl. strahlte die n. L. schon während der humanist. Zeit aus. Unter den nlat. Dichtern ragen U. von Hutten und C. Celtis hervor. Eng mit dem Humanismus hängt die älteste Gruppe der nlat. Schulpoesie, der Erfurter Kreis um Mutianus Rufus und Eobanus Hessus, zusammen. Ein bed. Lyriker war P. Lotichius Secundus. Der bedeutendste nlat. Dichter des 17. Jh. war der Jesuit J. Balde. Das nlat. Drama in Dtl., von J. Reuchlin begonnen, wurde bes. von T. Naogeorgus, N. Frischlin gepflegt. Wichtige Dramatiker des Jesuitentheaters waren J. Bidermann, N. Avancinus und der Dichter des benediktin. Dramas S. Rettenbacher. Vertreter der n. L. in den Niederlanden sind J. N. Secundus, die Dramatiker G. Macropedius, G. Gnapheus im 16. Jh., später H. Grotius, D. Heinsius. In Frankreich wirkten J. C. und J. J. Scaliger, in England T. Morus, J. Owen, G. Buchanan, im Osten u. a. der Jesuit M. K. Sarbiewski (Polen, 17. Jh.). Seit dem 17. Jh. beschränkt sich die n. L. immer mehr auf kirchl. und wiss. Literatur.

📖 Ellinger, G.: *Geschichte der n. L. Deutschlands im 16. Jh., 3 Bde. Berlin 1929–33, teilw. Nachdr. ebd. 1969.* – Kristeller, P. O.: *Humanismus u. Renaissance, 2 Bde. München 1974–76, Nachdr. ebd. 1980.* – Buck, A.: *Humanismus. Seine europ. Entwicklung in Dokumenten u. Darstellungen. Freiburg u. a. 1987.* – Ludwig, W.: *Litterae neolatinae. Schriften zur n. L. München 1989.*

neulateinische Sprache, die →lateinische Sprache seit dem 14. Jh. Sie entstand mit der Ablehnung der »Barbarismen« des Mittellateins durch die Humanisten, die ihrerseits auf das Latein Ciceros als Vorbild zurückgriffen. – Die Gelehrten pflegten das Neulatein als internat. Verständigungsmittel. Noch im 18. Jh. war es gemeinsame europ. Zweitsprache in Wiss., Literatur und akadem. Unterricht. – Die kath. Kirche hält am Latein als offizieller Sprache fest; die Verlautbarungen des Apostol. Stuhls werden lateinisch abgefasst. Liturg. Sprache ist Latein seit dem 2. Vatikan. Konzil nur noch zu besonderen Anlässen.

Neumagen-Dhron [-dro:n], Gemeinde im Landkreis Bernkastel-Wittlich, Rheinl.-Pf., an der Mosel, 2400 Ew.; Weinbau; Fremdenverkehr. – Hier wurden Reste des röm. **Noviomagus** ausgegraben (Grabdenkmäler des 2./3. Jh. n. Chr. mit Darstellungen des Alltagslebens, z. B. »Großes Neumagener Weinschiff«; die Funde befinden sich jetzt im Rheinischen Landesmuseum Trier).

Neumagen-Dhron: Das »Große Neumagener Weinschiff« ist das Grabmal eines Weinhändlers in der Form eines mit Weinfässern beladenen Moselschiffs (um 200 n. Chr.; Trier, Rheinisches Landesmuseum)

Neumann, 1) Alfred, Schriftsteller, *Lautenburg (heute Lidzbark) 15. 10. 1895, †Lugano 3. 10. 1952; emigrierte 1933; bed. histor. Romane: »Der Teufel« (1926; Kleist-Preis), Trilogie um Napoleon III.: »Neuer Caesar« (1934), »Kaiserreich« (1936), »Das Kind von Paris« (1952); »Es waren ihrer sechs« (1944); auch Dramatiker, Lyriker und Übersetzer.

Alfred Neumann

2) Franz Ernst, Physiker und Mineraloge, *Joachimsthal (Kr. Barnim) 11. 9. 1798, †Königsberg (Pr) 23. 5. 1895; Begründer der mathemat. Physik in Dtl.; grundlegende theoret. und experimentelle Arbeiten zur Wellenlehre des Lichts, zur Elektrodynamik und zur Kristallographie.

3) Günter, Kabarettist, Komponist, *Berlin 19. 3. 1913, †München 17. 10. 1972; Texter und Komponist der »Katakombe«, des »Kabarett der Komiker« und beim polit. Rundfunkkabarett »Die Insulaner«, Berlin; Autor der Filme »Berliner Ballade« (1949), »Herrliche Zeiten« (1950).

4) Johann Balthasar, Baumeister und Ingenieur, getauft Eger 30. 1. 1687, †Würzburg 19. 8. 1753; zunächst Gießereigeselle, trat N. 1712 in den Militärdienst ein. Als fürstbischöfl. Baudirektor in Würzburg begann er 1720 mit dem Bau der Würzburger Residenz, mit der er unter Mitwirkung von M. von Welsch und L. von Hildebrandt eine der großartigsten Residenzanlagen in Dtl. schuf. N.s Hauptleistung war der Bau der Hofkirche (1732–43) und des in der Raumkonzeption großartigen Treppenhauses (1735–53, Deckenfresko von Tiepolo). Höhepunkte barocker Raumgestaltung sind auch die Treppenhäuser der Schlösser Bruchsal (1731–33; nach Zerstörung im 2. Weltkrieg wiederhergestellt) und Brühl (1743–48). N. knüpfte an das

Werk J. Dientzenhofers an und verband in seinen Bauten Einflüsse des italien., österr. und frz. Barock. Seine Kirchenbauten gipfeln in den großartigen Raumfantasien von Vierzehnheiligen (1744 ff.) und Neresheim (seit 1745). Weitere BILDER Barock

John von Neumann

📖 HANSMANN, W.: *B. N. Leben u. Werk. Köln 1986. – B. N. Kunstgeschichtl. Beiträge zum Jub.-Jahr 1987, hg. v.* T. KORTH *u.* J. POESCHKE. *München 1987. – Architekten – B. N., Redaktion:* D. HEZEL. *Stuttgart* ³*1995.*

5) John von, eigtl. Johann Baron von N., amerikan. Mathematiker ungar. Herkunft, *Budapest 28. 12. 1903, †Washington (D. C.) 8. 2. 1957; Prof. in Princeton (USA), einer der vielseitigsten Mathematiker des 20. Jh.; untersuchte u. a. die Theorie fast period. Funktionen auf Gruppen, topolog. Vektorräume, kontinuierl. Gruppen und Geometrien, klass. und Quantenmechanik, begründete mit O. Morgenstern die →Spieltheorie und lieferte Beiträge zur Automatentheorie (→lernende Automaten). In den 40er-Jahren entwickelte er die Idee des programmgesteuerten elektron. Rechners (von-N.-Architektur) und war wesentlich an der Konstruktion des Großrechners ENIAC (engl. **e**lectronic **n**umerical **i**ntegrator **a**nd **c**alculator) beteiligt. Er wirkte maßgeblich am amerikan. Atombombenprojekt mit.

Robert Neumann

📖 *Leben u. Werk von J. von N., hg. v.* T. LEGENDI. *A. d. Ungar. Mannheim u. a. 1983.*

6) Robert, österr. Schriftsteller, *Wien 22. 5. 1897, †München 3. 1. 1975; emigrierte 1934 nach Großbritannien (brit. Staatsbürger ab 1938), lebte lange in der Schweiz; schrieb meisterhafte literar. Parodien: »Mit fremden Federn« (1927), »Unter falscher Flagge« (1932), außerdem gesellschaftskrit. Romane, u. a. »An den Wassern von Babylon« (1939), »Olympia« (1961), »Ein unmöglicher Sohn« (1972); ferner satir., iron. und parodist. Erzählungen, auch Dramen, Hörspiele, Essays; Autobiographie: »Mein altes Haus in Kent« (1957).

Václav Neumann

7) Václav, tschech. Dirigent, *Prag 29. 9. 1920, †Wien 2. 9. 1995; war Bratschist im Smetana-Quartett in Prag; 1955–60 Chefdirigent an der Kom. Oper Berlin (Ost), 1964–68 Generalmusikdirektor der Leipziger Oper und Dirigent des Gewandhausorchesters, 1968–90 Chefdirigent der Tschech. Philharmonie in Prag; bes. bekannt als Interpret tschech. Musik und der Werke G. Mahlers.

Georg von Neumayer

Neumark, histor. Landschaft östlich der Oder und nördlich der unteren Warthe, zunächst »Land jenseits der Oder« gen., um 1400 dann N. (als Ggs. zur →Altmark). Seit der Mitte des 13. Jh. unter der Herrschaft der Markgrafen von Brandenburg. 1815 (ohne den an Pommern gelangten NO um Dramburg und Schivelbein) Teil der preuß. Prov. Brandenburg; fiel 1945 an Polen.

Johann Balthasar Neumann: Die 1732–43 erbaute Hofkirche in der Würzburger Residenz gehört zu den bedeutendsten architektonischen Leistungen des Barockbaumeisters

Neumarkt, →Johann von Neumarkt.

Neumarkt, 1) Stadt in Polen, →Środa Śląska.

2) Stadt in Rumänien, →Târgu Mureş.

Neumarkt i. d. OPf., 1) Landkreis im RegBez. Oberpfalz, Bayern, 1344 km², (1996) 121900 Einwohner.

2) Krst. von 1) in Bayern, am W-Rand der Fränk. Alb, 38900 Ew.; Große Kreisstadt; Kunststoff-, Spielwaren-, Bekleidungsind., Maschinenbau. – Rathaus (16. Jh.), got. Pfarrkirche, Schloss (16. Jh.). – 1235 erstmals als Stadt bezeugt.

Neumayer, Georg Balthasar von, Hydrograph, *Kirchheimbolanden 21. 6. 1826, †Neustadt an der Weinstraße 24. 5. 1909; 1876–1903 erster Direktor der Dt. Seewarte in Hamburg. Neben geophysikal. und meereskundl. Arbeiten tatkräftige Förderung der Südpolarforschung. Nach ihm wurde die 1981 errichtete Georg-von-Neumayer-Station in der Antarktis benannt.

Neumeier, John, amerikan. Tänzer, Choreograph und Ballettdirektor, *Milwaukee (Wis.) 24. 2. 1942; 1963–69 Mitgl. des Stuttgarter Balletts, 1969–73 Ballettdirektor in Frankfurt am Main, seit 1973 an der Hamburger Staatsoper. Als Choreograph bearbeitete er klass. Ballette (»Romeo und Julia«, »Der Nußknacker«, beide 1971; »Daphnis und Cloe«, 1972); schuf ferner moderne Choreographien u. a. nach Sinfonien von G. Mahler, nach sakralen Werken (u. a. J. S. Bachs »Matthäuspassion«, 1981, W. A. Mozarts »Requiem«, 1991) und nach Stoffen der Weltliteratur (»Endstation Sehnsucht«, 1983, »Medea«, 1990); inszenierte auch L. Bernsteins Musicals »West Side Story« (1978) und »On the Town« (1991).

Neumen [mlat. neuma, aus grch. pneũma »Atem«], Notationszeichen der einstimmigen frühmittelalterl. Musik, die aus Punkten, Strichen, Bogen und Häkchen bestehen und den Stimmverlauf nur ungefähr angeben (Steigen und Fallen der Melodie, Zugehörigkeit einer Tongruppe zu einer Textsilbe). Tonhöhe und Tondauer blieben in dieser Notierung unberücksichtigt. Diesem Mangel versuchte man durch Zusatzzeichen zu begegnen; hierdurch wurden die Melodieverläufe, von gedachten Linien ausgehend, klarer festgelegt, bis mit der Einführung von urspr. ein oder zwei Linien (allg. f oder c[1], bezeichnet durch einen Tonbuchstaben am Anfang oder durch Rot- und Gelbfärbung) die Intervallverhältnisse eindeutig fixiert werden konnten. Die lat. N. West- und Mitteleuropas, deren früheste Belege bis in das 9. Jh. zurückreichen, dürften auf das Vorbild der seit dem 8. Jh. nachweisbaren byzantin. N. zurückgehen. Diese werden auf die prosod. Zeichen des grch. Alphabets zurückgeführt. Aus der lat. N.-Schrift ist im 12. Jh. durch Verdickung der Zeichen die quadrat. Choralnotation entstanden.

📖 Walter, M.: *Grundlagen der Musik des Mittelalters. Schrift – Zeit – Raum. Stuttgart u. a. 1994.*

Neumexiko, → New Mexico.

Neuminute, veraltete Bez. für den hundertsten Teil des → Gon, jetzt Zentigon.

Neumond, eine Phase des → Mondes.

Neumünster, kreisfreie Stadt in Schlesw.-Holst., an der Schwale, 82 000 Ew. – Fachschulen, Textilmuseum, Holstenhalle, Heimattierpark; elektrotechnische, Textil-, Bekleidungs-, Chemie- und Nahrungsmittelindustrie; Maschinenbau. – 1127/36 als **Wippendorf** in Verbindung mit einem Augustinerchorherrenstift gegr., seit 1870 Stadt.

neun, eine der natürlichen Zahlen, als Ziffer **9**.

Neunaugen: Meerneunauge (Länge bis zu 1 m)

Neun|augen (Bricken, Petromyzontidae), fischähnl. Familie der Rundmäuler mit unpaarigem Flossensaum, ohne Schuppen; das Skelett wird von einer elast. Rückensaite gebildet; an jeder Seite des Kopfbereiches befinden sich neun wie Augen aussehende Organöffnungen: Nase, Auge, sieben Kiemenöffnungen. Der saugnapfartige, kreisrunde Mund hat Hornzähne und eine stempelförmige Zunge, womit sich die N. entweder an Steinen oder an lebenden Fischen festsaugen. Aus den Eiern schlüpfen Schlamm bewohnende Larven **(Querder).** Das **Bach-N.** (Lampreta planeri) wird 10–16 cm lang. Das **Fluss-N.** (Lampreta fluviatilis) wandert nach dem Larvenstadium zum Meer, lebt dort mehrere Jahre und wandert dann zu den Laichplätzen in den Flüssen; wird etwa 50 cm lang. Das **Meer-N.** (**Lamprete,** Petromyzon marinus) wird bis zu 1 m lang.

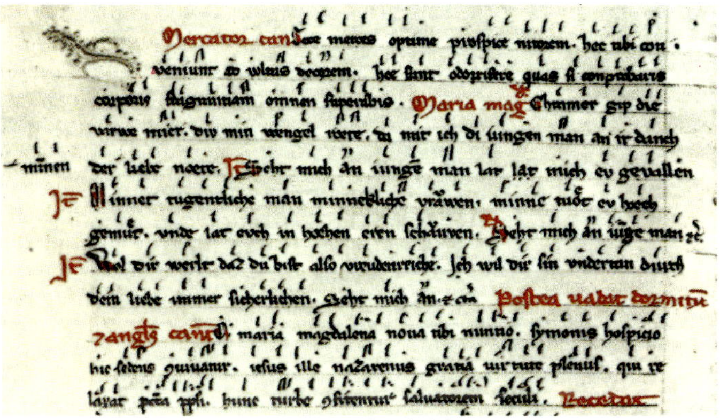

Neumen in der »Carmina Burana«-Pergamenthandschrift (um 1230; München, Bayerische Staatsbibliothek)

Neunburg vorm Wald, Stadt im Landkreis Schwandorf, Bayern, am Rand des Oberpfälzer Waldes, 8 000 Ew.; Metallverarbeitung, Nahrungsmittelindustrie.

Neunkirch, Hauptort des Bez. Oberklettgau im Kt. Schaffhausen, Schweiz, 1 600 Ew.; Herstellung von Büroeinrichtungen, Maschinen- und Apparatebau. – 850 erstmals erwähnt; 1270 als Bauernstadt neu angelegt.

Neunkirchen, 1) Landkreis im Saarland, 249 km², (1996) 150 300 Einwohner.

2) Krst. von 1), im Saarland, an der Blies, 51 900 Einwohner. Der Steinkohlenbergbau (seit 1430) wurde 1968 im Stadtgebiet eingestellt, das Eisenwerk 1982 stillgelegt; Metall verarbeitende Betriebe, chem. Ind., Brauerei, Brennereien, Holzverarbeitung. – 1281 erstmals erwähnt.

Neunkirchen 2) Stadtwappen

3) [-'ki-] Bezirks-Hptst. in NÖ, im Steinfeld an der Schwarza, 10 200 Ew.; Schraubenfabrik, Betonsteinwerk. – Bürgerhäuser des 16.–18. Jahrhunderts.

Neuntöter, Singvogel, → Würger.

Neuphilologie, Wiss. von den neuzeitl. europäischen Sprachen und Literaturen (→ Philologie).

John Neumeier

Neuplatonismus, das letzte große System der grch. Philosophie (zw. 200 und 500 n. Chr.). Außer platon. Begriffen sind aristotel., stoische und solche der spätantiken Mystik in den N. eingegangen. Höchster Begriff ist das über alle Bestimmungen erhabene Eine (Gott), aus dem nicht durch Schöpfung, sondern durch wesensnotwendige Ausstrahlung (Emanation) alle Seinsformen hervorgehen: zuerst der Geist, der die Ideen enthält, dann die Weltseele und die Bereiche der Erscheinung bis hinab zur Materie. Alle Wesen haben den Drang, zu dem Einen als ihrem Ursprung zurückzukehren, sodass das Stufensystem der Welt nach der einen Richtung Emanation, nach der anderen Erlösung ist. Als Stifter des N. gilt Ammonius Sakkas (†242 n. Chr.), der bedeutendste Systemschöpfer war →Plotin (Emanationslehre). Die syr. Schule (Jamblichos) verband spätantike und oriental. Elemente mit der Systematik der Seinsstufen. Die pergamen. Schule versuchte, das Christentum durch den Polytheismus zu verdrängen. Der N. des 5. und 6. Jh. setzte die theologisierende Richtung in der athen. Schule (Proklos) fort, entwickelte das philosoph. System weiter und widmete sich der Kommentierung älterer philosoph. Schriften, bes. der Dialoge Platons. Andere neuplatonische Schulen, z. B. die alexandrin. Schule, öffneten sich dem Christentum.

📖 *Die Philosophie des N., hg. v.* C. ZINTZEN. *Darmstadt 1977.*

Neupositivismus, →Neopositivismus.

Neuprotestantismus, die zusammenfassende Bez. für die auf das moderne Weltbild bezogenen Strömungen des Protestantismus, die sich unter dem Einfluss der Aufklärung v. a. im 19. Jh. entwickelt haben; kennzeichnend sind die Ablehnung von Konfessionalismus und Klerikalismus und die Offenheit gegenüber der modernen Kultur (Kulturprotestantismus). Seinen Niederschlag fand der N. u. a. in der →liberalen Theologie.

Neuquén [neu̯'ken], Hptst. der argentin. Prov. N., am Zusammenfluss von Río N. und Río Limay zum Río Negro, 90 000 Ew.; Technikum.

neur..., neuri..., neuro... [grch. neũron »Nerv«], nerven...

Neuralgie [grch.] *die,* meist anfallsweise auftretende Schmerzen im Bereich peripherer Nerven ohne nachweisbare anatom. Veränderungen.

Neuralrohr, das →Medullarrohr.

Neuraltherapie, von dem Mediziner Ferdinand Huneke (*1891, †1960) eingeführte, heute nur teilweise anerkannte medizin. Heilmethode, die das Nervensystem in den Vordergrund jedes krankhaften Prozesses stellt. Durch Injektion eines örtl. Betäubungsmittels in hypothet. »Störfelder« des Organismus (z. B. Narben) wird eine Behandlung auf dem Nervenweg angestrebt.

Neurasthenie [grch.] *die,* Nervenschwäche; allg. nervöse und vegetative Übererregbarkeit und Labilität meist als Folge geistig-emotionaler Überforderung oder nach schwerer körperl. Erkrankung. (→vegetative Dystonie)

Neurath, 1) Konstantin Freiherr von, Diplomat, *Kleinglattbach (heute zu Vaihingen an der Enz) 2. 2. 1873, †Leinfelderhof (heute zu Vaihingen an der Enz) 14. 8. 1956; war 1932–38 Reichsaußenmin., 1939–43 Reichsprotektor in Böhmen und Mähren; im Nürnberger Prozess 1946 zu 15 Jahren Haft verurteilt, 1954 aus der Haft entlassen.

2) Otto, österr. Philosoph, Soziologe und Bildungspolitiker, *Wien 10. 12. 1882, †Oxford 22. 12. 1945; lehrte zuletzt ebd.; gehörte zum Wiener Kreis des →Neopositivismus, dessen Grundsätze er auf die Sozial- und Geisteswiss. anwendete.

Neurenaissance: Mittelteil des 1871-91 nach Plänen von Carl Hasenauer und Gottfried Semper erbauten Kunsthistorischen Museums in Wien

Neurenaissance [-rənɛ'sãs] (Neorenaissance), die Wiederaufnahme von Renaissanceformen in Architektur und Kunstgewerbe im 19. Jh. Bed. Bauten: Dresden, Opernhaus von G. Semper (1838–41); München, Glyptothek von L. von Klenze (1816–34); Wien, Kunsthistor. Museum von C. Hasenauer und G. Semper (1871–91).

Neurin *das,* Flüssigkeit, die bei der Eiweißfäulnis entsteht und ein »Leichengift« ist; chemisch das Trimethylvinylammoniumhydroxid:

$$CH_2{=}CH{-}\overset{\oplus}{N}(CH_3)_3\ OH^{\ominus}$$

Neurinom [grch.] *das* (Schwannom), eine von den Zellen der Schwann-Scheide (→Nerven) ausgehende gutartige Geschwulst.

Neurit [grch.] *der,* Nervenfortsatz (→Nerven).

Neuritis [grch.] *die,* die →Nervenentzündung.

Neurobiologie, Disziplin der Biologie, die Struktur und Funktionsweise sowie phylo- und ontogenet. Entwicklung von Nerven und Nervensystemen untersucht. Teilgebiete der N. sind u. a. die **Neuroanatomie,** die sich mit Entstehung, Differenzierung und feingewebl. Aufbau des Nervensystems befasst, die **Neurochemie,** die den Chemismus der Aufnahme, Übertragung, Speicherung und Verarbeitung von Informationen im Nervensystem erforscht, die **Neuroimmunologie,** die Immunreaktionen im Nervensystem und nervöse Einflüsse auf das Immunsystem untersucht.

Neurochirurgie [grch.], Teilgebiet der Chirurgie, das sich mit der Behandlung von Erkrankungen und Verletzungen des Gehirns, Rückenmarks und der peripheren Nerven befasst.

Neurode, Stadt in Polen, →Nowa Ruda.

Neurodermitis [grch.], chronisch-entzündl. Hauterkrankung, die überwiegend auf eine angeborene allerg. Überempfindlichkeit unter Mitwirkung psychovegetativer Einflüsse zurückzuführen ist (endogenes Ekzem). Sie tritt meist schon im frühen Kindesalter in Form von ekzemartigen Hautveränderungen an den Wangen (»Milchschorf«), später an Gelenkbeugen, Gesäß, auch Gesicht, Hals und am übrigen Körper auf und ist v.a. durch den anfallartigen quälenden Juckreiz (bes. nachts) gekennzeichnet. N. wird medikamentös mit Antihistaminika und Glucocorticoiden behandelt, unterstützt durch Hydro- (Öl- und Teerbäder) sowie Klimatherapie (Gebirgs- und Meeresklima).

📖 *N. Psyche, Ernährung, Hautkosmetik, bearb. v.* E. VOGT *u.* G. SCHLIEPER. *Neuausg. München u.a. 1993.*

Neurofibrom, gutartige Geschwulst an peripheren Nerven; tritt gehäuft bei der →Recklinghausen-Krankheit (Neurofibromatose) auf.

Neuroglia [grch.] *die* (Glia), bei Mensch und Wirbeltieren im Nervensystem vorkommende Zelle mit Stütz-, Stoffwechsel-, Abwehr-, Speicher- und Hüll- bzw. Isolierfunktion.

Neurohormone, in Nervenzellen des Hypothalamus gebildete neurosekretor. Hormone: 1) die zykl. Nonapeptide **Vasopressin** (antidiuret. Hormon, **ADH**) und **Oxytocin;** ADH regt die Wasserreabsorption der Niere an; Oxytocin bewirkt die Kontraktion der Uterusmuskulatur und fördert die Milchabsonderung der Brustdrüse. 2) die **hypophyseotropen Peptidhormone,** die die Sekretion von Hypophysenhormonen stimulieren (→Releaserfaktoren) oder hemmen (Statine).

Neuroleptika [grch.], Gruppe der →Psychopharmaka.

neurolinguistisches Programmieren, Abk. **NLP,** Anfang der 1970er-Jahre von amerikan. Psychotherapeuten entwickeltes Interventionsverfahren zur Veränderung menschl. Verhaltens; inzwischen als eigenständige Form der Psychotherapie anerkannt und überdies angewendet z.B. in der Unternehmensberatung und Pädagogik. Durch NLP sollen u.a. positives Empfinden und Fähigkeiten mobilisiert sowie negative Gefühle durch positive Erfahrungen ersetzt werden.

📖 BIRKER, G. *u.* BIRKER, K.: *Was ist NLP? Grundlagen u. Begriffe des n. P. Reinbek 1997.*

Neurologie [grch.] *die,* Lehre von den Vorgängen im (zentralen und peripheren) Nervensystem und seinen Erkrankungen. Das Fachgebiet ist in der Praxis meist kombiniert mit der Psychiatrie (dann offiziell als **Nervenheilkunde** bezeichnet).

Neuromanik: Blick vom Torbau in den Hof des 1868–86 erbauten Schlosses Neuschwanstein

Neu|romanik (Neoromanik), eine der verbreitetsten Formen des Historismus, v.a. im dt. Kirchenbau des 19. Jh., angeregt durch Rekonstruktionen wie die des Speyerer Domes (1820–53, Vorhalle und Ausmalung); wirkte bis ins frühe 20. Jh. Die N. war ferner beliebter Stil beim Bau von Schlössern (Neuschwanstein), aber auch von neuen Gebäudetypen (Bahnhof in Worms).

Neu|romantik, Bez. für die sich als Gegenbewegung zum Naturalismus verstehenden literar. Strömungen Ende des 19. Jh. bis Anfang der 1930er-Jahre in Deutschland. Neben wiss. Beschäftigung mit der Romantik (R. Huch, »Blütezeit der Romantik«, 1899), Neuausgaben und Anthologien auch literar. Gestaltung von Themen und Motiven der Romantik, z.B. in den Balladen von A. Miegel und B. von Münchhausen oder den ep. und dramat. Werken von E. Stucken und einzelnen Werken G. Hauptmanns. Entscheidender als die stoffl. Rückgriffe auf die Romantik waren die kunsttheoret. Anregungen des Impressionismus, der Dekadenzdichtung (L'art pour l'art) und bes. des Symbolismus. Nach Art und Grad der Umsetzung dieser Einflüsse entstanden versch. Richtungen (z.B. George-Kreis).

Neuron [grch.] *das,* Nervenzelle mit all ihren Fortsätzen (→Nerven).

neuronale Netze, *Informatik:* Rechnerarchitekturen, deren Struktur und Funktion sich an den Nervennetzen lebender Organismen orientiert. Das Ziel solcher künstl. Netzwerke ist es, die Leistungsfähigkeit der elektron. Informationsverarbeitung an die des Gehirns anzugleichen, bes. bei

Problemstellungen wie Mustererkennung, Steuerung und Lernfähigkeit (→lernende Automaten). In Analogie zu den aus Neuronen (»Knoten«) bestehenden Nervennetzen sind die parallel arbeitenden Prozessoren in (log.) Schichten angeordnet und innerhalb dieser Schichten sowie über das gesamte Netz hinweg verbunden. Jeder Verbindung zw. zwei Knoten ist ein sog. »Gewicht« zugeordnet, das der synapt. Effizienz entspricht. Eine solche Struktur ist in der Lage, über geeignete Rückkopplungen Lernprozesse selbst zu organisieren und damit komplizierte (gerichtete) Relationen zw. Ein- und Ausgabe darzustellen.

📖 Brause, R.: *N. N. Eine Einführung in die Neuroinformatik. Stuttgart ²1995.* – Grauel, A.: *Fuzzy-Logik. Einführung in die Grundlagen mit Anwendungen. Mannheim u. a. 1995.*

Neuruppin Stadtwappen

Neuropathie [grch.] *die,* nervöse Übererregbarkeit mit überschießender Reizantwort auf konstitutioneller Basis; äußert sich in vegetativen Störungen wie Schwindel, Zittern, Schweißausbrüchen bei geringen Belastungen.

Neuropharmakologie, Teilgebiet der Pharmakologie, das sich mit der Wirkung von Pharmaka auf das Nervensystem und das neurosekretorisch beeinflusste Gewebe befasst.

Neurophysiologie, Teilgebiet der Physiologie, das allg. und spezielle Leistungen des Nervensystems bei der Koordinierung des Organismus in seiner Wechselbeziehung zur Umwelt untersucht.

Neuropsychologie, Teilgebiet der physiolog. Psychologie, das die neurophysiolog. Grundlagen psycholog. Gegebenheiten (Verhalten, Erleben, Bewusstsein) erforscht.

Neuschwanstein: Gesamtansicht des 1868–86 nach Plänen von Christian Jank im neuromanischen Stil errichteten Schlosses; im Hintergrund ist der Forggensee zu erkennen

Neuropteren, die →Netzflügler.

Neurose [grch.] *die,* Sammelbegriff für eine Vielzahl von psych. Störungen mit unterschiedl. Erscheinungsformen und Ursachen, der von versch. psycholog. Richtungen (v. a. Psychoanalyse, Lerntheorien) uneinheitlich festgelegt wird. Allg. versteht man unter N. eine erlebnisbedingte Störung der Reizverarbeitung durch das Gehirn in Form nachhaltiger vegetativer Affektreaktionen, bedingt-reflektor. Fehlfunktion oder psych. Fehlentwicklung (z. B. Angst, Unsicherheit, Depression); entsteht im Verlauf der Entwicklung des Menschen durch bestimmte Erfahrungen (ungelöste Konflikte, einschneidende Erlebnisse), bleibt den Betroffenen **(Neurotikern)** unverständlich und kann von ihnen nicht ausreichend kontrolliert werden. Die Betroffenen sind sich jedoch (anders als bei einer Psychose) zumindest vage ihrer Störung bewusst. Man unterscheidet i. d. R. nur die **Organ-N.** bzw. psychosomat. Störungen mit ihren körperl. Symptomen von den **Psycho-N.,** die bestimmte auffällige Leidenszeichen aufweisen, sich aber auch lediglich in unbestimmten charakterl. Veränderungen (z. B. Hemmungen, Kontaktstörungen, Selbstunsicherheit, depressive Verstimmung) bemerkbar machen können. Die Abgrenzungen sind jedoch schwierig und umstritten. N. werden auch nach ihren Ursachen benannt, z. B. die **soziale N.** (durch gesellschaftl. Einflüsse bewirkt). – Die *Behandlung* zielt auf die Erkennung und Bewusstmachung der Ursachen.

📖 Hoffmann, S. O. *u.* Hochapfel, G.: *Neurosenlehre, psychotherapeut. u. psychosomat. Medizin. Stuttgart u. a. 1995. – Verhaltenstherapie, hg. v.* M. Linden *u.* M. Hautzinger. *Berlin u. a. ³1996.*

Neuro|sekretion (Neurokrinie), Produktion und Sekretion von Neurohormonen durch Nervenzellen **(neurosekretor. Zellen),** z. B. in den Kopf- und Bauchganglien von Gliedertieren sowie im Zwischenhirn von Wirbeltieren; spielt eine wesentl. Rolle bei der Regulation und Steuerung von Körperfunktionen (z. B. Wasserausscheidung).

Neurotoxine, die →Nervengifte.

Neurotransmitter (Überträgerstoffe, Mediatoren, Transmitter), neurogen gebildete Substanzen, die bei der Erregungsübertragung in den Synapsen der Neuronen (→Nerven) freigesetzt werden. Zu den N. gehören Acetylcholin, Adrenalin, Noradrenalin, Dopamin, GABA (Gammaaminobuttersäure) und Serotonin. Da jedes Neuron jeweils nur einen N. synthetisieren und freisetzen kann, ist eine Einteilung der Neuronen nach den erzeugten N. möglich.

Neuruppin, Krst. des Landkreises Ostprignitz-Ruppin in Brandenburg, 32 800 Ew., am 14 km langen **Ruppiner See;** Möbel-, Elektronikind., Herstellung von Feuerlöschgeräten. – Nach Groß-

Neuseeland

Fläche: 270 534 km^2
Einwohner: (1995) 3,575 Mio.
Hauptstadt: Wellington
Verwaltungsgliederung: 18 Regionen
Amtssprache: Englisch
Nationalfeiertag: 6. 2.
Währung: 1 Neuseeland-Dollar (NZ$) = 100 Cents (c)
Zeitzone: MEZ + 11 Std.

brand (1787) wurde N. bis 1806 planmäßig wieder aufgebaut; einzigartige frühklassizist. Stadtanlage. Erhalten blieb die frühgot. Hallenkirche des ehem. Dominikanerklosters (um 1300) und die spätgot. Siechenhauskapelle (1491). Barocker Tempelgarten mit Bauten im maur. Stil (um 1855). Im 19. Jh. Herstellung der Neuruppiner → Bilderbogen. – N. erhielt 1256 Stadtrecht, seit 1291 N. genannt.

Neusalz (Oder), Stadt in Polen, → Nowa Sól.

Neusandez, Stadt in Polen, → Nowy Sącz.

Neusatz, Hptst. der Wojwodina → Novi Sad.

Neuscholastik, Wiederbelebung des Gedankengutes der → Scholastik seit Mitte des 19. Jh., v. a. durch die Enzyklika »Aeterni Patris« Leos XIII. über die Philosophie des hl. Thomas von Aquin (1879) stark gefördert. Im 19. Jh. überwog das bloße Weiterführen der alten Überlieferungen im Anschluss an Thomas von Aquin (Neuthomismus), J. Duns Scotus und F. Suárez. Erst die histor. und ideengeschichtl. Studien bes. von dt. und frz. Gelehrten (H. Denifle, F. Ehrle, A. Dempf, M. Grabmann, J. Maritain, É. Gilson) erschlossen den Ideenreichtum und die Verschiedenheit der Richtungen innerhalb der Scholastik. Ein wichtiges Forschungszentrum wurde das 1889 von O. Mercier gegr. Inst. für Philosophie an der Univ. Löwen.

Neuschottland, kanad. Provinz, → Nova Scotia.

Neuschwabenland, Randgebiet der O-Antarktis, weitgehend von Inlandeis bedeckt, von hohen Gebirgen durchzogen. – 1938/39 von der dt. Antarktisexpedition entdeckt.

Neuschwanstein, Schloss bei Füssen, Allgäu, Bayern, 964 m ü. M.; 1868–86 nach Plänen des Theatermalers Christian Jank (*1833, †1888) für König Ludwig II. von Bayern im neuroman. Stil erbaut. Weiteres BILD Neuromanik

Neuseeland (maorisiert Niu Tirani, amtlich engl. New Zealand, in der Maorisprache Aotearoa), Staat im südwestl. Pazifik, umfasst die südöstlich von Australien gelegenen beiden Hauptinseln Nordinsel und Südinsel sowie benachbarte kleinere Inseln. Überseeische Territorien sind die Tokelauinseln sowie in der Antarktis die Ross Dependency; assoziierte Gebiete mit Selbstverw. sind Niue und die Cookinseln.

Staat und Recht: N. ist eine parlamentar. Monarchie im Commonwealth. Eine geschriebene Verf. existiert nicht, das Verf.recht basiert auf Traditionen und Präzedenzfällen. Staatsoberhaupt und formell oberster Inhaber der Exekutive ist der brit. Monarch, vertreten durch einen Generalgouv. De facto wird die Exekutive von der Reg. unter Vorsitz des Premiermin. ausgeübt, die dem Parlament verantwortlich ist. Die Legislative liegt beim Generalgouv. und beim Repräsentantenhaus (seit 1996 120 auf drei Jahre gewählte Abg.; fünf Mandate sind den Maori vorbehalten). Einflussreichste Parteien: National Party (NP), Labour Party (LP), Alliance Party und New Zealand First (NZF).

Landesnatur: Die beiden Hauptinseln sind voneinander durch die rd. 35 km breite Cookstraße getrennt. Die Nordinsel (114 597 km^2) hat zahlr. z. T. tätige Vulkane (Ruapehu 2 797 m ü. M.), die von Geysiren und heißen Quellen umgeben sind. Die Südinsel (151 757 km^2) wird von den teilweise vergletscherten Neuseeländ. Alpen (im Mount Cook 3 763 m ü. M.) durchzogen, die nach W steil zur Tasmansee abfallen, nach O sich zu weiten Ebenen abdachen; im S tiefe Fjorde. N. hat ozean. Klima mit wenig Temperaturschwankungen und reichl. Niederschlägen. Vorherrschend sind Grasfluren; Wälder bedecken noch knapp 20 % des Landes. In Nationalparks und Küstenreservaten (19 % der Landesfläche) werden Landschaften sowie endem. Pflanzen und Tiere geschützt.

Bevölkerung: 73,8 % der Bev. sind europ. (meist brit.) Abstammung, 9,6 % Maori, 3,6 % andere Polynesier, ferner Chinesen, Inder u. a. Trotz rechtl. Gleichstellung mit den Weißen sind die Maori noch wirtschaftlich benachteiligt und haben eine schlechtere Ausbildung. 74 % der Bev. leben auf der Nordinsel. Allg. Schulpflicht besteht vom 7. bis 16. Lebensjahr (in öffentl. Schulen unentgeltl. Unterricht). N. hat 7 Univ. und 13 weitere Hochschulen. Die Mehrheit der Bev. sind Christen

Staatswappen

NZ
Internationales Kfz-Kennzeichen

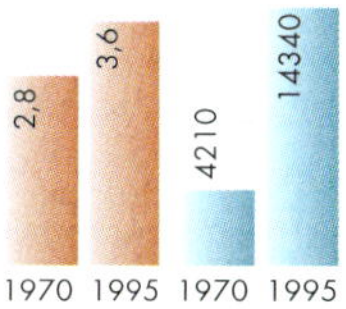

Bevölkerung (in Mio.) Bruttosozialprodukt je Ew. (in US-$)

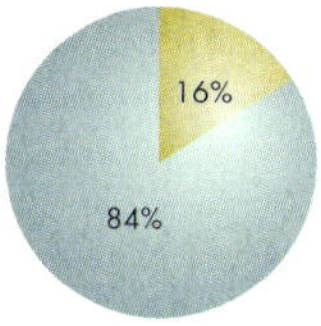

Bevölkerungsverteilung 1995

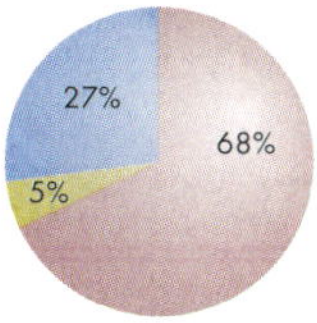

Bruttoinlandsprodukt 1993

Neuseeland: Der Milford Sound ist der Hauptfjord im »Fjordland National Park« an der SW-Küste der Südinsel (links); Blick über Weideland im Zentrum der Nordinsel auf den 2797 m hohen Vulkan Ruapehu (im Hintergrund)

versch. Konfessionen, ferner wenige Muslime und Buddhisten.

Wirtschaft, Verkehr: Große Bedeutung hat die stark spezialisierte und mechanisierte Landwirtschaft; dabei stehen die Schaf- und Rinderzucht (Woll-, Fleisch-, Milcherzeugung) an erster Stelle. Angebaut werden neben Futterpflanzen v.a. Weizen, Gerste, Kartoffeln, Gemüse und Obst (bes. Kiwis). Wegen des gebirgigen Landes ist nur ein Viertel der Wälder für die Holzwirtschaft nutzbar. Fischfang (1978 Einführung der 200-Seemeilen-Fischereizone) und Fischverarbeitung haben an Bedeutung gewonnen. N. hat wenig Bodenschätze; abgebaut werden v.a. Kohle, Eisensande und Gold; Erdöl und Erdgas werden gefördert. Energie wird zu 75% durch Wasserkraft erzeugt, 4% aus geotherm. Quellen. Stark entwickelten sich Dienstleistungssektor und verarbeitende Ind.; führend ist die Nahrungsmittelind., ferner die Holz verarbeitende Ind., der Maschinen-, Kfz- und Flugzeugbau, Aluminiumverhüttung, Stahlerzeugung, Elektro-, Bekleidungs-, Schuh-, chem. und pharmazeut. Industrie. Der Tourismus (jährlich rd. 1 Mio. Besucher) hat zunehmend Anteil an den Deviseneinnahmen. Exportiert werden v.a. Fleisch, Wolle, Milchprodukte, Häute, Felle, Papier, Aluminium. Haupthandelspartner sind Australien, Japan, die USA und Großbritannien. – Das Eisenbahnnetz umfasst 3973 km; das Straßennetz 94315 km, davon über die Hälfte befestigt. Hochsee- und Küstenschifffahrt spielen für den Gütertransport eine große Rolle; die wichtigsten Häfen sind auf der Nordinsel Auckland und Wellington, auf der Südinsel Lyttelton. Internat. Flughäfen gibt es in Auckland, Wellington und Christchurch.

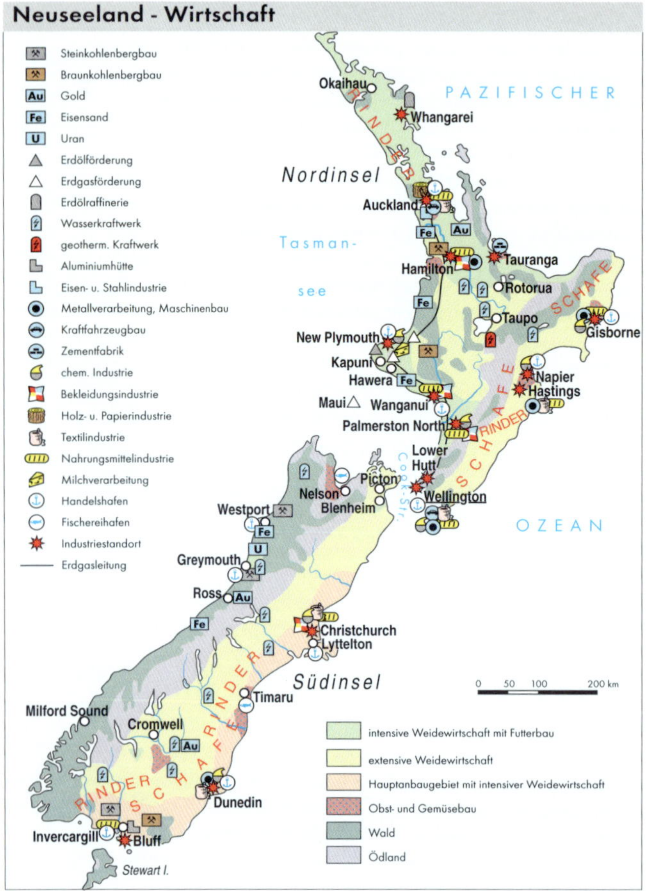

Geschichte: Das von polynes. Maori besiedelte N. wurde 1642 von dem niederländ. Seefahrer A.J. Tasman entdeckt und 1769/70 von J. Cook erkundet (Feststellung der Doppelinselnatur). 1814 begann die Missionierung von N.; die brit. New Zealand Company organisierte ab 1839 die Einwanderung von Europäern. Durch den Vertrag von Waitingi (6.2.1840) mit den Maori ergriff Großbritannien Besitz von N. (ab 1841 separate Kronkolonie,

1852 eigene Verf.). Die sich gegen ihre Verdrängung zur Wehr setzenden Maori wurden in blutigen Kämpfen (1860–71) dezimiert. Goldfunde auf der Südinsel (1861) belebten die wirtsch. Entwicklung. 1907 wurde N. Dominion im brit. Commonwealth und erhielt 1931 (Westminsterstatut) seine Unabhängigkeit. An beiden Weltkriegen nahm N. auf brit. Seite teil. Nach der Besetzung von Westsamoa (1914) verwaltete N. dieses Gebiet 1920–64 als Mandatsgebiet des Völkerbundes bzw. Treuhandgebiet der UN. – 1951 wurde N. Mitglied des ANZUS-Paktes, 1954 der SEATO (Beteiligung am Korea- und Vietnamkrieg mit eigenen Truppen). Innenpolitisch wechselten sich seit den 1930er-Jahren Regierungen der Labour Party (LP; 1935–49, 1957–60, 1972–75 und 1984–90) und der National Party (NP; 1949–57, 1960–71, 1975–84 und seit 1990) ab. Im Mai 1995 gab die Regierung unter MinPräs. J. Bolger (seit 1990 im Amt) erstmals in der Geschichte N.s erobertes Land (15 782 ha), das sich in Staatsbesitz befand, an die Maori zurück. Bei den Parlamentswahlen von Okt. 1996, die zum ersten Mal nach dem Verhältniswahlrecht durchgeführt wurden, errang weder die NP noch die LP eine eindeutige Mehrheit. Im Dez. 1996 übernahm J. Bolger die Führung einer Koalitionsreg. von NP und NZF.

Aufgrund der 1984 eingeleiteten antinuklearen Politik (Sperrung der neuseeländ. Häfen für Kernwaffen führende Kriegsschiffe) verschlechterten sich die Beziehungen zu den USA, die 1986 die militär. Zusammenarbeit mit N. für beendet erklärten (Ausschluss aus dem ANZUS-Pakt). 1987 proklamierte sich N. zur »nuklearfreien Zone«. Versuche der Reg. Bolger, die Antinuklearpolitik einer Revision zu unterziehen, waren innenpolitisch umstritten. 1994–95 beteiligte sich N. mit einem Truppenkontingent im Rahmen von UNPROFOR an der Friedensmission der UNO in Bosnien und Herzegowina.

📖 HÜTTERMANN, A.: *N. München 1992. – Weltatlas der alten Kulturen:* NILE, R. *u.* CLERK, C.: *Australien, N. u. der Südpazifik. München 1995. – N. Tiere u. Pflanzen einer einzigartigen Inselwelt, Beiträge v.* G. CUBITT *u.* L. MOLLOY. *A. d. Engl. Augsburg 1996.*

Neusekunde, veraltete Bez. für den zehntausendsten Teil des →Gon.

Neusibirische Inseln, Inselgruppe im Nordpolarmeer, zu Jakutien (Sacha), Russ. Föderation, rd. 35 500 km² groß, besteht aus den Ljachow-, Anschuinseln, den eigentlichen N. I. (mit Belkow-, Kotelny-, Faddejewinsel und der Insel Neusibirien) sowie den De-Long-Inseln.

Neusiedler See (ungar. Fertő-tó), sehr flacher, weitgehend abflussloser See (Steppensee) mit etwas erhöhtem Salzgehalt, im Burgenland (Österreich) und in Westungarn, 115 m ü. M., 35 km lang, 7–15 km breit, 1–2 m tief; jahreszeitl. schwankender Wasserstand; Gesamtareal etwa 330 km²; von breitem Schilfgürtel mit reichem Vogelleben umgeben; seit 1977 Biosphärenreservat der UNESCO. Um den See entwickelte sich der Weinbau fast zur Monokultur; beliebtes Fremdenverkehrsgebiet.

Neusilber (Alpacca®, Alpaka), Bez. für Kupferlegierungen mit hoher Korrosionsbeständigkeit, Festigkeit und silberähnl. Farbe aus 45–67% Kupfer, 10–26% Nickel, Rest Zink; wird für Reißzeuge, Tafelgeräte und Beschläge verwendet.

Neusohl, Stadt in der Slowakei, →Banská Bystrica.

Neuspanilen (span. Nueva España), 1535–1821 span. Vizekönigreich im nördlichen Lateinamerika (Hptst. Mexiko), zu dem ab dem 17./18. Jh. auch große Teile des Westens der heutigen USA gehörten.

neusprachlicher Unterricht, der Unterricht in lebenden Fremdsprachen; an allen allgemein bildenden Schulen ist ab der 5. Klasse eine Fremdsprache (i. d. R. Englisch) Pflichtfach, ab der 7. Klasse folgt in Gymnasien eine zweite Fremdsprache (an Realschulen fakultativ), an Gymnasien kann ab der 9. Klasse eine dritte Fremdsprache erlernt werden.

Neuss, 1) Kr. im RegBez. Düsseldorf, NRW, 576 km², (1996) 439 300 Einwohner.

2) Krst. von 1) in NRW, links des Rheins, mit Düsseldorf durch mehrere Brücken verbunden, 149 400 Ew.; Rhein. Landestheater, Galopprennbahn. Die vielseitige Ind. liegt bes. am Hafen (Stahl-, Maschinen- und Fahrzeugbau, Metall-

Neuseeland: James Bolger

Neuss 2) Stadtwappen

Neuss 2): Die ehemalige Stiftskirche Sankt Quirin wurde in der 1. Hälfte des 13. Jh. als spätromanische Gewölbebasilika mit Westquerhaus, mächtigem Mittelturm und Kleeblattchor im Osten erbaut

erzeugung und -bearbeitung, Elektrotechnik, Papierverarbeitung, Bekleidungs- und Nahrungsmittelind.); Blumengroßmarkt, Modehandelszentrum; Containerterminal. – Den Zweiten Weltkrieg überstanden nur die spätroman. Gewölbebasilika St. Quirin (1. Hälfte 13. Jh.) und das doppeltürmige Obertor (um 1200); die ehem. Observantenkirche (17. Jh.) ist als Festsaal wiederhergestellt; in einem Neubau von H. Deilmann (1973–75) das Clemens-Sels-Museum. – Etwa 40 n. Chr. röm. Legionslager **Novaesium,** Stadtentstehung im 10. Jh., gehörte seit dem 11. Jh. dem Erzbischof von Köln; 1474/75 durch Karl den Kühnen von Burgund vergeblich belagert.

Neustadt an der Weinstraße Stadtwappen

Neuss, Wolfgang, Schauspieler, Kabarettist, *Breslau 3. 12. 1923, †Berlin (West) 5. 5. 1989. Zunächst Mitglied des Berliner Kabaretts »Die Stachelschweine«; danach Zusammenarbeit mit Wolfgang Müller (*1922, †1960, u. a. in »Das Wirtshaus im Spessart«, 1958). Bes. bekannt wurde N. durch seine politisch engagierten Solokabarettabende (»Das jüngste Gerücht«, 1963 ff.); auch Filmproduzent (»Wir Wunderkinder«, 1960).

Wolfgang Neuss (rechts) mit Wolfgang Müller und Liselotte Pulver in einer Szene des 1958 gedrehten Films »Das Wirtshaus im Spessart«

Neustadt a. d. Aisch, Krst. des Landkreises Neustadt a. d. Aisch-Bad Windsheim in Bayern, zw. Steigerwald und Frankenhöhe, 12 100 Ew.; Metall-, Kunststoffverarbeitung, Herstellung von Musikinstrumenten. – Seit 1318 Stadt.

Neustadt a. d. Aisch-Bad Windsheim, Landkreis im RegBez. Mittelfranken, Bayern, 1 268 km^2, (1996) 96 000 Einwohner.

Neustadt a. d. Donau, Stadt im Landkreis Kelheim, Bayern, nordöstlich von Ingolstadt, 12 100 Ew.; Erdölraffinerie, Automobilzulieferbetriebe, Autoteststrecke. Im Stadtteil **Bad Gögging** Kurbetrieb (Schwefelquellen, Moorbad).

Neustadt a. d. Saale, Bad, →Bad Neustadt a. d. Saale.

Neustadt a. d. Waldnaab, 1) Landkreis im RegBez. Oberpfalz, Bayern, 1430 km^2, (1996) 99 900 Einwohner.

2) Krst. von 1) in Bayern, 6 100 Ew.; Herstellung von Bleikristallglas. – Altes Schloss (17. Jh.) mit Arkadenfreitreppe, Neues Schloss (1689–1720); barocke Wallfahrtskirche Sankt Felix (18. Jh.). – 1232 erstmals erwähnt, vor 1329 Stadt; 1358 durch eine selbstständige Stadt erweitert.

Neustadt am Rübenberge, Stadt im Landkreis Hannover, Ndsachs., an der Leine, 43 500 Ew.; Institut für Tierzucht und Tierverhalten; Arzneimittelwerk, Torfabbau, Maschinenbau, Strumpffabrik, Sektkellerei. – 1215 gegründet; die Burg wurde von den Welfen zur Festung ausgebaut; Teil der Festung ist Schloss Landestrost (im Stil der Weserrenaissance).

Neustadt an der Orla, Stadt im Saale-Orla-Kreis, Thür., in der Orlasenke, 10 000 Ew.; Leder-, Textil- u. a. Industrie. – Spätgot. Rathaus, Kirche (16. Jh.; Flügelaltar aus der Werkstatt L. Cranachs), Schloss (1674). – Um 1200 entstanden, seit 1287 als Stadt belegt.

Neustadt an der Weinstraße, kreisfreie Stadt und Verw.sitz des RegBez. Rheinhessen-Pfalz, Rheinl.-Pf., am Fuß der Haardt, 53 800 Ew.; Landes-Lehr- und -Forschungsanstalt für Wein- und Gartenbau, Wetterdienstschule; Weinbau und Weinhandel; Papier-, Metall verarbeitende Ind., Maschinenbau; Fremdenverkehr. – Gotische Stiftskirche (zeitweise Grablege der Kurfürsten von der Pfalz), barockes Rathaus (ehem. Jesuitenkolleg), großer Bestand von Bürgerhäusern des 16.–18. Jh.; über dem Stadtteil Hambach das Hambacher Schloss. – 1235 erstmals erwähnt; 1275 Stadtrecht.

Neustadt b. Coburg, Stadt im Landkreis Coburg, Bayern, vor dem S-Rand des Thüringer Waldes, 16 900 Ew.; Große Kreisstadt; Spielwarenmuseum; Spielwaren-, Puppen-, Elektro- u. a. Industrie. – 1248 erstmals genannt, wurde vor 1371 Stadt.

Neustadt im Schwarzwald, seit 1971 Teil von →Titisee-Neustadt.

Neustadt in Holstein, Stadt im Kr. Ostholstein, Schlesw.-Holst., an der Lübecker Bucht, 15 700 Ew.; Holz-, Getreidehandel; Kondensmilchwerk u. a. Ind.; Fischereihafen; Ostseebad. – Nach Wiederaufbau (Großbrand 1817) klassizist. Stadtbild. – N. erhielt 1244 Stadtrecht.

Neustadt in Oberschlesien, Stadt in Polen, →Prudnik.

Neustadt i. Sa., Stadt im Landkreis Sächs. Schweiz, Sachsen, zw. Elbsandsteingebirge und Lausitzer Bergland, im Polenztal, 12 000 Ew.; Werkzeug-, Maschinenindustrie. – Im 14. Jh. gegründet.

Neustämme, dt. Stämme, die sich seit dem MA. im ostdt. und südostdt. Raum gebildet haben: die Mecklenburger, Brandenburger, Pommern,

West- und Ostpreußen mit überwiegend niederdt. Herkunft und Mundart, die Obersachsen und Schlesier mit mitteldt. Herkunft und Mundart; z. T. auch die Österreicher.

Neustettin, Stadt in Polen, → Szczecinek.

Neuston [grch.] *das,* Lebensgemeinschaft der an der Wasseroberfläche am Oberflächenhäutchen anhaftenden Mikroorganismen.

Neustrelitz, Krst. des Landkreises Mecklenburg-Strelitz, Meckl.-Vorp., in waldreicher Umgebung am Zierker See, 24 500 Ew.; Theater; elektrotechn., Nahrungsmittel-, Metall verarbeitende, Holzindustrie. – Das Großherzogl. Schloss (1726–31) brannte 1945 aus; Stadtkirche (1768–78), Schlosskirche (1853–59). – N. entstand 1733; bis 1918 Hptst. des Großherzogtums, 1918–34 des Freistaates Mecklenburg-Strelitz. 1931 Eingemeindung von **Alt-Strelitz** (1349 Stadtrecht; 1702–12 Residenz des Herzogtums Mecklenburg-Strelitz).

Neustri|en [»Neu-(West)land«?], unter den Merowingern der westl. Teil des Frankenreichs zw. Seine und Loire mit der Hptst. Rouen.

Neusüdwales [-ˈweɪlz], → New South Wales.

Neuthomismus, *Philosophie:* → Neuscholastik.

Neutitschein, Stadt in der Tschech. Rep., → Nový Jičín.

Neutra, 1) *die* (slowak. Nitra), linker Nebenfluss der Waag in der Slowakei, 198 km lang, entspringt in der Kleinen Fatra, mündet bei Komárno in die Waagdonau.

2) Stadt in der Slowakei, → Nitra.

Richard Neutra: Das 1927 für den kalifornischen Arzt Philip Lovell im Griffith Park in Los Angeles erbaute »Health House« war der erste Stahlrahmenbau in Amerika

Neutra, Richard, amerikan. Architekt österr. Herkunft, * Wien 8. 4. 1892, † Wuppertal 16. 4. 1970; Schüler und Mitarbeiter von O. Wagner und A. Loos in Wien sowie von E. Mendelsohn in Berlin; lebte seit 1923 in den USA, wo er Assistent von F. L. Wright wurde; errichtete Wohnbauten (z. B. »Health House« in Los Angeles, 1927), Schulen und Siedlungen in strengen kub. Formen unter Beachtung ökolog. und biolog. Erkenntnisse; schrieb: »Wenn wir weiterleben wollen« (1956), »Naturnahes Bauen« (1970).

neutral [lat.], **1)** *allg.:* parteilos, unparteiisch.

2) *Chemie:* → Neutralisation.

3) *Physik:* elektrisch ungeladen, d. h. mit gleich viel positiven wie negativen elektr. Ladungen.

neutraler Leiter (Sternpunktleiter, Mittelpunktleiter), *Elektrotechnik:* der vierte, meist geerdete Leiter beim Drehstromsystem, in dem bei gleichmäßiger Belastung durch die Verbraucher kein Strom fließt.

Neustrelitz Stadtwappen

neutrales Element, jedes Element n einer algebraischen Struktur A, in der die binäre Operation $\circ$ erklärt ist, mit der Eigenschaft $a \circ n = n \circ a = a$ für alle $a \in A$. Ein n. E. bezüglich der Multiplikation (bzw. der Addition) wird auch als **Einselement** (bzw. **Nullelement**) bezeichnet.

neutrale Ströme, *Elementarteilchenphysik:* Ströme elektrisch neutraler Wechselwirkungsquanten als Vermittler der → Wechselwirkung zw. Elementarteilchen. Bei der elektromagnet. Wechselwirkung sind dies Photonen, also ein neutraler Strom. Bei der schwachen Wechselwirkung treten neben geladenen Strömen (z. B. beim Zerfall des freien Neutrons) bei gewissen Prozessen ebenfalls n. S. auf; dies zeigt die enge Verwandtschaft zur elektromagnet. Wechselwirkung und ermöglicht eine vereinheitlichte Feldtheorie (→ Weinberg-Salam-Theorie), in der beide Wechselwirkungen zur elektroschwachen Wechselwirkung vereinigt sind.

Neutralfette, die natürl., aus Glyceriden bestehenden Teile eines Fettes; die Menge der N. errechnet sich aus dem Gesamtfett abzüglich der freien Fettsäuren.

Neutralfilter, Filter zur gleichmäßigen Schwächung des Lichtes in einem breiten Spektralbereich. Die Änderung des Transmissionsgrades der Filterfläche ist bei Graufiltern konstant, bei → Graukeilen ortsabhängig.

Neutralisation *die,* **1)** *Chemie:* Reaktion zw. äquivalenten Mengen einer (starken) Säure und einer (starken) Base unter Bildung von Salz und Wasser, wobei sich saure und bas. Wirkungen gegenseitig aufheben, z. B.

$$HCl + NaOH \rightarrow H_2O + NaCl.$$

Nach der → Säure-Base-Theorie von Brønstedt handelt es sich bei der N. um eine Protolyse, wobei die Hydronium-(H_3O^+-)Ionen der Säure mit den Hydroxid-(OH^--)Ionen der Base unter Bildung von undissoziiertem Wasser reagieren. Bei der N. starker Säuren und Basen ist der Äquivalenzpunkt **(Neutralpunkt)** erreicht, wenn die Konzentration der H_3O^+-Ionen mit der der OH^--Ionen übereinstimmt; die Lösung reagiert dann **neutral** (pH-Wert 7). Bei der N. schwacher Säuren mit starken Basen und umgekehrt liegt der Äquivalenzpunkt im bas. bzw. sauren Bereich.

2) *Sport:* Unterbrechung eines Wettkampfs auf bestimmte Zeit ohne Veränderung des jeweiligen Standes der Platzierung.

neutralisieren [lat.], unwirksam machen, eine Wirkung durch eine Gegenwirkung aufheben.

Neutralisierung [lat.], *Völkerrecht:* der durch Vertrag oder freiwillig bewirkte Zustand der →Neutralität eines Staates oder der Entmilitarisierung oder sonstigen Befriedung eines Gebiets, Gebietsteils oder Gewässers. Das **neutralisierte Gebiet** soll vom Kriegsschauplatz ausgenommen oder von vornherein nicht zum Kriegsschauplatz werden.

Neutralismus [lat.] *der,* die Politik eines Staates, sich militär. Bündnissystemen fern zu halten; internat. sinnverwandt mit →Nonalignment bezeichnet.

Neutralität [lat.] *die,* **1)** *allg.:* Unparteilichkeit in einem Streit.

2) *Recht:* Im *Staatsrecht* der Grundsatz der Nichteinmischung des Staates. Die **weltanschauliche N.** fordert die Nichteinmischung des Staates in Fragen des religiösen oder weltanschaul. Bekenntnisses. Sie ist in dem Verbot der Benachteiligung oder Bevorzugung wegen des Glaubens, der religiösen oder der polit. Anschauung (Art. 3 Abs. 3 GG), in der Glaubens-, Gewissens- und Bekenntnisfreiheit (Art. 4 Abs. 1 u. 2 GG), der Sicherung des bekenntnisunabhängigen Zugangs zu öffentl. Ämtern (Art. 33 Abs. 3 GG) und durch die staatskirchenrechtl. Gewährleistungen des Art. 140 GG in Verbindung mit Art. 136 und 137 Weimarer Reichs-Verf. gewährleistet. Sie verbietet nicht nur die Entscheidung von Glaubensfragen durch den Staat, sondern jede Diskriminierung oder Privilegierung von religiösen oder weltanschaul. Gemeinschaften und deren Angehörigen. Sie fordert allerdings nicht einen laizist. Staat mit völliger Trennung von Staat und Kirche. Die **koalitionsrechtliche N.** verpflichtet den Staat gegenüber den Vereinigungen auf Arbeitgeber- und Arbeitnehmerseite zur Nichteinmischung bei Tarifauseinandersetzungen und Arbeitskämpfen. Die Rechtsordnung darf dem Grundsatz der Parität von Arbeitgeber- und Arbeitnehmerseite nicht zuwiderlaufen.

Im *Völkerrecht* meint N. die Nichtbeteiligung eines Staats an einem bewaffneten Konflikt zw. dritten Staaten oder anerkannten Bürgerkriegsparteien. Zu unterscheiden ist zw. **dauernder N.** (z.B. Schweiz, Österreich) und **N. in einer bestimmten Situation.** Das N.-Recht gilt ausschl. zw. Neutralen und Krieg Führenden: 1) Aus dem **Prinzip der Wahrung der territorialen Souveränität** des Neutralen folgt, dass vom Krieg Führenden keine Truppen auf oder durch das Gebiet oder den Luftraum des Neutralen gesandt werden dürfen. Kriegshandlungen von Schiffen Krieg Führender in neutralen Gewässern sind ebenso untersagt wie Durchsuchungen und die Ausübung des Wegnahmerechts; die einfache Durchfahrt und Verwundetentransporte sind hingegen zulässig (Höchstaufenthaltsdauer in neutralen Gewässern: 24 Stunden). Der Neutrale darf eine Verletzung seiner N. mit Waffengewalt unterbinden. Gelangen Krieg führende Truppen auf neutrales Gebiet, sind sie zu internieren. 2) Das **Gebot der Gleichbehandlung der Krieg Führenden** durch den Neutralen bezieht sich i.d.R. nur auf staatl. kriegsrelevante Akte. Neutrale sind zwar berechtigt, aber nicht verpflichtet, die Aus- und Durchfuhr von Waffen und anderem Kriegsgerät durch Private oder den Fernsprechverkehr für Krieg Führende zu verhindern. 3) Das **Verbot der Waffenhilfe** bedeutet, dass keine Streitkräfte des Neutralen in den Konflikt eingreifen dürfen. Lieferungen von Kriegsmaterial an die Krieg Führenden muss der Neutrale unterlassen; gegen private Lieferungen braucht er aber nicht einzuschreiten. Im Seekrieg ist er jedoch verpflichtet, die Ausrüstung oder Bewaffnung eines erkennbar zur Kriegführung bestimmten Schiffes durch Private zu verhindern.

Die Rechts- und Handelsbeziehungen eines Neutralen bleiben vom N.-Recht unberührt. – Grundsätzlich kann jeder Staat frei entscheiden, ob er in einem bestimmten Krieg neutral bleiben will. Diese Freiheit kann aber z.B. durch Verteidigungsbündnisse oder kollektive Sicherheitsverträge, die einen Staat insbesondere zur (militär.) Unterstützung eines angegriffenen Vertragspartners verpflichten, eingeschränkt werden.

📖 *N. Mythos u. Wirklichkeit, hg. v.* H. Krejci *u. a., bearb. v.* F. Ermacora *u. a. Wien 1992.*

Neutralsalze, 1) Salze, die weder Wasserstoff- noch Hydroxidionen enthalten; 2) Salze, die in wässriger Lösung weder saure noch alkal. Reaktion zeigen (Natriumchlorid, Ammoniumacetat).

Neutrino [italien., eigtl. »kleines Neutron«] *das,* stabiles, ungeladenes →Elementarteilchen aus der Gruppe der Leptonen mit dem Spin $^1/_2$, das in drei Arten, **Elektron-N.** (e-N., ν_e), **Myon-N.** (µ-N., ν_μ) und **Tau-N.** (τ-N., ν_τ) und deren Antiteilchen, den **Anti-N.** ($\bar{\nu}_e$, $\bar{\nu}_\mu$, $\bar{\nu}_\tau$), vorkommt. Das e-Anti-N. wird mit einem Elektron beim β^--Zerfall von Atomkernen, das e-N. mit einem Positron beim β^+-Zerfall (→Betastrahlung) ausgesandt. Das µ-N. entsteht mit einem positiven Myon beim Zerfall eines positiven Pions ($\pi^+ \rightarrow \mu^+ + \nu_\mu$), das µ-Anti-N. beim Zerfall eines negativen Pions ($\pi^- \rightarrow \mu^- + \nu_\mu$). Das τ-N. (τ-Anti-N.) wird beim Zerfall des 1975 entdeckten positiven (negativen) Tauteilchens gebildet. N. werden künstlich in Kernreaktoren und mithilfe von Teilchenbeschleunigern erzeugt oder entstehen auf natürl. Weise in kosm. Prozessen. – Die

Existenz der e-N. wurde 1931 von W. Pauli postuliert, um die Gültigkeit der Energie- und Spinerhaltung beim β-Zerfall nicht infrage stellen zu müssen. Wegen der geringen Wechselwirkung von N. mit anderen Teilchen (ein N. mit einer Energie von 1 GeV durchquert mit 99,99 % Wahrscheinlichkeit unbehindert die Erde) gelang der direkte Nachweis von N. erst 1956 mit den e-Anti-N. eines Kernreaktors in einer Reaktion, bei der sich ein e-Anti-N. und ein Proton (p^+) in ein Neutron (n) und ein Positron (e^+) umwandeln ($\nu_e + p^+ \rightarrow n + e^+$).

Große Bedeutung hat die Frage nach der Ruhemasse der N., insbesondere für die → Kosmologie. Haben die N. eine nicht verschwindende Ruhemasse, könnten sich die versch. N. oszillatorisch ineinander umwandeln **(N.-Oszillationen)** und Träger eines Teils der bislang nicht entdeckten »dunklen« Materie des Weltalls sein. Aufschluss darüber erhofft man sich v.a. von Experimenten, die die von der Sonne und von anderen Sternen (v.a. in Supernovae) erzeugten N. nachweisen sollen **(N.-Astronomie).** Bisherige Messungen, insbesondere der Nachweis solarer N. (Solar-N.) mit Gallium als Detektormaterial (→ Gallex), ergaben einen geringeren N.-Fluss als theoretisch erwartet und stellen damit das bisherige Modell der thermonuklearen Vorgänge in der Sonne infrage. Sie lieferten aber keinen Hinweis auf eine Ruhemasse der N. und bestätigten das Standardmodell der elektroschwachen → Wechselwirkung.

Neutron [grch.] *das,* Symbol **n,** ein zu den → Baryonen gehörendes elektrisch neutrales Elementarteilchen, neben dem Proton Baustein der Atomkerne; sein Antiteilchen ist das **Anti-N.** Die Ruhemasse beträgt $m_n = 1{,}675 \cdot 10^{-24}$, der Spin ist $^1/_2$. Das N. ist im Verband eines Atomkernes stabil, als freies Teilchen ist es radioaktiv (β-Strahler) und zerfällt mit einer Halbwertszeit von rd. 888 s in ein Proton, ein Elektron und ein Antineutrino ($n \rightarrow p + e^- + \bar{\nu}_e$). Streuversuche mit Elektronen und das magnet. Dipolmoment deuten auf eine unterschiedl. positive und negative Ladungsverteilung des N., das aber nach außen neutral erscheint. N. entstehen v.a. bei der → Kernspaltung und spielen bei der Umwandlung und Spaltung von Atomkernen, z.B. bei den Kettenreaktionen im Kernreaktor, eine entscheidende Rolle. Die Wechselwirkung der N. mit Materie hängt stark von ihrer kinet. Energie ab, nach der grob zw. **schnellen** und **langsamen N.** unterschieden wird. Bei feinerer Unterscheidung spricht man von **relativist.** (>50 eV), **schnellen** (100 keV–50 MeV), **mittelschnellen** (100 eV–100 keV) und **langsamen N.,** zu denen **epitherm.** (0,1–100 eV), **therm.** (0,01–1 eV), **kalte** (10^{-5}–10^{-2} eV) und **ultrakalte N.** (<10^{-5} eV) gehören. Von besonderer Bedeutung sind die bei der Kernspaltung erzeugten hochenerget. schnellen N. **(Spalt-N.).** Sie werden durch Stöße mit den Atomen des Moderators auf therm. Energien (therm. N.) entsprechend der Umgebungstemperatur abgebremst. Aufgrund ihrer Ladungsfreiheit sind N. bevorzugte Geschosse bei der Untersuchung von Materiestrukturen; hier nutzt man v.a. die → Neutronenbeugung aus. Durch Bestrahlung stabiler Nuklide mit N. lassen sich radioaktive Nuklide erzeugen **(N.-Aktivierung).** – Die schon von E. Rutherford 1921 vermuteten ungeladenen Teilchen in Atomkernen wurden von seinem Schüler J. Chadwick 1932 entdeckt.

Neutronen|absorption, der Neutroneneinfang (→ Einfangprozesse).

Neutronenbeugung, 1936 von W. Elsasser nachgewiesene Beugung langsamer Neutronen am Kristallgitter von Festkörpern, die durch den Welle-Teilchen-Dualismus erklärt wird und den Wellencharakter des Neutrons demonstriert (→ Materiewellen). Da die Wellenlänge therm. Neutronen mit 0,1 nm etwa die Größe des Gitterpunktabstandes im Kristall hat, kann die N. wie Röntgenstrahlung zur Strukturaufklärung genutzt werden.

Neutronendiffusion, die räuml. und zeitl. Ausbreitung von therm. Neutronen in einem Medium, wobei die Gesetzmäßigkeiten der Diffusion von Gasen gelten; sie spielt bei der Berechnung von Kernreaktoren eine Rolle.

Neutronen|einfang, ein → Einfangprozess.

Neutronenflussdichte (Kurzbez. Neutronenfluss), Dichte des Stroms aller Neutronen, die je Sekunde durch eine Fläche von 1 cm^2 strömen, kennzeichnende Größe für jeden Kernreaktor. Kleine Forschungsreaktoren haben N. von 10^8 bis $10^{14}/cm^2 \cdot s$, Leistungsreaktoren von 10^{12} bis $10^{16}/cm^2 \cdot s$, Materialprüfreaktoren bis $10^{17}/cm^2 \cdot s$.

Neutronenquelle, Neutronen liefernde Anordnung. Eine N. kann aus einem α-Strahler (z.B. Radium 226) mit anschließender (α, n)-Kernreaktion bestehen, z.B. bei Beryllium mit der → Kernreaktion $^9Be(\alpha, n)^{12}C$. Andere N. sind der Beschuss geeigneter Kerne (z.B. Lithium, Deuterium) mit Deuteronen oder die Einwirkung energiereicher γ-Quanten über einen (γ, n)-Prozess **(Photo-N.).** Auch jeder Kernreaktor ist eine N. Häufig erzeugt man die Neutronen durch Beschleunigung geladener Teilchen, die dann in einem Target über Kernreaktionen Neutronen auslösen **(Neutronengenerator).** Die höchsten Neutronenflüsse lassen sich mit → Spallationsneutronenquellen erzielen.

Neutronenspektrometer, Gerät zur Trennung von Neutronen verschiedener Energien; dient zur Bestimmung der Energieverteilung **(Neutronenspektroskopie, -spektrometrie)** und zur Erzeugung von Neutronenstrahlen einheitl. Energie. Dies geschieht für langsame Neutronen durch Interferenz an Kristallgittern **(Kristallspektrometer),** für Neutronenstrahlen mit Energien bis etwa 1 keV durch Aussondern von Neutronen bestimmter Flugdauer aus einem Strahl **(Flugzeitspektrometer).** Die Energie schneller Neutronen wird durch Messen des Winkels und der Energie von Rückstoßprotonen ermittelt **(Rückstoßprotonenspektrometer).**

Neutronenstern, Stern von extrem hoher Dichte (etwa 10^{14} bis 10^{15} g/cm^3), etwa 10 bis 20 km Durchmesser und einer der Sonne vergleichbaren Masse, der im Wesentlichen aus Neutronen besteht. Der N. wird als mögl. Endstadium der →Sternentwicklung angesehen: Kann der Gas- und Strahlungsdruck im Innern eines Sterns die Gravitationskräfte nicht mehr kompensieren, erleidet dieser einen Gravitationskollaps, der bei ausreichend massereichen Sternen mit einem Supernova-Ausbruch verbunden ist. Als Restmasse bleibt ein N. oder ein Schwarzes Loch zurück. N. sind die dichtesten und kleinsten uns bekannten Sterne. Aufgrund ihrer starken Anziehungskraft können N. sehr schnell rotieren, ohne auseinander zu brechen. Ihre anfänglich sehr hohe Temperatur nimmt durch die Abstrahlung von Neutrinos nach rd. 1000 Jahren auf etwa 1 Mio. K ab. Man beobachtet N. als Pulsare (→Crabnebel) und als eine der beiden Komponenten von Röntgendoppelsternen (z.B. Centaurus X-3); möglicherweise sind sie auch Quellen von Gammastrahlungsausbrüchen.

Neutronenwaffe, →ABC-Waffen.

Neutronenzahl, Formelzeichen *N,* Anzahl der Neutronen in einem Atomkern oder Nuklid (→Atom).

Neutronenzähler, Gerät zum Nachweis von Neutronen mithilfe von Kernreaktionen, bei denen durch das Neutron ionisierende und damit nachweisbare Teilchen erzeugt werden. Für langsame oder therm. Neutronen werden mit Borfluorid gefüllte oder mit Cadmium ummantelte Zählrohre, Szintillatoren und →Spaltkammern verwendet. Schnelle Neutronen werden im Methanzählrohr oder mit wasserstoffhaltigen organ. Szintillatoren und Spaltkammern nachgewiesen.

Neutrum [lat.] *das, Sprachwiss.:* sächliches Geschlecht (Genus), bes. sächl. Substantiv.

Neu-Ulm, 1) Landkreis im RegBez. Schwaben, Bayern, 515 km^2, (1996) 157600 Einwohner.

2) Krst. von 1) in Bayern, rechts der Donau gegenüber Ulm, 50700 Ew.; Große Kreisstadt; Maschinen-, Apparate-, Fahrzeugbau, chem., Leder-, Holz-, Nahrungsmittel-, Textilindustrie. – N.-U. (heutiger Name seit 1817) gehörte zum Gebiet der Reichsstadt Ulm, kam 1810 an Bayern, wurde 1869 Stadt.

Neu-Ulm 2)
Stadtwappen

Neuveville [nœvˈvil], Stadt in der Schweiz, →La Neuveville.

Neuweltgeier (Cathartidae), Familie zu den Storchenvögeln gestellter Aasfresser in Nord- und Südamerika; der **Andenkondor** (Vultur gryphus) mit nacktem, fleischfarbenem Kopf und Hals und silbergrauen Armschwingen erreicht eine Flügelspannweite von etwa 3 m.

Neuweltgeier:
Nur das Männchen des Andenkondors besitzt den auffälligen Hautkamm

Neuwerk, vor der Elbmündung im Wattenmeer der Nordsee gelegene Marschinsel, 355 ha; bei Ebbe Wattenweg nach Cuxhaven. N. gehörte bis 1937 zu Hamburg, dann zu Ndsachs., seit 1961 wieder zu Hamburg; der Turm (1310), das »Werk«, war Seezeichen und Stützpunkt.

Neuwertversicherung, Versicherungsform, bei der im Schadenfall nicht der Zeitwert ersetzt wird, sondern der Wiederbeschaffungswert bzw. Neuwert (z.B. in der Feuer- und in der Hausratversicherung). I.d.R. setzt ein solcher Ersatz jedoch ein bestimmtes Verhältnis von Zeitwert zu Neuwert voraus. Für Wohn-, Geschäfts- und landwirtsch. Gebäude existiert nach Sonderbedingungen die **gleitende N.,** die Fälle von Unterversicherung aufgrund einer Wertsteigerung der zu versichernden Gebäude vermeiden soll.

Neuwied, 1) Landkreis im RegBez. Koblenz, Rheinl.-Pf., 627 km^2, (1996) 180200 Einwohner.

2) Krst. von 1) in Rheinl.-Pf., im Neuwieder Becken, am rechten Rheinufer, 67500 Ew.; Museen (u.a. für Archäologie des Eiszeitalters), zoolog. Garten; Bimssteinind., Stahl- und Walzwerke, Maschinenbau, elektron., Verbandstoff- und Klebstoffindustrie. – N. entstand seit 1653 neben einem um 1648 begonnenen Schloss der Grafen von Wied. Im Stadtteil Gönnersdorf altsteinzeitl. Funde.

Neuzeit, die an das MA. anschließende und bis in die Gegenwart reichende Epoche. Das Ende des →Mittelalters und der Beginn der Neuzeit werden i. Allg. zw. 1450 und 1500 angesetzt. Das Zeitalter der großen Entdeckungen, von Humanismus, Renaissance und Reformation begründete ein neues Welt- und Menschenbild und leitete grundlegende Veränderungen in den meisten Lebensbereichen ein. Neben geistig-kulturellen Wandlungen kam es auch durch die Bildung von Nationalstaaten, die schon im 14./15. Jh. mit der Entwicklung von nat. Königtum und nationalkirchl. Bestrebungen in England, Frankreich (→Gallikanismus), Spanien einsetzte und mit dem Begriff der Souveränität (J. Bodin, T. Hobbes) verbunden war, sowie durch die Entstehung des modernen europ. Staatensystems zur Aufhebung der durch das Papsttum repräsentierten mittelalterl. Einheit auf dem Fundament der christl. (lat.) Kirche. Zudem prägte die Emanzipation des Bürgertums gegenüber dem Adel das politische Gesicht der Neuzeit. Sie wurde gestützt durch gesellschaftlich-ökonomische Veränderungen wie die im 15. Jh. von Italien ausgehende und v. a. vom städt. Bürgertum getragene Weiterentwicklung von Handwerk und Gewerbe, bes. der Textilherstellung. Dieser Übergang zu rationelleren (frühkapitalist.) Wirtschaftspraktiken und Handelstechniken (v. a. Mathematisierung auf der Grundlage der arab. Ziffern) führte zu einem neuen Denk- und Arbeitsstil (Zweckrationalität). – Häufig wird zw. der **frühen N.** (bis zum Ende des Dreißigjährigen Krieges 1648, z. T. auch bis 1789) und der **jüngeren N.** unterschieden und Letztere noch in die **neueste Zeit** (seit Beginn der Frz. Revolution 1789) und die →Zeitgeschichte (seit 1917, Oktoberrevolution und Eintritt der USA in den 1. Weltkrieg) unterteilt.

📖 BAUER, L. *u.* MATIS, H.: *Geburt der N. Vom Feudalsystem zur Marktgesellschaft. München ²1989.* – FRIEDELL, E.: *Kulturgeschichte der N. München 155.–162. Tsd. 1996.*

Neuzelle, Gemeinde im Landkreis Oder-Spree, Brandenburg, 2 000 Ew. – 1268 Gründung des Zisterzienserklosters N., 1330 Vollendung der Anlage. Trotz Zerstörung durch die Hussiten (1429) und Reformation blieb das Kloster bis 1817 erhalten (von Preußen aufgehoben). – Die urspr. got. Klosterkirche (14./15. Jh.) wurde 1654–58 und um 1730–41 zu einem Hauptwerk des norddt. Barock umgestaltet; barocke Pfarrkirche (1728–34).

Nev., Abk. für den Bundesstaat **Nev**ada, USA.

Nevada [nev-; engl. neˈvɑːdə], Abk. **Nev.,** Bundesstaat im W der USA, 286 352 km², (1995) 1,53 Mio. Ew.; Hptst. ist Carson City, größte Stadt Las Vegas. Der größte Teil des Staates liegt im wüstenhaften Großen Becken, von steilen kurzen Bergketten durchzogen; arides Klima. Wichtigster Wirtschaftsfaktor ist der Fremdenverkehr (liberale Glücksspielgesetze, Nationalparks, Wintersport); Viehwirtschaft; Bergbau (Kupfer, Gold, Quecksilber u. a.); an der Grenze zu Arizona liegt der →Hoover Dam. – Das 1848 von Mexiko an die USA abgetretene Gebiet wurde 1861 als Territorium organisiert, seit 1864 der 36. Staat der Union.

Nevada
Flagge

Nevado [neˈβaðo; span. »verschneit«], Zusatzbez. bei Bergen in Lateinamerika, z. B. Nevado de Colima, →Colima.

Nevers
Stadtwappen

Nevers [nəˈvɛːr], Hptst. des Dép. Nièvre, Frankreich, an der Mündung der Nièvre in die Loire, 42 000 Ew.; Metall-, Fayence- u. a. Industrie. – Roman.-got. Kathedrale (11.–16. Jh.), ehem. Herzogspalast (15./16. Jh.). – Das röm. **Nevirnum** wurde im MA. Hptst. der Grafschaft (seit 1538 Herzogtum) **Nivernais.**

Neviges [-vi-], Wallfahrtsort in NRW, seit 1975 Teil der Stadt →Velbert.

Nevis [ˈniːvɪs], Insel der Kleinen Antillen, Teil des Staates Saint Kitts and N., 93 km², Hauptort ist Charlestown. Die Haupterzeugnisse der Insel sind Kokosnüsse und Baumwolle.

Newa *die,* schiffbarer Abfluss des Ladogasees, Russland, 74 km lang, mündet mit einem Delta, in dem St. Petersburg liegt, in den Finn. Meerbusen (→Wolga-Ostsee-Wasserweg).

New Age [njuː ˈeɪdʒ; engl. »neues Zeitalter«], aus der kaliforn. gesellschaftskrit. Gegenkultur der 1960er-Jahre entstandene weltanschaul. Bewegung, die Elemente unterschiedlichster Traditionen in sich vereint: ganzheitl.-holist. Theorieansätze aus Physik (D. Bohm, F. Capra) und Biologie (K. H. Pribram), Lehren östl. Religionen und esoter. Systeme (C. Castañeda). Dem Rationalismus der Gegenwart und seinem mechanist. Weltbild setzt N. A. das kosmisch-evolutionäre Weltbild des neuen Zeitalters entgegen, dem egozentrierten Bewusstsein das mithilfe verschiedenster Methoden (Psychotechniken, Meditation, Drogen) erweiterte Bewusstsein, in dem sich der Mensch als identisch mit Menschheit und Kosmos begreift.

📖 SCHORSCH, C.: *Die N.-A.-Bewegung. Gütersloh ³1989.* – CAPRA, F.: *Das neue Denken. A. d. Amerikan. Neuausg. München 1992.* – BOCHINGER, C.: *»New Age« u. moderne Religion. Gütersloh ²1995.*

Newald, Richard, österr. Germanist, *Lambach (Bez. Wels-Land) 30. 7. 1894, †Berlin (West) 28. 4. 1954; war mit H. de Boor Begründer und z. T. Verfasser der »Gesch. der dt. Literatur von den Anfängen bis zur Gegenwart« (1949 ff.).

Newark [ˈnjuːək], Stadt in New Jersey, USA, am Passaic River, 275 000 Ew.; kath. Erzbischofssitz; TH; vielfältige Ind.; Finanzzentrum, Hauptsitz zahlr. Versicherungen; Hafen an der Newark Bay; Großflughafen für New York.

New Bedford [njuː ˈbedfəd], Hafenstadt in SO-Massachusetts, USA, 96 500 Ew.; Textil-, Leder-, Elektronik- u. a. Ind.; Fischereihafen.

New Britain [njuː ˈbrɪtn] (früher dt. Neubritannien, vor 1919 Neupommern), größte Insel des Bismarckarchipels, Papua-Neuguinea, 36 500 km², (1990) 312 000 Ew., überwiegend Melanesier; Hauptort ist Rabaul. N. ist gebirgig (mehrere z. T.

New Hampshire
Flagge

Newcastle upon Tyne
Stadtwappen

tätige Vulkane); es herrscht trop. Regenklima; Ausfuhr von Kopra, Kakao; Holzverarbeitung.

New Brunswick [nju: 'brʌnzwɪk], **1)** (dt. Neubraunschweig), Prov. in SO-Kanada, zw. Fundy Bay und Chaleur Bay und St.-Lorenz-Golf, 73 440 km², (1995) 760 300 Ew., Hptst. ist Fredericton. Die Küste ist buchtenreich; an der Fundy Bay erstreckt sich Marschland; im Landesinnern Kontinentalklima, an der Küste ist das Klima mild und ausgeglichen; Holzwirtschaft; Fischerei; Bergbau (Blei, Zink, Kupfer, Silber). – N. B. war Teil des frz. besiedelten, mit England strittigen Akadien und fiel 1763 an Großbritannien; kanad. Prov. seit 1867.

2) Stadt in New Jersey, USA, 40 200 Ew.; Rutgers University (Staatsuniv.); Metall-, Textil-, Lederind., Herstellung von chirurg. Instrumenten.

Newcastle ['nju:kɑ:sl], Hafenstadt in New South Wales, Australien, städt. Agglomeration an der Mündung des Hunter in den Pazifik, 460 200 Ew.; Univ., Konservatorium; Zentrum der austral. Schwerind. (Stahlwerke), basierend auf Steinkohlenbergbau; große Werft; zweitwichtigster Hafen Australiens, Flughafen.

Newcastle upon Tyne ['nju:kɑ:sl ə'pɔn 'taɪn], Stadt in der engl. Metrop. Cty. Tyne and Wear, 192 500 Ew.; Univ., Polytechnic (FH); Handelshafen und Ind.zentrum am nördl. Ufer des Tyne, mit chem., Metall-, Leder-, Maschinen-, elektrotechn. Ind., Schiffbau; durch mehrere Brücken mit Gateshead am südl. Ufer des Tyne verbunden (Tyne-Brücke, 1928; High-Level-Bridge, 1845–49). – Got. Kathedrale (1359), Guildhall (1658); im Bergfried der normann. Burg Museum.

New Criticism [nju:'krɪtɪsɪzm, engl.] *der,* nach dem Buch »The new criticism« (1941) von J. C. Ransom geprägte Bez. für eine Gruppe von Kritikern, die um 1930 eine Erneuerung der engl.-amerikan. Literaturkritik einleiteten. Sie strebten, von S. T. Coleridge, E. Pound und T. S. Eliot ausgehend, eine analyt. Betrachtung des literar. Werkes an und lehnten dabei alle entliehenen Elemente fremder Disziplinen ab; Hauptvertreter waren I. A. Richards, C. Brooks, A. Tate, J. C. Ransom, R. P. Warren.

Newcastle upon Tyne: Die 1928 erbaute Tyne-Brücke und die dahinter liegende, 1845–49 als Eisenbahnbrücke errichtete doppelstöckige High-Level-Bridge verbinden die Stadt mit Gateshead am südlichen Ufer des Tyne

Newdance ['nju:dɑ:ns, engl.] *der,* Bez. für versch. Strömungen des zeitgenöss. Bühnentanzes bes. in den USA, die vom →Moderndance ausgehen, ihn aber von jeder Schematisierung befreien oder auf eine mathematisch strenge Formalisierung reduzieren. Eine der Minimalart nahe stehende Richtung wird von Trisha Brown (*1936), Lucinda Childs (*1940) und Laura Dean (*1945) vertreten, die in ihren Choreographien bestimmte geometr. Figuren abschreiten oder minimale Körperbewegungen aneinander reihen. M. Monk, Twyla Tharp (*1942) und Kei Takei (*1946) pflegen eine gleichzeitig dramat. und freiere Tanzkunst, in der sich fantast. Bilder und intensiv-nervöse Tanzbewegungen collageartig zusammenfügen. Zu den Vertreterinnen des N. in Dtl. zählen Pina Bausch und Reinhild Hoffmann.

New Deal [nju: 'di:l, engl.] *der,* Bez. für die staatsinterventionist. Reformpolitik F. D. Roosevelts (1933–38), mit der er die Folgen der Weltwirtschaftskrise in den USA zu überwinden suchte. Zu den Maßnahmen des N. D., der konjunkturpolitisch nur z. T. Erfolge zeitigte, gehörten u. a. Stabilisierung des Bank- und Börsenwesens, Drosselung der Produktion in Ind. und Landwirtschaft, Arbeitsbeschaffungsprogramme, (inflationär wirkende) Währungspolitik und dynam. Außenwirtschaftspolitik, Entflechtung großer Energiekonzerne, Verstärkung der Steuerprogression, Gesetze zur Erweiterung der Rolle der Gewerkschaften, Verbesserung der Sozialgesetzgebung.

New England [nju: 'ɪŋglənd], →Neuengland.

Newfoundland ['nju:fəndlənd, nju:'faʊndlənd] (dt. Neufundland), die östlichste Prov. Kanadas (Newfoundland and Labrador), 405 720 km², (1991) 568 500 Ew., besteht aus der vor dem Sankt-Lorenz-Golf gelegenen Insel →Neufundland und dem O-Teil der Halbinsel →Labrador. Hptst. ist Saint John's. – Die frühere wirtsch. Grundlage, die Fischerei und die Holzwirtschaft (Cellulose, Papier), wird heute vom Bergbau übertroffen, der v. a. Eisenerz (in W-Labrador), Zink, Kupfer und Asbest (auf Neufundland) fördert. Die reichen Wasserkräfte werden zur Energieerzeugung genutzt (→Churchill River). Im Offshorebereich von Labrador Erdöl- und Erdgasvorkommen. – Bereits um 1000 von normann. Seefahrern aufgesucht; 1497 Landung von G. Caboto; seit dem 17. Jh. von Franzosen und Engländern wegen des Fischreichtums umkämpft, wurde 1713 (Frieden von Utrecht) Großbritannien zugesprochen. Es erhielt 1855 Selbstverwaltung. 1949 trat es als 10. Prov. Kanada bei.

New Guinea [nju: ˈgɪnɪ], →Neuguinea.

New-Halfa-Projekt [nju:-], Bewässerungsgebiet (Khashm el-Girba) in O-Sudan mit Stausee (120 km^2) und Kraftwerk am Atbara; 168 000 ha, v. a. Anbau von Baumwolle, Zuckerrohr, Weizen; Hauptort ist New Halfa.

New Hampshire [nju: ˈhæmpʃə], Abk. **N. H.,** einer der Neuenglandstaaten der USA, 24 032 km^2, (1995) 1,148 Mio. Ew.; Hptst. ist Concord, größte Stadt Manchester. Seen- und waldreiches Hügelland; Landwirtschaft (Milch-, Geflügelwirtschaft); Elektro-, elektron., Papier- und Zellstoffindustrie. – N. H., seit 1623 von Europäern besiedelt, wurde 1641 von Massachusetts abhängig, 1679 brit. Kronkolonie; trat 1788 als 9. Staat der Union bei.

New Haven [nju: ˈheɪvn], Stadt in Connecticut, USA, Hafen am Ausgang des Long-Island-Sound; 124 000 Ew.; Kultur- und Bildungszentrum mit der 1701 gegr. Yale University; Museen; Metallverarbeitung, Schiffbau u. a. Industrie.

Ne Win, eigtl. Maung Shu Maung, birman. General und Politiker, *Paungdale (Bez. Prome) 24. 5. 1911; 1958–60 MinPräs., übernahm nach einem Staatsstreich 1962 als Vors. des Revolutionsrats die Macht; leitete innenpolitisch einen staatssozialist. Kurs ein und errichtete, gestützt auf die von ihm 1962 gegr. Burma Socialist Programme Party (BSPP), ein diktator. Einparteiensystem. 1974–81 war er Vors. des Staatsrates. Außenpolitisch führte er sein Land unter weitgehender Isolation auf einem blockfreien Kurs. 1988 trat er als Vors. der BSPP zurück.

New Ireland [nju: ˈaɪələnd] (früher dt. Neuirland, vor 1914 Neumecklenburg), zweitgrößte Insel des Bismarckarchipels, Papua-Neuguinea, bis 2 399 m ü. M., 8 651 km^2, als Prov. (einschl. Lavongai u. a. kleiner Inseln) 9 600 km^2, (1990) 87 100 Ew.; Hauptort ist Kavieng (Hafen, Flugplatz). Ausfuhr von Kopra und Kakao.

New Jersey [nju: ˈdʒə:zɪ], Abk. **N. J.,** Staat im O der USA, am Atlantik, 20 169 km^2, (1995) 7,945 Mio. Ew.; Hptst. ist Trenton. N. J. reicht im N bis in die Appalachen, die Mitte und der S gehören der Küstenebene an. Es ist einer der führenden Ind.staaten der USA mit Elektronik-, Bekleidungsind., Stahlproduktion, Schiff- und Maschinenbau u. a. Die hoch entwickelte Landwirtschaft ist auf die Versorgung der Großstädte eingestellt. Bed. Fremdenverkehr an der dünenbesetzten Nehrungsküste. N. J. hat eine führende Stellung in der Forschung der USA (Princeton u. a.). – N. J., seit 1624 besiedelt, bildete anfangs mit dem heutigen Staat New York die holländ. Kolonie Neuniederland, die 1664 von den Engländern erobert wurde. 1787 wurde es 3. Staat der Union.

Newlook [ˈnju:ˈlʊk, engl.] *der,* nach 1947 geschaffene Linie der Damenmode (→Kleidung).

Newly industrializing Countries [ˈnju:lɪ ɪnˈdʌstrɪəlaɪzɪŋ ˈkʌntrɪz, engl.], Abk. **NIC,** →Schwellenländer.

Newman [ˈnju:mən], **1)** Barnett, amerikan. Maler und Bildhauer, *New York 29. 1. 1905, †ebd. 4. 7. 1970; zunächst maler. Versuche im Umkreis des abstrakten Expressionismus; seit den 50er-Jahren Vertreter der Farbfeldmalerei, auch einige plast. Objekte und Zeichnungen.

Barnett Newman: »Who's afraid of red, yellow and blue IV« (1969/70; Berlin, Nationalgalerie)

2) Joe, eigtl. Joseph Dwight N., amerikan. Jazztrompeter, *New Orleans 7. 9. 1922, †New York 4. 7. 1992; spielte u. a. in den Swingorchestern von C. Basie und B. Goodman und leitete ab 1961 Combos in New York; trat seit 1964 auch in Jazzgottesdiensten auf.

John Henry Newman

3) John Henry, engl. Theologe, *London 21. 2. 1801, †Birmingham 11. 8. 1890; seit 1825 anglikan. Priester; 1833 Anschluss an die →Oxfordbewegung, später einer ihrer Führer; 1845 Übertritt zur kath. Kirche; 1847 Priesterweihe in Rom; 1852–57 Rektor der neu gegr. kath. Univ. in Dublin; seit 1879 Kardinal. N. setzte sich für eine freie und geschichtlich denkende theolog. Forschung ein. Zentraler Begriff seiner theolog. Arbeit ist das Gewissen, das er in Glaubensfragen auch für den Katholiken als letztverbindl. Instanz ansah. Sein ökumenisch ausgerichtetes Denken wirkte bis in die Theologie des 2. Vatikan. Konzils hinein.

Paul Newman

4) Paul, amerikan. Schauspieler und Regisseur, *Cleveland (Oh.) 26. 1. 1925; seit 1953 Charakterdarsteller am Broadway, ab 1955 auch beim Film; spielte u. a. in »Die Katze auf dem heißen Blechdach« (1958), »Süßer Vogel Jugend« (1961), »Man nannte ihn Hombre« (1967), »Der Clou« (1973), »Die Farbe des Geldes« (1986), »Mr. und Mrs. Bridge« (1990), »Nobody's Fool« (1994).

Newmarket [nju:mɑ:kɪt], Stadt in der Cty. Suffolk, SO-England, 16 200 Ew.; Zentrum der Rennpferdezucht, National Horseracing Museum (1983 eröffnet), Pferderennen.

New Jersey
Flagge

New Mexico [ˈnju: ˈmeksɪkəʊ] (dt. Neumexiko), Abk. **N. M.,** Staat im S der USA, 314 925 km^2, (1995) 1,685 Mio. Ew.; Hptst. ist Santa Fe. Der zentrale Teil von N. M. wird von den Rocky Mountains

New Mexico
Flagge

in Nordsüdrichtung durchzogen; den NW nimmt das von zahlr. Cañons gegliederte Colorado Plateau ein; im O reichen die Great Plains bis an die Gebirgsketten. Sehr trockenes Steppen-, z.T. auch Wüstenklima; Hauptflüsse: Rio Grande del Norte und Pecos River. Ackerbau (Mais, Weizen, Hirse, Baumwolle) ist nur bei künstl. Bewässerung möglich; Viehzucht. N. M. ist wichtigster Uranlieferant der USA; ferner werden Erdöl, Erdgas und Kalisalze gefördert. Hauptind.erzeugnisse sind u.a. chem. Produkte, Nahrungsmittel, Maschinen und Metallwaren sowie Holzprodukte. Zentren für militär. Forschung sind Alamogordo und Los Alamos. Staatsuniv. in Albuquerque und Las Cruces. – Das ab 1540 von Spaniern (F. Vázquez de Coronado) erkundete und seit dem 17. Jh. von ihnen besiedelte Gebiet kam 1821 in den Besitz Mexikos, 1848 an die USA; 1850 als Territorium organisiert; 1912 als 47. Staat in die Union aufgenommen.

New Orleans: Französische, spanische und kreolische Einflüsse spiegeln sich in der Architektur des French Quarter (Vieux Carré) – wie in diesem Haus mit typischer Balkonfront – wider

New Orleans [nju: ˈɔːlɪənz, auch ˈnju: ɔːˈliːnz], Stadt in Louisiana, USA, Seehafen im Mississippidelta, 484 100 Ew., als Metropolitan Area 1,285 Mio. Ew.; kath. Erzbischofssitz; mehrere Univ., Museen und Theater; »Superdome« (Sporthalle mit 84 700 Plätzen, 1975 eröffnet); auf die frz. Siedler geht der Karneval (Mardi Gras) zurück. Die Altstadt (French Quarter, Vieux Carré) mit frz., span. und kreol. Architektureinflüssen ist Hauptanziehungspunkt des Fremdenverkehrs; größter Außenhandelsplatz für die Erzeugnisse der Mississippistaaten (Baumwolle, Zucker, Holz, Erdöl, Schwefel) mit mehreren Warenbörsen; petrochem., Luft- und Raumfahrt-, Nahrungsmittel-, Bekleidungs-, Metallwaren-, chem. Ind.; Schiffbau. – 1718 von den Franzosen gegr., kam 1762 an Spanien, 1803 an die USA.

New-Orleans-Jazz [nju: ˈɔːlɪənz ˈdʒæz, auch - ɔːˈliːnz -], erste voll ausgebildete Stilform des Jazz, die sich Ende des 19. Jh. in den Südstaaten der USA, speziell in New Orleans, entwickelte. Die charakterist. Besetzung einer New-Orleans-Band bestand aus drei melodietragenden Instrumenten (i.d.R. Kornett, Klarinette und Posaune) und einer Rhythmusgruppe mit Banjo, Tuba und Schlagzeug; später kam das Klavier hinzu, die Tuba wurde durch den Kontrabass ersetzt. Hauptvertreter des N.-O.-J. waren B. Bolden, J. »King« Oliver, L. Armstrong, J. R. Morton. Eine Variante war der von Kreolen gespielte **Creole Jazz** (Vertreter: S. Bechet, A. Nicholas, A. Picou, K. Ory). Ende des 19. Jh. entstand als Nachahmung des N.-O.-J. durch weiße Musiker der Dixieland. Nachdem der N.-O.-J. in den 1930er-Jahren durch den Swingstil fast völlig aus dem Musikleben verdrängt worden war, kam es seit den 1940er-Jahren und verstärkt seit den 1950er-Jahren wiederholt zu Revivalbewegungen **(New-Orleans-Renaissance),** in denen der N.-O.-J. zunehmend popularisiert wurde.

Newport [ˈnjuːpɔːt], **1)** Hafenstadt in S-Wales, an der Mündung des Usk in den Bristolkanal, bildet die County Borough N. mit 190 km^2 und 137 200 Ew.; Stahl-, Aluminium-, chem. und elektrotechn. Industrie. – Entstand im 12. Jh. um eine normann. Burg.

2) Stadt auf der Insel Wight und deren Verw.sitz, S-England, 23 600 Ew.; Kunststoff- und Holzverarbeitung; Hafen.

New Providence [nju: ˈprɔvɪdəns], eine der Bahamainseln, 207 km^2, (1990) 172 000 Ew., Hptst. von N. P. und den Bahamas ist Nassau; bed. Fremdenverkehr.

New South Wales [nju: saʊθ ˈweɪlz] (dt. Neusüdwales), Bundesstaat des Australischen Bundes, 801 600 km^2 (einschl. Lord How Island), (1995) 6,08 Mio. Ew.; Hptst. ist Sydney. N. S. W. liegt an der O-Küste Australiens mit weiten flachen Ebenen im W, dem Küstengebirge Great Dividing Range mit der Neuenglandkette im N, den Blue Mountains in der Mitte sowie der höchsten Erhebung der Austral. Alpen, dem Mount Kosciusko (2 230 m ü. M.), im S. Die Niederschläge nehmen von jährlich 2 000 mm an der Küste auf weniger als 200 mm im Inneren ab. Die Vegetation folgt dieser Gliederung mit dichten Eukalyptuswäldern, offenen Strauch- und schließlich Grassteppen bis zum Bereich wüstenhafter Gebiete. N. S. W. ist wirtsch. der bedeutendste Bundesstaat Australiens mit großen Vorkommen von Kohle, Silber, Zinn, Blei, Kupfer u.a. Erzen. Bed. sind Schaf- und Rinderzucht im W, Weizenanbau und Obstbau in Bewässerungsgebieten; im Küstenbereich wichtige Industriestandorte (Sydney, Newcastle, Wollongang). – N. S. W., 1770 von J. Cook entdeckt, war die erste brit. Kolonie in Australien; sie umfasste urspr. den ganzen O Australiens; 1859 wurde Queensland abgetrennt, 1911 das Australian Capital Territory mit Canberra ausgegliedert.

New Technology Telescope [nju: tek'nɔlədʒi 'teləskəʊp, engl.], → NTT.

Newton ['nju:tn, nach I. Newton] *das,* Einheitenzeichen **N,** Einheit der Kraft im SI-System: $1\,\mathrm{N} = 1\,\mathrm{m\,kg\,s^{-2}} = 1\,\mathrm{J/m}$.

Newton ['nju:tn], Sir (seit 1705) Isaac, engl. Physiker, Mathematiker und Astronom, * Woolsthorpe (bei Grantham, Cty. Lincolnshire) 4. 1. 1643, † Kensington (heute zu London) 31. 3. 1727; war 1669–1701 Prof. in Cambridge, wurde 1699 königl. Münzmeister in London, 1703 Präs. der Royal Society in London. Sein Ruhm als Begründer der klass. theoret. Physik geht v.a. auf sein 1687 erschienenes Hauptwerk »Philosophiae naturalis principia mathematica« (Mathematische Prinzipien der Naturlehre) zurück, in dem er die drei Bewegungsgesetze der Mechanik (→ newtonsche Axiome) und sein bereits 1666 erkanntes Gravitationsgesetz (→ Gravitation) formulierte. N. erklärte damit die Bewegung der Planeten um die Sonne, die Erscheinungen von Ebbe und Flut und berechnete die Massen des Mondes und der Planeten. Er entwickelte gleichzeitig, unabhängig von Leibniz, die von ihm als **Fluxionsrechnung** bezeichnete Differenzial- und Integralrechnung. N. wies die Zusammensetzung des weißen Lichtes aus den Spektralfarben nach und stellte die **Emissionstheorie des Lichtes** mit einem Korpuskelmodell auf; er untersuchte Farberscheinungen dünner Blättchen **(newtonsche Interferenzringe),** begründete die Akustik und bestimmte Frequenzen von Schwingungsvorgängen. Erst durch die Relativitätstheorie wurden die von N. aufgestellten Axiome über Raum und Zeit durch neue Formulierungen erweitert. Weiteres BILD englische Philosophie

📖 SCHNEIDER, I.: *I. N. München 1988.* – WICKERT, J.: *I. N. Reinbek 1995.* – FRITZSCH, H.: *Eine Formel verändert die Welt. N., Einstein u. die Relativitätstheorie. Tb.-Ausg. München u.a. 1996.* – WESTFALL, R. S.: *I. N. Eine Biographie. A. d. Engl. Heidelberg u.a. 1996.*

Newtonmeter ['nju:tn-, n. I. Newton], Einheitenzeichen **Nm,** SI-Einheit des Drehmoments und (mit dem besonderen Namen Joule) der Energie; $1\,\mathrm{Nm} = 1\,\mathrm{J} = 1\,\mathrm{Ws}$.

newtonsche Axiome ['nju:tn-], die drei von I. Newton aufgestellten Grundgesetze der klass. Mechanik: 1. Jeder Körper verharrt im Zustand der Ruhe oder der gleichförmig geradlinigen Bewegung, solange er nicht durch äußere Kräfte gezwungen wird, seinen Zustand zu ändern **(Trägheitsgesetz).** 2. Die Bewegungsänderung (Beschleunigung $\boldsymbol{a}$) eines Körpers der Masse m ist der einwirkenden Kraft $\boldsymbol{F}$ proportional und ihr gleichgerichtet: $\boldsymbol{F} = m \cdot \boldsymbol{a}$ **(dynam. Grundgesetz).** 3. Die von zwei Körpern aufeinander ausgeübten Kräfte sind gleich groß und entgegengerichtet (actio = reactio; **Wechselwirkungsgesetz, Reaktions-, Gegenwirkungsprinzip**). – Die n. A. definieren implizit den Begriff des Inertialsystems sowie die Vorstellungen von einem absoluten Raum und einer absoluten Zeit. Aus ihnen folgen der Impulssatz sowie (unmittelbar aus dem 2. Axiom) die newtonsche Bewegungsgleichung, allgemein auch für veränderl. Massen: $\boldsymbol{F} = \mathrm{d}(m\boldsymbol{v})/\mathrm{d}t$ ($\boldsymbol{v}$ Geschwindigkeit, t Zeit). Als »Lex quarta« formulierte Newton das **Superpositionsprinzip,** nach dem sich Körper, an die mehrere Kräfte angreifen, so bewegen, als wirke allein die vektorielle Summe der Einzelkräfte.

newtonsche Flüssigkeiten ['nju:tn-], → Fließen.

newtonsches Gravitationsgesetz ['nju:tn-], von I. Newton aus den keplerschen Gesetzen der Planetenbewegung abgeleitetes Gesetz für die Massenanziehung: Zwei Körper mit den Massen m_1 und m_2 im Abstand $\boldsymbol{r}$ ziehen sich mit der Kraft $\boldsymbol{F}$ an:

$$\boldsymbol{F} = G\,\frac{m_1 \cdot m_2}{r_2}\,\frac{\boldsymbol{r}}{r}$$

(Graviationskonstante $G = 6{,}672 \cdot 10^{-11}\,\mathrm{kg^{-1}m^3s^{-2}}$).

Isaac Newton: Gemälde des zeitgenössischen englischen Künstlers Godfrey Kneller (1689; London, Kensington Palace)

New Towns [nju: 'taʊnz] (Neue Städte), staatlich geplante neue Städte in Großbritannien und Nordirland. Zw. 1946 und 1973 wurden 31 N. T. gegründet oder ältere Städte für den weiteren Ausbau zu N. T. bestimmt. Bis zum Endausbau werden die N. T. staatlich verwaltet; sie sind wirtschaftlich eigenständig. Neben der Entlastung von Ballungszentren sollte v.a. eine Verbesserung der regionalen Siedlungs- und Wirtschaftsstruktur erreicht werden. Vergleichbare Siedlungstypen ent-

New York 2)

1

2

3

4

| **1** Im Börsensaal der New York Stock Exchange in der Wallstreet werden die Kundenaufträge nach dem Auktionsprinzip abgewickelt | **2** Blick auf einen Teil des mitten in der Stadt liegenden Central Parks | **3** Die tiefer gelegene Sunken Plaza mit der vergoldeten Bronzefigur eines Prometheus in einer Brunnenanlage liegt an der flaggengeschmückten Rockefeller Plaza | **4** Die 1883 vollendete Brooklynbrücke über den East River verbindet Lower Manhatten mit Brooklyn; im Hintergrund sind die Zwillingstürme des World Trade Center zu erkennen

standen in Dtl. (Eisenhüttenstadt, Espelkamp und Wolfsburg), in den Niederlanden (Lelystad), in Frankreich (Lille-Est, L'Isle d'Abeau bei Lyon, Le Vaudreuil bei Rouen sowie mehrere **Villes Nouvelles** im Raum von Paris), in Australien (Canberra), in Brasilien (Brasília) und in Indien (Chandigarh).

New York 1)
Flagge

New Wave [nju: 'weɪv, engl. »neue Welle«] *der,* Mitte der 1970er-Jahre in den USA auftretende Strömung innerhalb der Rockmusik mit sozialkrit. Tendenz und Ablehnung des üblichen starken Einsatzes techn. Mittel. Nach ihrem Vorbild entstand Anfang der 80er-Jahre die **Neue dt. Welle,** die mit originellen Texten (z. T. in Mundart) erstmals eine eigenständige, vom engl. und amerikan. Einfluss gelöste Rockmusik hervorbrachte.

New York [nju: 'jɔ:k], Abk. **N. Y., 1)** Abk. **N. Y.**, Bundesstaat im NO der USA, grenzt an Kanada, 127 190 km², (1995) 18,136 Mio. Ew.; Hptst. ist Albany, größte Stadt: N. Y. City. N. Y. erstreckt sich von der atlant. Küste über die Ausläufer der Alleghenies bis zum Hügelland am Erie- und Ontariosee und Sankt-Lorenz-Strom; Hauptfluss ist der Hudson River. N. Y. ist nach Kalifornien der bedeutendste Ind.- und Handelsstaat der USA; alle Ind.zweige sind vertreten. Bei der landwirtsch. Produktion überwiegen Vieh- und Milchwirtschaft. Anziehungspunkte für den bed. Fremden-

5

6

5 Das Gebäude der Vereinten Nationen am East River ist 38 Stockwerke hoch und wurde 1952 vollendet | 6 Der Innenraum des 1956–59 nach Plänen von Frank Lloyd Wright errichteten Guggenheim Museums wird durch die als Ausstellungsfläche genutzte spiralförmig emporgeführte Galerie bestimmt

verkehr sind v.a. die Stadt N. Y., die Niagarafälle und die Adirondacks. – Das Gebiet von N. Y. wurde seit 1614 von Niederländern besiedelt und bildete mit New Jersey die Kolonie Neuniederland; 1664 von den Engländern besetzt. 1788 trat N. Y. als 11. Staat der amerikan. Union bei.

2) (N. Y. City), größte Stadt der USA, im Staat N. Y., eine der größten Städte der Erde, 7,33 Mio. Ew., als Consolidated Metropolitan Statistical Area 19,796 Mio. Ew. mit den umliegenden Städten (in den Staaten N. Y., N. J. und Conn.). In der Bev. N. Y. sind alle rass., ethn. und religiösen Gruppen vertreten, darunter rd. 1,8 Mio. Schwarze (v.a. in Harlem im NO Manhattans), rd. 1,4 Mio. Hispanos und rd. 1,2 Mio. Juden. N. Y. liegt an der buchtenreichen Mündung des Hudson River auf mehreren Inseln und dem Festland. Das Stadtgebiet (781 km^2) ist in fünf Bezirke geteilt, von denen jeder einer County des Staates N. Y. entspricht: Manhattan (N. Y. Cty.), Bronx (Bronx Cty.), Brooklyn (Kings Cty.), Queens (Queens Cty.), Richmond (Richmond Cty.).

Stadtbild: Den Kern bildet Manhattan auf der gleichnamigen Insel mit seiner weltweit zum Wahrzeichen der Stadt gewordenen Skyline; im S von Manhattan das Hauptgeschäftsviertel mit dem Banken- und Börsenzentrum Wallstreet (Sitz der New York Stock Exchange), dem UNO-Gebäude, vielen Geschäftshochhäusern, dem World Trade Center (1966–73) mit 412 m hohen Doppeltürmen, dem →Empire State Building (1931) und dem Rockefeller Center (1931–40). Im N ein rechtwinklig angelegtes Straßennetz mit Längsstraßen (Avenues), Querstraßen (Streets) und dem 350 ha großen Central Park. Durch ganz Manhattan führt als Hauptverkehrsader der 30 km lange Broadway, der als Great White Way durch N. Y. Vergnügungs- und Theaterzentrum weiterführt. Zahlr. große Brücken verbinden Manhattan mit den Nachbarstadtteilen Bronx, Queens und Brooklyn, über den East River die Brooklynbrücke (1 800 m) und die Manhattanbrücke (2 060 m). Über den Hudson River führt im N die George-Washington-Brücke (1 068 m). Mehrere Tunnel führen unter East River und Hudson River hindurch. Vor der Südspitze Manhattans liegen die Inseln Liberty Island mit der →Freiheitsstatue (1886; von der UNESCO zum Weltkulturerbe erklärt; BILD Bartholdi), Ellis Island und Governor's Island in der Inneren Bucht (Upper Bay). Diese ist durch eine 2 km breite Enge zw. den Inseln Long Island und Staten Island, über die die Verrazano Narrows Bridge (4 170 m) führt, mit der Äußeren Bucht (Lower Bay) und dem Ozean verbunden.

An Bildungseinrichtungen besitzt N. Y. mehrere Univ., von denen die Columbia University (gegr. 1754) und die City University of N. Y. (gegr. 1847) die bedeutendsten sind, zahlr. Büchereien (N. Y. Public Library, Brooklyn Public Library), wiss. Gesellschaften; die größten Museen sind das →Metropolitan Museum of Art, das Museum of Modern Art, das Guggenheim-Museum und das American Museum of Natural History. Das bedeutendste Theater ist die →Metropolitan Opera im →Lincoln Center for the Performing Arts (BILD Harrison), weiterer kultureller Mittelpunkt die Carnegie Hall (Konzerthalle). N. Y. ist kath. und grch.-orth. Erzbischofssitz sowie Sitz vieler kirchl. Organisationen.

Im Wirtschaftsleben Amerikas und der Welt hat N. Y. als Ind.-, Handels- und Finanzmittelpunkt

New York 2)
Stadtwappen

eine führende Stellung. Wichtigste Ind. sind Bekleidungsgewerbe, Druck-, elektrotechn. und chem. Ind., Fahrzeugbau. Die Schifffahrt, einst einer der wichtigsten Wirtschaftszweige, geht im Stadtgebiet seit Jahren zurück; viele der Hafenanlagen an N. Y. »Waterfront« (930 km) sind verfallen, da die einst bed. Passagierschifffahrt nahezu ganz eingestellt wurde; einen großen Teil des Frachtverkehrs übernahmen die modernen Containerverladeanlagen des in New Jersey gelegenen Teils des »Port of New York«. Großflughäfen sind La Guardia und Newark sowie J. F. Kennedy International Airport im S von Queens.

Geschichte: Die Stadt wurde 1626 als niederländ. Handelsstation (Fort) **Neu-Amsterdam** an der Spitze der Granitinsel Manhattan gegr. und zur Hptst. der Kolonie Neuniederland erhoben; 1664 von engl. Kolonisten erobert und in N. Y. umbenannt; 1785–90 Sitz der Bundesreg. und bis 1797 Hptst. des Staates N. Y.; entwickelte sich im 19. Jh. zur führenden Metropole der USA.

Michel Ney, Herzog von Elchingen (Ausschnitt eines zeitgenössischen Kupferstichs)

📖 *Die Janusgesichter des Booms. Strukturwandel der Stadtregionen N. Y. u. Boston, hg. v.* U. BECKER *u.* A. SCHOEN. *Hamburg 1989. – Manhattan, die Architektur einer Metropole, bearb. v.* D. M. REYNOLDS. *A. d. Engl. Hamburg 1989. – N. Y. Strukturen einer Metropole, hg. v.* H. HÄUSSERMANN *u.* W. SIEBEL. *Frankfurt am Main ²1994.* – WILDNER, K.: *N. Y. City. Kulturelle Identitäten in einer westl. Metropole. Münster u. a. 1994. – N. Y., Texte v.* C. METZGER. *Würzburg 1996.*

New York Five, The [ðə 'nju:jɔ:k 'faɪv], Gruppe amerikan. Architekten, die sich 1969 in New York in einer Ausstellung vorstellten: P. D. Eisenman, Michael Graves (*1934), Charles Gwathmey (*1938), John Hejduk (*1929) und R. A. Meier. Sie knüpften an den Rationalismus der 20er-Jahre, v. a. an die Frühwerke Le Corbusiers, an.

New York Philharmonic Orchestra ['nju:jɔ:k fɪlɑ:'mɔnɪk 'ɔ:kɪstrə], ältestes Orchester der USA, 1842 gegr. als »Philharmonic Symphony Society of New York«. Frühere bed. Dirigenten waren u. a. W. Damrosch, A. Toscanini, J. Barbirolli, B. Walter, L. Stokowski, D. Mitropoulos, L. Bernstein, P. Boulez, Z. Mehta. Chefdirigent ist seit 1991 K. Masur.

Vítězslav Nezval

New York State Barge Canal ['nju:jɔ:k 'steɪt 'bɑ:dʒ kə'næl], Wasserstraßensystem des Staates New York, USA, das den Hudson River mit dem Sankt-Lorenz-Strom, den Großen Seen und den Finger Lakes verbindet; Gesamtlänge 845 km, erbaut 1905–18; Hauptteile sind der vom Niagara River abzweigende Eriekanal (→ Erie), der Champlainkanal, der Oswegookanal (zw. Eriekanal bei Syracuse und Ontariosee) und der Cayuga-Seneca-Kanal (vom Eriekanal zu den Finger Lakes).

New York Stock Exchange ['nju:jɔ:k 'stɔk ɪks'tʃeɪndʒ], Abk. **NYSE,** zentrale Wertpapierbörse der USA und größte Börse der Welt, gegr. 1792; Träger ist ein privatrechtl. Verein, dem v. a. Broker (Börsenmakler) und Dealer (Börsenhändler) angehören. Die Börse untersteht seit 1934 der Staatsaufsicht durch die Securities and Exchange Commission (SEC). An der NYSE wird der → Dow-Jones-Aktienindex ermittelt. BILD New York

New York Times, The [ðə 'nju:jɔ:k 'taɪmz], amerikan. Tageszeitung, gegr. 1851, deren Verlag (Mehrheitseigner: Familie Sulzberger) u. a. auch »The Boston Globe« und »International Herald Tribune« (50 %) gehört.

New Zealand [nju: 'zi:lənd], → Neuseeland.

Nexus [lat.] *der,* Verbindung, Zusammenhang.

Ney, 1) Elly, Pianistin, *Düsseldorf 27. 9. 1882, †Tutzing 31. 3. 1968; international bekannte Interpretin v. a. der Klavierwerke Beethovens.

2) [nɛ], Michel, Herzog von Elchingen (seit 1808), Fürst von der Moskwa (seit 1813), frz. Marschall, *Saarlouis 10. 1. 1769, †Paris 7. 12. 1815; seit 1796 Brigadegeneral, trug durch seinen Sieg bei Elchingen (1805) entscheidend zur Kapitulation der Österreicher in Ulm bei, tat sich 1812 bes. in der Schlacht bei Borodino hervor. Ludwig XVIII. ernannte ihn 1814 zum Pair; 1815 schloss er sich wieder Napoleon I. an. Nach Rückkehr der Bourbonen wurde er als Hochverräter erschossen.

Nezval ['nɛzval], Vítězslav, tschech. Schriftsteller, *Biskupovice (bei Třebíč, Südmähr. Gebiet) 26. 5. 1900, †Prag 6. 5. 1958; Mitgl. der avantgardist. Gruppe »Devětsil«, vertrat den Poetismus in der tschech. Literatur, dann surrealist. Lyriker und Dramatiker, später Tendenz zu patriot. Dichtung.

NF, Abk. für → **N**iederfrequenz.

Ngamiland, Landschaft in NW-Botswana, eine Trockensavanne mit dem Okawangobecken, an dessen S-Ende der **Ngamisee,** ein fischreiches Sumpfgebiet, 65 km lang, 6–13 km breit (episodisch mit Wasser gefüllt).

NGC, Abk. engl. für **N**ew **G**eneral **C**atalogue of Nebulae and Clusters of Stars, 1888 von dem dän. Astronomen J. L. E. Dreyer (*1852, †1926) veröffentlichter Katalog von Nebeln und Sternhaufen, der etwa 8 000 Objekte enthält; 1895 und 1908 durch zwei »Index-Kataloge« **(IC I** und **IC II)** mit 5 000 weiteren Objekten ergänzt. – Der NGC ist v. a. unter Fachastronomen verbreitet, während Amateurastronomen meist die Bezeichnungen des → Messier-Katalogs verwenden.

NGO, Abk. für engl. **N**on-**g**overnmental **o**rganization (→ Nichtregierungsorganisation).

Ngo Dinh Diem [ŋo diɲ ziəm], vietnames. Politiker, *Quang Binh (Annam) 3. 1. 1901, †Saigon 2. 11. 1963; ab 1954 MinPräs. von Süd-Vietnam, rief nach Absetzung des Kaisers Bao Dai 1955 die Republik aus und wurde Staatspräs.; errichtete mit

Niagarafälle: Die American Falls (im Vordergrund links) sind 51 m hoch und 350 m breit; die Horseshoe Falls am kanadischen Ufer des Niagara River (im Hintergrund) sind 49 m hoch und 790 m breit

amerikan. Hilfe und gestützt auf die kath. Minderheit des Landes eine Familiendiktatur; durch Militärputsch gestürzt und ermordet.

Ngorongorokrater, Caldera in N-Tansania, mit 250 km² Fläche und 22 km Durchmesser einer der größten Vulkankrater der Erde. Die Wände ragen etwa 600 m über den mit Gras bedeckten, 1750 m ü. M. gelegenen Kraterboden auf; das Naturschutzgebiet Ngorongoro ist Zentrum eines Wildreservats und wurde von der UNESCO zum Welterbe erklärt.

Ngugi wa Thiong'o, eigtl. James Thiong'o Ngugi, kenian. Schriftsteller, *Kamiriithu (bei Nairobi) 5. 1. 1938; einer der bekanntesten Autoren Schwarzafrikas; lebt seit 1982 im Exil in London. Er schreibt in engl. Sprache und in seiner Muttersprache Kikuyu v. a. Romane, die sich mit der Geschichte der Mau-Mau-Bewegung sowie den aktuellen Konflikten in Kenia auseinander setzen (»Abschied von der Nacht«, 1964; »Der Fluß dazwischen«, 1965; »Der gekreuzigte Teufel«, 1982; »Matigari«, 1989); auch Vertreter des Agitationstheaters.

Nguni, sprachverwandte Gruppe von Bantuvölkern in der Rep. Südafrika, in Simbabwe und Sambia; etwa 16 Mio. Angehörige.

Nguyen Van Thieu [ŋu̯iən va̯in θiəu̯], vietnames. General und Politiker, *Phan Rang (Prov. Thuan Hai) 5. 4. 1923; 1963 in Süd-Vietnam führend am Putsch gegen Präs. Ngo Dinh Diem beteiligt, wurde 1965 Vors. des Nat. Verteidigungsrates (Staatsoberhaupt). 1967–75 war er Staatspräs., ging nach dem militär. Zusammenbruch Süd-Vietnams (1975) ins Exil.

N. H., Abk. für den Bundesstaat **N**ew **H**ampshire, USA.

Nha Trang [ɲa traŋ], Stadt im südl. Teil von Vietnam, Hafen am Südchines. Meer, 213 700 Ew.; Marineakademie, Luftfahrtschule; Fischerei, Salzgewinnung.

Ni, chem. Symbol für →Nickel.

Niacin *das,* →Nicotinsäure.

Niagarafälle [indianisch »donnerndes Wasser«] (engl. Niagara Falls), die Wasserfälle des **Niagara River** (55 km lang), der Erie- und Ontariosee verbindet, an der Grenze zw. Kanada und den USA; am kanad. Ufer die **Hufeisenfälle (Horseshoe Falls),** 790 m breit, 49 m hoch, am rechten Ufer die **Amerikan. Fälle (American Falls),** 350 m breit, 51 m hoch; Kraftwerke. Die N. sind jährlich Ziel von Millionen Touristen. – Zur Umgehung der N. wurde der Wellandkanal erbaut.

Niagara Falls [naɪˈægərə ˈfɔːlz], **1)** Stadt im Staat New York, USA, am O-Ufer der Niagarafälle, mit der gegenüberliegenden gleichnamigen kanad. Stadt durch drei Brücken verbunden, 64 400 Ew.; Univ.; Wasserkraftwerke, elektrometallurg., elektrochem., Raumfahrtind.; Fremdenverkehr.

2) Stadt in der kanad. Prov. Ontario, gegenüber von 1), 72 100 Ew.; Wasserkraftwerke, chem. u. a. Industrie.

Ngugi wa Thiong'o

Niamey [njaˈmɛ], Hauptstadt der Rep. Niger, am Niger, 570 000 Ew.; Univ.; Wirtschafts- und Handelszentrum des Landes, Lebensmittel-, Textil-, Kunststoff-, Holzindustrie; Straßenknotenpunkt, Hafen, internat. Flughafen. – N. wurde als frz. Militärposten in der Nähe älterer Dörfer gegründet, seit 1926 Hptst. von Niger.

Niagarafälle

In der Nacht auf den 29. März 1848 schreckten die Anwohner der Niagarafälle aus dem Schlaf. Was hatte sie geweckt?

Stille! Das Getöse der riesigen Wasserfälle war plötzlich nicht mehr zu hören. Im Schein der Laternen entdeckte man, dass das gesamte Flussbett ausgetrocknet war. Wie sich später herausstellte, hatte sich an der Mündung des Eriesees in den Niagarafluss durch Wind und Strömung ein gewaltiger Damm aus Eisschollen aufgetürmt, der das Abfließen des Wassers verhinderte.

Niari ['njari], Fluss im Süden der Rep. Kongo, 700 km lang, entspringt auf der Niederguineaschwelle, im Oberlauf **Ndouo,** im Unterlauf **Kouilou** genannt, mündet 50 km nördlich von Pointe-Noire in den Atlant. Ozean. Das Tal des mittleren N. ist bed. Landwirtschaftsgebiet (Zuckerrohr, Ölpalmen, Bananen, Kaffee).

Nibelungenlied

Kein anderes mittelalterliches Werk fand so breite Resonanz in Form von Übersetzungen und künstlerischen Neugestaltungen, bei kaum einer anderen Dichtung scheinen Forschungs-, Wirkungs- und Ideologiegeschichte so eng verknüpft wie beim »Nibelungenlied«. Wurde es nach seiner Wiederentdeckung in der zweiten Hälfte des 18. Jahrhunderts zunächst als Gegenstück zu den homerischen Epen gesehen, stilisierte man es ab der Romantik zum »deutschen Nationalepos« und Zeugnis einer ruhmreichen Vergangenheit. Die nach 1848 bis in die Zeit des Nationalsozialismus zunehmend chauvinistische Vereinnahmung konzentrierte sich auf die Freilegung vermeintlich germanischer Wertbegriffe wie »Heldentum«, »Rache«, »Schicksal« und »Treue«. Erst die allgemeine »Ernüchterung« nach 1945 öffnete wieder den Blick auf das Nibelungenlied als Dichtung des beginnenden 13. Jahrhunderts, in der es nicht um eine Verherrlichung der Treue angesichts eines blind waltenden Schicksals, sondern um Untreue, Verrat und eine Verkettung tragischer Fehlentscheidungen gegangen war.

Nịas, indones. Insel westlich von Sumatra, 4772 km^2, 470000 Ew., Hauptort und -hafen ist Gunungsitoli; Steinsäulen und -särge sind Zeugen einer alten Megalithkultur; Kunsthandwerk.

Niaux [njo], Gemeinde im Dép. Ariège, Frankreich. – Bei N. wurden Höhlen mit altsteinzeitl. Wandmalereien (Friese mit Wildpferden, Steinböcken, Wisenten u. a.) und Fundschichten des Magdalénien, die Kleinkunstwerke mit Tiergravierungen (Höhlenlöwe, Saiga-Antilope) enthielten, entdeckt.

Nibble [nɪbl, engl.] *das, Datenverarbeitung:* Bez. für die Hälfte eines Bytes, d. h. eine Gruppe von vier Bits.

Nịbelungen [verwandt mit Nebel], german. Name für a) die dämon. Besitzer eines großen Horts, der von dem Zwerg Alberich behütet wird, b) die Burgunden, Volksstamm am Rhein. Nach dem Nibelungenlied geht nach Siegfrieds Ermordung der Goldhort **(N.-Hort),** den Siegfried den elbischen N. abgewann, an die Burgundenkönige über, die nun selbst N. genannt werden.

Nibelungenlied

Die schöne Königstochter Kriemhild, deretwegen viele Männer ihr Leben lassen mussten, wird in dieser Passage des Nibelungenliedes beschrieben:

»Ez wuohs in Burgonden /
ein vil edel magedîn,
daz in allen landen /
niht schoeners mohte sîn;
Kriemhilt geheizen /
si wart eine schoene wîp
dar umbe muosen degene /
vil verliesen den lîp.«

Nịbelungenlied, mhd. Heldenepos eines namentlich nicht bekannten Dichters um 1200 im Donaugebiet, das in 39 »Aventiuren« in der Form der →Nibelungenstrophe von Siegfrieds Werbung um die burgund. Königstochter Kriemhild und der Gewinnung Brünhilds für König Gunther, der Vermählung beider Paare, von Siegfrieds Ermordung durch Hagen und von Kriemhilds Rache mithilfe des hunn. Königs Etzel (Attila) berichtet. Das N. gliedert sich in zwei urspr. selbstständige Teile: die Siegfried-Brünhild-Kriemhild-Handlung und den Burgundenuntergang; dem zweiten Teil liegen geschichtl. Ereignisse zugrunde: die Vernichtung der Burgunden am Rhein durch die Hunnen 436 oder 437 und der Tod Attilas 453. – Von der Beliebtheit des N. zeugen 35 Handschriften (Fragmente) aus dem 13. bis zum frühen 16. Jh. Sie repräsentieren zwei Hauptfassungen: die »Nôt«-Fassung, vertreten durch die Handschrift A (Hohenems-Münchener Handschrift; 2316 Strophen) und die Handschrift B (St.-Galler Handschrift; 2376 Strophen), sowie die »Liet«-Fassung, vertreten durch die Handschrift C (Hohenems-Laßbergische oder Donaueschinger Handschrift; 2442 Strophen) mit einer deutlich höf. Tendenz. – Das N. wurde 1755 von J. H. Obereit (*1725, †1798) wieder entdeckt, 1757 von J. J. Bodmer teilweise und 1782 von C. H. Müller (*1740, †1807) vollständig publiziert. Neuere Behandlungen des Stoffes von W. Jordan, Hans Sachs, F. de la Motte-Fouqué, E. Raupach, E. Geibel, F. Hebbel, P. Ernst, M. Mell, F. Fühmann; Opernwerk (»Ring des Nibelungen«) von R. Wagner.

🕮 HOFFMANN, W.: *Das N. Stuttgart u. a. ^{6}1992.* – HÄRD, J. E.: *Das Nibelungenepos. Wertung u. Wirkung von der Romantik bis zur Gegenwart. A. d. Schwed. Tübingen u. a. 1996.* – HEINZLE, J.: *Das N. Eine Einführung. Neuausg. Frankfurt am Main 5.–6. Tsd. 1996.*

Nịbelungenstrophe, Strophenform des Nibelungenlieds; besteht aus vier paarweise reimenden Langzeilen; die Anverse haben vier Hebungen, wobei die vierte Hebung v. a. auf eine nebentonige Silbe fällt (klingende Kadenz) und nur gelegentlich auf eine betonte (volle Kadenz). Die ersten drei Abverse bestehen aus drei Hebungen, der letzte Abvers aus vier, ganz überwiegend mit Ausgang auf betonter Silbe.

NIC, Abk. für **N**ewly **i**ndustrializing **c**ountries (→Schwellenländer).

Nicaea [-'ɛ:a], das antike →Nikaia.

Nicä̲nisches Glaubensbekenntnis (lat. Symbolum Nicaenum), das in Nicaea (Nikaia) 325 be-

Nicaragua

Fläche: 130 000 km²
Einwohner: (1995) 4,433 Mio.
Hauptstadt: Managua
Verwaltungsgliederung: 16 Departamentos
Amtssprache: Spanisch
Nationalfeiertag: 15. 9.
Währung: 1 Córdoba (C$) = 100 Centavos (c,cts)
Zeitzone: MEZ −7 Std.

schlossene, gegen den Arianismus gerichtete Glaubensbekenntnis; später durch eine erweiterte Fassung (381 in Konstantinopel beschlossen), das **Nicänisch-Konstantinopolitanische Glaubensbekenntnis** (lat. **Symbolum Nicaeno-Constantinopolitanum**), abgelöst, die im Abendland mit dem von Karl d. Gr. geforderten Zusatz des →filioque in die Liturgie der Messe einging.

Niaux: Das altsteinzeitliche Felsbild in der Höhle bei Niaux zeigt einen verwundeten Wisent (um 12 000 v. Chr.)

Nicaragua (auch Nikaragua, amtlich span. República de N.), Staat in Zentralamerika zw. Pazifik und Karib. Meer, grenzt im N an Honduras, im S an Costa Rica.

Staat und Recht: Nach der Verf. von 1987 ist N. eine präsidiale Rep. mit Mehrparteiensystem. Staatsoberhaupt, oberster Inhaber der Exekutive (Reg.chef) und Oberbefehlshaber der Streitkräfte ist der auf sechs Jahre direkt gewählte Präsident. Die Legislative liegt bei der Nationalversammlung (92 Abg., auf sechs Jahre gewählt). Einflussreichste Parteien: Nat. Oppositionsunion (UNO, ein aus 14 Parteien bestehendes Bündnis), Sandinist. Front der Nat. Befreiung (FSLN).

Landesnatur: N. liegt zw. dem Karib. Meer und dem Pazifik. Das Innere ist größtenteils Bergland (bis 2 100 m ü. M.) mit z. T. noch tätigen Vulkanen; Erdbeben sind häufig. Entlang der pazif. Küste verläuft von der Fonsecabucht nach SO eine Senke mit dem Managua- und dem N.-See. Der N.-See ist mit 8 264 km² der größte See Zentralamerikas; über 400 Inseln, die größte, Ometepe, besteht aus zwei Vulkanen (Concepción, 1 610 m, und Maderas, 1 394 m). Im O erstreckt sich ein ausgedehntes, wenig erschlossenes Tiefland mit der Mosquitoküste. Die Temperaturen des trop. Klimas werden von der Höhenlage bestimmt.

Bevölkerung: 69 % der Gesamtbev. sind Mestizen, 17 % Weiße, 9 % Schwarze (einschl. Mulatten und Zambos), 5 % Indianer. Etwa 70 % der überwiegend kath. Bev. leben an der pazif. Küste. Allg. Schulpflicht besteht vom 8. bis 13. Lebensjahr. Es gibt fünf Univ., darunter die Univ. in Léon (gegr. 1812) und Managua (gegr. 1961).

Wirtschaft, Verkehr: Seit Mitte der 1980er-Jahre befindet sich N. in einer schweren Wirtschaftskrise. Ursachen sind bes. der langjährige Bürgerkrieg, die Einstellung der Wirtschaftshilfe durch die USA 1980–90 und das 1985 verfügte Handelsembargo (bis 1979 gingen rd. 80–90 % der Exporte in die USA), ein hohes Verteidigungsbudget sowie das gescheiterte Wirtschaftsmodell der sandinist. Regierung. Die neue Reg. (1990) verfolgt einen marktwirtsch. Kurs mit Reprivatisierung von Staatsbetrieben, Förderung von exportorientierter Landwirtschaft und Bekämpfung der Hyperinflation. – Die Landwirtschaft ist führender Wirtschaftszweig. Im pazif. Küstenland werden Baumwolle, Zuckerrohr und Bananen kultiviert. Im zentralen Bergland gibt es Kaffeeplantagen. An der karib. Küste wurden erst in neuerer Zeit Reis-, Bananen-, Zuckerrohr- und Kakaopflanzungen angelegt. Bei der Viehhaltung dominiert die Rinderzucht. Die in bäuerl. Kleinbetrieben angebauten Grundnahrungsmittel decken nicht den Eigenbedarf. Durch jahrelangen Raubbau sind die wertvollen Holzbestände (Mahagoni, Zedern, Rosenholz) weitgehend erschöpft. Im Karib. Meer werden vorwiegend für den Export Krabben und Langusten gefischt. Die reichen Bodenschätze sind erst wenig erschlossen, gewonnen werden Gold,

Staatswappen

NIC

Internationales Kfz-Kennzeichen

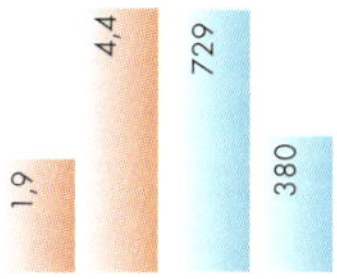

Bevölkerung (in Mio.)
Bruttosozialprodukt je Ew. (in US-$)

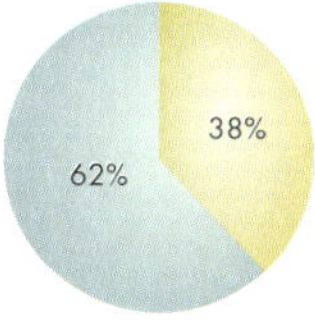

Bevölkerungsverteilung 1995

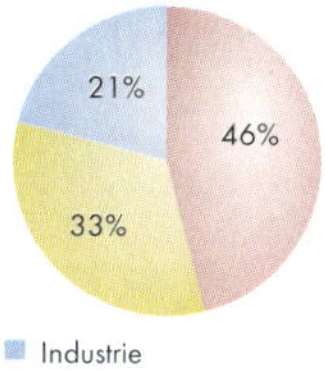

Bruttoinlandsprodukt 1995

Nicaragua: Blick über den Nicaraguasee auf die Insel Ometepe mit dem 1610 m hohen, aktiven Vulkan Concepción

Augusto Sandino

Anastasio Somoza Debayle

Daniel Ortega Saavedra

Silber, Kupfererze. Die Ind. verarbeitet v. a. landwirtsch. Erzeugnisse, daneben werden Textilien, Leder-, Metallwaren und Arzneimittel hergestellt. Die Außenhandelsbilanz ist defizitär. Wichtige Ausfuhrprodukte sind Kaffee (38 %), Baumwolle, Fleisch, Zucker, Holz, Garnelen und Langusten, Bananen und Edelmetalle. – Das Land ist mit rd. 15 000 km Straßen (davon 384 km Carretera Panamericana) noch unzureichend erschlossen. Die Eisenbahn wurde 1994 stillgelegt. Die wichtigsten Häfen am Pazifik sind Corinto, Puerto Sandino und San Juan del Sur, am Karib. Meer El Bluff und Puerto Cabezas; internationaler Flughafen bei Managua.

Geschichte: Das Land wurde 1502 von Kolumbus entdeckt, 1522 von den Spaniern erobert, seit 1524 gehörte es zum Generalkapitanat Guatemala. Die Unabhängigkeitsbewegung begann 1821, 1823–38 war N. Teil der Zentralamerikan. Föderation. Für die aufstrebenden USA, die hier ein Kanalprojekt mit Durchstich zum Pazifik verfolgten, erlangte N. strateg. Bedeutung. Als selbstständige Rep. wurde N. von den Unabhängigkeitsbestrebungen der Misquito-Indianer und von den ständigen Machtkämpfen zw. Liberalen und Konservativen erschüttert. Seit 1893 regierte der Liberale J. Santos Zelaya. Er unterwarf die Misquito, erschloss das Land wirtsch., geriet aber in Gegensatz zu den Nachbarländern und v. a. zu den USA, die 1909 seinen Sturz bewirkten. 1912–32 sicherten die USA ihre Interessen in N. durch militär. Besetzung, die seit 1927 von einer nat. Befreiungsbewegung unter A. C. Sandino bekämpft wurde. Nach Abzug der US-Truppen gewann General A. Somoza García rasch an Einfluss; mit seiner Familie beherrschte er das Land nach seiner Wahl zum Präs. von 1936 bis zu seiner Ermordung 1956 (mit Ausnahme der Jahre 1946–50); 1956–63 war sein Sohn L. Somoza Debayle Präs., ihm folgte dessen Privatsekretär R. Schick Gutiérrez. 1967 ließ sich A. Somoza Debayle zum Präs. wählen; um seine Macht zu behaupten, ließ er 1974 eine neue Verf. in Kraft setzen. Seit 1962 bekämpfte die linksgerichtete →Sandinistische Nationale Befreiungsfront (FSLN) die Diktatur Somozas. Nach der Ermordung des Oppositionspolitikers P. J. Chamorro am 10. 1. 1978 kam es zum offenen Aufstand, der in einen Bürgerkrieg mündete. Im Juli 1979 wurde Somoza von der FSLN vertrieben. Die unterschiedl. Oppositionsgruppen arbeiteten zunächst in der »Junta des Wiederaufbaus« zusammen, ihr »Koordinator« und Oberbefehlshaber der Armee wurde D. Ortega Saavedra (FSLN). Die Sandinisten unterdrückten bald den Einfluss anderer Gruppierungen und verfolgten einen sozialist. Kurs (u. a. Verstaatlichungen, Agrarreform, Bildungs- und Sozialreform). Wirtsch. Hilfe erhielten sie bes. von der Sowjetunion und der DDR, in der Außenpolitik orientierte sich N. an den blockfreien Staaten. Ab 1981 organisierte sich von Honduras aus eine bewaffnete rechtsgerichtete Opposition, die »Contras«, die von den USA unterstützt wurden. Bürgerkrieg und zunehmende wirtsch. Schwierigkeiten (Handelsembargo der USA) zwangen Ortega nach internat. Vermittlung zu Zugeständnissen und zur Einleitung eines Demokratisierungs- und Versöhnungsprozesses. Im Febr. 1990 fanden allg. Wahlen statt, die Violeta Chamorro als Kandidatin der konservativen »Nat. Oppositionsunion« (span. Abk. UNO) gewann. Ihre Regierung bemühte sich um

Nicaragua: Der liberale Präsidentschaftskandidat Arnoldo Alemán Lacayo (rechts) winkt während des Wahlkampfs im Oktober 1996 seinen Parteianhängern in Masaya zu

Abbau der sandinist. Armee sowie um Entwaffnung und Wiedereingliederung der »Contras«. Im Juli 1990 kam es zu einer breiten Streikwelle gegen Massenentlassungen, Subventionsabbau und und Privatisierungsmaßnahmen. Im Aug. 1990 und Jan. 1993 führte die Regierung eine Währungsreform durch. Nach der Spaltung des Reg.bündnisses im Jan. 1993 war Präs. Chamorro auf die Zusammenarbeit mit den Sandinisten angewiesen. Vor diesem Hintergrund kam es zu Aufständen, die jedoch von den Reg.truppen niedergeschlagen wurden. 1994/95 belastete ein Verf.konflikt zw. Parlament und dem Obersten Gericht die Innenpolitik. Gestützt auf ein Parteienbündnis »Liberale Allianz« (AL) siegte bei den Präsidentschaftswahlen im Oktober 1996 A. Alemán Lacayo (Amtsantritt: Jan. 1997) über D. Ortega Saavedra.

📖 GABRIEL, L.: *Aufstand der Kulturen. Konfliktregion Zentralamerika: Guatemala, El Salvador, N. Neuausg. München 1988.* – WEBER, I. *u.* WIEBUS, H.-O.: *N. Köln 1990.* – MEIER, WOLFGANG: *Problematik sozialrevolutionärer Regime in der »dritten Welt«. Eine vergleichende Betrachtung der Entwicklungen in Guinea-Bissau (1974–1990) u. N. (1979–1990). Marburg 1993.*

nicaraguanische Literatur, →lateinamerikanische Literaturen.

Niccodemi, Dario, italien. Dramatiker, *Livorno 27. 1. 1874, †Rom 24. 9. 1934; schrieb bühnenwirksame realist. Schauspiele, u.a. »Scampolo« (1915), »La madonna« (1927).

Nice [nis], frz. Name von →Nizza.

Nicholas ['nɪkələs], Al[bert], amerikan. Jazzklarinettist, *New Orleans (La.) 27. 5. 1900, †Basel 3. 9. 1973; wirkte seit 1919 in versch. Gruppen in New Orleans (u.a. bei J. »King« Oliver und K. Ory), später v.a. in Chicago und New York (bei C. Webb, L. Armstrong); lebte seit 1953 in Europa; galt als herausragender Vertreter der »frz.« New-Orleans-Spielweise.

Nichols ['nɪklz], Red, eigtl. Ernest Loring N., amerikan. Jazztrompeter und Orchesterleiter, *Ogden (Utah) 8. 5. 1905, †Las Vegas (Nev.) 28. 6. 1965; kam 1923 nach New York. Seiner 1926 gegr. Band »Five Pennys« gehörten zeitweise u.a. B. Goodman, J. Dorsey, G. Krupa und G. Miller an.

Albert Nicholas

Nicholson ['nɪklsn], **1)** Ben, brit. Maler und Grafiker, *Denham (Cty. Buckinghamshire) 10. 4. 1894, †London 6. 2. 1982; ⚭ 1932–51 mit Barbara Hepworth; beeinflusst von P. Picasso, P. Mondrian und dem Neoplastizismus; gestaltete Landschaften und Stillleben, deren Umrisse er mit sich durchschneidenden Linien wiedergab und auf eine Bildebene ohne Tiefenillusion hob; auch Reliefs.

2) Jack, amerikan. Filmschauspieler, *Neptune (N. Y.) 22. 4. 1937; internat. Star durch Filme wie »Easy Rider« (1969), »Chinatown« (1974), »Einer flog über das Kuckucksnest« (1976), »Wenn der Postmann zweimal klingelt« (1980), »Batman« (1989), »Eine Frage der Ehre« (1991), »Wolf – Das Tier im Manne« (1994), »The Crossing Guard« (1994), »Besser geht's nicht« (1997).

Jack Nicholson

Nicht|angriffspakt, zwischenstaatl. Vertrag, der die Partner verpflichtet, sich über alle Streitfragen zu verständigen und keine Gewaltmittel einzusetzen.

Ben Nicholson: »Kontrapunkt« (1953; London, Collection Arts Council of Great Britain)

nicht|eheliche Kinder (außereheliche Kinder), Kinder, die nicht einer rechtsgültigen Ehe entstammen, also bes. die Kinder einer unverheirateten Frau, Kinder aus einer nichtehel. Lebensgemeinschaft sowie Kinder, deren Ehelichkeit wirksam angefochten worden ist. Lange Zeit waren n. K. rechtlich diskriminiert. Eine wesentl. Besserstellung brachte das Ges. vom 19. 8. 1969, wonach

n. K. die gleichen Rechte wie ehel. Kinder erhielten: Sie stehen fortan unter der elterl. Sorge der Mutter und erhalten deren Familiennamen; im Verhältnis zur Mutter und deren Verwandten haben n. K. grundsätzlich die Stellung von ehelichen Kindern; die Vaterschaft wird durch Anerkennung oder gerichtliche Entscheidung festgestellt (§§ 1600 a ff. BGB), Vater und Kind sind miteinander verwandt. Der Vater kann dem Kind mit dessen und der Mutter Einwilligung seinen Namen erteilen. Bis zur Erlangung einer selbstständigen Lebensstellung hat er dem Kind unter Berücksichtigung der Verhältnisse beider Eltern Unterhalt zu leisten, bis zur Volljährigkeit jedoch mindestens den gesetzl. Regelunterhalt.

Das Recht blieb jedoch weiter vom Leitbild der bürgerl. Ehe als dem Rahmen für das Heranwachsen des Nachwuchses geprägt und wies, bes. in Bezug auf das nichtehel. Vater-Kind-Verhältnis, Eigentümlichkeiten auf. Auch angesichts zahlreicher nichtehel. Lebensgemeinschaften, die sich einerseits gegen die Ehe, andererseits für gemeinsame Kinder entscheiden, wurde das geltende Recht als reformbedürftig angesehen. Das Kindschaftsreform-Ges. vom 16. 12. 1997, in Kraft seit 1. 7. 1998, soll diesen Bedürfnissen Rechnung tragen. Eltern, die nicht miteinander verheiratet sind, können durch öffentlich beurkundete »Sorgeerklärungen« gemeinsam das Sorgerecht für ihr Kind erlangen. Stimmt die Kindesmutter aber nicht zu, bleibt sie alleine sorgeberechtigt. Die Amtspflegschaft für n. K. entfällt. Das volljährige n. K. hat einen Anspruch auf Kenntnis seines leibl. Vaters, es kann innerhalb bestimmter Fristen die Vaterschaft anfechten. Während n. K. bisher bereits ihren Vater nach allgemeinen Regeln beerbten, dabei aber auf einen →Erbersatzanspruch verwiesen waren, sind sie nun ehel. Kindern erbrechtlich voll gleichgestellt.

In *Österreich* sind die n. K. seit In-Kraft-Treten des Bundes-Ges. über die Neuordnung der Rechtsstellung des unehel. Kindes von 1970 den ehel. Kindern hinsichtlich Unterhalt und Erziehung weitgehend gleichgestellt. Das *schweizer.* Recht unterscheidet terminologisch nicht mehr zw. ehel. Kindern und n. K. (Art. 252 ff. ZGB). In Bezug auf Unterhaltsansprüche und Erbrecht sind ehel. und n. K. gleichgestellt.

Nicht|einmischung, *Völkerrecht:* Pflicht eines Staates, sich Eingriffen in die inneren Angelegenheiten eines anderen Staates zu enthalten. Dies gilt auch für die UN, mit Ausnahme von beschlossenen Maßnahmen bei Bedrohung des Friedens, bei Friedensbrüchen und Angriffshandlungen (Art. 2 der UN-Charta). (→Intervention)

Nicht|eisenmetalle (NE-Metalle), Sammelbez. für 1) unlegierte Metalle mit Ausnahme des Eisens; 2) Legierungen, in denen ein beliebiges Metall, ausgenommen Eisen, den größten Einzelgehalt ausmacht. Sind die Gehalte von Eisen und den übrigen Legierungsmetallen gleich, so zählt die Legierung nicht zu den Nichteisenmetallen.

Nicht|erfüllung, Nichterreichung des durch ein Schuldverhältnis angestrebten Erfolges. Die N. kann auf Unmöglichkeit der Leistung, auf Verzug oder auf mangelhafter Erfüllung beruhen. Mögl. Rechtsfolge ist Schadenersatz wegen N. (§§ 325 f. BGB); spezielle Regelungen bei N. enthalten §§ 463 (Kauf), 538 (Miete), 635 (Werkvertrag).

nicht|euklidische Geometrie, Sammelbezeichnung für Geometrien, in denen (fast) alle Axiome der →euklidischen Geometrie gelten mit Ausnahme des Parallelenaxioms. Man unterscheidet hyperbol. und ellipt. n. G. In der **hyperbol. Geometrie** gehen durch einen gegebenen Punkt mindestens zwei Parallelen zu einer gegebenen Geraden; die Winkelsumme im ebenen Dreieck ist kleiner als 180°. In der **ellipt. Geometrie,** für die z. B. die Geometrie auf der Oberfläche einer Kugel ein Modell ist, gibt es keine Parallelen, d. h., zwei Geraden einer Ebene haben stets einen Punkt gemeinsam; die Winkelsumme im ebenen Dreieck ist größer als 180°. Eine weitere Verallgemeinerung ist die →Riemann-Geometrie.

NICHT-Glied (engl. NOT gate), *Digitaltechnik:* Verknüpfungsglied zur Realisierung der **Negation** im Sinne der →Schaltalgebra.

Nichtigkeit, die von Anfang an bestehende rechtl. Unwirksamkeit von privaten wie auch von öffentl. Rechtsakten aufgrund schwerwiegender formaler oder inhaltl. Fehler, z. B. bei Verstoß gegen ein gesetzl. Verbot, gegen die guten Sitten, bei Geschäftsunfähigkeit des Handelnden. Teil-N. von Rechtsgeschäften führt zur N. des Ganzen, wenn es ohne den nichtigen Teil nicht vorgenommen worden wäre. Verwaltungsakte und Urteile sind nur bei schweren, offensichtl. Fehlern nichtig. Bei sonstigen Fehlern besteht Anfechtbarkeit, bei Verwaltungsakten Widerruflichkeit. Zur N. von Rechtsnormen →Verfassungswidrigkeit.

Nichtigkeitsklage, 1) die Klage auf Erklärung der Nichtigkeit einer Ehe (→Eherecht) nach §§ 631 ff. ZPO; 2) Klage, mit der die Wiederaufnahme eines rechtskräftig beendeten Rechtsstreits wegen bestimmter schwerer Verfahrensverstöße betrieben wird (§ 579 ZPO); 3) Klage, mit der die Nichtigkeit der Gründung einer Kapitalgesellschaft wegen schwerer Mängel geltend gemacht wird (z. B. § 275 Aktien-Ges.); 4) Klage beim Europ. Gerichtshof, z. B. wegen Verletzung der Gemeinschaftsverträge.

nichtlineare Optik, Teilgebiet der Optik, das die nichtlinearen Wechselwirkungen von Licht (elektromagnet. Strahlung) mit Materie untersucht, die auftreten, wenn die elektr. Feldstärke der Lichtwelle in die Größenordnung der atomaren Feldstärken reicht, die die gegenseitige Bindung der einzelnen Materiebausteine bewirken. Die Erzeugung derartig hoher Feldstärken, die erst durch die Entwicklung des Lasers möglich wurde, hat nichtlineare Anteile in den Materialbeziehungen der Maxwell-Gleichungen (→maxwellsche Theorie) zur Folge, wie bei der Abhängigkeit der elektr. Polarisation von der elektr. Feldstärke. Diese Nichtlinearitäten führen (im Ggs. zu den Vorgängen in der linearen Optik) zu einer gegenseitigen Wechselwirkung der elektromagnet. Wellen, d.h., das →Superpositionsprinzip gilt nicht. Typ. Effekte der n. O. sind u.a. die Erzeugung neuer Frequenzen (sog. Harmonischer, →harmonische Analyse), von Summen- und Differenzfrequenzen sowie nichtlineare Streuprozesse. Durch das Strahlungsfeld eines Lasers können auch die Brechzahl und die Absorptionsstärke eines Materials für Licht einer definierten Wellenlänge verändert werden, da die Laserintensität ausreicht, um die Absorption eines Materials, das für die schwache Strahlung einer übl. Lichtquelle undurchlässig ist, so weit »auszubleichen« (gesättigte Absorption), dass es für den Laserstrahl transparent wird.

Nichtmetalle, chem. Elemente, die keine metall. Eigenschaften (Glanz, Verformbarkeit, elektr. und therm. Leitfähigkeit) besitzen. Hierzu gehören Wasserstoff, die Halogene, die Edelgase sowie Kohlenstoff, Stickstoff, Phosphor, Sauerstoff und Schwefel. Die Grenze zu den →Halbmetallen ist unscharf.

Nichtregierungsorganisation (nichtstaatliche Organisation, engl. Non-governmental organization, Abk. NGO), Bez. für einen privaten Träger der Entwicklungshilfe. In Dtl. gibt es rd. 210 N., darunter auch Kirchen und polit. Stiftungen; die wichtigsten sind im Bensheimer Kreis zusammengeschlossen. Die Bundesregierung unterstützt sie finanziell, davon ausgehend, dass nichtstaatl. Träger einen unmittelbareren Zugang zu den Empfängergruppen besitzen als staatliche. Die N. mobilisieren den Selbsthilfewillen der Bev., bilden einheim. Fachkräfte aus, tragen zur Unterstützung von Gruppen mit niedrigem Einkommen oder von gesellschaftl. Benachteiligten bei, stützen sich dabei auf einheim. Personal, machen Gebrauch von den wirtsch. Ressourcen des betreffenden Entwicklungslandes und sind weniger wirtsch. und polit. Zwängen unterworfen. Sie betreiben auch Entwicklungsarbeit in Deutschland.

Nichts *das* (lat. Nihil), **1)** *Philosophie:* Bez. für die Verneinung des Seins und negativer Gegenbegriff zu real Seiendem bzw. Existenz. Die Dialektik von Sein und Nichtsein, Werden und Vergehen wurde v.a. in der Antike (Atomismus, Plotin) und von G. W. F. Hegel entwickelt, der Sein und N. als Momente des Werdens begriff. Für die Existenzphilosophie hat der Mensch sich selbst »aus dem N.« seine Existenz zu geben (J.-P. Sartre) und kann in der Begegnung mit dem N. seine Individualität finden (M. Heidegger).

2) *Theologie:* in der christl. Mystik (Meister Eckhart) eine Bez. für Gott, da er nicht seiend im Sinne des uns begegnenden endl. und benennbaren Seienden ist.

Nichtsesshafte, Personen, die ohne gesicherte wirtsch. Lebensgrundlage umherziehen oder sich in Einrichtungen zur sozialen Wiedereingliederung aufhalten. N. haben Anspruch auf Sozialhilfe (§ 72 Bundessozialhilfe-Ges.). – Neben sehr persönl., individuellen Ursachen haben Massenarbeitslosigkeit und starke Verteuerung von Wohnraum die Zahl der N. ansteigen lassen. Viele →Obdachlose sind Nichtsesshafte.

Nicht|unterscheidbarkeit, *Quantenstatistik:* Erkenntnis der Mikrophysik, wonach Mikroteilchen wie Atome, Moleküle oder Elementarteilchen mit gleichen Eigenschaften nicht individuell unterscheidbar sind (»identische Teilchen«). Hierdurch treten an die Stelle der älteren thermodynam. Boltzmann-Statistik, die von unterscheidbaren Teilchen ausgeht, die →Bose-Einstein-Statistik und die →Fermi-Dirac-Statistik.

nichtverbale Kommunikation (nonverbale Kommunikation), zusammenfassende Bez. für nichtsprachl. Verhaltens- und Interaktionselemente (Körperkontakt, -bewegungen, -haltung, Gesten, Mimik, Sprechweise, Stimme, äußere Erscheinung u.a. Formen der Körpersprache).

Nickel [schwed., gekürzt aus kopparnickel »Kupfernickel«], chem. Symbol **Ni,** ein Element aus der achten Nebengruppe des Periodensystems der chem. Elemente; Ordnungszahl 28, relative Atommasse 58,69, Dichte 8,908 g/cm^3, Schmelzpunkt 1452 °C, Siedepunkt 2730 °C. N. ist ein silberweißes, zähes, stark glänzendes, ferromagnet. Schwermetall, das sich schmieden, walzen, zu Drähten ausziehen, schweißen und polieren lässt. Das reine, kompakte Metall ist sehr resistent gegen Sauerstoff, Wasser und nichtoxidierende Säuren; es löst sich dagegen in verdünnten oxidierenden Mineralsäuren unter Bildung meist grünl. gefärbter Salze auf. Fein verteiltes N. absorbiert bei höheren Temperaturen beträchtl. Mengen Wasserstoff (Verwendung als Hydrierungskatalysator). N. kommt (außer in Meteoriten) nie gediegen, sondern nur in Form von Verbindungen vor (v.a. als Silikat, Sulfid und Arsenid). Die wichtigsten N.-Minerale sind der →Garnierit und der →Pentlandit. Wegen seiner Verwandtschaft zu Eisen kommt N. auch in größeren Mengen als Begleiter von Eisenerzen vor (→Nickelmagnetkies).

Christoph Friedrich Nicolai
(Ausschnitt aus einem Gemälde von Anton Graff, um 1780)

Aurèle Nicolet

Charles Nicolle

Nidwalden
Kantonswappen

Die Darstellungsverfahren für N. hängen von der Art der Erze ab. So wird z. B. aus den sulfid. Erzen in mehreren Anreicherungs- und Umschmelzschritten Nickelsulfid, NiS, gewonnen, aus dem man durch Abrösten (Umwandlung in Nickel(II)-oxid, NiO) und Reduktion mit Kohle Roh-N. erhält. Das Roh-N. wird durch elektrolyt. Raffination in Rein-N. (**Elektrolyt-N.** mit 99 % N.) überführt; bes. reines N. wird nach dem Mond-Verfahren durch Umsetzen mit Kohlenmonoxid gewonnen; dabei entsteht flüchtiges N.-Tetracarbonyl, $Ni(CO)_4$, das sich beim Erwärmen wieder zersetzt (**Carbonyl-N.** mit 99,99 % N.). Verwendung findet N. v. a. als Legierungsmetall für rostfreie Stähle, zur Herstellung von Nickellegierungen, in geringem Umfang als Reinmetall zum Bau von Apparaturen für die chem. Industrie, zur Herstellung von N.-Cadmium-Akkumulatoren sowie als Katalysator.

N.-Verbindungen: Nickel tritt in seinen Verbindungen v. a. in der Oxidationsstufe +2 auf; daneben sind auch Verbindungen, in denen das Nickel in den Oxidationsstufen −1, 0, +1, +3 und +4 vorliegt, bekannt. Das pulverförmige, grünliche **Nickel(II)-oxid,** NiO, dient zum Färben von Glasuren und Email. Wasserfreies, gelbes **Nickel(II)-chlorid,** $NiCl_2$, dient, wie das grüne **Nickel(II)-cyanid,** $Ni(CN)_2$, zum galvan. Vernickeln. **Nickel(II)-sulfat,** $NiSO_4$, wird als Ausgangsmaterial für die Herstellung von anderen N.-Verbindungen, von Katalysatoren sowie in der Galvanotechnik verwendet. **Nickeltetracarbonyl,** $Ni(CO)_4$, eine farblose, stark lichtbrechende, sehr giftige flüssige Substanz (Siedepunkt 43 °C), ist Zwischenprodukt bei der Gewinnung von bes. reinem N.; es wird auch technisch hergestellt und zum Vernickeln von Glas, Porzellan, Keramik u. a. sowie als Katalysator (zur Übertragung von CO-Gruppen) verwendet.

Nickelblüte (Annabergit), apfelgrünes, monoklines Mineral der chem. Zusammensetzung $Ni_3[AsO_4]_2 \cdot 8\,H_2O$, Mohshärte 2, Dichte 3,1 g/cm³, Verwitterungsprodukt von Nickelerzen.

Nickel-Cadmium-Zelle, → Akkumulator.

Nickel-Eisen-Kern, → Erde.

Nickelin *der,* das Mineral → Rotnickelkies.

Nickelmagnetkies, Hauptnickelerz, Gemenge der Minerale Pentlandit und Magnetkies, an gabbroide Tiefengesteine gebunden.

Nickhaut, bei Landwirbeltieren (z. B. Reptilien) vorkommendes drittes Augenlid. Die N. ist durchsichtig, kann über das Auge hinweg bewegt werden und dient der Reinigung der Hornhaut.

Nicolai [auch ˈni-], **1)** Carl Otto, Komponist und Dirigent, *Königsberg (Pr) 9. 6. 1810, †Berlin 11. 5. 1849; schuf unter Verarbeitung italien. Einflüsse mit »Die lustigen Weiber von Windsor« (1849) den komischen Typus der dt. romantischen Oper; schrieb neben weiteren Opern auch Lieder und Orchesterwerke.

2) Christoph Friedrich, Schriftsteller und Verlagsbuchhändler, *Berlin 18. 3. 1733, †ebd. 8. 1. 1811; Vertreter der Aufklärung; ab 1758 Leiter derväterl. Verlagsbuchhandlung. Als Herausgeber zahlr. Ztschr. Exponent des Buchhandels seiner Zeit. Befreundet mit G. E. Lessing und M. Mendelssohn, mit denen er ab 1759 die Ztschr. »Briefe, die neueste Litteratur betreffend« herausgab, die dann 1765 von der von N. bis 1805 hg. »Allg. Dt. Bibliothek« (107 Bde., 10 Registerbde.) abgelöst wurde; Literaturfehde mit J. W. von Goethe, F. Schiller und Vertretern der Romantik (die sich u. a. in N.s »Freuden des jungen Werthers ...«, 1775, manifestierte). – N. schrieb auch Romane, u. a. »Das Leben und die Meinungen des Herrn Magisters Sebaldus Nothanker« (3 Bde., 1773–76).

Nicolet [nikɔˈlɛ], Aurèle, schweizer. Flötist, *Neuenburg 22. 1. 1926; 1950–59 Soloflötist des Berliner Philharmon. Orchesters, ab 1953 Prof. in Berlin, ab 1965 in Freiburg im Breisgau; wurde bes. als Interpret der Werke von J. S. Bach, W. A. Mozart und zeitgenöss. Musik bekannt.

Nicolle [niˈkɔl], Charles Jules Henri, frz. Bakteriologe, *Rouen 21. 9. 1866, †Tunis 28. 2. 1936; klärte 1909 experimentell die Übertragung des Fleckfiebers und erhielt hierfür 1928 den Nobelpreis für Physiologie oder Medizin.

Nicol-Prisma [ˈnɪkl-; nach dem schott. Physiker William Nicol, *1768, †1851], opt. Polarisator aus einem rhomboedr. Kalkspatkristall, der zerschnitten und in der ursprüngl. Lage mit Kanadabalsam wieder zusammengekittet wird. Der ordentl. Strahl (→ Doppelbrechung) reflektiert an der Kittfläche total und wird an der Fassung absorbiert; der außerordentl. Strahl erleidet nur eine geringfügige Parallelverschiebung und geht als linear polarisiertes Licht durch den Kristall.

Nicolson [ˈnɪklsn], **1)** Arthur, Baron Carnock (seit 1916), brit. Diplomat, *London 19. 9. 1849, †ebd. 5. 11. 1928, Vater von 2); 1906–10 Botschafter in St. Petersburg, schloss 1907 das britisch-russ. Abkommen über Persien; 1910–16 Unterstaatssekretär im Auswärtigen Amt.

2) Sir (seit 1953) Harold George, brit. Diplomat und Schriftsteller, *Teheran 21. 11. 1886, †Sissinghurst Castle (Cty. Kent) 1. 5. 1968, Sohn von 1); seit 1913 ⚭ mit der Schriftstellerin Victoria Sackville-West, 1909–29 im auswärtigen Dienst, trat 1947 der Labour Party bei; verfasste Essays, Biographien (u. a. »Byron«, 1924; »König Georg V.«, 1952) und Darstellungen zur Diplomatiegeschichte.

Nicosia, Hauptstadt von Zypern, → Nikosia.

Nicotiana *die,* die Pflanzengattung → Tabak.

Nicotin *das,* das → Nikotin.

Nicotinsäure (Nikotinsäure, Niacin), chemisch die Pyridin-3-Carbonsäure, farblose, wasserlösl. kristalline Substanz, die als freie Säure (z.B. in Reiskleie, Bierhefe) und v.a. in Form des biochemisch wichtigen Nicotinsäureamids weit verbreitet vorkommt; sie wird im menschl. Organismus aus Tryptophan synthetisiert. Die N. zählt wie N.-Amid zum Vitamin-B-Komplex.

Nicotinsäureamid (Nikotinsäureamid, Niacinamid, Pyridin-3-Carbonsäureamid, Pellagrapräventivfaktor, PP-Faktor), farblose, wasserlösl. Substanz, die zum Vitamin-B-Komplex zählt und deren Fehlen zur →Pellagra führt. N. ist Bestandteil der für den Zellstoffwechsel wichtigen Wasserstoff übertragenden Koenzyme NAD und NADP; es ist daher in der Natur weit verbreitet und findet sich in allen tier. und pflanzl. Geweben (v.a. in Hefe, Reiskleie, Leber, Muskelfleisch).

Nidation [lat. nidus »Nest«] *die,* Einnistung der befruchteten Eizelle in die Gebärmutterschleimhaut am 5.–7. Tag nach der Ovulation. (→Befruchtung)

Nidau, Bez.-Hauptort im Kt. Bern, Schweiz, am Bieler See, 8100 Ew.; Apparatebau, Uhrenherstellung. – 1338 bei der gleichnamigen Wasserburg gegründet.

Nidda, 1) *die,* rechter Nebenfluss des Mains, 98 km lang, entspringt am Taufstein (Vogelsberg), durchfließt die Wetterau, mündet bei Frankfurt-Höchst.

2) Stadt im Wetteraukreis, Hessen, an der Nidda, 18500 Ew.; Kurbetrieb (Hess. Staatsbad) im Ortsteil Bad Salzhausen; Kunststoff- und Spanplattenwerk, Papierverarbeitung. – Frühbarocke Heiliggeistkirche (1616–18). – Im 10. Jh. erstmals erwähnt; Stadtrecht seit 1311.

Niddatal, Stadt im Wetteraukreis, Hessen, 8700 Ew.; im Ortsteil Ilbenstadt bed. roman. Basilika mit Prämonstratenserkloster aus dem 12. Jahrhundert.

Nideggen, Stadt im Kr. Düren, NRW, im Naturpark Nordeifel an der Rurtalsperre, 9700 Ew.; Ausflugsverkehr. – Pfarrkirche (spätroman. Emporenbasilika), Burg (12.–14. Jh., seit 1542 Ruine) über dem Rurtal, Dürener Tor (14. Jahrhundert). – N. ist seit 1313 Stadt.

Nidwalden (amtlich Unterwalden nid dem Wald), Halbkanton in der Schweiz, 276 km², (1995) 36500 Ew., umfasst das Tal der Engelberger Aa und das S-Ufer des Vierwaldstätter Sees. Hauptort ist Stans. Almwirtschaft (v.a. Milchviehhaltung), Holz-, Baustoffind., Maschinen-, Apparatebau, Flugzeugwerke (Stans); bed. Fremdenverkehr. (Geschichte →Unterwalden)

Nidzica [ni'dʑitsa] (dt. Neidenburg), Stadt in der Wwschaft Olsztyn (Allenstein), Polen, 13800 Ew.; Mineralwollewerk, Apparatebau, Nahrungsmittelindustrie. – Burg (1370 vom Dt. Orden angelegt; seit 1945 zum großen Teil Ruine; Museum).

Niebergall, Ernst Elias, Mundartdichter, *Darmstadt 13. 1. 1815, †ebd. 19. 4. 1843; schrieb u.a. »Datterich« (1841), die Tragikomödie eines Aufschneiders, in Darmstädter Mundart.

Niebuhr, 1) Barthold Georg, Historiker und Politiker, *Kopenhagen 27. 8. 1776, †Bonn 2. 1. 1831, Sohn von 2); stand 1806–10 und als Gesandter beim Vatikan (1816–23) im preuß. Staatsdienst. Mit seinen Vorlesungen an der Berliner Univ. über röm. Geschichte (danach »Röm. Geschichte«, 5 Bde., 1812–45) begründete er die histor. Quellenkritik; seit 1823 lehrte er an der Univ. Bonn.

2) Carsten, Forschungsreisender, *Lüdingworth (heute zu Cuxhaven) 17. 3. 1733, †Meldorf 26. 4. 1815, Vater von 1); bereiste in dän. Auftrag 1761–67 den Nahen Osten und gelangte bis nach Indien; kehrte als einziger Überlebender der Expedition über Mesopotamien, Iran und Kleinasien zurück (»Reisebeschreibung nach Arabien ...«, 3 Bde., 1774–78).

3) ['niːbʊə], Reinhold, amerikan. evang. Theologe, *Wright City (Mo.) 21. 6. 1892, †Stockbridge (Mass.) 1. 6. 1971; seit 1928 Prof. in New York; entwickelte im Anschluss an P. Tillich eine christl. Philosophie der Geschichte.

Werke: Moral man and immoral society (1932); An interpretation of Christian ethics (1935); The nature and destiny of man, 2 Bde. (1941–43).

Niederalteich, Gemeinde im Landkreis Deggendorf, Niederbayern, an der Donau, 1900 Ew. – Benediktinerkloster, gegr. 741, 1803 aufgehoben, 1918 neu besiedelt; die urspr. got. Stiftskirche wurde 1718–26 von J. M. Fischer zum monumentalen Barockbau umgestaltet.

Niederbayern, RegBez. in Bayern, 10330 km², (1996) 1,152 Mio. Ew., umfasst die kreisfreien Städte Landshut (Verw.sitz von N.), Passau und Straubing sowie die Landkr. Deggendorf, Dingolfing-Landau, Freyung-Grafenau, Kelheim, Landshut, Passau, Regen, Rottal-Inn, Straubing-Bogen.

Niederdeutsche, 1) die norddt. Bev. mit niederdt. Sprache (Niederfranken, Ostfriesen, Nordniedersachsen, West- und Ostfalen, Mecklenburger, Märker, Pommern, West- und Ostpreußen).

2) die Bewohner der niederdt. Ebene i.e.S. (Nordwestfalen, Nordniedersachsen) mit Einbeziehung der von dort kolonisierten Mecklenburger, Pommern und Nordmärker.

niederdeutsche Literatur, die Literatur in niederdt. Sprache; sie ist historisch mit der hochdt., im hohen MA. auch der niederländ. Literatur eng verbunden.

Altniederdeutsche Literatur (altsächs. Literatur): Der Hauptteil der erhaltenen Literatur entstammt der christl. Mission, wobei das Stabreimepos »He-

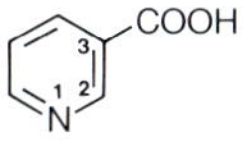

Nicotinsäure

Barthold Georg Niebuhr (Ausschnitt eines zeitgenössischen Holzschnitts)

Reinhold Niebuhr

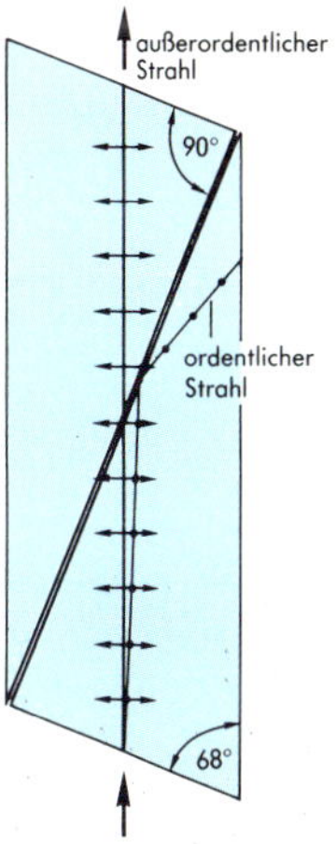

Nicol-Prisma: Darstellung des Strahlengangs; der außerordentliche Strahl ist parallel zur Zeichenebene polarisiert, der ordentliche Strahl senkrecht dazu

liand« (830) einen besonderen Rang einnimmt. In dessen Nachfolge entstand die altsächs. »Genesis«, die nur bruchstückhaft überliefert ist.

Mittelniederdeutsche Literatur: Im Vordergrund steht die Prosaliteratur (v.a. Rechtsbücher und Chronistik), die mit dem Rechtsbuch »Sachsenspiegel« (um 1224–31) des Eike von Repgow und der zeitweilig ihm zugeschriebenen »Sächs. Weltchronik« eröffnet wurde. Sehr populär war das erzählende geschichtl. Volkslied (z.B. »Mühlenlied«, »Störtebeker«). Beispiele ep. Dichtungen nach fläm. Muster sind die höf. Romane »Flos unde Blankeflos« (1350), »Valentin unde Namelos« und »De Deif van Brugghe« (beide um 1450). Weiteste Verbreitung einer niederländ. Vorlage erfuhr die 1498 in Lübeck erschienene Satire auf die mittelalterl. Gesellschaftsordnung »Reynke de Vos«. Werke ebenfalls gesellschaftskrit. und lehrhaften Charakters waren H. Botes (*um 1460, †1520) »Boek von veleme rade« (etwa 1490–93), »Köker« (etwa 1520) und »De Schichtbok« (etwa 1510–13). Einziges wesentl. Schauspiel dieser Epoche ist das »Redentiner Osterspiel« aus der 2. Hälfte des 15. Jahrhunderts.

Neuniederdeutsche Literatur: Mitte des 17. Jh. begann die neuniederdt. Periode, in der das Niederdeutsche nur noch in Form regional unterschiedl. Mundarten gebräuchlich war. Neben den »Vierländer Idyllen« (1777/78) von J. H. Voß setzte die eigentl. Mundartdichtung erst im 19. Jh. mit K. Groths »Quickborn. Volksleben in plattdt. Gedichten dithmarscher Mundart« (1852) ein. In der weiteren Entwicklung wurde bes. der Roman bevorzugt: Nach F. Reuter und J. Brinckman (»Kasper-Ohm un ick«, 1855) sind v.a. G. Fock, J. H. Fehrs (»Maren«, 1907), G. Droste (»Ottjen Alldag«, R.-Trilogie, 1913–16), R. Kinau, A. Wibbelt (»Dat veerte Gebot«, 1912) und Wilhelmine Siefkes (»Keerlke«, 1941), die ab 1933 Schreibverbot hatte, zu nennen. Mit ihren Dramen initiierten F. Stavenhagen und H. Bossdorf (»Bahnmester Dod«, 1919) die niederdt. Bühnenbewegung. Nach dem 2. Weltkrieg gewann v.a. das Hörspiel, u.a. vertreten durch H. Kruse (»Dat Andenken«, 1962), H. Schmidt-Barrien (»Uhlenspegel 61«, 1961), J. D. Bellmann (»De Soot«, 1962) und W. Sieg (»Deenstleistungen«, 1974), zentrale Bedeutung. Maßstäbe für die Lyrik setzten u.a. Greta Schoon (»Kuckukssömmer«, 1977), Erna Taege-Röhnisch (»Tieden un Lüd«, 1986), N. Johannimloh (»En Handvöll Rägen«, 1963) sowie Waltrud Bruhn (»Windlast«, 1987) und Renate Molle (»Deißelnsaot«, 1987).

📖 STAMMLER, W.: *Geschichte der n. L. von den ältesten Zeiten bis zur Gegenwart. Leipzig u.a. 1920, Nachdr. ebd. 1968.* – SCHUPPENHAUER, C.: *Lexikon niederdeutscher Autoren, Losebl.-Ausg. Leer 1975ff.* – SCHUPPENHAUER, C.: *Plattdeutsche Klassiker 1850–1950. Wege zur n. L. Leer 1982. – Handbuch zur niederdeutschen Sprach- u. Literaturwissenschaft, hg. v.* G. CORDES *u.a. Berlin 1983.*

niederdeutsche Sprache, Sammelbez. für die Dialekte nördlich der →Benrather Linie, die die 2. Lautverschiebung nicht mitgemacht haben. Auffälligstes Kennzeichen der n. S. sind die unverschobenen Konsonanten (z.B. »lopen«, »Water«, »maken« gegenüber hochdt. »laufen«, »Wasser«, »machen«) und die einheitl. Endung für alle drei Personen des Plurals. Die niederdt. Dialekte lassen sich in Westniederdeutsch und Ostniederdeutsch gliedern (→Mundart). Die ersten Zeugnisse stammen aus der Zeit Karls d. Gr., wo die n. S. als Sprache des Stammes der Sachsen erscheint (altsächs./altniederdt. Periode); seit dem 9. Jh. ist sie auch Literatursprache. Seit dem 13. Jh. wird die n. S. als Sprache der Hanse im gesamten norddt. Bereich und darüber hinaus schriftlich verwendet (mittelniederdt. Periode). Im 16./17. Jh. weicht diese Schriftsprache vor der neuhochdt. immer stärker zurück. Seit etwa 1650 (neuniederdt. Periode) existiert die n. S. nur in Form unterschiedl. (meist als Plattdeutsch bezeichneter) Mundarten und deren dichterischer Verwendung (Literatur).

📖 SANDERS, W.: *Sachsensprache, Hansesprache, Plattdeutsch. Göttingen 1982.*

Niederdruckkraftwerk, ein →Wasserkraftwerk.

Niedere Tauern, →Tauern.

Niederfinow [-no], Gemeinde im Landkreis Barnim, Brandenburg, am Finowkanal, 650 Ew.; 3 km nördlich am Oder-Havel-Kanal das Schiffshebewerk N. (94 m lang, 27 m breit und 60 m hoch; 1927–34 erbaut) zur Überwindung des Höhenunterschiedes (36 m) zw. Oder- und Havelpegel.

Niederfrequenz, Abk. **NF,** Bez. für Frequenzen von elektromagnet. Schwingungen und von

Niederfinow: Das 60 m hohe Schiffshebewerk am Oder-Havel-Kanal wurde 1934 eröffnet

Niederlande

Fläche: 40 844 km²
Einwohner: (1995) 15,503 Mio.
Hauptstadt: Amsterdam
Regierungssitz: Den Haag
Verwaltungsgliederung: 12 Provinzen
Amtssprache: Niederländisch
Nationalfeiertag: 30. 4.
Währung: 1 Holländischer Gulden (hfl) = 100 Cent (c, ct)
Zeitzone: MEZ

elektr. Wechselströmen bzw. -spannungen bis 10 kHz. Da niederfrequente Schwingungen nach Umwandlung in Schallschwingungen mit dem menschl. Ohr wahrgenommen werden können, bezeichnet man die N. oft auch als **Tonfrequenz.**

Niederkalifornien, → Baja California.

Niederlande (niederländ. Nederland, amtlich Koninkrijk der Nederlanden, dt. Königreich der N), Staat in Westeuropa, grenzt im W und N an die Nordsee, im O an Dtl., im S an Belgien. Zum Hoheitsgebiet der N. gehören die → Niederländischen Antillen einschl. der Insel → Aruba.

Staat und Recht: Nach der Verf. von 1815 (zuletzt 1983 revidiert) sind die N. eine konstitutionelle Erbmonarchie mit parlamentar. Reg.system. Staatsoberhaupt ist der Monarch. Er ist Inhaber legislativer und exekutiver Befugnisse sowie Präs. des in Gesetzesvorlagen beratenden Staatsrats (höchstens 28 von der Krone auf Lebenszeit berufene Mitgl.). Die Reg. unter Vorsitz des MinPräs. wird vom Monarchen ernannt und ist dem Parlament verantwortlich. Die Legislative liegt beim Zweikammerparlament (Generalstaaten), bestehend aus der 1. Kammer (75 von den Provinziallandtagen auf sechs Jahre gewählte Mitgl.) und der 2. Kammer (150 Abg., auf vier Jahre direkt gewählt). Einflussreichste Parteien: Christl. Demokrat. Appell (CDA), Partei der Arbeit (PvdA), Volkspartei für Freiheit und Demokratie (VVD), Demokraten '66 (D '66), Groen Links.

Landesnatur: In den N. setzt sich das Norddt. Tiefland fort. Die Küste ist von Dünen (bis 60 m Höhe) gesäumt, die im Bereich der Westfries. Inseln durch das Wattenmeer vom Festland getrennt sind. Die Küstenlänge beträgt rd. 800 km. Landeinwärts liegen eingedeichte See- und Flussmarschen (bis 6 m u. M.) und die flachwellige, sandig-moorige Geest, die 110 m Höhe erreicht. Nahezu die Hälfte des Landes liegt u. M. Im äußersten SO haben die N. Anteil an der Lössbörde und an der Mittelgebirgszone mit dem höchsten Punkt der N. (321 m ü. M.). Die Zuidersee wurde 1932 durch einen Damm abgeschlossen (→ IJsselmeer) und großenteils trockengelegt. Hauptflüsse sind der Rhein und die Maas, deren Mündungsgebiet in zahlr. Inseln aufgelöst ist und durch die → Deltawerke geschützt wird. Das Klima ist gemäßigt maritim; Westwinde herrschen vor.

Bevölkerung: Sie besteht zum größten Teil aus Niederländern. Minderheiten bilden die seit 1949 eingewanderten Indonesier und indones. Mischlinge, ferner Einwanderer aus Surinam sowie Türken, Marokkaner, Deutsche u. a. In Städten und verstädterten Gemeinden leben rd. 89 % der Bevölkerung. Amsterdam, Rotterdam, Den Haag und Utrecht, die vier größten Städte, gehören zu dem sich rasch verdichtenden Ballungsraum Randstad Holland. Allg. Schulpflicht besteht vom 6. bis 18. Lebensjahr, die Schulen sind gegliedert in Primar- und Sekundarstufe. Es gibt 20 Univ., darunter drei techn., eine landwirtsch. und eine Wirtschaftshochschule, ferner Kunstakademien, Konservatorien sowie theolog. Hochschulen. – Etwa zwei Drittel der Bev. sind Christen (36 % Katholiken, 26,8 % Angehörige reformierter Kirchen), 4,5 % sind Anhänger verschiedener anderer Religionsgemeinschaften.

Wirtschaft, Verkehr: Neben der traditionellen Landwirtschaft hat sich eine bed. Ind. entwickelt, geprägt durch den Ausbau der Hafenindustriekomplexe, Erdgas- (2. Stelle in Europa) und Erdölförderung (5. Stelle in Europa), Energiewirtschaft (überwiegend auf Erdgasbasis) sowie Entwicklung der verarbeitenden Ind. und des Dienstleistungssektors. Seit den 1980er-Jahren hat sich die Ind.struktur stark verändert; Werftind., Textilverarbeitung und Bekleidungsgewerbe haben an Bedeutung verloren; zu wichtigsten Zweigen wurden chem. Ind., Kunststoffverarbeitung, Gas- und Erdölindustrie. Zentrum von Erdölraffinerien und chem. Ind. ist der Rotterdamer Hafen. Große Bedeutung haben Nahrungsmittel- und Genussmittelind., Stahlproduktion, Metallverarbeitung, Kraftfahrzeug-, elektrotechn. und elektron. Industrie. Nordbrabant ist die wichtigste Ind.provinz; Eindhoven, Rotterdam,

Staatswappen

NL

Internationales Kfz-Kennzeichen

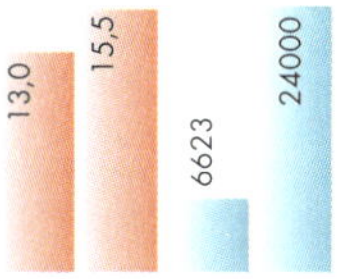

Bevölkerung (in Mio.) Bruttosozialprodukt je Ew. (in US-$)

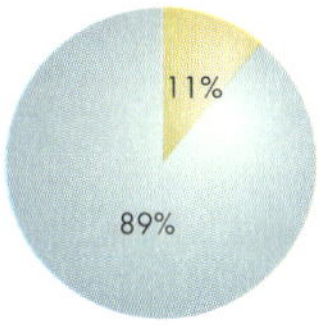

Bevölkerungsverteilung 1995

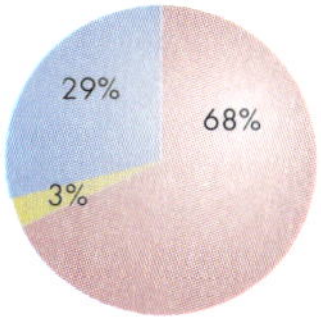

Bruttoinlandsprodukt 1993

Niederlande: Blumenfelder im Westen des Landes bei Haarlem (links); Windmühlen – wie hier im Hafen von Zierikzee auf der Insel Schouwen-Duiveland – sind charakteristisch für die Inselhäfen an der Nordseeküste; sie dienten als Getreidepumpen

Amsterdam sind die wichtigsten Ind.städte. – Die Landwirtschaft besitzt hohe Produktivität und ist stark exportorientiert. Rd. 24% der Landesfläche sind Ackerland, 29% Wiesen und Weiden, 8% Wald. Die Neulandgewinnung im →IJsselmeer konnte den Rückgang der landwirtsch. Nutzfläche aufgrund des Raumbedarfs der Städte und Ind. nicht ausgleichen. Intensive Viehhaltung ist auf Friesland und die nördl. Landesteile konzentriert. Im O überwiegen Gemüseanbau und Blumenzucht; der Anbau unter Glas bzw. Folie hat stark zugenommen; Zuckerrüben, Weizen und Ölfrüchte v.a. im SW und NO. – Die Fischwirtschaft wird als Hochsee-, Küsten- und IJsselmeerfischerei betrieben. – Der Reiseverkehr ist eine wichtige Einnahmequelle (jährlich rd. 3 Mio. Auslandsgäste). – Die Wirtschaft der N. ist bei positiver Handelsbilanz stark exportorientiert. Haupthandelspartner sind Dtl. u.a. EU-Länder, USA. – Das Verkehrsnetz ist gut ausgebaut. Das Eisenbahnnetz hat eine Länge von 2757 km, davon sind 1991 km elektrifiziert; das Straßennetz ist 105817 km lang, davon 2118 km Autobahnen. Große Bedeutung haben die Binnenwasserstraßen mit einer Gesamtlänge von 4556 km. Wichtigste Seehäfen sind Rotterdam (nach dem Umschlag einer der größten Häfen der Erde) und Amsterdam. Wichtigster Zubringer ist die Rheinschifffahrt. Dem Transport von Erdgas, -öl und Erdölprodukten dient ein ausgedehntes Pipelinesystem (bis Italien). Internat. Flughäfen sind in Schiphol bei Amsterdam und Zestienhoven bei Rotterdam.

Niederlande, Verwaltungsgliederung (Stand 1995)

Provinz	Fläche in km²	Ew. in 1 000	Ew. je km²	Hauptstadt
Drente	2655	455	171	Assen
Flevoland	1412	262	186	Lelystad
Friesland	3360	610	181	Leeuwarden
Gelderland	5015	1865	372	Arnheim
Groningen	2347	558	238	Groningen
Limburg	2170	1130	521	Maastricht
Nordbrabant	4947	2276	460	Herzogenbusch
Nordholland	2667	2464	924	Haarlem
Overijssel	3340	1050	314	Zwolle
Seeland	1796	366	204	Middelburg
Südholland	2871	3325	1158	Den Haag
Utrecht	1359	1063	783	Utrecht
Niederlande	33939[1]	15424[2]	454	Amsterdam

[1] einschl. Inlandwasserflächen 41 526 km². – [2] einschl. nur im Zentralregister erfasster 1 835 Personen ohne festen Wohnsitz (Seeleute, Hausbootbesitzer u. a.)

Geschichte: Im 1. Jh. v.Chr. unterwarfen die Römer die im Gebiet der heutigen N. lebenden german. Bataver (ansässig an der Rheinmündung) und die Friesen (nördlich davon). Während der Völkerwanderung siedelten sich die Franken im S an; in den O drangen die Sachsen vor, im N behaupteten sich die Friesen. Im 8. Jh. brachte Karl d. Gr. Friesen und Sachsen unter seine Herrschaft. Bei der Teilung des Fränk. Reiches (843, Vertrag von Verdun) kam fast ganz Flandern unter die Herrschaft des Westfrankenreiches, der übrige Raum um Maas, Schelde und Niederrhein fiel an das Reich Lothars I., 870/925 an das Ostfränk. Reich (später Hl. Röm. Reich), wo es Teil des Herzogtums Niederlothringen wurde. Im 10.–12. Jh. erlebten die Maaslande eine hohe wirtsch. Blüte. Früh bildeten sich relativ selbstständige Territorien: die Grafschaften Hennegau, Namur, Geldern, Holland und Seeland, die Herzogtümer Brabant und Limburg, die geistl. Herrschaften Lüttich, Utrecht und Cambrai.

Seit Philipp dem Kühnen von Burgund (Herzog seit 1363) wurden die N. in ein großburgund. Reich einbezogen. Die Loslösung vom Hl. Röm. Reich begann unter dem Burgunderherzog Philipp dem Guten, der Namur (1429), Brabant-Limburg

(1430), Holland, Seeland und Hennegau (1433) erwarb. 1384 waren Flandern und das Artois an Burgund gekommen. Durch die Hochzeit der Tochter Karls des Kühnen, Maria von Burgund, mit dem späteren Kaiser Maximilian I. fiel 1477 das Gebiet der N. an das Haus Österreich, das die Selbstständigkeit der neu gewonnenen Territorien gegenüber dem Reich stärkte; im Sinne des habsburg. Hausinteresses wirkte Kaiser Maximilians Tochter Margarete von Österreich als Statthalterin. Dem habsburg. Besitz fügte Karl V. 1524 Friesland, 1528 Utrecht und Overijssel, 1536 Groningen und Drente hinzu, 1543 auch Geldern. 1512/48 wurden die meisten Provinzen zum Burgund. Kreis zusammengefasst. Die einzelnen Territorien, die mit Ausnahme Brabants unter einem Statthalter standen und ihre polit. Gremien, z.B. Ständeversammlungen (»Staaten«), bewahrten, wurden von dem Generalstatthalter in Brüssel zentral verwaltet. 1555 übertrug Karl V. seinem Sohn Philipp II. von Spanien die Herrschaft über die Niederlande.

Die unter diesem einsetzende religiöse Repression gegen den Kalvinismus und die Missachtung ständ. Freiheiten führten zum Aufstand von Adel

Niederlande - Wirtschaft

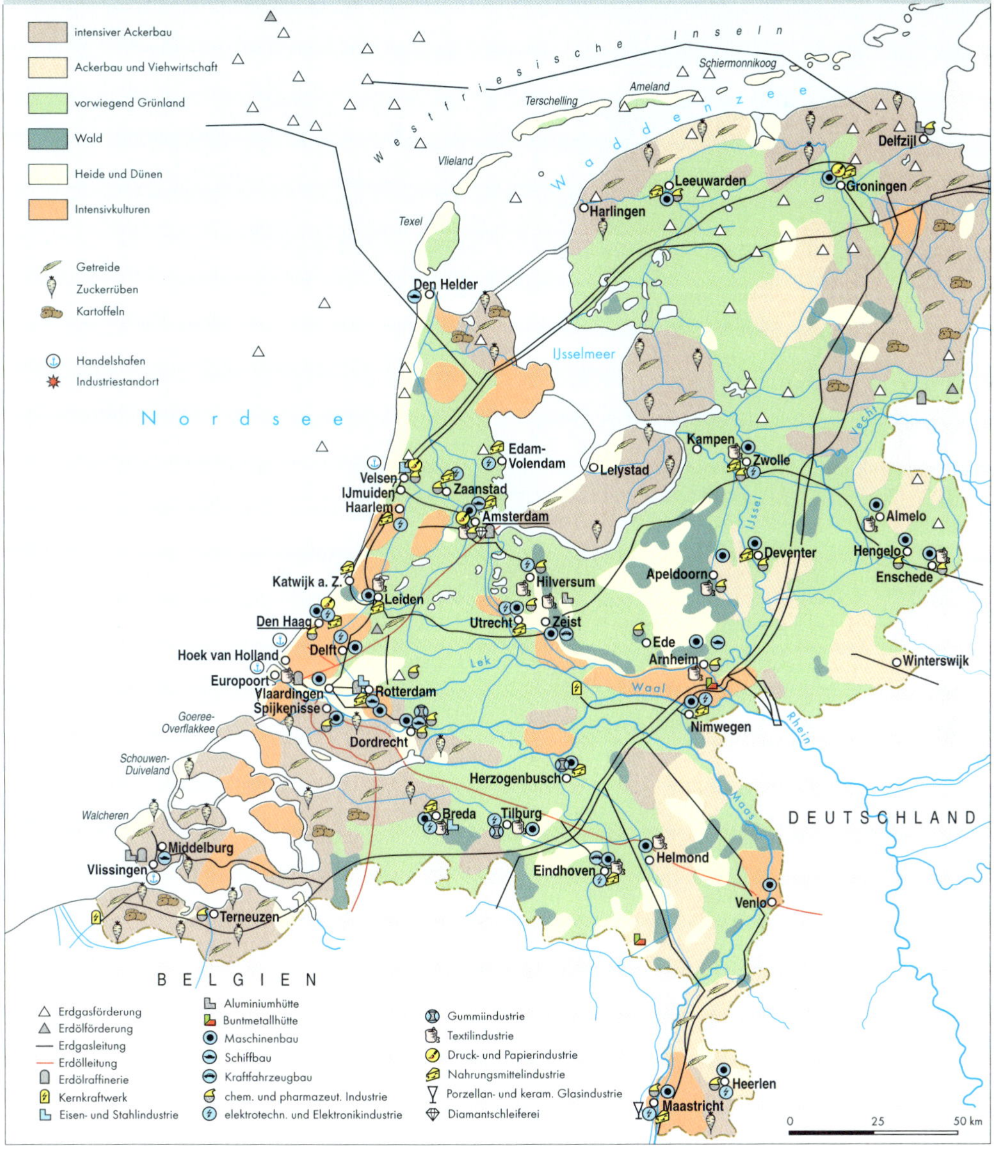

Niederlande: Der Freiheitskampf der Niederlande – von Kaiser Karl V. zur Republik der Vereinigten Niederlande (links); die Niederlande vom Westfälischen Frieden bis zur Französischen Revolution

und Städten. Philipp II. schickte 1567 Herzog Alba mit einem Heer in die N., der die Unruhen hart unterdrückte (u.a. Hinrichtung Egmonts und Hoorns). 1568 erhoben sich die Niederländer gegen die Willkür Albas (Beginn des sog. Achtzigjährigen Krieges). Wilhelm I., der Schweiger, übernahm 1572 die Führung des Aufstandes, der militärisch anfänglich von den Geusen getragen wurde. In der Genter Pazifikation schlossen sich 1576 alle niederländ. Territorien dem Aufstand an. Durch die religiöse Unduldsamkeit der Geusen wurde die geschlossene Front gegen Spanien mit der kath. Union von Arras (6. 1. 1579) aber wieder gesprengt. Die Utrechter Union (23. 1. 1579) führte daher nur zur Vereinigung der sieben nördl. Provinzen; diese sagten sich 1581 ganz von Spanien und dem Haus Habsburg los und bildeten die »Republik der Vereinigten N.« (auch »Generalstaaten« genannt). Die Südl. N. wurden von Alexander Farnese 1585 einschl. Antwerpens erneut unterworfen (»Span. N.«). Nach der Ermordung Wilhelms von Oranien (1584) behaupteten die Nördl. N. im Waffenstillstand von 1609–21 ihre Unabhängigkeit, die im Westfäl. Frieden 1648 formal anerkannt wurde. Dies bedeutete zugleich die Loslösung der N. vom Dt. Reich. Die N. erhielten die nördlichsten Teile von Flandern, Brabant und Limburg (Maastricht), die mit ihrer kath. Bev. als abhängige »Generalitätslande« verwaltet wurden.

Im 17. Jh. stiegen die N. zeitweise zur größten europ. Handels- und Seemacht auf. Sie verdrängten die Portugiesen aus dem Malaiischen Archipel und aus Ceylon; sie setzten sich im Kapland, an der Goldküste und in Westindien (Curaçao, Guayana) fest, ebenso in Nordamerika (Neuniederland, der spätere Staat New York). Zur gleichen Zeit bildeten die N. mit bed. Künstlern, Gelehrten und Buchdruckern einen geistigen Mittelpunkt Europas. 1652–54 und 1664–67 führten die N. mehrere Seekriege gegen England; trotz bed. Erfolge ihrer Admirale Tromp und de Ruyter verloren sie Neuniederland und büßten an Macht ein. Gegen Ludwig XIV. von Frankreich verteidigten sich die N. in vier Kriegen (1667/68, 1672–78, 1688–97 und 1702–13) erfolgreich. Nach dem Tod Wilhelms III. von Oranien (seit 1689 auch König von England) 1702 waren die N. – wie bereits 1650–72 – ohne Statthalter; erst die Niederlagen gegen die Franzosen im Österr. Erbfolgekrieg 1747 führten zur Berufung Wilhelms IV. aus der jüngeren Linie Nassau-Oranien zum Erbstatthalter. Die Südl. N. waren 1713 (Frieden von Utrecht) von span. in österr. Hände übergegangen. 1795 von den Franzosen besetzt, wurden die Vereinigten N. zunächst zur Batav. Republik erklärt, von Napoleon I. 1806 in das Königreich Holland unter seinem Bruder Ludwig umgewandelt, 1810 Frankreich eingegliedert.

Durch den Wiener Kongress (1814/15) wurde die ehem. Republik mit den Südl. N. und dem Fürstbistum Lüttich zum Königreich der Vereinigten N. unter dem Oranier Wilhelm I. verbunden; der S wurde jedoch nach einem Aufstand 1831 als Königreich →Belgien vom Königreich der N. getrennt. – Unter Wilhelm II. (1840–49) kam es im Sinne des liberalen Führers J. R. Thorbecke zu Reformen (u.a. Verfassungsreform von 1848), die unter Wilhelm III. (1849–90) fortgesetzt wurden (u.a. Sozialgesetzgebung). Erstmals in der Geschichte des Landes trat 1890 mit Königin Wilhelmina die weibl. Erbfolge in Kraft (Ende der Personalunion mit Luxemburg). Im 1. und 2. Weltkrieg betrieben die N. eine strenge Neutralitätspolitik. Trotzdem wurden sie am 10. 5. 1940 von dt. Truppen besetzt. Die königl. Familie und die Reg. gingen ins Exil; am 14. 5. 1940 kapitulierte das niederländ. Heer. Die dt. Besatzungsmacht setzte eine Zivilreg. unter dem Reichskommissar A. Seyß-Inquart ein, die von der durch A. Mussert geführten einheim. Nationaal-Socialistische Beweging

Wilhelm I., der Schweiger, Prinz von Oranien: Ausschnitt eines Kupferstichs des niederländischen Künstlers Pieter Tanjé aus dem 18. Jahrhundert

Niederlande

Mit dem »Plakkaat van verlatinge« kündigten die Generalstaaten dem spanischen König am 26. Juli 1581 den Gehorsam auf und begründeten ihren Beschluss so:

»(Wenn der Fürst) ... statt seine Untertanen zu schützen, sie zu unterdrücken, zu belästigen versucht, ihnen ihre alte Freiheit, Privilegien und alte Gewohnheit zu nehmen und ihnen zu befehlen und sie als Sklaven zu gebrauchen, so soll er nicht für einen Fürsten, sondern für einen Tyrannen gehalten werden, und dazu darf er nach Recht und Billigkeit zum Mindesten von seinen Untertanen, besonders durch Beschluss der Staaten (der Stände) des Landes, nicht mehr als Fürst anerkannt, sondern verlassen und jemand anders an seiner Stelle zu ihrem Schutze zum Haupt, ohne Missbräuche, gewählt werden.«

(NSB) unterstützt wurde. Die Verfolgung der Juden und der Einsatz von Niederländern zur Zwangsarbeit förderten die Entstehung einer Widerstandsbewegung. 1944/45 eroberten alliierte Streitkräfte die N. zurück. Im Verlauf des 2. Weltkriegs hatte die niederländ. Exilregierung am 8. 12. 1941 Japan den Krieg erklärt und Japan, nach seinem Sieg über die niederländ. Flotte in der Javasee, 1942 Niederländisch-Indien besetzt. Nach der Kriegsniederlage Japans versuchten die N. vergeblich, ihre Herrschaft in Niederländisch-Indien wieder zu errichten, wo eine einheim. Nationalbewegung im Aug. 1945 den unabhängigen Staat →Indonesien ausgerufen hatte. Außenpolitisch trat nach dem 2. Weltkrieg an die Stelle der Neutralitätseine aktive Bündnispolitik (1949 Beitritt zur NATO); die N. suchten die enge wirtsch. Zusammenarbeit mit Belgien und Luxemburg (→Benelux-Länder) und förderten die europ. Einigung. Im Zuge der Entkolonialisierung zogen sich die N. 1963 aus West-Neuguinea (Westirian) zurück und entließen 1975 Surinam in die Unabhängigkeit. 1948 dankte Königin Wilhelmina zugunsten ihrer Tochter Juliana ab. In der Nachkriegszeit wurden immer wieder Koalitionsreg. gebildet, bestimmt von der Kath. Volkspartei (KVP) und der sozialdemokrat. Partei der Arbeit (PvdA). In den 1960er-/70er-Jahren veränderte sich das Parteienspektrum; so schlossen sich die konfessionellen Parteien zum Christl. Demokrat. Appell (CDA) zusammen. Nach der Abdankung Königin Julianas (1980) bestieg ihre Tochter Beatrix den Thron. 1982 übernahm R. F. M. Lubbers als MinPräs. die Führung einer Koalitionsreg. aus CDA und Liberalen, nach den Wahlen von 1989 wurde er Reg.chef eines Kabinettes aus CDA und PvdA. Die aufgrund der ho-

Wilhelmina, Königin der Niederlande (1890–1948)

Beatrix, Königin der Niederlande (seit 1980)

Willem Kok

hen Staatsverschuldung und der wirtsch. Konjunkturschwäche 1991/92 beschlossenen Sparmaßnahmen führten wiederholt zu Bev.protesten und Demonstrationen. Im Jan. 1993 beschloss die Regierung, die Streitkräfte bis 1998 in eine Berufsarmee umzuwandeln und ihre Friedensstärke auf 70000 Mann zu begrenzen. Nach den Wahlen vom Mai 1994, bei denen der CDA eine schwere Niederlage erlitt, führt W. Kok (PvdA) seit Aug. desselben Jahres eine Koalitionsregierung aus PvdA, VVD und D'66. Sie leitete zw. 1995 und 1996 eine Reform des Sozialsystems ein (Abschaffung der gesetzl. Krankenversicherung, Umbau der Arbeitslosenversicherung, Sicherstellung der Lohnfortzahlung im Krankheitsfall durch die Unternehmen selbst). In der Außenpolitik nahm das Parlament 1992 den Vertrag von Maastricht an. 1994 wurde ein dt.-niederländ. Korps konstituiert. 1993–95 beteiligten sich die N. mit einem Kontingent von Soldaten an der Einrichtung von Sicherheitszonen in Bosnien.

🕮 SCHILLING, J. *u.* TÄUBRICH, R.: *N. München 1988. – Geschichte der N., bearb. v.* F. PETRI *u. a. Neuausg. München 1991.* – ERBE, M.: *Belgien, N., Luxemburg. Geschichte des niederländ. Raumes. Stuttgart u. a. 1993. – Benelux-Ploetz. Belgien, N., Luxemburg. Geschichte zum Nachschlagen, bearb. v.* C. WITZ *u.* U. LAULE. *Freiburg im Breisgau 1997.*

Niederländer, german. Volk in den Niederlanden, v.a. aus Niederfranken, Friesen und Niedersachsen hervorgegangen.

Niederländische Antillen (niederländisch De Nederlandse Antillen), autonomer Teil der Niederlande, im Bereich der Westind. Inseln, umfasst die Inseln Curaçao und Bonaire, die der venezolan. Küste vorgelagert sind, sowie Sint Eustatius, Saba und den S-Teil von Sint Maarten (→Saint-Martin), insgesamt 800 km², (1994) 202200 Ew.; Hptst. ist Willemstad auf Curaçao. Amtssprache: Niederländisch; Umgangssprachen: Papiamento, auch Englisch und Spanisch. – Der Schulunterricht folgt dem niederländ. Vorbild. 85% der vorwiegend aus Schwarzen und Mulatten bestehenden Bev. sind Katholiken, die übrigen Protestanten. – Die Wirtschaft basiert fast ausschl. auf Erdöl, das von Venezuela importiert und auf Curaçao raffiniert wird. Auf Curaçao werden Phosphate abgebaut. Daneben gibt es petrochem., Farben-, Textilind. und Zigarettenfabriken. Wichtig ist der Fremdenverkehr. Der Haupthafen, Willemstad, gehört zu den bedeutendsten Freihäfen der Erde. – Die N. A. genießen seit 1954 innere Autonomie, ausgeübt durch eine eigene Exekutive und ein eigenes Parlament. Ein Gouv. vertritt das Staatsoberhaupt, den niederländ. Monarchen. Die Insel →Aruba hat seit 1986 einen Sonderstatus. – Die Inseln wurden Ende des 15. Jh. von den Spaniern entdeckt, seit der 1. Hälfte des 17. Jh. waren sie Stützpunkte der niederländ. Westind. Kompanie.

NA

Niederländische Antillen (von oben): Wappen, Flagge und Internationales Kfz-Kennzeichen

niederländische Kunst, umfasst die Kunst im Gebiet der heutigen Niederlande **(holländische Kunst)** und der ehemals spanisch-österr. Niederlande **(flämische Kunst)** bis zu deren Unabhängigkeitserklärung von 1830 (danach →belgische Kunst). Ihre höchsten Leistungen sind v.a. Werke der Malerei, deren Blütezeiten das 15. Jh. und das 17. Jh. waren.

Baukunst

Von der Baukunst der karoling. Zeit sind nur spärl. Reste erhalten. In otton. und frühsal. Zeit trat die Maaslandschaft erstmals hervor. Notker aus St. Gallen, seit 972 Bischof von Lüttich, leitete eine rege Bautätigkeit ein; es entstanden u.a.: die Johanniskirche in Lüttich (geweiht 980; nach dem Vorbild der Aachener Pfalzkapelle) und die Damenstiftskirche St. Gertrud in Nivelles (11. Jh.). Zu den bedeutendsten Bauten der reifen **Romanik** gehört die Kathedrale in Tournai (12.–14. Jh.) mit einer der großartigsten Querhausturmgruppen des MA. Hauptwerke der **Gotik** sind St. Gudula (jetzt St. Michel) in Brüssel (13.–15. Jh.), die siebenschiffige Kathedrale in Antwerpen (1352 bis Anfang 16. Jh.), die Johanneskirche (Sint Jan) in Herzogenbusch (14.–16. Jh.). Die niederländ. Gotik neigte zur Beschränkung der Formenvielfalt, bes. in Holland (St. Peter in Leiden, Ende 13. Jh. begonnen), und entwickelte sich zu reicheren Gestaltungen erst in spätgot. Zeit (Saint-Jacques in Lüttich, urspr. romanisch, 1513–38 umgebaut). Einzigartig sind die profanen Bauten, die Stadttore, Tuchhallen (Ypern), Belfriede, Bürger- und Rathäuser (Brügge, Löwen, Brüssel, Oudenaarde). – In der **Renaissance** übernahm die Baukunst italien. Formen; u.a. Antwerpener Rathaus (1561–65) von C. Floris, der, auch als Bildhauer tätig, einen weit über die Niederlande hinaus wirkenden neuen Stil begründete (»Florisstil«). L. de Key baute die Fleischhalle in Haarlem (1602/03), H. de Keyser Kirchen in Amsterdam (Zuiderkerk). – Zur Zeit des **Barock** baute man im fläm. Süden in reichen und üppigen Formen (Jesuitenkirche in Antwerpen, Anfang 17. Jh.), im holländ. Norden in einem an Palladio geschulten klassizist. Stil (das königl. Lustschloss »Huis ten Bosch« und das Mauritshuis in Den Haag von P. Post; Amsterdamer Rathaus, jetzt königl. Palast, von J. van Kampen, seit 1648). Dieser Stil lebte bis in das 18. Jh. fort, unterbrochen von dem Eindringen des Barockstils Ludwigs XIV. mit palastähnl. Bürgerbauten in Amsterdam und Den Haag. Führender Meister der bürgerl. Architektur war P. Vingboons. Die Architektur des 19. Jh. ist vom historist. Eklektizismus gekennzeichnet. Der Übergang zur modernen Architektur vollzog sich mit den Bauten von

H. Berlage (Börse in Amsterdam, 1897–1903; Gemeindemuseum in Den Haag, 1927–35). Die expressionist. »Amsterdamer Schule« bemühte sich um eine skulpturale Baukörpergestaltung (Schifffahrtshaus in Amsterdam von M. de Klerk, 1911–16). Die 1917 gegr. Stijl-Gruppe erneuerte die Ästhetik der Außen- und Innengestaltung in konstruktivist. Formen (T. van Doesburg, G. T. Rietveld, J. J. P. Oud, J. Duiker, C. van Eesteren). Vorbildl. Charakter hatte auch das von W. M. Dudok errichtete Rathaus in Hilversum (1928–31). Nach 1945 traten J. H. van den Broek und J. B. Bakema (Ladenzentrum »Lijnbaan« in Rotterdam, 1946–53), Aldo van Eyck (Waisenhaus in Amsterdam, 1955–61), H. Hertzberger (Centraal Beheer in Apeldoorn, 1968–72) und R. Koolhaas (Niederländ. Tanztheater in Den Haag, 1986–87) hervor. Das Bonnefantenmuseum in Maastricht ist ein eleganter Bau des Italieners A. Rossi (1993–95).

Plastik

Die **romanische** Plastik umfasst v. a. eine bedeutende Bauskulptur (u. a. Kapitelle in der Onze-Lieve-Vrouwekerk in Maastricht; Ende des 12. Jh.). Zu Beginn des 12. Jh. entstand ein landschaftlich gebundener Stil der Goldschmiedekunst von hohem Rang: die Maasschule (Reiner von Huy, Godefroid de Huy und Nikolaus von Verdun). Ihr stilistisch verwandt sind die steinerne »Madonna des Dom Rupert« (um 1180; Lüttich, Musée Curtius). Der bedeutendste Bildhauer um 1400 war C. Sluter, der am burgund. Hof in Dijon arbeitete. Antwerpener Schnitzaltäre der Spätgotik wurden auch nach Dtl. exportiert. Italien. Formen der **Renaissance** verarbeitete im 16. Jh. bes. C. Floris (Grabmäler). Als niederländ. Meister der manierist. Plastik wirkten Giambologna in Italien, H. Gerhard und A. de Vries in Deutschland. Führende Bildhauer des **Barock** waren die fläm. Künstler, die unter dem Einfluss von P. P. Rubens und G. L. Bernini standen: F. Duquesnoy, A. Quellinus d. Ä. und d. J., L. Faydherbe (Mechelner Schule), R. Verhulst. Internat. Niveau erreichte die Plastik wieder im 20. Jh. Der belg. Bildhauer G. Vantongerloo, Mitgl. von De → Stijl, wurde mit seinen stereometr. Skulpturen richtungweisend für die konstruktivist. Arbeiten der jüngeren Generation: u. a. Carel Visser, André Volten und Ad Dekkers.

Malerei

Aus dem MA. sind v. a. Buchmalereien erhalten, die sich, beeinflusst von südniederländisch-burgund. sowie italien. (bes. sienes.) Kunst, in der Liniensprache des schönen Stils artikulierten. Die bedeutendsten Künstler der niederländisch-burgund. Schule waren A. Beauneveu, M. Broederlam, J. de Hesdin, deren Werke den neuen »realist.« Erzählstil aufweisen, der die Brüder von Limburg beeinflusste und Ausgang für die spätere niederländ. Landschafts- und Genremalerei wurde. Der in den Miniaturen der Brüder von Limburg (»Très riches heures«, Chantilly, 1411–16) lebendig gewordene Wirklichkeitssinn war Voraussetzung für die Kunst der Brüder van Eyck, mit der die Epoche der **altniederländischen** Malerei einsetzte (Genter Altar, vollendet 1432; Gent, St. Bavo). In den südl. Niederlanden begann mit den Brüdern H. und J. van Eyck und R. Campin (Mérode-Altar, um 1425; New York, Metropolitan Museum) die Geschichte des Tafelbildes sowie des Porträts mit einem neuen Realitätssinn. R. van der Weyden, stärker gebunden an die expressive Ausdrucksbewegung got. Linearität, gelangte als Erster zur farbigen Bildeinheit. Bed. Meister der 2. Hälfte des 15. Jh. war H. van der Goes (Portinari-Altar, um 1475; Florenz, Uffizien). H. Memling und G. David setzten das Überlieferte fort. Die eigentl. niederländ. Schule setzte mit A. van Ouwater und D. Bouts ein. Ihr Versuch, das Unsichtbare im Sichtbaren darzustellen, wurde von Geertgen tot Sint Jans visionär gesteigert. H. Bosch signalisiert den Umbruch der Zeiten; mit seinen gespenst. Bildern endete die große Zeit der spätgot. Malerei. – Im 16. Jh. herrschte der von Italien abhängige **Romanismus** vor, dessen erster Meister in den südl. Niederlanden J. Gossaert war. Mehr Selbstständigkeit wahrten z. T. die holländ. Romanisten, so Lucas van Leyden, bes. als Grafiker. Gegner des Romanismus war P. Bruegel d. Ä.; seine Landschaften sind tragisch und lyrisch zugleich, seine Gesellschaftsstücke Schicksalsparabeln. – Die Malerei des **Barock** kam in Flandern mit P. P. Rubens zum Durchbruch, der eine große Werkstatt unterhielt. Sein bekanntester Schüler war A. van Dyck, bedeutend bes. als Bildnismaler. J. Jordaens, beeinflusst von Rubens, fand zu einer derben, »volkstümlicheren« Manier. A. Brouwer malte Landschaften und derbe Bauernszenen, während D. Teniers d. J. in seinen Genre- und Gesellschaftsstücken Brouwers Kunst in eine gefällige, beschaulich erzählende Art umdeutete. Die holländ. Maler gaben unterdessen die sakralen, allegor., histor. Inhalte auf, die jedoch bei aller »Verweltlichung« als Bildinhalte emblematisch verschlüsselt blieben. Bildnisse und Gruppenbilder malte v. a. F. Hals, Bilder, die mit erlesenen Farben Menschen in Innenräumen darstellen (→ Interieur), J. Vermeer und P. de Hooch. Die dritte Hauptgattung der holländ. Malerei war die Landschaft, zu deren bedeutendsten Meistern E. van de Velde, J. van Goyen, S. und J. van Ruisdael sowie H. Seghers gehören. Andere bildeten ihre Meisterschaft im Tierbild (P. Potter, J. Fyt), Stillleben (W. Kalf, J. D. de Heem, P. Claesz), Genrebild

niederländische Kunst

1

2

3

4

5

| **1** Rogier van der Weyden, Maria Magdalena, rechter Flügel des so genannten Braque-Triptychons (um 1452; Paris, Louvre) | **2** Jacob van Ruisdael, »Die Mühle von Wijk bei Duurstede« (1670; Amsterdam, Rijksmuseum) | **3** Der um 1579 entstandene Lettner in der Kathedrale von Tournai stammt von Cornelis Floris | **4** Adriaen de Vries, Bronzebüste des Kaisers Rudolf II. (1603; Wien, Kunsthistorisches Museum) | **5** Die im 14. Jh. als überdeckte Markträume errichteten Hallen und der 85 m hohe Belfried aus dem 13. Jh. gehören zu den bedeutendsten Profanbauten in Brügge

(G. Terborch, A. van Ostade, J. Steen), Seestück (J. Porcellis, A. van Everdingen) oder Architekturbild (P. Saenredam, E. de Witte) aus. Alle überragte Rembrandt, der, gleich bedeutend als Maler, Zeichner und Radierer, alle Bildgattungen zu einem Bilderkosmos myst. Erlebnistiefe verband. Zu seinen Schülern gehörten J. Lievens, G. Flinck, F. Bol, C. Fabritius, A. de Gelder und G. Dou. Im 18. Jh. wurde ein akadem. **Klassizismus** bestimmend, in der Malerei durch den zu seiner Zeit sehr geschätzten Feinmaler A. van der Werff, der bedeutendste Nachfolger Dous neben F. van Mieris. Die Maler zur Zeit der **Romantik** suchten an das »goldene Zeitalter« anzuknüpfen (A. Schelfhout, B. C. Koekkoek). Neue Impulse gingen von den Vertretern der vom Vorbild der Schule von Barbizon inspirierten Haager Schule aus, die zum **Impressionismus** überleitete (J. B. Jongkind, G. H. Breitner). V. van Gogh verband die niederländ. Tradition mit den neuen künstler. Strömungen in Frankreich und wurde zu einem Bahnbrecher des **Expressionismus.** Hauptmeister des Jugendstils sind J. Thorn-Prikker und Jan Toorop. Die Gruppe De Stijl entwickelte eine auf reiner Farbe und radikal vereinfachten geometr. Formen beruhende Malerei, deren wichtigster Vertreter und Theoretiker neben T. van Doesburg und Anthony van der Leck P. Mondrian war. Als Gegenreaktion auf den Konstruktivismus kamen ab Ende der 1920er-Jahre surrealist. und realist. Tendenzen auf. Der in Paris

6

7

6 Rob Scholte, »Der Schrei« (1985; Privatbesitz) | 7 Das Verwaltungsgebäude der ING-Bank (Internationale Nederlanden Groep) im Südosten von Amsterdam wurde 1983–87 nach Plänen der beiden niederländischen Architekten Ton Albert und Max van Hunt erbaut

lebende Niederländer Bram van Velde übte großen Einfluss auf die amerikan. Maler des abstrakten Expressionismus aus. Den bedeutendsten Beitrag der Niederlande zur Kunst nach 1945 leisteten die Mitglieder der Gruppe →Cobra. Konstruktivismus und opt. Kalkül (Maurits Cornelis Escher; Jan J. Schoonhoven als Vertreter der Op-Art mit der 1961 von ihm gegründeten »Nulgroep«), geometr. Abstraktion (Ad Dekkers), Land-Art (Ger Dekkers) und Konzeptkunst (Jan Dibbets) sind in der jüngeren n. K. produktiv vertreten. Internat. Bedeutung haben v.a. Bob Bonies, Willem Kloppers und André van Lier erlangt, die vornehmlich in den Gattungen Malerei und Plastik ihre Bildideen realisieren. Parallel zu diesen Künstlern arbeiten Marinus van Boezem und Jan van Munster mit den techn. Medien Fotografie und Kunstlicht. Siert Dallinga, Ab van Hanegem, Edwin Janssen, Rob Scholte, Jan Starken, C. A. Wertheim und Hugo Kaagman sind einem postmodernen Stilpluralismus zuzuordnen.

📖 OLBRICH, H. u. MÖBIUS, H.: *Holländ. Malerei des 17. Jh. Leipzig 1990. – Graf. Formgebung in den Niederlanden, 20. Jh., bearb. v.* K. BROOS u. P. HEFTING, *Ausst.-Kat. De Beyerd, Breda. Basel 1993.* – BELTING, H. u. KRUSE, C.: *Die Erfindung des Gemäldes. Das erste Jh. der niederländ. Malerei. München 1994.* – PÄCHT, O.: *Altniederländ. Malerei. München 1994. – Niederländ. Architektur des 20. Jh., hg. v.* H. IBELINGS. *A. d. Niederländ. München 1995.* – HAAK, B.: *Das goldene Zeitalter der holländ. Malerei. Köln 1996.*

niederländische Literatur, die Literatur in niederländ. Sprache, d.h. die volkssprachl. Literatur in den Niederlanden und in Flandern (→flämische Literatur). Die geschriebene Überlieferung beginnt erst am Ausgang des 12. Jh. mit Heinrich von Veldeke: Seine »Servatiuslegende« und seine Minnelieder sind in altlimburg. Mundart abgefasst. Die Brabanterin Hadewych verfasste in der Mitte des 13. Jh. stroph. Gedichte lyrisch-myst. Inhalts, die einen frühen Höhepunkt niederländ. Lyrik darstellen. Vertreter der lehrhaften bürgerl. Dichtung waren der »Vater der n. L.« Jacob van Maerlant und sein Schüler Jan Boendale. An geistl. Lit. sind zu nennen: ein »Leven van Sinte Lutgard« von Willem van Afflighem, die Legende »Beatrijs«; an Prosawerken: Schwester Hadewychs »Visioenen«, aus dem 14. Jh. die myst. Prosa des Brabanters J. van Ruusbroec und G. Grootes. Ein Hauptwerk des frühen MA. ist die satir. Tierdichtung »Van den vos Reinaerde«. Die Zeit zwischen 1450 und 1585 wird oft als eigenständige Periode aufgefasst. Sie war geprägt von den »Rederijkers«, nach dem Modell der Handwerkerzünfte hierarchisch organisierten Kunstgilden, die ähnlich den dt. Meistersingern wichtige Träger der städt. Festkultur waren. Das Theater gipfelte in dem realist. Mirakelspiel »Mariken van Nieumeghen« (um 1500) und in dem Spiel von →Jedermann.

In der Renaissancezeit entwickelte sich ein von der Reformation geprägter Humanismus. Den starken Einfluss der klass. Dichter, bes. des Tacitus, zeigen die »Nederlandsche historiën« (2 Bde., 1642–54) von P. C. Hooft, der auch Hirtenspiele und Dramen schrieb. Schilderer des Volkslebens in Lustspielen und Possen war der auch als Lyriker bedeutende G. A. Bredero. Als Dichter von klass. Rang gilt J. van den Vondel (u.a. vaterländ. Drama »Gijsbrecht van Aemstel«, 1637). Zeitgenossen waren der Moralist J. Cats, der Diplomat C. Huygens, der religiöse Lyriker J. Revius.

Aufklärer. Positionen wurden seit etwa 1720 in moral. Wochenschriften nach engl. Modell verbreitet. Hauptvertreter dieses Genres war Justus van Effen mit »De Hollandsche Spectator« (1731–35). Humor fehlte in der nüchternen bürgerl. Welt nicht, das bezeugen Betje Bekker-Wolff und Aagje Deken in ihrem Roman »Sara Burgerhart« (1782), später N. Beets in der klass. Erzählsammlung »Camera obscura« (1839, erweitert 1851), A. C. W. Staring in epigrammat. Gedichten.

Schriftsteller der romant. Periode waren W. Bilderdijk mit seinen formtechnisch vollkommenen Werken, der geistig-aristokrat. E. J. Potgieter (Gründer der Zeitschrift »De Gids«), der scharfe Kritiker der Kolonisation auf Java, Multatuli, der Satiriker P. Paaltjens. Histor. Romane verfassten J. van Lennep, Anna Louisa Bosboom-Toussaint und J. F. Oltmans. I. da Costa, P. A. de Genestet und J. A. Alberdingk Thijm schufen religiös geprägte Dichtungen.

In den 1880er-Jahren suchte die Bewegung der »Tachtigers« den Anschluss an die literar. Strömungen der engl. Romantik und des frz. Naturalismus; sie wirkte bis weit ins 20. Jahrhundert. Hauptvertreter waren: J. F. H. Perk, der Kritiker und Lyriker W. J. T. Kloos, der Ästhetiker L. van Deyssel, der sozialist. Ethiker F. W. van Eeden, der führende Kritiker und Lyriker A. Verwey, der Maler und Prosaiker J. van Looy, der Dichter H. Gorter. Eine Sonderstellung nimmt L. Couperus mit meisterhaften Schilderungen der konventionellen holländ. Gesellschaft ein. Der naturalist. Roman wurde gepflegt von C. Scharten, Marga Antink, Top Naeff, Ina Boudier-Bakker. Realistisch war das Fischerdrama »Die Hoffnung auf Segen« (1901) von H. Heijermans.

Die 1. Hälfte des 20. Jh. bot eine Fülle von Strömungen. Vertreter einer neuen Romantik in der Poesie, mit stilist. Raffinement, waren P. N. van Eyck, A. Roland-Holst, J. C. Bloem, M. Nijhoff. Neuromant. Romane schrieb A. van Schendel. Der Heimatroman war v. a. in Flandern stark vertreten. Iron. Realismus findet sich in W. Elsschots Erzählungen. In der Zeit des 1. Weltkriegs setzte sich der Expressionismus durch. Hauptvertreter in der Lyrik waren P. A. van Ostaijen und H. Marsman; als wichtigster expressionist. Romanautor gilt F. Bordewijk. In den 30er- und 40er-Jahren wurde der Roman auf unterschiedl. Weise erneuert: Vertiefung der Dorfgeschichte (G. Walschap), autobiograph., intellektualist., psychologisch-analysierende Erzählungen (S. Vestdijk, M. Gijsen, Marianne Philips), mag. Realismus (J. Daisne, später H. Lampo), Neonaturalismus (L.-P. Boon). Die literar. Kritik erreichte ein hohes Niveau bei J. Greshoff, C. E. Du Perron und M. ter Braak. Die Erneuerungsbewegung der 50er-Jahre war um eine Darstellung der Totalität des Lebens bemüht und wandte sich gegen die Erstarrung im Konventionellen. Hauptvertreter waren L. J. Swaanswijk, H. Claus, W. F. Hermans, H. Mulisch. In den 70er-Jahren folgte der Hinwendung zu neorealist. oder dokumentar. Schreiben der 60er-Jahre eine neoromant. und neodekadente Gegenbewegung (Judith Herzberg, R. Kopland, L. Nolens u. a.). Vertreter einer experimentellen n. L. sind I. Michiels, S. Polet. Bedeutende Gegenwartsautoren sind v. a. Hella S. Haasse, A. K. Kossmann, C. J. J. Nooteboom, D. A. Kooiman, F. Kellendonk, Margriet de Moor und Monika van Paemel.

📖 LISSENS, R. F.: *Fläm. Literatur des 19. u. 20. Jh. A. d. Niederländ. Köln u. a. 1970.* – MEIJER, R. P.: *Literature of the low countries. A short history of dutch literature in the Netherlands and Belgium. Neuausg. Den Haag u. a. 1978.* – *Kritisch lexicon van de Nederlandstalige literatuur na 1945, hg. v.* A. ZUIDERENT *u. a., Losebl.-Ausg. Alphen 1980 ff.* – *Literatur in den Niederlanden u. Flandern, hg. v.* H. VEKEMANN *u. a. Köln 1986.* – *Die niederländ. u. die fläm. Literatur der Gegenwart, hg. v.* F. LIGTVOET *u.* M. VAN NIEUWENBORGH. *München u. a. 1993.*

niederländische Musik, die Musik in den ehem. burgund., dann habsburg. und später span. Niederlanden (dem heutigen Königreich der Niederlande) und früher auch in den südl. Niederlanden (dem heutigen Königreich Belgien).

Die niederländ. Komponisten der burgund. und habsburg. Zeit bestimmten mit mehrstimmigen Kompositionen (Messen, Motetten, Chansons) im 15. und 16. Jh. die abendländ. Musik entscheidend. Zur ersten Blüte kam die n. M. am burgund. Hof Philipps des Guten und Karls des Kühnen zw. etwa 1420 und 1470 mit G. Dufay und G. Binchois (burgund. Musik). Das fläm. Element tritt in der zweiten Jahrhunderthälfte mit den im Gebiet der heutigen frz.-belg. Grenze beheimateten Komponisten J. Ockeghem und J. Obrecht hervor. Dieser Epoche gehören weiter Josquin Desprez und H. Isaac an (frankofläm. Schule). Die großen Meister des 16. Jh. sind N. Gombert, A. Willaert und J. Clemens non Papa. Willaert begründete die →venezianische Schule. Zu seinen Schülern gehören der Niederländer C. de Rore und der Venezianer A. Gabrieli. Durch O. di Lasso erreichte die niederländ. Chorpolyphonie einen letzten Höhepunkt. Um 1600 erneuerte J. P. Sweelinck mit seiner Orgelmusik noch einmal die europ. Geltung der n. M. – Im späteren Belgien lehnte sich die Musik an frz. Vorbilder an. Gegen die frz. Ausrichtung entstand eine fläm. Bewegung (P. Benoît). Bed. belg. Komponisten der jüngsten Zeit sind F. Peeters und H. Pousseur. – In den nördl. Niederlanden (Holland) wurde im 18. Jh. das niederländ. Musikleben stark von ausländ. Einflüssen beherrscht.

Erst im 19. Jh. wurde die einheim. Musik bewusst gepflegt; seit Ende des 19. Jh. gewinnt die europ. Entwicklung auch hier Gestalt (J. Wagenaar u.a.). W. Pijper und dessen Schüler H. Badings gelten als Mitbegründer der Neuen Musik. Um deren Anschluss an die internat. Richtungen der Gegenwart sind u.a. bemüht: T. de Leeuw, P. Schat, O. Ketting, M. Mengelberg, R. de Leeuw, L. Andriessen, K. Boehmer und T. Keuris. Gefördert wird die Neue Musik der Niederlande bes. durch die 1947 gegr. Stiftung DONEMUS, Amsterdam. In Bilthoven besteht das Kontaktzentrum »Gaudeamus« für junge Musiker.

📖 Reeser, E.: *Een eeuw Nederlandse muziek 1815–1915. Amsterdam* ^{2}*1986.* – Elders, W.: *Composers of the Low Countries. A. d. Niederländ. Oxford 1991.* – *Muziek in de 20ste eeuw, hg. v.* J. Nuchelmans *u.a. Baarn 1995.*

Niederländischer Katechismus (Holländischer Katechismus), ein im Auftrag des niederländ. Episkopats 1966 herausgegebener kath. Katechismus (»De Nieuwe Katechismus«, 1966; dt. Ausgabe »Glaubensverkündigung für Erwachsene«, 1969), der die vom 2. Vatikan. Konzil eingeleitete Erneuerung weiterzuführen suchte; stieß bei konservativen Theologen auf heftige Kritik.

niederländische Sprache (holländische Sprache), westgerman. Sprache, die in den Niederlanden und in N-Belgien (→flämische Sprache) gesprochen wird. Die Reste german. Dialekte in N-Frankreich (bei Dünkirchen) sind historisch ebenfalls als niederländisch zu betrachten. Tochtersprache ist das →Afrikaans. Die n. S. ist außer in den Niederlanden und Belgien auch Amtssprache in Surinam und auf den Niederländ. Antillen. – Die niederländ. Hochsprache ist hauptsächlich aus dem Niederfränkischen entstanden. Mit dem Niederdeutschen hat sie die Stufe der Lautverschiebung gemeinsam, unterscheidet sich aber u.a. durch einige nur ihr eigentümliche Diphthonge und durch die allg. durchgeführte Pluralendung -s. Das Deklinationssystem ist im Vergleich zum Deutschen stark eingeschränkt. Das Kasussystem ist fast beseitigt. Der Wortschatz bewahrt alte Wörter, die im Deutschen verschwunden sind (oorlog »Krieg«, eeuw »Jahrhundert«).

📖 Brachin, P.: *Die n. S. Aus dem Frz. Hamburg 1987.* – Vekeman, H. *u.* Ecke, A.: *Geschichte der n. S. Bern u.a. 1993.*

Niederländisch-Guayana, früherer Name von →Surinam.

Niederländisch-Indien, die früheren niederländ. Gebiete des Malaiischen Archipels und Neuguineas, jetzt →Indonesien; Hptst. war Batavia.

Niederländisch-Neuguinea [-gi'nea], bis 1963 Bez. des westl. Teils von Neuguinea, heute →Irian Jaya.

Niederländisch-Westindien, bis 1937 Name der →Niederländischen Antillen.

Niederlassung, 1) *Handelsrecht:* Ort, von dem aus ein gewerbl. Unternehmen dauernd betrieben wird. Jeder Kaufmann muss eine N. haben (§ 29 HGB). Beim Betrieb eines Handelsgewerbes spricht man von **Handels-N.,** bei Gesellschaften von **Sitz.** Verfügt ein Unternehmen über mehrere N., so ist diejenige die **Haupt-N.,** von der aus das Unternehmen geleitet wird.

2) *Völkerrecht:* Wohnsitzbegründung in einem Staat, um dort eine selbstständige Erwerbstätigkeit auszuüben. Die N. von Ausländern bestimmt sich nach dem →Fremdenrecht und nach bi- und multilateralen Abkommen.

Niederlassungsfreiheit, als Bestandteil der Freizügigkeit Grundrecht jedes Deutschen, sich an jedem beliebigen Ort in Dtl. niederzulassen, Grundeigentum zu erwerben, ein Gewerbe zu betreiben oder einer sonstigen Tätigkeit nachzugehen (Art. 11, 12 GG). Nach europ. Gemeinschaftsrecht gehört die N. zu den Grundfreiheiten aller Bürger der EU-Staaten (Art. 52 ff. EWG-Vertrag); umfasst die Aufnahme und Ausübung selbstständiger Erwerbstätigkeit in anderen Ländern der EU sowie die Gründung und Leitung von Unternehmen nach den Bestimmungen für Inländer.

Niederlausitz, Landschaft beiderseits der unteren Spree und der Lausitzer Neiße, überwiegend in Dtl. (Brandenburg), der O-Teil in Polen. Sie umfasst eiszeitlich geformte Niederungen. Der Abbau der Braunkohle war die Voraussetzung für die Entstehung der Ind.landschaft im Gebiet von Lauchhammer, Senftenberg und Spremberg.

Geschichte: Kern der späteren N. waren die Wohngaue der zu den Sorben gehörenden westslaw. Lusizen um Cottbus, Guben und Sorau, die etwa ab 965 Teile der sächs. Ostmark waren; kam erstmals im 11. Jh., dann 1136 an die Wettiner (fast ohne Unterbrechung bis 1302/04); 1367 als Markgrafschaft Lausitz der böhm. Krone unterstellt; nachdem sich der Name Lausitz auf das Land um Bautzen und Görlitz ausgedehnt hatte Unterscheidung in N. und Oberlausitz. 1445/55 fiel der (damalige) Kreis Cottbus an Brandenburg, 1526 die übrige N. an das Haus Österreich; die Reformation setzte sich trotzdem rasch durch. 1623 erhielt Kursachsen den Pfandbesitz beider Lausitzen (1635 als Besitz zugesprochen); 1657–1738 zum albertin. Sekundogenitur-Fürstentum Sachsen-Merseburg; seit 1815 zu Preußen (Prov. Brandenburg). – Der östlich der Lausitzer Neiße gelegene Teil fiel 1945 an Polen, der heutige brandenburg. Teil gehörte 1952–90 zum DDR-Bezirk Cottbus.

Niederösterreich
Landeswappen

Niederösterreich, Bundesland Österreichs, 19 174 km^2, (1995) 1,518 Mio. Ew.; Landeshptst. ist Sankt Pölten, Verw.sitz zurzeit noch Wien. N. erstreckt sich beiderseits der Donau, zw. Ennsmündung im W und Marchmündung im O; es grenzt im N und NO an die Tschech. Rep. und an die Slowak. Rep., im SO an das Burgenland, im S an die Steiermark, im W an Oberösterreich. N. hat Anteil an den Alpen im S, dem Alpenvorland bis zur Donau, dem Wiener Becken und Marchfeld im O, am Böhm. Massiv mit dem Waldviertel im NW. – Die Siedlungsdichte ist unterschiedlich, bes. hoch im Raum um Wien. BILD Österreich

Niedersachsen
Landeswappen

Wirtschaft: N. hat die größte Ackerfläche unter den österr. Bundesländern, insbesondere Getreideanbau, Hackfrüchte und Futterpflanzen; in der Wachau, im Weinviertel und am Fuß des Wienerwaldes Weinbau; Bedeutung haben Gemüse- und Obstbau sowie Almwirtschaft (Fleisch- und Milcherzeugung). Die Ind. ist bes. dicht um Wien und im S des Wiener Beckens angesiedelt; in den Alpen Holz- und Papierind., Wasserkraftwerke; im Marchfeld und Weinviertel Erdöl- und Erdgasvorkommen, chem., Metall verarbeitende, Textil- und Nahrungsmittelindustrie.

Geschichte: Nördlich der Donau siedelten germanische Kleinstämme, während im S röm. Stadtterritorien der Prov. Noricum sowie Vindobona (Wien) und Carnuntum der Prov. Pannonia bestanden. Um 530 wurden die westl. Landstriche überwiegend von Baiern, weite Teile der östl. und nördl. von Slawen besiedelt, um 790 wurde das ganze Gebiet dem Frankenreich eingegliedert. Das heutige N. gehörte zu der nach 955 entstandenen bayer. Ostmark (→Österreich, Geschichte). Im 13. Jh. setzte eine gewisse Trennung zw. N. und Oberösterreich ein; Österreich »unter der Enns« (N.) wurde zum Zentrum des habsburg. Imperiums, bes. nach 1526. Durch den Zerfall der Donaumonarchie 1918/19 wurde N. Grenzland. Seit 1920 sind Wien (1938–54 aus Teilen N.s vergrößert) und N. (seit 1921 amtl. Bez.) zwei selbstständige Bundesländer. 1938–45 bildete N. den Hauptteil des dt. Reichsgaues Niederdonau.

📖 GUTKAS, K.: *Geschichte des Landes N. Sankt Pölten* [6]*1983. – Landeschronik N., hg. v.* K. GUTKAS. *Wien* [2]*1994.*

Niederrhein, der Unterlauf des Rheins, etwa von Bonn an.

Niederrheinische Bucht, die Ebene beiderseits des Rheins westlich des Berg. Landes und nördlich der Eifel. Die nordwestl. Fortsetzung ist das **Niederrheinische Tiefland.**

Niederrheinisch-Westfälischer Kreis, im 16. Jh. auch Niederländisch-Westfälischer Kreis, einer der (seit 1512 zehn) Kreise des Hl. Röm. Reichs, umfasste 1522 die Bistümer Münster, Paderborn, Utrecht, Cambrai, Lüttich, Osnabrück, Minden und Verden, die Reichsabteien Stablo-Malmédy, Werden, Kornelimünster, Essen, Echternach, Herford und Corvey, die Herzogtümer Kleve-Mark, Jülich und Berg, mehrere Reichsstädte (u.a. Köln, Aachen und Dortmund) sowie zahlr. Grafschaften und Herrschaften (u.a. Ostfriesland, Oldenburg, Bentheim, Tecklenburg, Diepholz, Pyrmont, Lippe, Dillenburg, Wied).

Niedersachsen, Land im NW von Deutschland, 47611 km^2, (1996) 7,795 Mio. Ew.; Hptst. ist Hannover.

Landesnatur: Der überwiegende Teil von N. gehört dem von der Saale-Eiszeit geprägten und überformten Norddt. Tiefland an. Im S geht das Tiefland in die Lössbördenzone über, die den Gebirgssaum der folgenden Mittelgebirge begleitet. An den Marschensaum an der Küste schließt sich das Wattenmeer mit den Ostfries. Inseln an. Im S hat N. Anteil an der mitteldt. Gebirgsschwelle (Harz, Solling, Ith, Hils, Sieben Berge, Deister, Hildesheimer Wald, Elm, Süntel). Hauptflüsse sind Ems, Weser, Elbe, die durch Kanäle untereinander verbunden sind.

Bevölkerung: N. liegt fast ganz im Bereich der niederdt. Sprache; im äußersten NW spielt Friesisch (→Friesen) eine Rolle. Zwei Drittel der Bev. sind evang., knapp 20% katholisch. N. hat Univ. in Göttingen, Oldenburg (Oldenburg), Osnabrück, Hannover, Hildesheim und Lüneburg, TU in Braunschweig und Clausthal-Zellerfeld, medizin. und tierärztl. Hochschule in Hannover, Hochschule für Bildende Künste in Braunschweig, Hochschule für Musik und Theater in Hannover sowie 12 Fachhochschulen.

Wirtschaft: Die Landwirtschaft nutzt 57% der Fläche. 20,7% der Fläche sind Wald. In der Braunschweig-Hildesheimer Lössbörde werden Weizen und Zuckerrüben angebaut, auf den wenig fruchtbaren Geestplatten bes. Roggen, Hafer und Kartoffeln, in den Fluss- und Küstenmarschen herrscht Grünlandwirtschaft mit Viehzucht vor. Gemüse wird bes. zw. Hannover und Braunschweig und im Emsland angebaut, Gemüse und Obst bes. im →Alten Land und Land →Kehdingen. Bed. ist die Viehwirtschaft (Schweine, Rinder, Geflügel). Der niedersächs. Anteil an der dt. Erdgasförderung beträgt nahezu 100%, an der Erdölförderung über 70%. Die Schwerpunkte der Fördergebiete liegen für Erdgas in den Räumen Emsland, S-Oldenburg, Sulingen und Söhlingen, für Erdöl im Emsland und Celle-Gifhorn. Im Raum Celle-Hannover werden Stein- und Kalisalze, im Raum Helmstedt Braunkohle abgebaut. Die Ind. ist im südl. N. konzentriert: Eisenerzverhüttung, Eisen- und Stahlverarbeitung im Gebiet Salzgitter-Peine. Die bedeutendsten Industriezweige sind Fahrzeugbau (Wolfsburg, Braunschweig, Hannover, Salzgitter), Maschinenbau (Hannover, Braunschweig-Peine-Salzgitter-Gebiet), Elektrotechnik

Verwaltungsgliederung Niedersachsen (Größe und Bevölkerung 31. 12. 1996)

Verwaltungseinheit	Größe in km²	Ew. in 1 000	Ew. je km²	Verwaltungssitz
RegBez. Braunschweig	8 097	1 677,8	207	Braunschweig
Kreisfreie Städte				
Braunschweig	192	251,3	1 309	Braunschweig
Salzgitter	224	116,9	522	Salzgitter
Wolfsburg	204	124,7	611	Wolfsburg
Landkreise				
Gifhorn	1 562	164,0	105	Gifhorn
Goslar	965	160,3	166	Goslar
Göttingen	1 117	267,2	239	Göttingen
Helmstedt	674	101,2	150	Helmstedt
Northeim	1 267	153,6	121	Northeim
Osterode am Harz	636	88,2	139	Osterode am Harz
Peine	534	127,9	240	Peine
Wolfenbüttel	722	122,6	170	Wolfenbüttel
RegBez. Hannover	9 045	2 146,7	237	Hannover
Kreisfreie Stadt				
Hannover	204	522,6	2 562	Hannover
Landkreise				
Diepholz	1 987	205,5	103	Diepholz
Hameln-Pyrmont	796	163,8	206	Hameln
Hannover	2 086	590,4	283	Hannover
Hildesheim	1 205	293,0	243	Hildesheim
Holzminden	692	83,3	120	Holzminden
Nienburg (Weser)	1 399	124,4	89	Nienburg (Weser)
Schaumburg	676	163,7	242	Stadthagen
RegBez. Lüneburg	15 504	1 616,3	104	Lüneburg
Landkreise				
Celle	1 545	179,7	116	Celle
Cuxhaven	2 072	199,6	96	Cuxhaven
Harburg	1 244	219,4	176	Winsen (Luhe)
Lüchow-Dannenberg	1 220	51,9	43	Lüchow
Lüneburg	1 322	157,8	119	Lüneburg
Osterholz	651	106,0	163	Osterholz-Scharmbeck
Rotenburg (Wümme)	2 070	154,6	75	Rotenburg (Wümme)
Soltau-Fallingbostel	1 873	136,1	73	Fallingbostel
Stade	1 266	185,6	147	Stade
Uelzen	1 454	96,2	66	Uelzen
Verden	788	129,4	164	Verden (Aller)
RegBez. Weser-Ems	14 963	2 374,2	159	Oldenburg (Oldenburg)
Kreisfreie Städte				
Delmenhorst	62	78,2	1 261	Delmenhorst
Emden	113	51,5	456	Emden
Oldenburg (Oldenburg)	103	152,8	1 483	Oldenburg (Oldenburg)
Osnabrück	120	167,3	1 394	Osnabrück
Wilhelmshaven	103	89,6	870	Wilhelmshaven
Landkreise				
Ammerland	728	105,0	144	Westerstede
Aurich	1 287	181,5	141	Aurich
Cloppenburg	1 418	142,7	101	Cloppenburg
Emsland	2 879	295,4	103	Meppen
Friesland	608	98,6	162	Jever
Grafschaft Bentheim	981	126,7	129	Nordhorn
Leer	1 086	155,7	143	Leer (Ostfriesland)
Oldenburg	1 063	114,2	107	Wildeshausen
Osnabrück	2 122	344,6	162	Osnabrück
Vechta	812	120,3	148	Vechta
Wesermarsch	822	94,4	115	Brake (Unterweser)
Wittmund	657	55,6	85	Wittmund
Niedersachsen	47 611	7 815,1	164	Hannover

(Hannover, Süd-N.) und Nahrungsmittelind., ferner Textilind. (Osnabrück, südl. Emsland), feinmechanisch-opt. Ind. (Braunschweig, Göttingen). An der Küste dominieren Schiffbau, chem. und petrochem. Ind. und Fischverarbeitung. Der Fremdenverkehr spielt eine große Rolle in den Nordseebädern, der Lüneburger Heide und im Harz. N. weist zwei Hauptrichtungen des Durchgangsverkehrs auf: Der West-Ost-Verkehr verläuft v.a. am Nordsaum der Mittelgebirgsschwelle, der Nord-Süd-

Verkehr, der von den Nordseehäfen ausgeht, führt v.a. durch das Leinetal. Zur umfangreichen Verkehrsinfrastruktur zählt neben dem Straßennetz und dem Eisenbahnnetz auch ein beachtl. Netz von Binnenwasserstraßen. Dortmund-Ems-Kanal, Elbeseitenkanal, Mittellandkanal und Küstenkanal sind für Europaschiffe (1350 t) befahrbar. Wichtige Binnenhäfen sind Salzgitter, Emden, Oldenburg (Oldenburg), Brake und Nordenham, die wichtigsten Seehäfen Wilhelmshaven, Brake und Nordenham. Der internat. Flughafen Hannover hat überregionale Bedeutung.

Landtagswahlen in Niedersachsen 1990–98[1]

Parteien	13. 5. 1990	13. 3. 1994	1. 3. 1998
SPD	71; 44,2%	81; 44,3%	83; 47,9%
CDU	67; 42,0%	67; 36,4%	62; 35,9%
FDP	9; 6,0%	–; 4,4%	–; 4,9%
Grüne[2]	8; 5,5%	13; 7,4%	12; 7,0%
Andere	–; 1,8%	–; 5,8%	–; 4,3%

[1] Sitzverteilung und Stimmenanteil der Parteien.
[2] seit 1993 Bündnis 90/Die Grünen.

Verfassung: Nach der Verf. vom 13. 5. 1993 liegt die Legislative beim Landtag (155 Abg., auf 4 Jahre gewählt). Der Landtag wählt den MinPräs., der die Mitgl. des Kabinetts beruft. Der Reg.chef kann durch konstruktives Misstrauensvotum gestürzt werden. Die neue Verf. stattet das Parlament mit mehr Rechten gegenüber der Reg. aus, sieht Volksentscheide vor und bestimmt u.a. Arbeit, Wohnen, Umweltschutz und Gleichberechtigung zu Staatszielen.

Geschichte: N. wurde durch die brit. Militärregierung am 1. 11. 1946 aus der ehem. preuß. Provinz Hannover und den Ländern Braunschweig, Oldenburg und Schaumburg-Lippe gebildet. 1947 kamen Teile des Landes Bremen hinzu. 1947–74 war die SPD die stärkste Partei im Landtag (1970–74 absolute Mehrheit), 1977–78 und 1982–86 die CDU (seit 1982 absolute Mehrheit). 1990 wurde die SPD stärkste Partei (Koalition mit den Grünen, seit 1998 absolute Mehrheit). MinPräs.: H. W. Kopf (SPD; 1946–55, 1959–61), H. Hellwege (DP, später CDU; 1955–59), G. Diederichs (SPD; 1961–70), A. Kubel (SPD; 1970–76), E. Albrecht (CDU; 1976–90), G. Schröder (SPD; seit 1990).

Asta Nielsen

📖 *Handbuch der histor. Stätten Deutschlands, Bd. 2: N. u. Bremen, hg. v.* K. Brüning *u.* Heinrich Schmidt. *Stuttgart* [5]*1986. – N., polit. Landeskunde, bearb. v.* D. Storch. *Hannover 1987. – Geschichte des Landes N., Beiträge v.* G. Schnath *u. a. Freiburg im Breisgau u. a.* [6]*1994.*

Niedersachsen, deutscher Stamm (→Sachsen).

Niedersächsischer Kreis, 1512–1806 einer der zehn →Reichskreise des Hl. Röm. Reichs; umfasste die Erzbistümer Bremen und Magdeburg, die Bistümer Hildesheim, Lübeck, Ratzeburg, Schleswig und Schwerin, die Herzogtümer Braunschweig, Mecklenburg, Holstein und Sachsen-Lauenburg, zwei Grafschaften sowie die Reichsstädte Lübeck, Goslar, Nordhausen, Mühlhausen, Hamburg und Göttingen.

Niedersächsisches Wattenmeer, Nationalpark (seit 1986) an der Nordseeküste, 240 000 ha.

Niederschlag, 1) *Chemie:* der aus einer (gesättigten) Lösung bei einer chem. Reaktion oder als Folge einer Druckerhöhung oder Temperaturerniedrigung ausgefällte Stoff (→Fällung).

2) *Meteorologie:* das in der Atmosphäre aus der Gasphase in die flüssige oder feste Phase umgewandelte und ausgeschiedene Wasser. Unterschieden werden **fallender** oder **gefallener N.** (Regen, Schnee, Graupel, Hagel u.a.), **abgesetzter N.** (Tau, Reif, Nebelfrostablagerungen, Glatteis) und **abgelagerter N.** (Decken aus Schnee, Hagel usw.). Nach Entstehung teilt man N. in **zyklonalen N.** (an die Wetterfront einer Zyklone gebundener N.), **konvektiven N.** (Thermik in instabiler Luftschichtung) und **orograph. N.** (Heben von Luftmassen an Geländeformen) ein. Zur N.-Bildung müssen die einzelnen Elemente eine bestimmte Größe überschreiten, damit sie nicht unterhalb der Wolke wieder vollständig verdunsten. Künstl. Erzeugung von N. kann durch Zufügen von Silberjodid und Kohlendioxid in unterkühlte Wolken erfolgen. Die Menge des N. wird mit **N.-Messern (Regenmesser, Hyeto-, Ombro-, Pluviometer)** festgestellt. Sie bestehen aus Auffanggefäß, Abflusstrichter und Sammelgefäß.

3) *Sport:* Wirkungstreffer, der einen Boxer zu Boden zwingt (nach zehn Sekunden: Knock-out).

Niederschlagung, 1) *Steuerrecht:* Entscheidung des Finanzamtes, einen uneinbringl. oder übermäßig Kosten verursachenden Steueranspruch nicht geltend zu machen; der Anspruch bleibt aber bestehen, bis er erfüllt oder verjährt ist.

2) *Strafrecht:* die →Abolition.

Niederschlesilen, der nördl. Teil von →Schlesien; bildete 1919–38 und 1941–45 eine preuß. Provinz (mit der Hptst. Breslau).

Niederschlesischer Oberlausitzkreis, Landkreis im RegBez. Dresden, Sachsen, 1357 km² und (1996) 113 500 Ew.; Krst. ist Niesky.

Niederspannung, elektr. Spannung bis 1 kV.

Niederstwertprinzip, →Bewertung.

Niederung, tief liegendes Land, meist in Tälern oder Becken, an Flüssen oder an der Küste, meist mit humushaltigen Alluvialböden; oft mit **Niedermooren.**

Niederwald, 350 m hoher Bergrücken im Rheingaugebirge, zw. Rüdesheim und Assmannshausen; am Südabhang Weinberge. 1877–83 wurde das **N.-Denkmal** zur Erinnerung an den Deutsch-

Französischen Krieg von 1870/71 erbaut; das 10,5 m hohe Bronzestandbild der »Germania« ruht auf einem 25 m hohen reliefgeschmückten Sockel.

Niederwild, Wild für niedere →Jagd.

Niednagel [zu mhd. niet »breit geschlagener Nagel«], Einriss am Nageloberhäutchen z. T. bis zum Nagelfalz mit Infektionsgefahr.

Niedrigwasser, der niedrigste →Wasserstand von Gewässern; am Meer spricht man auch von Tide-N. bei Ebbe, →Gezeiten.

Niegocin, Jezioro [jɛz'jɔrɔ njɛ'gɔtɕin], See in Polen, →Löwentinsee.

Niehans, Paul, schweizer. Arzt, *Bern 21. 11. 1882, †Montreux 1. 9. 1971; befasste sich v. a. mit der Drüsen- und Hormonforschung und führte die Behandlung mit Aufschwemmungen frischer Drüsenzellen (→Zelltherapie) ein.

Niekisch, Ernst, Politiker und Publizist, *Trebnitz (heute Trzebnica) 23. 5. 1889, †Berlin (West) 23. 5. 1967; seit 1917 Mitgl. der SPD (1919–22 USPD), vertrat als Hg. der Ztschr. »Der Widerstand« (1927–34) einen »Nationalbolschewismus«; 1937 verhaftet, 1939 zu lebenslängl. Zuchthaus verurteilt; nach 1945 Mitgl. der KPD/SED, 1948–54 Prof. an der Humboldt-Univ. Berlin; legte 1954 sämtl. Ämter nieder, schied aus der SED aus und übersiedelte nach Berlin (West); schrieb »Erinnerungen eines dt. Revolutionärs« (1958–74).

Niello [zu lat. nigellus »schwärzlich«] *das,* Verzierung von Metall, bes. Silber, durch eine schwärzl. Legierung aus Silber, Blei, Kupfer, Schwefel, Salmiak, die in eine gravierte Zeichnung eingeschmolzen wird, sodass sich diese durch einen anderen Farbton vom Grund abhebt.

Nielsbohrium [nach dem dän. Physiker Niels Bohr], von sowjet. Wissenschaftlern urspr. vorgeschlagene Bez. für das chem. Element 105, das heute die Bez. →Dubnium hat.

Nielsen, 1) ['ni:lsn], Arthur Charles, amerikan. Marktforscher, *Chicago (Ill.) 5. 9. 1897, †ebd. 1. 6. 1980; gründete 1923 ein Marktforschungsunternehmen in Chicago, das seit 1984 als »Nielsen Marketing Research« firmiert; mit Niederlassungen in fast allen westl. Industriestaaten vertreten.

2) ['ni:lzən, 'nelsən], Asta, dän. Schauspielerin, *Kopenhagen 11. 9. 1881, †ebd. 25. 5. 1972; Star des Stummfilms, den sie durch ihr ausdrucksvolles Spiel zu erstem künstler. Höhepunkt führte.

3) ['nelsən], Carl, dän. Komponist, *Nørre Lyndelse (bei Odense) 9. 6. 1865, †Kopenhagen 3. 10. 1931; komponierte in einem zw. Romantik und neuer Kontrapunktik vermittelnden Stil u. a. Sinfonien, Kammermusik, Klaviermusik, Opern.

Niemcewicz [njɛm'tsɛvitʃ], Julian Ursyn, poln. Schriftsteller, *Skoki (bei Brest, Weißrussland) 16. 2. 1758, †Paris 21. 5. 1841; nahm an den Aufständen 1794 und 1830/31 teil und lebte seit 1833 in Paris; sein Werk, das sowohl dem Rationalismus wie der Romantik verpflichtet ist, hatte patriot. Ziele.

Niederwald: Das Niederwalddenkmal oberhalb von Rüdesheim am Rhein wurde 1877–83 zur Erinnerung an den Deutsch-Französischen Krieg von 1870/71 erbaut; das Bronzestandbild der Germania ist 10,5 m und der Sockel 25 m hoch

Niemeyer, Oscar, eigtl. O. N. Soares Filho, brasilian. Architekt, *Rio de Janeiro 15. 12. 1907; einer der Begründer der modernen Architektur in Brasilien; Bauten u. a. in Pampulha bei Belo Horizonte (1939–44), Ausstellungsgebäude in São Paulo (1951–54); führend beim Bau der neuen Hptst. Brasília, in der er den Palácio da Alvorada (Sitz des Präs., 1957–59), den Obersten Gerichtshof (1958–60), die Kathedrale (1960 und 1969) sowie den Platz der drei Gewalten mit Regierungs- (1958–60), Kongress- (1958–70) und Justizgebäude (1966–72) entwarf. BILD S. 114

Ernst Niekisch

Niemeyer-Holstein, Otto, Maler und Grafiker, *Kiel 11. 5. 1896, †Usedom 20. 2. 1984; entwickelte nach expressionist. Phasen in den 40er-Jahren einen eigenen Stil; lebte seit 1939 auf Usedom.

Niello

Das Niello ist schon im Altertum bezeugt, z. B. auf Schmuck und Kleinplastik (Ägypten) oder Prunkwaffen (Mykene), und diente im Mittelalter zur Ausschmückung von Silbergerät. Von gravierten Silberplatten, meist Buchdeckeln, wurden häufig vor dem Einschmelzen des Niello Abdrucke gemacht, die ebenfalls Niello genannt werden. Im 16. Jahrhundert wurde die Niellotechnik vom Email verdrängt, blieb jedoch in der islamischen Kunst, vor allem in Persien und Indien, und im 19. Jahrhundert in Russland von Bedeutung.

Niemöller, Martin, evang. Theologe, *Lippstadt 14. 1. 1892, †Wiesbaden 6. 3. 1984; urspr. Seeoffizier (im 1. Weltkrieg U-Boot-Kommandant), seit 1919 Studium der Theologie, seit 1931 Pfarrer in Berlin-Dahlem; gründete 1933 den »Pfarrernot-

Oscar Niemeyer: Der Palácio da Alvorada in Brasília entstand 1957–59; der 110 m lange, allseitig verglaste Baukörper enthält die Wohn- und Empfangsräume des brasilianischen Präsidenten

Martin Niemöller

bund« und wurde in der Folgezeit als entschiedener Gegner der nat.-soz. Kirchenpolitik zur prägenden Persönlichkeit der →Bekennenden Kirche; 1937–45 KZ-Haft als »persönl. Gefangener Hitlers« (Dachau, Sachsenhausen); war nach 1945 führend an der Neuordnung der EKD beteiligt; 1947–64 Kirchenpräs. der Evang. Kirche in Hessen und Nassau; wurde wegen seiner Äußerungen zu polit. Fragen (Mitschuld der Kirche am Aufkommen und an den Verbrechen des Nationalsozialismus, Bekämpfung des Antikommunismus, der Atomrüstung, der Wiederbewaffnung der Bundesrep. Dtl.) z.T. heftig kritisiert; war als überzeugter Pazifist bis zu seinem Tod aktives Mitgl. der Friedensbewegung.

📖 Bentley, J.: *M. N. Eine Biographie. A.d. Engl. München 1985.*

Nienburger Gruppe, nach einem Gräberfeld bei Nienburg (Weser) ben. früheisenzeitl. Kulturgruppe in Niedersachsen; charakteristisch sind verzierte Urnen mit randständigem Henkel (»Nienburger Tassen«). Die N. G. entstand unter dem Einfluss der Hallstattkultur, im 6./5. Jh. v.Chr. ging sie in der →Jastorfkultur auf.

Joseph Nicéphore Niepce

Nienburg (Weser), 1) Landkreis im RegBez. Hannover, Ndsachs., 1399 km², (1996) 124 400 Einwohner.

2) Krst. von 1) in Ndsachs., an der mittleren Weser, 32 800 Ew.; Fachbereich Architektur und Bauwesen der FH Hannover. Glas-, chem. Industrie. – Spätgotische Pfarrkirche (1441 geweiht), Rathaus (16. Jh.), mächtiger Stockturm (16. Jh.). – 1025 erstmals genannt, vor 1235 Stadt.

Niepce [njɛps], Joseph Nicéphore, frz. Offizier (seit 1792) und Privatgelehrter, *Chalon-sur-Saône 7. 3. 1765, †Saint-Loup-de-Varennes (bei Chalon-sur-Saône) 5. 7. 1833; einer der Erfinder der Fotografie. N. gelang es 1822 als Erstem, mit einer Camera obscura aufgenommene Gegenstände auf lichtempfindliche Bitumenschichten zu fixieren **(Niepcotypie);** arbeitete später mit L. J. M. →Daguerre zusammen.

Niere (Ren, Nephros), paariges Exkretionsorgan der Wirbeltiere und des Menschen. Die N. des Menschen sind zwei bohnenförmige, dunkelrote, je 120–200 g schwere, etwa 11 cm lange, 5 cm breite und 4 cm dicke Organe, die beiderseits der Wirbelsäule in Höhe der untersten Brust- und oberen Lendenwirbel an der Hinterwand des Bauchraums liegen. Jede N. ist von einer derben, bindegewebigen **N.-Kapsel** umschlossen. Das **N.-Mark** umgibt das **N.-Becken,** welches in muldenförmige **N.-Kelche** übergeht und in das es pyramidenförmige **N.-Papillen** entsendet. N.-Papillen und N.-Kelche bilden zus. die (10–20) **N.-Lappen.** Das N.-Mark wird außen von der **N.-Rinde** umgeben. Am inneren Rand der N. liegt der **N.-Hilus,** die Ein- und Austrittsstelle der N.-Arterie, der N.-Vene, des Harnleiters und der N.-Nerven. Das N.-Becken verengt sich trichterförmig zum Harnleiter, der über die Harnblase zur Harnröhre führt. In der N.-Rinde sind die **N.-Körperchen** (Malpighi-Körperchen) lokalisiert. Jedes N.-Körperchen enthält einen Knäuel **(Glomerulus)** aus zahlr. Blutkapillarschlingen, der von einer Kapsel **(Bowman-Kapsel)** umgeben ist. Von dieser führt ein 3–4 cm langes, gewundenes **N.-Kanälchen (Harnkanälchen, N.-Tubulus)** in den Bereich des N.-Marks und bildet eine u-förmige Schleife **(Henle-Schleife).** N.-Körperchen und N.-Kanälchen bilden gemeinsam die harnbereitende Funktionseinheit der N. und werden als **Nephron** (über 1 Mio. Nephronen in der N. des Menschen) bezeichnet. Die N.-Kanälchen kommen im einheitl. Sammelrohr der N.-Papille zusammen; funktionell wird im N.-Körperchen durch einen Filtervorgang etwa ein Zehntel der durch die N. fließenden Flüssig-

Nienburg (Weser) 2): Das Rathaus wurde im 16. Jh. im Stil der frühen Weserrenaissance erbaut

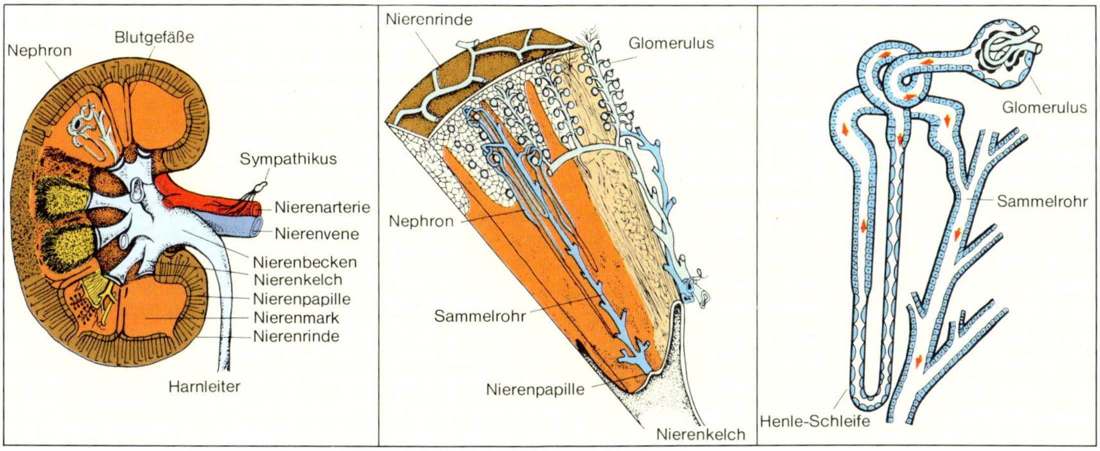

Niere: Längsschnitt durch die Niere des Menschen (links) und durch eine Nierenpapille; schematische Darstellung eines Nephrons (rechts)

keitsmenge (etwa 1700 l Blut je Tag) als Primärharn (150–170 l je Tag) abgepresst. In diesem finden sich alle Blutplasmaanteile mit Ausnahme der hochmolekularen Eiweiße. Viele wichtige Salze und Nährstoffe (z.B. Glucose) sowie Wasser werden dann im N.-Kanälchen wieder resorbiert. Beim Menschen beträgt die ausgeschiedene Tagesharnmenge nur 1–2 l. Zu den wichtigsten Aufgaben der N. gehören die Ausscheidung von im Blut gelösten Stoffwechselschlacken (harnpflichtige Stoffe), die Regelung des Wasser- und Elektrolythaushalts sowie des Säure-Basen-Gleichgewichts im Blut, ferner die Produktion der Hormone Renin und Erythropoetin.

Nierenbaum (Acajoubaum, Anacardium occidentale), tropisch-südamerikan. Art der Sumachgewächse; heute v.a. in Indien kultivierter Obstbaum mit charakterist. Früchten (→Cashewnuss), deren fleischig verdickte Fruchtstiele (Cashewäpfel) als Obst gegessen werden.

Nierenbecken|entzündung (Pyelitis), bakterielle Entzündung des Nierenbeckens; bei Frauen verhältnismäßig häufig auftretend; Symptome: Druckschmerz in der Nierengegend, Fieber sowie Harninfektion. Bei Übergreifen der Entzündung auf das Nierengewebe kommt es zu einer Pyelonephritis. Zur Behandlung →Nierenentzündung.

Nieren|entzündung (Nephritis), a) durch eine allergisch-immunolog. Reaktion der Nierenkörperchen hervorgerufene Schädigung der Niere **(Glomerulonephritis);** b) durch bakterielle Infektion verursachte Entzündung des Nierengewebes und des Nierenbeckenkelchsystems **(Pyelonephritis).** Kennzeichen der N. sind Mattigkeit, Fieber, Kopfschmerzen und Schmerzen in der Nierengegend. Im Harn lassen sich Eiweiß und rote Blutkörperchen nachweisen. Letztere sind ein Zeichen dafür, dass die Entzündung die Nierenkörperchen befallen hat. Eine nicht ausgeheilte, akute N. kann in die chron. N. übergehen, die zur Schrumpfniere führen kann. – *Behandlung:* spezif. Antibiotikaeinsatz (nach Resistenzbestimmung der Erreger); daneben Bettruhe, salzlose Diät und reichl. Flüssigkeitsgaben.

Nieren|insuffizi|enz, krankhafte Herabsetzung des Nierenleistungsvermögens. Die N. führt zur Ansammlung harnpflichtiger Substanzen im Blut (→Harnvergiftung).

Nierenkolik, →Nierensteinkrankheit.

Nierenkrebs (Nierenkarzinom, Grawitz-Tumor, nach dem Pathologen Paul A. Grawitz, *1850, †1932), bösartige Geschwulst des Nierenparenchyms; tritt bei Männern häufiger als bei Frauen auf. Hauptsymptom ist ein schmerzloses, plötzlich einsetzendes massives Bluthamen. – *Behandlung:* operative Entfernung der betroffenen Niere.

Nierenschrumpfung, →Schrumpfniere.

Nierensenkung (Wanderniere, Nephroptose), Abwärtstreten der Niere in den Mittel- bis Unterbauch, verursacht bes. beim Stehen ein dumpfes Druckgefühl in der Flankengegend. Ursachen: Bindegewebsschwäche, häufige Geburten, starke Abnahme der Körpermasse (Fettschwund).

Nierensteinkrankheit (Nephrolithiasis), Bildung von Harnsteinen in der Niere. Sie können als winzige Papillensteine von selbst abgehen oder infolge gestörten Harnabflusses und Infektion zu großen Nierenbecken- und Nierenbeckenkelch-Ausgusssteinen anwachsen. Ursachen der N. können z.B. Stoffwechselstörungen, pH-Wert-Veränderungen und vegetative Regulationsstörungen mit Beeinflussung der Nierendurchblutung sein. Die Symptome hängen von Größe und Lage der Steine ab; kleinere Steine können bei Abgang im

Nieswurz (von oben): Schwarze Nieswurz, Grüne Nieswurz (Höhe jeweils 10–30 cm) und Stinkende Nieswurz (Höhe 30–60 cm)

Harnleiter stecken bleiben und **Nierenkoliken** hervorrufen; diese äußern sich in heftigen, krampfartigen Schmerzen mit Ausstrahlung in Geschlechtsorgane und Oberschenkel, mitunter auch mit Erbrechen, Schüttelfrost, Kreislauf- und Darmentleerungsstörungen verbunden. Im Harn sind fast stets rote Blutkörperchen nachweisbar. – Die *Behandlung* umfasst beim akuten Anfall krampflösende und schmerzstillende Mittel und warme Bäder, hohe Flüssigkeitszufuhr, auch Bewegung; festsitzende Steine werden über einen Katheter mit der Harnleiterschlinge entfernt, größere Steine durch Zertrümmerung (Lithotripsie), reine Harnsäuresteine auch durch medikamentöse Auflösung (Litholyse), Ausgusssteine durch operative Öffnung der Niere (Lithotomie).

Nierentransplantation, Übertragung einer Spenderniere bei Funktionsunfähigkeit beider Nieren. Voraussetzung für den Erfolg einer N. ist die immunolog. Verträglichkeit hinsichtlich der Blutgruppen und im Rahmen des → HLA-Systems. Sie ist am größten bei eineiigen Zwillingen und Verwandten ersten Grades. Die gewebstyp. Daten der auf eine N. wartenden Empfänger sind für einen Teil Westeuropas z.B. in der Eurotransplant-Zentrale in Leiden (Holland) gespeichert; nach Übermittlung der Spendermerkmale werden durch Computer die Empfänger mit der größten Übereinstimmung festgestellt. Zur Vermeidung einer Transplantatabstoßung ist die lebenslange Behandlung mit Immunsuppressiva (v.a. Cyclosporin A, Corticosteroide) erforderlich.

Nierentuberkulose, → Tuberkulose.

Nierenversagen, plötzl. Ausfall der Nierenfunktion, oft bedingt durch von der Niere unabhängige Ursachen (Schock, Gifte, Embolie), dem meist eine vollständige Wiederherstellung folgt.

Nierhoff, Ansgar, Bildhauer, *Meschede 1. 10. 1941; schuf v.a. Stahlskulpturen, auch Freiplastiken (»Tor«, 1975, Köln-Zollstock). Seit Ende der 70er-Jahre arbeitet er mit Eisen; auch Objekte, Environments und Zeichnungen.

Nierstein, Gemeinde im Landkreis Mainz-Bingen, Rheinl.-Pf., am linken Rheinufer, 6200 Ew.; bed. Weinbaugemeinde mit rd. 150 Weinbaubetrieben. – Jungsteinzeitl. Gräberfeld.

Niesen, reflektorisch (durch chem., therm. u.a. Reize) ausgelöstes heftiges Ausstoßen von Luft durch die Nase, nachdem zuvor der Rachenraum durch Hebung des Gaumensegels gegen die Nase hin abgeschlossen wurde.

Niesky (sorb. Niska), Krst. des Niederschles. Oberlausitzkreis, Sachsen, im Oberlausitzer Tiefland, 12300 Ew.; Metallleichtbau, Waggonbau, Textilindustrie. – 1742 von böhm. Exulanten gegr., gefördert durch die Herrnhuter Brüdergemeine.

Nießbrauch [zu genießen], das einer bestimmten Person (Nießbraucher) zustehende dingliche, höchstpersönl. Recht, aus einem fremden Gegenstand (bewegl. Sachen, Grundstück, Recht, Vermögen) im Rahmen einer ordnungsgemäßen Bewirtschaftung sämtl. Nutzungen zu ziehen (§§ 1030 ff. BGB). Der Nießbraucher ist verpflichtet, die wirtsch. Bestimmung der Sache aufrechtzuerhalten. Der N. ist nicht vererbbar und nicht übertragbar; wohl kann aber die Ausübung einem anderen überlassen werden. Der Erwerb (oder die rechtsgeschäftl. Aufhebung) richtet sich nach sachenrechtl. Vorschriften. Der N. erlischt mit dem Tode des Nießbrauchers, bei jurist. Personen mit dem Erlöschen ihrer Rechtsfähigkeit. – Das *österr.* Recht behandelt den N. als persönl. Dienstbarkeit der Fruchtnießung (§§ 509 ff. ABGB), das *schweizer.* Recht als Nutznießung (Art. 745 ff. ZGB).

📖 *Der N. im Zivil- u. Steuerrecht, bearb. v.* R. Jansen *u.* M. Jansen. *Herne u.a.* [6]*1993.*

Nieswurz (Helleborus), Gattung der Hahnenfußgewächse; ausdauernde Kräuter mit handförmig geteilten, ledrigen Grundblättern; giftig durch Alkaloide. Die **Schwarze N.** (**Christ-, Schneerose, Christblume,** Helleborus niger), bis 30 cm hoch, mit weißen oder blass rosafarbenen, meist schon im Winter erscheinenden Blüten, wächst in den Kalkalpen, Karpaten und im Apennin; steht unter Naturschutz; blüht als Gartenpflanze schon im Dezember. Die **Grüne N.** (**Bärwurz,** Helleborus viridis), mit grünen Blütenhüllblättern, wächst in lichten Wäldern und Gebüschen. Die **Stinkende N.** (Helleborus foetidus) hat Rispen grüner, hängender Blütenglocken; wächst in Laubwäldern.

Ansgar Nierhoff: »Gleichgewicht« (1983; Privatbesitz)

Niet, Bolzen aus einem leicht verformbaren Material (weicher Stahl, Leichtmetall, Kupfer, Messing u.a.) zum unlösbaren, form- und teilweise auch kraftschlüssigen Verbinden von Bauteilen; er besteht aus einem Setzkopf unterschiedl. Form und dem massiven, hohlen oder angebohrten N.-Schaft. Zum **Nieten** wird der N.-Schaft durch die gestanzten oder gebohrten und entgrateten N.-Löcher gesteckt und je nach Art und Zugänglichkeit des N. umgeformt. Der **Voll-N.** wird am bereits vorhandenen Setzkopf mit einem Gegenhalter festgehalten und das freie Ende des Schaftes durch Druck- oder Schlagwirkung direkt oder mithilfe eines Kopfstempels (Döpper, Schellhammer) indirekt zum Schließkopf verformt. Beim **Hohl-N.** wird die Verbindung durch Weiten und Anbördeln eines Bundes hergestellt; bei nur einseitig zugängl. Bauteilen werden **Blind-N.** verwendet. Niet- und Bauteilwerkstoff sollten gleich oder gleichartig sein, um einen Angriff durch elektrochem. Korrosion zu verhindern. Stahl-N. unter 10 mm Durchmesser und N. aus NE-Metallen werden im kalten Zustand geschlagen **(Kaltnietung).** Stahl-N. über 10 mm Durchmesser werden vorher erwärmt **(Warmnietung).** Der Schließkopf presst bei **fester Nietung** die Werkstücke fest aufeinander, während er bei **loser Nietung** (z. B. bei Scheren oder Zangen) noch eine Bewegung der verbundenen Teile ermöglicht.

Nietzsche, Friedrich Wilhelm, Philosoph, *Röcken (bei Lützen) 15. 10. 1844, †Weimar 25. 8. 1900; 1869–79 Prof. der klass. Philologie in Basel, lebte dann in der Schweiz und in Italien. Von großer Bedeutung für N. waren seine Bekanntschaften mit L. Andreas-Salomé, J. Burckhardt, F. Overbeck, dem Komponisten Peter Gast (*1854, †1918) sowie bes. mit R. Wagner, die später aber in Gegnerschaft umschlug. Die letzten elf Lebensjahre – seit einem Zusammenbruch in Turin 1889 – verbrachte N. in geistiger Umnachtung in Naumburg und Weimar. – In »Die Geburt der Tragödie aus dem Geiste der Musik« (1872) vertrat N. eine antiklass., tragisch-pessimist. Auffassung des Griechentums. In den vier »Unzeitgemäßen Betrachtungen« (1873–76, 4 Bde.) rechnete er mit dem bürgerl. Bildungsbegriff und dem Historismus seines Zeitalters ab. Von Schopenhauer übernahm er die Idee vom Willen als dem übersinnl. Prinzip der Welt, und er trat für den Vorrang des »Lebens« vor dem Bewusstsein ein (→Lebensphilosophie). N. wurde zum Kritiker der traditionellen Moral, forderte die Entlarvung von Selbsttäuschungen und wurde zu einem Wortführer des aufkommenden europ. Nihilismus (»Gott ist tot!«). Seit 1882 verkündete er seine philosoph. Grundüberzeugung, die »Umwertung der Werte«. Der »Sklavenmoral« des Christentums stellte er die »Herrenmoral«, dem Jenseitsglauben die Bejahung des Diesseits und die Aufgabe der Überwindung des Menschen auf den »Übermenschen« hin entgegen. Diese Philosophie verkündete N. in halb dichter. Form v. a. in »Also sprach Zarathustra« (1883–91, 4 Bde.). Notizen und Aphorismen gaben P. Gast und N.s Schwester Elisabeth →Förster-Nietzsche unter dem Titel »Der Wille zur Macht« (1906) heraus. – N.s Werk gewann großen Einfluss auf Literatur (u. a. R. M. Rilke, K. Kraus, R. Musil, S. Zweig, H. Mann, T. Mann, G. Benn, H. Hesse, E. Jünger, A. Gide), Philosophie (u. a. M. Heidegger, K. Jaspers) und Psychologie (u. a. A. Adler, L. Klages, C. G. Jung) des 20. Jh. Von den Nationalsozialisten wurde sein Denken durch isolierte Bezugnahme auf einzelne Äußerungen (z. B. »Wille zur Macht«) missbräuchlich politisiert (u. a. A. Baeumler, H. Günther). – N.-Archiv in Weimar (gegr. 1894).

Weitere Werke: Menschliches, Allzumenschliches (1878–79, 2 Bde.); Die fröhliche Wissenschaft

Friedrich Nietzsche: Porträtaufnahme aus dem Jahr 1887 und Autogramm

Friedrich Nietzsche

Wenn du zum Weibe gehst, vergiss die Peitsche nicht!

Dieser von manchen Männern gern zitierte Ausspruch geht auf Nietzsche zurück. In seiner philosophischen Dichtung »Also sprach Zarathustra« wird im Kapitel »Von alten und jungen Weiblein« von der Begegnung Zarathustras mit einem alten Weiblein berichtet. Dieses fordert den Weisen auf, auch einmal etwas über die Frauen zu sagen, und er beginnt seine Ausführungen mit den Worten: »Alles am Weibe ist ein Rätsel, und alles am Weibe hat eine Lösung: Sie heißt Schwangerschaft.« Im Folgenden wird mehrfach auf die Gefährlichkeit der Frau für den Mann hingewiesen (»Der Mann fürchte sich vor dem Weibe.«) und darauf, dass die Frau sich unterzuordnen habe (»Und gehorchen muss das Weib.«). Das alte Weiblein dankt Zarathustra für seine Darlegungen und bestätigt sie ihm mit einer »kleinen Wahrheit«, die im Original diesen Wortlaut hat: »Du gehst zu Frauen? Vergiss die Peitsche nicht!«

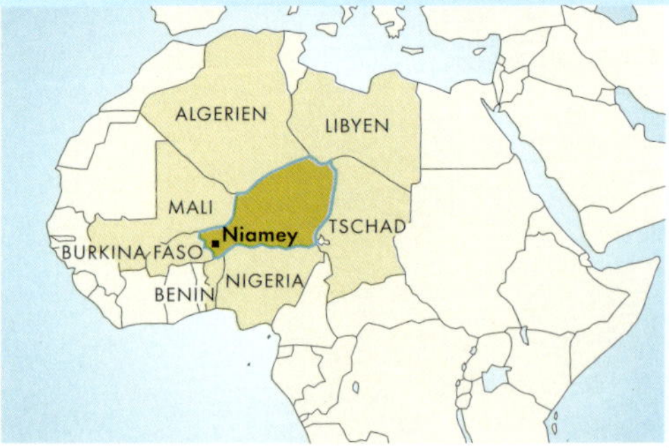

Niger

Fläche: 1 267 000 km²
Einwohner: (1995) 9,151 Mio.
Hauptstadt: Niamey
Verwaltungsgliederung: 7 Départements und die Hauptstadt
Amtssprache: Französisch
Nationalfeiertage: 3. 8. und 18. 12.
Währung: 1 CFA-Franc = 100 Centimes
Zeitzone: MEZ

Staatswappen

RN

Internationales Kfz-Kennzeichen

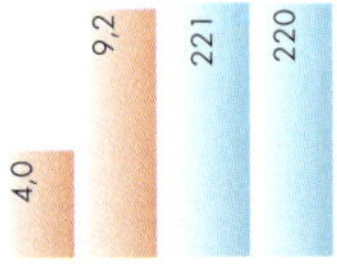

1970 1995 Bevölkerung (in Mio.)
1970 1995 Bruttosozialprodukt je Ew. (in US-$)

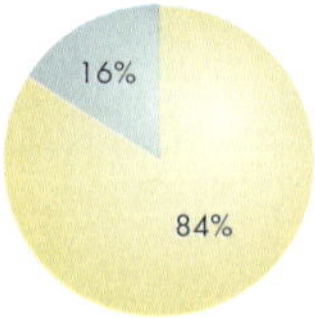

■ Stadt
■ Land
Bevölkerungsverteilung 1995

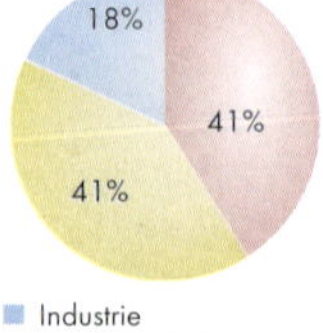

■ Industrie
■ Landwirtschaft
■ Dienstleistung
Bruttoinlandsprodukt 1995

(1882); Jenseits von Gut und Böse (1886); Zur Genealogie der Moral (1887); Der Fall Wagner (1888); Der Antichrist (1888); Ecce homo (hg. 1908).

🕮 MONTINARI, M.: *F. N. Eine Einführung. A. d. Italien. Berlin u. a. 1991.* – GERHARDT, V.: *F. N. München ²1995.* – ASCHHEIM, S. E.: *N. u. die Deutschen. A. d. Engl. Stuttgart u. a. 1996.*

Nieuwe Maas ['ni:wə 'ma:s], Flussarm im Rhein-Maas-Delta, → Neue Maas.

Nievo, Ippolito, italien. Schriftsteller, * Padua 30. 11. 1831, † auf See 4. oder 5. 3. 1861; beteiligte sich am italien. Freiheitskampf und begleitete 1860 G. Garibaldi nach Sizilien. Sein Roman »Pisana oder die Bekenntnisse eines Achtzigjährigen« (1867), in dem er in autobiograph. Form ein Bild der Zeit des Risorgimento am Vorabend der nat. Einigung zeichnet, gehört zu den bedeutendsten italien. Erzählwerken des 19. Jahrhunderts; verfasste u. a. auch Novellen, Dramen, polit. Schriften.

Nièvre [njɛ:vr], Dép. in Burgund, Mittelfrankreich, 6 817 km², (1995) 229 000 Ew.; Verw.sitz ist Nevers.

Nife *das, Geologie:* Abk. für die Materie des Erdkerns, die im Wesentlichen aus Nickel **(Ni)** und Eisen **(Fe)** bestehen soll.

Niflheim [altnord. »Nebelwelt«], im altnord. Mythos die im Norden gelegene dunkle Welt, auch die von Hel beherrschte Unterwelt.

Niğde ['ni:dɛ], Provinzhauptstadt in Zentralanatolien, Türkei, am S-Rand Kappadokiens, 1190 m ü. M., 54 800 Ew.; Teppichweberei. – Zitadelle aus dem 13./14. Jh., seldschuk. Moschee Ala ed-Din (1223) mit drei Kuppeln der Kiblawand und reich verziertem Portal.

Niger *der,* drittgrößter Strom Afrikas, 4 160 km lang; entspringt in S-Guinea nahe der Grenze zu Sierra Leone, durchfließt Guinea, Mali (Binnendelta, etwa 40 000 km²), Niger und Nigeria; hier nimmt er den Benue auf und mündet in einem Delta von rd. 25 000 km² in den Golf von Guinea. Staudämme zur Bewässerung unterhalb Ségou (Mali), bei Hochwasser z. T. schiffbar; im Delta Hochseehäfen Burutu, Warri, Port Harcourt.

Niger (amtlich République du N.), Binnenstaat in Westafrika, grenzt im N an Algerien und Libyen, im O an Tschad, im S an Nigeria, im SW an Benin und Burkina Faso und im W an Mali.

Staat und Recht: In einem Referendum vom 12. 5. 1996 entschied sich die Bev. N.s für eine neue Verf.; das Anfang 1996 zus. mit der Auflösung des Parlaments verfügte Parteienverbot wurde aufgehoben. Die Verf.lage bleibt instabil. Einflussreichste Parteien: Allianz der Kräfte des Wandels (AFC, ein Bündnis aus neun Parteien), Demokrat. und Soziale Übereinkunft (CDS), Nat. Bewegung für eine Gesellschaft in Entwicklung (MNSD).

Landesnatur: N. erstreckt sich vom Mittellauf des Niger im SW über die Sahelzone bis in die Sahara nach NO. Den größten Teil des Landes nehmen weite Ebenen ein, aus denen in der Sahara das Gebirge Aïr mit Höhen bis 2310 m ü. M. herausragt. Im äußersten N. liegen Plateaus in 500–1000 m Höhe. Im SO hat N. Anteil am Tschadsee. – Es herrscht semi- bis vollarides Klima mit einer Regenzeit (zw. Mai und Okt.). Die Trockensavanne im S geht nach N in Dornstrauchsavanne und Halbwüste über.

Bevölkerung: Die größten ethn. Gruppen bilden die Hausa (rd. 54 %), ferner Djerma (22 %) und Songhai; hellhäutige Fulbe leben v. a. im Sahel, die Tuareg in der Sahara (Landessprachen: Hausa, Ful, Djerma). Wegen der lang anhaltenden Dürre (1969–74) mussten die Nomaden nach S ausweichen. In Städten leben 16 % der Bev. – Allg. Schulpflicht vom 7. bis 16. Lebensjahr; die Analphabetenquote beträgt 72 %; Univ. in Niamey und Say. 80 % der Bev. sind Muslime, 20 % Anhänger traditioneller Religionen.

Wirtschaft, Verkehr: Die Wirtschaft des Landes basiert auf dem Uranerzabbau und der Landwirtschaft. Abgesehen von Oasen sind die Anbaugebiete auf den S des Landes beschränkt. Es werden v. a. Hirse (Grundnahrungsmittel), Maniok, Bataten, Reis und Hülsenfrüchte, für den Export Erdnüsse und Gemüse angebaut. Viehwirtschaft (bes. Rinder, Schafe, Ziegen) im Sahel; Fischfang

Niger: Tuaregfrauen auf dem Markt in Ingal

im Niger und Tschadsee. Seit 1971 ist der Uranerzabbau wirtschaftsbestimmend, ferner Abbau von Zinnerz, Kohle, Eisenerz, Phosphat. Industriebetriebe finden sich lediglich in Niamey (Textil-, Nahrungsmittel-, Holzind.). Exportiert werden v.a. Uranerz, Lebendvieh und Agrarprodukte; Haupthandelspartner sind Frankreich und Nigeria. – N. hat keine Eisenbahn. Das Straßennetz umfasst 13 187 km, davon sind 3325 km befestigt. Der Niger ist von Niamey bis Gaya-Malauville nur von Sept. bis März schiffbar; in Niamey internat. Flughafen.

Geschichte: Der W des heutigen N. gehörte bis 1590 zum Reich der →Songhai, der O zum Bereich der Hausastaaten (→Hausa). Das Gebiet zw. Niger, Tschadsee und Aïr wurde erst in der 2. Hälfte des 19. Jh. erforscht und von Frankreich 1897–99 erobert. Die völlige Unterwerfung des Gebietes, v.a. der zur Senussi-Bruderschaft gehörenden Tuareg und Tubu, zog sich jedoch bis 1916 hin. 1922 wurde N. Kolonie, 1957 erhielt es Selbstverwaltung. Am 18. 12. 1958 wurde die Rep. N. innerhalb der Frz. Gemeinschaft gebildet, am 3. 8. 1960 die Unabhängigkeit proklamiert. Staatspräs. war 1960–74 H. Diori, dessen Politik sich eng an Frankreich anlehnte. 1974 wurde er durch einen Armeeputsch unter S. Kountché gestürzt; nach dessen Tod 1987 übernahm Oberst A. Saibou das Amt des Präsidenten. Als polit. Basis seiner Herrschaft gründete er die Einheitspartei MNSD. 1990 richteten Reg.truppen ein Massaker unter den Tuareg an.

Nach Protestbewegungen und Streiks gegen das Militärregime wurde im Juli 1991 die Nationalkonferenz gebildet, die das polit. System völlig umgestaltete. In einem Referendum (Dez. 1992) nahm die Bev. eine Verf. an, die endgültig ein Mehrparteiensystem mit demokratisch gewählten Funktionsträgern einführte. Die Parlaments- und Präsidentenwahlen von Febr./März 1993 schlossen den Demokratisierungsprozess ab. Staatspräs. wurde der Sozialdemokrat M. Ousmane (Amtsantritt: April 1993). Nach dem Sieg der früheren Einheitspartei MNSD bei vorgezogenen Neuwahlen sah sich Ousmane mit einer gegner. Regierung unter MinPräs. Hama Amadou konfrontiert. In der Folge blockierten sich die beiden polit. Lager gegenseitig; dies führte im Jan. 1996 zu einem Militärputsch, in dessen Verlauf der Staatspräs. und der Premier-Min. verhaftet wurden. Neuer starker Mann wurde der bisherige Generalstabschef I. Barré Maïnassara, der eine rasche Rückkehr zur demokrat. Ordnung versprach (Verf.referendum im Mai 1996). In einer umstrittenen Wahl ließ er sich im Juli 1996 zum Staatspräs. wählen.

Trotz des Waffenstillstandsvertrages von März 1993 gingen die bewaffneten Auseinandersetzungen zw. Reg. und Tuareg weiter. Im Rahmen internat. Vermittlung schlossen beide Seiten im Okt. 1994 einen (erneuten) Waffenstillstand und im April 1995 einen Friedensvertrag.

🕮 Krings, T.: *Sahel. Senegal, Mauretanien, Mali, N. Köln [5]1990.*

Nigeria (amtlich engl. Federal Republic of N., dt. Bundesrepublik N.), Bundesstaat in Westafrika, grenzt im S an den Golf von Guinea, im W an Benin, im N an Niger, im äußersten NO an Tschad (Tschadsee), im O und SO an Kamerun.

Staat und Recht: Im November 1993 wurden alle unter der früheren Militär-Reg. gebildeten Verf.organe aufgelöst und durch eine neue Militär-Verw. ersetzt, geführt von einem elfköpfigen Exekutivrat; jede polit. Betätigung wurde verboten, die Parteien wurden aufgelöst. Im Juni 1994 wurde eine Versammlung, die eine neue Verf. ausarbeiten sollte, einberufen; sie empfahl ein Mehrparteiensystem und den nach Regionen bestimmten Wech-

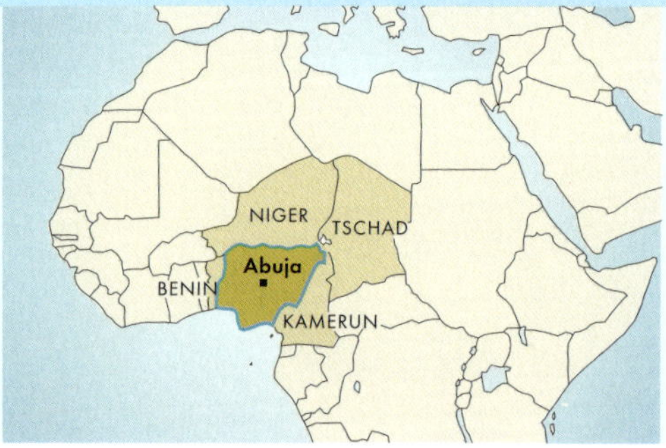

Nigeria

Fläche: 923 768 km²
Einwohner: (1995) 111,721 Mio.
Hauptstadt: Abuja
Verwaltungsgliederung: 30 Bundesstaaten und 1 Bundesterritorium
Amtssprache: Englisch
Nationalfeiertag: 1. 10.
Währung: 1 Naira (₦) = 100 Kobo (k)
Zeitzone: MEZ

Staatswappen

WAN

Internationales Kfz-Kennzeichen

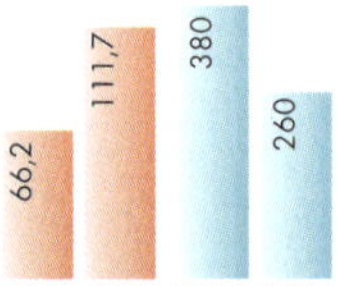

Bevölkerung (in Mio.)
Bruttosozialprodukt je Ew. (in US-$)

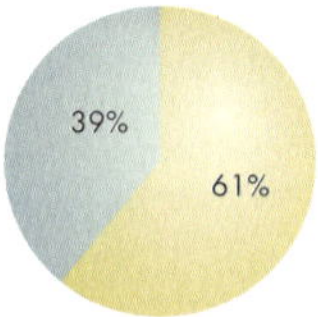

Stadt
Land

Bevölkerungsverteilung 1995

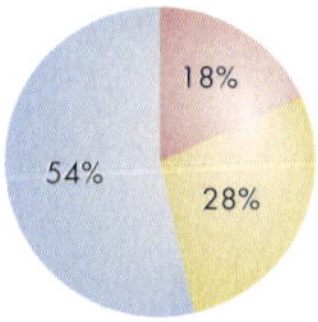

Industrie
Landwirtschaft
Dienstleistung

Bruttoinlandsprodukt 1995

sel im Amt des Staatspräs. Im Oktober 1996 wurden fünf neue Parteien zugelassen.

Landesnatur: An die an Lagunen und Sümpfen reiche Küstenebene, die sich im Nigerdelta zu einem 100 km breiten Sumpfgebiet erweitert, schließen sich Plateaus und Hügelländer an (bis 600 m ü. M.). Nach N folgt eine 80–160 km breite Senkungszone, der die Flüsse Niger und Benue folgen. Es schließt sich die nordnigerian. Plateaulandschaft an, die im Hochland von Bauchi 1780 m ü. M. erreicht. Im NW und NO finden sich ausgedehnte Ebenen. Höchste Erhebung des Landes ist der Vogel Peak mit 2042 m ü. M. an der Grenze zu Kamerun. N. hat trop. Klima (Regenzeit im S April–Nov., in der Mitte April–Okt., im N Mai–Okt.). An die Mangrovebestände der Küste schließt sich trop. Regenwald an, der nach N in Feucht-, Trocken- und Dornstrauchsavanne übergeht.

Bevölkerung: N. ist der volkreichste Staat Afrikas mit einer Vielzahl von Völkern und Stämmen. Hauptgruppen sind im N die Hausa (21 % der Bev.), Fulbe (11 %) und Kanuri, im SW die Yoruba (21 %), im SO die Ibo (18 %). Rd. 39 % der Bev. leben in Städten; Lagos und Ibadan haben über 1 Mio. Ew., über 40 Städte zw. 100 000–500 000 Ew. – Die Voraussetzungen für die bestehende allg. Schulpflicht (7.–12. Lebensjahr) sind noch nicht überall gegeben; die Analphabetenquote liegt bei knapp 50 %. Es bestehen 13 Univ. sowie landwirtsch., techn. u. a. Hochschulen. – 45 % der Bev. sind Muslime, 49 % Christen, ferner Anhänger von Naturreligionen.

Wirtschaft, Verkehr: N. ist der größte Erdölproduzent Afrikas. Um die starke Abhängigkeit vom Rohölexport zu überwinden, wird die Landwirtschaft wieder mehr gefördert. Rd. 75 % der Landesfläche sind für Ackerbau, Viehzucht und Forstwirtschaft geeignet. Die Landwirtschaft kann den Eigenbedarf nicht decken; vorherrschend sind Kleinbetriebe und Wanderfeldbau. Angebaut werden Jamswurzel, Mais, Hirse, Reis, Maniok, Bananen; für den Export bes. Kakao, Ölpalmen (Palmkerne und -öl), Erdnüsse, Kautschuk, Kokosnüsse, Tabak und Baumwolle. Vieh-(Nomaden-)wirtschaft treiben im nördl. Savannengebiet die Fulbe. Der Wald wird v. a. für Brennholz genutzt; Aufforstung ist nötig. Der Fischfang ist noch wenig entwickelt. – Hauptwirtschaftszweig ist die Erdölförderung, ferner Förderung von Erdgas, Abbau von Zinn, Columbit, Steinkohle, Eisenerz u. a. Bodenschätzen. Vielseitige Ind.: Nahrungs- und Genussmittelind., Textil-, pharmazeut., elektrotechn. Ind., Zement-, Düngemittel-, Hüttenwerke, Kfz-Montage; Erdölraffinerien. Ausgeführt werden bes. Erdöl (95 % des Ausfuhrwertes), ferner Kakao, Zinn; Haupthandelspartner sind Großbritannien, Dtl., USA. – Das Verkehrsnetz ist (außer im N) gut ausgebaut; das Eisenbahnnetz umfasst 3505 km, das Straßennetz 143 000 km, davon 32 000 km asphaltiert; 6500 km Binnenwasserstraßen. Haupthäfen sind Lagos und Port Harcourt mit Erdölhafen Bonny; internat. Flughäfen bei Lagos, Kano, Port Harcourt und Abuja.

Geschichte: Die ältesten Staaten in vorkolonialer Zeit waren im N des heutigen N. Kanem-Bornu und die Hausastaaten (→Hausa). Im S entstanden etwa im 15. Jh. die ersten Yoruba-Königreiche, Oyo und Benin, mit dem kulturellen Mittelpunkt Ife (→afrikanische Kunst). Seit dem 16. Jh. führten zunächst Portugiesen, später Engländer Sklaventransporte nach Amerika durch. Der Gründung zahlr. Handelsstützpunkte durch Briten, Deutsche und Franzosen folgte ab 1880 die Errichtung der brit. Herrschaft (1914 Kolonie), die den Sklavenhandel endgültig unterband. 1960 erhielt N. die Unabhängigkeit. Am 30. 5. 1963 wurde die Republik N. ausgerufen, Staatspräs. wurde N. Azikiwe. Nach einem Militärputsch kam 1966 General Y. Gowon an die Macht. Ein blutiger Bürgerkrieg um die zumeist von Ibo bewohnte Ostregion Biafra erschütterte 1967–70 das Land. Nach innenpolit. Beruhigung und wirtsch. Stabilisierung übernahm 1975 nach einem unblutigen Staatsstreich General Murtala Ranat Mohammed die Staatsführung; bei einem gescheiterten Putschversuch 1976 wurde er ermordet. General Olusegun Obasanjo übernahm die Reg.

und leitete 1977 die Rückkehr zu gewählten Staatsorganen ein. Die Wahlen 1979 gewann S. Shagari, der sich als neuer Staatspräs. um eine Konsolidierung der Demokratie bemühte. Korruptionsvorwürfe gegenüber der politisch führenden Schicht lösten im Dez. 1983 einen Putsch aus; die Verf. wurde suspendiert, Parteien wurden verboten. Der neue Staatschef General Mohammed Buhari wurde 1985 nach einem Putsch durch General I. Babangida ersetzt, der die Rückkehr zu einer zivilen Herrschaft einleitete (Zulassung polit. Parteien, Kommunalwahlen 1989, Parlamentswahlen 1992). Die Regierung übernahm ein Übergangsrat aus Militärs und Zivilisten. Vor dem Hintergrund kulturell-ethn. Spannungen kam es zu zahlr. Putschversuchen sowie 1991 im N des Landes zu blutigen Auseinandersetzungen zw. Christen und Muslimen.

Mit dem Rücktritt Babangidas (Aug. 1993) und der Übergabe der Macht an eine Übergangsregierung und nicht an den vermutl. Sieger der (unterbrochenen) Präsidentschaftswahlen von Juni 1993, M. K. O. Abiola, schlug der Demokratisierungsprozess fehl. Mit dem Militärputsch von Nov. 1993 übernahm General S. Abacha (*1943, †1998) die Macht, der ein diktator. Reg.system errichtete (Verhaftung von Oppositionellen, u.a. auch von Abiola, der im Gefängnis verstarb, Einsetzung von Sondergerichten zur Aburteilung von Regimegegnern, öffentl. Massenhinrichtung in Lagos). Gegen den weltweiten Protest verurteilte im Nov. 1995 ein Gericht den Schriftsteller Ken Saro-Wiwa, den Vors. des »Movement for the Survival of the Ogoni People« (MOSOP), zum Tode (→Ogoni). In der Folge geriet N. weltweit in die Isolation, u.a. (vorübergehender) Ausschluss aus dem Commonwealth, Verurteilung durch die UN-Generalversammlung. Der seit Juni 1998 amtierende Staatspräs. Gen. A. Abubåkar stellte bei seinem Amtsantritt eine Rückkehr zu demokrat. Verhältnissen in Aussicht.

📖 *Muslime in N. Religion u. Gesellschaft im polit. Wandel seit den 50er Jahren, hg. v.* J. M. Abun-Nasr. *Münster u.a. 1993.* – Stahn, E.: *N. Reiseführer mit Landeskunde. Dreieich* [4]*1995.*

Niger-Kongo-Sprachen, Sprachstamm innerhalb der nigerkordofan. (kongokordofan.) Sprachen, zugehörig die Benue-Kongo-Sprachen mit den →Bantusprachen, die Adamaua-Ost-Sprachen, die Westatlant. Klassensprachen, die Gur-Sprachen, die →Kwa-Sprachen und die →Mandesprachen. (→Klassensprachen)

Nigerkordofanisch (Kongo-Kordofanisch), nach J. Greenberg (1963) ein Großsprachstamm der afrikan. Sprachen. Die Sprachfamilie wird von ihm untergliedert in die →Niger-Kongo-Sprachen mit mehreren Hundert Einzelsprachen und die →kordofanischen Sprachen.

Nigersaat, Ölfrucht vom →Ramtill.

Nigeria: Dorf in der Nähe des Kainji-Stausees im Westen des Landes

Nightingale ['naɪtɪŋgeɪl], Florence, brit. Krankenpflegerin, *Florenz 12. 5. 1820, †London 13. 8. 1910; verbesserte im Krimkrieg (1853/54–56) die Organisation der Krankenpflege; entwarf danach einen Plan für militär. und zivile Krankenpflege und gründete 1860 eine Schwesternschule. Als erste Frau erhielt sie 1907 einen Verdienstorden. Bild S. 122

Sani Abacha

Nigrin *der,* Mineral, ein eisenschwarzer →Rutil.

Nihilismus [lat. nihil »nichts«] *der,* allg. jedes Denken, das auf der Leugnung einer Erkenntnis-,

Nigeria – Wirtschaft

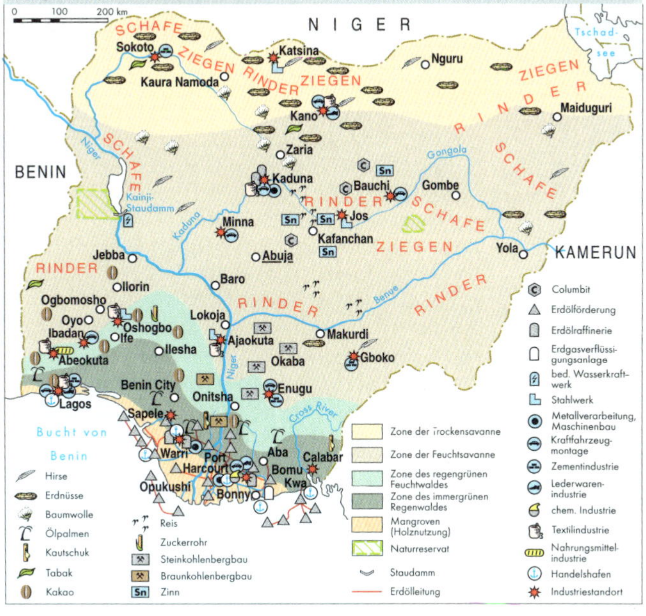

Florence Nightingale: Porträtaufnahme (um 1860)

Seins-, Wert- oder Gesellschaftsordnung gründet. Der philosoph. N. besteht in der Verneinung der Erkenntnismöglichkeit oder der Gegenstände des Erkennens im Bereich der Ontologie, Metaphysik oder Ethik. – Der Begriff N. wurde häufig polemisch verwendet, so für die Leugnung Gottes und der Offenbarung. I. Turgenjew bezeichnete in seinem Roman »Väter und Söhne« (1862) die russ. Anarchisten als Nihilisten; diese nahmen den Namen an und machten ihn populär. Nietzsche nannte den geschichtl. Vorgang der Entwertung der obersten Werte Nihilismus.

📖 KOPF, A.: *Der Weg des N. von Friedrich Nietzsche bis zur Atombombe. München 1988.* – HILLEBRAND, B.: *Ästhetik des N. Stuttgart 1991.*

nịhil ọbstat [lat. »es steht nichts entgegen«], im kath. Kirchenrecht die Unbedenklichkeitsformel für die Erteilung der kirchl. Druckerlaubnis.

Niigata, Hptst. der Präfektur N. und Hafenstadt an der W-Küste Honshūs, Japan, 490 200 Ew.; Univ.; Erdöl- und Erdgasfördergebiet; Erdölraffinerien, Maschinen- und Schiffbau.

Bronislawa Nijinska

Nijịnska [niʒ-] (Nischinskaja), Bronislawa Fominitschna, russ. Tänzerin, Choreographin und Tanzpädagogin poln. Herkunft, *Minsk 8. 1. 1891, †Pacific Palisades (Calif.) 21. 2. 1972; Schwester von V. Nijinski; 1908–11 Mitgl. des Sankt Petersburger Marientheaters; verließ 1921 Russland und wirkte in S. P. Diaghilews Ballets Russes als Tänzerin und Choreographin; gilt als eine der Wegbereiterinnen des Neoklassizismus im Ballett.

Vaclav Nijinski

Nijịnski [niʒ-], Vaclav (russ. Wazlaw Fomitsch Nischinski), russ. Tänzer und Choreograph, *Kiew 29. 12. 1889, †London 8. 4. 1950; Bruder von B. Nijinska; 1908–11 Tänzer in Sankt Petersburg, ab 1909 Star der Ballets Russes in Paris bis zu seiner Entlassung (1913) durch S. P. Diaghilew; trat 1914–17 mit eigenem Ensemble auf. Als Choreograph wirkte N. bahnbrechend für das moderne Ballett (»L'Après-midi d'un faune«, 1912; »Le sacre du printemps«, 1913).

Nijmegen ['nɛjme:xə], niederländische Stadt → Nimwegen.

Nịkaia [grch.] (lat. Nicaea, Nizäa), antike Stadt in Bithynien, heute İznik, Türkei; gegr. 316 v. Chr. als Antigoneia, wurde 74 v. Chr. römisch, 1080 von den Seldschuken erobert, 1097 von den Kreuzfahrern zurückgewonnen. 1331 fiel es an die Türken. – In N. fand 325 das erste, 787 das siebte Ökumen. Konzil statt (→ Nicänisches Glaubensbekenntnis).

Nikarạgua, Staat in Mittelamerika, → Nicaragua.

Nịke [grch.], *grch. Mythos:* Göttin des Sieges, ohne Mythen und erst in hellenist. Zeit mit eigenem Kult; meist mit Zeus und Athene eng verbunden, bei den Römern **Victoria** genannt; in der grch. und röm. Kunst geflügelt dargestellt.

Nikẹphoros II. Phokạs, byzantin. Kaiser (963–969), *in Kappadokien 912, †Konstantinopel 10./11. 12. 969; nahm als Feldherr den Arabern 961 Kreta, wurde nach dem Tod von Romanos II. Kaiser und heiratete dessen Witwe Theophano. Er führte erfolgreich Krieg gegen Araber, Bulgaren und Sarazenen; wurde das Opfer einer Verschwörung der Theophano und seines Verwandten Johannes I. Tzimiskes.

Nịkias, athen. Feldherr und Politiker, *um 470 v. Chr., †Syrakus 413 v. Chr.; Anhänger des Perikles, Gegner des Kleon; schloss 421 mit Sparta einen für 50 Jahre vereinbarten Frieden **(N.-Frieden).** 413 v. Chr. verschuldete er bei der → Sizilischen Expedition die Niederlage der Athener, wurde gefangen genommen und von den Syrakusanern hingerichtet.

Nikịfor, eigtl. Nykyfor Drovniak, poln. Maler, *Krynica 21. 5. 1895 (?), †ebd. 10. 10. 1968; seine Porträts, Interieurs, Landschaften gehören zu den poesievollsten Schöpfungen der naiven Kunst.

Nikifor: »Dreifaches Bildnis« (undatiert; Nowy Sącz, Museum)

Nikisch, Arthur, Dirigent, *Lébényi (bei Fertöd, Ungarn) 12. 10. 1855, †Leipzig 23. 1. 1922; begann als Violinist in Wien, war 1889–93 Dirigent des Boston Symphony Orchestra, 1893–95 Operndirektor in Budapest, danach Gewandhauskapellmeister in Leipzig und Chefdirigent des Berliner Philharmon. Orchesters. N. gilt als bedeutendster Konzertdirigent seiner Zeit; hervorragender Interpret bes. der Werke von A. Bruckner, P. I. Tschaikowsky, J. Brahms, R. Schumann und R. Wagner.

Nikkei Dow Jones Average [- daʊ ˈdʒəʊnz ˈævərɪdʒ], ungewichteter Aktienindex, der seit 1949 börsentäglich aus den Kursen von 225 an der Tokyo Stock Exchange notierter Aktien ermittelt wird. Neben dem Nikkei-Index wird u. a. der **Tokyo Stock Exchange Index (TSE Stock Price Index)** errechnet, der – gewichtet jeweils mit dem Grundkapital der Gesellschaften – alle amtlich notierten Aktien umfasst.

Nikkō, Stadt am Ostrand des N.-Nationalparks (1407 km²) auf Honshū, Japan, 23900 Ew. – Buddhist. Tempelanlagen aus dem 8. Jh.; bed. shintoist. Schreine und Mausoleen (17. Jahrhundert).

Nikobaren (engl. Nicobar Islands), Inselgruppe im südl. Golf von Bengalen, Teil des ind. Territoriums **Andamanen und N.,** besteht aus zwölf bewohnten und sieben unbewohnten Inseln; rd. 1800 km², Haupthafen ist Nankaurie. Das Klima ist tropisch. Die paläomongolide Bev., die **Nikobarer,** sprechen eine Mon-Khmer-Sprache.

Nikodemus, Gestalt des Johannesevangeliums; jüd. Schriftgelehrter und Mitglied des Synedrions; führte ein nächtl. Gespräch mit Jesus, nahm ihn öffentlich in Schutz und beteiligte sich an seinem Begräbnis; Heiliger, Tag: 3. 8.

Nikolajew (ukrain. Mykolajiw), Hptst. des Gebiets N., Ukraine, an der Mündung des Südl. Bug in den Dnjepr-Bug-Liman (Schwarzes Meer), 517000 Ew.; Schiffbauhochschule, astronom. Observatorium; Schiff- und Maschinenbau (Straßenbaumaschinen), Schuh-, Textilind.; See- und Flusshafen. Bei N. Kernkraftwerk.

Nikolaus (russ. Nikolai), Herrscher von Russland: **1) N. I. Pawlowitsch,** Kaiser (1825–55), *Zarskoje Selo (heute Puschkin) 6. 7. 1796, †Sankt Petersburg 2. 3. 1855; Sohn von Paul I., seit 1817 ⚭ mit der preuß. Prinzessin Charlotte, Tochter Friedrich Wilhelms III.; folgte seinem ältesten Bruder Alexander I. auf den Thron. Nach der Niederschlagung des Aufstandes der Dekabristen regierte er autokratisch und bediente sich dabei polizeistaatl. Mittel. Im Krieg gegen Persien (1826–28) und die Türkei (1828/29) gewann N. große Gebiete; er unterdrückte den poln. Aufstand von 1830/31 und die ungar. nat. Revolution 1849. Seine Orientpolitik scheiterte im Krimkrieg (1853/54–56).

📖 LINCOLN, W. B.: *N. I. von Rußland. A. d. Engl. München 1981.*

2) N. II. Alexandrowitsch, Kaiser (1894–1917), *Zarskoje Selo (heute Puschkin) 18. 5. 1868, †(ermordet) Jekaterinburg 16./17. 7. 1918; ältester Sohn Alexanders III., seit 1894 ⚭ mit Alice (→Alexandra Fjodorowna), einer Tochter des Großherzogs Ludwig IV. von Hessen-Darmstadt. Auf seine Anregung wurde die erste Haager Friedenskonferenz (1899) einberufen. N. regierte autokratisch, ohne sich mit den sozialen und polit. Folgen der von Minister S. J. Witte betriebenen Industrialisierungspolitik auseinander zu setzen. Der Russisch-Japan. Krieg von 1904/05 und die Revolution von 1905 zwangen ihn, dem Land im Oktobermanifest vom 30. 10. 1905 eine konstitutionelle Verfassung zu gewähren (1907 z. T. revidiert). Durch seine Frau geriet er unter den Einfluss von G. J. Rasputin; übernahm im 1. Weltkrieg 1915 den Oberbefehl über die russ. Streitkräfte; dankte angesichts der Februarrevolution am 15. 3. 1917 ab, wurde interniert und mit seiner Familie von den Bolschewiki ermordet.

Nikolaus, Päpste: **1) N. I.** (858–867), *Rom um 800, †ebd. 13. 11. 867; kämpfte um den päpstl. Primat in der Gesamtkirche, geriet in Konflikt mit dem byzantin. Patriarchen Photios, den er 863 absetzen ließ; widersetzte sich der Ehescheidung des fränk. Königs Lothar II.; Heiliger, Tag: 13. 11.

2) N. II. (1059–61), eigtl. Gerhard, *in Lothringen oder Burgund, †Florenz 27. 7. 1061; wurde auf Betreiben Hildebrands (später Gregor VII.) gewählt; legte den Grund für die spätere Wahlpraxis durch das Kardinalskollegium (Papstwahldekret der Lateransynode 1059).

3) N. V. (1447–55), eigtl. Tommaso Parentucelli, *Sarzana (bei La Spezia) 15. 11. 1397, †Rom 24. 3. 1455; schloss 1448 mit Friedrich III. das Wiener Konkordat und krönte ihn 1452 zum Kaiser (letzte Kaiserkrönung in Rom); 1449 erreichte er die Selbstauflösung des Basler Konzils; Gründer der Vatikan. Bibliothek.

Nikolaus-II.-Land, russ. Inselgruppe im Nordpolarmeer, →Sewernaja Semlja.

Nikolaus von der Flüe, gen. Bruder Klaus, schweizer. Einsiedler und Mystiker, *Flüeli (Gem. Sachsen, Kt. Obwalden) 1417, †im Ranft ebd. 21. 3. 1487; lebte seit 1467 als Einsiedler; gefragter polit. Ratgeber und Vermittler; verhinderte eine Spaltung der Eidgenossenschaft; Schutzpatron der Schweiz; Heiliger, Tag: 25. 9.

Nikolaus von Kues [-ku:s] (Nicolaus de Cusa, Nicolaus Cusanus, eigtl. N. Chryfftz [Chrypffs, Krebs]), Philosoph und Theologe, *Kues (heute zu Bernkastel-Kues) 1401, †Todi (Umbrien) 11. 8. 1464; seit 1448 Kardinal, 1450 Bischof von Brixen. – Mathematisch gebildet, beeinflusst von der dt.

Arthur Nikisch

Nikolaus II. Alexandrowitsch, Kaiser von Russland

Nikolaus I. Pawlowitsch, Kaiser von Russland (Ausschnitt einer Lithographie von Franz Krüger)

Nikolaus von Kues: Ausschnitt aus einem dem italienischen Bildhauer Andrea Bregno zugeschriebenen bronzenen Grabrelief in San Pietro in Vincoli in Rom (um 1470)

Mystik, bes. von Meister Eckart, von Nominalismus, Neuplatonismus und Humanismus, stand N. v. K. an der Grenzscheide zw. MA. und Neuzeit. Auf allen Gebieten suchte er auf höherer Ebene die Versöhnung der Gegensätze; das Wesen Gottes sah er in der Einfaltung (»complicatio«), dem absolut unendl. Zusammenfall aller endl., bedingten Gegensätze (→Coincidentia Oppositorum), die Welt als Ausfaltung (»explicatio«) Gottes; dieser könne nur durch eine die Verstandesbegriffe übersteigende »gelehrte Unwissenheit« erfahren werden. Neuzeitl. wissenschaftl. Denken vorwegnehmend, entwickelte N. v. K. eine Erkenntnistheorie, nach der das menschl. Wissen auf Vergleichen und Messen beruht. – N. v. K. trat für eine Reform der röm.-kath. Kirche ein sowie für ihren Ausgleich mit den →Hussiten (u. a. auf dem Basler Konzil) und der grch. Kirche. – *Werke:* De concordantia catholica (1434); Von der gelehrten Unwissenheit (1440).

Nikolaus von Verdun: Der 1181 datierte »Verduner Altar« in der Stiftskirche in Klosterneuburg enthält 68 vergoldete und emaillierte Kupfertafeln

📖 MEUTHEN, E.: *N. von K.: 1401–1464. Münster* *[7]1992.* – KANDLER, K. H.: *N. von K. Denker zw. Mittelalter u. Neuzeit. Göttingen 1995.*

Nikolaus von Myra, wahrscheinl. Bischof von Myra (Lykien), †6. 12. 345 oder 351. Um seine Gestalt ranken sich zahlr. Legenden; in der Volksfrömmigkeit der kath. Kirche und der orth. Kirchen (bes. in Russland) einer der am meisten verehrten Heiligen; einer der 14 Nothelfer; Schutzpatron zahlr. Berufsgruppen (z. B. Bäcker, Bauern, Bierbrauer, Schnapsbrenner, Kaufleute); Tag: 6. 12.

Die mit dem **Nikolausfest** verbundenen Bräuche gehen auf das Knabenbischofsspiel der spätmittelalterl. Klosterschulen (seit dem 13. Jh. am 6. 12.) zurück. Dabei übernahm ein Schüler für einen Tag die Rolle des Bischofs, den als Helfer (je nach Landschaft) Knecht Ruprecht, Krampus, Gangerl u. a. begleiteten. Im 19. Jh. flossen Züge des Kinderschrecks Ruprecht und des Kinderfreundes N. in der Autoritätsfigur des Weihnachtsmannes zusammen. – Anfänglich stellte die abendländ. Kunst N. nach byzantin. Vorbildern barhäuptig dar; bald kamen Mitra und Bischofsstab hinzu. Seit dem 12. Jh. in der russ. Kunst häufig auf Ikonen dargestellt; in der mitteleurop. Kunst findet sich die Gestalt N.s in unterschiedl., auf die Legende Bezug nehmenden Szenen.

📖 MÜLLER, RÜDIGER: *Sankt N. Freiburg im Breisgau u. a. 1982.*

Nikolaus von Oresme [-ɔ'rɛːm], frz. Theologe und Naturphilosoph, * in der Normandie um 1320, † Lisieux 11. 7. 1382; seit 1377 Bischof von Lisieux; neben J. Buridan und Albert von Sachsen (* um 1316, † 1390) einer der Vorläufer der neuzeitl. Wissenschaft im 14. Jh.; entwickelte Ansätze der Mechanik und zur analyt. Geometrie.

Nikolaus von Verdun [-ver'dœ̃], lothring. Goldschmied und Emailmaler, nachweisbar zw. 1181 und 1205; einer der bedeutendsten Vertreter der Goldschmiedekunst an der Wende von der Romanik zur frühen Gotik. Ihm gelang die Synthese antikenaher und byzantin. Formen mit naturnaher Darstellung. N. schuf die 68 vergoldeten und emaillierten Kupfertafeln des »Verduner Altars« in der Stiftskirche in Klosterneuburg (1181) und den Marienschrein der Kathedrale zu Tournai (1205 vollendet). Auf ihn und seine Werkstatt gehen große Teile des Dreikönigsschreins (zw. 1181 und 1230) im Kölner Dom zurück.

Nikolsburg, dt. Name der tschech. Stadt Mikulov im Südmähr. Gebiet. – Der **Vorfriede von N.** beendete den →Deutschen Krieg von 1866.

Nikomachische Ethik, eth. Hauptwerk des Aristoteles, von seinem Sohn Nikomachos (→Ethik) herausgegeben.

Nikomedes IV. Philopator, König von Bithynien (95–74 v. Chr.); setzte die Römer zu Erben seines Reiches ein. Diese mussten darum noch mit Mithridates VI. von Pontos kämpfen (3. Mithridat. Krieg).

Nikomedia, im Altertum Hptst. von Bithynien, gegr. 264 v. Chr. von Nikomedes I.; das heutige İzmit, Türkei.

Nikon, eigtl. Nikita Minow, Patriarch von Moskau und der ganzen Rus (1652–66), *Weldemanowo 24. 5. 1605, †bei Jaroslawl 17. 8. 1681; reformierte unter Benutzung grch. Quellen die Liturgie, was zur Spaltung der russ. Staatskirche führte (→Raskolniki); 1666 vom Landeskonzil amtsenthoben.

Nikopol, Stadt in der Ukraine, am Kachowkaer Stausee des Dnjepr, 161 000 Ew.; Abbau von Manganerzen; Ferrolegierungs-, Röhrenwerk, Maschinenbau; Hafen.

Nikosia (Nicosia, neugrch. Levkosia, türk. Lefkoşa), Hauptstadt Zyperns, 150 m ü. M. in der Mesaoriaebene, 188 000 Ew., davon 147 000 Ew. im grch. Teil. N., seit 1974 geteilt, ist Sitz der grch.-zypriot. wie auch der türkisch-zypriot. Reg. sowie des Erzbischofs der autokephalen orth. Kirche von Zypern; im grch. Teil Univ. (gegr. 1988, 1990 Aufnahme des Lehrbetriebes), Museen; Herstellung von Schuhen, Textilien, Zigaretten, Lederwaren und Kacheln. – Im N-Teil türk. Near East University. – Seit 1960 Hptst. von Zypern.

Nikotin [frz., zu nicotiane »Tabakpflanze«, nach dem frz. Gelehrten J. Nicot, *1530, †1600] *das* (Nicotin), das Hauptalkaloid der Tabakpflanze, das in der Wurzel gebildet und in den Blättern abgelagert wird (N.-Gehalt je nach Sorte 0,1 bis über 10 %). N., eine farblose, ölige Flüssigkeit, ist eines der stärksten Pflanzengifte (tödl. Dosis für den Menschen etwa 1 mg/kg Körpergewicht). In kleinen Dosen wirkt N. erregend auf die Ganglien des vegetativen Nervensystems und setzt aus dem Nebennierenmark Catecholamine (→Adrenalin) frei. Die Gesamtwirkung des N. ist uneinheitlich, weil sich erregende und lähmende Wirkungen zeitlich überschneiden. Als giftiges Genussmittel (→Rauchen) führt N. bei Daueraufnahmen zu Störungen der Herzfunktion, der Durchblutung und zu Schleimhautreizungen. Die akute **N.-Vergiftung** durch orale Applikation oder durch Resorption über die Haut äußert sich in Übelkeit, Erbrechen, Leibschmerzen, Durchfall, Herzklopfen, Schweißausbruch, Schwindel und Zittern.

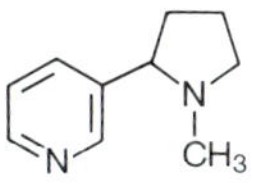

Nikotin

Nikotinsäure →Nicotinsäure.

Nikotinsäure|amid →Nicotinsäureamid.

Nil *der* (arab. Bahr en-Nil), größter Strom Afrikas, 6671 km lang, Einzugsbereich 2,87 Mio. km². Der Quellfluss →Kagera mündet in den Victoriasee, verlässt ihn als **Victoria-N.** über die Owenfälle, durchfließt den Kiogasee, durchbricht die östl. Randschwelle des Zentralafrikan. Grabens (Kabalegefälle) und fließt in den Albertsee. Der **Albert-N.,** ab der Grenze zwischen Uganda und Sudan Bahr el-Djebel **(Bergnil)** genannt, erreicht im südl. Sudan das weite Sumpfgebiet des →Sudd, das er als **Weißer N.** (Bahr el-Abiad) verlässt. Von links nimmt er den Bahr el-Ghasal (Gazellenfluss), von rechts den aus dem Hochland von Äthiopien kommenden Sobat auf und vereinigt sich bei Khartum mit dem **Blauen N.** (Bahr el-Asrak), seinem wasserreichsten Zufluss, der in Äthiopien entspringt und den Tanasee durchströmt. Nach Einmündung des Atbara durchfließt der N. die letzten 2700 km ohne weiteren Zufluss, in einem bis 20 km breiten und bis zu 350 m eingetieften Kastental, mit insgesamt sechs Stromschnellen (Katarakten), als Fremdlingsfluss die Nub. und die Arab. Wüste. Er mündet nördlich von Kairo mit zwei großen Mündungsarmen (Rosette und Damiette) und dem 24 000 km² großen **Nildelta** in das Mittelmeer.

Im Jahresverlauf hat der N. unterschiedl. Wasserführung; das Hochwasser resultiert aus den Sommerregen im äthiop. Hochland und dauert von Juni bis Sept./Okt. Um Dauerbewässerung und damit jährlich mehrere Ernten zu ermöglichen, wurden bed. Wehre und Staudämme gebaut, darunter ein Hochdamm bei →Assuan, der den N. zum →Nassersee staut. Negative ökolog. Folgen dieser Projekte sind die Versalzung der Anbauflächen sowie durch den Rückhalt des fruchtbaren N.-Schlammes der Rückgang der Bodenfruchtbarkeit und des Fischbestandes. Der N. ist zw. dem 4. und 3. Katarakt, auf dem Nassersee und ab Assuan schiffbar.

Nilgans (Alopochen aegyptiacus), 70 cm lange, gelblich und braun gefärbte Halbgans (trop. Afrika, Niltal und Palästina); Beine und Schnabel sind rosarot.

Nil

Die alten Ägypter brachten dem Nil religiöse Verehrung entgegen. Jeder Tempel besaß ein Nilometer, dem ein Priester zugeordnet war. Er hatte die jeweilige Höhe der Flut aufzuzeichnen, denn mithilfe dieses Geräts wurden die Abgaben auf die Ernte festgesetzt. In Syene etwa, dem heutigen Assuan, befindet sich ein besonders berühmtes Nilometer mit einer Skala von 90 Stufen.

Dort begann nach altägyptischen Glaubensvorstellungen die Flut, freigesetzt von den Sandalen des Widdergottes Chnum. Bereits der griechische Historiker Herodot aber mochte solchen Geschichten keine große Realität mehr beimessen. Er unternahm eine Exkursion nilaufwärts, um die wahren Ursachen der regelmäßig wiederkehrenden Fluten zu ergründen, hatte aber keinen Erfolg. Sehr viel später erst gelang es, aus den Angaben südwärts reisender Händler frühe und immer noch sehr ungenaue Karten dieses mächtigen Flusssystems zu erstellen. Eingehend erforscht und kartographisch aufgenommen wurde es erst im 20. Jahrhundert.

Nîmes: Blick auf das Stadtzentrum mit dem 20–12 v. Chr. erbauten »Maison Carrée«, einem der besterhaltenen Tempel der römischen Welt, im Vordergrund; das Amphitheater (im Hintergrund rechts) geht vermutlich auf den Anfang des 2. Jh. v. Chr. zurück und bot Platz für rund 30 000 Zuschauer

Nilgiriberge, Gebirgsmassiv im S der Westghats, Indien, bis 2636 m ü. M.; die N. nehmen dank hoher monsunaler Niederschläge botanisch eine Sonderstellung ein: neben dem heim. Rhododendron kommen eingeführte Baumarten vor (Eukalyptus-, Chininbäume), außerdem Zypressen, Kiefern, Akazien.

Nîmes
Stadtwappen

nilosaharanische Sprachen, eine der vier Hauptfamilien der afrikanischen Sprachen, unterteilt in die → saharanischen Sprachen, die → Schari-Nil-Sprachen (mit den → nilotischen Sprachen und den → nubischen Sprachen) sowie einige Einzelsprachen wie Songhai (Mali, Niger), Maba (O-Tschad), Koma (im äthiopisch-sudanes. Grenzgebiet) und Fur (W-Sudan).

Niloten, die negriden Völker im oberen Nilgebiet und in den Savannen O-Afrikas; meist Viehzüchter; zus. mit den Nubiern und pränilot. Völkern etwa 20 Mio. Menschen

Chester W. Nimitz

nilotische Sprachen, Gruppe von afrikan. Sprachen am oberen Nil (im S der Rep. Sudan, in Uganda, Kenia, Tansania, der Demokrat. Rep. Kongo und in Äthiopien) mit einem z. T. komplizierten Laut- und Formensystem. Man unterscheidet **Westnilotisch** (Dinka, Nuer, Luo, Shilluk), **Ostnilotisch** (Bari, Masai) und **Südnilotisch** (Nandi, Suk u. a.). Die ost- und südnilot. Sprachen werden von einigen Forschern als **nilohamit. Sprachen** den (west)nilot. Sprachen gegenübergestellt.

Birgit Nilsson

Nilpferd, Säugetier, → Flusspferde.

Nilsson, 1) Birgit, schwed. Sängerin (hochdramat. Sopran), *bei Karup (VerwBez. Kristianstad) 17. 5. 1918; 1948–58 Mitgl. der Königl. Oper in Stockholm, sang auch an der Metropolitan Opera in New York und trat bei Festspielen (Bayreuth) auf; wurde v. a. als Wagner-Interpretin bekannt.

2) Bo, schwed. Komponist, *Skellefteå 1. 5. 1937; Autodidakt; in seinem Schaffen von K. Stockhausen beeinflusst; komponierte u. a. »Audiogramme« (elektron. Komposition, 1957), »Nazm« für Rezitation, Soli, Chor, Orchester und Elektronik (1973), Orgelkonzert (1992).

Nimbostratus [lat.] *der,* → Wolken.

Nimbus [lat.] *der,* **1)** *Kunst:* Heiligenschein.

2) ['nɪmbəs], *Satellitentechnik:* Name experimenteller Wettersatelliten der USA; von 1964–78 wurden sieben N.-Satelliten erfolgreich auf nahezu polare Umlaufbahnen in etwa 1100 km Höhe gebracht.

Nimeiri [-'meɪ-], Jaafar Mohammed, sudanes. Politiker, → Numeiri.

Nîmes [nim], Hptst. des Dép. Gard, Frankreich, am Rand der Ebene des Bas-Languedoc, 128 000 Ew.; Akademie, Konservatorium; Weinhandelszentrum; Herstellung u. a. von Wirkwaren, Kleidern, Schuhen, Landmaschinen, Genussmitteln. – Bed. röm. Bauten (Tempel »Maison Carrée« mit korinth. Säulenordnung, 20-12. v. Chr.; Ruine des »Tempels der Diana«; Amphitheater, vermutlich Anfang des 2. Jh. n. Chr.). Der Wasserversorgung diente der Pont du Gard (→ Gard). Auf dem Mont Cavalier steht die 30 m hohe Tour Magne. In der ehem. Jesuitenkirche (und Jesuitenkolleg; 17. Jh.) das archäolog. Museum. Die Kathedrale Saint-Castor (urspr. romanisch) wurde im 19. Jh. stark restauriert, die Kirchen Saint-Paul und Sainte-Perpétue stammen aus dem 19. Jh. 1993 vollendete N. Foster die »Mediathek«. – N. ist das gallisch-röm. **Nemausus,** das Augustus zur Kolonie erhob. Es kam 1229 an die frz. Krone; einer der Hauptsitze der Hugenotten.

Nimitz, Chester William, amerikan. Admiral, *Fredericksburg (Tex.) 24. 2. 1885, †San Francisco (Calif.) 20. 2. 1966; entwickelte als Oberbefehlshaber der Pazifikflotte (1941–45) den kombinierten Einsatz von See- und Luftstreitkräften und die Taktik des »Springens« von Inselgruppe zu Inselgruppe.

Nimmersatte, zusammenfassende Bez. für Vögel der Gattung **Ibis** und **Mycteria;** etwa 1 m lange, vorwiegend weiß gefiederte Störche mit vier Arten v. a. an Gewässern Afrikas, Asiens und Amerikas.

Nimrod [hebr.], Urenkel Noahs; Städtegründer, »gewaltiger Jäger« und »der erste Gewaltherrscher auf Erden« (1. Mos. 10, 8–12).

Nimrud, mesopotam. Ruinenstätte, → Kalach.

Nimwegen (niederländ. Nijmegen), Stadt in der niederländ. Prov. Gelderland, am linken Ufer der Waal, 147 000 Ew.; kath. Univ., Rijksmuseum

Kam; Maschinenbau, Walzwerk, chem., pharmazeut. u.a. Ind.; Märkte für Gartenbauprodukte, Hafen. – Sint-Stevenskerk (13. bis 15. Jh.), Renaissancerathaus (1554/55), Stadtwaage (1612). – N., das röm. **Ulpia Noviomagus,** war seit den Karolingern eine Pfalz (Reste erhalten), seit 1230 Reichsstadt, kam 1248 zu Geldern und wurde Mitgl. der Hanse; bis 1878 Festung. Die Friedensschlüsse von N. 1678/79 beendeten den →Holländischen Krieg.

Nin, Anaïs, amerikan. Schriftstellerin, *Neuilly-sur-Seine 21. 2. 1903, †Los Angeles (Calif.) 14. 1. 1977; lebte 1923–40 in Europa, v.a. in Paris; seit 1931 eng mit H. Miller befreundet; wurde bekannt mit ihren »Tagebüchern« (7 Bde., 1966–80), die die Grundlage für ihr literar. Werk bilden, in dem sie sich um eigenständige weibl. Sensibilität und Schreibhaltung bemühte und das Unbewusste, Traumhafte und Erotische betonte.

Ningbo (Ningpo), Hafenstadt in der Prov. Zhejiang, China, oberhalb der Mündung des Yong Jiang in die Hangzhoubucht, 552 500 Ew.; Handels-, Fischereihafen; Schiff-, Dieselmotorenbau.

Ningxia Hui [-çia -] (amtl. Ningxia Huizu Zizhiqu, Ninghsia), autonomes Gebiet der muslim. Hui in N-China, am Mittellauf des Hwangho; 51 800 km², (1994) 5,0 Mio. Ew.; Hptst. ist Yinchuan; zentraler Raum ist die lang gestreckte Stromoase des Hwangho (Anbau von Baumwolle, Reis und Weizen); jenseits des Helan Shan geht das Gebiet in die Gobi über. Der südl. Teil ist ein Lösshochland.

Ninhydrin *das* (1,2,3-Indantrionhydrat), Nachweisreagens für α-Aminosäuren, Peptide und Proteine, die beim Kochen mit einer wässrigen N.-Lösung eine Blaufärbung ergeben **(N.-Reaktion).**

Ninive: Relief aus dem Palast Assurbanipals (um 640 v. Chr.; Paris, Louvre)

Nimwegen: Das 1554–55 erbaute Renaissancerathaus wurde nach Zerstörung im Zweiten Weltkrieg 1951–53 originalgetreu wieder aufgebaut

Ninive (hebr. Nineve, babylon.-assyr. Ninua), altoriental. Stadt am linken Ufer des Tigris, heute die Ruinenhügel **Kujundjik** und **Nebi Junus,** gegenüber Mosul, Irak. – N., schon in vorgeschichtl. Zeit besiedelt, erlebte als Hptst. des Assyrerreiches unter Sanherib (704–681 v. Chr.) seine größte Blüte; 612 v. Chr. wurde es von Medern und Babyloniern zerstört. – Ausgrabungen (seit 1846) stießen auf Siedlungsschichten aus dem 6. Jt. v. Chr. Freigelegt wurden der Königspalast Sanheribs, Teile des Palastes Asarhaddons und der Palast Assurbanipals. Zu den Funden gehört die Tontafelbibliothek Assurbanipals mit Keilschrifttexten (darunter das »Gilgamesch Epos«). Weitere BILDER assyrische Kunst

Niño, El [el'ninjɔ; span. »(Christ)Kind«], Klimaanomalie im trop. Pazifik, mit weltweiter Auswirkung; eine Warmwasserströmung, die in Abständen von einigen Jahren um die Weihnachtszeit vor den Küsten Perus und Ecuadors beobachtet wird. Tritt im Durchschnitt alle vier Jahre auf und äußert sich bes. im östl. tropischen Pazifik durch Erhöhung der Wassertemperaturen um bis zu 12 °C (ein geringerer Temperaturanstieg ist auch in anderen Jahren zu verzeichnen). Durch die damit verbundene Unterbrechung der biolog. Nahrungskette (Unterbrechung der Zufuhr nährstoffreichen Tiefenwassers) kann es in Extremfällen zum Sterben der Seevögel und dem Zusammenbruch der Fischerei kommen.

📖 ARNTZ, W. E. *u.* FAHRBACH, E.: *El N. – Klimaexperiment der Natur. Basel u. a. 1991.*

Anaïs Nin

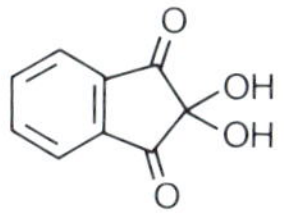

Ninhydrin

Nimwegen
Stadtwappen

Hans Carl Nipperdey

Niọb [nach Niobe, der Tochter des Tantalos] *das* (Niobium), chem. Symbol **Nb,** ein Element aus der fünften Nebengruppe des →Periodensystems der chemischen Elemente; Ordnungszahl 41, relative Atommasse 92,9064, Dichte 8,581 g/cm³, Schmelzpunkt 2468 °C, Siedepunkt 4930 °C. N. ist ein luftbeständiges, hellgraues, schmied- und walzbares, sehr hartes Metall, das gegen die meisten Säuren resistent ist. N. gehört zu den selteneren chem. Elementen und steht in der Häufigkeit der Elemente an 34. Stelle. Mit Tantal vergesellschaftet wird es v.a. aus den Erzen Columbit und Pyrochlor gewonnen. Es findet u.a. Verwendung zur Herstellung spezieller Hochtemperaturwerkstoffe und als Legierungskomponente für Stähle.

Niobe: Tötung der Kinder Niobes durch Apoll und Artemis, rotfigurige Malerei des attischen Niobiden-Malers auf einem als »Argonautenkrater« bezeichneten Tongefäß (um 460 v. Chr.; Paris, Louvre)

Nịobe, *grch. Mythos:* Tochter des Tantalos, Gemahlin des theban. Königs Amphion, die sich als Mutter von sieben Söhnen und ebenso vielen Töchtern vor der Göttin Leto rühmte, die nur Apoll und Artemis geboren hatte. Deshalb töteten diese die Kinder der N. mit ihren Pfeilen. N. selbst erstarrte aus Kummer zu Stein.

Marshall W. Nirenberg

Niort [njɔ:r], Hauptstadt des Dép. Deux-Sèvres, Frankreich, im Poitou, an der schiffbaren Sèvre-Niortaise, 57000 Ew.; Metall-, Maschinen-, Holz-, Handschuh-, Textilindustrie.

Nịpapalme (Atappalme, Nypa fruticans), kurzstämmige Palme mit großen Fiederblättern, die in Hinterindien und im Malaiischen Archipel zum Dachdecken verwendet werden.

Nịpkow [-ko], Paul, Ingenieur, *Lauenburg in Pommern (heute Lẹbork) 22. 8. 1860, †Berlin 24. 8. 1940; erfand 1883 die **N.-Scheibe,** eine mit spiralförmig angeordneten Löchern versehene Scheibe, die in den Anfängen der Fernsehtechnik zur Bildabtastung verwendet wurde. Sie diente auf der Aufnahmeseite zur Abtastung des Bildes, auf der Wiedergabeseite erfolgte der Fernsehbildaufbau nach einem Zeilenverfahren auf elektromechan. Grundlage. BILD Fernsehen

Nippel, Rohrstück mit Innen- oder Außengewinde u.a. zum Verschrauben von Rohrenden **(Rohr-N.),** zum Spannen von Speichen an der Felge **(Speichen-N.)** und als Verschluss von Schmierstellen (**Schmier-N.;** meist mit Kugelrückschlagventil).

Nịpperdey, 1) Hans Carl, Jurist, *Bad Berka 21. 1. 1895, †Köln 21. 11. 1968, Vater von 2); Prof. in Jena und Köln, 1954–63 Präs. des Bundesarbeitsgerichts. Beeinflusste maßgebend die Entwicklung des modernen Arbeitsrechts, daneben bed. Veröffentlichungen zum Verfassungs- und Zivilrecht einschl. Wirtschaftsrecht. – *Werke:* Lb. des Arbeitsrechts, 2 Bde. (1927–30, mit A. Hueck); Die Grundrechte, 4 Bde. (1954–67, Mithg.).

2) Thomas, Historiker, *Köln 27. 10. 1927, †München 14. 6. 1992, Sohn von 1); wurde 1963 Prof. in Karlsruhe, 1967 in Berlin, 1972 in München; forschte v.a. zur dt. Geschichte des 19. und frühen 20. Jh. (u.a. »Dt. Gesch.: 1800–1866«; 1983; »Dt. Gesch.: 1866–1918«, 3 Bde., 1990–92); trat für eine umfassende Sicht auf die Gesch. ein (Synthese u.a. von Politik-, Kulturgeschichte).

Nippon (Nihon), japan. Name von Japan.

Nịpptide, niedriger Tidenhub (→Gezeiten).

Nịppur, altoriental. Stadt südlich von Babylon, heute **Nuffar (Niffer),** Irak; war seit dem 3. Jt. v. Chr. Kultort des sumer. Hauptgottes Enlil und religiöses Zentrum Sumers. – Amerikan. Ausgrabungen (seit 1888) legten Ruinen des Enlilheiligtums mit Tempelturm frei. Bed. Funde von Keilschrifttafeln, darunter der älteste (etwa Mitte des 2. Jt. v. Chr.) bisher bekannte Stadtplan.

Nirenberg ['naɪrɪnbə:g], Marshall Warren, amerikan. Biochemiker, *New York 10. 4. 1927; leistete Pionierarbeit zur Entzifferung des genet. Codes, wofür er 1968 mit R. W. Holley und H. G. Khorana den Nobelpreis für Physiologie oder Medizin erhielt.

Nirvạna [Sanskrit »das Erlöschen«, »Vergehen«] *das* (Nirwana, Pali Nibbana), Ziel der Erlösung im →Buddhismus; das Erlöschen der Übel der Begierde, des Hasses und des Nichtwissens über die Wirklichkeit als den drei Quellen allen Leidens im Leben des Menschen und damit die endgültige Aufhebung seiner ichbezogenen Existenz. N. wird auch als die eigentl. »Realität«, das eigentl. »Sein« bestimmt, das ganz außerhalb der Sinnenwelt, der Illusion (→Maya), steht.

Niš [ni:ʃ], Stadt in Jugoslawien, Serbien, 175600 Ew.; wirtsch. und kulturelles Zentrum im Gebiet der Südl. Morawa; Univ. (gegr. 1965), Kunstakademie, Theater; Maschinenbau, Elektro-, Textil-, Nahrungsmittelind.; Verkehrsknotenpunkt. – N., das röm. **Naïssus,** war seit dem 12. Jh. serbisch, seit 1386 (endgültig 1459) osmanisch; kam 1878 wieder zu Serbien. - Reste der Sommerresidenz Konstantins I. und zugehöriger Villen, Thermen und Bodenmosaike wurden im Stadtteil Mediana freigelegt.

Nisam [arab.], eigtl. Nisam al-Mulk, im ind. Mogulreich Titel des Gouverneurs des Dekhan, 1724–1948 des Fürsten von Hyderabad (Reich des Nisam).

Nisami (Nezami), Abu Mohammed Iljas ibn Jusuf Scheich Nisam od-Din, pers. Dichter, * vermutlich Gäncä (Aserbaidschan) 1141, † ebd. 12. 3. 1209; bedeutendster Vertreter des persischen romant. Epos. Sein Werk fand zahlreiche Nachahmer; ihm ist z. B. der Stoff zu F. Schillers »Turandot« entnommen.

Nischinskaja, Bronislawa, → Nijinska.

Nischinski, Vaclav, → Nijinski, Vaclav.

Nischni Nowgorod (1932–90 Gorki), Hauptstadt des Gebiets Nischegorod, Russland, an der Mündung der Oka in die Wolga, führendes Wirtschafts- und Kulturzentrum des Wolgagebiets, 1,438 Mio. Ew.; Univ. und zahlr. andere Hochschulen, Museen (bes. Gorki-, Sacharowmuseum), Zoo, Oper und weitere Theater. Eine der bedeutendsten russ. Ind.städte mit Pkw-, Lkw-, Flugzeug-, Schiff-, Maschinenbau, Rüstungsind., Erdölraffinerie, Lebensmittel-, Holz-, Textilind.; Verkehrsknotenpunkt, U-Bahn, Flughafen. Etwa 35 km oberhalb der Stadt der 440 km lange N.-N.-Wolgastausee (1590 km^2) und das N.-N.-Wasserkraftwerk (Leistung: 520 MW). – Bedeutendstes Bauwerk ist der Kreml (14. Jh.). – N. N. wurde 1221 gegründet und entwickelte sich früh zu einem wichtigen Handelsplatz (ab 1817 Handelsmesse).

Nischni Tagil, Industriestadt im Gebiet Jekaterinburg, Russland, auf der O-Abdachung des Mittleren Urals, 439 200 Ew.; Eisen-, Stahl- und Walzwerke, Rüstungsind. (Panzerbau), Waggonfabrik.

Nishida [-ʃ-], Kitarō, japan. Philosoph, * bei Kanazawa 1870, † Kamakura 1945; seit 1910 Prof. an der Kyōto-Univ.; bedeutendster Philosoph des modernen Japan, der, zunächst v. a. vom Zen-Buddhismus und vom dt. Idealismus ausgehend, eine eigenständige, die ostasiat. Denktraditionen und Wirklichkeitsvorstellungen sowie das abendländ. Philosophieren aufgreifende Philosophie (und Schule) begründete.

Nishinomiya [niʃi-], Stadt auf Honshū, Japan, zw. Ōsaka und Kōbe, 424 700 Ew.; Univ.; Stahl-, Auto-, Gummiind., Reisweinbrauerei.

Niska, sorb. Name für die Stadt → Niesky.

Nissan [hebr.] *der* (Nisan), der 7. Monat im jüd. Kalender (Mitte März bis Mitte April). (→ Passah)

Nissan Motor Co. Ltd. [- ˈməʊtə kɔːpəˈreɪʃn ˈlɪmɪtɪd], zweitgrößter und ältester japan. Automobilkonzern, Sitz: Tokio; gegr. 1933, fusionierte 1966 mit der Prince Motor Co. und übernahm 1968 den Kfz-Bau der Fuji Heavy Industries Ltd.

Nissen, die Eier der Läuse.

Niterói, Stadt im Staat Rio de Janeiro, Brasilien, an der Guanabarabucht gegenüber der Stadt Rio de Janeiro; 435 700 Ew.; kath. Erzbischofssitz; Univ., Ingenieurschule; Schiffbau, Metall-, Textil- u. a. Industrie.

Nithard, fränk. Geschichtsschreiber, † 844, Enkel Karls d. Gr. Seine »Historiae« schildern die Kämpfe zw. den Söhnen Ludwigs des Frommen; überlieferte den Text der → Straßburger Eide.

Nitra [ˈnjitra] (dt. Neutra), Stadt im Westslowak. Gebiet, Slowak. Rep., am gleichnamigen Fluss, 90 900 Ew.; Landwirtschaftshochschule, Forschungsinstitute; chem. und pharmazeut., Textil-, Leder-, Nahrungsmittelind.; jährliche Landwirtschaftsausstellung. – Burg (11.–17. Jh.). – Hauptort des Großmähr. Reiches; seit 880 Bischofssitz.

Nitrate, Salze und Ester der → Salpetersäure.

Nitride, Verbindungen des Stickstoffs mit elektropositiven Elementen (meist Metallen). Man unterscheidet salzartige, metallartige und kovalente N. (z. T. als diamantartige N. bezeichnet).

Nitrieren, Einführen von Nitrogruppen ($-NO_2$) in organ. Verbindungen meist durch Anwendung konzentrierter → Salpetersäure, → Nitriersäure oder durch Stickstoffoxide (→ Stickstoff).

Nitrierhärtung, Oberflächenhärtung von Stahl durch Glühen in Stickstoff abgebenden Mitteln, wobei mit den Legierungselementen Nitride gebildet werden (→ Härten).

Nitriersäure (Mischsäure), Gemische von wechselnder Zusammensetzung aus konzentrierter Schwefelsäure und konzentrierter Salpetersäure, die zur Nitrierung organ. Substanzen verwendet werden.

Nitrifikation *die, Agrikulturchemie:* ein Vorgang, bei dem durch **nitrifizierende Bakterien** im Boden und im Wasser Ammoniak zu Nitrit (durch Nitrosomas-Arten) und Nitrit zu Nitrat (durch Nitrobacter-Arten) oxidiert wird. Die N. ist in der Landwirtschaft unerwünscht, spielt jedoch im natürl. Stickstoffkreislauf eine bed. Rolle. Sie kann durch **N.-Inhibitoren** verzögert werden.

Nitrile, organ. Verbindungen mit der allg. Formel $R-C{\equiv}N$ (R Alkyl- oder Arylrest), die als Ester der Blausäure aufgefasst werden können. Techn. Bedeutung hat z. B. → Acrylnitril. (→ Cyanverbindungen)

Nitrite, Salze und Ester der salpetrigen Säure (HNO_2). Im Handel ist hauptsächl. das im **Nitritpökelsalz** (in Mengen von 0,4–0,5 %) enthaltene **Natriumnitrit,** $NaNO_2$, das durch Bildung von rotem Nitrosomyoglobin dem Fleisch eine bleibende rote Farbe verleiht.

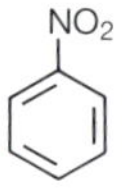

Nitrobenzol

Nitro..., Bez. der chem. Nomenklatur für die Gruppe $-NO_2$ in organ. Verbindungen.

Nitrobenzol, einfachste aromat. Nitroverbindung; gelbl., stark lichtbrechende Flüssigkeit, die durch Nitrierung von Benzol mit →Nitriersäure bei 60–70 °C hergestellt wird. N. wird zu 90–95 % zu Anilin weiterverarbeitet.

Nitrocellulose, unkorrekte Bez. für →Cellulosenitrat, in der Technik jedoch noch verwendet.

Nitrofarbstoffe, synthet. organ. Farbstoffe (gelb oder orange), die Nitrogruppen enthalten. Zu ihnen gehören z.B. Pikrinsäure, Naphtholgelb S, Martiusgelb.

Nitroglycerin

*Nitroglycerin wurde nicht, wie häufig angenommen wird, von Alfred Nobel erfunden, sondern 1846 erstmals von dem Turiner Chemiker Ascani Sobrero (*1812, †1888) hergestellt. Nobel war damals gerade mal 13 Jahre alt. Er hat jedoch aus dem extrem explosionsgefährlichen Nitroglycerin mithilfe von Kieselgur das weitaus besser zu transportierende Dynamit entwickelt. Dass dieser Sprengstoff sehr schnell von den Militärs für ihre Zwecke entdeckt wurde, war tragisch für den pazifistisch eingestellten Nobel.*

Nitrogenase *die,* Multienzymkomplex in frei lebenden aeroben, anaeroben und phototrophen Bakterien, Cyanobakterien und symbiont. Wurzelknöllchenbakterien; ermöglicht ihnen die Bindung und Reduktion von molekularem Stickstoff.

Nitrogenium *das,* lat. Bez. für →Stickstoff.

CH_2-O-NO_2
$CH-O-NO_2$
CH_2-O-NO_2

Nitroglycerin

Nitroglycerin (falsche, aber gebräuchl. Bez. für Glycerintrinitrat), durch Nitrieren von Glycerin hergestellte, ölige, schwach gelbl. Flüssigkeit. N. explodiert bei Schlag oder Stoß; es darf deshalb nur in Mischungen mit pulverisierten Stoffen oder in Lösungen bis zu einem Gehalt von 5 % transportiert werden (→Dynamit). – N. wirkt, durch die Mundschleimhaut aufgenommen, erweiternd auf die Gefäße. Es wird daher medizinisch bei akuten Anfällen von Angina pectoris angewendet.

CH_2-O-NO_2
CH_2-O-NO_2

Nitroglykol

Nitroglykol (richtiger Glykoldinitrat), ölige, bei Schlag leicht explodierende Flüssigkeit, die beim Nitrieren von Äthylenglykol entsteht und wegen ihres niedrigen Erstarrungspunktes (–22 °C) heute häufig statt Nitroglycerin als Bestandteil von gewerbl. Sprengstoffen (→Ammon-Gelite) verwendet wird.

Nitromethan, organ. Nitroverbindung, die als Lösungsmittel, zur Herstellung von Insektiziden, Explosivstoffen, Raketentreibstoffen und als Zusatz für Motorkraftstoffe dient.

Nitropenta (Pentaerythrittetranitrat), brisanter Explosivstoff mit extrem hoher Detonationsgeschwindigkeit, der für Sprengkapselfüllungen und Sprengschnüre verwendet wird.

Nitrosamine, Sammelbez. für **N-Nitrosoverbindungen** der allg. Zusammensetzung R_2N-NO (R Aryl- oder Alkyl-Rest), die durch Reaktion von sekundären Aminen mit salpetriger Säure entstehen. Die meisten N. wirken im Tierversuch Krebs erzeugend.

nitrose Gase, →Stickstoff (Verbindungen).

Nitroso..., Bez. der chem. Nomenklatur für die Gruppe $-NO$ in organ. Verbindungen.

Nitrosyl..., Bez. der chem. Nomenklatur für die Gruppierung $-NO$ als neutralen oder kation. Liganden in Koordinationsverbindungen.

Nitroverbindungen, Sammelbez. für organ. Verbindungen, in denen ein Wasserstoffatom an einem Kohlenstoffatom durch eine Nitrogruppe ($-NO_2$) ersetzt ist. Die einfachste N. ist →Nitromethan.

Niue [nɪ'u:eɪ], Koralleninsel im südl. Pazifik, seit 1974 in freier Assoziation mit Neuseeland bei voller Selbstregierung, 259 km², (1993) 2000 Ew. (Polynesier), Hauptort ist Alofi (Hafen, Flugplatz).

nival [lat. nix »Schnee«], den Schnee betreffend.

Nivalorganismen, Pflanzen und Tiere, die auf Dauerschnee und Eis ständig leben, z.B. Gletscherfloh, einige Rotalgen.

Niveau [ni'vo:; frz., urspr. »Wasserwaage«] *das,* **1)** *allg.:* ebene bzw. waagerechte Fläche von einer bestimmten Höhe; Stufe in einer Skala bestimmter Werte (Kurse, Preise).

2) *übertragen:* geistiger Rang, Grad; Höhenstufe, Anspruchsebene einer Veranstaltung.

Niveausphäroid [ni'vo:-], eine dem →Geoid angenäherte Rotationsfläche zur näherungsweisen Darstellung der wirkl. Erdoberfläche. Eine noch weiter gehende Vereinfachung führt auf das →Referenzellipsoid.

Nivelle de la Chaussée [ni'vɛl dəlaʃo'se], Pierre Claude, frz. Dramatiker, →La Chaussée.

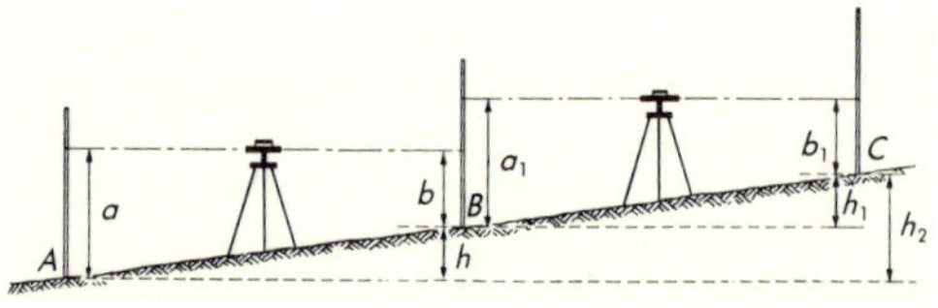

Nivellement: Bestimmung des Höhenunterschieds zwischen zwei entfernten Punkten *A* und *C* durch je eine Messung zwischen dem Anfangspunkt *A* bzw. dem Endpunkt *C* und dem dazwischen liegenden Punkt *B*; bei der ersten Messung auf den Nivellierlatten werden die Werte *a* (Punkt *A*) und *b* (Punkt *B*) abgelesen, bei der zweiten Messung a_1 (Punkt *B*) und b_1 (Punkt *C*); die entsprechenden Höhenunterschiede betragen $h = a - b$ und $h_1 = a_1 - b_1$; der Höhenunterschied zwischen *A* und *C* ist demnach $h_2 = h + h_1$

Nivellement [nivɛlə'mã:, frz.] *das, Vermessungskunde:* Messverfahren zur Bestimmung von Höhenunterschieden im Gelände mithilfe eines Nivellierinstruments **(Nivellier)** und zweier i. Allg.

3 m langer Nivellierlatten mit cm-Einteilung. Hauptbestandteil des Nivelliers ist das um eine senkrechte Achse drehbare Fernrohr, dessen Zielachse mit einer Libelle **(Libellen-N.)** oder einem die Lotrichtung realisierenden Kompensator **(automat. N.)** horizontal gestellt wird. Der Höhenunterschied zw. zwei Punkten *A, B* ergibt sich aus der Differenz der Lattenablesungen *a – b,* wobei je nach Genauigkeitsforderung Zielweiten von 30–100 m gewählt werden. Aus der Addition aufeinander folgender Differenzen erhält man den Höhenunterschied weiter auseinander liegender Punkte (Messfehler im mm- bis cm-Bereich).

Nivelles [niˈvɛl] (niederländ. Nijvel), Hptst. der Prov. Wallonisch-Brabant, Belgien, 23 400 Ew.; archäolog. Museum; Maschinenbau, Papier-, Metall-, Elektroind., Fahnen-, Möbelfabrik. – N. entstand um eine 645 gegründete Abtei (Stiftskirche des 11. Jh.; 1940 restauriert).

nivellieren, 1) *allg.:* Unterschiede ausgleichen.

2) *Geodäsie:* Höhenunterschiede durch →Nivellement bestimmen.

Nivôse [niˈvoːz; frz. »Schneemonat«] *der,* 4. Monat des frz. Revolutionskalenders (21./23. 12. bis 19./21. 1.).

Nixdorf, Heinz, Unternehmer, *Paderborn 9. 4. 1925, †Hannover 17. 3. 1986; gründete 1952 in Essen das »Labor für Impulstechnik«, aus dem 1968 nach Übernahme der »Wanderer Werke AG«, Köln, die **N. Computer AG,** Paderborn, hervorging. Innerhalb weniger Jahrzehnte baute N. ein internat. bekanntes Computerunternehmen auf; 1990 Übernahme durch die Siemens AG (seitdem **Siemens Nixdorf Informationssysteme AG**).

Nixen [ahd. niccus, urspr. »badendes (im Wasser lebendes) Wesen«], Wassergeister, denen Tier-, Pflanzen- oder Menschengestalt beiderlei Geschlechts als Erscheinungsform zugedacht werden.

Nixkraut (Nixenkraut, Najas), Pflanzengattung der einkeimblättrigen Familie N.-Gewächse; einjährige zarte Unterwasserpflanzen des Süß- und Brackwassers mit unscheinbaren Blüten und lineal., häufig gezähnten Blättern.

Nixon [nɪksn], Richard Milhous, 37. Präs. der USA (1969 bis 1974), *Yorba Linda (Calif.) 9. 1. 1913, †New York 22. 4. 1994; Mitgl. der Republikan. Partei, 1953–61 Vizepräs., unterlag 1960 bei den Präsidentschaftswahlen knapp gegen J. F. Kennedy, siegte aber 1968 über den demokrat. Kandidaten H. H. Humphrey. 1972 leitete er mit einer Reise nach Peking die Normalisierung der Beziehungen zur VR China ein. Durch seinen Sonderberater H. A. Kissinger erreichte N. 1973 einen Waffenstillstand in →Vietnam, setzte sich auch für Abrüstungsvereinbarungen mit der UdSSR ein (u. a. →SALT). Als Exponent von »Recht und Ordnung« (»Law and Order«) gegenüber der anhaltenden polit. und sozialen Protestbewegung wurde N. 1972 mit großer Mehrheit wieder gewählt. Wegen der →Watergate-Affäre trat er 1974 zurück, um einer Amtsenthebung durch →Impeachment zuvorzukommen.

📖 Hacke, C.: *Die Ära N.-Kissinger 1969–1974. Stuttgart 1983.*

Nizäa, →Nikaia.

Nizan [niˈzã], Paul, frz. Schriftsteller, *Tours 7. 2. 1905, ⚔ Dünkirchen 23. 5. 1940; Marxist, rechnete in seinen Romanen (u. a. »Die Verschwörung«, 1938) mit dem Bürgertum ab und prangerte das polit. Leben in Frankreich an; auch Essays (»Aden«, 1932) und Publizistik.

Nizon [niˈzɔ̃], Paul, schweizer. Schriftsteller, *Bern 19. 12. 1929; lebt seit 1977 als freier Schriftsteller in Paris. Neben kunsthistor. Essays und Abhandlungen sowie autobiographisch gefärbter Kurzprosa entstanden Romane mit gesellschaftskrit. Tendenz (»Canto«, R., 1963; »Untertauchen«, Erz., 1972; »Das Jahr der Liebe«, R., 1981; »Im Bauch des Wals. Caprichos«, Erz., 1989).

Paul Nizan

Nizza
Stadtwappen

Nizza: Blick über den Mitte des 18. Jh. angelegten Hafen und die Stadt auf die Ausläufer der Seealpen

Nizza (frz. Nice), Hptst. des Dép. Alpes-Maritimes, Frankreich, an der frz. Mittelmeerküste, am Fuß der Ausläufer der Seealpen, 342 000 Ew.; Univ., Kunstschule, zahlr. Museen; Observatorium (auf dem Mont Gros); Theater. N. ist eines der bedeutendsten frz. Seebäder und die Metropole der Côte d'Azur mit starkem Fremdenverkehr; Karnevalsfeste, internat. Folklorefestspiele, internat. Buchfestival u. a.; Markt für das Blumenzuchtgebiet des Umlandes; elektromechan., Bekleidungs-, Foto- und Nahrungsmittelind. (Olivenölgewinnung, Gemüse-, Obstkonserven, Konfitüren), graf. Gewerbe, Parfümind., Kunststoffverarbeitung und Brennereien. Passagierhafen;

Richard M. Nixon

Flughafen. – In der Altstadt die Kathedrale aus dem 17. Jh. sowie Kirchen und Paläste des 17. und 18. Jh.; an der Küste die Prachtstraße »Promenade des Anglais«. – N. wurde als **Nikaia** im 4. Jh. v. Chr. von Massalia (Marseille) aus gegr.; 1388 kam es zu Savoyen-Piemont, 1860 endgültig zu Frankreich.

Nō: Darsteller mit Nō-Maske

Nịzza|er Klassifikatiọns|abkommen, *Markenrecht:* Abkommen von Nizza über die Internat. Klassifikation von Waren und Dienstleistungen für die Eintragung von Marken vom 15. 6. 1957 in der Genfer Fassung vom 13. 5. 1977; verpflichtet die Mitgl.-Länder zur Verwendung einer einheitl. Klassifikation für die Registrierung von Marken.

N. J., Abk. für den Bundesstaat **N**ew **J**ersey, USA.

Njạssagraben, → Ostafrikanisches Grabensystem.

Njạssaland (engl. Nyasaland), ehem. brit. Protektorat im südl. Ostafrika, seit 1964 der Staat → Malawi.

Njạssasee, → Malawisee.

Njẹgoš [-gɔʃ], 1453 ersterwähnter Orts- und Stammesname, Beiname der in Montenegro herrschenden Familie Petrović. – Bed. Vertreter ist Peter (Petar) II. Petrović N., Fürstbischof (Vladika) von Montenegro (1830–51) und Dichter, * Njeguši 1. 11. 1813, † Cetinje 19. 10. 1851; konnte praktisch die Unabhängigkeit vom Osman. Reich erringen; schrieb das dramat. Epos »Der Bergkranz«, (1847), ein Hauptwerk der serb. Literatur.

Njẹmen *der,* russ. Name für den Fluss → Memel.

Njọ̈rd, von den Vanen abstammender germ. Gott, der bei den Asen lebte; Vater von Freyr und Freyja; als Gott des Friedens, der Fruchtbarkeit und der Seefahrt verehrt.

Joshua Nkomo

Nkọmo, Joshua, Politiker in Simbabwe, * Semokwe (Distrikt Matope) 19. 6. 1917; Lehrer und Laienprediger, dann Gewerkschafter; ab 1957 Präs. des Afrikan. Nationalrats (ANC), ging nach dessen Verbot 1959/60 ins Exil. 1961 gründete er die ZAPU (Zimbabwe African People's Union). 1964–74 war er in Haft bzw. in der Verbannung. Nach der Spaltung des wieder gegr. ANC wurde er 1975 Vors. des Inlandsflügels. 1976 gründete er mit R. G. Mugabe die Patriot. Front. Nach der Entlassung Rhodesiens als Simbabwe in die Unabhängigkeit (1980) war er 1980–81 Innenmin.; geriet aber seitdem immer stärker in Konflikt mit MinPräs. Mugabe. Nach einer Wiederannäherung war er 1988–90 Min. im Präsidialamt und 1990–96 Vizepräs. von Simbabwe.

Kwame Nkrumah

Nkrụmah, Kwame, Politiker in Ghana, * Nkroful (bei Axim) 18. 9. 1909, † Bukarest 27. 4. 1972; an Hochschulen der USA ausgebildet, entwickelte er dort auf der Basis sozialist. Grundvorstellungen panafrikan. Ideen. 1947 in seine Heimat zurückgekehrt, wurde N. dort 1951 MinPräs. Am 6. 3. 1957 führte er sein Land unter dem Namen Ghana in die Unabhängigkeit. 1960 wurde er Staatspräs. N. verfolgte unter wachsender Anlehnung an die kommunist. Staatenwelt einen sozialist. Kurs, den er mit altafrikanisch-genossenschaftl. Ideen verband. Im Sinne seiner panafrikan. Ideen förderte er den Zusammenschluss der afrikan. Staaten. 1966 von der Armee gestürzt, lebte er im Exil in Guinea.

NKWD, Abk. für russ. **N**arodny **K**omissariat **W**nutrennich **D**el [»Volkskommissariat für Innere Angelegenheiten«], 1934 gebildetes sowjet. Unionsministerium, dem als wichtigstes Ressort die → GPU eingegliedert war; zuständig v. a. für polit. Überwachung, Nachrichtendienst, polit. Strafjustiz, Verw. der Straf- und Verbannungslager (→ GULag), Grenzschutz; wurde das Instrument des stalinist. Terrors z. Z. der Großen → Tschistka. 1941 Herauslösung der polit. Geheimpolizei als **NKGB** (Abk. für **N**arodny **K**omissariat **G**ossudarstwennoi **B**esopasnosti, »Volkskommissariat für Staatssicherheit«), die 1946 in **MGB** (Abk. für **M**inisterstwo **G**ossudarstwennoi **B**esopasnosti, »Ministerium für Staatssicherheit«) umbenannt wurde. Aus dem MGB ging 1954 der → KGB hervor. Das NKWD wurde 1946 in das **MWD** (Abk. für **M**inisterstwo **W**nutrennich **D**el, »Ministerium für innere Angelegenheiten«) umgewandelt.

Noah: Noah in der Arche, Fresko aus dem 4. Jh. in der Katakombe Santi Pietro e Marcellino in Rom

n-Leitung, Elektronenleitung (→ Halbleiter).

nm, Einheitenzeichen für Nanometer, 1 nm = 10^{-9} m = 0,000001 mm.

Nm, Einheitenzeichen für → Newtonmeter.

N. Mex., Abk. für den Bundesstaat **N**ew **Me**xico, USA.

NMR-Spektroskopie̲, Abk. für engl. **N**uclear **M**agnetic **R**esonance (Kernspinresonanzspektroskopie, magnetische Kernresonanzspektroskopie, kernmagnetische Resonanzspektroskopie), spektroskop. Verfahren zur Strukturaufklärung von meist gelösten organ. und metallorgan. Verbindungen, dem die Erscheinungen der → Kernspinresonanz und Kerninduktion zugrunde liegen. Auch lebendes Gewebe kann mittels der NMR-S. vermessen werden. Mithilfe elektron. Rechenverfahren, wie sie in der → Computertomographie mit

Röntgenstrahlen verwendet werden, kann man NMR-Querschnittsbilder vom Menschen anfertigen, die die Verteilung der »freibewegl.« Wasserstoffatome darstellen und so Gewebestrukturen und Organe erkennen lassen (→Kernspintomographie). Das berechnete Kernspintomogramm wird in Grau- oder Farbabstufungen für die Protonendichte auf einem Bildschirm wiedergegeben.

📖 HERZOG, W.-D. *u.* MESSERSCHMIDT, M.: *NMR-S. für Anwender. Weinheim u. a. 1995.*

NN, Abk. für →**N**ormal**n**ull bei Höhenangaben.

N. N., Abk., die einen (unbekannten) Namen ersetzen soll; vermutlich aus der im röm. Recht übl. Abk. N. N. für **N**umerius **N**egidius (fiktiver Name eines Beklagten, der die Geldschuld bestreitet); auch als Abk. für lat. **n**omen **n**escio (»den Namen weiß ich nicht«) gedeutet.

N-Nitrosoverbindungen, →Nitrosamine.

No, chem. Symbol für →Nobelium.

Nō *das,* das lyr. japan. Drama. Das N. ist ein Sing- und Tanzspiel mit orchestraler Begleitung, das ausschließlich von männl. Schauspielern auf überdachter Bühne in prächtigen Gewändern und Masken (Nō-Masken) mit stark stilisierten Requisiten und unverändertem Bühnenbild nach festen Regeln aufgeführt wird. Die Stoffe entstammen meist der älteren Literatur und Geschichte. Begründer sind Kanami Kiyotsugu (*1333, †1384) und sein Sohn Zeami Motokiyo (*1363, †1443), der maßgeblich die Kunsttheorie des Nō prägte.

Noah, in der Vulgata Noe, Gestalt des A.T.; steht im Mittelpunkt der Sintfluterzählung (1. Mose 6–10); nach der →Sintflut und dem Bund mit Gott Stammvater der neuen Menschheit; nach 1. Mose 9,20 war Noah der erste Weinbauer.

Noailles [nɔ'ɑ:j], Anna Elisabeth de Brancovan, Gräfin Mathieu de N., frz. Schriftstellerin rumän. Herkunft, *Paris 15. 11. 1876, †ebd. 30. 4. 1933; Mittelpunkt eines bed. literar. Salons in Paris, schrieb formstrenge leidenschaftl., von Sensualismus und Pantheismus geprägte Gedichte (»Sehnsucht«, 1902), auch Romane und Novellen sowie die Autobiographie »Le livre de ma vie« (1932).

Nobel ['nəʊbl] *der* (Noble), engl. Goldmünze (seit 1344) mit wechselndem Gewicht und Wert.

Nobel, Alfred, schwed. Chemiker und Industrieller, *Stockholm 21. 10. 1833, †San Remo 10. 12. 1896; erfand 1863 die Initialzündung und 1867 das Dynamit, das seinen Reichtum begründete; bed. war auch die Entwicklung der Sprenggelatine (1877) und des rauchschwachen Pulvers (Ballistit, 1887). Aufgrund seiner Erfindungen und Patente entstanden Sprengstofffabriken in vielen Ind.ländern, so in Dtl. 1865 die Firma Alfred Nobel & Co., die heutige Dynamit Nobel AG (→Metallgesellschaft AG). N. hinterließ sein Vermögen einer Stiftung (→Nobelpreis).

📖 FANT, K.: *A. N. Idealist zwischen Wissenschaft u. Wirtschaft. A. d. Schwed. Basel u. a. 1995.*

Nobelium [nach A. Nobel] *das,* chem. Symbol **No,** zu den →Transuranen zählendes chemisches Element aus der Reihe der →Actinoide; Ordnungszahl 102, relative Atommasse 259. Die durch Kernreaktionen darstellbaren Isotope ^{250}No bis ^{259}No sind sämtlich radioaktiv.

Noah

In der biblischen Erzählung über Noah (1. Mos. 6–9), deren Mittelpunkt die Flutsage bildet, sind verschiedene Traditionen miteinander verbunden. Noah wird als frommer Mann geschildert, der angesichts der Bosheit der Welt und der von Gott geplanten Vernichtung alles irdischen Lebens »Gnade vor dem Herrn findet«. Gott schließt mit Noah einen Bund und lässt ihn mit seiner Familie in einer Arche die Sintflut überleben. Das nahende Ende der 150 Tage währenden Flut erkennt Noah, der mit der Arche auf dem Berg Ararat liegen geblieben ist, daran, dass eine von ihm ausgesandte Taube einen Ölzweig zurückbringt. Nach der Sintflut erneuert Gott den Bund mit Noah (symbolisiert durch den Regenbogen) und gibt ihm die noachidischen Gebote. Noah richtet sich als Landmann und erster Weinbauer auf der Erde ein; er soll im Alter von 950 Jahren gestorben sein.

Die frühchristliche Kunst zeigt Noah als jugendlichen, seltener bärtigen Betenden, mit erhobenen Armen in der Arche stehend, auf die eine Taube mit einem Ölzweig zufliegt. Die Darstellung gilt als Symbol für die Errettung vor dem Tod und ist deshalb häufig als Wandmalerei in Katakomben und auf Sarkophagen zu finden.

Nobelpreis, hoch angesehene, internat., auf die testamentar. Verfügung A. →Nobels zurückgehende Auszeichnung, jährlich finanziert durch die **Nobelstiftung** mit dem Jahreszins ihres Vermögens, und zwar für Leistungen auf den Gebieten Physik, Chemie, Physiologie oder Medizin und Literatur sowie für Verdienste um die Erhaltung des Friedens (Friedens-N.). Nobel bestimmte, dass die Preisträger für Physik und Chemie von der Königl. Schwed. Akademie der Wiss., die der Physiologie oder Medizin vom Karolinska Medikokirurgiska Institutet in Stockholm, die Literaturpreisträger von der Königl. Schwed. Akademie (der schönen

Alfred Nobel

Nobelpreis

Drei Jahre vor seinem Tod schrieb Alfred Bernhard Nobel an die Pazifistin Bertha von Suttner, dass ein von ihm gestifteter Preis alle fünf Jahre verteilt werden solle, und das sechsmal. Wenn es innerhalb dieser 30 Jahre nicht gelänge, »das gegenwärtige System« zu reformieren, fiele die Menschheit ohnehin in die Barbarei zurück. Aber das von Nobel hinterlassene Vermögen, das er zu seinem Leidwesen vor allem den Militärs verdankte, war mit 30 Millionen Schwedischen Kronen so groß, dass von seinen Zinsen bis heute jährlich Preise verteilt werden konnten.

Nobelpreisträger*)

Physik

1901 W. C. Röntgen D
1902 H. A. Lorentz NL
P. Zeeman NL
1903 A. H. Becquerel F
P. Curie F
M. Curie F
1904 J. W. Strutt
Lord Rayleigh GB
1905 P. Lenard D
1906 J. J. Thomson GB
1907 A. A. Michelson USA
1908 G. Lippmann F
1909 G. Marchese Marconi I
K. F. Braun D
1910 J. D. van der Waals NL
1911 W. Wien D
1912 N. G. Dalén S
1913 H. Kamerlingh-Onnes NL
1914 M. von Laue D
1915 W. H. Bragg GB
W. L. Bragg GB
1917 C. G. Barkla GB
1918 M. Planck D
1919 J. Stark D
1920 C. É. Guillaume F
1921 A. Einstein D
1922 N. Bohr DK
1923 R. A. Millikan USA
1924 K. M. G. Siegbahn S
1925 J. Franck D
G. Hertz D
1926 J. B. Perrin F
1927 A. H. Compton USA
C. T. R. Wilson GB
1928 O. W. Richardson GB
1929 L.-V. de Broglie F
1930 Sir C. V. Raman Indien
1932 W. Heisenberg D
1933 E. Schrödinger A
P. A. M. Dirac GB
1935 J. Chadwick GB
1936 V. F. Hess A
C. D. Anderson USA
1937 C. J. Davisson USA
G. P. Thomson GB
1938 E. Fermi I
1939 E. O. Lawrence USA
1943 O. Stern USA
1944 I. I. Rabi USA
1945 W. Pauli A
1946 P. W. Bridgman USA
1947 Sir E. V. Appleton GB
1948 P. M. S. Lord Blackett
of Chelsea GB
1949 H. Yukawa Japan
1950 C. F. Powell GB
1951 Sir J. D. Cockcroft GB
E. T. S. Walton IRL
1952 F. Bloch USA
E. M. Purcell USA
1953 F. Zernike NL
1954 M. Born Gb
W. Bothe D
1955 W. E. Lamb USA
1955 P. Kusch USA
1956 W. Shockley USA
J. Bardeen USA
W. H. Brattain USA
1957 C. N. Yang USA
T. D. Lee USA
1958 P. A. Tscherenkow UdSSR
I. M. Frank UdSSR
I. J. Tamm UdSSR
1959 E. Segrè USA
O. Chamberlain USA
1960 D. A. Glaser USA
1961 R. Hofstadter USA
R. L. Mößbauer D
1962 L. D. Landau UdSSR
1963 J. H. D. Jensen D
E. P. Wigner USA
M. Goeppert-Mayer USA
1964 N. G. Basow UdSSR
C. H. Townes USA
A. M. Prochorow UdSSR
1965 S. Tomonaga Japan
J. Schwinger USA
R. P. Feynman USA
1966 A. Kastler F
1967 H. A. Bethe USA
1968 L. W. Alvarez USA
1969 M. Gell-Mann USA
1970 H. Alfvén S
L. E. F. Néel F
1971 D. Gabor GB
1972 J. Bardeen USA
L. N. Cooper USA
J. R. Schrieffer USA
1973 L. Esaki Japan
I. Giaever GB
B. D. Josephson GB
1974 Sir M. Ryle GB
A. Hewish GB
1975 A. N. Bohr DK
B. R. Mottelson DK
L. J. Rainwater USA
1976 B. Richter USA
S. C. C. Ting USA
1977 P. W. Anderson USA
Sir N. F. Mott GB
J. H. Van Vleck USA
1978 P. L. Kapiza UdSSR
A. A. Penzias USA
R. W. Wilson USA
1979 S. L. Glashow USA
A. Salam P
S. Weinberg USA
1980 J. W. Cronin USA
V. L. Fitch USA
1981 N. Bloembergen USA
A. L. Schawlow USA
K. M. Siegbahn S
1982 K. G. Wilson USA
1983 S. Chandrasekhar USA
W. A. Fowler USA
1984 C. Rubbia I
S. van der Meer NL
1985 K. von Klitzing D
1986 E. Ruska D
1986 G. Binnig CH
H. Rohrer CH
1987 J. G. Bednorz CH
K. A. Müller CH
1988 L. M. Lederman USA
M. Schwartz USA
J. Steinberger USA
1989 N. F. Ramsey USA
H. G. Dehmelt USA
W. Paul D
1990 J. I. Friedman USA
H. W. Kendall USA
R. Taylor Kanada
1991 P.-G. de Gennes F
1992 G. Charpak F
1993 J. H. Taylor USA
R. A. Hulse USA
1994 B. N. Brockhouse Kanada
C. G. Shull USA
1995 M. L. Perl USA
F. Reines USA
1996 D. M. Lee USA
D. D. Osheroff USA
R. C. Richardson USA
1997 S. Chu USA
C. Cohen-Tannoudji F
W. D. Phillips USA
1998 R. Laughlin USA
H. Störmer D
D. Tsui USA

Chemie

1901 J. H. van't Hoff NL
1902 E. H. Fischer D
1903 S. A. Arrhenius S
1904 Sir W. Ramsay GB
1905 A. Ritter von Baeyer D
1906 H. Moissan F
1907 E. Buchner D
1908 E. Rutherford GB
1909 W. Ostwald D
1910 O. Wallach D
1911 M. Curie F
1912 V. Grignard F
P. Sabatier F
1913 A. Werner CH
1914 T. W. Richards USA
1915 R. M. Willstätter D
1918 F. Haber D
1920 W. H. Nernst D
1921 F. Soddy GB
1922 F. W. Aston GB
1923 F. Pregl A
1925 R. A. Zsigmondy D
1926 T. Svedberg S
1927 H. O. Wieland D
1928 A. O. R. Windaus D
1929 A. Harden GB
H. K. A. S.
von Euler-Chelpin S
1930 H. Fischer D
1931 C. Bosch D
F. Bergius D
1932 I. Langmuir USA
1934 H. C. Urey USA
1935 J. F. Joliot-Curie F
I. Joliot-Curie F
1936 P. J. W. Debye NL
1937 W. N. Haworth GB
P. Karrer CH
1938 R. Kuhn D
1939 A. F. J. Butenandt D
L. Ružička CH
1943 G. K. de Hevesy S
1944 O. Hahn D
1945 A. I. Virtanen FIN
1946 J. B. Sumner USA
J. H. Northrop USA
W. M. Stanley USA
1947 Sir R. Robinson GB
1948 A. W. K. Tiselius S
1949 W. F. Giauque USA
1950 O. P. H. Diels D
K. Alder D
1951 E. M. McMillan USA
G. T. Seaborg USA
1952 A. J. P. Martin GB
1953 H. Staudinger D
1954 L. C. Pauling USA
1955 V. du Vigneaud USA
1956 Sir C. N. Hinshelwood GB
N. N. Semjonow UdSSR
1957 Sir A. R. Todd GB
1958 F. Sanger GB
1959 J. Heyrovský ČSR
1960 W. F. Libby USA
1961 M. Calvin USA
1962 M. F. Perutz GB
J. C. Kendrew GB
1963 K. Ziegler D
G. Natta I
1964 D. (Crowfoot) Hodgkin GB
1965 R. B. Woodward GB
1966 R. S. Mulliken USA
1967 M. Eigen D
R. G. W. Norrish GB
G. Porter GB
1968 L. Onsager USA
1969 D. H. R. Barton GB
O. Hassel N
1970 L. F. Leloir Argentinien
1971 G. Herzberg Kanada
1972 C. B. Anfinsen USA
S. Moore USA
W. H. Stein USA
1973 E. O. Fischer D
G. Wilkinson GB
1974 P. J. Flory USA
1975 J. W. Cornforth GB
V. Prelog CH
1976 W. N. Lipscomb USA
1977 I. Prigogine B
1978 P. Mitchell GB
1979 H. C. Brown USA
G. Wittig D
1980 P. Berg USA
W. Gilbert USA
F. Sanger GB
1981 K. Fukui Japan
R. Hoffmann USA

*) dem Namen des Preisträgers (später verliehene Adelstitel werden nicht genannt) folgt eine Angabe i. d. R. über den Staat, in dem der N. zur Zeit seiner Ehrung lebte und arbeitete; für europ. Länder werden i. d. R. die Unterscheidungskennzeichen für den internat. Postverkehr verwendet (den Nationalitätszeichen für Kraftfahrzeuge entsprechend); andere Abkürzungen: ČSR bzw. ČSSR (bis 1960 bzw. bis 1990 für Tschechoslowakei), UdSSR, USA. – Fehlen in der chronolog. Abfolge der Preisträger ein oder mehrere Jahre, ist der betreffende Preis in dem oder den Jahren nicht vergeben worden

Nobelpreisträger (Fortsetzung)

1982 A. Klug GB
1983 H. Taube USA
1984 R. B. Merrifield USA
1985 H. A. Hauptman USA
J. Karle USA
1986 D. R. Herschbach USA
Y. T. Lee USA
J. C. Polanyi USA
1987 D. J. Cram USA
J.-M. Lehn F
C. J. Pedersen USA
1988 R. Huber D
J. Deisenhofer D
H. Michel D
1989 S. Altman USA
T. R. Cech USA
1990 E. J. Corey USA
1991 R. Ernst CH
1992 R. A. Marcus USA
1993 M. Smith Kanada
K. B. Mullis USA
1994 G. A. Olah USA
1995 P. Crutzen NL
M. J. Molina Mexiko
S. F. Rowland USA
1996 R. F. Curl USA
R. E. Smalley USA
H. W. Kroto GB
1997 P. D. Boyer USA
J. E. Walker GB
J. C. Skou DK
1998 W. Kohn USA
J. D. Pople GB

Physiologie oder Medizin
1901 E. A. von Behring D
1902 R. Ross GB
1903 N. R. Finsen DK
1904 I. P. Pawlow Russland
1905 R. Koch D
1906 C. Golgi I
S. Ramón y Cajal E
1907 C. L. A. Laveran F
1908 I. I. Metschnikow Russland
P. Ehrlich D
1909 E. T. Kocher CH
1910 A. Kossel D
1911 A. Gullstrand S
1912 A. Carrel USA
1913 C. R. Richet F
1914 R. Bárány A
1919 J. Bordet B
1920 S. A. S. Krogh DK
1922 A. V. Hill GB
O. F. Meyerhof D
1923 F. G. Banting Kanada
J. J. R. Macleod
Kanada
1924 W. Einthoven NL
1926 J. A. G. Fibiger DK
1927 J. Ritter Wagner
v. Jauregg A
1928 C. J. H. Nicolle F
1929 C. Eijkman NL
Sir F. G. Hopkins GB
1930 K. Landsteiner A
1931 O. H. Warburg D
1932 Sir C. S. Sherrington GB
E. D. Lord Adrian GB
1933 T. H. Morgan USA
1934 G. H. Whipple USA
G. R. Minot USA
W. P. Murphy USA
1935 H. Spemann D
1936 Sir H. H. Dale GB
O. Loewi USA
1937 A. Szent-Györgyi von
Nagyrapolt H
1938 C. J. F. Heymans B
1939 G. Domagk D
1943 H. C. P. Dam DK
E. A. Doisy USA
1944 J. Erlanger USA
H. S. Gasser USA
1945 Sir A. Fleming GB
E. B. Chain GB
H. W. Florey GB
1946 H. J. Muller USA
1947 C. F. Cori USA
G. T. Cori USA
B. A. Houssay
Argentinien
1948 P. H. Müller CH
1949 W. R. Hess CH
A. C. Moniz-Egas P
1950 E. C. Kendall USA
T. Reichstein CH
P. S. Hench USA
1951 M. Theiler Südafrika
1952 S. A. Waksman USA
1953 H. A. Krebs GB
F. A. Lipmann USA
1954 J. F. Enders USA
T. H. Weller USA
F. C. Robbins USA
1955 A. H. T. Theorell S
1956 A. F. Cournand USA
W. T. O. Forßmann D
D. W. Richards USA
1957 D. Bovet I
1958 G. W. Beadle USA
E. L. Tatum USA
J. Lederberg USA
1959 S. Ochoa USA
A. Kornberg USA
1960 Sir F. M. Burnet Australien
P. B. Medawar GB
1961 G. von Békésy USA
1962 F. H. C. Crick GB
J. D. Watson USA
M. H. F. Wilkins GB
1963 Sir J. C. Eccles Australien
A. L. Hodgkin GB
A. F. Huxley GB
1964 K. Bloch USA
F. F. K. Lynen D
1965 F. Jacob F
A. Lwoff F
J. Monod F
1966 F. P. Rous USA
C. B. Huggins USA
1967 R. A. Granit S
H. K. Hartline USA
G. Wald USA
1968 R. W. Holley USA
H. G. Khorana USA
M. W. Nirenberg USA
1969 M. Delbrück USA
1969 A. D. Hershey USA
S. E. Luria USA
1970 B. Katz GB
U. S. von Euler S
J. Axelrod USA
1971 E. W. Sutherland USA
1972 G. M. Edelman USA
R. R. Porter GB
1973 K. Ritter von Frisch D
K. Lorenz A
N. Tinbergen GB
1974 A. Claude B
C. R. de Duve USA
G. E. Palade USA
1975 D. Baltimore USA
R. Dulbecco USA
H. M. Temin USA
1976 B. S. Blumberg USA
D. C. Gajdusek USA
1977 R. L. Guillemin USA
A. V. Schally USA
R. S. Yalow USA
1978 W. Arber CH
D. Nathans USA
H. O. Smith USA
1979 A. M. Cormack USA
G. N. Hounsfield GB
1980 B. Benacerraf USA
J. B. G. Dausset F
G. D. Snell USA
1981 R. W. Sperry USA
D. H. Hubel USA
T. N. Wiesel USA
1982 S. K. Bergström S
B. I. Samuelsson S
J. R. Vane GB
1983 B. McClintock USA
1984 N. K. Jerne F
G. J. F. Köhler CH
C. Milstein GB
1985 M. S. Brown USA
J. L. Goldstein USA
1986 R. Levi-Montalcini I
S. Cohen USA
1987 S. Tonegawa USA
1988 Sir J. W. Black GB
G. B. Elion USA
G. H. Hitchings USA
1989 M. J. Bishop USA
H. E. Varmus USA
1990 J. E. Murray USA
E. D. Thomas USA
1991 E. Neher D
B. Sakmann D
1992 E. H. Fischer USA
E. G. Krebs USA
1993 P. A. Sharp USA
R. J. Roberts GB
1994 A. G. Gilman USA
M. Rodbell USA
1995 C. Nüsslein-Volhard D
E. F. Wieschaus USA
E. B. Lewis USA
1996 P. C. Doherty Australien
R. M. Zinkernagel CH
1997 S. B. Prusiner USA
1998 R. Furchgott USA
L. Ignarro USA
F. Murad USA

Literatur
1901 Sully Prudhomme F
1902 T. Mommsen D
1903 B. Bjørnson N
1904 F. Mistral F
J. Echegaray y Eizaguirre E
1905 H. Sienkiewicz PL
1906 G. Carducci I
1907 J. R. Kipling GB
1908 R. C. Eucken D
1909 S. Lagerlöf S
1910 P. von Heyse D
1911 M. Maeterlinck B
1912 G. Hauptmann D
1913 R. Tagore Indien
1915 R. Rolland F
1916 V. von Heidenstam S
1917 K. Gjellerup DK
H. Pontoppidan DK
1919 C. Spitteler CH
1920 K. Hamsun N
1921 A. France F
1922 J. Benavente E
1923 W. B. Yeats IRL
1924 W. S. Reymont PL
1925 G. B. Shaw GB
1926 G. Deledda I
1927 H. Bergson F
1928 S. Undset N
1929 T. Mann D
1930 S. Lewis USA
1931 E. A. Karlfeldt S
1932 J. Galsworthy GB
1933 I. A. Bunin F
1934 L. Pirandello I
1936 E. O'Neill USA
1937 R. Martin du Gard F
1938 P. S. Buck USA
1939 F. E. Sillanpää FIN
1944 J. V. Jensen DK
1945 G. Mistral Chile
1946 H. Hesse CH
1947 A. Gide F
1948 T. S. Eliot GB
1949 W. Faulkner USA
1950 B. A. W. Earl Russell GB
1951 P. F. Lagerkvist S
1952 F. Mauriac F
1953 Sir W. L. Spencer Churchill GB
1954 E. Hemingway USA
1955 H. K. Laxness IS
1956 J. R. Jiménez E
1957 A. Camus F
1958 B. L. Pasternak UdSSR
(musste den Preis ablehnen)
1959 S. Quasimodo I
1960 Saint-John Perse F
1961 I. Andrić YU
1962 J. Steinbeck USA
1963 G. Seferis GR
1964 J.-P. Sartre F (abgelehnt)
1965 M. A. Scholochow UdSSR
1966 S. J. Agnon Israel
N. Sachs S
1967 M. Á. Asturias Guatemala
1968 Y. Kawabata Japan
1969 S. Beckett IRL
1970 A. I. Solschenizyn UdSSR
1971 P. Neruda Chile

Nobelpreisträger (Fortsetzung)

1972 H. Böll D
1973 P. White Australien
1974 E. Johnson S
H. Martinson S
1975 E. Montale I
1976 S. Bellow USA
1977 V. Aleixandre E
1978 I. B. Singer USA
1979 O. Elytis GR
1980 C. Miłosz USA
1981 E. Canetti GB
1982 G. García Márquez Kolumbien
1983 W. G. Golding GB
1984 J. Seifert ČSSR
1985 C. Simon F
1986 W. Soyinka Nigeria
1987 I. A. Brodski USA
1988 N. Mahfus Ägypten
1989 C. J. Cela E
1990 O. Paz Mexiko
1991 N. Gordimer Südafrika
1992 D. Walcott Saint Lucia
1993 T. Morrison USA
1994 K. Ōe Japan
1995 S. J. Heaney IRL
1996 W. Szymborska PL
1997 D. Fo I
1998 J. Saramago

Erhaltung des Friedens

1901 H. Dunant CH
F. Passy F
1902 É. Ducommun CH
C. A. Gobat CH
1903 W. R. Cremer GB
1904 Institut de droit international, Gent
1905 B. Freifrau von Suttner A
1906 T. Roosevelt USA
1907 E. T. Moneta I
L. Renault F
1908 K. P. Arnoldson S
F. Bajer DK
1909 A. M. F. Beernaert B
P. B. Baron de Constant de Rebecque d'Estournelles F
1910 Bureau international permanent de la Paix, Bern
1911 T. M. C. Asser NL
A. H. Fried A
1912 E. Root USA
1913 H. La Fontaine B
1917 Internationales Komitee vom Roten Kreuz, Genf
1919 T. W. Wilson USA
1920 L. Bourgeois F
1921 H. Branting S
C. Lange N
1922 F. Nansen N
1925 Sir J. A. Chamberlain GB
C. G. Dawes USA
1926 A. Briand F
G. Stresemann D
1927 F. Buisson F
L. Quidde D
1929 F. B. Kellogg USA
1930 N. Söderblom S
1931 J. Addams USA
N. M. Butler USA
1933 Sir N. L. Angell GB
1934 A. Henderson GB
1935 C. von Ossietzky D (Hitler reagierte mit Annahmeverbot für Reichsdeutsche)
1936 C. Saavedra Lamas Argentinien
1937 E. A. R. Lord Cecil of Chelwood GB
1938 Internationales Nansen-Amt für Flüchtlinge, Genf
1944 Internationales Komitee vom Roten Kreuz, Genf
1945 C. Hull USA
1946 E. G. Balch USA
J. R. Mott USA
1947 The Quakers: The Friends' Service Council, London
The American Friends' Service Committee, Washington
1949 J. Lord Boyd-Orr of Brechin Mearns GB
1950 R. J. Bunche USA
1951 L. Jouhaux F
1952 A. Schweitzer F
1953 G. C. Marshall USA
1954 Office de l'UNHCR (UNO-Hochkommissar für Flüchtlinge), Genf
1957 L. B. Pearson Kanada
1958 D. G. Pire B
1959 P. Noel-Baker GB
1960 A. J. Luthuli Südafrika
1961 D. Hammarskjöld S
1962 L. C. Pauling USA
1963 Internationales Komitee vom Roten Kreuz, Genf
Ligue des sociétés de la Croix-Rouge, Genf
1964 M. L. King USA
1965 UNICEF, New York
1968 R. Cassin F
1969 Internationale Arbeitsorganisation, Genf
1970 N. E. Borlaug USA
1971 W. Brandt D
1973 H. A. Kissinger USA
Le Duc Tho Vietnam (hat den Preis abgelehnt)
1974 S. MacBride IRL
E. Satō Japan
1975 A. D. Sacharow UdSSR
1976 B. Williams GB
M. Corrigan GB
1977 Amnesty International, London
1978 M. A. as-Sadat Ägypten
M. Begin Israel
1979 Mutter Teresa (Agnes Gonxha Bojaxhio) Indien
1980 A. Pérez Esquivel Argentinien
1981 Office de l'UNHCR (UNO-Hochkommissar für Flüchtlinge), Genf
1982 A. Myrdal S
A. García Robles Mexiko
1983 L. Wałęsa PL
1984 D. Tutu Südafrika
1985 Internationale Ärzte für die Verhütung des Atomkriegs, Boston (B. Lown und J. Tschasow)
1986 E. Wiesel USA
1987 O. Arias Sánchez Costa Rica
1988 UN-Friedenstruppe
1989 Dalai-Lama Indien
1990 M. S. Gorbatschow UdSSR
1991 Aung San Suu Kyi Birma
1992 R. Menchù Guatemala
1993 F. W. de Klerk Südafrika
N. R. Mandela Südafrika
1994 J. M. Arafat Palästina
S. Peres Israel
I. Rabin Israel
1995 Internationale Pugwash-Konferenz, London
J. Rotblat GB
1996 C. F. X. Belo Indonesien
J. Ramos Horta Indonesien
1997 Internationale Kampagne zur Ächtung von Landminen
J. Williams USA
1998 J. Hume GB
D. Trimble GB

Wirtschaftswissenschaften

1969 R. Frisch N
J. Tinbergen NL
1970 P. A. Samuelson USA
1971 S. S. Kuznets USA
1972 Sir J. R. Hicks GB
K. J. Arrow USA
1973 W. Leontief USA
1974 K. G. Myrdal S
F. A. von Hayek GB
1975 L. W. Kantorowitsch UdSSR
T. C. Koopmans USA
1976 M. Friedman USA
1977 B. G. Ohlin S
J. E. Meade GB
1978 H. A. Simon USA
1979 T. W. Schultz USA
Sir W. A. Lewis USA
1980 L. R. Klein USA
1981 J. Tobin USA
1982 G. J. Stigler USA
1983 G. Debreu USA
1984 Sir R. Stone GB
1985 F. Modigliani USA
1986 J. M. Buchanan USA
1987 R. M. Solow USA
1988 M. Allais F
1989 T. Haavelmo N
1990 H. M. Markowitz USA
M. H. Miller USA
W. F. Sharpe USA
1991 R. H. Coase GB
1992 G. S. Becker USA
1993 R. W. Fogel USA
D. C. North USA
1994 J. C. Harsanyi USA
J. F. Nash USA
R. Selten D
1995 R. E. Lucas USA
1996 J. A. Mirrless GB
W. Vickrey Kanada
1997 R. C. Merton USA
M. S. Scholes USA
1998 A. Sen Indien

Umberto Nobile

Künste) in Stockholm und die Friedenspreisträger durch einen fünfköpfigen Ausschuss des norweg. Parlaments ausgewählt werden sollen. Die Höhe eines (ungeteilten) Preises liegt (1997) bei 7,5 Mio. schwed. Kronen. Der Fonds des 1969 von der Schwed. Reichsbank anlässlich ihres 300-jährigen Bestehens gestifteten N. für Wirtschaftswissenschaften (Preis für Ökonom. Wiss. in Erinnerung an Alfred Nobel) ist von dem der Nobelstiftung getrennt. Der den anderen in der Höhe vergleichbare Preis wird von der Königl. Schwed. Akademie der Wiss. vergeben.

Der »alternative N.« **(Right Livelihood Award)** wurde 1980 von J. von Uexküll ins Leben gerufen. Er wird jährlich an Personen und Organisationen verliehen, »die mit prakt. und exemplar. Lösungen an den wirkl. Problemen unserer Zeit arbeiten«. Die Preisverleihung findet am 9. 12. in Stockholm statt, die Höhe liegt (1997) bei 1,8 Mio. schwed. Kronen.

Nobile, Umberto, italien. General, *Lauro (Prov. Avellino) 21. 1. 1885, †Rom 30. 7. 1978; überflog 1926 mit dem Luftschiff »Norge« den Nordpol und strandete 1928 mit dem Luftschiff »Italia« auf dem Rückflug vom Pol nahe Spitzbergen; dabei starb R. Amundsen.

Nobiles [lat.], im antiken Rom allg. die Angehörigen des Amtsadels, der Nobilität, spätestens seit dem 2. Jh. v. Chr. die führende Schicht der Senatsfamilien, die die höchsten Staatsämter (Konsulat, Zensur) besetzten. – In Italien wurden seit dem ausgehenden MA. die Mitgl. des Adels allgemein **Nobili** genannt.

Nobilität [lat.] *die,* im antiken Rom Bez. für den Amtsadel, der sich im 3. Jh. v. Chr. aus den Patriziern und der Oberschicht der Plebejer gebildet hatte.

Nobility [nəʊˈbɪlɪtɪ, engl.] *die,* der hohe Adel Großbritanniens; umfasst die Ränge Duke, Marquess, Earl, Viscount und Baron.

Nobunaga, japan. Feldherr, →Oda Nobunaga.

Nochgeschäft, Form des Termingeschäfts, bei dem ein Fix- mit einem Prämiengeschäft kombiniert wird. Der Käufer (Verkäufer) hat das Recht, zusätzlich zu dem fest abgeschlossenen Betrag am Erklärungstag weitere Effekten zu fordern.

Nockberge (Nockgebiet), südwestl. Teil der Gurktaler Alpen, in Kärnten, Österreich, stark zertalt, durch grasbewachsene Grundgebirgskuppen (»Nock«) charakterisiert, im Rosennock 2440 m ü. M.; v. a. Almwirtschaft. Der zentrale Teil bildet den **Nationalpark Nockberge** (216 km²).

Nocken, *Maschinenbau:* Vorsprung an einer Welle **(N.-Welle)** oder Scheibe **(Kurvenscheibe),** der bei Drehung der Welle (oder Scheibe) einem meist kraftschlüssig mit dem N. verbundenen Maschinenteil eine Auf- und Abwärtsbewegung erteilt; dient z. B. bei Verbrennungskraftmaschinen zur Betätigung der Ventile.

Nocturne [nɔkˈtyrn, frz.] *die* oder *das, Musik:* →Notturno.

Nodier [nɔˈdje], Charles, frz. Schriftsteller, *Besançon 29. 4. 1780, †Paris 27. 1. 1844; trug dazu bei, die Werke Shakespeares in Frankreich zu verbreiten; Begründer des ersten Dichterkreises der frz. Romantik (Cénacle), Vorläufer des Surrealismus; schrieb Romane (»Hans Sbogar«, 1818) und düster-fantast. Novellen (»Trilby«, 1822).

No-Effect-Level [ˈneʊ ɪˈfekt levl, engl.] *der,* die höchstmögliche Konzentration eines chem. Wirkstoffes, die im Tierversuch noch keine Vergiftungserscheinungen hervorruft.

Noel-Baker [ˈnəʊəl ˈbeɪkə], Philip, Baron (seit 1977), brit. Politiker, *London 1. 11. 1889, †ebd. 8. 10. 1982; Mitgl. der Labour Party, nahm 1919 an der Pariser Friedenskonferenz, 1932–33 an der Genfer Abrüstungskonferenz teil. 1945–51 war er Minister versch. Ressorts. N.-B. setzte sich für die internat. Abrüstung ein; 1959 erhielt er den Friedensnobelpreis.

Noelle-Neumann [ˈnœ-], Elisabeth, eigtl. E. N.-N.-Maier-Leibnitz (seit 1980), Meinungsforscherin, *Berlin 19. 12. 1916; gründete 1947 mit ihrem damaligen Ehemann Erich Peter Neumann (*1912, †1973) das erste dt. Meinungsforschungsinstitut (→Institut für Demoskopie Allensbach). N.-N. war 1964–83 Prof. an der Univ. Mainz, wo sie das Inst. für Publizistik aufbaute und leitete. Seit 1980 ist N.-N. ⚭ mit H. Maier-Leibnitz.

Noelte [ˈnœ-], Rudolf, Regisseur, *Berlin 20. 3. 1921; wirkt v. a. in Berlin. Seine Inszenierungen der »Kassette« (1960) und des »Snobs« (1964) waren Ausgangspunkt der dramat. Neubewertung C. Sternheims. N. entwickelte einen akrib., intensiven Inszenierungsstil (v. a. bei Tschechow-Stücken).

Noether [ˈnøːtər], Emmy, Mathematikerin, *Erlangen 23. 3. 1882, †Bryn Mawr (Pa.) 14. 4. 1935; Prof. in Göttingen, emigrierte 1933 in die USA; grundlegende Arbeiten zur abstrakten Algebra und Invariantentheorie; von bed. Einfluss auf die Entwicklung der modernen Mathematik. Für die theoret. Physik bedeutend ist das **noethersche Theorem,** das die Symmetrieeigenschaften eines Systems mit seinen Erhaltungsgrößen verknüpft.

Noetik [grch.] *die,* Lehre vom wahren Erkennen, nicht nur auf logisch richtiges Denken abzielend.

Nofretete [ägypt. »die Schöne ist gekommen«] (Nefertiti), ägypt. Königin des 14. Jh. v. Chr., Gemahlin Amenophis' IV. Eine Büste aus bemaltem Kalkstein (Berlin-Charlottenburg, Ägypt. Museum) und mehrere unvollendete Porträtköpfe wurden 1912 bei Ausgrabungen in →Amarna gefunden. BILD S. 138

Nofretiri (Nefertari), ägypt. Königin, †um 1260 v. Chr.; Gemahlin von →Ramses II., bekannt durch ihr reich ausgeschmücktes Felsengrab im Tal der Königinnen bei Luxor. Ihr ist der kleinere der beiden Felsentempel von →Abu Simbel gewidmet.

Nogaier, Turkvolk am N-Rand des Kaukasus, v. a. in N-Dagestan; die etwa 65 000 N. sind sunnit. Muslime.

Nogat *die,* der östlichste, in das Frische Haff entwässernde Mündungsarm der Weichsel, 62 km lang; schiffbar.

Noguchi [-tʃi], **1)** Hidejo, japan. Bakteriologe, *Okinamura (Präfektur Fukushima) 24. 11. 1876, †Accra (Ghana) 21. 5. 1928; ab 1904 am Rockefeller Institute in New York tätig. N.s Forschungen galten der Wirkung von Schlangengiften, der Kinderlähmung, versch. Tropenkrankheiten (v. a. dem Gelbfieber, dem Trachom und dem Oroyafieber) und der Serumdiagnostik der Syphilis.

Elisabeth Noelle-Neumann

Rudolf Noelte

Emmy Noether

Charles Nodier

Nofretete: Die Büste aus bemaltem Kalkstein diente als Bildhauermodell und gilt noch immer als Inbegriff zeitloser Schönheit (14. Jh. v. Chr.; Berlin, Ägyptisches Museum)

2) Isamu, amerikan. Bildhauer japan. Herkunft, *Los Angeles (Calif.) 17. 11. 1904, †New York 30. 12. 1988. Seine abstrakte Plastik verarbeitet Einflüsse von C. Brâncuşi, Picasso und den Surrealisten; schuf u. a. monumentale Wandgestaltungen, Skulpturengärten (u. a. für das UNESCO-Gebäude in Paris, 1956–58) und Porträts.

Philippe Noiret

Nohl, Herman, Pädagoge, Philosoph, *Berlin 7. 10. 1879, †Göttingen 27. 9. 1960; begründete, von W. Dilthey ausgehend, im Rahmen eines lebensphilosoph. Ansatzes eine geisteswiss. Pädagogik.

Noiret [nwaˈrɛ], Philippe, frz. Schauspieler, *Lille 1. 10. 1930; Charakterdarsteller der Pariser Bühne sowie des frz. und internat. Films (»Leben im Schloss«, 1965; »Die Bestechlichen«, 1984; »Masken«, 1987; »Cinema Paradiso«, 1989; »Palermo vergessen«, 1989; »Max & Jérémie«, 1992).

Nok: Terrakottakopf der Nokkultur (Lagos, Nationalmuseum)

Nok, Dorf in Zentralnigeria, bei Kafanchan südwestlich von Jos. Fundort eines Tonkopfes, namengebend für die **N.-Kultur** (zw. 500 v. Chr. und 200 n. Chr.), die älteste Eisen verwendende Kultur in Afrika südlich der Sahara; bed. Terrakotten (Köpfe, Büsten, Figuren, Tierdarstellungen).

NOK, Abk. für →**N**ationales **O**lympisches **K**omitee.

Nokturn [lat.] *die,* im kirchl. Stundengebet Teil der Matutin; besteht aus Psalmen und Lesungen.

Noland [ˈnəʊlənd], Kenneth, amerikan. Maler, *Asheville (N. C.) 10. 4. 1924; ein Hauptvertreter der Farbfeldmalerei; verwendet z. T. außergewöhnl. Bildformate.

Nolde, Emil, eigtl. Hansen, Maler und Grafiker, *Nolde (bei Tondern) 7. 8. 1867, †Seebüll (heute zu Neukirchen, Kr. Nordfriesland) 13. 4. 1956; lehrte 1892–98 an der Kunstgewerbeschule in St. Gallen; 1906/07 Mitgl. der →Brücke; 1913/14 nahm er als ethnograph. Zeichner an einer Südsee-Expedition teil; lebte seit 1918 abwechselnd in Berlin oder auf seinem Hof Seebüll (als Stiftung Ada und Emil N. heute Museum). 1937 wurden viele seiner Werke als »entartet« beschlagnahmt; 1941 erhielt er Malverbot, es entstanden auf kleinstem Format die »ungemalten« Bilder (ab 1938, v. a. 1941–45; etwa 1300 Aquarelle). – N. gehört zu den Hauptmeistern des Expressionismus. Sein wichtigstes Ausdrucksmittel ist die zu äußerster Leuchtkraft gesteigerte Farbe. Leidenschaftl. Naturerlebnis ist in seinen Blumen-, Landschafts- und Meeresbildern gestaltet; Sinn für Spukhaftes und Groteskes spricht aus seinen von J. Ensor beeinflussten Figuren- und Maskenbildern. Seit 1909 malte er auch religiöse Bilder. Zu seinen bedeutendsten Werken gehören Holzschnitte und Radierungen. – Autobiographie »Das eigene Leben« (1931).

📖 *N. Aquarelle u. Zeichnungen, bearb. v.* M. GOSEBRUCH. *München* [8]*1992. – E. N., Aquarelle u. »ungemalte Bilder«, hg. v.* R. TETZLAFF, *Ausst.-Kat. Brandenburgische Kunstsammlungen Cottbus, 1995.*

nolens volens [lat. »nicht wollend wollend«], wohl oder übel, ob man will oder nicht.

Nolimetangere [lat. »rühr mich nicht an«] *das,* Darstellung des auferstandenen Christus, der Maria Magdalena erscheint; als sie sich ihm nähern will, weist er sie mit dieser Aufforderung auf seine Heiligkeit hin und gemahnt sie zur Ehrfurcht (nach Joh. 20, 14 ff.). Früheste Darstellung auf der Lipsanothek von Brescia (4. Jh.), dann v. a. in der Malerei des 14.–17. Jahrhunderts.

noli turbare circulos meos! [lat. »störe meine Kreise nicht!«], der Legende nach Ausruf des Archimedes, als röm. Soldaten bei der Einnahme von Syrakus in sein Haus eindrangen, da er in seine in Sand gezeichneten Figuren vertieft war. Archimedes wurde daraufhin gegen den Befehl des Feldherrn Marcellus getötet.

Nolte, 1) Claudia, Politikerin (CDU), *Rostock 7. 2. 1966; Ingenieurin; seit 1990 MdB; seit 1994 Bundes-Min. für Familie, Senioren, Frauen und Jugend.

2) Ernst Hermann, Historiker, *Witten 11. 1. 1923; wurde 1965 Prof. in Marburg, 1973 in Berlin

(FU); forscht v.a. zu Entstehung und Wesen des Faschismus (»Der Faschismus in seiner Epoche«, 1963) und zu totalitären Ideologien, stand 1986/87 im Mittelpunkt des →Historikerstreits.

3) Nick, amerikan. Filmschauspieler, *Omaha (Nebr.) 8.2.1941; wurde bekannt mit der TV-Serie »Rich Man, Poor Man« (1976), dann mit Abenteuer- und Actionfilmen; spielte dann zunehmend Charakterrollen, u.a. in »Herr der Gezeiten« (1990), »Kap der Angst« (1991), »Jefferson in Paris« (1995).

Nomadịsmus [zu grch. nomḗ »Weide«] *der* (Hirtennomadismus), eine mobile, auf Wanderviehwirtschaft basierende Wirtschafts- und Gesellschaftsform von Hirtenvölkern. Im Unterschied zur →Transhumanz begleiten die **Nomaden,** die auch Besitzer der Herden sind, das Vieh im geschlossenen Familienverband mitsamt dem Hausrat auf ständiger Wanderung, meist in einem bestimmten jahreszeitl. Rhythmus, um die jeweiligen Weiden aufzusuchen. Der häufige Wechsel des Wohnplatzes erfordert transportable, schnell auf- und abzubauende Behausungen (meist Zelte). Die Weideplätze sind oft Eigentum der Nomaden und ebenso wie die Wanderwege genau festgelegt. Feldbau wird äußerst selten und nicht regelmäßig betrieben. Pflanzl. Nahrungsmittel werden von der Ackerbau treibenden Bev. eingetauscht oder gekauft. Manche Nomadengruppen haben sich auf den Handel spezialisiert. Es werden Entfernungen bis über 1000 km zurückgelegt. Zu allen Zeiten waren die Hirtennomaden auf eine Ergänzung ihrer Ernährungsbasis durch sesshafte Landwirtschaft angewiesen. – Als **Halbnomadismus** wird eine Wirtschaftsform bezeichnet, bei der der Ackerbau ständig ausgeübt wird und nur Teile der Familie wandern.

Emil Nolde: »Figur und Maske« (1911; Basel, Kunstmuseum)

Hauptverbreitungsgebiet des N. ist der altweltl. Trockengürtel: die Halbwüsten, Steppen und Savannen Nordafrikas, Vorder- und Zentralasiens. Gehalten werden Ziegen und Schafe, daneben Yaks und Pferde bei den Bergnomaden, Kamele und Pferde im arab. Raum (Beduinen) und in Afrika – im Sahel – auch Rinder, in den polaren Gebieten Rentiere. Einige Tiere dienen als Reit- und Lasttiere. In den letzten Jahrzehnten wurde in vielen Ländern aus staatspolit. Gründen die Sesshaftmachung der Hirtenvölker betrieben und meist gleichzeitig der Viehwirtschaft ein Ende gesetzt.

📖 VARDIMAN, E. E.: *Nomaden. Schöpfer einer neuen Kultur im Vorderen Orient. Neuausg. Herrsching 1990.* – SCHOLZ, F.: *N. Theorie u. Wandel einer sozio-ökolog. Kulturweise. Stuttgart 1995.*

Nome [nəʊm], Stadt in Alaska, USA, im SW der Sewardhalbinsel, 2300 Ew.; früher Goldgräberstadt, heute Handelszentrum, bes. der Eskimo; Hafen, Flughafen.

Nọmen [lat. »Name«] *das* (Nennwort), *Sprachwiss.:* zusammenfassende Bez. für Substantiv, Adjektiv und Numerale, i.e.S. nur für →Substantiv.

nọmen ẹst ọmen [lat.], der Name ist Vorbedeutung.

Nomenklatụr [lat.] *die,* **1)** *allg.:* Gesamtheit, auch Verzeichnis der Fachausdrücke einer Wissenschaft.

2) In der *Biologie* wird seit C. von Linné jede Organismenart (Tiere, Pflanzen, später auch Mikroorganismen) mit zwei lat. oder latinisierten Namen belegt (z.B. Haussperling: Passer domesticus). Der erste Name bezeichnet die Gattung, der zweite die Art. Diese **binäre N.** wird innerhalb der Art für Unterarten durch einen 3. Namen ergänzt **(trinäre** oder **ternäre N.).** Zur eindeutigen Festlegung des Namens wird ihm der Name des Forschers (meist abgekürzt) beigefügt, der die Art unter der betreffenden Bezeichnung erstmals beschrieben hat.

2) *Chemie* →chemische Nomenklatur.

nominạl [lat.], **1)** *Sprachwiss.:* auf ein →Nomen bezogen.

2) *Wirtschaft:* zum Nennwert, auf den Nennwert bezogen **(nominell),** z.B. der auf den Nennwert bezogene Zins **(Nominalzins),** das in der Bilanz

Emil Nolde: »Der Prophet«, Holzschnitt (1912)

Nick Nolte

Claudia Nolte

auszuweisende **Nominalkapital** von Kapitalgesellschaften; in Währungseinheiten, z.B. das **Nominaleinkommen** im Ggs. zum Realeinkommen.

Nominalismus [lat.] *der, Philosophie:* die im →Universalienstreit gegen Begriffsrealismus und Platonismus gerichtete Lehre, wonach allein Einzeldinge und Individuen existieren, die Allgemeinbegriffe (Universalien, z.B. Einheit, Vielheit) dagegen keine eigene Realität besitzen, sondern vom Denken willkürlich geschaffene Bedeutungsgehalte darstellen; v.a. von J. Roscelin und P. Abälard im 11. und 12.Jh. vertreten. – Nominalist. Positionen wurden in neuerer Zeit im Grundlagenstreit der Mathematik (→Konstruktivismus) und in der Metaphysikkritik von Positivismus und Neopositivismus aktuell.

Nominalphrase, eine unmittelbare Konstituente (Wort oder syntaktisch zusammengehörige Wortgruppe) des Satzes, die aus Nomen oder Pronomen besteht, aber auch durch Artikel, Adjektiv, Relativsätze u.a. näher bestimmt sein kann (z.B. »er«, »der fleißige Schüler, der seine Prüfung bestanden hat«). →Verbalphrase.

Nominalprinzip (Nennwertprinzip), währungsrechtl. Grundsatz, demzufolge eine Geldschuld nach ihrem Nennwert, nicht nach dem realen Wert der Schuld zu begleichen ist, somit die Geldentwertung über die Laufzeit hinweg unberücksichtigt bleibt (»Mark gleich Mark«). Der Gläubiger kann sich durch Indexierung oder Wertsicherungsklauseln vor dem Inflationsrisiko schützen.

Nominalsatz, *Sprachwiss.:* 1) beschreibender Satz ohne verbales Prädikat, z.B. »jedes Los ein Treffer« (ellipt. Satz); 2) Satz, dessen beide Hauptglieder durch »sein« oder ein ähnl. Prädikat zum Ausdruck einer Seinsbestimmung verbunden sind.

Nominalstil, Verwendung überwiegend substantivischer Ausdrucksformen (im Unterschied zum →Verbalstil). Der – bes. im Umfeld von Wiss., Technik und Verwaltung – verwendete N. (z.B. »in Ausführung des Beschlusses«) entspricht dem Bedürfnis nach Ökonomie der sprachl. Mittel, kann aber auch zu sprachl. Leerformeln führen (z.B. »in Wegfall kommen« statt »wegfallen«).

Nominalwert, der →Nennwert.

Nominativ [lat.] *der* (Werfall, Nennfall), der 1. Fall der →Deklination, bezeichnet das Subjekt als Träger einer Verbalhandlung, z.B. »der Vogel« in dem Satz »der Vogel singt«.

nominell [lat.], **1)** *allg.:* nur dem Namen nach bestehend.

2) *Wirtschaft:* →nominal.

Nomographie [grch.] *die,* Verfahren der angewandten Mathematik, das die Aufstellung von **Nomogrammen,** d.h. ebenen graf. Darstellungen von Funktionen mehrerer Veränderlicher, und deren Anwendung behandelt.

Nomos [grch.] *der,* **1)** *allg.:* urspr. Sitte, Brauch; etwa seit dem 6.Jh. v.Chr. meist Gesetz.

2) *grch. Musik:* Name altehrwürdiger poetisch-musikal. Weisen für den Apollonkult.

3) *Verwaltung:* grch. Verwaltungsbezirk.

Nomosphäre, *Sprachwiss.:* begrifflich-inhaltl. Seite der Sprache, im Unterschied zu den konkreten sprachl. Zeichen, der **Morphosphäre.**

nomothetisch [grch. »gesetzgebend«], von W. Windelband eingeführter Begriff zur Kennzeichnung des naturwiss. Vorgehens, das das in immer gleicher Weise wiederkehrende Geschehen zum Gegenstand hat und auf die Aufstellung von allg. Gesetzen zielt; Ggs.: die idiograph. Methode der Geisteswissenschaften.

Non [lat. »die neunte (Stunde)«] *die* (lat. Nona), der je nach Jahreszeit zw. 14 Uhr und 16.30 Uhr angesetzte Teil des →Stundengebets.

Non|affektationsprinzip, Haushaltsgrundsatz, nach dem alle öffentl. Einnahmen zur Deckung aller öffentl. Ausgaben verwendet werden müssen (Verbot der Zweckbindung).

Nonalignment [nɔnəˈlaɪnmənt; engl. »Nichtangliederung«] *das,* die Politik eines Staates, sich nicht an militär. Bündnisse zu binden; wird v.a. von den blockfreien Staaten vertreten.

No-Name-Produkte [ˈnəʊneɪm-, engl.] (namenlose Produkte, weiße Marken), Waren (v.a. im Lebensmittelhandel), deren Verpackung im Ggs. zu Markenartikeln keine besondere Aufmachung aufweist, sondern lediglich Angaben über Art, Gewicht und ggf. inhaltl. Zusammensetzung des Gutes. Solche Produkte sind teilweise Handelsmarken, die als Grundsortiment an Konsumgütern in solider Qualität bes. preiswert angeboten werden.

None [lat.] *die,* 9. Stufe der diaton. Tonleiter, also die Oktave der Sekunde. Der **Nonenakkord** ist ein dissonanter Fünfklang aus Grundton, Terz, Quinte, Septime und None.

Nonen (lat. Nonae), im altröm. Kalender der 5. Tag des Monats, im März, Mai, Juli und Okt. der 7. Tag.

Nonett [italien.] *das,* Komposition für neun Soloinstrumente, meist in der Besetzung Flöte, Oboe, Klarinette, Fagott, Horn und Streichquartett; auch Bez. für die Gruppe der Ausführenden.

Non-Food-Artikel [nɔnˈfuːd-, engl.], im Handel Bez. für Waren, die nicht zum Lebensmittelsortiment gehören, z.B. Wasch- und Putzmittel, Kleidung, Spielzeug, langlebige Gebrauchsgüter.

Non-Hodgkin-Lymphome [nɔnˈhodʒkɪn-; nach dem brit. Internisten Thomas Hodgkin, *1798, †1866], →Lymphome.

Nonius [fälschlich nach dem Portugiesen Pedro Nunes, *1492, †1577] *der,* von Pierre Vernier 1631 erfundener, für die Längen- und Winkelmessung benutzter Hilfsmaßstab zum Ablesen von Bruchteilen (häufig Zehnteln; Zehntel-N.) der Einheiten des betreffenden Hauptmaßstabes. Auf dem Hauptmaßstab liest man die ganzen (ungeteilten) Längen- oder Winkeleinheiten ab und zählt die N.-Einheiten dazu, die durch den Teilstrich der N.-Teilung angegeben werden, der mit einem Teilstrich der Hauptskala zusammenfällt.

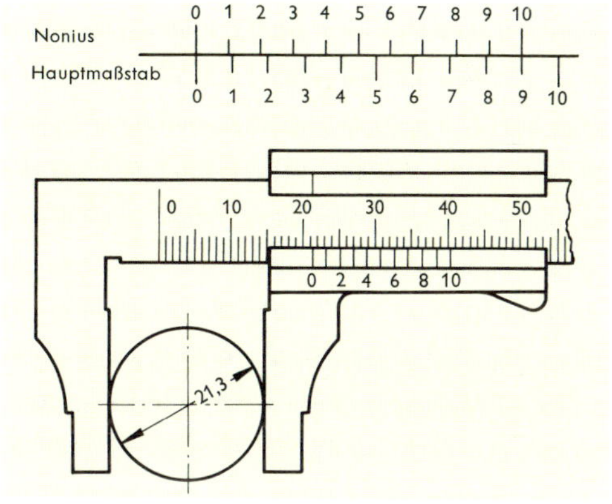

Nonius: Beim Zehntelnonius sind zehn Intervalle des Nonius mit gleichem Abstand auf der Länge von neun Intervallen des Hauptmaßstabs aufgetragen (oben); Messschieber mit Nonius (der Ablesewert beträgt 21,3 mm)

Nonkonformismus, aktiv bekundetes Abweichen von einer herrschenden religiösen, weltanschaul. oder polit. Einstellung oder von allg. anerkannten Werten.

Nonne [lat.] *die,* **1)** *Bauwesen:* ein →Dachziegel.

2) *kath. Kirche:* Ordensfrau; i.e.S. die Angehörige eines weibl. Ordens, i.w.S. jede Klosterschwester.

3) *Zoologie:* (Lymantria monacha) zu den Trägspinnern gehörender Schmetterling, Vorderflügel weiß mit schwarzen Zickzacklinien, Hinterflügel grau, Hinterleibsspitze rosa; als Raupe ein gefährl. Forstschädling.

Nonnenwerth, Rheininsel bei Bad Honnef, NRW, 15 ha; 1122–1802 bestand hier eine Benediktinerinnenabtei; seit 1854 im Besitz von Franziskanerinnen (Mädchengymnasium, Internat).

Nonnos, grch. Dichter aus Panopolis, Ägypten, lebte im 5. Jh. n. Chr; schrieb mit barockem Pathos ein Gedicht von etwa 21 000 Hexametern über den Triumphzug des Gottes Dionysos nach Indien.

Nono, Luigi, italien. Komponist, *Venedig 29. 1. 1924, †ebd. 8. 5. 1990; Schüler von G. F. Malipiero und B. Maderna; wurde nach 1950 mit seriellen Instrumentalstücken (u.a. »Polifonica-Monodia-Ritmica«, 1951) bekannt. Zw. 1955 und 1962 entstanden v.a. Chorwerke auf antifaschist. oder revolutionäre Texte sowie das Bühnenstück »Intolleranza« (Neufassung 1970). Seit 1964 (»La fabbrica illuminata«) komponierte N. verstärkt mit Tonband; ab 1980 Forschungen über Raumdynamik und Mikrointervalle.

Luigi Nono

Weitere Werke: Musiktheater: »Prometeo« (1984). – Orchesterwerke: »Composizione I« (1951), »No hay caminos, hay que caminar ... Andrej Tarkowski« (1987). – Chorwerke: »Epitafio per F. García Lorca« (1953); »La victoire de Guernica« (1954). – Tonbandmusik: »Contrappunto dialettico alta mente« (1967/68); »Sofferte onde serene« (1976, mit Klavier). – Werke mit Live-Elektronik: »Quando stanno morendo, Diario polacco no. 2« (1982); »Risonanze erranti a Massimo Cacciari« (1986).

📖 *L. N., hg. v.* L. PESTALOZZA *u.a. München 1981.*

non olet [lat. »es (Geld) stinkt nicht«], Ausspruch von Kaiser Vespasian, als sein Sohn Titus ihn wegen der Steuer auf Bedürfnisanstalten tadelte.

Nonpareille [nɔ̃pa'rɛj; frz. »die Unvergleichliche«] *die,* ein →Schriftgrad von sechs typograph. Punkten.

Nonplusultra [lat. »nicht noch weiter«] *das,* Unübertreffbares.

Nonproliferation [nɔnprəlɪfə'reɪʃn; engl. »Nichtweitergabe«] *die,* angloamerikan. Bez. für die Nichtverbreitung von Kernwaffen, Gegenstand des →Kernwaffensperrvertrags.

Nonsberg, Tal im italien. Trient, →Noce.

non scholae, sed vitae discimus [lat.], wir lernen nicht für die Schule, sondern für das Leben.

Nonsens [lat.] *der,* Unsinn, törichtes Gerede.

Nonsensverse, Genre des kom., witzigen Gedichts, auch Unsinnspoesie genannt, das mit paradoxen, absurden Wort- und Klangspielen die Vieldeutigkeit von Wahrnehmung und Wirklichkeit darstellt. Der Begriff geht auf E. Lears »Book of nonsense« (1846) zurück. (→Limerick)

Nonsensverse

Eines der beliebtesten Nonsensgedichte, dessen Ursprung unbekannt ist, beginnt mit den Versen:

Dunkel wars,
der Mond schien helle,
schneebedeckt die grüne Flur,
als ein Wagen
blitzesschnelle
langsam um die Ecke fuhr.
Drinnen saßen stehend Leute,
schweigend ins Gespräch vertieft,
als ein totgeschossner Hase
auf dem Sande Schlittschuh lief.

Nonvaleur [nɔ̃va'lœ:r, frz.] *der,* Bez. für wertlos gewordene oder wertlos erscheinende Wertpapiere; im Warenverkehr unverkäufl. oder entwertete Güter.

Nooteboom, Cees, niederländ. Schriftsteller, *Den Haag 31. 7. 1933; Autor von Gedichtbänden

(»Das Gesicht des Auges«, 1989), Romanen (»Das Paradies ist nebenan«, 1955; »Rituale«, 1980; »Die folgende Geschichte«, 1991), Prosa (»Der Umweg nach Santiago«, 1992; »Mokusei! Eine Liebesgeschichte«, 1995) und Reiseberichten (»Berliner Notizen«; 1990; »Im Frühling der Tau. Östl. Reisen«, 1995). N.s Grundthemen sind das Erleben der Zeit, der Tod und der Prozess des Schreibens zum Entwurf gültiger »Wirklichkeiten«.

Cees Nooteboom

No|otropika (Neurotropika), Medikamente, die durch Steigerung der zerebralen Durchblutung und des Gehirnstoffwechsels zentrale Funktionen aktivieren.

Noppe, *Textiltechnik:* 1) unerwünschte Anhäufung von Fasern auf Fäden; 2) beabsichtigte Faseranhäufung (»Bällchen«) in Effektgarnen (Noppengarn); 3) Anhäufung von Maschen in Strickwaren (Noppenmaschenwaren).

Nor..., Vorsilbe am Namen organ. Verbindungen zur Kennzeichnung von: 1) bestimmten zykl. Kohlenwasserstoffen, die formal aus →Terpenen durch Ersatz aller Methylgruppen durch Wasserstoff hervorgegangen sind (z.B. Bornan und Norbornan); 2) Verbindungen, die gegenüber entsprechenden Vergleichssubstanzen weniger Methylengruppen besitzen (z.B. Noradrenalin und Adrenalin).

NORAD, Abk. für **Nor**th American **A**ir **D**efense, gemeinsam von Kanada und den USA betriebenes strateg. Luft- und Raumverteidigungssystem zum Schutz Nordamerikas; umfasst Luftraumüberwachungseinrichtungen sowie fliegende und bodengestützte Luftverteidigungssysteme.

Nor|adrenalin (Norepinephrin), im Nebennierenmark, in Teilen des Stammhirns und v.a. in den Synapsen postganglionärer, sympath. Nervenfasern gebildetes Hormon, das gefäßverengend und blutdrucksteigernd wirkt; als Antagonist des Adrenalins vermindert es die Herzfrequenz.

Nordamerika: Staatliche Gliederung (Stand 1995)

Staat	Staatsform	Fläche in km²	Ew. in 1 000	Hauptstadt
Kanada	Monarchie	9 970 610	29 463	Ottawa
Vereinigte Staaten von Amerika*)	Rep.	9 372 614	263 250	Washington
abhängige Gebiete				
von Dänemark: Grönland		2 175 600	55,7	Nuuk
von Frankreich: Saint-Pierre-et-Miquelon		242	6,6	Saint-Pierre
von Großbritannien: Bermudainseln		53	60,5	Hamilton

*) einschließlich Hawaii, das geographisch zu Ozeanien gehört

Norbert von Xanten, Ordensstifter, *Xanten um 1082, †Magdeburg 6. 6. 1134; war Stiftsherr in Xanten, zog seit 1118 als Wanderprediger durch Dtl. und Frankreich; gründete 1120 den Orden der →Prämonstratenser **(Norbertiner);** seit 1126 Erzbischof von Magdeburg; Kanzler Kaiser Lothars III. für Italien; Heiliger, Tag: 6. 6.

Nord [nɔ:r], Dép. in N-Frankreich, 5 743 km², (1995) 2,539 Mio. Ew.; Hauptstadt ist Lille.

Nord|albanische Alpen, Gebirge an der N-Grenze Albaniens gegen Montenegro, in der Jezercë 2 694 m ü.M.; aus Kalken und Dolomiten aufgebaut.

Nord|albingier, die seit dem 8. Jh. nördlich der Niederelbe wohnenden Sachsenstämme: Dithmarscher, Holsten, Stormarn.

Nord|amerika, der nördl. Teil Amerikas, umfasst außer dem Festland mit dem im N vorgelagerten Kanadisch-Arkt. Archipel Grönland, das frz. Übersee-Dép. Saint-Pierre-et-Miquelon (vor der Küste Kanadas) und die brit. Bermudainseln (im Atlantik, rd. 1 000 km östlich von Kap Hatteras, USA), insgesamt 21,5 Mio. km².

Lage: N. grenzt im N an das Nordpolarmeer (83° 07' n. Br., nördlichster Punkt Kanadas auf Ellesmere Island; nördlichster Punkt Grönlands: 83° 39' n. Br.), im O ist es vom Atlant. Ozean, im N vom Nordpolarmeer, im W vom Pazif. Ozean umgeben. Eine physisch-geograph. S-Grenze N. wird vielfach im Bereich des Isthmus von Tehuantepec, also innerhalb Mexikos, gezogen, kulturell gehört Mexiko jedoch zu Lateinamerika. Unter Ausschluss Mexikos ist der südlichste Punkt N.s die S-Spitze Floridas (25° 07' n. Br.). Die Entfernung zw. dem nördlichsten Punkt auf Ellesmere Island und der mexikan. Grenze beträgt rd. 6 500 km, die O-W-Erstreckung auf der Höhe der Insel Neufundland rd. 5 500 km Luftlinie.

Oberflächengestalt: N. wird auf der W-Seite von parallelen Ketten (bis 1 700 km breit) junger Faltengebirge durchzogen, den →Kordilleren, die große Hochlandbecken (u.a. Großes Becken) und Plateaus sowie die Rocky Mountains einschließen und im Mount McKinley (Alaskakette) 6 198 m ü.M. erreichen. Auf der O-Seite des Kontinents zieht das Rumpfgebirge der →Appalachen von NO nach SW. Dazwischen erstrecken sich zw. Nordpolarmeer und Golf von Mexiko ohne W-O-streichende Gebirgsschranken ausgedehnte Tiefländer: im W das Tafelland der Prärien (Great Plains), im NO der Kanad. Schild, der sich von allen Seiten zur Hudsonbai hin senkt, südlich davon das Mississippibecken. Im SO und S an Atlantik- und Golfküste sind junge Schwemmlandebenen aufgeschüttet. Über die Hälfte der Oberfläche N.s ist eiszeitlich geformt (viele Seen, mächtige Lössdecken). Auf den Kanadisch-Arkt. Archipel und Grönland entfallen 16,7% der Gesamtfläche N.s. Die Küsten sind im N Fjord- und Schärenküsten, im NO meist niedere Felsküsten, im SO und S v.a. flache Anschwemmungsküsten. Die Gebirgsküsten des W sind im N von vielen Inseln und Fjor-

Nordamerika

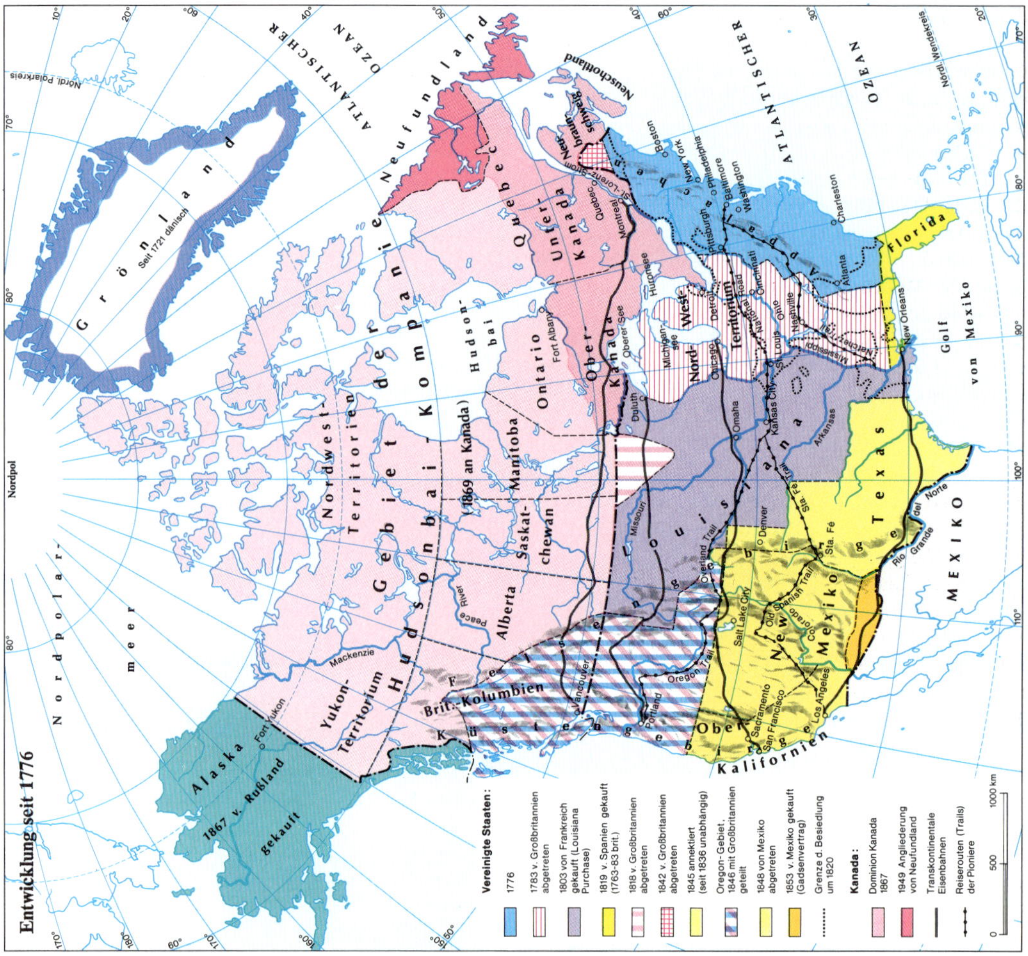
Entwicklung seit 1776
Vereinigte Staaten:
1776
1783 v. Großbritannien abgetreten
1803 von Frankreich gekauft (Louisiana Purchase)
1819 v. Spanien gekauft (1763-83 brit.)
1818 v. Großbritannien abgetreten
1842 v. Großbritannien abgetreten
1845 annektiert (seit 1836 unabhängig)
Oregon-Gebiet, 1846 mit Großbritannien geteilt
1848 von Mexiko abgetreten
1853 v. Mexiko gekauft (Gadsenvertrag)
Grenze d. Besiedlung um 1820
Kanada:
Dominion Kanada 1867
1949 Angliederung von Neufundland
Transkontinentale Eisenbahnen
Reiserouten (Trails) der Pioniere
0 500 1000 km
Grönland
Seit 1721 dänisch
Nordpolarmeer
Nordpol
Alaska
1867 v. Rußland gekauft
Yukon-Territorium
Nordwest-Territorien
Gebiet der Hudsonbai-Kompanie
(1869 an Kanada)
Hudsonbai
Neufundland
Quebec
Unter-Kanada
Ober-Kanada
Ontario
Manitoba
Saskatchewan
Alberta
Brit.-Kolumbien
Neuschottland
Neubraunschweig
Nordwest-Territorium
Louisiana
Texas
Florida
Neu-Mexiko
Ober-Kalifornien
Mexiko
Atlantischer Ozean
Golf von Mexiko

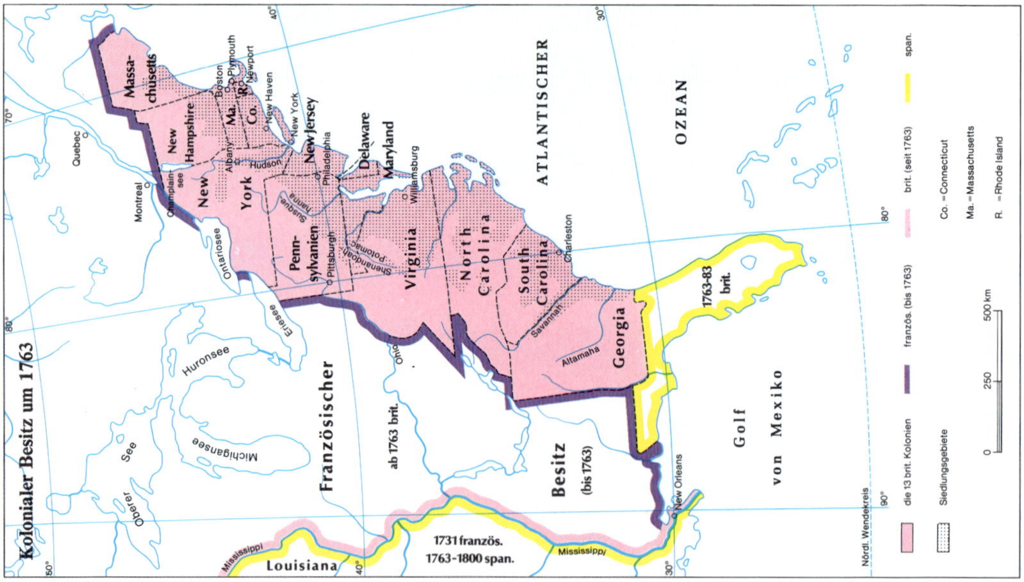
Kolonialer Besitz um 1763
die 13 brit. Kolonien
französ. (bis 1763)
brit. (seit 1763)
span.
Siedlungsgebiete
Co. = Connecticut
Ma. = Massachusetts
R. = Rhode Island
0 250 500 km
Massachusetts
New Hampshire
New York
New Jersey
Pennsylvanien
Delaware
Maryland
Virginia
North Carolina
South Carolina
Georgia
Französischer Besitz (bis 1763)
ab 1763 brit.
1763-83 brit.
Louisiana
1731 französ.
1763-1800 span.
Atlantischer Ozean
Golf von Mexiko

den gegliedert, nach S fast ungegliedert. – Größte Flüsse sind der Mississippi, der mit Missouri und Ohio rd. 15% der Fläche zum Golf von Mexiko entwässert, der Mackenzie, der ins Nordpolarmeer mündet, und der Sankt-Lorenz-Strom, der Abfluss der →Großen Seen zum Atlantik ist.

Klima: N. hat Anteil an fast allen Klimazonen der Erde. Der N mit Alaska und dem Kanadisch-Arkt. Archipel hat Polarklima. Die O-Seite ist im N feucht-kühl, im S (Florida) sub- bis randtropisch; die W-Küste hat warmgemäßigtes Klima. Das Binnenland hat Kontinentalklima mit heißen Sommern und kalten Wintern. Zeitweise dringen vom Golf von Mexiko Hitzewellen weit nach N, von der Hudsonbai und vom Nordpolarmeer Kaltluftströme nach S vor. Häufig treten Tornados und Hurrikane auf.

Vegetation und *Tierwelt* folgen den Abstufungen des Klimas. Auf eine Tundrazone im hohen N (mit Eisbären, Rentieren, Moschusochsen u.a.) folgt ein breiter Waldgürtel, der zunächst aus Nadelhölzern, Erlen und Birken (mit Pelztieren) besteht und im S in Laubwald (mit Grislibären, Wölfen, Wapitihirschen, Skunks u.a.) übergeht. Im Innern breiten sich weite Grassteppen (Prärien) und Wüsten aus, einst reich an Steppentieren, wie Bison, Antilope, Puma, Präriewolf, Nagetiere (z.B. Präriehund), Schlangen. Immergrüne Wälder in den südl. atlant. Küstenebenen und am Golf von Mexiko sind im S mit Palmen gemischt.

Bevölkerung: Die ursprüngl. Bev. (Indianer, Eskimo) wurde größtenteils von den Eroberern ausgerottet oder ging an eingeschleppten Krankheiten zugrunde; teilweise vermischte sie sich mit den Einwanderern und den bes. in den S und O des Kontinents als Sklaven verschleppten Schwarzen; in Kanada und den USA leben noch rd. 1,7 Mio. Indianer, vorwiegend in →Indianerreservationen. Im äußersten N leben →Eskimo. Der größte Teil der Bev. N.s besteht aus Nachkommen eingewanderter Europäer; die Hauptsprachen sind Englisch und Französisch. Die durchschnittl. Bev.dichte ist, verglichen mit den westeurop. Ind.staaten, sehr gering; auf der O-Seite N.s gibt es jedoch äußerst dicht besiedelte Ballungsgebiete.

Weiteres →Amerika, →Grönland, →Kanada, →Vereinigte Staaten von Amerika.

Geschichte

Vorgeschichte: Über den Beginn der ursprüngl. Besiedlung N.s gibt es bislang keine genauen Erkenntnisse. Entsprechend den heutigen sicheren Datierungen setzte dieser Vorgang erst gegen Ende der letzten Eiszeit (Wisconsin-Eiszeit) vor etwa 12 000 Jahren ein, als Gruppen von Jägern und Sammlern (insbesondere eiszeitl. Großwildjäger) über eine damals bestehende Landverbindung zw. NO-Asien und Alaska nach Amerika einwanderten und durch einen eisfreien Korridor zw. den vergletscherten Gebieten des heutigen Kanada weiter nach S zogen. Als sicher datierte ältere Funde gelten die zahlr. kannelierten Speerspitzen der Cloviskultur (ca. 9500–9000 v.Chr.), die als die früheste gegenwärtig bekannte paläoindian. Kultur N.s gilt. Ihr Kerngebiet lag im SW der heutigen USA und in den Prärien, wo sich etwa 9000–8000 v.Chr. die →Folsomkultur mit den charakterist. ungekehlten Folsomspitzen anschloss. Größtes

Nordamerika (Geschichte): Die beidseitig kannelierten Folsomspitzen aus Stein entwickelten sich aus den Speerspitzen der Cloviskultur und sind zwischen 9 000 und 8 000 v.Chr. zu datieren

Jagdtier war der Altbison. Als weitere Kulturgruppen unterscheidet man die Planokulturen der Prärie (8000–5000) und die Altkordillerenkultur im W. – Im O begann man um 4000 v.Chr. das am Oberen See anstehende reine Kupfer durch kaltes und warmes Aushämmern zu Projektilspitzen, Messern, Beilen u.a. zu formen (Old-Copper-Kultur). Künstl. Erdhügel, Bodenbau und Keramik sind Kennzeichen der Waldlandtradition (etwa ab 1000 v.Chr., Kerngebiet mittleres Ohiotal) mit Hopewellkultur (etwa 300 v.Chr.–500 n.Chr.) und Mississippikultur (etwa 700–1500). – In den trockenen Gebieten des Großen Beckens entwickelte sich um 8000 v.Chr. die Desert Culture, ausgerichtet auf saisonales Wandern und das Sammeln von Samen und Knollen. Sie bestimmte auch den SW (hier als Cochisekultur bezeichnet). Während ihrer Endphase (2000–200 v.Chr.) kamen erste Kulturpflanzen (Mais, Kürbis, Bohnen) aus Mexiko in den SW. In den letzten vorchristl. Jh. entstanden drei neue formative Kulturtraditionen: Anasazi-, Hohokam- und Mogollonkultur. Die →Anasazikultur (ab etwa 200 v.Chr. in den Plateaugebieten des nördl. New Mexico, nördl. Arizona, südöstl. Utah und südwestl. Colorado) sog im Laufe der Zeit die anderen Kulturen auf. Ihre größte Ausdehnung erreichte sie zw. 1100 und 1300. Danach wurden viele der stadtähnl. Siedlungen (Pueblos) im N aufgegeben. Im S entwickelten sich seit 1500 v.Chr. die →mesoamerikanischen Hochkulturen.

Zur *Entdeckungsgeschichte* →Nordamerika (Übersicht Entdeckung und Erforschung).

Kolonialgeschichte: Neben Spanien, Großbritannien und Frankreich waren auch die Niederlande,

Schweden und Russland an der Kolonisation beteiligt. Die →Indianer, von Anfang an in die Kolonialrivalitäten einbezogen (bes. in die britisch-frz. Kämpfe, an denen Indianer auf beiden Seiten teilnahmen), wurden immer mehr aus ihren angestammten Gebieten verdrängt und durch Kriege dezimiert. Demgegenüber trat der zivilisator. Effekt der europ. Besiedlung stark zurück (Missionierungsversuche, Handel, Einführung des Pferdes durch die Spanier). Von Anfang an wehrten sich die Indianer gegen Landraub und Entrechtung.

Span. Kolonialgeschichte: Neben Mexiko waren Florida und der SW span. Kolonialgebiete. 1513 entdeckte J. Ponce de León Florida (1565 Entstehung von Saint Augustine als erste ständige Siedlung); 1698 wurde Pensacola gegründet. Zu einer Besiedlung des SW kam es erst ab Ende des 16. Jh. unter J. de Oñate (1609 Gründung von Santa Fe, 1690 Inbesitznahme von Texas). Ein zweiter Vorstoß span. Machtausweitung erfolgte an der pazif. Küste: 1769 wurde San Diego gegründet, 1776 San Francisco. – Nach dem Ende des britisch-frz. Kolonialkrieges erhielt Spanien 1762 in einem Geheimvertrag das westliche Louisiana, d.h. alle Gebiete westlich des Mississippi einschl. New Orleans und Saint Louis.

Frz. Kolonialgeschichte: Mit der Gründung der Niederlassung Quebec (1608) am Sankt-Lorenz-Strom leitete S. de Champlain die frz. Besiedlung von Neufrankreich ein. Wohl schon in den 1630er-Jahren war die Green Bay am O-Ufer des Michigansees erreicht. Als der Einsatz frz. Truppen 1665/66 die Irokesen zum Rückzug zwang und den Weg nach W öffnete, stand den Franzosen der Weg zum Mississippi offen.

Engl./brit. Kolonialgeschichte: England begann als letzte westeurop. Nation mit der Errichtung eines eigenen Kolonialreiches in N.; dabei wandte es sich fast ausschl. den Küsten des östl. N. zu. 1607 wurde die Siedlung Jamestown gegründet, die Keimzelle von Virginia. 1620 landeten die Pilgerväter mit der »Mayflower« an der Stelle des heutigen Plymouth; für die weitere Entwicklung in Neuengland wurde jedoch die bald darauf gegr. Kolonie der Puritaner an der Massachusetts Bay bestimmend; 1636 wanderten von dort unzufriedene Puritaner aus und gründeten die Kolonie Providence-Rhode Island, die erste amerikan. Kolonie, in der religiöse Toleranz oberstes Gesetz war. Andere gründeten um 1635 Connecticut und 1638 New Haven. Weitere Kolonien entstanden durch lebenslängl. Landvergabe an einzelne oder mehrere Adlige (z.B. Maryland, Georgia). – Während in Neuengland Schiffbau, Handel und Ackerbau florierten, gingen die südl. Kolonien bald zum Import von schwarzen Sklaven über, um große Gebiete urbar machen zu können; die Haltung von Sklaven begünstigte dann die Entstehung großer Plantagen. – Zw. 1660 und 1760 fand eine ständige Bewegung der Kolonisten nach W statt. Nachdem die Siedler das für den Ackerbau geeignete Land in der Atlant. Küstenebene in Besitz genommen hatten, begannen sie, in ständigem Kampf mit den Indianern über die Fall Line in das Piedmont Plateau einzudringen. – Eine Reihe von Rebellionen im 17. und 18. Jh. nahm die brit. Reg. zum Anlass, Sonderrechte der Kolonien zu beseitigen: Bis auf Maryland und Pennsylvania sowie Rhode Island und Connecticut konnte Großbritannien bis 1763 alle Kolonien zu königl. Provinzen machen.

Der britisch-frz. Kolonialkonflikt: Im hohen N kam es zur ersten großen, direkten Konfrontation beider Länder in N., die 1713 mit dem Frieden von Utrecht endete, in dem Frankreich den Besitz der 1670 gegr. Hudson's Bay Company bestätigen und Teile von Akadien an Großbritannien abtreten musste. Frankreich suchte seinen Besitz durch Festungen und Stützpunkte zu sichern. 1754 begannen Kolonialtruppen aus Virginia unter der Führung von G. Washington in das Tal des Ohio einzudringen. Sie wurden von den Franzosen zurückge-

Entdeckung und Erforschung Nordamerikas

um 1000	Leif Eriksson entdeckt Nordamerika
1497	G. und S. Caboto entdecken von England aus erneut Nordamerika (Neufundland)
1513	J. Ponce de León entdeckt Florida
1520	G. da Verrazano erforscht große Teile der Küste zw. Florida und Neufundland, entdeckt die Mündung des Hudson River
1528–36	Vorstoß A. N. Cabeza de Vacas von Florida über die Mississippimündung durch das heutige Texas und nördl. Mexiko bis zur Stadt Mexiko
1535–36	J. Cartier befährt den Sankt-Lorenz-Strom bis in die Gegend von Montreal
1539–42	H. de Soto dringt erstmals in das Innere Nordamerikas vor, quert von Florida aus die Appalachen, zieht über den Mississippi bis Oklahoma
1540–42	Vorstoß von F. V. de Coronado von Mexiko aus ins Pueblogebiet, an den Grand Canyon und in die Great Plains
1541	erste Siedlungsversuche Frankreichs im Gebiet des Sankt-Lorenz-Stroms scheitern
1584–86	erste Kolonisationsversuche von Sir W. Raleigh im Gebiet des heutigen North Carolina (»Virginia«) scheitern
1585–87	J. Davis unternimmt drei Reisen zur Suche der Nordwestpassage im Norden Amerikas
1603–15	S. de Champlain befährt den Sankt-Lorenz-Strom, gründet 1608 Quebec, erreicht als erster Europäer die Großen Seen (1609 Champlainsee, 1615 Huronsee), gründet erste frz. Siedlungen
1673	J. Marquette (SJ) und L. Jolliet gelangen vom Michigansee zum Mississippi, den sie bis zum Arkansas River befahren
1682	R. C. S. de La Salle befährt den Mississippi bis zur Mündung
1741	V. Bering und A. I. Tschirikow entdecken von Asien aus Alaska
1776–78	auf der Suche nach der Nordwestpassage kartiert J. Cook die noch unbekannte NW-Küste Nordamerikas
1789	A. Mackenzie befährt den nach ihm benannten Strom und quert 1793 den Kontinent im Gebiet des heutigen Kanada
1804–06	W. Clark und M. Lewis durchqueren den Kontinent erstmals im Gebiet der heutigen USA

schlagen. Im Verlauf der Auseinandersetzung errang Großbritannien dennoch die Herrschaft über die Mündung des Sankt-Lorenz-Stromes und konnte nun Neufrankreich von seiner direkten Verbindung zum Mutterland abschneiden. Über diesen Strom drang dann auch 1759 der entscheidende, von der brit. Flotte vorgetragene Angriff auf Quebec vor, das am 13. 9. fiel. 1763 bestätigte Frankreich im Frieden von Paris den Verlust seiner Territorien in N.: Die Gebiete östlich des Mississippi trat es an Großbritannien, die Gebiete westlich des Mississippi an Spanien ab. – Zur weiteren nordamerikan. Geschichte →Kanada, →Mexiko, →Vereinigte Staaten von Amerika.

📖 HOFMEISTER, B.: *N. Neuausg. Frankfurt am Main 1988.* – FAGAN, B. M.: *Das frühe N. Archäologie eines Kontinents. A. d. Engl. München 1993.*

Nord|amerikanebel, aus Staub und Gas zusammengesetzter großer galakt. Emissionsnebel (NGC 7000) im Sternbild Schwan, hat die äußere Gestalt des nordamerikan. Kontinents.

nord|amerikanische Indianer, →Indianer.

Nord|amerikanisches Freihandelsabkommen, →NAFTA.

Nord-Assam-Völker, Sammelname für z.T. noch wenig bekannte tibetobirman. Völker in den Himalajavorbergen N-Assams; Hauptvertreter sind die Aka, die Dafla mit den Miri, die Adi (Abor) und die Mishmi.

Nord|atlantikpakt, →NATO.

Nord|atlantischer Strom, Meeresströmung im Nordatlantik, die warmes Wasser nach NO transportiert und damit für das günstige Klima Mittel- und N-Europas verantwortlich ist. Der N. S. entsteht südöstlich von Neufundland aus dem warmen Wasser des →Golfstroms, das sich hier mit dem kalten Wasser des Labradorstroms mischt. Er überwindet, in viele Wasserwirbel aufgelöst, den Mittelatlantischen Rücken und teilt sich in mehrere Arme auf.

Nordau, Max, eigtl. M. Simon Südfeld, Schriftsteller, *Budapest 29. 7. 1849, †Paris 22. 1. 1923; war mit T. Herzl einer der Begründer des Zionismus. N. verfasste kultur- und zeitkrit. Studien, Reiseschilderungen, Dramen, wenig beachtete Romane.

Nordbrabant (niederländ. Noord-Brabant), Prov. im S der →Niederlande.

Nordchinesische Tief|ebene, Küstenebene in China, →Große Ebene.

Norddeich, Ortsteil von →Norden.

Norddeutsche Landesbank Girozentrale [-'ʒi:ro-], Kurzbez. **NordLB,** öffentlich-rechtl. Kreditinst.; entstand 1970 durch Fusion der Niedersächs. Landesbank Girozentrale, der Braunschweig. Staatsbank, der Hannoverschen Landeskreditanstalt und der Niedersächs. Wohnungskreditanstalt; Sitz: Hannover, Braunschweig, Magdeburg, Schwerin. Kapitaleigner sind die Bundesländer Ndsachs., Sa.-Anh. und Meckl.-Vorp. sowie deren Sparkassen- und Giroverbände.

Norddeutscher Bund: historische Flagge

Norddeutscher Bund, nach dem Dt. Krieg von 1866 anstelle des Dt. Bundes durch O. von Bismarck unter Ausschluss von Österreich geschaffener dt. Bundesstaat, bestehend aus der Führungsmacht Preußen und 17 norddt. Kleinstaaten (Bündnis vom 18. 8. 1866); nach dem Friedensvertrag traten das Großherzogtum Hessen, das Königreich Sachsen, das Fürstentum Reuß ältere Linie und das Herzogtum Sachsen-Meiningen bei. Die am 17. 4. 1867 verkündete Verf. trat am 1. 7. 1867 in Kraft. Zu Beginn des Dt.-Frz. Krieges 1870/71 schlossen sich die süddt. Staaten an (Entstehung des Dt. Reiches; Name festgelegt am 10. 12. 1870, Kaiserproklamation am 18. 1. 1871).

Norddeutscher Lloyd [-lɔid], 1857 in Bremen gegründete Reederei; lief 1876 bereits alle wichtigen Häfen der amerikan. Ostküste an und erhielt 1884 erstmals das Blaue Band. 1886 wurde der Reichspostdampferdienst nach Ostasien und Australien aufgenommen, 1905 der Frachtdienst nach Niederländisch-Indien und Australien. 1938 besaß der N. L. 85 Seeschiffe mit 618 000 BRT. Im 2. Weltkrieg ging fast die gesamte Flotte verloren. 1970 vereinigte sich der N. L. mit der Hamburg-Amerika-Linie zur →Hapag-Lloyd AG.

NDR

Norddeutscher Rundfunk

Norddeutscher Rundfunk, Abk. **NDR,** Rundfunkanstalt des öffentl. Rechts für die Länder Hamburg, Ndsachs. und Schlesw.-Holst.; 1955 entstanden aus der Spaltung des Nordwestdt. Rundfunks (NWDR) in den NDR und den Westdt. Rundfunk (WDR). Sitz: Hamburg. Der NDR geht zurück auf die 1924 in Hamburg gegründete Nordische Rundfunk-AG, ist heute eine Dreiländeranstalt mit Landesfunkhäusern in Hamburg, Hannover und Kiel sowie Mitgl. der ARD. (→Rundfunk)

Max Nordau

Norddeutsches Tiefland, der Nordteil Dtl.s, in den Ländern NRW, Ndsachs., Bremen, Hamburg, Schlesw.-Holst., Meckl.Vorp., Brandenburg, Berlin, Sa.-Anh. und Sachsen; ein Teil des mitteleurop. Tieflandes, das sich nördlich der Mittelgebirge erstreckt; es setzt sich nach O in Polen (Pommersche und Masur. Seenplatte, Schles. Bucht), nach W in den Niederlanden fort. In der Niederrhein. Bucht, der Westfäl. Bucht und der Leipziger Tieflandsbucht greift das N. T. buchtenförmig in die dt. Mittelgebirgsschwelle ein. Bedeckt wird das N. T. weithin von Ablagerungen pleistozäner Inlandsvereisungen; im W-Teil handelt es sich um Altmoränengebiete (Geest). Die Nordseeküste ist von See- und Flussmarschen (→Marsch) und dem Wattenmeer gesäumt. Am Fuß der Mittelgebirge finden sich Lössdecken (z.B. Magdeburger Börde, Soester Börde). Nur vereinzelt tritt der vorpleistozäne Untergrund zutage.

Norden
Stadtwappen

Adolf Erik Nordenskiöld
(zeitgenössischer Holzstich)

Otto Nordenskiöld

Nord|elbische Evangelisch-Lutherische Kirche, Abk. **NEK,** am 1. 1. 1977 vollzogener Zusammenschluss der bis dahin selbstständigen evang.-luth. Landeskirchen von Eutin, Hamburg, Lübeck und Schleswig-Holstein und des Kirchenkreises Harburg der evang.-luth. Landeskirche von Hannover.

Norden, Abk. **N,** eine →Himmelsrichtung, wird nahezu durch die Richtung des Nordpols einer frei drehbaren Magnetnadel angegeben.

Norden, Stadt im Landkreis Aurich, Ndsachs., in der ostfries. Marsch, 24 500 Ew.; Kornbrennerei; Tee verarbeitende Betriebe. – Im zu N. gehörenden Hafenort **Norddeich** Küstenfunkstelle für den Seefunkdienst, Seehundaufzucht- und Forschungsstation; Küstenfischerei; Seebad. – Romanisch-gotische Ludgerikirche; Backstein-Rathaus (16. Jh.). – 1255 erstmals erwähnt; vermutlich vor 1550 Stadtrecht.

Nordenham, Stadt im Landkreis Wesermarsch, Ndsachs., 29 300 Ew.; Friesen- und Marschenmuseum; See- und Flusshafen an der Unterweser; Zollamt; Werften, Flugzeugbau, Bleihütte, elektrolyt. Zinkgewinnung, elektrotechn., Kunststoff verarbeitende, chem. Industrie; in N.-Esenshamm Kernkraftwerk.

Nordenskiöld ['nu:rdənʃœld], **1)** Adolf Erik Freiherr von (seit 1880), schwed. Polarforscher, * Helsinki 18. 11. 1832, † auf Dalbyö (bei Lund) 12. 8. 1901, Onkel von 2); unternahm 1858–72 fünf Forschungsfahrten nach Spitzbergen. 1875 und 1876 fuhr er durch das Kar. Meer zur Mündung des Jenissei und 1878/79 mit dem Dampfer »Vega« durch die →Nordostpassage. 1883 erforschte er von der W-Küste Grönlands aus das Inlandeis.

2) (Nordenskjöld), Otto, schwed. Geologe und Polarforscher, * auf Sjögle (Småland) 6. 12. 1869, † Göteborg 2. 6. 1928, Neffe von 1); unternahm Forschungsreisen zur S-Spitze Südamerikas (1895–97), nach Alaska (1898), Grönland (1900) und als Leiter der schwedischen Südpolarexpedition (1901–03) in die Antarktis (Grahamland).

Norder|elbe, Nordarm (Hauptarm) der Elbe im Gebiet von Hamburg.

Norderney [niederdt. »Nordinsel«], ostfries. Nordseeinsel, 14 km lang, bis 3 km breit, 26,3 km^2; gehört zum Landkreis Aurich, Ndsachsen. Die Stadt **Norderney** im W der Insel hat 6 400 Ew.; Forschungsstelle für Küsten- und Inselschutz; Heilbad mit Seewasserwellenhallen- und -freibad, Spielbank; Fährverkehr nach Norddeich, Flugplatz.

Norderoog [-o:k], Hallig im nordfries. Wattenmeer, 11 ha; Vogelschutzgebiet.

Norderstedt, Stadt im Kr. Segeberg, Schlesw.-Holst., 69 800 Ew.; Apparate-, Werkzeug-, Fahrzeug- und Maschinenbau, Weberei, Herstellung von Spirituosen. – 1970 durch Zusammenschluss von vier Gemeinden entstanden.

Nord|eurasischer Kulturkreis, archäolog. Formengruppen in Skandinavien, N-Russland und Sibirien. Neben jungsteinzeitl. Errungenschaften (Kamm- und Grübchenkeramik, Schiefergeräte) sind in dem N. K. noch alt- und mittelsteinzeitl. Elemente erhalten (Knochengeräte, Skulpturen, Felsbilder). Das einheitl. Gepräge dieser subarkt. Jägerkulturen ist eher auf günstige Verkehrsverbindungen und gleichartige Umwelteinflüsse zurückzuführen als auf gemeinsame stammesgeschichtl. Grundlage.

Nord|europa, zusammenfassende Bez. für die Staaten Norwegen, Schweden, Dänemark, Finnland und Island.

Vorgeschichte: Die Besiedlung N.s begann mit dem Ende der Altsteinzeit. Die mit den Rückzugsschwankungen des Inlandeises verbundene Entstehungsgeschichte der →Ostsee bildet den erdgeschichtl. Rahmen der spät- und nacheiszeitl. Besiedlung Skandinaviens. Rentierjäger des Magdalénien zogen dem mit dem Eis nach N weichenden Jagdwild nach. In der Allerödzeit (etwa 10000–9000 v. Chr.) sind sie in der nach **Bromme** (Seeland) benannten Kulturgruppe fassbar, die in der darauf folgenden jüngeren Dryaszeit (→Tundrenzeit) als **Lyngbykultur** ausgeprägt war, v. a. in Dänemark und S-Schweden. Die mittelsteinzeitl. **Maglemosekultur,** in der der Hund als erstes Haustier auftrat, brachte N. in der trockenwarmen Ancyluszeit eine erhebl. Bev.zunahme. Im feuchtwarmen Atlantikum, dem Klimaoptimum der Mittelsteinzeit, stellte eine Landsenkung die Verbindung von Nord- und Ostsee durch Sund und Belte her (Litorinazeit). In dieser Periode entstanden als Siedlungsreste der Küstenbewohner die Muschelhaufen (→Kjökkenmöddinger) der **Ertebøllekultur.** An der norweg. Küste siedelten Fischer- und Jägervölker, die an ihren Fangplätzen Felsbilder von Jagdtieren hinterließen. Seit etwa 2700 v. Chr. drangen die Träger der **Trichterbecherkultur** in Skandinavien ein. Diese Kultur umfasste ganz Dänemark und S-Schweden sowie Teile Norwegens. Kennzeichnend für sie waren v. a. die Megalithgräber. In N-Schweden und Norwegen herrschten damals Jäger- und Fischerkulturen mit Grübchenkeramik und Schiefergeräten. In Finnland entsprach dieser Kultur die **kammkeram. Kultur.** Zu Beginn des 2. Jt. v. Chr. drangen osteurop. Hirtenstämme als Träger der **Bootaxtkultur** (Schnurkeramik) nach Finnland, S-Schweden und S-Norwegen ein, verwandte Hirtenstämme aus Mittel- und Nord-Dtl. als Träger der **Einzelgrabkultur** nach Dänemark. In Finnland wurde die Bootaxtkultur von der **Kiukaiskultur** abgelöst, die wohl aus der Verschmelzung der kammkeram. mit der Bootaxtkultur entstanden ist. Damit waren die Grundlagen für die Entstehung der frühen nord. Bronzezeit geschaffen. Der S von N. war Zentrum der Kultur des Nord. Kreises, die v.a. an den Küsten, in Schweden bis Norrland, verbreitet war. Im Landesinneren lebten noch Jägerstämme mit steinzeitl. Kultur. Um 1000 v.Chr. wurde der Nord. Kreis durch Einflüsse der mitteleurop. Urnenfelderkultur bereichert und allmählich umgeformt (Übergang zur Brandbestattung). In der Eisenzeit um 500 v.Chr. wurde kelt. Einfluss spürbar (→Gundestrup), doch beweisen z.B. die Mooropfer (→Hjortspring) das Fortleben nordisch-bronzezeitl. Brauchtums. Aus dieser Zeit ist Ackerbau bezeugt (Hakenpflüge, Hofstätten mit dreischiffigen Hallenhäusern). Im Grabbrauch zeichnet sich eine gesellschaftl. Differenzierung ab. Körperbestattungen mit reichen Beigaben u.a. von röm. Importgut (Bronze- und Glasgefäße) traten auf. Auch die Runen erschienen erstmals in dieser Zeit. Das german. Siedlungsgebiet wurde in Norwegen bis zum Polarkreis ausgedehnt. In Finnland trat die german. Besiedlung an Bedeutung hinter eine baltisch bestimmte Kultur zurück. In der Völkerwanderungszeit nahm die Siedlungsdichte seit dem 4.Jh. stark zu. Bezüglich der Kultur (Entstehung des german. Tierstils) und Wirtschaft (Handel und Schifffahrt) ist die Völkerwanderungszeit die unmittelbare Vorstufe der Wikingerzeit.

Nordfjord, einer der meistbesuchten Fjorde W-Norwegens, mit teils felsig-steilen, teils sanft ansteigenden Ufern, 110 km lang.

Nordfriesische Inseln, ein Teil der →Friesischen Inseln.

Nordfriesland, 1) Marschenlandschaft im NW von Schlesw.-Holst., umfasst auch Teile der Lecker, Bredstedter und Husumer Geest, die vorliegenden Marschen und die Nordfries. Inseln. Das fries. Erbe wird noch eifrig gepflegt, v.a. auf den Inseln wird auch friesisch gesprochen.

2) Kreis in Schlesw.-Holst., 2049 km^2, (1996) 159000 Ew.; Kreisstadt ist Husum.

Nordgau (bayerischer N.), Teil des bayer. Stammesherzogtums nördlich der Donau; ab 1. Hälfte des 16.Jh. Oberpfalz genannt.

Nordhausen, 1) Landkreis in Thür., (1996) 711 km^2 und 101300 Einwohner.

2) Krst. von 1) in Thür., im NW der Goldenen Aue, 46800 Ew.; Bau von Dieselmotoren und Baggern, Tabakind., Branntweinbrennereien (»Nordhäuser Korn«); Endpunkt der Harzquerbahn von Wernigerode. – Die Innenstadt wurde 1945 stark zerstört; wiederhergestellt u.a. der Dom (14.Jh., mit roman. Krypta unter frühgot. Chor) sowie St.Blasii (15.Jh.); vor dem Alten Rathaus (1608–10) Rolandsfigur (1717 aufgestellt). – 927 erstmals erwähnt; 1220 Stadtrecht und bis 1802 Freie Reichsstadt; fiel 1802 an Preußen.

Nordholland (niederländ. Noord-Holland), Provinz der Niederlande, umfasst die Halbinsel zw. Nordsee und IJsselmeer, die westfries. Insel Texel sowie die IJsselmeerinsel Marken; Hptst. ist Haarlem, wirtsch. Mittelpunkt Amsterdam.

Nordhorn, Krst. des Landkreises Grafschaft Bentheim, RegBez. Weser-Ems, Ndsachs., an der Vechte, 51200 Ew.; Textilind., Fertighausbau, Technologiepark. – N. wurde 1379 Stadt.

Nordirland (engl. Northern Ireland), Landesteil von Großbritannien und Nordirland, umfasst den NO-Teil der Insel Irland, 14120 km^2, (1991) 1,57 Mio. Ew. Die hügelige Landschaft flacht sich zum großen Seebecken des Lough Neagh im Innern ab. Hauptflüsse sind Bann, Blackwater und Foyle. Die Landwirtschaft tritt stark hinter der Ind. zurück. Anbau von Hafer und Kartoffeln; Rinderzucht. Die Ind. umfasst die Herstellung von Textilien, Konserven, Tabakwaren, Kunstfasern, Schiffbau, Elektrotechnik; Hptst. und wirtsch. Mittelpunkt ist Belfast.

Geschichte: Durch den »Government of Ireland Act« (23. 12. 1920) wurden die mehrheitlich prot. Grafschaften der Provinz Ulster (Londonderry, Antrim, Tyrone, Fermanagh, Armagh und Down) vom übrigen, mehrheitlich kath. Irland getrennt. Im Rahmen einer Union mit Großbritannien erhielt N. Autonomie mit eigenem Parlament (Stormont) und eigener Regierung. Führende Partei der prot. Mehrheit wurde die »Unionist Party«, die seit 1921 die Min.Präs. stellte. Schwere soziale und religiöse Spannungen zw. der prot. Mehrheit und der kath. Minderheit führten seit etwa 1969 zu

Nordirland - Konfessionen

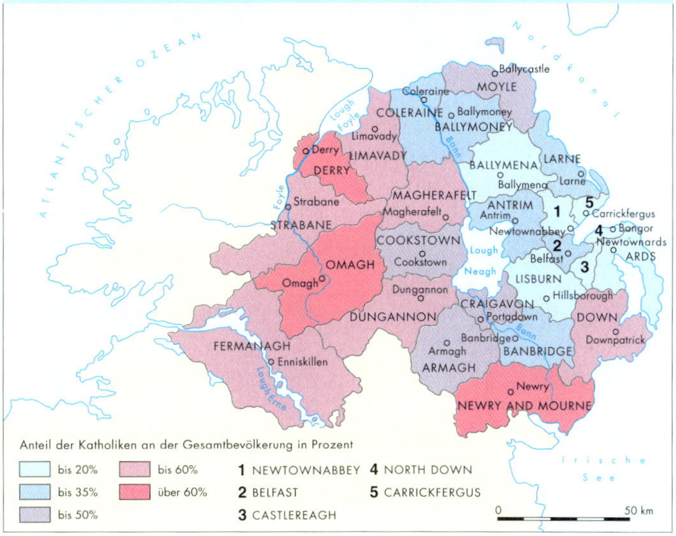

bürgerkriegsähnl. Unruhen. Die radikalen Kräfte auf beiden Seiten gingen immer stärker zu terrorist. Mitteln über. Auf kath. Seite trat dabei bes. die illegale →IRA mit zahlr. Bombenanschlägen hervor; ihrem Terror begegnete die prot. UDA (Ulster Defence Association) mit Gegenterror. 1969 verlegte Großbritannien Truppen nach N.; 1972/73 und erneut ab 1974 übernahm die brit. Reg. die direkte Verw. in N. (Ernennung eines N.-Min.). 1973 vereinbarten Großbritannien und die Rep. Irland die Errichtung eines **Gesamtirischen Rats,** der ohne Wirkung blieb. Mithilfe einer Antiterrorgesetzgebung bekämpfte die brit. Regierung den Terrorismus, der weiterhin eine hohe Zahl von Menschenleben forderte. 1976 organisierten Mairead Corrigan und Betty Williams Friedensdemonstrationen von Frauen beider Konfessionen. Während sich in den 1980er-Jahren die Attentats- und Sabotageakte der IRA ausweiteten, unternahm die brit. Regierung mehrere Versuche, den N.-Konflikt politisch zu lösen (u.a. 1985 Unterzeichnung eines britisch-ir. Abkommens, das der Regierung der Rep. Irland eine begrenzte Mitsprache bei der Verw. von N. zugesteht).

Mit der Londoner N.-Erklärung (15. 12. 1993), in der die →Sinn Féin, der polit. Arm der IRA, als Verhandlungspartner zum ersten Male akzeptiert wurde, unternahmen die brit. und ir. Regierung einen erneuten Versuch, eine Lösung des Konfliktes herbeizuführen. Nachdem die IRA Ende August, die bewaffneten prot. Verbände Mitte Okt. 1995 ihren Verzicht auf terrorist. Aktivitäten erklärt hatten, verabschiedeten die brit. und ir. Regierung im Febr. 1995 ein Rahmendokument für »Allparteienverhandlungen« (u.a. Errichtung einer gesamtir. Behörde mit Vollmachten z.B. im Schulwesen) und setzten im Nov. 1995 eine internat. Kommission zur Frage der Entwaffnung der Untergrundorganisationen ein. Mit der Wiederaufnahme terrorist. Aktivitäten seitens der IRA seit Febr. 1996 erfuhr der Friedensprozess einen Rückschlag. Nach einer erneuten Waffenstillstandserklärung im Juli 1997 konnte die Sinn Féin wieder an den Friedensgesprächen teilnehmen. Am 10. 4. 1998 unterzeichneten die Verhandlungspartner (Vertreter der ir. und brit. Reg. sowie der nordir. Katholiken und Protestanten) ein von starken Kompromissen geprägtes, durch ein Referendum der gesamtir. Bevölkerung am 22. 5. 1998 bestätigtes Friedensabkommen. In Nordirland sprachen sich 71,12% der Bev. für das Friedensabkommen und in der Rep. Irland 94% für eine Verf.änderung, mit der der Anspruch auf eine Wiedereingliederung Ulsters aufgegeben wird, aus.

📖 BREUER, M.: *N. Eine Konfliktanalyse. Münster u.a. 1994. – N. in Geschichte u. Gegenwart, hg. v.* J. ELVERT. *Stuttgart 1994. – N. Geschichte, Landschaft, Kultur, Touren, Beiträge v.* D. SCHULZE-MARMELING *u.a. Göttingen 1996.*

nordische Kombination, *nord. Skisport:* Mehrkampf für Männer, bestehend aus Sprung- und Langlauf. Das Kombinationsspringen erfolgt von einer Normalschanze mit einer P-Punkt-Weite von 75–90 m; der Sieger des Kombinationsspringens beginnt als Erster den Kombinationslanglauf über 15 km, der Einzelsprint wird über 7,5 km gelaufen. Der Staffelwettkampf (je 4 Sportler) besteht aus Mannschaftsspringen und 4×5 km Staffellauf, der Teamsprint besteht aus Mannschaftsspringen (je 2 Sportler) und insgesamt 15 km Langlauf. – Olymp. Disziplin seit 1924, Staffel seit 1988.

Nordische Kriege, im 17./18. Jh. Kriege Schwedens zur Erhaltung seiner Vormachtstellung im Ostseeraum:

1. **Schwedisch-polnisch-dänischer Krieg** (1655–60). Als König Johann II. Kasimir von Polen als letzter Wasa Anspruch auf Schweden erhob, griff Karl X. Gustav 1655 Polen an, das durch den Angriff Russlands (Eroberung Wilnas) geschwächt war, und siegte im Bund mit Brandenburg bei Warschau (28.–30. 7. 1656). Aber Kaiser Leopold I., Dänemark und Brandenburg verbündeten sich 1657 mit Polen. Aus Polen vertrieben, wandte sich Karl X. Gustav gegen die Dänen und zwang sie im Frieden von Roskilde (26. 2. 1658) zur Abtrennung ihrer südschwed. Provinzen. Bald darauf griff er sie von neuem an und belagerte Kopenhagen; die Dänen besiegten ihn mit Unterstützung einer niederländ. Flotte und eines Heeres ihrer Verbündeten. Im Frieden von Oliva (3. 5. 1660) wurden die Verhältnisse von 1655 wiederhergestellt, die brandenburg. Souveränität in Preußen wurde bestätigt.

2. **Großer Nordischer Krieg** (1700–21). Um das schwed. Übergewicht in Nordeuropa zu brechen, verbündeten sich August der Starke von Sachsen-Polen, Russland und Dänemark. Der schwed. König Karl XII. schlug zunächst die Dänen, die aus der Koalition ausschieden, dann die Russen bei Narwa (30. 11. 1700) und drang siegreich in Polen ein, wo er Stanislaus Leszczyński 1704 zum König wählen ließ; August der Starke musste im Frieden von Altranstädt (24. 9. 1706) auf die poln. Krone verzichten. Dann zog Karl XII. in die Ukraine, verlor aber die entscheidende Schlacht bei Poltawa (8. 7. 1709) und floh in die Türkei. Peter d. Gr. unterwarf 1710 Livland, Estland und (1713/14) Finnland. Nach Beendigung des Span. Erbfolgekrieges (1713) traten Preußen und Hannover der Koalition bei und verdrängten im Verein mit den Dänen die Schweden vom Festland. Karl XII. fiel 1718. Im Frieden von Stockholm trat Schweden (1719) Bremen-Verden an Hannover, (1720) das östl. Vorpommern mit Stettin an Preußen und im Frieden von Nystad (10. 9. 1721) Livland, Estland,

Ingermanland und Karelien mit Wiborg an Russland ab.

Nordischer Rat, am 25. 6. 1952 gegr. Beratungsorgan nordeurop. Staaten zur Vereinheitlichung ihrer Gesetzgebung sowie zur Förderung der Zusammenarbeit, v. a. auf wirtsch., ökolog., sozialem und kulturellem Gebiet (u. a. 1976 Gründung der Nord. Investitionsbank). Gründungsmitgl. waren Dänemark, Schweden und Norwegen; Island trat im Dez. 1952, Finnland im Okt. 1955 bei. Der N. R. kann bei gemeinsamen Problemen unverbindl. Empfehlungen an die Regierungen aussprechen, die nur verpflichtet sind, den Rat über entsprechende Maßnahmen zu informieren. Die Mitgl.staaten sind paritätisch durch je 18 Repräsentanten (Island mit 6) ihrer Parlamente im N. R. vertreten. Die Außenmin. der Mitgl.länder koordinieren i. d. R. ihre Positionen in wichtigen weltpolit. Fragen. Nachdem Dänemark bereits 1973 Mitgl. der EG geworden war, verlor der N. R. 1995 mit dem Beitritt Finnlands und Schwedens zur EU stark an Bedeutung.

nordische Sprachen, → skandinavische Sprachen.

Nordkanal (engl. North Channel), Meerenge zw. Schottland und Irland, an der engsten Stelle 20 km breit.

Nordkap, steiles, 307 m hohes Vorgebirge auf der norweg. Insel Magerøy, gilt als Nordspitze Europas (71° 10' 21''), doch liegt ein anderer Vorsprung der Insel, → Knivskjelodden, noch 1,5 km nördlicher.

Nord-Kap, Provinz im NW der Rep. → Südafrika.

Nordkaper, Art der → Glattwale.

Nordkarelilen, Provinz in Finnland, → Pohjois-Karjala.

Nordkaukasilen (Ziskaukasien), der im S Russlands zw. der Manytschniederung im N und dem Großen Kaukasus im S gelegene Teil von Kaukasien.

Nord-Korea, → Korea.

Nordland, russ. Inselgruppe, → Sewernaja Semlja.

Nordleute, im 8. Jh. übl. Bez. für die Sachsenstämme der Wichmodier (im Land Hadeln) und der → Nordalbingier.

Nördliche Kalk|alpen, Teil der Ostalpen (→ Alpen).

Nördliches Eismeer, das → Nordpolarmeer.

Nordlicht, das → Polarlicht der nördl. Erdhalbkugel.

Nördlingen, Stadt im Landkreis Donau-Ries, Bayern, im fruchtbaren → Ries gelegen, 19 800 Ew.; Große Kreisstadt; Stadtmuseum, Rieskrater-Museum; Brauereien, Holzverarbeitung, Textil-, elektron., Schuh- u. a. Ind.; bed. Fremdenverkehr. – Das alte Stadtbild ist unversehrt erhalten. Ein inneres Oval markiert den Bereich der Altstadt bis 1327. Die Stadtmauer (14. Jh.) umschließt die erweiterte Stadt mit der Pfarrkirche St. Georg (1427–1505), einer der größten spätgot. Hallenkirchen Dtl.s (89,9 m hoher Turm »Daniel«), Salvatorkirche (1381–1422), Rathaus (14. Jh., Freitreppe 1618), Kastenhaus des Dt. Ordens; zahlr. Fachwerkhäuser. – 898 erstmals erwähnt, 1290 als Stadt genannt; 1215–1803 Reichsstadt; 1377–88 Mitgl. des Schwäb. Städtebundes; kam 1803 an Bayern. – Bei N. wurden 1634 die Schweden, 1645 die Kaiserlichen geschlagen.

Nördlingen Stadtwappen

Nördlingen: Der fast vollständig erhaltene Stadtmauerring ist seit dem 14. Jh. nicht mehr verändert worden; Mittelpunkt der Stadt ist die 1427–1505 erbaute Pfarrkirche St. Georg mit dem 89,9 m hohen Turm, dem »Daniel«

Nordmarianen (Commonwealth of the Northern Mariana Islands), mit den USA assoziierter Staat in Ozeanien, → Marianen.

Nordmark, ehemals die Grenzmark gegen die slaw. Heveller beiderseits der mittleren Elbe, später → Altmark genannt.

Nord|osseti|en (Nordossetische Republik, Alania), Teilrep. der Russ. Föderation in Nordkaukasien, 1924 als autonomes Gebiet gegr., 1936–91 ASSR, 8 000 km², (1994) 650 400 Ew. (53 % Osseten, 30 % Russen, 5 % Inguschen); Hptst. ist Wladikawkas. N. erstreckt sich von der vergletscherten N-Abdachung des Großen Kaukasus (bis 4638 m ü. M.) im S bis zur Terekniederung (Mais-, Sonnenblumen-, Gemüseanbau) im N; Bergbau auf Zink- und Bleierze; Nahrungsmittel-, Holzind.; von der Georg. und Osset. Heerstraße durchquert.

Nordostpassage [-pasaʒə] (Nordöstliche Durchfahrt, Nördlicher Seeweg), Schifffahrtsweg vom nördl. Atlant. zum nördl. Pazif. Ozean, führt durch das Nordpolarmeer längs der Nordküste

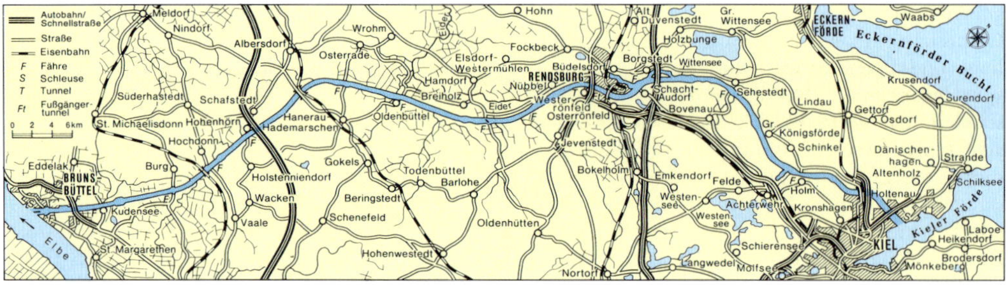

Nord-Ostsee-Kanal

Eurasiens bis zur Beringstraße; zum ersten Mal 1878/79 von A. E. →Nordenskiöld befahren.

Nordostpolder, Polder im östl. IJsselmeer (501 km²) und Gemeinde in der Prov. Flevoland, Niederlande, 38200 Ew.; Wirtschafts- und Verw.zentrum ist **Emmeloord** mit Laboratorien und dt.-niederländ. Windkanal-Versuchsanlage. Landwirtschaft mit Anbau von Zuckerrüben, Getreide, Raps, Gemüse, Obst, Blumen.

Nord-Ostsee-Kanal (Kielkanal, früher Kaiser-Wilhelm-Kanal), Schifffahrtskanal in Schlesw.-Holst., zw. Kiel-Holtenau und Brunsbüttel, 98,7 km lang, verbindet Ost- und Nordsee; Sohlenbreite 90 m, Wasserspiegelbreite 162 m, Fahrwassertiefe 11 m; 1887–95 erbaut. An seinen Mündungen Schleusenanlagen zum Ausgleich der Wasserstandsschwankungen. In Rendsburg führen unter dem Kanal ein Straßen- und ein Fußgängertunnel hindurch (Tunnelstrecke 640 m). Der N.-O.-K. gehört zu den meistbefahrenen Seekanälen der Erde.

Nord-Ostsee-Kanal

Zur feierlichen Inbetriebnahme des nach ihm benannten Kanals 1895 hatte Kaiser Wilhelm II. auch zahlreiche ausländische Ehrengäste eingeladen. Zur Begrüßung der türkischen Staatsgäste erklang zur allgemeinen Verblüffung »Guter Mond, du gehst so stille«. Die Marinekapelle verfügte nicht über die Noten der türkischen Nationalhymne, woraufhin der Kapellmeister – in feinsinniger Anspielung auf den Halbmond der türkischen Flagge – das schöne deutsche Lied intonieren ließ.
An den Endpunkten des Nord-Ostsee-Kanals in Brunsbüttel und Kiel-Holtenau sind übrigens immer noch die alten Schleusen von 1895 in Betrieb.

Nord-Pas-de-Calais [nɔrpɑdka'lɛ], Region in N-Frankreich; umfasst die Dép. Nord und Pas-de-Calais, 12414 km², (1995) 3,974 Mio. Ew.; Hauptstadt ist Lille.

Nordpol, 1) *Astronomie:* der nördl. Himmelspol (→Himmel).

2) *Geographie:* der nördl. Schnittpunkt der Umdrehungsachse eines Himmelskörpers mit seiner Oberfläche **(geograph. N.);** Gegenpunkt: **Südpol.** Der **N. der Erde** ist der am weitesten vom Äquator entfernt liegende Punkt der nördl. Halbkugel. Er liegt im Nordpolarmeer. Am N. geht die Sonne vom 21. März bis 23. Sept. nicht unter und teilt so das Jahr in **Polartag** und **Polarnacht.**

3) *Geophysik:* (magnet. N. der Erde) →Erdmagnetismus.

4) *Physik:* einer der beiden Pole eines →Magneten.

Nordpolargebiet, Land- und Meeresgebiete um den Nordpol (→Arktis).

Nordpolarmeer (Nördliches Eismeer), Nebenmeer des Atlantiks, umfasst das Meeresgebiet im Bereich des Nordpolarbeckens und als Randmeere Tschuktschensee, Ostsibir. See, Laptewsee, Karasee, Barentsee, die Meeresstraßen des Kanadisch-Arkt. Archipels und die Beaufortsee; 12,26 Mio. km². Die tiefste Stelle mit 5450 m u. M. liegt nördlich von Spitzbergen. Das N. wird von einem in ständiger Bewegung befindl., im Winter geschlossenen Pack- und Treibeisfeld bedeckt, im Sommer randlich eisfrei. Die allg. Drift des Eises, die zum Durchlass zw. Spitzbergen und Grönland gerichtet ist, bestimmt im Wesentlichen die Oberflächenströmungen.

Nordprovinz, Prov. in der Rep. →Südafrika.

Nordpunkt (Mitternachtspunkt), nördlicher Schnittpunkt des →Meridians mit dem Horizont.

Nordrhein-Westfalen
Wappen

Nordrhein-Westfalen, Abk. **NRW,** das volkreichste Land in Deutschland, 34078 km², (1996) 17,948 Mio. Ew.; Hauptstadt ist Düsseldorf.

Landesnatur: NRW hat Anteil am Norddt. Tiefland und am Mittelgebirgsland. Das eiszeitlich überprägte Tiefland greift in der Niederrhein. und Westfäl. Bucht tief in die Mittelgebirge ein. Das Mittelgebirgsland gehört zum Rhein. Schiefergebirge (linksrheinisch Eifel und Hohes Venn, rechtsrheinisch Sauerland, Berg. Land, Rothaargebirge, Siegerland, Siebengebirge und ein Teil des Westerwaldes) und zum Weserbergland (Lipper Bergland, Wiehengebirge, Teutoburger Wald). Der größte Teil N.-W.s gehört zum Stromgebiet des Rheins. Das Klima wird von maritimen Einflüssen bestimmt.

Bevölkerung: Sie besteht v. a. aus Rheinländern und Westfalen. Um die Jh.wende kamen ins Ruhrgebiet viele Ansiedler aus dem Osten (Schlesier, Ostpreußen, Polen u.a.), nach 1945 viele Flüchtlinge und Vertriebene. 49% der Bev. sind kath., 35% evangelisch. – N.-W. verfügt über 49 Hochschulen, davon 16 Hochschulen mit Univ.rang, acht Univ. (eine Privatuniv.), eine TH (Aachen), sechs Gesamthochschuluniv., eine Sporthochschule (Köln), eine Kunstakademie, drei Hochschulen für Musik, die Folkwang-Hochschule Essen (Schauspiel, Regie u.Ä.), 12 FH, drei Landes-FH, zwei evang. Kirchl. Hochschulen, eine Theolog. Fakultät und zwei Philosophisch-Theolog. Hochschulen.

Wirtschaft: Räuml. Schwerpunkt ist der Wirtschaftsraum Rhein-Ruhr. Im →Ruhrgebiet, in dem auf Grundlage der Steinkohle eine bed. Eisen- und Stahlind., Energiewirtschaft und chem. Ind. entstanden war, setzte nach dem Aufschwung bis in die 1960er-Jahre mit den Absatzkrisen im Steinkohlenbergbau und mehreren Stahlkrisen ein Niedergang ein, der Strukturveränderungen bewirkte. Die zentrale Bedeutung ging auf das Rheinland über, mit Köln und Düsseldorf als wichtigsten Städten. Weitere Ind.gebiete sind das Aachener Gebiet, Niederrheingebiet, Münsterländer Textilbezirk, Ostwestfalen-Lippe, Siegerland und Berg. Land. – Steinsalz und Kali werden am Niederrhein, Schwefelkies im Sauerland gewonnen. Sol- und Schwefelquellen, Eisensäuerlinge u.a. Mineralquellen finden sich bes. in Bad Salzuflen, Bad Oeynhausen, Bad Lippspringe, Bad Meinberg, Bad Driburg, Bad Sassendorf und Aachen. – 53,2% der Fläche werden für die Landwirtschaft genutzt. Angebaut werden in den Lössgebieten am Rand der Mittelgebirge Roggen, Weizen, Zuckerrüben, auf den Sand- und Lehmböden des Tieflands bes. Kartoffeln und Futterpflanzen und am Rand des Vor-

Landtagswahlen in Nordrhein-Westfalen 1985–95[1]

Parteien	12.5.1985	13.5.1990	14.5.1995
SPD	125; 52,1%	122; 50,0%	108; 46,0%
CDU	88; 36,5%	89; 36,7%	89; 37,7%
Grüne[2]	–; 4,6%	12; 5,0%	24; 10,0%
FDP	14; 6,0%	14; 5,8%	–; 4,0%
Andere	–; 0,8%	–; 2,6%	–; 1,8%

[1] Sitzverteilung und Stimmenanteil der Parteien. – [2] seit 1993 Bündnis 90/Die Grünen

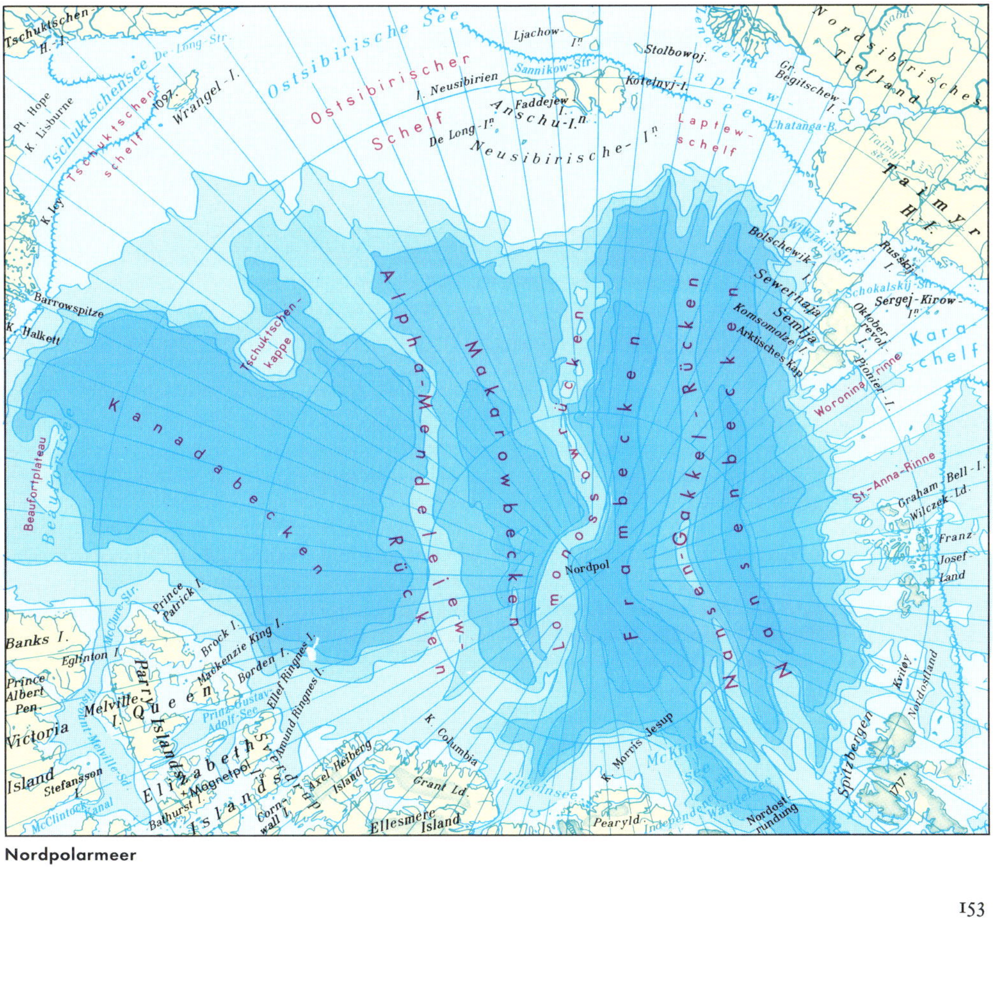

Nordpolarmeer

Verwaltungsgliederung Nordrhein-Westfalen (Größe und Bevölkerung 31. 12. 1996)

Verwaltungseinheit	Größe in km²	Ew. in 1 000	Ew. je km²	Verwaltungssitz
RegBez. Düsseldorf	5 289	5 290,9	1 000	Düsseldorf
Kreisfreie Städte				
Duisburg	233	532,7	2 286	Duisburg
Düsseldorf	217	571,5	2 634	Düsseldorf
Essen	210	611,8	2 913	Essen
Krefeld	138	247,8	1 796	Krefeld
Mönchengladbach	170	266,9	1 570	Mönchengladbach
Mülheim an der Ruhr	91	176,0	1 934	Mülheim an der Ruhr
Oberhausen	77	223,9	2 908	Oberhausen
Remscheid	75	121,6	1 621	Remscheid
Solingen	89	165,1	1 855	Solingen
Wuppertal	168	379,8	2 261	Wuppertal
Kreise				
Kleve	1 231	291,0	236	Kleve
Mettmann	407	504,5	1 240	Mettman
Neuss	576	439,3	763	Neuss
Viersen	563	291,1	517	Viersen
Wesel	1042	467,9	449	Wesel
RegBez. Köln	7 365	4 216,3	572	Köln
Kreisfreie Städte				
Aachen	161	247,8	1 539	Aachen
Bonn	141	302,9	2 148	Bonn
Köln	405	964,3	2 381	Köln
Leverkusen	79	163,0	2 063	Leverkusen
Kreise				
Aachen	547	303,1	554	Aachen
Düren	941	260,1	276	Düren
Erftkreis	705	444,9	631	Bergheim
Euskirchen	1 249	183,6	147	Euskirchen
Heinsberg	628	241,4	384	Heinsberg
Oberbergischer Kreis	918	282,1	307	Gummersbach
Rheinisch-Bergischer-Kreis	438	271,0	619	Bergisch Gladbach
Rhein-Sieg-Kreis	1 153	552,2	479	Siegburg
RegBez. Münster	6 904	2 586,6	375	Münster
Kreisfreie Städte				
Bottrop	101	121,1	1 199	Bottrop
Gelsenkirchen	105	289,0	2 752	Gelsenkirchen
Münster	303	265,7	877	Münster
Kreise				
Borken	1 418	346,9	245	Borken
Coesfeld	1 110	205,8	185	Coesfeld
Recklinghausen	760	662,7	872	Recklinghausen
Steinfurt	1 792	421,1	235	Steinfurt
Warendorf	1 316	274,3	208	Warendorf

gebirges Gemüse und Obst. Bed. Viehwirtschaft (Schweine, Rinder, Pferde, Geflügel). Der Wald nimmt ein Viertel der Fläche ein. Der Fremdenverkehr spielt eine große Rolle im Sauerland, Berg. Land, Siebengebirge, in der Eifel und im Teutoburger Wald. – N.-W. ist durch das Eisenbahn- und Autobahnnetz gut erschlossen. Wichtigste Wasserstraßen sind der Rhein, der Rhein-Herne-Kanal, der Dortmund-Ems-Kanal, der Wesel-Datteln- und der Datteln-Hamm-Kanal sowie der Mittellandkanal; wichtigster Binnenhafen ist Duisburg; internat. Flughäfen in Düsseldorf und Köln-Bonn.

Verfassung: Nach der Verf. von 1950 liegt die Legislative beim Landtag (237 Abg., für 5 Jahre gewählt), die Exekutive bei der Reg. unter Vorsitz des Min.Präs. Der Reg.chef wird vom Landtag gewählt, verfügt über Richtlinienkompetenz und kann durch konstruktives Misstrauensvotum gestürzt werden. Die Verf. enthält einen Grundrechtekatalog und sieht die Möglichkeit des Eingriffs in die Gesetzgebung durch Volksbegehren und -entscheid vor.

Geschichte: Das Land N.-W. wurde durch die brit. Militärregierung am 23. 8. 1946 aus der preuß. Provinz Westfalen und dem nördl. Teil der preuß. Rheinprovinz gebildet. Am 21. 1. 1947 wurde das Land Lippe-Detmold eingegliedert. CDU und SPD wechselten sich als stärkste Partei im Landtag ab; 1958–62 besaß die CDU die absolute Mehrheit, 1980 wechselte sie an die SPD (1985 und 1990 bestätigt). Min.Präs.: R. Amelunxen (Zentrum; 1946/47), K. Arnold (CDU; 1947–56), F. Steinhoff (SPD; 1956–58), F. Meyers (CDU; 1958–66), H. Kühn (SPD; 1966–78), J. Rau (SPD; seit 1978).

Verwaltungsgliederung Nordrhein-Westfalen (Größe und Bevölkerung 31. 12. 1996; Fortsetzung)

Verwaltungseinheit	Größe in km²	Ew. in 1 000	Ew. je km²	Verwaltungssitz
RegBez. Detmold	6518	2026,7	311	Detmold
Kreisfreie Stadt				
Bielefeld	258	324,1	1256	Bielefeld
Kreise				
Gütersloh	967	333,2	345	Gütersloh
Herford	450	252,4	561	Herford
Höxter	1200	155,1	129	Höxter
Lippe	1246	362,1	291	Detmold
Minden-Lübbecke	1152	318,4	276	Minden
Paderborn	1245	281,4	226	Paderborn
RegBez. Arnsberg	8002	3827,2	478	Arnsberg
Kreisfreie Städte				
Bochum	145	398,5	2748	Bochum
Dortmund	280	597,0	2132	Dortmund
Hagen	160	210,9	1318	Hagen
Hamm	226	182,2	806	Hamm
Herne	51	178,7	3504	Herne
Kreise				
Ennepe-Ruhr-Kreis	408	351,5	862	Schwelm
Hochsauerlandkreis	1959	284,4	145	Meschede
Märkischer Kreis	1059	459,5	434	Lüdenscheid
Olpe	711	138,5	195	Olpe
Siegen-Wittgenstein	1131	299,2	265	Siegen
Soest	1327	301,4	227	Soest
Unna	543	425,3	783	Unna
Nordrhein-Westfalen	34078	17947,7	527	Düsseldorf

📖 STEINBERG, H. G.: *Menschen u. Land in N.-W. Eine kulturgeograph. Landeskunde. Köln u. a. 1994.* – *Gesellschafts- u. Wirtschaftsgeschichte Rheinlands u. Westfalens, Beiträge v.* D. BRIESEN *u. a. Köln u. a. 1995.* – BRUNN, G. *u.* REULECKE, J.: *Kleine Geschichte von N.-W. 1946–1996. Köln u. a. 1996.*

Nordrhodesien (engl. Northern Rhodesia), bis 1964 Name von →Sambia.

Nordrussischer Landrücken, etwa 600 km langer Endmoränenzug im N des europ. Teils von Russland, bis 293 m ü. M.; wald- und sumpfreich.

Nordschleswig (dän. Sønderjylland), der nördl. Teil von Schleswig, zw. der dt.-dän. Grenze und der Königsau, bildet heute das dän. Amt Sønderjylland, 3938 km², (1995) 252200 Ew.; Hptst. ist Apenrade. – Aufgrund des Versailler Vertrages (1919) trat das Dt. Reich N. nach einer Abstimmung 1920 an Dänemark ab.

Nordsee (engl. North Sea), Nebenmeer des Atlant. Ozeans zw. dem europ. Festland, den Brit. Inseln und Skandinavien, mit diesem durch die Straße von Dover und den →Ärmelkanal im SW sowie einen breiten Durchgang im N östlich der Shetlandinseln verbunden; zur Ostsee führen Skagerrak und Kattegat. Der südlichste, trichterförmige Teil der N. ist die Hoofden, die südöstlichste Bucht die Dt. Bucht mit Jadebusen und Weser- und Elbemündung. Die N. ist rd. 580000 km² groß und mit Ausnahme der schmalen Norweg. Rinne (bis 725 m tief) ein flaches Schelfmeer, das 200 m Tiefe nicht überschreitet (im Mittel 94 m). Südlich der Linie Scarborough–Göteborg liegt ihr Boden nirgends tiefer als 60 m, in der →Doggerbank noch weniger. Im Ganzen sinkt der Boden der N. von S nach N ab, bedeckt mit Sand und Schlick; vereinzelt Steingründe und anstehendes Gestein.

Die Wasserzirkulation wird stark durch die Gezeiten beeinflusst, v. a. im Wattenmeer. Der mittlere Springtidenhub erreicht in der inneren Dt. Bucht 4 m (Wilhelmshaven), in der Straße von Dover 5 m, an der engl. Küste 6 m (The Wash). In die Weser dringt die Gezeitenwelle 67 km, in die Elbe 148 km weit ein. Sturmfluten, am häufigsten im Winter, richten an den Küsten oft große Verheerungen an; z. B. Holland-Sturmflut (1. 2. 1953), Hamburg-Sturmflut (16./17. 2. 1962, Wasserstand in Hamburg 5,70 m ü. M.). – Die N. ist bed. Fischereigebiet (Hering, Schellfisch, Kabeljau, Scholle; Hauptfanggebiete sind die Doggerbank, Fischerbänke, Fladengrund, norweg. Küstengewässer) und eines der verkehrsreichsten Meere. Wichtige Häfen: London, Antwerpen, Rotterdam, Amsterdam, Emden, Hamburg, Bremen. Seit den 1960er-Jahren Nutzung der neu entdeckten, großen Erdöl- und Erdgaslager. Die N. gehört zu den am stärksten belasteten Meeresgebieten. Trotz Anstrengungen bei der Überwachung (z. B. Joint-Monitoring-Programme der Übereinkommen von Oslo und Paris), der Diagnose (z. B. N.-Schutzkonferenzen der acht Anliegerstaaten 1984, 1987 und 1990) und Gegenmaßnahmen (z. B. Einstellung der Dünnsäureverklappung durch dt. Unternehmen zum Jahresende 1989) besteht ein bedrohl. Zustand der Meeresverschmutzung, der sich in katastrophalen Algenblüten, Fischkrankheiten und Robbensterben äußert.

🕮 Kramer, J.: *Kein Deich – kein Land – kein Leben. Geschichte des Küstenschutzes an der N.* Leer *1989.*

Nordseekanal, Kanal in der Prov. Nordholland, Niederlande, 27 km lang, 170 m breit, 15 m tief; verbindet Amsterdam mit der Nordsee bei IJmuiden (vier Schleusen); für Seeschiffe befahrbar.

Nordsibirische Eisenbahn, im Bau befindl. Eisenbahnlinie in Russland, führt von Tjumen über Tobolsk, Surgut bis Nowy Urengoi an der Obbucht. Sie dient der Erschließung der reichen westsibir. Erdöl- und Erdgasfelder; über 1 000 km lang.

Nordstern, der → Polarstern.

Nordstrand, eine der Nordfries. Inseln, eingedeichte Marschinsel vor Husum, Schlesw.-Holst., 49 km², 2 400 Ew., durch einen Damm mit dem Festland verbunden. Das alte N., größer als die heutige Insel, wurde durch die Sturmflut von 1634 zerrissen.

Nordsee - Erdöl- und Erdgaslagerstätten

Nord-Süd-Kanal, der → Elbeseitenkanal.

Nord-Süd-Konflikt, Bez. für die Gegensätze, die sich aus dem wirtsch.-sozialen und politisch-kulturellen Entwicklungsgefälle zw. den Ind.staaten der nördl. Erdhalbkugel einerseits und den dem Süden der Erde zugerechneten Entwicklungsländern Afrikas, Asiens und Lateinamerikas andererseits **(Nord-Süd-Gefälle)** nach dem 2. Weltkrieg ergaben, speziell im Gefolge der Entkolonialisierung und v.a. als Konsequenz von Bevölkerungsexplosion, Nahrungsmittelknappheit, unzureichender Industrialisierung sowie mangelnder Einbindung der Entwicklungsländer in die internat. Arbeitsteilung, der Ausbeutung ihrer wirtsch. Ressourcen durch die Ind.staaten und der ungerechten Handelsbeziehungen.

Seit den 1970er-Jahren suchen die Staaten der Dritten Welt im Rahmen des im UN-System und auf zahlr. Konferenzen geführten **Nord-Süd-Dialogs** über die Forderung nach einer neuen Weltwirtschaftsordnung den N.-S.-K. zu entschärfen. Ende 1977 konstituierte sich eine **Nord-Süd-Kommission** (18 Politiker und Wissenschaftler, je zur Hälfte aus Ind.- und Entwicklungsländern), deren Aufgabe darin besteht, die Beziehungen zw. Ind.- und Entwicklungsländern zu analysieren und Wege zu einer ausgeglicheneren Weltordnung vorzuschlagen (Berichte 1980 und 1983). Trotz erster Ansätze, den außenwirtsch. Beziehungen zw. Ind.- und Entwicklungsländern eine neue Qualität zu geben (→ Lomé-Abkommen), bleibt der N.-S.-K. ein globales Problem mit einer Vielzahl von Einzelkonflikten (Verschärfung der → Schuldenkrise, armutsbedingte Umweltzerstörung, Verknappung der natürl. Ressourcen, Anwachsen der Flüchtlingsströme).

Durch das Wegfallen der »zweiten Welt« der sozialist. Staaten ist offenkundig geworden, dass die meisten jungen Demokratien in Mittel- und Osteuropa sowie im Bereich der ehem. Sowjetunion, gemessen an ihrem Pro-Kopf-Einkommen, ebenfalls als Entwicklungsländer anzusehen sind. Um ihnen die Chance zu geben, eines Tages in den Kreis der OECD-Länder aufgenommen zu werden (bes. in die Europ. Union), werden sie von den Industrieländern wirtschaftlich bes. unterstützt. Fast alle OECD-Länder schichteten seit den Haushaltsjahren 1991/92 Teile der **Südhilfe** zugunsten der **Osthilfe** um. Die Motive haben sich in doppelter Hinsicht verändert: Zum einen ist mit dem Zusammenbruch des »Sozialist. Modells« der Wettbewerb um die Gunst der Entwicklungsländer entfallen, sodass z.T. Hilfszusagen mit Forderungen nach Mehrparteiendemokratie und Verwirklichung von Menschenrechten verbunden werden. Zum anderen ist ein Trend zu neuartigen Konditionen für die Gewährung von Entwick-

Nord-Süd-Konflikt: Kennzahlen verschiedener Ländergruppen und Regionen (1994)

	durchschnittl. jährl. Bev.-Wachstum (in %)	durchschnittl. jährl. Wachstum der Stadt-Bev. (in %)	Bruttosozialprodukt (in Mrd. US-$)	durchschnittl. jährl. Wachstumsrate des Bruttosozialprodukts je Ew. (in %)		Auslandsschulden (in Mrd. US-$)	Säuglingssterbeziffer je 1 000 Lebendgeborenen	Ew. je Arzt	tägl. Kalorienangebot je Ew. (Industrieländer=100)	kommerzieller Energieverbrauch (kg in Erdöläquivalenten je Ew.)
	1960-94	1960-94		1965-80	1980-93				1992	
Entwicklungsländer	2,2	3,9	4 536	3,2	2,0	1 444	64	5 833	82	570
Afrika südlich der Sahara	2,8	5,6	254	1,2	−1,4	213	97	18 514	67	281
arabische Länder	2,8	4,6	607	3,8	−0,4	112*)	67	1 516	91	1 303
Südasien	2,3	3,9	377	1,3	2,2	178	73	3 704	76	292
Ostasien	1,8	3,2	1 124	6,4	7,7	156	41	1 169*)	88	739
Ostasien (außer China)	1,9	4,4	494	5,1*)	7,5*)	48*)	17	1 169*)	96	2 830
Südostasien und Pazifik	2,2	4,2	522	4,0	3,8	258	50	6 193	81	494
Lateinamerika und Karibik	2,3	3,6	1 503	2,8	−0,4	529	38	1 042	88	936
am wenigsten entwickelte Länder (Least developed Countries, LLDC)	2,5	5,7	80	0,4	0,5	89	103	19 035	66	50
Industrieländer (einschließlich Osteuropa)	0,8	1,4	20 849	3,0	1,7	-	14	344*)	100	4 499
Welt	1,8	3,3	25 385	2,0	0,9	-	58	4 968*)	-	1 471

*) Angaben von 1993

lungshilfe zu beobachten, der mit den Bemühungen um eine →nachhaltige Entwicklung zusammenhängt.

📖 Braun, G.: *N.-S.-K. u. Dritte Welt. Paderborn* [5]*1994.* – Nass, K. O.: *Tropfen auf den heißen Stein. Reportagen u. Analysen zum Nord-Süd-Problem. Baden-Baden 1994.* – Rufin, J.-C.: *Die neuen Barbaren. Der N.-S.-K. nach dem Ende des Kalten Krieges. A. d. Frz. München 1996.*

Nordterritorium, Bundesgebiet Australiens, →Northern Territory.

Nordtiroler Kalkalpen, →Tirolisch-Bayerische Kalkalpen.

Nordvorpommern, Landkreis in Meckl.-Vorp., 2 168 km², (1996) 118 700 Ew.; Krst. ist Grimmen.

Nord-West, Provinz in der Rep. →Südafrika.

Nordwestküstenindianer, Sammelbez. für die Indianer der Küsten und Inseln im NW Nordamerikas (Tlingit, Haida, Tsimshian, Kwakiutl u.a.), überwiegend Küstenfischer mit einheitl. Kultur; große Einbäume, Plankenhäuser, reich geschnitzte und bemalte Wappenpfähle (Totempfähle); Verdienstfeste (Potlach).

Nordwestmecklenburg, Landkreis in Meckl.-Vorp., 2 075 km², (1996) 115 400 Ew.; Krst. ist Grevesmühlen.

Nordwestpassage [-pasaʒə] (Nordwestliche Durchfahrt), Schifffahrtsweg vom Atlantik durch den Kanadisch-Arkt. Archipel und die Beaufortsee (Nordpolarmeer) zum Pazifik (Beringstraße), der von M. Frobisher (1576–78), J. Davis (1585–87) und zahlr. späteren Expeditionen, bes. im 19. Jh. (u.a. von J. Franklin), gesucht wurde. Die erste erfolgreiche Durchfahrt (von O nach W) gelang 1903–06 R. Amundsen mit mehreren Überwinterungen (Gjöa-Expedition). Henry Asbjorn Larsen (*1899, †1964) schaffte eine Durchquerung erstmals 1940–42 in W–O-Richtung und 1944 die Hin- und Rückfahrt in einer Saison. 1969 wurde die N. vom amerikan. Tanker »Manhattan« befahren. Für die Handelsschifffahrt erwies sich die N. als ungeeignet.

Norén [nuˈreːn], Lars, schwed. Dramatiker, *Stockholm 9. 4. 1944; in den 60er- und 70er-Jahren bekannt v.a. durch seine modernist. Lyrik und Prosatexte; als Theaterautor mit Bühnenstücken, in denen ihm eine Neuorientierung des psycholog. Familiendramas gelang (»Orestes«, 1980; »Der Mut zu töten«, 1980; »Chaos ist nahe bei Gott«, 1983; »Dämonen«, 1983; »Nachtwache«, 1985).

Norepinephrin, das →Noradrenalin.

Norfolk [ˈnɔːfək], **1)** Cty. in O-England, an der Nordseeküste, 5 375 km², (1995) 772 400 Ew.; Verw.sitz ist Norwich.

2) Stadt in Virginia, USA, Hafen an den Hampton Roads, 261 200 Ew.; Univ.; Elektro-, Autoind.; Hauptquartier der US-Atlantikflotte (Marinearsenal, Werften) und des NATO-Oberbefehlshabers Atlantik.

Norfolk [ˈnɔːfək], engl. Herzogstitel; seit 1483 von der Familie **Howard** geführt. Der 3. Herzog von N., Thomas Howard (*1473, †1554), war als Onkel von Anna Boleyn und Katharina Howard (zweite und fünfte Gemahlin Heinrichs VIII.) einflussreich. Der 4. Herzog von N., Thomas Howard (*1538, †1572), wurde wegen einer Verschwörung gegen Elisabeth I. zugunsten der gefangen gehaltenen Maria Stuart hingerichtet.

Norfolkinsel [ˈnɔːfək-], zu Australien gehörende Insel im Pazifik, bis 318 m ü. M., 35 km²,

Nordwestküstenindianer: Wappenpfahl der Haida, Höhe 307 cm (Hamburg, Museum für Völkerkunde)

(1991) 2000 Ew.; Hauptort ist Kingston; Fremdenverkehr. – Seit 1913 Teil des Austral. Bundes.

Norfolktanne ['nɔ:fək-], eine →Araukarie.

Norge [altnord. noreg »Nordweg«], norweg. Name für Norwegen.

Noricum, im Altertum das Gebiet östlich des Inns, von den illyrisch-kelt. **Norikern** bewohnt; Hptst.: Noreia; 16 v. Chr. von den Römern unterworfen, seit 45 n. Chr. röm. Provinz; Sitz des kaiserl. Statthalters war Virunum (bei Klagenfurt).

Manuel Noriega Morena

Noriega Morena, Manuel Antonio, panamaischer General und Politiker, *Panama 1934; seit 1983 als Oberbefehlshaber der eigentl. Machthaber in Panama, regierte diktatorisch bis zur amerikan. Invasion im Dez. 1989; 1990 in den USA wegen Drogengeschäften zu 40 Jahren Gefängnis verurteilt.

Norilsk, Bergbaustadt im Autonomen Kreis Taimyr in der Region Krasnojarsk, Russland, im Mittelsibir. Bergland, 169000 Ew., durch Eisenbahnlinie (122 km) mit dem Hafen Dudinka am Jenissei verbunden; Abbau und Verhüttung von Nickel-, Kupfer-, Titan- und Kobalterzen; Steinkohlenbergbau.

Norische Alpen, Teil der Ost-Alpen, östlich der Katschberghöhe, zw. Mur und Drau; umfassen Gurktaler und Seetaler Alpen, Sau-, Glein-, Pack- und Koralpe sowie den Poßruck; gehören zu Österreich, der äußerste SO zu Slowenien.

Norm [lat.] *die,* **1)** *allg.:* als verbindlich anerkannte Regel, Richtschnur, Maßstab; Durchschnitt.

2) *graf. Technik:* (Bogennorm) Kurzfassung des Titels und ggf. des Autorennamens sowie der Bogenzahl u. a. am Fuß der 1. Seite jedes Druckbogens eines Buches.

3) *Mathematik:* Verallgemeinerung des →Betrags reeller Zahlen, z. B. auf Funktionen, Vektoren und Matrizen, allg. auf abstrakte Räume.

4) *Petrographie:* (normativer Mineralbestand) aus der chem. Analyse eines Gesteins errechneter mögl. Mineralbestand. Die Ergebnisse stimmen oft nicht mit den mineralog. Befunden überein.

5) *Philosophie:* regulativer Maßstab, eth. Handlungsorientierung, soziale Konvention, das »Normale« im Sinne eines fakt. Durchschnitts oder einer gebotenen Verhaltensweise oder Leistung.

6) *Recht:* die →Rechtsnorm.

7) *Technik:* →Normung.

8) *Wirtschaft:* die →Arbeitsnorm.

Norma (Winkelmaß), Sternbild am Südhimmel.

normal, 1) *allg.:* der Norm entsprechend; gewöhnlich, üblich, wie man es gewöhnt ist, richtig.

2) *Chemie:* 1) Abk. **n-**, Bez. für geradkettige (unverzweigte) Moleküle (→Alkane); 2) Symbol N (oder n), Konzentrationsangabe, →Normalität.

Normal *das* (Etalon, Standard), zur Darstellung einer bestimmten Einheit im Messwesen (bzw. ihrer Teile oder Vielfachen) oder zu Eichzwecken verwendeter Körper oder Apparat, für den bestimmte Bedingungen festgelegt wurden. Ein nach internat. Übereinkunft (z. B. Meterkonvention) geschaffenes N. wird auch als **Urmaß** oder **Prototyp** bezeichnet (z. B. Urmeter).

Normalatmosphäre (Normatmosphäre), Modell der Atmosphäre, definiert durch Festlegung bestimmter Kenngrößen (wie Temperatur, Druck, Zusammensetzung) bei Berücksichtigung von geograph. Daten, Höhe und Jahreszeit; dient v. a. in der Luft- und Raumfahrt als Bezugsmedium, z. B. für die Eichung von Höhenmessern.

Normaldruck, ältere Bez. für Normdruck (→Normzustand).

Normale *die,* Gerade, die in einem vorgegebenen Punkt *P* einer ebenen Kurve **(Kurven-N.)** oder einer Fläche **(Flächen-N.)** senkrecht zur Tangente bzw. zur Tangentialebene in *P* steht.

Normalelektrode (Standardelektrode), Bezugselektrode mit genau definiertem und reproduzierbarem elektrochem. Potenzial zur Messung der Normal-/Standardpotenziale ausgewählter Stoffe, wodurch die Aufstellung elektrochem. →Spannungsreihen ermöglicht wird. Als N. wird v. a. die →Normalwasserstoffelektrode verwendet, deren Potenzial nach Vereinbarung gleich Null gesetzt wird. Das **Normalpotenzial (Standardpotenzial)** entspricht dabei der Potenzialdifferenz einer **Normalmetallelektrode,** d. h. einer Metallelektrode, die in die Lösung eines ihrer Salze der Normalität 1 (Aktivität 1) eintaucht, gegenüber der Normalwasserstoffelektrode bei 25 °C und 101,3 kPa (1 atm).

Normalelement (Standardelement), →galvanische Elemente.

Normalität *die,* **1)** *allg.:* der Norm entsprechende Beschaffenheit, normaler Zustand.

2) *Chemie:* nicht der DIN-Norm entsprechendes Konzentrationsmaß, das als Quotient aus der Äquivalentmenge des gelösten Stoffes und dem Volumen der Lösung definiert ist. Die N. wird heute meist als **Äquivalentkonzentration** bezeichnet. Die **Äquivalentmenge** ist das Produkt aus Stoffmenge und Wertigkeit des gelösten Stoffes. Ist ein Stoff einwertig, so ist die N. gleich der →Molarität. Allg. gilt: N. = Molarität × Wertigkeit, z. B. ist eine einmolare (1 m oder 1 M) Schwefelsäure zweinormal (2 n oder 2 N), da die Schwefelsäure H_2SO_4 zwei Protonen abgeben kann.

Normalkraft, Komponente einer Kraft, die senkrecht auf der Bahnkurve eines Massenpunktes (Körpers) oder einer Fläche steht.

Normallösung (einnormale Lösung), Reagenzlösung der Maßanalyse, die in einem Liter Lösung die Äquivalentmenge 1 mol des gelösten Stoffes enthält (→Normalität).

Normalnull, Abk. **NN,** *Geodäsie:* Bezugsfläche für die amtl. Höhen (NN-Höhen) in Dtl., auch N.-Fläche oder Landeshorizont genannt. N. wird durch die Niveaufläche definiert, die mit dem am **Amsterdamer Pegel** bestimmten Mittelwasser der Nordsee zusammenfällt (Meereshöhe). Realisiert wird N. durch den bei Berlin gelegenen, unterirdisch durch eine Marke festgelegten Normalhöhenpunkt (NH) und die Höhen der Festpunkte des amtl. Höhennetzes. Die Höhenbezugsflächen in anderen Ländern sind ähnlich definiert. In *Österreich* beziehen sich die Höhen auf eine Höhenmarke am Triester Pegel (die Bezugsfläche liegt etwa 27 cm unter NN), in der *Schweiz* auf eine an das Mittelwasser des Mittelmeeres angeschlossene Höhenmarke an einem Felsblock im Genfer See (etwa 8 cm unter NN).

Normalpotenzial, →Normalelektrode.

Normalschwere, die nach einer internat. Schwereformel berechneten Werte für die Schwerebeschleunigung der Erde.

Normalsichtigkeit (Emmetropie), Zustand normalen Sehvermögens, der dann besteht, wenn parallel ins Auge einfallende Strahlen bei nicht akkommodierter Linse sich auf der Netzhaut zu einem scharfen Bild vereinigen. Abweichungen: →Brechungsfehler des Auges.

Normalspannung, *Elastizitätslehre:* eine mechan. →Spannung in Richtung der Normalen.

Normalspur, eine →Spurweite der Eisenbahn.

Normalton, 1) *Akustik:* Ton der Frequenz 1000 Hz (als Bezugston bei akust. Messungen).

2) *Musik:* der →Kammerton.

Normal|uhr, sehr genau gehende Uhr, deren Zeitanzeige als Zeitnormal für andere Uhren dient (z.B. die astronom. Hauptuhr in Sternwarten, die Mutteruhr in elektr. Normalzeituhrenanlagen, von der aus die Nebenuhren gesteuert werden).

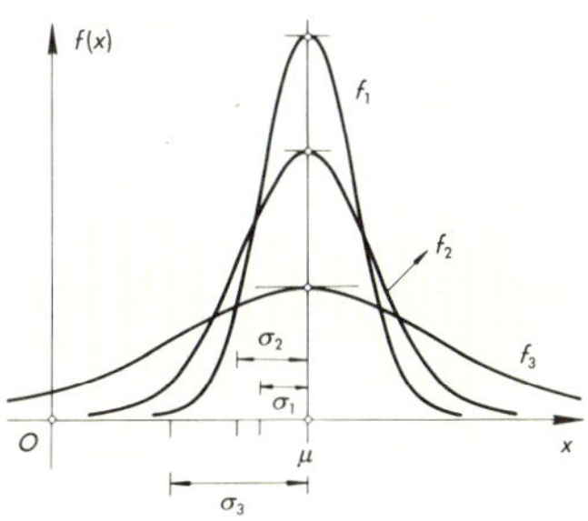

Normalverteilung: Grafische Darstellung der Wahrscheinlichkeitsdichtefunktionen f_1, f_2 und f_3 bei gleichem Mittelwert μ und verschiedenen Standardabweichungen σ_1, σ_2 und σ_3

Normalverteilung (gaußsche Verteilung), die Verteilung einer stetigen Zufallsgröße x, bei der die Wahrscheinlichkeitsdichtefunktion $f = f(x)$ die Form einer gaußschen Glockenkurve (Normalverteilungskurve, gaußsche Fehlerkurve) hat; mit dem →Erwartungswert $\mu = E(x)$ und der Standardabweichung (→Streuung) $\sigma = \sigma(x)$ gilt:

$$f(x) = \frac{1}{\sigma\sqrt{2\pi}} \exp\left[-(x-\mu)^2/2\sigma^2\right].$$

Für $\mu = 0$ und $\sigma = 1$ erhält man die standardisierte (normierte und zentrierte) Normalverteilung.

Normalverteilung

Die Glockenkurve der Normalverteilung kann man z.B. in alten Gebäuden sehen: Die Form der ausgetretenen Treppenstufen entspricht genau einer Glockenkurve. Das liegt daran, dass bei weitem die meisten Menschen in der Mitte der Stufen gehen und nur sehr wenige eng am Geländer oder der Wand.

Normalwasserstoff|elektrode (Standardwasserstoffelektrode), Halbzelle eines galvan. Elements, bei der eine Platinelektrode in eine wässrige Säurelösung der Aktivität 1 bei 25 °C eintaucht und von Wasserstoffgas unter Normaldruck (1 bar) umspült wird. Das Potenzial der N. wird als Bezugselektrode auf den Wert Null festgelegt.

Norman ['nɔːmən], Jessye, amerikan. Sängerin (Sopran), *Augusta (Ga.) 15. 9. 1945; wurde 1969 Mitgl. der Dt. Oper Berlin, sang an der Mailänder Scala und an der Metropolitan Opera; verfügt über ein breites Opernrepertoire.

Jessye Norman

Normandie [nɔrman'diː, frz. nɔrmã'di], histor. Gebiet in NW-Frankreich, besteht heute aus den Regionen Basse-N. und Haute-Normandie. Die an den Ärmelkanal grenzende N. bildet keine landschaftl. Einheit; während der W noch Anteil am Armorikan. Gebirge in Fortsetzung der Bretagne besitzt, wird der größere östl. Abschnitt vom W-Flügel des Pariser Beckens beherrscht. Im W herrscht Heckenlandschaft (Bocage) vor, der O gehört den offenen Agrarlandschaften an. Das Klima ist ozeanisch. Viehwirtschaft dominiert auf der Halbinsel Cotentin und in der Bocage normand. In den Ebenen von Caen, Argentan und Alençon werden Getreide, Zuckerrüben, Kartoffeln und Flachs angebaut, im Vexin Zuckerrüben, Rinder-, Schafmast und Milchwirtschaft. Zahlreiche Obstkulturen (Herstellung von Cidre, Weiterverarbeitung zu Calvados). Ind.schwerpunkt ist das Gebiet der unteren Seine mit den Zentren Rouen und Le Havre, außerdem Caen; bed. Hafen in Dieppe; der Erdölhafen von Le Havre-Antifer ist nach Fos der wichtigste Frankreichs. Im Seinemündungsbereich Großraffinerien; Wiederaufbereitungsanlage für radioaktive Abfälle bei Cherbourg. Zahlreiche Seebäder. – Ende des 9. Jh. eroberten die →Normannen das Gebiet der unteren Seine; ihr Führer Rollo erhielt 911 von Karl III. die N. zum Lehen. Das Herzogtum wurde im 11. Jh. Ausgangspunkt der normann. Expansion (Sizilien, England) und

Normandie historisches Wappen

war 1066–87 sowie 1106–1202/04 und wieder 1417/18–49 Teil der Festlandbesitzungen der engl. Könige. Nach dem Hundertjährigen Krieg blieb es endgültig bei Frankreich.

📖 Rink, B.: *N. München 1992.*

Normannen (Nordmannen, Wikinger), i.w.S. alle →Wikinger, die im 8.–11. Jh. von Skandinavien aus fremde Länder heimsuchten, i.e.S. diejenigen Wikinger, die seit dem Ende des 8. Jh. an die Küsten des Fränk. Reichs und des angelsächs. England vorstießen. Sie fuhren die großen Flüsse aufwärts ins Binnenland (Köln, Trier, Paris) und gelangten bis ins Mittelmeer. 878 erzwangen sie die Abtretung des Landes nördlich der Straße London–Chester. 911 erhielten N. unter Führung Rollos die Gebiete an der unteren Seine als Lehen vom westfränk. König und begründeten das Herzogtum →Normandie; mit dem Christentum nahmen sie bald die frz. Sprache und Kultur an.

Die Anfang des 11. Jh. als Söldner nach Unteritalien gelangten N. unterwarfen 1057–85 unter Robert Guiscard die Reste des byzantin. Besitzes sowie die langobard. Fürstentümer; Roberts Bruder Roger I. vertrieb 1061–91 die Sarazenen aus Sizilien. Roger II. vereinte 1130 beide Herrschaftsbereiche zum Königreich Sizilien, das 1194 an die Staufer überging. Von der Normandie aus unterwarf Wilhelm der Eroberer 1066 England.

📖 Norwich, J. J.: *Die Wikinger im Mittelmeer. Das Südreich der N. 1016–1130. A. d. Engl. Wiesbaden* ²*1974.*

Normannische Inseln, die →Kanalinseln.

normannischer Baustil, in N-Frankreich (Normandie) im 11. Jh. ausgebildeter und durch die Normannen nach England (anglonormann. Stil) und S-Italien übertragener roman. Stil. Charakteristisch sind dreischiffige Basiliken, Doppelturmfassade, Vierungsturm über quadrat. Grundriss, dreiteiliger Wandaufriss (Arkaden, Emporen, Lichtgaden), Staffelchor, urspr. Flachdecke, ab etwa 1100 Kreuzrippenwölbung. Die wichtigsten Beispiele in Frankreich sind die Abteikirche von Jumièges (1040–67, heute Ruine), die Kirchen Sainte-Trinité (1059–66) und Saint-Étienne (um 1064–1077) in Caen sowie die Abteikirche des Mont-Saint-Michel (2. Hälfte des 11. Jh.). Der n. B. wurde zu Beginn des 12. Jh. die wichtigste Vorstufe der frz. Kathedralgotik. Die Reihe der »Normannendome« in Apulien, an deren Beginn San Nicola (1087 ff.) in Bari steht, wurzelt in einer langen regionalen Eigentradition. Unter den normannisch geprägten Bauten Siziliens ragen v.a. die Dome in Cefalù (1131–48) und Monreale (1174–89) hervor. Bilder Bari, Caen, Monreale, Mont-Saint-Michel

Ronald Norrish

Norrköping
Stadtwappen

Normannisten, Historiker, die dän. und schwed. Normannen eine entscheidende Rolle bei der Entstehung des Kiewer Reiches (→Russland, Geschichte) zuschreiben; ihre Auffassung stützt sich auf schriftl. Quellen (→Rus, →Rurik). Die »Antinormannisten« vertreten dagegen den nationalruss. Standpunkt in der Frage der Staatsgründung, der in der UdSSR zur geltenden Lehre wurde.

Normativbestimmungen, *Recht:* 1) zwingende gesetzl. Richtlinien für Mindestanforderungen an die Satzung jurist. Personen, von deren Erfüllung die Eintragung in ein öffentl. Register abhängt; 2) die Bestimmungen in Tarifverträgen, die für die Regelung bestimmter Materien den Charakter zwingender Rechtsnormen tragen (§ 1 Abs. 1 Tarifvertragsgesetz).

Normbedingungen, die Normalbedingungen (→Normzustand).

Normdruck, →Normzustand.

Normenkollision, das Aufeinandertreffen von inhaltlich gegensätzl. Rechtsnormen gleicher Geltungskraft bei demselben Sachverhalt; **Kollisionsnormen** bestimmen, welcher Normenkreis anzuwenden ist. (→internationales Privatrecht)

Normenkontrolle, die gerichtl. Prüfung der Vereinbarkeit einer Rechtsnorm mit einer Norm höheren Ranges. Die **abstrakte N.** ist eine außerhalb eines konkreten Rechtsstreits vorgenommene Überprüfung (z.B. eines Gesetzes mit der Verfassung). Zuständig für die Entscheidung sind in Dtl. teils das Bundesverfassungsgericht (Art. 93 GG), teils die Verfassungsgerichte der Länder. Die Entscheidungen haben Gesetzeskraft. Die **konkrete N.** ist die Überprüfung einer Rechtsnorm innerhalb eines bestimmten Rechtsstreits. Hält das Gericht eine vor Inkrafttreten des GG erlassene Rechtsnorm für rechtswidrig, wendet es sie nicht an; bei für rechtswidrig gehaltenen nachkonstitutionellen Normen muss es die Entscheidung des Bundes- oder Landesverfassungsgerichts herbeiführen (Art. 100 GG).

Normfallbeschleunigung, der Normwert der →Fallbeschleunigung auf der Erde, mit $g_n = 9{,}80665\ m/s^2$ festgelegt.

Normnutzungsgrad, ein Maß für die nutzbare Wärme eines Heizgeräts auf der Grundlage des eingesetzten Energieträgers (nach DIN 4702). Für die Festlegung des Heizwerts wird nur die Energie berücksichtigt, die ohne Abgaskondensation nutzbar ist; bei der konventionellen Heiztechnik geht jedoch die Kondensationsenergie i. Allg. für den Heizkreislauf verloren, während sie bei der →Brennwerttechnik weitgehend genutzt wird. Aus diesem Grund sind z.B. bei Brennwertkesseln (→Heizkessel) auch N. über 100%, bezogen auf den Heizwert, möglich.

Normschrift, in einer Norm (z.B. DIN) festgelegte Schriftart z.B. für Tafeln und Konstruktionsunterlagen.

Nọrmtemperatur, → Normzustand.

Nọrmung, in Technik, Wirtschaft, Wiss. und Verw. die Vereinheitlichung von Benennungen, Kennzeichen, Formen, Größen, Abmessungen und Beschaffenheit von Ind.erzeugnissen durch Normen. Jede **Norm** beinhaltet eine optimale Lösung gleichartiger Aufgaben. Die Ziele der N. sind v.a. Verringerung der Sortenzahlen, einfachere Lagerhaltung, Verbilligung der Herstellung, leichtere Ersatzbeschaffung und Austauschbarkeit. Normen sind verpflichtende Empfehlungen. Die Normen in Dtl. werden vom → DIN Deutsches Institut für Normung e.V. aufgestellt. Alle Länder, die Normen erarbeiten, sind in der → International Organization for Standardization (ISO) zusammengeschlossen.

📖 Klein, M.: *Einführung in die DIN-Normen. Stuttgart u.a.* [11]*1993.*

Nọrmvolumen, Formelzeichen V_n, das Volumen eines Gases im → Normzustand (bei 273,15 K = 0 °C und 101325 Pa = 1,01325 bar), Einheit: m³.

Nọrmzustand, durch Normtemperatur und Normdruck festgelegter Zustand eines festen, flüssigen oder gasförmigen Stoffes (DIN 1343). Der **physikal. N.** ist durch die **Normtemperatur** $T_n = 273{,}15$ K bzw. $t_n = 0$ °C und den **Normdruck** $p_n = 101325$ Pa = 1,01325 bar definiert; mitunter auch als Normbedingungen (Normalbedingungen) bezeichnet.

Nọrnen, *altnord. Mythologie:* die Schicksalsgöttinnen, zunächst von unbestimmter Zahl und ohne Namen, später drei: Urd (das Gewordene), Verdandi (das Seiende) und Skuld (das Werdende).

Norodọm Sihanouk [-sia'nʊk], kambodschan. Politiker, → Sihanouk, Norodom.

Nọrrbotten, nördlichster VerwBez. (Län) in Schweden, 98911 km², (1995) 267600 Ew.; Hauptstadt ist Luleå.

Norris ['nɔrɪs], Frank, amerikan. Schriftsteller, * Chicago (Ill.) 5. 3. 1870, † San Francisco (Calif.) 25. 10. 1902; (Kriegs-)Berichterstatter und Begründer des amerikan. Naturalismus, schrieb in Kalifornien spielende Romane: »Verfluchtes Gold« (1899) und die unvollendete Romantrilogie »Das Epos vom Weizen« (1901–03); auch Kurzgeschichten.

Norrish ['nɔrɪʃ], Ronald George Wreyford, brit. Physikochemiker, * Cambridge 9. 11. 1897, † ebd. 7. 6. 1978; arbeitete u.a. über Photochemie und Reaktionskinetik; entwickelte mit G. Porter spektroskopische Untersuchungsverfahren für extrem schnell ablaufende Reaktionen. 1967 erhielt er (mit M. Eigen und G. Porter) den Nobelpreis für Chemie.

Norrköping ['nɔrtçøpiŋ], Hafen- und Ind.stadt im VerwBez. (Län) Östergötland, Schweden, 120800 Ew.; Färberei-, Kunst-, Stadtmuseum, Textil-, Holz- und Cellulose-, Gummi-, chemischtechn. und Nahrungsmittelind., Herstellung von Rundfunk- und Fernsehgeräten; Flughafen.

Nọrrland, der nördlichste, dünn besiedelte Teil Schwedens mit Lappland.

Norrtälje [nɔr'tɛljə], Hafenstadt an der Ostsee im VerwBez. (Län) Stockholm, Mittelschweden, 48400 Ew.; Metallind.; Fährverkehr zu den Ålandinseln und nach Finnland.

Nọrsk Hydro A. S., bed. norweg. Ind.konzern, Sitz: Oslo; gegr. 1905. Tätigkeitsgebiet: Aluminium- und Magnesiumerzeugung, Chemie, Energie (bes. Erdöl- und Erdgasförderung).

Douglas C. North

North [nɔ:θ], Douglas C., amerikan. Volkswirtschaftler, * Cambridge (Mass.) 5. 11. 1920; führender Vertreter eines neuen Ansatzes der Wirtschaftsgeschichte (»New Economic History«); seit 1983 Prof. an der Washington University in St. Louis (Mo.); erhielt 1993 mit Robert W. Fogel den Nobelpreis für Wirtschaftswissenschaften.

Northampton
Stadtwappen

Northampton [nɔ:'θæmptən], Hauptstadt der Cty. Northamptonshire, Mittelengland, am Nene, 156800 Ew.; Hauptsitz der engl. Schuhind., ferner Leder-, elektrotechn., Textil-, Nahrungsmittelind., Maschinen- und Fahrzeugbau. – Church of the Holy Sepulchre (11. Jh.), normann. Kirche Saint Peter (um 1160).

Northamptonshire [nɔ:'θæmptənʃɪə], Cty. in Mittelengland, 2367 km², (1995) 599300 Ew.; Verw.sitz ist Northampton.

North Ayrshire ['nɔ:θ 'eəʃɪə], Local Authority im SW von Schottland, 884 km², (1993) 139000 Ew., Verw.sitz ist Irvine.

North Carolina
Flagge

North Carolina ['nɔ:θ kærə'laɪnə] (Nordkarolina), Abk. **N. C.,** Staat im SO der USA, 136413 km², (1995) 7,195 Mio. Ew.; Hptst. ist Raleigh. Das Land steigt von der inselreichen Haffküste sanft an und geht in die Appalachen mit der bewaldeten Blue Ridge (Mount Mitchell 2037 m ü.M.) und den Great Smoky Mountains über. Das Klima begünstigt den Anbau von Tabak, Baumwolle, Erdnüssen, Sojabohnen; Hühnerzucht, Fischereibetriebe. Bed. Ind. (Cellulose, Papier, Möbel, Bausteine, Textilien); Fremdenverkehr. – Seit 1653 durch Siedler aus Virginia erschlossen; bis 1691 Albemarle, dann N. C. gen.; wurde 1729 engl. Kronkolonie und 1789 12. Staat der Union.

North Dakota
Flagge

North Dakota ['nɔ:θ də'kəʊtə] (Norddakota), Abk. **N. D.,** Staat im Mittleren Westen der USA, 183119 km², (1995) 641400 Ew.; Hptst. ist Bismarck. N. D. liegt beiderseits des Missouri in der welligen Prärielandschaft der → Great Plains; das Gebiet des Red River ist sehr fruchtbar: Ackerbau (Getreide, Kartoffeln, Flachs), Rinderhaltung. Der Abbau von Braunkohle nimmt ab, die Erdöl- und Erdgasförderung steigt. – Der größte Teil des Gebiets kam 1803 im Louisiana Purchase von Frankreich an die USA, ein weiterer wurde 1818 vom brit. Kanada

Norwegen

Fläche: 323 895 km²
Einwohner: (1995) 4,337 Mio.
Hauptstadt: Oslo
Verwaltungsgliederung: 19 Provinzen (Fylker)
Amtssprache: Norwegisch
Nationalfeiertag: 17. 5.
Währung: 1 Norwegische Krone (nkr) = 100 Øre (Ø)
Zeitzone: MEZ

Staatswappen

N

Internationales Kfz-Kennzeichen

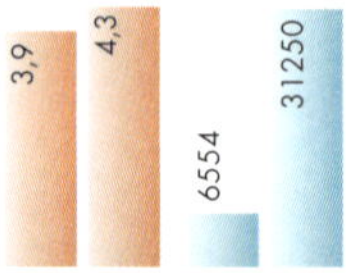

Bevölkerung (in Mio.)

Bruttosozialprodukt je Ew. (in US-$)

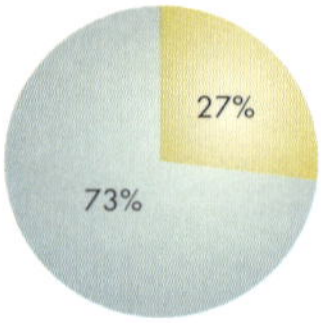

■ Stadt
■ Land

Bevölkerungsverteilung 1995

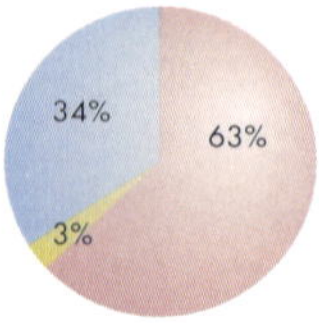

■ Industrie
■ Landwirtschaft
■ Dienstleistung

Bruttoinlandsprodukt 1995

abgetrennt; gehörte ab 1861 zum Dakota-Territorium und wurde 1889 (nach Abtrennung von South Dakota) der 39. Staat der Union.

Northeim, 1) Landkreis im RegBez. Braunschweig, Ndsachs., 1267 km², (1996) 153 900 Einwohner.

2) Kreisstadt von 1), Ndsachs., an der Rhume, 32 600 Ew.; Maschinenbau, Bekleidungs-, Schuh-, Gummi-, Papier- und Kunststoff verarbeitende Industrie. – Zahlr. Fachwerkhäuser des 16.–19. Jh., Stadtbefestigung (13.–15. Jh.), evang. St.-Sixti-Kirche (1464–1519). – Um 800 erstmals erwähnt, erhielt N. 1252 Stadtrecht.

Northern Mariana Islands, Commonwealth of the ['kɔmənwelθ əv ðə 'nɔ:ðn meərɪ'ænə 'aɪləndz], → Marianen.

Northern Territory ['nɔ:ðn 'terɪtərɪ] (Nordterritorium), Territorium des Austral. Bundes im N des Kontinents, 1 346 200 km², (1995) 172 200 Ew., davon rd. 35 000 Aborigines; Hptst. ist Darwin. Hinter dem flachen Küstengebiet dehnt sich nach S das Tafelland mit Inselgebirgen aus, die in den Macdonnell Ranges 1510 m ü. M. erreichen. Größte Bedeutung hat die Fleischrinderzucht (Export). Bergbau auf Uran, Bauxit, Nichteisenmetalle; Erdöl- und Erdgasförderung; Nahrungsmittel-, Textilind. und Maschinenbau.

North Island ['nɔ:θ 'aɪlənd], die N-Insel → Neuseelands.

North Lanarkshire ['nɔ:θ'lænəkʃɪə], Local Authority im S von Schottland, 474 km² (1995), 326 800 Ew.; Verw.sitz ist Motherwell.

Northrop ['nɔ:θrɔp], John Howard, amerikan. Biochemiker, *Yonkers (N. Y.) 5. 7. 1891, †Wickenberg (Ariz.) 16. 7. 1987; Prof. in New York und Berkeley (Calif.); arbeitete über Aufbau und chem. Kinetik von Proteinen und Enzymen, erhielt für die Reindarstellung von Enzymen 1946 mit J. B. Sumner und W. M. Stanley den Nobelpreis für Chemie.

Northumberland [nɔ:'θʌmbələnd], die nördlichste Cty. Englands, 5 032 km², (1991) 307 300 Ew.; Verw.sitz ist Morpeth.

Northumbria [nɔ:'θʌmbrɪə] (Northumbrien), das nördlichste der sieben angelsächs. Königreiche (→ Großbritannien und Nordirland, Geschichte).

Northwest Territories ['nɔ:θ'west 'terɪtərɪz] (Nordwestterritorien), Verw.gebiet im N Kanadas, 3 246 389 km², (1992) 57 600 Ew. (davon rd. 60 % Eskimo und Indianer); Verw.sitz ist Yellowknife; unterteilt in fünf Verw.regionen: Fort Smith, Inuvik, Kitikmeot, Keewatin und Baffin. Ein großer Teil des Landes wird vom Kanad. Schild eingenommen. Im N herrscht überwiegend Tundra vor, im S borealer Nadelwald; Pelztierfang; Bergbau auf Uran, Gold, Silber, Blei und Nickel; Erdöl- und Erdgasförderung.

North Yorkshire ['nɔ:θ 'jɔ:kʃɪə], Cty. in NO-England, 8 312 km², (1995) 730 600 Ew.; Verw.sitz ist Northallerton (9 600 Einwohner).

Norwegen (Norge, amtlich norweg. Kongeriket Norge, dt. Königreich N.), Staat in N-Europa, grenzt im S an die Nordsee (einschl. Skagerrak), im W an das Europ. Nordmeer (vor der mittelnorweg. Küste als N.-See bezeichnet), im N an die Barentssee, Landgrenzen bestehen mit Russland, Finnland und Schweden. Zu N. gehören außerdem Svalbard (→ Spitzbergen), die Bäreninsel (Bouvetøy) und Jan Mayen, Außenbesitzungen sind Bouvetinsel und Peter-I.-Insel, in der Antarktis beansprucht N. Königin-Maud-Land.

Staat und Recht: Nach der Verf. von 1814 (mehrfach geändert) ist N. eine konstitutionelle Erbmonarchie. Staatsoberhaupt und formal oberster Inhaber der Exekutive ist der König (seit 1990 männl. und weibl. Thronfolge möglich). Der Inhalt der königl. Beschlüsse, die vom Min.Präs. gegengezeichnet werden müssen, wird vom Staatsrat (Reg.) bestimmt. Die Reg. wird vom Monarchen ernannt und ist dem Parlament verantwortlich. Die Legislative liegt beim Einkammerparlament (Storting; 165 Abg., auf vier Jahre gewählt). Die Gesetzgebung erfolgt in zwei Instanzen: Im Odelsting (ein Viertel aller Abg.) werden die Ges. eingebracht, zur Verabschiedung werden sie dem

Lagting (drei Viertel der Abg.) zugeleitet. Der vom Parlament ernannte Ombudsmann hat die Aufgabe, die Rechte der Bürger zu wahren. Stärkste Partei ist die sozialdemokratisch ausgerichtete Arbeiterpartei; daneben spielen v.a. die Zentrumspartei, die Konservative Partei, die Christl. Volkspartei, die Sozialist. Linkspartei und die extrem konservative Fortschrittspartei eine Rolle.

Landesnatur: N. liegt im W der Skandinav. Halbinsel. Die N-S-Ausdehnung beträgt 1752 km, die größte O-W-Ausdehnung 430 km. Ein Drittel des Staatsgebiets liegt nördlich des Polarkreises. Die Küstenlänge beträgt mit Einbeziehung der Buchten und Fjorde rd. 21000 km (ohne diese 2650 km). Das Landesinnere wird durch weite Hochflächen bestimmt. Im W liegt das zentralnorweg. Gebirge, das nach W steil, nach O schwach abfällt und in dem die höchsten Erhebungen des Landes, Glittertind (2472 m ü.M.) und Galdhøppig (2469 m ü.M.), liegen. Die Küsten, denen zahlr. Schären und Inseln vorgelagert sind, sind durch Fjorde stark gegliedert. – Das Klima weist ausgeprägte Unterschiede zw. dem unter dem Einfluss des Norweg. Stroms (warme Meeresströmung im Europ. Nordmeer) stehenden W und dem kontinental beeinflussten O auf. Oslo hat in seiner geschützten Lage am Oslofjord mit 17,3 °C das höchste Julimittel Skandinaviens. Die Luvseite der Gebirge ist niederschlagsreich (Bergen 1960 mm/Jahr, dagegen in Oslo 740 mm, in Karasjok 340 mm). Plateaugletscher bedecken insgesamt 3900 km² des Landes. – Mittel- und Nord-N. gehören zum Nadelwaldgürtel, an der Skagerrakküste treten noch mitteleurop. Laubwälder auf.

Bevölkerung: Neben den Norwegern leben als Minderheiten Lappen und Finnen im Land, auf Spitzbergen auch Russen u.a.; bevorzugte Siedlungsräume sind die Küstenplattform, große Täler, Terrassen in den Fjorden sowie die flacheren Gebiete an der Küste oder im Landesinnern. 90% der Bev. gehören der evangelisch-luther. Staatskirche an. Es besteht neunjährige Schulpflicht. N. verfügt über vier Univ., zehn Hochschulen mit Univ.rang sowie fünf Kunst- und Musikhochschulen.

Wirtschaft, Verkehr: Nur rd. 3% des Staatsgebiets werden landwirtschaftlich genutzt; Anbau bes. von Futtergerste, ferner Hafer, Kartoffeln, Weizen. Bedeutender ist die Viehzucht (z.T. Seterwirtschaft [Almwirtschaft]). Im N wird Pelztierzucht (bes. Blaufüchse, Nerze) betrieben. Der Wald (26% der Fläche), vorwiegend in Privatbesitz, wird stark forstwirtschaftlich genutzt. N. ist ein führendes Land im Fischfang. Wichtig ist die Erdgas- und Erdölförderung in der Nordsee. Eisenerze werden im N abgebaut, Steinkohle auf Spitzbergen; zahlr. kleinere Vorkommen von Buntmetallerzen (Titan, Kupfer, Zink, Pyrit). Die Nutzung der reichen Wasserkräfte fördert v.a. die Elektrometallurgie (bes. Aluminiumproduktion) und elektrochem. Ind.; außerdem petrochem., Elektronik-, Metall-, Maschinen-, Werftind., Fisch- und Holzverarbeitung. Fremdenverkehr v.a. an der W-Küste (Fjorde). Ausgeführt werden v.a. Erdöl und Erdgas, Schiffe, Erze und Metalle, Holz, Papier und Papiermasse, Fische und Fischprodukte; Haupthandelspartner sind Schweden, Großbritannien und Dtl. – Große Bedeutung hat die Seeschifffahrt; mit (1994) 22,4 Mio. BRT besitzt N. die fünftgrößte Handelsflotte der Erde. Größte Häfen sind Tønsberg und Oslo; ferner Fredrikstad, Haugesund, Mo i Rana, Kristiansand, Stavanger, Bergen und Trondheim, für die Erzausfuhr Narvik und Kirkenes. Fährverkehr nach Großbritannien, Dänemark, Dtl. Die Küstenschifffahrt wickelt rd. 80% des Frachtaufkommens ab. Das Eisenbahnnetz ist 4023 km lang, das Straßennetz

Northeim 2) Stadtwappen

Norwegen: Der Geirangerfjord im Südwesten des Landes ist 16 km lang, bis zu 233 m tief und 600–1 000 m breit (links); Blick über das Gudbrandsdal, eine Tallandschaft im Osten Norwegens, mit der Stabkirche von Ringebu (am rechten Bildrand)

Norwegen, Schweden, Finnland - Wirtschaft

(beide v. a. im S gut ausgebaut) 90174 km. Internat. Flughäfen gibt es in Oslo (Fornebu), Bergen (Flesland) und Stavanger (Sola).

Geschichte: Bis zum 9. Jh. bestanden im Gebiet der Norweger versch. Kleinkönigreiche, die um 872 erstmals durch Harald I. Harfågre vereinigt wurden. Bis Mitte des 11. Jh. unternahmen die norweg. Wikinger zahlr. Raub-, Erkundungs- und Handelszüge, die sie bis nach England, NW-Frankreich, Grönland und an die nordamerikan. Küste führten. Das Christentum kam über England nach N. und wurde um 1000 von den Königen Olaf I. z. T. gewaltsam verbreitet. 1028 eroberte der dän. König Knut d. Gr. das Land und beherrschte es bis zu seinem Tod (1035). König Magnus I., der Gute (1035–47), festigte das norweg. Reich und konnte 1042 auch König von Dänemark werden. Harald III. fiel 1066 bei einem Eroberungszug in England. 1152/53 wurde Nidaros (Trondheim) norweg. Bischofssitz. Nach Bürgerkriegen im 12./13. Jh. konnte erst Håkon IV. 1247 das Reich wieder festigen; N. hatte in dieser Zeit seine größte territoriale Ausdehnung: Neben Teilen des heutigen Schweden, den Färöern, Hebriden, Orkneyinseln und der Insel Man waren auch Grönland (1261) und Island (ab 1262/64) norwegisch. Nach 1300 geriet N. zunehmend in wirtsch. Abhängigkeit von der Hanse, die seit 1236 in Bergen eine Niederlassung hatte. Der Pest von 1349/50 fielen große Teile der norweg. Bev. zum Opfer. Håkon V. (1299–1319) machte Oslo (Name 1624–1924 Christiania, seit 1877 in der Schreibung Kristiania) zur Hauptstadt N.s. Als mit seinem Tod das norweg. Königshaus im Mannesstamm ausstarb, ging die Krone an seinen Enkel Magnus VII. Eriksson (zugleich seit 1319 König von Schweden), der N. aber 1343 an seinen Sohn Håkon VI. abtreten musste. Olaf IV. Håkonsson (1380–87), der Sohn Håkons VI. und Margaretes (Tochter Waldemars IV. von Dänemark), war seit 1380 König von N. und Dänemark; damit wurde die bis 1814 bestehende dänisch-norweg. Union eingeleitet. Nach dem Tod Olafs (1387) wurde seine Mutter Margarete Nachfolgerin; durch den Sieg von Falköping (1389) über Albrecht von Schweden erhielt sie auch die schwed. Krone. 1397 vereinte Margarete N., Dänemark und Schweden in der →Kalmarer Union zu einem skandinav. Großreich (Wahl Erichs von Pommern zum 1. Unionskönig in Kalmar 1397, erst nach dem Tod Margaretes seit 1412 Alleinherrscher). 1450 wählte der norweg. Reichsrat Christian I. von Dänemark zum König (Unionsvertrag von Bergen); bis 1814 wurde N. von dän. Königen aus dem Hause Oldenburg regiert. 1536 wurde die Reformation in N. eingeführt, 1537 die norweg. Selbstverwaltung durch Christian III. aufgehoben. Im Gefolge der schwedisch-dän. Kriege verlor N. 1645 Jämtland und Härjedalen (Frieden von Brömsebro, 1645) und 1648 Bohuslän (Frieden von Roskilde, 1658) an Schweden. Friedrich III. setzte 1660 den Absolutismus durch.

Im 18. Jh. kam es zu Bauernaufständen (1765 »Strilekrieg« in der Gegend von Bergen, 1786 »Lofthusbewegung«). Nach den Napoleonischen Kriegen erreichte der schwed. Kronprinz Bernadotte (später König Karl XIV. Johann, →Karl 36) im Frieden von Kiel (1814) von Dänemark die Abtretung N.s (mit Ausnahme von Island, Grönland und den Färöern) an Schweden. Daraufhin beschloss eine gewählte Versammlung in Eidsvoll am 17. 5. 1814 eine liberale Reichsverf. und wählte den dän. Prinzen Christian Friedrich (→Christian 7) zum König von Norwegen. Der Einmarsch schwed. Truppen erzwang jedoch am 4. 11. 1814 die Anerkennung des schwed. Königs Karl XIII. als norweg. Monarchen; die Verf. von Eidsvoll wurde weitgehend beibehalten. In der Zeit der schwedisch-norweg. Union (1814–1905) verstärkten sich die norweg. Bemühungen um größere nat. Selbstständigkeit. Die Reg.zeit Karls XIV. Johann war geprägt von Auseinandersetzungen zw. der königl. Gewalt und dem Storting (Parlament), das 1821 die Abschaffung des Adels durchsetzte. 1884 errang die von J. Sverdrup geführte liberale Linke (Venstre) die Mehrheit im Storting und bildete die Reg. 1898 erhielten Männer das allg. Wahlrecht (1913 auch den Frauen zuerkannt). Zw. 1850/60 und 1914 wanderten rd. 1 Mio. Norweger nach Nordamerika aus.

Im Juni 1905 nahm das Storting die Ablehnung einer norweg. Gesetzesvorlage durch den König zum Anlass, die Union per Beschluss aufzulösen (am 13. 8. 1905 durch Volksabstimmung bestätigt), König Oskar II. dankte ab. Am 18. 11. 1905 wurde der dän. Prinz Karl aus dem Haus Glücksburg als Håkon VII. zum König von N. gewählt. Im Vertrag von Kristiania (1907) übernahmen das Dt. Reich, Frankreich, Großbritannien und Russland die Garantie für die Integrität von N. Im 1. Weltkrieg bewahrte N. trotz brit. Drucks und der Eröffnung des uneingeschränkten U-Boot-Kriegs durch Dtl. (1917) seine Neutralität. 1920 wurde Spitzbergen durch den Völkerbund N. zugesprochen. 1935 gelangte die Arbeiterpartei (gegr. 1887, Zusammenschluss mit den Sozialdemokraten 1927) an die Reg. (Min.Präs. J. Nygaardsvold). Im 2. Weltkrieg machte Hitler das norweg. Bemühen um Beibehaltung der Neutralität mit dem Einmarsch dt. Truppen in N. (9. 4. 1940) zunichte. Die norweg. Reg. und die königl. Familie gingen ins Exil nach London. 1942 bildete V. Quisling (Führer der faschist. »Nasjonal Samling«) eine von Reichskommissar J. Terboven abhängige Regierung.

Die Wahlen vom Okt. 1945 brachten der Arbeiterpartei die absolute Mehrheit, die sie (mit kurzer Unterbrechung) bis 1965 behauptete. 1957 bestieg Olaf V. den Thron. 1965–71 bildeten die bürgerl. Parteien eine Koalitionsreg. In den Parlamentswahlen seit den 1970er-Jahren dominierte die Arbeiterpartei; sie stellte 1971–72, 1973–81 und 1986–89 die Min.Präs. (u. a. 1976–81 O. Nordli, 1981 und 1986–89 G. Harlem Brundtland). Konservative Minderheitskabinette bestanden 1981–86 (K. Willoch) und 1989–90 (J. P. Syse). Nach dem Tod König Olafs V. (17. 1. 1991) wurde König Harald V. Staatsoberhaupt.

Außenpolitisch gab N. nach dem 2. Weltkrieg seine Neutralität auf und trat 1949 der NATO bei. Die Mitgliedschaft in diesem Bündnis sowie die Mitarbeit in der Europ. Freihandelsassoziation (EFTA) und im Nord. Rat bestimmt im Wesentlichen die Außenpolitik. Nachdem ein EG-Beitritt trotz Beitrittsempfehlungen der großen Parteien

Håkon VII.,
König von Norwegen
(1905–1957)

Olaf V.,
König von Norwegen
(1957–1991)

Harald V.,
König von Norwegen
(seit 1991)

im Sept. 1972 in einer Volksabstimmung abgelehnt worden war, schloss N. 1973 einen Freihandelsvertrag mit den EG. Die 1990 von G. Harlem Brundtland gebildete sozialdemokrat. Reg. sah neben der Bekämpfung der Arbeitslosigkeit und dem Umweltschutz in den 1990er-Jahren einen weiteren Schwerpunkt ihrer Politik in der seit dem Ende der 1960er-Jahre umstrittenen Europapolitik. Nachdem das Storting im Okt. 1992 den Vertrag über die Schaffung eines Europ. Wirtschaftsraumes (EWR) ratifiziert hatte, ersuchte die Reg. Harlem Brundtland im Nov. 1992 die EG formell um Aufnahme in diese Organisation. Parallel zu den Beitrittsverhandlungen der Reg. bildete sich eine parteienübergreifende Bewegung »Nein der EG«. Aus den Wahlen zum Storting (13./14. 9. 1993) gingen die Sozialdemokraten, in der Frage des EG-Beitritts gespalten, zwar weiterhin als stärkste Partei hervor, musste aber wie die konservative Høre, eine entschiedene Befürworterin des EG-Beitritts, Stimmeneinbußen hinnehmen. Die Zentrumspartei, einer der Hauptgegner des EG-Beitritts, konnte hingegen starke Stimmengewinne erzielen. Im Nov. 1994 lehnte die Bev. in einer Volksabstimmung den Eintritt ihres Landes in die EU erneut ab. Nach dem Zusammenbruch der Sowjetunion suchte N. zus. mit den anderen nord. Staaten die Zusammenarbeit mit Russland (1993 Bildung des Barentsrates). Der norweg. Außenmin. J. J. Holst vermittelte im Nahostkonflikt 1993 das Gaza-Jericho-Abkommen.

Gro Harlem Brundtland

Im Okt. 1996 trat G. Harlem Brundtland als Min.Präs. zurück. Ihr Nachfolger ist seit Okt. 1997 K. M. Bondevik (Christl. Volkspartei).

📖 LINDEMANN, R.: *N. Räuml. Entwicklungen in einem dünnbesiedelten Land. Stuttgart 1986.* – MIDGAARD, J.: *Eine kurze Geschichte N.s. A. d. Engl. Oslo ⁶1989.* – IMBER, W. *u.* TIETZE, W.: *N. Neuausg. Augsburg 1995.*

norwegische Kunst. Der Raum des heutigen Norwegen gehörte in der Frühzeit zum Bereich der skandinav. Tierstile. Die Zimmermannstechnik der Wikinger wurde für den Bau von →Stabkirchen fruchtbar; bed. u.a. Urnes am Lustrafjord (um 1060), Borgund (um 1150), Heddal (um 1250). Die Decken waren bemalt (erhalten u.a. in Torpo im Hallingdal, um 1280). Beim Steinbau schloss die n. K. sich sowohl in der Romanik (Dom von Stavanger, seit 1125) wie in der Gotik (Dom von Trondheim, 12./13. Jh.) engl. Vorbildern an. Von den profanen Bauten des MA. sind v.a. die Festungen Akershus in Oslo (um 1300), deren Inneres im 17. Jh. in ein Renaissanceschloss umgewandelt wurde, und Bergenhus in Bergen mit Håkonshalle (13. Jh.) und Rosenkranzturm (1562–68) zu nennen. Während der Gotik erlebte die Tafelmalerei eine Blüte (Antependien); bed. Zeugnisse roman. und got. Plastik besitzen u.a. das Dommuseum in Trondheim (Hl. Olaf aus Vaernes, um 1150) und das Histor. Museum in Bergen (Skulpturen aus Urnes, Ende 12. Jh.). Im 17./18. Jh. entwickelte sich die Volkskunst (Schnitzereien z.B. an Bauernhäusern und Kirchen sowie »Rosendekor«-Malerei).

Den Klassizismus vertraten die dän. Architekten Christian Henrik Grosch, der die Univ. in Oslo entwarf, und Hans Ditlev Frantz Linstow, nach dessen Plänen das dortige Schloss entstand. Der Historismus der Folgezeit gipfelte in einer Phase der »Nationalromantik«, die verschiedenste Einflüsse vereinigte (u.a. Arts and Crafts Movement, Neugotik, Jugendstil) und bis in die 1920er-Jahre andauerte. Sie wurde von einer kurzlebigen neoklassizist. Strömung abgelöst. Den Funktionalismus vertraten Nicolai Sivert Beer, Lars Thalian Backer, Ove Bang, Arne Korsmo u.a. Nach dem 2. Weltkrieg erlangten Knut Knutsen, Erling Viksjø, Nils Holter, Sverre Fehn, Johan Andreas Engh, Kjell Lund und Nils Slaatto Bedeutung. Die Landschaftsmalerei wurde von J. C. C. Dahl vertreten; ihm folgten T. Fearnley u.a. Sozialkrit. Züge prägt das Werk von Christian Krohg, der den Naturalismus in Norwegen einführte. Gerhard Munthe lieferte mit seinen Entwürfen für Bildteppiche einen bed. Beitrag zum Jugendstil. Auf dem Gebiet der Grafik traten v.a. Theodor Kittelsen und O. Gulbransson hervor; Letzterer gehörte in München zu den wichtigsten Mitarbeitern des Simplicissimus. Europ. Bedeutung erlangte die norweg. Malerei mit E. Munch, der nicht nur zu den Wegbereitern des Expressionismus zählt, sondern auch zu den Erneuerern der Wandmalerei (Aula der Univ. Oslo, 1910–16). Modernen Strömungen folgten nach dem 2. Weltkrieg u.a. Johannes Rian, Thore Heramb, Knut Rumohr, Ludvig O. Eikaas und Jakob Weidemann. In der norweg. Bildhauerei des 20. Jh. nimmt nach S. Sinding das Schaffen von G. Vigeland großen Raum ein (Freianlage und Museum im Frognerpark, Oslo). Bildhauer der jüngeren Generation wie Emil Carl Jonas Lie, Gunnar Tideman Janson und Stinius Fredriksen setzten sich mit seinem Werk auseinander, später traten Ornulf Bast, Per Hurum und Per P. Storm, nach 1945 bes. Hans J. Meyer, Arne Johan V. Gunnerud und Arnold Haukeland hervor.

📖 *Norweg. Künstler. Malereien, Skulpturen, Grafiken, Ausst.-Kat. Kunstsalon Wolfsberg, Zürich 1987.* – *Die Stabkirchen Norwegens, bearb. v.* Y. SAKUMA *u.* O. STORSLETTEN. *Freiburg im Breisgau u. a. 1993.* – *Knaurs Kulturführer in Farbe Norwegen, hg. v.* M. MEHLING. *München ³1994.*

norwegische Literatur. Die altnorweg. Lit. steht im engsten Zusammenhang mit der altisländ. (→altnordische Literatur). Die meisten »Eddalieder« stammen aus Norwegen. Im 12. und 13. Jh.

norwegische Kunst

1

2

3

4

5

| **1** Das um 1325 entstandene Antependium in der Domkirche von Trondheim zeigt Szenen aus dem Leben König Olafs II. Haraldsson, des Heiligen | **2** Iver Gunnersson, »Jakobs Traum«, Darstellung auf der Füllung eines Sakristeischränkchens (1. Hälfte 18 Jh.; Oslo, Norsk Folkemuseet) | **3** Die norwegische Botschaft in Stockholm wurde 1951 nach Plänen von Knut Knutsen erbaut | **4** Die auf das 12. Jh. zurückgehende Domkirche in Trondheim ist mit ihrer figurenreichen Westfassade das repräsentativste Architekturdenkmal der Gotik in Skandinavien | **5** Christian Krohg, »Leif Eriksson entdeckt Amerika« (1893; Oslo, Nasjonalgalleriet)

entstanden Gesetzessammlungen, Geschichtswerke, der »Königsspiegel« (um 1250). Ritterl. Epen wurden in Form der → Saga erzählt. Volksballaden (Folkevise) entstanden im 13.–15. Jh. – Mit der Reformation drang die dän. Schriftsprache ein (→ norwegische Sprache): Der begabteste Vertreter der Heimatdichtung des 17. Jh. ist P. Dass. L. Baron von Holberg vereinigte dänisch-norweg. Reichsgefühl mit der Liebe zur norweg. Heimat; ähnlich der Satiriker J. H. Wessel. Eine norweg. Nationallit. entwickelte sich seit etwa 1830. Hauptvertreter war H. A. Wergeland, der berühmteste norweg. Lyriker, der für die kulturelle Unabhängigkeit eintrat, während J. S. Welhaven von der dän. Romantik begeistert war. Die **Nationalromantik** (Å. O. Vinje, Jugendwerke von H. Ibsen und B. Bjørnson) basiert auf der Volksdichtung. Gefördert wurden die Bestrebungen einer Rückbesinnung auf die eigene kulturelle Vergangenheit von der Entwicklung des Landsmål (→ norwegische Sprache) und der nat. Geschichtsschreibung. – Mit dem Roman »Die Amtsmanns-Töchter« von Camilla Collett (1855), der Schwester Wergelands, die für das Recht der Frau eintrat, und dem gleichzeitigen Erscheinen von Lyrik und Prosa in Landsmål begann der **Realismus.** Um 1870 wandten sich die meisten Dichter unter dem Einfluss von G. Brandes der Problem- und Tendenzdichtung zu, die soziale und krit. Fragen erörtert. Mit seinen Gesellschaftsstücken begründete Ibsen eine moderne, gegenwartsbezogene Dramatik ; Bjørnson war die Leitfigur in den polit., moral. und kulturellen Fragen. Mit »Synnöve Solbakken« (1857) hatte er die bis in das 20. Jh. stilbildend wirkende Bauernerzählung geschaffen. Neben ihnen wirkten der feinsinnige K. M. Elster d. Ä., der witzig-geistvolle A. L. Kielland, der psychologisierende J. Lie. Die um 1880 hervortretende Generation betonte noch schärfer die Schattenseiten des Lebens **(Naturalismus):** Romane von Amalie Skram, H. Jæger.

Um 1890 vollzog sich, gefördert durch K. Hamsuns Roman »Hunger« (1890), G. Heibergs Dramen, die Märchensamml. »Troll« (1891/92) von J. Lie und Ibsens Wendung zum Symbolismus, eine Abkehr vom Naturalismus. Bjørnson, V. Krag, N. C. Vogt, S. Obstfelder erneuerten die Lyrik im Sinn der **Neuromantik.** Die gleiche Bedeutung wie Ibsen für das Drama gewann Hamsun für den Roman und begründete die **neurealist.** Erzählweise. Zu dieser Richtung gehören H. Aanrud, J. Bojer, J. P. Falkberget, K. O. Uppdal, O. Braaten, I. Krokann und z. T. Cora Sandel und T. Vesaas. Weltliterar. Bedeutung erlangten neben Hamsun auch O. Duuns Romane und die Werke von Sigrid Undset. Internat. bekannt wurde auch T. Gulbranssen. Zur Tradition der n. L. gehören bes. Sozialkritik und polit. Engagement. Nach dem 1. Weltkrieg beteiligten sich viele Schriftsteller (z. B. H. Krog, S. Hoel, A. Øverland) an den ideolog. Auseinandersetzungen. Schilderungen der Kriegsjahre und Gefangenschaft bieten M. Tau (dt. Emigrant), O. Nansen, P. Moen. Die dt. Besatzung wurde nach 1945 Zentralthema der n. L., als nat. Trauma deutlich im Prozess gegen Hamsun und in seinem Erinnerungsbuch, ebenso in den Romanen von J. Borgen, S. Hoel, S. Evensmo, K. Holt und T. Vesaas. In den 1960er-Jahren gewann die bis dahin eher in nat., religiösen, naturschwärmer. und sozialkrit. Traditionen verharrende Lyrik durch P. Brekke, S. Mehren und J. E. Vold den Anschluss an experimentelle europ. Tendenzen. Diese waren zuvor in die Romane von A. Mylke, J. I. Bjørneboe, G. B. Gundersen, A. Jensen und F. Alnæs eingegangen. Die experimentellen sozial-modernist. Tendenzen entwickelten sich seit den 1970er-Jahren, eingeleitet durch D. Solstads (Sozial-)Realismus, zu einer »innerl.« oder imaginativen und psychologisch orientierten Richtung (E. A. Økland, P.-H. Hausen, T. Å. Bringsværd, K. Faldbakken); daneben steht der poet. Erzählstil wie bei J. Kjærstad, K. Fløgstad und bes. bei H. Wassmo.

Norwich
Stadtwappen

Cyprian Norwid

📖 FRIESE, W.: *Nord. Barockdichtung. München 1968.* – FRIESE, W.: *Nord. Literaturen im 20. Jh. Stuttgart 1971.* – *Aspekte der skandinav. Gegenwartsliteratur, hg. v.* D. BRENNECKE. *Heidelberg 1978.* – *Nord. Literaturgeschichte, hg. v.* M. BRØNDSTED *u. a., 2 Bde. A. d. Dän. München 1982–84.* – *Präsentationen. Norweg. Gegenwartsautoren, hg. v.* K. BRYNHILDSVOLL. *Leverkusen 1990.* – *Grundzüge der neueren skandinav. Literaturen, hg. v.* F. PAUL. *Darmstadt* ^{2}*1991.*

norwegische Musik. Die n. M. ist durch Instrumentenfunde (→Lure) bereits für die german. Vorzeit belegt; später (frühe Zeugnisse in den Sagas) und bis in die jüngste Zeit gibt es eine lebendige Volksmusikpraxis unter besonderer Verwendung von Langleik (Griffbrettzither) und Hardangerfiedel. Mit der Christianisierung erfolgte die Übernahme des gregorian. Gesanges. Im 18. Jh. entwickelten sich Christiania (heute Oslo), Trondheim und Bergen zu Zentren aufblühenden Liebhabermusizierens und sinfon. Konzerte. Als Komponisten traten im 19. Jh. hervor: W. Thrane (erstes norweg. Singspiel, »Fjeldeventyret«, 1825), O. Bull (Volkslieder), H. Kjerulf (nat. Tendenzen unter Verwendung von Volksweisen), R. Nordraak (schrieb die Nationalhymne, 1864). Internat. Bedeutung erlangten J. S. Svendsen und C. Sinding, v. a. aber E. Grieg. Im 20. Jh. lassen sich neben einer nationalromant. Richtung im Sinne Griegs eine vom frz. Impressionismus beeinflusste, eine neoklassizist. und eine atonale Richtung unterscheiden. Zu den bed. Komponisten zählen u. a. F. Valen, E. Hovland, A. Nordheim, F. Mortensen, A. Janson.

Norwegische Rinne, bis zu 100 km breite Vertiefung (bis 725 m tief) der nordöstl. Nordsee vor der norweg. S-Küste.

norwegische Sprache. Die n. S. umfasst die beiden seit 1885 offiziell gleichberechtigten Schriftsprachen Norwegens, **Bokmål** (vor 1929 Riksmål) und **Nynorsk** (vor 1929 Landsmål). Beide Sprachen gehören zur nordgerman. Sprachengruppe: Das heute als Schreibsprache überwiegende Bokmål weist z. T. ausgeprägt ostnord. Züge auf, während das seit Mitte des 19. Jh. geförderte Nynorsk bes. auf jüngere Dialektstufen des Westnordischen (→altnordische Sprache) gestützt ist.

Das Mittelnorwegische (bis um 1550) unterlag schon früh dem Einfluss des Niederdeutschen, des Schwedischen und des Dänischen, das seit 1397 (Kalmarer Union) als Verw.sprache zunehmend Einfluss gewann. Durch die Reformation (1550 dän. Bibelübersetzung) und die Einführung des Dänischen als Unterrichtssprache (1739) wurde das Dänische zur Sprache der gebildeten Stände, es wurde allg. mit norweg. Lautung gesprochen. Die Wandlung zur Zweisprachigkeit (Beginn der Gesch. der modernen n. S.) erfolgte in der Zeit der Nationalromantik nach der Beendigung der Union mit Dänemark (1814). Eine Linie der Hinwendung zur Volkssprache zielte auf die »Norwegisierung« des in Norwegen gesprochenen Dänisch; Impulse dazu gingen v. a. von H. A. Wergeland, P. C. Asbjørnsen, J. Moe und Knud Knudsen aus. Dieses »Riksmål« wurde von Dichtern des 19. Jh. (H. Ibsen, B. Bjørnson, A. L. Kielland) aufgegriffen. Der Sprachwissenschaftler I. Aasen trat dagegen entschieden für eine Erneuerung der n. S. auf der Grundlage altertüml. (formenreicher) Dialekte ein. Seine Mitte des 19. Jh. erschienenen Arbeiten bildeten wichtige Grundlagen des »Landsmål«, das nach seinem Willen als »Norsk Folkesprog« das Riksmål ersetzen sollte. In der ersten Hälfte des 20. Jh. schlugen die Bemühungen, eine gemeinsame Landessprache (Samnorsk) zu schaffen, fehl. Nach Phasen des Angriffs auf das Bokmål als angeblich elitäre Sprache in den 1960er- und 1970er-Jahren kann das Verhältnis der beiden Sprachformen zueinander heute als stabilisiert gelten.

📖 SEIP, D. A.: *Norweg. Sprachgeschichte. A. d. Norweg. Berlin 1971.* – HAUGEN, E.: *Die skandinav. Sprachen. A. d. Engl. Neuausg. Hamburg 1984.*

Norwich ['nɔrɪdʒ], Hauptstadt der Cty. Norfolk, O-England, 122300 Ew.; regionales Kulturzentrum mit Univ., Zentralbiliothek und Museen; Leder- und Schuh-, chem., Nahrungsmittel- u. a. Ind., Maschinenbau. – Kathedrale im anglonormann. Stil (11./12. Jh.) mit Fächergewölbe (15. Jh.), normann. Burg (12. Jh., 1833–39 umgestaltet).

Norwid, Cyprian Kamil, poln. Dichter, *Laskowo-Głuchy (bei Warschau) 24. 9. 1821, †Paris 23. 5. 1883. Seine formal eigenwillige Lyrik nahm eine Sonderstellung in der poln. Romantik ein (»Vade-mecum«, 1865/66); auch Dramatiker.

Noscapin *das* (Narcotin, Narkotin), eines der Hauptalkaloide des Opiums mit der Summenformel $C_{22}H_{23}NO_7$; im Rohopium sind 5–6% N. enthalten; wirkt hustenstillend, erzeugt keine Sucht.

Nosean *der,* ein Mineral, →Sodalith.

Nosema [grch.], Gattung der Sporentierchen, deren Arten bes. an Insekten schmarotzen; Erreger der **Nosemaseuche** der Bienen und der **Fleckenkrankheit (Pebrine)** der Seidenraupe.

Noske, Gustav, Politiker (SPD), *Brandenburg an der Havel 9. 7. 1868, †Hannover 30. 11. 1946; 1906–18 MdR, warf 1919/20 als Mitgl. des Rates der Volksbeauftragten (Militärressort; Dez. 1918 bis Febr. 1919) sowie als Reichswehrmin. (Febr. 1919 bis März 1920) versch. Umsturzversuche nieder (z. T. mit umstrittenen Maßnahmen); 1920–33 Oberpräs. der Prov. Hannover; 1939 und 1944 in Haft.

Nosologie [grch.] *die,* Lehre von den Krankheiten, Teilgebiet der Pathologie.

Nossack, Hans Erich, Schriftsteller, *Hamburg 30. 1. 1901, †ebd. 2. 11. 1977; erhielt 1933 Publikationsverbot; gestaltete bes. in seinen frühen Werken Visionen von Untergang und Tod; verbindet in seiner Erzählprosa häufig Reales, Mythisches und Märchenhaftes (Romane: »Spätestens im November«, 1955; »Spirale«, 1956; »Der jüngere Bruder«, 1958; »Der Fall d'Arthez«, 1968; »Dem unbekannten Sieger«, 1969); schrieb auch Dramen und Essays; erhielt 1961 den Georg-Büchner-Preis.

Nosseiri|er, islam. Sondergemeinschaft, →Nusairier.

Nossen, Stadt im Landkr. Meißen, Sachsen, an der Freiberger Mulde, 6600 Ew.; Papier-, elektron., Lederind. – Das Schloss ist eine im Kern mittelalterl. Anlage (16./17. Jh. umgestaltet). Nahebei das ehem. Zisterzienserkloster **Altzelle** (um 1162 gegr., Ruine). – Urspr. slawisch, seit dem 12. Jh. dt. Burg mit Siedlung, 1376 als Städtchen bezeichnet.

Nostalgie [grch.] *die,* sehnsüchtiges Verlangen nach einer vergangenen Zeit, v. a. nach den darin vorgestellten Lebens- und Erfahrungsräumen.

Nöstlinger, Christine, österr. Schriftstellerin, *Wien 13. 10. 1936; verfasst populäre Kinder- und Jugendbücher: »Wir pfeifen auf den Gurkenkönig« (1972), »Man nennt mich Ameisenbär« (1986), »Feriengeschichten vom Franz« (1989), »Bonsai« (1997); schreibt auch Mundartlyrik.

Nostradamus, eigtl. Michel de Notredame, frz. Mathematiker und Astrologe, *Saint-Rémy-de-Provence (bei Tarascon-sur-Rhône) 14. 12. 1503, †Salon-de-Provence (bei Aix-en-Provence) 2. 7. 1566; Leibarzt Karls IX. Seine dunklen, immer wieder neu gedeuteten Prophezeiungen in gereimten Vierzeilern leben bis in die Neuzeit fort.

Ausgabe: Die Prophezeiungen des N., übers. u. neu gedeutet v. K. ALLGEIER ([24]1994).

📖 ALLGEIER, K.: *Die großen Prophezeiungen des N. in moderner Deutung. München [18]1993.*

Nostrifikation [lat.] *die, Recht:* 1) Einbürgerung; 2) die Anerkennung eines ausländ. Examens, Diploms im Inland.

Nostrokonto [italien. »unser Konto«], Konto, das eine Bank bei einer andern **(Nostrobank)** unterhält; Ggs.: →Lorokonto.

Notabeln [frz.], im Frankreich des Ancien Régime die vom König berufenen Mitgl. der N.-Versammlung, der seit dem 15. Jh. erweiterten Ratsversammlung des Königs; im 19. Jh. allg. für Männer von Amt, Vermögen und Bildung.

notabene [lat.], Abk. **NB,** beachte; übrigens.

Not|anzeige (Notifikation), *Recht:* →Wechsel.

Notar [lat.], als Organ der Rechtspflege unabhängiger Träger eines öffentl. Amtes (des **Notariats**), der zur Beurkundung von Rechtsvorgängen u. a. Aufgaben auf dem Gebiet der freiwilligen Gerichtsbarkeit und der vorsorgenden Rechtspflege berufen ist. Gesetzl. Grundlage ist die Bundesnotarordnung vom 24. 2. 1961 (durchgreifend geändert durch Ges. vom 29. 1. 1991), in den neuen Bundesländern (außer Berlin) VO über die Tätigkeit von N. in eigener Praxis vom 20. 6. 1990. N. werden von den Landesjustizverw. in begrenzter Anzahl bestellt. Sie müssen die Befähigung zum Richteramt haben und eine dreijährige Anwärterzeit als N.-Assessor durchlaufen. Es gibt, aufgrund histor. Strukturen unterschiedlich herausgebildet, hauptberufl.

Christine Nöstlinger

Nostradamus
(zeitgenössischer Kupferstich)

Gustav Noske

Hans Erich Nossack

N. (Nur-N.), Anwalts-N. (das Notariat wird neben dem Beruf des Rechtsanwalts betrieben) und Bezirks-N. (in Bad.-Württ., hier auch andere Ausbildungsvoraussetzungen möglich). Sie sind u.a. zuständig für die Beurkundung von Rechtsgeschäften, für die besondere Formvorschriften bestehen, z.B. bei Grundstücksangelegenheiten.

Bei der Ausübung seines Amtes ist der N. unparteiischer Betreuer der Beteiligten; im Rahmen der Beurkundungstätigkeit hat er ihnen gegenüber Prüfungs- und Belehrungspflichten. Für seine Tätigkeit berechnet der N. Kosten, die sich aus Gebühren und Auslagen zusammensetzen. Für Amtspflichtverletzungen haften N. Sie unterliegen der Dienstaufsicht durch die zuständigen Präs. der Land- und Oberlandesgerichte und sind in N.-Kammern zusammengeschlossen. – In *Österreich* ist das Notariatsrecht durch die Notariatsordnung vom 25. 7. 1871 mit zahlr. Novellen geregelt. Voraussetzung für die Ernennung zum N. sind ein abgeschlossenes jurist. Studium und die Notariatsprüfung. In der *Schweiz* ist die Rechtsstellung der N. kantonal bestimmt. Die N. sind voll- oder nebenamtl. Staatsbeamte oder freiberuflich tätig. In einigen Kantonen können N. gleichzeitig Rechtsanwälte sein.

notarielle Urkunde, Schriftstück, dessen Inhalt zur Erfüllung von gesetzl. →Formvorschriften oder zu Beweiszwecken durch einen Notar als vor ihm erklärt beurkundet wird. Der Beurkundungsakt muss bestimmte Erfordernisse nach dem Beurkundungs-Ges. vom 28. 8. 1969 erfüllen, insbesondere muss eine Niederschrift über die Verhandlung vor dem Notar aufgenommen werden, die von den Beteiligten zu unterschreiben ist. (→vollstreckbare Urkunde) – Für die Errichtung n. U. in *Österreich* gilt im Wesentlichen das Notariatszwangs-Ges. vom 25. 7. 1871. In der *Schweiz* bestimmt das Bundesrecht, welche Rechtsgeschäfte und Erklärungen in n. U. verfasst werden müssen; die Form der n. U. ist kantonal bestimmt.

Not|arztwagen, →Rettungswesen.

Notation [lat.] *die,* **1)** *Datenverarbeitung:* Festlegung der Reihenfolge von Rechenoperationen: Bei der **algebraischen N.** ist diese durch die mathemat. Reihen- und Rangfolgeregeln (Klammerausdruck, Punkt- vor Strichtrennung u.a.) bestimmt, bei der **polnischen N.** (von dem Polen J. Łukasiewicz entwickelt) dadurch, wie diese Operationen tatsächlich ausgeführt werden (klammerfreie Notation).

2) *Musik:* Notenaufzeichnung (→Noten).

3) *Schach:* Dokumentation von Schachpartien zur Kontrolle des Partieverlaufs bei Wettkämpfen.

Notbremse, Bremseinrichtung von Schienenfahrzeugen zum Auslösen einer Schnellbremsung im Gefahrenfall. Bei den Reisezugwagen der Eisenbahn wird der Bremsvorgang i. Allg. durch Entlüften der Hauptluftleitung ausgelöst. (→Eisenbahnbremsen)

Note [von lat. nota »Merkmal«], **1)** *Bildungswesen:* Bewertungsform schul. Leistungen (→Zensur), auch im Studium und bei Studienabschlüssen.

2) *Musik:* →Noten.

3) *Sport:* erreichte Punktzahl (z.B. im Skispringen) oder Teilbewertung (z.B. im Eiskunstlauf A-Note, B-Note).

4) *Völkerrecht:* jede förml. schriftl. Mitteilung, die eine Reg. einer anderen auf diplomat. Weg macht. Die unterzeichneten N. **(Notes signées)** werden von den nicht unterzeichneten **Verbal-N.** (kurze Zusammenfassung mündl. Besprechungen) unterschieden. Durch **Zirkular-N.** werden gleich lautende Mitteilungen an versch. diplomat. Vertretungen gegeben. Als **Kollektiv-N.** wird eine gemeinsame N. mehrerer Staaten an einen anderen Staat bezeichnet.

Notebook ['nəʊtbʊk; engl. »Notizbuch«] *das,* kleinere Ausführung eines tragbaren →Personalcomputers in »Notizbuchgröße« mit (Farb-)LCD-Bildschirm und wahlweise Netz- oder Akkubetrieb; Nachfolger des →Laptop. Die Grundfläche der N. hat die Größe DIN A4. In geschlossenem Zustand sind sie etwa 5 cm dick; ihr Gesamtgewicht liegt zw. 1,5 und 3,5 kg. Die Speicherkapazitäten von Hauptspeichern und Festplatten sind i. Allg. mit denen der Personalcomputer vergleichbar. Ausstattungsmerkmale sind z.B. 3½-Zoll-Disketten und/oder CD-Laufwerk, Schnittstelle für alternativen, externen Monitor, parallele Schnittstelle für Drucker, serielle Schnittstelle für Maus, Schnittstelle für Faxmodem oder →LAN. Statt einer Maus verfügen N. teilweise auch über eine Rollkugel **(Trackball)** oder ein **Joypad,** eine druckempfindl. Fläche zur Cursorsteuerung.

Noteć ['nɔtɛtɕ], Fluss in Polen, →Netze.

Noten, *Musik:* Zeichen zur schriftl. Festlegung von Tönen; ihre Gesamtheit heißt **N.-Schrift, Notation.** Die Tonhöhe wird ohne Rücksicht auf Halbtonschritte durch die fortlaufende Anordnung der N. auf Linien und Zwischenräumen, die relative Dauer der Einzeltöne durch die N.-Gestalt, die rhythm. Gruppierung und die Akzentlage durch Taktvorzeichen und Taktstriche (→Takt) wiedergegeben; Tempo, Tonstärke, Verzierungen, Artikulation u.a. werden durch schriftl. Zusätze oder besondere Zeichen ausgedrückt. Die (absolute) Tonhöhenbedeutung der Linien wird am Anfang durch einen →Schlüssel bestimmt. Zur Aufzeichnung der chromat. Halbtöne fis, cis, b, es usw. werden →Versetzungszeichen beigefügt; Versetzungszeichen am Anfang des Liniensystems (Vorzeichen) bezeichnen die →Tonart. Die zeitl. N.-Werte sind Ganze, Halbe, Viertel, Achtel, Sech-

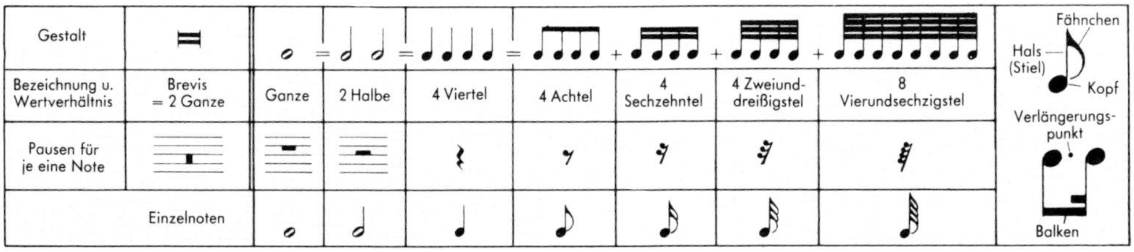

Noten: Notengestalt und Notenwert

zehntel usw.; außerhalb dieser steten Zweiteilung stehen punktierte N. (eineinhalbfacher Wert), Triolen, Quintolen usw. Jedem N.-Wert entspricht ein Pausenzeichen gleicher Dauer.

Geschichte: Die heutigen N. gingen aus den →Neumen hervor. Aus ihnen entwickelte sich die →Choralnotation. Daneben galten auch noch eine Buchstabentonschrift sowie die Verbindung von N.-Zeichen, Zahlen und Buchstaben (→Tabulatur) oder von Zahlen und N. (→Generalbass). Im frühen 13. Jh. entwickelte sich die →Modalnotation, vom 13. bis 16. Jh. die →Mensuralnotation, die nun auch die zeitl. Geltungsdauer genau angab. Die Ausprägung der Taktarten und -vorzeichnungen fand im 17. Jh. ihren Abschluss. Seit 1950 gewinnen neben der traditionellen N.-Schrift andere Arten der Aufzeichnung (z. B. für elektron. oder serielle Musik) an Bedeutung. (→musikalische Grafik, →Hörpartitur)

Notenbank (Zentralbank, Zentralnotenbank), Kreditinstitut, das neben dem Recht zur Notenausgabe (Notenausgabemonopol, -privileg) als Träger der Währungspolitik auch die Verantwortung für die gesamte Geld- und Kreditpolitik hat. Zur Erfüllung ihrer gesetzl. Aufgabe, das Geld- und Währungswesen v. a. auf eine Stabilerhaltung der Währung hin zu beeinflussen, bedient sich die N. bestimmter Maßnahmen **(N.-Politik),** bes. der Diskontpolitik (→Diskont), der Lombardpolitik (→Lombardgeschäft), der Mindestreservepolitik (→Mindestreserven), der →Offenmarktpolitik und der Swapsatzpolitik (→Swapgeschäft).

Geschichte: Die N. entstanden aus den »Zettelbanken«: Gold wurde zur Aufbewahrung gegen Depotscheine (Quittungen) angenommen, die von den Inhabern allmählich statt des Goldes als Zahlungsmittel verwendet wurden. Da die umlaufenden Quittungen (Banknoten) zunächst nur in einer mehr oder minder engen Beziehung zu der Goldmenge des Landes standen, kam es im 18. Jh. und zu Anfang des 19. Jh. zu zahlr. Noteninflationen. Die Noteninflation in England führte 1844 zum ersten N.-Ges. (→Bankakte). Damit wurde eine Entwicklung eingeleitet, die die N. zur bedeutsamsten geld- und währungspolit. Instanz machte, ebenso durch die entstehenden modernen Staaten, die bestimmten Banken die Verw. ihrer Gelder übertrugen und sie als Instrument des Staatskredits einsetzten. Auch die Depositenbanken unterhielten allmählich ihre Liquiditätsreserven bei den N., die dadurch zur »Bank der Banken« wurden und das Kreditgeschäft mit anderen Kreditinstituten pflegten. Seit Mitte des 19. Jh. hat sich eine weitgehende Selbstständigkeit der N. gegenüber dem Staat durchgesetzt. Ab 1999 sind die N. der EU-Staaten Bestandteil des Europ. Systems der Zentralbanken (→Europäische Zentralbank).

In Dtl. wurde als erste N. die →Reichsbank geschaffen. Die dem 1. Weltkrieg folgende Inflation führte zur Neuregelung im Bank-Ges. vom 30. 8. 1924. Unter der nat.-soz. Diktatur galt das Ges. über die Dt. Reichsbank vom 15. 6. 1939. Nach dem 2. Weltkrieg entstanden die Landeszentralbanken und die Bank deutscher Länder, aus der schießlich 1957 die →Deutsche Bundesbank hervorging. Weitere bed. N. sind die Bank von England, die Bank von Frankreich, die Bank von Japan, die Österreichische Nationalbank und die Schweizerische Nationalbank. In den USA wird die Funktion einer N. vom →Federal Reserve System ausgeübt.

🕮 PAPROTZKI, M.: *Die geldpolit. Konzeptionen der Bank von England u. der Deutschen Bundesbank. Frankfurt am Main u. a. 1991. – Die Deutsche Bundesbank. Geldpolit. Aufgaben u. Instrumente. Frankfurt am Main [6]1993. – Die Geldpolitik der Bundesbank. Frankfurt am Main 1995.*

Notendeckung, die früher (im Bank-Ges. von 1924) gesetzlich vorgeschriebene Bereitstellung von Mitteln (zunächst meist Gold, später auch Devisen, Wechsel u. a. Wertpapiere) zur Einlösung der zur Notenbank zurückströmenden Banknoten. Damit sollte eine zu große Ausdehnung des Notenumlaufs verhindert und so die Stabilität der Währung gesichert werden. Die N. ist heute nicht mehr vorgeschrieben (Demonetisierung des Goldes), weil inflationist. Tendenzen wirksamer durch eine entsprechende Wirtschaftspolitik vermieden werden.

Notendruck (Musikaliendruck), Druck von Musiknoten, kam fast gleichzeitig mit dem Buchdruck im 15. Jh. auf. 1487 wurde erstmals ein Werk in Blockdruck hergestellt, bei dem Noten und Linien reliefartig aus Holz herausgeschnitten wurden. Bald danach entwickelte sich der Druck mit bewegl. Typen. Beim **Notenstich,** der im Unterschied zum Blockdruck auf dem Tiefdruckprinzip basiert, werden in Platten aus einer Blei-Zinn-Antimon-Legierung mit dem fünfzinkigen Rastral die Notenlinien gezogen, dann die unveränderl. Zeichen und ein eventueller Text mit Stempeln eingeschlagen, die veränderl. Zeichen mit Sticheln eingraviert (gestochen). Nach Umkopieren erhält man die Druckplatte für den Offsetdruck. Heute dient als Druckvorlage meist ein mit vorgefertigten Schablonen hergestelltes Notenbild **(Notasetverfahren)** oder Notenbilder werden im Lichtsatz gefertigt.

Notgeld: Die Notklippe aus der Zeit der Belagerung von Jülich (1610) wurde aus dem silbernen Tafelgeschirr Moritz' von Oranien hergestellt, dessen Wappen sich auf der Rückseite (rechts) befindet; der Wert von neun Talern wird durch die Punzen V und IIII ausgedrückt

Notenprivileg (Notenmonopol), das einer Bank vom Staat verliehene ausschl. Recht der Notenausgabe; liegt heute i. d. R. bei den Notenbanken. (→ Deutsche Bundesbank)

Notenschlüssel, *Musik:* → Schlüssel.

Notenstich, → Notendruck.

Noten|umlauf, die Menge der im Verkehr befindl. Banknoten; Teil der → Geldmenge.

Notepad ['nəʊtpæd; engl. »Notizblock«] *das,* kleiner Computer in »Notizblockgröße« für mobile Anwendungen (Gewicht unter 500 g). Wesentl. Merkmal der N. besteht darin, dass sie sich ohne die sonst übl. Tastatur bedienen lassen. Stattdessen besitzen sie ein berührungsempfindl. Display, auf dem bestimmte Funktionen per Fingerdruck ausgewählt oder Zeichen und Texte handschriftl. mit einem Spezialstift eingegeben werden.

Notfall|ausweis, vom Bundesministerium für Gesundheit und vom Dt. Grünen Kreuz herausgegebenes Dokument, in dem die Personalien und wichtige gesundheitsbezogene Daten wie Blutgruppe, Impfungen oder z. B. Vermerke über Risikofaktoren (Allergie, Organtransplantation, Herzschrittmacher) und medikamentöse Langzeitbehandlungen vom Arzt eingetragen werden können. Die verpflichtende Einführung eines **Gesundheitspasses** scheiterte an den Problemen des Datenschutzes.

Notfrist, *Zivilprozessrecht:* als solche ausdrücklich bezeichnete gesetzl. Frist (§ 223 Abs. 3 ZPO), die weder durch Parteivereinbarung noch durch behördl. Anordnung verlängert oder gekürzt werden kann, z. B. Frist zur Einlegung der Berufung. Gegen ihre Versäumung ist in Ausnahmefällen → Wiedereinsetzung in den vorigen Stand möglich.

Notgeld, von Staat, Gemeinden oder privaten Unternehmen zur Überbrückung eines Mangels an gesetzl. Zahlungsmitteln ausgegebenes Geld. Feld- oder Belagerungsmünzen sind seit dem 16. Jh. bekannt; sie wurden oft als **Notklippen** ausgegeben. Benötigt wurden sie zu Soldzahlungen oder zur Aufrechterhaltung des Geldverkehrs in der belagerten Stadt. Es sind meist flüchtig gearbeitete Münzen, die aber i. d. R. den vollen inneren Wert an Edelmetall aufweisen. Die Notklippen wurden in einigen Fällen (z. B. Belagerung von Jülich, 1610, und Landau in der Pfalz, 1702 und 1713) einfach durch Zerschneiden von silbernem Tafelgeschirr und Einpunzieren des Wertes hergestellt. In Dtl. waren die Jahre 1918–22 der Höhepunkt der N.-Ausgabe, die v. a. durch den erhöhten Kleingeldbedarf und das Einschmelzen der Kupfer- und Nickelmünzen für den Bedarf der Rüstungsindustrie bedingt war.

Notgemeinschaft der deutschen Wissenschaft, Vorgängerin der → Deutschen Forschungsgemeinschaft e. V. (gegr. 1920).

Nothelfer, in der kath. Volksfrömmigkeit Bez. für Heilige, die in bestimmten (Not-)Situationen um Hilfe angerufen werden; in Dtl. (seit dem 14. Jh.) v. a. die **14 N.:** Achatius, Ägidius, Blasius, Christophorus, Cyriacus, Dionysius, Erasmus, Eustachius, Georg, Pantaleon, Vitus sowie Barbara, Katharina und Margareta.

Nothilfe, → Notwehr.

Notierung (Notiz), Ermittlung und Festsetzung des amtl. Börsenpreises für Wertpapiere, Devisen und vertretbare Waren (→ Kurs).

Nötigung, *Strafrecht:* die rechtswidrige Bestimmung eines anderen (durch Gewalt oder Drohung mit einem empfindl. Übel) zu einer Handlung, Duldung oder Unterlassung; strafbar nach § 240 StGB mit Freiheitsstrafe bis zu drei Jahren oder Geldstrafe. Die N. ist dann rechtswidrig, wenn die Anwendung der Gewalt oder die Androhung des Übels zu dem angestrebten Zweck als verwerflich (also als nicht angemessen) anzusehen ist (Zweck-Mittel-Relation). – In *Österreich* ist die N. in den §§ 105, 106 StGB, in der *Schweiz* im Art. 181 StGB geregelt.

Bernt Notke: Schutzheiliger am Triumphkreuz im Lübecker Dom (1477)

Notke, Bernt, Bildschnitzer und Maler, * Lassahn (bei Hagenow) um 1436, † Lübeck 1508 oder 1509; ab 1467 in Lübeck nachweisbar, 1483 ging er nach Schweden; ab 1498 wieder in Lübeck bezeugt, wo er eine große Werkstatt unterhielt, die das gesamte Ostseegebiet belieferte. In seinem

Hauptwerk, der St.-Georg-(Jürgen-)Gruppe (St.-Nikolai-Kirche, Stockholm; vollendet 1489) verbindet sich dekorative Pracht mit realist. Darstellung und einer neuartigen Plastizität.

Notker, Mönche der Benediktinerabtei St. Gallen: **1) N. Balbulus** [lat. »der Stammler«], Dichter, *in oder bei Jonschwil (Kt. St. Gallen) um 840, †St. Gallen 6. 4. 912; schrieb lat. Hymnen; seine etwa 40 Sequenzen waren von großem Einfluss auf die mittelalterl. dt. Dichtung; verfasste um 885 die anekdot. »Gesta Karoli Magni«, in denen er Karl d. Gr. bereits als myth. Herrscher idealisierte.

2) N. III. Labeo [lat. »der Großlippige«], auch N. der Deutsche (Teutonicus), Mönch und Lehrer, *um 950, †29. 6. 1022; Neffe Ekkehards I. und Lehrer Ekkehards IV. Seine für den Unterricht an der Klosterschule bestimmten Übersetzungen in ahd. Sprache gelten als bedeutsamste deutschsprachige Leistung seiner Zeit. Er entwickelte eine strikt phonetisch orientierte Systematisierung des Alemannischen als Schriftsprache **(notkersches Anlautgesetz).**

Not|opfer Berlin, 1949–58 in der Bundesrep. Dtl. erhobene Sondersteuer zur Finanzierung zusätzl. Hilfeleistungen für Berlin (West). Das N. B. wurde durch Steuermarken auf Postsendungen (bis 1956) und als Ergänzungsabgabe zur Einkommen- und Körperschaftsteuer für natürl. Personen (bis 1956) und jurist. Personen (bis 1958) erhoben.

Notre-Dame de Paris [nɔtrəˈdam dəpaˈri], Name der Maria geweihten Kathedrale von Paris, ein früher Höhepunkt der got. Baukunst (1163 ff., vollendet in der 1. Hälfte des 13. Jh.); fünfschiffige Basilika mit doppeltem Chorumgang und Kapellenkranz (ab 1246/47), Querhaus und doppeltürmiger Westfassade. Für die Kathedralgotik vorbildlich wurde v.a. die Westfassade (vollendet im 2. Viertel des 13. Jh.) mit ihrer Ausgewogenheit von Vertikal- und Horizontalgliederung, mit Königsgalerie und Rosenfenster; bed. Bauplastik v.a. an den drei Westportalen (um 1220).

Not|reife, das vorzeitige und daher unvollständige Reifen von Samen und Früchten, bes. von Getreide infolge unterbrochener Wasserzufuhr.

Not|ruf, jeder mündlich oder nachrichtentechnisch übermittelte Hilferuf, der einen eingetretenen Notfall einer Hilfsstelle meldet; i. e. S. die Verständigung der Polizei, Feuerwehr, Unfallrettung u.a. über öffentl. oder nichtöffentl. Fernmeldenetze, auch durch →Notsignale oder →Fernsprechnotrufsäulen. Im Fernsprechnetz der Dt. Telekom ist die **Kurzrufnummer** 110 für Polizei (Notruf) und 112 für Feuerwehr (Rettungsleitstelle) in allen Ortsnetzen einheitlich eingeführt.

Notschlachtung, die unverzügl. Schlachtung von landwirtschaftl. Haustieren aus zwingenden Gründen (z. B. wegen einer Erkrankung).

Notsignale, international gültige Zeichen zur Anforderung von Hilfe in Notsituationen (akust., opt. und Funksignale). **See-N.** sind neben akust. Signalen (z. B. Dauerton mit Schiffssirene oder Nebelhorn) die opt. Signale, z. B. das Flaggensignal »N« über »C«, ein Ball über Kugel oder Flagge, rote Flammensignale, orangerote Rauchsignale, Fallschirmrakete, »SOS« in Morsezeichen (als Lichtsignal), ferner die auf einer Notfrequenz ausgestrahlten Funk-N.: »SOS« im Telegrafieverkehr, das Wort »Mayday« im Funksprechverkehr (auch in der Luftfahrt verwendet). – **Alpine N.** werden bei Bergnot gegeben: Laut-, Wink- oder Lichtzeichen sechsmal in der Minute, nach einer Minute Pause wird die Signalfolge wiederholt.

Notstand, 1) *allg.:* ein Zustand unmittelbarer Gefahr für rechtlich geschützte Interessen, der nur durch Verletzung eines fremden Rechtsguts abgewendet werden kann.

2) *öffentl. Recht:* (polizeilicher N.) eine Lage, in der eine eingetretene oder unmittelbar bevorstehende Gefahr für die öffentl. Sicherheit und Ordnung nur durch Maßnahmen gegen einen Unbeteiligten (Nichtstörer) beseitigt werden kann. Die Maßnahmen müssen sich auf das unumgängl. Maß beschränken. Der Betroffene kann eine Entschädigung für seine Nachteile und Aufwendungen verlangen.

3) *Staatsrecht:* →Notstandsverfassung.

4) *Strafrecht:* ein zur Straflosigkeit führender Rechtfertigungs- oder Schuldausschließungsgrund für eine an sich strafbare Handlung. Unterschieden wird zw. rechtfertigendem und entschuldi-

Notre-Dame de Paris: Die im 13. Jh. vollendete doppeltürmige Westfassade wurde mit ihrer Ausgewogenheit von Vertikal- und Horizontalgliederung Vorbild für viele nachfolgende gotische Kathedralen

gendem N. Beiden gemeinsam ist, dass die Tat zur Abwehr einer gegenwärtigen, nicht anders abwendbaren Gefahr für Leben, Leib oder Freiheit der eigenen oder einer anderen Person erfolgt. Beim **rechtfertigenden N.** (§34 StGB) ist auch jedes andere Rechtsgut (bes. Ehre, Eigentum) geschützt, jedoch muss bei angemessenem Mittel das geschützte Rechtsgut gegenüber dem beeinträchtigten wesentlich überwiegen, z.B. Verletzung der Schweigepflicht des Arztes (§203 StGB), um andere vor Ansteckung zu warnen. Beim **entschuldigenden N.** (§35 StGB) bleibt der Täter – trotz vorliegender Rechtswidrigkeit der Tat – straflos, wenn ihm nicht zugemutet werden konnte, die Gefahr hinzunehmen. Nimmt der Täter irrig Umstände eines N. an **(Putativ-N.),** wird er nur dann bestraft, wenn er den Irrtum vermeiden konnte. Ein **übergesetzl. N.,** bei dem die gesetzlich normierten Rechtfertigungs- bzw. Schuldausschließungsgründe des N. nicht vorliegen, aber gleichwohl die »Nachsicht des Rechts« vom Täter gefordert wird, wird von der Rechtsprechung nicht, von der Wiss. nur z.T. anerkannt. Ein eigenes Problem bildet der »Befehls-N.« von Soldaten im Spannungsfeld zw. Gewissen und → Gehorsamspflicht.

5) *Zivilrecht:* eine Zwangslage, bei der zur Abwendung einer drohenden Gefahr folgende Einwirkungen zulässig sind: a) auf fremde Sachen, von denen aber keine Gefahr ausgeht (**Nothilfe, aggressiver N.,** §904 BGB; z.B. Benutzung eines fremden Kahns zur Rettung eines Ertrinkenden), b) gegen die eine Zwangslage verursachenden Sachen (**Sachwehr, defensiver N.,** §228 BGB; z.B. Verwendung eines fremden Gegenstandes, um sich gegen einen angreifenden Hund zu wehren). – Zivilrechtl. N.-Handlungen sind nicht rechtswidrig. Der Schaden muss in einem angemessenen Verhältnis zu dem geschützten Rechtsgut stehen; der Eigentümer der fremden Sache ist i.d.R. zu entschädigen. – Ähnl. Vorschriften bestehen in *Österreich* und der *Schweiz.*

Notstandsgebiet, Landesteil, in dem Lebensbedingungen und Wirtschaftsgefüge nachhaltig erschüttert sind, z.B. durch Naturkatastrophen oder eine wirtsch. nachteilig wirkende Grenzziehung.

Notstandsgesetze, → Notstandsverfassung.

Notstandsverfassung, die verfassungsrechtl. Regeln, nach denen die Staatsorgane zur Abwehr besonderer Notlagen ermächtigt werden. Die N. wird durch einfache Notstandsgesetze (insbesondere Gesetze zum Zivilschutz, die → Sicherstellungsgesetze, Gesetz zur Beschränkung des Brief-, Post- und Fernmeldegeheimnisses) näher ausgestaltet. Da das GG urspr. nur wenige und lückenhafte Bestimmungen enthielt, auf deren Grundlage die Staatsorgane Notsituationen begegnen konnten, wurde am 24. 6. 1968 das 17. Ges. zur Ergänzung des GG verabschiedet, das Regelungen für den äußeren Notstand (Verteidigungs- und Spannungsfall) und den inneren Notstand (innere Unruhen und Naturkatastrophen) enthält und mit dem zugleich die alliierten Eingriffsrechte erloschen. Ein Ausnahmezustand ist dem GG fremd. Der **Verteidigungsfall** kann vom Bundestag mit Zweidrittelmehrheit und unter Zustimmung des Bundesrates festgestellt werden, wenn das Bundesgebiet mit Waffengewalt angegriffen wird oder ein solcher Angriff unmittelbar droht. In extremen Ausnahmefällen kann die Feststellung vom → Gemeinsamen Ausschuss getroffen werden. Während des Verteidigungsfalls sind die Gesetzgebungskompetenzen des Bundes erweitert und das Gesetzgebungsverfahren vereinfacht; die Befehls- und Kommandogewalt über die Streitkräfte geht auf den Bundeskanzler über, die Berufsfreiheit ist eingeschränkt (→ Dienstverpflichtung). Vor Eintritt des Verteidigungsfalls kann der Bundestag den **Spannungsfall** feststellen.

Die parlamentar. Kontrollinstanzen bleiben bestehen, Neuwahlen finden daher nicht statt; die Funktionsfähigkeit des Bundesverfassungsgerichts ist zu erhalten. Mit Zustimmung des Bundesrats kann der Bundestag den Verteidigungsfall jederzeit für beendet erklären.

Beim **inneren Notstand** handelt es sich um die Abwehr drohender Gefahren für den Bestand oder die freiheitl. demokrat. Grundordnung des Bundes oder eines der Länder, die von innen her drohen (Art. 91 GG). Das betroffene Land kann zu diesem Zweck u.a. Polizeikräfte anderer Länder und Bundesgrenzschutzeinheiten anfordern. Das Recht auf Freizügigkeit kann eingeschränkt werden.

Ist das Land nicht selbst zur Bekämpfung der Gefahr bereit oder in der Lage, kann die Bundes-Reg. die Polizei und zusätzlich Polizeikräfte anderer Länder ihren Weisungen unterstellen sowie Einheiten des Bundesgrenzschutzes einsetzen und notfalls den betroffenen Landesregierungen Weisungen erteilen. Sie darf erforderlichenfalls auch die Bundeswehr zum Schutz ziviler Objekte und gegen organisierte und militärisch bewaffnete Aufständische einsetzen (Art. 87a Abs. 4 GG). Der Einsatz von Streitkräften ist jedoch einzustellen, wenn Bundestag oder Bundesrat es verlangen.

Ähnl. Regelungen wie im inneren Notstand gelten im **Katastrophenfall** bei Eintritt einer Naturkatastrophe oder eines bes. schweren Unglücksfalls (Art. 35 Abs. 2 und 3 GG).

Im Zuge der Verabschiedung der N. wurde das → Widerstandsrecht (Art. 20 Abs. 4) in das GG aufgenommen. Von den Regelungen der N. getrennt zu betrachten ist der → Gesetzgebungsnotstand.

Notstrom|aggregat, Stromquelle, die aus einem von Verbrennungsmotoren angetriebenem Generator oder einer Batterie mit Wechselrichter besteht und bei Netzausfall automatisch eingeschaltet wird. N. übernehmen die Versorgung wichtiger Verbraucher (z.B. in Krankenhäusern, Flughäfen, Bahnhöfen).

Not|taufe, →Taufe.

Not|testament, →Testament.

Nottingham ['nɔtɪŋəm], Hauptstadt der Cty. Nottinghamshire, Mittelengland, am Trent, 273000 Ew.; Univ., Polytechnikum, Museen; traditionelle Spitzenherstellung; Maschinen- und Fahrzeugbau, Textil-, chem., Nahrungsmittel- u.a. Industrie. – Burg (urspr. 11.Jh., Neubau im 17.Jh.) mit Museum und Gemäldegalerie. – Im 6.Jh. erstmals erwähnt.

Nottinghamshire ['nɔtɪŋəmʃɪə], Cty. in Mittelengland, 2161 km², (1995) 1,032 Mio. Ew.; Hauptstadt ist Nottingham.

Nottuln, Gemeinde im Kr. Coesfeld, NRW, am S-Hang der Baumberge, 18300 Ew.; Baustoffindustrie. – Spätgot. Hallenkirche im ehem., im 9.Jh. gegr. Damenstift.

Notturno [italien. »Nachtstück«] *das* (frz. Nocturne), in der Musik des 18.Jh. ein mehrsätziges Instrumentalwerk, ähnlich der →Serenade; in der romant. Klaviermusik des 19.Jh. ein einsätziges Klavierstück träumer. (J. Field, F. Chopin) oder unheiml. Charakters (R. Schumann). C. Debussy komponierte »Trois nocturnes« (für Orchester).

Notverkauf, der →Selbsthilfeverkauf.

Notverordnung, gesetzesvertretende Verordnung, mit der die Reg. aufgrund verfassungsrechtl. oder gesetzl. Ermächtigung in Fällen besonderer Dringlichkeit oder bei akuten Notsituationen dem Gebiet der Gesetzgebung vorbehaltene Materien ohne vorherige Mitwirkung des Parlaments regeln kann. – Besondere Bedeutung erlangten N. in der Anfangs- und Endphase der Weimarer Republik. Die Weimarer Verf. von 1919 bot die Möglichkeit zu N. aufgrund von Ermächtigungs-Ges. (v.a. 1923/24 zur Überwindung der Inflation genutzt) bzw. gemäß Art. 48 (»Diktaturparagraph«, nach dem der Reichspräs. die »zur Wiederherstellung der öffentl. Sicherheit und Ordnung notwendigen Maßnahmen« treffen konnte); von letzterem wurde zw. 1930 und 1933 oft Gebrauch gemacht. – Die Verf. der Bundesrep. Dtl. sieht kein vergleichbares Recht zum Erlass von N. vor, sondern nur ein vereinfachtes Gesetzgebungsverfahren gemäß Art. 115d GG. (→Gesetzgebungsnotstand)

Das *österr.* Bundesverfassungs-Ges. (Art. 18) regelt ein sehr kompliziert gestaltetes N.-Recht für den Bundespräs.; auch die Landesreg. verfügen über ein entsprechendes N.-Recht für ihren Bereich. Der Bundesrat der *Schweiz* kann, gestützt auf die polizeil. Generalklausel und im Rahmen von Art. 102 Ziff. 10 Bundesverf., zur Wahrung der inneren Sicherheit, polizeil. N. erlassen.

Notweg, der Durchgang von einem Grundstück (ohne Verbindung zu einem öffentl. Weg) über Nachbargrundstücke zu einem öffentl. Weg. Der N. ist gegen Zahlung einer Geldrente zu dulden (§917 BGB, →Nachbarrecht).

Notwehr, *Recht:* die zur Abwehr eines gegenwärtigen, rechtswidrigen Angriffs erforderl. Verteidigung (§32 StGB; §227 BGB). Die N. ist nicht rechtswidrig und daher weder strafbar noch zivilrechtlich unerlaubt; sie umfasst die Verteidigung gegen Angriffe auf Leib und Leben sowie auf andere Rechtsgüter (z.B. Vermögen) und ist nicht nur dem Angegriffenen, sondern zu dessen Schutz auch jedem anderen gestattet **(Nothilfe).** Eine Güterabwägung ist grundsätzlich nicht erforderlich (Grundsatz: »Das Recht braucht dem Unrecht nicht zu weichen«). Überschreitet der Verteidiger das zur Abwehr erforderl. Maß aus Bestürzung, Furcht oder Schrecken **(N.-Exzess),** z.B. tötet er, wo ein Zurückstoßen genügt, so ist er straflos. Wird irrtümlich eine N.-Situation angenommen (Putativ-N.), kommen die Regeln über den →Irrtum zur Anwendung. – In *Österreich* (§3 StGB) und in der *Schweiz* (Art. 33 StGB, Art. 52 Abs. 1 OR) ist die N. ähnlich geregelt.

📖 RENZIKOWSKI, J.: *Notstand u. N. Berlin 1994.*

Nottingham
Stadtwappen

Notwendigkeit, eine der Modalitäten. **Log. N.** einer Aussage liegt vor, wenn ihre Negation einen Widerspruch erzeugt; **ontolog. N.** eines Sachverhalts, wenn dieser so sein muss, wie er ist; **kausale N.** eines Ereignisses, wenn, unter Voraussetzung der Gültigkeit von Kausalgesetz und anwendbarem Naturgesetz, das Ereignis als Wirkung notwendigerweise aus einem anderen als Ursache folgt; **metaphys. N.,** wenn ein Prädikat einem Ding notwendigerweise zukommt, da es sich um eine Wesenseigenschaft handelt.

Not|zucht, veraltet für: →Vergewaltigung.

Nouadhibou [nuadi'bu] (bis 1969 Port-Étienne), Hafenstadt in Mauretanien, an der O-Küste der Halbinsel von Kap Blanc, 59200 Ew.; Meerwasserentsalzungsanlage; Fischereihafen, Fischfang und -verarbeitung, Erdölraffinerie, Elektrostahlwerk, internat. Flughafen.

Nouakchott [nwak'ʃɔt], Hauptstadt von Mauretanien, 4km vom Atlantik in der Sahara, 480400 Ew.; Univ., Nationalmuseum, -bibliothek; Zuckerraffinerie; Meerwasserentsalzungsanlage; 10 km entfernt der neue Tiefwasserhafen; internat. Flughafen.

Nougat ['nu:gat; frz., zu lat. nux »Nuss«] *der* oder *das* (Nugat), 1) feine cremige Masse aus Haselnüssen oder Mandeln, Zucker, Kakao; 2) (N. Montélimar, türkischer Honig), helle Masse aus

Nouveau Roman: Die in den 1950er-Jahren entstandene Aufnahme zeigt die Schriftstellerin Nathalie Sarraute bei einem Treffen mit Samuel Beckett (dritter von rechts) und einigen Vertretern des Nouveau Roman; Alain Robbe-Grillet, Claude Simon, Claude Mauriac, Jérôme Lindon, Robert Pinget und Claude Ollier (von links nach rechts)

Zucker, Eiweiß und Gelatine, versetzt mit kandierten Früchten, Nüssen und Mandeln.

Nouméa [nume'a], Hauptstadt des frz. Überseeterritoriums Neukaledonien, 65100 Ew.; kath. Erzbischofssitz; botan. Garten, Zoo, Meeresaquarium; Nickelhütte; Hafen, internat. Flughafen.

Nous [nu:s, grch.] *der, Philosophie:* → Nus.

Nouveau Réalisme [nu'vo rea'lizmə, frz.] *der* (Neuer Realismus), von Künstlern um den Kritiker P. Restany 1960 begründeter Realismusbegriff, der auf Ideen des Dadaismus basiert (daher auch als »Neodadaismus« bezeichnet). Die Vertreter dieser Bewegung (Arman, R. Hains, F. Dufrêne, Y. Klein, J. Tinguely, J. M. de Villeglé, M. Raysse, D. Spoerri, César, Christo, Niki de Saint Phalle) schufen Readymades, Assemblagen, Akkumulationen, Decollagen u.a. unter Verwendung realer Gegenstände (Fundstücke, v.a. Abfallprodukte).

Novae

Bereits im Altertum kannte man das plötzliche Aufleuchten sternähnlicher Objekte, dem stets eine besondere Bedeutung, z.B. als Vorzeichen wichtiger Ereignisse, beigemessen wurde. Auch im Mittelalter beobachtete man Novae, nahm sie aber nicht zur Kenntnis. Der Sternhimmel war ja eine perfekte göttliche Schöpfung und daher unveränderlich. Diskussionen über Novae hätten daher das gesamte kirchliche Lehrgebäude gefährdet. Wir haben daher aus dieser Zeit keine Berichte über sie. Was wir über »ältere« Novae wissen, stammt aus den schriftlichen Überlieferungen anderer Völker, vor allem der Chinesen.

Nouveau Roman [nu'vo rɔ'mã; frz. »neuer Roman«] *der,* 1955 geprägter Begriff für experimentelle Formen des frz. Romans des 20. Jh. Der N. R. löst die Kategorien von Raum, Zeit und Kausalität auf, d.h., die Erzählfolge wird unter weitgehendem Verzicht auf den Erzähler aufgehoben; dominierende Erzähltechnik ist der → innere Monolog. Statt auf die Bedeutung einer vorhandenen Realität verlagert sich das Interesse auf Form und Funktionsweise des Textes; nicht selten werden die Möglichkeiten des Schreibens selbst zum Thema. Der N. R. knüpft u.a. an G. Flaubert, M. Proust und J. Joyce an. Der 1939 erschienene Roman »Tropismen« von Nathalie Sarraute gilt als erster N. R.; weitere Vertreter sind u.a. M. Butor, A. Robbe-Grillet, C. Simon, Marguerite Duras, R. Pinget und C. Mauriac. Die Weiterentwicklung zum »Nouveau nouveau Roman« seit den 1970er-Jahren ist durch extreme Formalisierung gekennzeichnet.

📖 ZELTNER, G.: *Im Augenblick der Gegenwart. Moderne Formen des frz. Romans. Frankfurt am Main 1974.* – *Nouveau roman, hg. v.* W. WEHLE. *Darmstadt 1980.* – RICARDOU, J. P.: *Le N. R. Paris 1990.*

Nouvel [nu'vɛl], Jean, frz. Architekt, *Fumel (Dép. Lot-et-Garonne) 12. 8. 1945; arbeitet bei seinen Bauten mit dem Spiel des natürl. Lichts (mit dem Wechsel der Tageszeit soll sich die Architektur verändern); bevorzugte Materialien sind Glas und Metall. Zu den bekanntesten Arbeiten zählen das Institut du Monde Arabe (Paris, 1983–87), das Ausstellungsgebäude der Fondation Cartier (ebd. 1991–94) sowie das Kaufhaus »Galeries Lafayette« (Berlin, 1995).

Nouvelle Critique [nu'vɛl kri'tik; frz. »neue Kritik«] *die,* zusammenfassende Bez. für die frz. Literaturkritik in den 1960er-Jahren, die sich – unter Vernachlässigung histor. Bezüge – unmittelbar am Text orientierte. Ihr Wortführer war R. Barthes, Sammelpunkt die Zeitschrift »Tel Quel«.

Nouvelle Droite [nu'vɛl 'drwat, frz.] *die,* → neue Rechte.

Nouvelle Philosophie [nu'vɛl filɔzɔ'fi; frz. »neue Philosophie«] *die,* → französische Philosophie.

Nouvelle Vague [nu'vɛl 'va:g, frz.] *die* (Neue Welle), Erneuerung im frz. → Film seit 1957.

Novae [lat.] (Neue Sterne), eine Gruppe von → Veränderlichen, deren absolute Helligkeit durch einen plötzl. Helligkeitsausbruch im Mittel um zehn Größenklassen (bezogen auf die Ausgangshelligkeit) innerhalb eines oder weniger Tage zunehmen kann. Jährlich erscheinen in unserem Milchstraßensystem etwa 40 Novae. Die N.-Prozesse spielen sich in der äußeren Sternschicht ab. Das Ausgangsstadium, die **Praenova,** ist ein Zwergstern hoher Oberflächentemperatur und meist konstanter Helligkeit (absolute Helligkeit um $+4^{m}$). Die Helligkeitskurve zeigt eine rasche Zunahme um etwa 7–9 Größenklassen **(Praemaximum)** und steigt dann langsamer (meist in 1–7 Tagen) um etwa zwei Klassen weiter an. Nach der

Zeitdauer des Helligkeitsabfalls vom Maximum um drei Größenklassen unterteilt man die N. in **schnelle N.** (Typ NA) und **langsame N.** (Typ NB), die dazu mehr bzw. weniger als 100 Tage benötigen. Nach dem ersten Abklingen und dem Übergangsstadium folgt das letzte Abklingen und das **Postnova-** oder **Exnova-Stadium,** bis zu dessen Erreichen Monate oder Jahre vergehen können. Das **Novaspektrum** zeigt zw. Praenova und Helligkeitsmaximum eine Doppler-Verschiebung, die auf expandierende Gashüllen mit Expansionsgeschwindigkeiten zw. 50 und 3000 km/s hinweist. Die abgestoßenen Gasmassen betragen etwa 0,1–1‰ der Gesamtsternmasse. N., bei denen sich die Ausbrüche innerhalb von 10–100 Jahren wiederholen, werden als **wiederkehrende** oder **rekurrierende N.** oder **Novula** bezeichnet. N. werden als Entwicklungsstadien von weißen Zwergsternen (→Weiße Zwerge) in engen Doppelsternsystemen angesehen (→Sternentwicklung). – Den viel selteneren →Supernovae (etwa eine je Sternsystem in 350 Jahren) liegt ein anderer Mechanismus zugrunde.

Novak, Helga Maria, eigtl. Maria Karlsdottir, Schriftstellerin, *Berlin 8. 9. 1935; schreibt engagierte, häufig sozialkritische Lyrik (»Märkische Feemorgana«, 1989) und Prosa (»Die Eisheiligen«, 1979; »Vogel federlos«, 1982), in der sie eigene Erfahrungen schildert.

Helga Novak

Novalis, eigtl. Georg Philipp Friedrich Freiherr von Hardenberg, *Oberwiederstedt (heute zu Wiederstedt, Kreis Mansfelder Land) 2. 5. 1772, †Weißenfels 25. 3. 1801; bedeutendster Lyriker und Prosadichter der dt. Frühromantik; 1790–94 Studium in Jena, Leipzig und Wittenberg; befreundet mit F. Schiller, den Brüdern Schlegel und L. Tieck. Er wurde entscheidend durch den dt. Idealismus beeinflusst. 1795 verlobte er sich mit der 13-jährigen Sophie von Kühn, deren früher Tod (1797) seine myst. Neigungen verstärkte und deren Verlust fortan eine zentrale Rolle in seinem Schaffen spielte. 1797 besuchte er die Bergakademie in Freiberg; 1798 verlobte er sich mit Julie von Charpentier (*1776, †1811); Begegnungen mit Goethe, Jean Paul und Herder. 1799 wurde er zum Salinenassessor, wenig später zum Amtshauptmann ernannt. Der »mag. Idealismus« des N., das Streben nach Wiedergewinnung der Ureinheit des Seins, nach der Einheit von Natur, Seele, Poesie, Religion, spricht sich in dem Romanfragment »Die Lehrlinge zu Sais« (1802) sowie in Aphorismen und Notizen aus, die er u.a. in Tagebüchern niederschrieb und von denen zu seinen Lebzeiten nur eine Auslese als »Blütenstaub« in F. Schlegels »Athenäum« (1798) erschien, sowie dichterisch in dem Romanfragment »Heinrich von Ofterdingen« (1802), in dem das Symbol der →blauen Blume eine bedeutende Rolle spielt. Der Zyklus »Hymnen an die Nacht« (1800) besteht aus sechs sich steigernden Gedichten, in denen der Eros ins Mystisch-Religiöse erhöht, die Nacht als Reich der Poesie verherrlicht und subjektive Todesüberwindung mit der Auferstehung Christi in Parallele gesetzt wird. Innig und schlicht sind seine »Geistl. Lieder«. In dem Aufsatz »Die Christenheit oder Europa« (geschrieben 1799, hg. 1826) erhoffte er vom Universalismus der mittelalterl. Kirche die Wiedergeburt eines geeinten christl. Europa.

📖 RODER, F.: *N. Die Verwandlung des Menschen. Leben u. Werk Friedrich von Hardenbergs. Stuttgart 1992.* – SCHULZ, GERHARD: *N. Reinbek 54.–55. Tsd. 1996.*

Novara, 1) Provinz in Norditalien, Piemont, 1339 km², (1995) 339000 Einwohner.

2) Hauptstadt von 1), 102400 Ew.; kartograph. Institut De Agostini; Baumwoll- und Seidenverarbeitung, Maschinenbau, chem. u.a. Ind.; Zentrum des italien. Reisanbaus in der Poebene. – Kirche San Gaudenzio (1577–1690) mit dem Wahrzeichen von N., dem 121 m hohen Kuppelturm (1844–88) über dem Chor. – Bei N. fanden bed. Schlachten statt: am 8. 4. 1500 unterlag Herzog Ludovico Sforza von Mailand dem frz. König Ludwig XII.;

Novara 2)

Novalis: Stahlstich aus dem Jahr 1845 nach einem Gemälde des zeitgenössischen deutschen Malers Franz Gareis, darunter Autogramm als Friedrich von Hardenberg

am 23. 3. 1849 besiegten die von J. Radetzky geführten Österreicher die Piemontesen unter König Karl Albert (→ Karl, Savoyen-Sardinien).

Novartis AG, größter schweizer. Chemie- und Pharmakonzern, Sitz: Basel; entstanden 1996 aus der Fusion der Ciba-Geigy AG (entstanden 1970 durch Fusion von Ciba AG, gegr. 1884, und J. R. Geigy AG, gegr. 1758) und Sandoz AG (gegr. 1886).

Nova Scotia ['nəʊvə 'skəʊʃə] (Neuschottland), Prov. im O Kanadas, an der Atlantikküste, 55 490 km², (1995) 938 200 Ew.; Hptst. ist Halifax. N. S. umfasst die gleichnamige Halbinsel westlich der Fundybai und die Insel Cape Breton Island vor dem Sankt-Lorenz-Golf. Der Raum gehört zu den Appalachen und ist stark bewaldet. Wichtigster Wirtschaftsfaktor ist die Holzwirtschaft (Zellstoff- und Papierherstellung). Die Landwirtschaft ist auf Vieh-, Milch- und Geflügelwirtschaft spezialisiert. Bedeutung haben auch Fischfang und -verarbeitung. Abbau von Gips, Baryt, Salz; auf der Basis des Steinkohlenbergbaus (1984 eingestellt) entwickelte sich ab 1900 die Eisen- und Stahlerzeugung. – N. S. war Teil des frz. besiedelten Akadien, wurde 1713 britisch; 1867 eine der Gründungsprovinzen des Dominion of Canada.

Novatian, röm. Presbyter, theolog. Schriftsteller des 3. Jh., † (Märtyrertod) unter Kaiser Valerian (?). Sein Hauptwerk »De trinitate« ist das erste Werk eines westl. christlichen Theologen in lat. Sprache. 251 wurde er als Führer der rigorist. Partei, die eine Exkommunikation der in den Christenverfolgungen Abgefallenen forderte, zum Gegenbischof gewählt. N. verwirklichte sein Ideal in einer (Gegen-)Kirche »der Reinen« **(Novatianer).** Mit dem Verlust der Bürgerrechte durch die staatl. Ketzergesetzgebung wurden die Anhänger N.s im 4./5. Jh. in den Untergrund gedrängt, bestanden aber weiter bis ins 7. Jahrhundert.

Novation [lat.] *die* (Schuldumwandlung), die vertragl. Aufhebung eines Schuldverhältnisses durch gleichzeitige Begründung eines neuen, das selbstständig an seine Stelle tritt.

Novecento [nove'tʃɛnto; italien. »neunhundert«] *das,* italien. Bez. für das 20. Jh. und Name einer in Mailand 1922 gegr. Gruppe von Künstlern unterschiedl. Richtungen, seit 1926 unter dem Namen **N. italiano**. In Verflechtung mit dem Faschismus setzten sich nach 1930 Tendenzen zur Glorifizierung der Vergangenheit durch.

Novelfood ['nɔvəlfu:d; engl. »neue Lebensmittel«], Bez. für Lebensmittel, die aus gentechnisch veränderten Organismen bestehen, mit deren Hilfe hergestellt werden oder gentechnisch hergestellte Zusatzstoffe enthalten. Gentechnisch veränderte Lebensmittel (Tomate, Mais, Soja) sind bereits in vielen Ländern im Handel. Anfang 1997 ist im Rahmen der EU eine N.-VO über die Zulassung und Kennzeichnung gentechnisch veränderter Lebensmittel in Kraft getreten. Sie verlangt nur dann eine besondere Etikettierung, wenn gentechnisch veränderte Lebensmittel sich wiss. nachweisbar von herkömml. Erzeugnissen unterscheiden.

Novelle [von italien. novella »Neuigkeit«] *die,* literar. Begriff, der eine kürzere dramat. Erzählung in Prosa (seltener in Versform) bezeichnet. Die N. konzentriert sich auf einen zentralen Konflikt. Formal bedingt dies eine straffe, meist nur einsträngige Handlung, das pointierte Herausarbeiten eines Wende- bzw. Höhepunktes und eine Tendenz zur geschlossenen Form. Novellenähnl. Erzählungen finden sich in oriental. Sammelwerken (z. B. »Tausendundeine Nacht«). Bewusst gestaltet erscheint die N. erstmals im »Decamerone« G. Boccaccios (entstanden 1348–53, gedruckt 1470), der die zykl. und zugleich zeitbezogene Rahmenform einführte. Im 19. Jh. wurde die N. bzw. der N.-Zyklus in vielen europ. Literaturen eine der wichtigsten ep. Gattungen, in Dtl. u. a. E. T. A. Hoffmanns »Serapionsbrüder« (1819–21) oder G. Kellers »Züricher Novellen« (1878). In der engl. und amerikan. Literatur ist die N. eng verwandt mit der Shortstory.

📖 Degering, T.: *Kurze Geschichte der N. Von Boccaccio bis zur Gegenwart. München 1994.* – Aust, H.: *N. Stuttgart u. a. ²1995.*

Novelle [lat. novella (lex) »neues (Gesetz)«] *die, Recht:* gesetzl. Abänderung einzelner Gesetzesbestimmungen. Eine völlige Neubearbeitung eines Gesetzes nennt man Neufassung.

novellino, Il, älteste italien. Novellensammlung, zw. 1281 und 1300 in der Toskana zusammengestellt, in zwei Fassungen überliefert, von denen die eine 100, die andere 150 Novellen enthält; wichtige Quelle für Stoffe und Motive der europ. Literatur (z. B. für G. Chaucer, Shakespeare).

November [von lat. novem »neun«], Abk. **Nov.,** der elfte Monat des Jahres (mit 30 Tagen), der neunte im altröm. Kalender; frühere dt. Namen: Windmonat, Nebelung.

Novemberrevolution, Revolution im Dt. Reich und in Österreich(-Ungarn) ab Nov. 1918, die die Monarchien stürzte und zur Errichtung parlamentar. Republiken führte. Im Dt. Reich ging die N. von meuternden Matrosen der Hochseeflotte aus (29. 10. 1918 Wilhelmshaven, 3./4. 11. Kiel). Von der Küste griff die Meuterei auf die großen Städte des Binnenlandes über, wo am 7. 11. mit den Wittelsbachern in Bayern die erste Dynastie gestürzt wurde. In Berlin verkündete am 9. 11. Reichskanzler Prinz Max von Baden eigenmächtig die Abdankung Wilhelms II.; am gleichen Tag rief P. Scheidemann (SPD) gegen den Willen F. Eberts die »dt. Republik« aus; zwei Stunden später proklamierte K. Liebknecht die »freie sozialist. Republik«. Träger der N. waren Arbeiter- und Soldatenräte, deren radikale Minderheit das Ziel eines Rätesystems verfocht, während die Mehrheitssozialisten (SPD) die Errichtung einer parlamentar. Demokratie durch die Einberufung einer Na-

Novemberrevolution: Mitglieder des Arbeiter- und Soldatenrates in Berlin

tionalversammlung sicherten (19. 1. 1919). Nach der Niederschlagung des Spartakusaufstandes im Jan. 1919 schlossen die Wahl F. Eberts zum Reichspräs. und die Bildung einer parlamentar. Reichsregierung aus SPD, Zentrum und DDP (Weimarer Koalition) am 13. 2. die N. ab; es begann die Konsolidierung der Weimarer Republik. – In *Österreich* konstituierte sich auf der Grundlage des kaiserl. Manifests vom 16. 10. 1918 am 21. 10. aus Mitgl. aller Parteien des bisherigen Wiener Reichsrates eine Provisor. Nationalversammlung, die am 12. 11. 1918 Deutschösterreich zur demokrat. Republik und zum Bestandteil der dt. Republik proklamierte.

🕮 *Die dt. Revolution 1918/19. Dokumente, hg. v.* G. A. Ritter *u.* S. Miller. *Frankfurt am Main* ²*1983.* – Haffner, S.: *Die dt. Revolution 1918/19. Tb.-Ausg. München 1991.*

Noverre [nɔ'vɛ:r], Jean Georges, frz. Tänzer, Ballettmeister und Tanztheoretiker, *Paris 29. 4. 1727, †Saint-Germain-en-Laye 19. 10. 1810; reformierte das erstarrte spätbarocke Ballett, indem er Handlung, Bewegung und Ausdruck forderte. Er begründete damit das romant. Aktionsballett.

Novi Pazar [-'paza:r], Stadt in Jugoslawien (Serbien), an der Raška, 29 000 Ew.; Autowerk, Teppichweberei; muslimisch geprägtes Stadtbild. – Kerngebiet des mittelalterl. serbischen Großreiches, gehörte 1459–1913 zum Osman. Reich; der **Sandschak N. P.** hatte als Verbindung Bosniens zum Osman. Reich bis 1912 strateg. Bedeutung.

Novi Sad (dt. Neusatz), Hauptstadt der Wojwodina (Serbien), Jugoslawien, an der Donau, 258 000 Ew.; orth. Bischofssitz; Univ. (gegr. 1960); Flugzeug-, Maschinenbau, elektrotechn., Nahrungsmittel- und chem. Ind., Kabelwerk. – 1690 gegr., wurde 1748 königl. Freistadt, gehörte bis 1919 zu Österreich-Ungarn.

Noviziat [lat.] *das, kath. Kirchenrecht:* die mindestens einjährige Vorbereitungszeit für Ordensleute **(Novizen)** vor Ablegung der →Gelübde.

Novolake, Gruppe der →Phenolharze.

Novotný [-ni:], Antonín, tschechoslowak. Politiker, *Letňany (bei Prag) 10. 12. 1904, †Prag 28. 1. 1975; 1951–68 Mitgl. des Politbüros der tschechoslowak. KP, 1953–68 deren Erster Sekretär, 1957–68 Staatspräs., musste 1968 seine Ämter an A. Dubček und L. Svoboda abtreten.

Antonín Novotný

Nový Jičín ['nɔvi: 'jitʃi:n] (dt. Neutitschein), Stadt im Nordmähr. Gebiet, Tschech. Rep., Mittelpunkt des Kuhländchens, 32 900 Ew.; Textilmaschinenbau, Bekleidungsindustrie. – Renaissanceschloss (heute Museum), am Marktplatz Bürgerhäuser mit Laubengängen.

Nowa Huta, Stadtteil von →Krakau, Polen, mit Eisenhütte.

Nowaja Semlja [russ. »Neues Land«], Inselgruppe im Nordpolarmeer zw. Barents- und Karasee, Russland, rd. 83 000 km² groß, besteht aus der **Nordinsel** (48 904 km², bis 1 547 m ü. M.; z. T. vergletschert) und der **Südinsel** (33 275 km², bis 150 m ü. M.; kleine Gletscher), beide durch die Meeresstraße Matotschkin Schar voneinander getrennt, und mehreren kleinen Inseln. Die Karastraße trennt N. S. von der Waigatschinsel. N. S. hat arkt. Klima und ist kaum besiedelt. Es gibt dort mehrere wiss. Stationen. Auf N. S. wurden unterird. Kernwaffenversuche durchgeführt.

Nowakowski, 1) Marek, poln. Schriftsteller, *Warschau 2. 4. 1935; schreibt sozialkrit. Prosa (Erzählungen: »Kopf«, 1967; »Karpfen für die Miliz. Satiren und Nachrichten«, 1982; »Karnawał i post«, 1988).

2) Tadeusz, poln. Schriftsteller, *Allenstein 8. 11. 1918, †Bromberg 11. 3. 1996; lebte seit 1958 in München; schilderte in seinem Roman »Polonaise Allerheiligen« (1957) die menschl. und ideolog. Vereinsamung von Polen im und nach dem 2. Weltkrieg; schrieb ferner u. a. »Picknick der Freiheit« (1959, Erz.).

Jean Georges Noverre (Ausschnitt eines Punktierstichs, um 1790)

Nowa Ruda (dt. Neurode), Stadt in der Wwschaft Wałbrzych (Waldenburg), Polen, am SW-Rand des Eulengebirges, 26 600 Ew.; Abbau von Steinkohle (seit dem 15. Jh.) und feuerfesten Tonen.

Nowa Sól [-sul] (dt. Neusalz (Oder)), Stadt in der Wwschaft Zielona Góra (Grünberg), Polen, an der Oder, 42 700 Ew.; Metall-, Maschinenbau-, Lederindustrie; Oderhafen. – 1563 Einrichtung einer Salzsiederei.

Nowgorod [russ. »Neustadt«], Stadt in Russland, →Weliki Nowgorod.

Nowikow-Priboi, Alexei Silytsch, russ. Schriftsteller, *Matwejewskoje (Gebiet Rjasan) 24. 3. 1877, †Moskau 29. 4. 1944; schilderte in Erzählungen und Romanen (»Tsushima«, 2 Tle., 1932–35) meist das Leben zur See.

Nowokusnezk (1932–61 Stalinsk), Stadt im Gebiet Kemerowo, Russland, in Westsibirien im Kusnezker Steinkohlenbecken, 601 900 Ew.; Metallurgiehochschule; Kohlenbergbau, Zentrum der russ. Hüttenind., Werk für Ferrolegierungen, Maschinenbau, Aluminiumhütte, chem. Industrie.

Noworossisk, Hafenstadt in der Region Krasnodar, Russland, am Schwarzen Meer, 188 600 Ew.; seemänn. Ingenieurschule, Planetarium; Zement-, Nahrungsmittel-, Möbelind., Landmaschinenbau.

Nowosibirsk (bis 1925 Nowonikolajewsk), Hauptstadt des Gebiets N., Russland, am Ob in Westsibirien, mit 1,436 Mio. Ew. die größte Stadt Sibiriens; Sibir. Abteilung der Akademie der Wiss. und Univ. (gegr. 1959) im Stadtteil **Akademgorodok;** außerdem 13 weitere Hochschulen, Museen, Oper (1931–45), Philharmonie, Zoo; Elektrostahl-, Zinnlegierungswerk, elektrotechn./elektron. Ind., Druckerei, Landmaschinenbau, chem., Leicht-, Nahrungsmittelind.; U-Bahn (seit 1986), Flughafen, Flusshafen, Bahnknotenpunkt an der Transsibir. Eisenbahn. Nördlich von N. Stausee (1 070 km^2) mit Wasserkraftwerk (400 MW). – N. entstand 1893 mit dem Bau der Transsibir. Eisenbahn.

Nowotscherkassk, Stadt im Gebiet Rostow, Russland, 188 500 Ew.; TH, Donkosakenmuseum; Weinkellerei; Elektrolokomotiv-, Grubenausrüstungsbau, chemische, Nahrungsmittelindustrie. – N. wurde 1805 als Verwaltungszentrum der Donkosaken gegründet.

Nowottny, Friedrich, Journalist, *Zabrze 16. 5. 1929; wurde 1973 Chefkorrespondent der ARD in Bonn und Leiter des WDR-Fernsehstudios dort, 1985–95 Intendant des WDR.

Nowy Margelan, bis 1907 Name der Stadt →Fergana.

Nowy Sącz ['nɔvi 'sɔntʃ] (dt. Neusandez), Hauptstadt der Wwschaft Nowy Sącz, Polen, am Dunajec in den Beskiden, 81 200 Ew.; Volkskundemit Freilichtmuseum; elektrotechn., Nahrungsmittel-, Holz-, Leder-, Textilind., Maschinenbau.

Noxe [lat. »Schaden«] *die,* Krankheits- oder Schädigungsursache.

Np, 1) chem. Symbol für →Neptunium.

2) Einheitenzeichen für →Neper.

NPD, Abk. für →**N**ationaldemokratische **P**artei **D**eutschlands.

npn-Transistor, ein bipolarer →Transistor.

NRT, Abk. für **N**etto**r**egister**t**onne, →Bruttoraumzahl.

ns, Einheitenzeichen für Nanosekunde, 1 ns = 10^{-9} s.

NS, Abk. für **n**ational**s**ozialistisch (z. B. in NS-Staat).

N-Schale, die zur Hauptquantenzahl $n=4$ gehörige Hauptschale der →Atome, die maximal 32 Elektronen aufnehmen kann.

NSDAP, Abk. für →**N**ational**s**ozialistische **D**eutsche **A**rbeiter**p**artei, →Nationalsozialismus.

NS-Prozesse, Gerichtsverfahren, in denen nat.-soz. Gewaltverbrechen zur Anklage gebracht werden. Die ersten Strafprozesse fanden in den vier Besatzungszonen wenige Monate nach Zerschlagung der NS-Diktatur statt (Verfahren vor Militärgerichten und sowjet. Militärtribunalen; →Nürnberger Prozesse). Rechtsgrundlagen waren das Kontrollrats-Ges. Nr. 10 vom 20. 12. 1945 (1956 aufgehoben) und die Direktive Nr. 38 des Alliierten Kontrollrats vom 20. 10. 1946. Die Zahl der von dt. Strafverfolgungsbehörden wegen NS-Verbrechen geführten Prozesse hatte in den Jahren 1948/49 einen Höchststand und ging dann zurück. 1950 fanden in der DDR die sog. →Waldheimer Prozesse statt, die wegen Verletzung rechtsstaatl. Grundsätze stark kritisiert wurden. Die Problematik der NS-P. liegt v. a. im zeitl. Abstand vom Tatgeschehen. Die bundesdt. Justiz begann erst 1958 mit der Einrichtung der »Zentralen Stelle der Landesjustizverwaltungen zur Aufklärung von NS-Verbrechen« intensiv mit der Verfolgung von NS-Verbrechen. Ab 1964 wurde Material zur Aufklärung aus osteurop. Ländern (als den wesentl. Tatorten) verwertet. Für die Gerichte wurde es immer schwieriger, das objektive Tatgeschehen zu rekonstruieren und die individuelle Schuld der Tatbeteiligten festzustellen. Dies führte im Einzelfall zu z. T. milden Urteilen, die im In- und Ausland auf Kritik stießen. Noch heute sind Strafverfahren wegen NS-Verbrechen anhängig; auch Ermittlungsverfahren laufen noch.

📖 Rückerl, A.: *NS-Verbrechen vor Gericht. Versuch einer Vergangenheitsbewältigung.* Heidelberg *²1984.*

n. St., Abkürzung für **n**euen **St**ils, die Zeitrechnung nach dem gregorianischen →Kalender.

N-Sterne, Sterne der →Spektralklasse N, eine Untergruppe der C-Sterne.

NSU Motorenwerke AG, →Audi AG.

N. T., Abk. für **N**eues **T**estament, →Bibel.

NTSC, Abk. für **N**ational **T**elevision **S**ystem **C**ommittee, 1951 gegr. amerikan. Fernsehnormenausschuss, der das in den USA 1953 eingeführte Farbfernsehsystem vorschlug (→Farbfernsehen).

NTT, Abk. für engl. **N**ew **T**echnology **T**elescope, 1989 an der Europ. Südsternwarte in Chile in Betrieb genommenes 3,58-m-Teleskop sehr hoher Bildqualität. Die für den Bau opt. Großteleskope mit bis zu ca. 15 m Durchmesser erforderl. neuen Technologien, bes. die Anwendung →adaptiver Optik, wurden erstmals beim NTT erprobt.

Nu (U Nu), birman. Politiker, *Wakema (Niederbirma) 25. 5. 1907, †Rangun 14. 2. 1995; wurde während der japan. Besatzungszeit 1943 Außenminister. Als MinPräs. (1947–56, 1957–58 und 1960–62) mit starken ethnisch-polit. Konflikten konfrontiert (u.a. Aufstände der Karen, Guerillatätigkeit der Kommunisten), verfolgte er ein innenpolit. Reformprogramm, das buddhist. mit sozialist. Ideen verband. 1962 wurde er durch General Ne Win gestürzt und lebte 1969–80 im Exil.

Nuba, Gruppe negrider Völker in den Nubabergen Kordofans (Rep. Sudan), etwa 1,1 Mio. Menschen. Die N. treiben Feldbau und Viehzucht; sie konnten ihre Kultur und traditionelle Religion weitgehend bewahren (u.a. Tanzfeste, rituelle Kämpfe, außergewöhnl. Körperbemalung).

Nubilen, Gebiet in NO-Afrika (S-Ägypten und N-Sudan), beiderseits des Nils zw. Assuan und Khartum, mit Anteilen an der Libyschen und der extrem trockenen, von Inselbergen überragten Nubischen Wüste; die Bewohner sind Nubier (am Nil, einschließlich Nasserstausee) und nomad. Bedja. – In N. entstand im 10. Jh. v. Chr. das unabhängige Reich **Kusch,** dessen Fürsten als 25. Dynastie Ägypten beherrschten (715–664 v. Chr.). Im 4. Jh. christianisiert, bestanden christl. Königreiche in N. auch nach der arab. Eroberung Ägyptens weiter (im N bis 1315, im S bis 1504).

Nubiler, Bevölkerungsgruppe im mittleren Niltal, zw. Assuan (Ägypten) und Dongola (Rep. Sudan), etwa 800 000 Menschen, mit eigener Sprache (→nubische Sprachen). Die N., urspr. äthiopid, sind mit europiden und negriden Elementen vermischt und stark arabisiert; sie wurden früh christianisiert, sind aber seit dem 13. Jh. v.a. Muslime.

nubische Sprachen (Nuba-Sprachen), Familie der Schari-Nil-Sprachen, gesprochen in Oberägypten und in der Sudanzone, gegliedert in Nil-Nubisch, Kordofan-Nubisch und Darfur-Nubisch. Reste einer christl. Erbauungsliteratur sind (in einer mit der kopt. fast identischen Schrift) aus dem 8.–11. Jh. erhalten.

Nubuk [engl.] *das* (Nubukleder), auf der Narbenseite schwach abgeschliffenes, chromgegerbtes Kalbs- oder Rindsleder mit samtartiger Oberfläche.

Nucha, bis 1968 Name der aserbaidschan. Stadt →Şäki.

Nüchternschmerz (Hungerschmerz), Symptom bei Magen- oder Zwölffingerdarmgeschwür, tritt etwa vier Stunden nach der letzten Mahlzeit auf (v.a. nachts).

Nuclear Energy Agency ['nju:klɪə 'enədʒɪ 'eɪdʒənsɪ, engl.] (Kernenergie-Agentur), Abk. **NEA,** Nachfolgeorganisation der (bis 1972) Europ. Kernenergie-Agentur (ENEA), Organ der OECD, gegr. am 1. 2. 1958 als Organ der OEEC, Sitz: Paris. Mitgl. sind die OECD-Staaten außer Neuseeland. Aufgabe ist die Förderung der Erzeugung und Verwendung der Kernenergie für friedl. Zwecke.

Nuclear Regulatory Commission ['nju:klɪə 'regjʊleɪtərɪ kə'mɪʃn, engl.], Abk. **NRC,** →Atomic Energy Commission.

Nucleasen (Nukleasen), Sammelbez. für die zu den Hydrolasen zählenden, Nucleinsäuren spaltenden Enzyme, die bei Tieren v.a. in der Bauchspeicheldrüse vorkommen.

Nucleinsäuren (Nukleinsäuren, Kernsäuren), in den Zellen aller Lebewesen (v.a. im Zellkern und den Ribosomen, in geringen Mengen auch in den Mitochondrien und Chloroplasten) vorkommende hochpolymere Substanzen; man unterscheidet →Desoxyribonucleinsäure (DNS) und →Ribonucleinsäure (RNS). Beide bestehen aus Ketten (die DNS aus Doppelketten) von →Nucleotiden, die jeweils aus einer Nucleinsäurebase, einem Monosaccharid (Pentose) und einem Phosphorsäurerest zusammengesetzt sind. Die Verknüpfung der Nucleotide geschieht über den Phosphorsäurerest, der mit dem Kohlenstoffatom in 3'- oder 5'-Stellung der Pentose des folgenden Nucleotids verbunden ist. Auf der besonderen Reihenfolge der Basen im Nucleinsäuremolekül beruht die →genetische Information.

📖 WATSON, J. D.: *Die Doppel-Helix. Ein persönl. Bericht über die Entdeckung der DNS-Struktur. A. d. Engl. Reinbek 88.–97. Tsd. 1993.* – KNIPPERS, R.: *Molekulare Genetik. Stuttgart [7]1997.*

Nucleosidasen (Nukleosidasen), Enzyme, die die N-glykosid. Bindungen zw. Zuckerrest (Pentose) und Base in den Nucleosiden spalten.

Nucleoside (Nukleoside), Verbindungen zwischen heterozykl. Stickstoffbasen (z.B. Nucleinsäurebasen) und Monosacchariden.

Nucleosom *das* (Nukleosom), *Molekularbiologie:* DNS und Histone enthaltende, kugelförmige Bestandteile des Chromatins.

Nucleotide (Nukleotide), i.e.S. die Phosphorsäuremonoester der →Nucleoside, i.w.S. auch die Phosphordi- und Phosphortrisäureester. N. sind die Bausteine der Nucleinsäuren, kommen aber auch frei in der Zelle vor. Einige zu Dinucleotiden verbundene N. spielen als Koenzyme im Zellstoffwechsel eine wichtige Rolle, z.B. Nicotinsäureamidadenindinucleotid (NAD) und Flavinadenindinucleotid (FAO). Die höherphosphorylierten freien N., bes. das Adenosintriphosphat (ATP), sind wichtige Energieüberträger und -speicher in den Zellen.

Nucleus [lat. »Kern«] *der,* der →Zellkern.

Nudismus [lat.] *der,* die →Freikörperkultur.

Sam Nujoma

Nuer, nilot. Volk in S-Sudan, im Sumpfgebiet des Nils (Sudd). Die 1,3 Mio. N. leben von Rinderhaltung und sprechen Nuer, eine westnilotische Sprache (→nilotische Sprachen).

Nuevo Laredo [- la'reðo], Stadt im Staat Tamaulipas, Mexiko, am Rio Grande del Norte, gegenüber Laredo (Texas); 218 000 Ew.; Zentrum des Bewässerungsgebietes oberhalb des Falcon Dam (Baumwollanbau, Textil-, Konsumgüterindustrie). – Gegr. 1767; bis 1848 Teil von Laredo.

Nuevo León, Staat im NO von →Mexiko.

Nufenen, Pass zwischen Simplon- und Gotthardgruppe der Alpen, Schweiz; 2 478 m ü. M. Die 19 km lange Passstraße verbindet das Goms (Oberwallis) mit dem Bedrettotal im Tessin.

Nuffield ['nʌfi:ld], William Richard Morris, 1. Viscount N. (seit 1938), brit. Unternehmer, *Worcester 10. 10. 1877, †Henley-on-Thames (Cty. Oxfordshire) 22. 8. 1963; gründete 1919 die Morris Motor Ltd. (einer der Vorläufer der Rover Group) und 1943 die N. Foundation, eine Stiftung für Armenhilfe u. a. soziale Zwecke.

Nugat, →Nougat.

Nugget ['nʌgɪt, engl.], (in der Natur vorkommendes) gerundetes Klümpchen reines Gold; meist in Flussablagerungen.

Nu Jiang [-dʒjaŋ], chines. Name für den Oberlauf des südostasiat. Stroms →Salween.

Nujoma, Sam (Samuel), namibischer Politiker, *Ongandjera (Ovamboland) 12. 5. 1929; gründete 1959 die »South West African People's Organization« (SWAPO) und leitete sie vom Exil (1960–89) aus. Er verfolgte einen auf die Unabhängigkeit Namibias gerichteten Kurs und trat für einen sozialistisch orientierten Staat ein. 1990 wurde er der erste Staatspräs. Namibias.

nuklear [engl., zu lat. nucleus], a) den Atomkern betreffend; b) auf Kernenergie beruhend; c) die Kernwaffen betreffend.

nuklearer Winter, Bez. für die extreme Klimaveränderung (Abkühlung der erdnahen Atmosphäre, v. a. im Bereich der Kontinente der N-Halbkugel, um 20–25 Celsiusgrade für 6–20 Wochen), die nach einem größeren Kernwaffeneinsatz infolge massiver Rauch- und Rußentwicklung durch Großbrände zu erwarten wäre.

Nuklearmedizin, medizin. Fachgebiet, das sich mit der diagnost. und therapeut. Anwendung offener künstl. radioaktiver Isotope (Radionuklide) befasst. Durch diagnost. Verfahren **(Isotopendiagnostik)** wie Gammakamera, Szintigraphie und/oder mit Funktionsmessungen werden am Patienten Organe abgebildet oder Funktionen und Durchblutungsgrößen außerhalb des Körpers gemessen (z. B. Schilddrüse, Gehirn, Lunge, Leber- und Gallenwege, Nieren, Knochen). Die Isotopendiagnostik beruht darauf, dass sich Radionuklide im Stoffwechsel ebenso wie ihre stabilen Isotope verhalten, durch ihre Strahlung jedoch in kleinsten Mengen nachweisbar sind. Alle nuklearmedizin. Maßnahmen unterliegen einer strengen Indikationsstellung, da eine innere Strahlenbelastung des Patienten unvermeidlich ist. Durch nuklearmedizin. Laborverfahren können in Körperflüssigkeiten Hormon-, Enzym-, Arzneimittelkonzentrationen u. a. gemessen werden. – Die **Isotopentherapie** wird bei der Behandlung bösartiger Geschwülste eingesetzt; sie verwendet umschlossene Gammastrahler zur Fern- oder zur Nahbestrahlung. Offene Radionuklide werden von außen oder durch aktive Stoffwechselvorgänge an den Wirkungsort gebracht, z. B. bei der Radiojodtherapie der Schilddrüse.

📖 *N., hg. v.* U. Büll *u. a. Stuttgart u. a.* ²*1996.*

Nuklearstrategie, Bestandteil der Militärstrategie eines Staates oder Bündnisses; beruht auf dem Besitz einsatzfähiger Kernwaffen (→ABC-Waffen). Angesichts der Möglichkeit globaler Vernichtung steht die N. unter dem Anspruch, einen mögl. Angreifer durch Nuklearpotenzial abzuschrecken, einen Nuklearkrieg und überhaupt einen Krieg zu beginnen. – Zunächst verfolgten die USA die Strategie der massiven Vergeltung (Massive Retaliation), die einen Angriff (auch einen mit konventionellen Mitteln geführten) mit einem vernichtenden atomaren Gegenschlag beantworten sollte. Die NATO-Strategie der flexiblen Reaktion (Flexible Response) sah seit den 1960er-Jahren eine angemessene Antwort auf jede Art von Aggression vor. Nach der daraus abgeleiteten Triadenstrategie sollten konventionelle, nukleartakt. und nuklear-strateg. Waffen einzeln oder verbunden eingesetzt werden. Sie schloss auch eine Ersteinsatzoption ein, um dem potenziellen Gegner zu signalisieren, dass er im Falle eines für ihn erfolgreich verlaufenden konventionellen Krieges mit dem Risiko eines nuklearen Gegenschlags rechnen müsse. Nach dem Zerfall des Warschauer Paktes und dem Ende des Ost-West-Konflikts veränderte die NATO ihre Strategie. Im Vordergrund stehen nun Dialog, Kooperation und Krisenmanagement, was jedoch keinen Verzicht auf den Ersteinsatz von Kernwaffen im Konfliktfall bedeutet.

Nuklearwaffen, svw. Kernwaffen, Atomwaffen (→ABC-Waffen).

Nukleinsäuren, →Nucleinsäuren.

Nukleonen, Elementarteilchen aus der Gruppe der Baryonen; gemeinsame Bez. für die →Protonen und →Neutronen, die Bausteine der Atomkerne, sowie für deren Antiteilchen, die **Anti-N.** (Antiprotonen und Antineutronen).

Nukleonenzahl, die →Massenzahl.

Nukle|us [lat.] *der,* der →Zellkern.

Nuklid [lat.] *das,* eine Atomart, die durch die Anzahl der Protonen Z und Neutronen N, d.h. durch Ordnungszahl Z und Massenzahl A $(A = Z + N)$ gekennzeichnet ist, z.B. das Kobalt-N. Co 60 ($^{60}_{27}Co$) mit $Z = 27$ und $A = 60$. Dabei werden Atomkerne mit Lebensdauern $>10^{10}$ s in einem definierten Energiezustand als N. bezeichnet. Neben den (mehr als 280) natürlich vorkommenden, meist stabilen N. gibt es eine große Zahl künstl. N., die alle radioaktiv sind **(Radio-N.).** – Der Begriff →Isotop wird für die versch. N. eines Elementes verwendet, z.B. ist das N. $^{92}_{42}Mo$ eines der mehr als 20 Isotope des Elementes Molybdän.

Nukus, Hauptstadt der Rep. Karakalpakien innerhalb Usbekistans, am Amudarja, 179 600 Ew.; Univ.; Weinkellerei; Baumwollverarbeitung, Jurtenfilzherstellung, Möbelbau.

Null [zu lat. nullus »keiner«], *Mathematik:* diejenige Zahl (Zahlzeichen 0), die, zu einer beliebigen Zahl x addiert, diese Zahl unverändert lässt: $x + 0 = 0 + x = x$. Die N. ist das →neutrale Element bezüglich der Addition. Es gilt ferner $x \cdot 0 = 0 \cdot x = 0$ und $x^0 = 1$; die Division durch N. ist nicht definiert. – Als Ziffer tritt die N. in Stellenwertsystemen (Dual-, Dezimalsystem u.a.) zur Kennzeichnung eines nicht bestehenden Stellenwertes auf.

nulla poena sine lege [-ˈpøːna-; lat. »keine Strafe ohne Gesetz«] (nullum crimen sine lege, lat. »kein Verbrechen ohne Gesetz«), rechtsstaatl. Grundsatz des Strafrechts im Verfassungsrang (Art. 103 Abs. 2 GG), wonach eine Tat nur bestraft werden kann, wenn die Strafbarkeit und die Strafe gesetzlich bestimmt waren, bevor die Tat begangen wurde. Dieser Grundsatz (auch § 1 StGB) hat insbesondere folgende Bedeutung: Rückwirkungsverbot (von Strafgesetzen), Ausschluss von strafbegründendem oder strafverschärfendem Gewohnheitsrecht, Ausschluss der analogen Anwendung eines Gesetzes zu Lasten des Täters.

Nullarbor|ebene [ˈnʌləbɔː-], verkarstete Kalktafel in Südaustralien, grenzt an die Austral. Bucht mit einer bis 200 m hohen Kliffküste, mit Sanddünen und spärl. Vegetation.

Nulldiät, Hungerkur; Verzicht auf Nahrung zur Reduzierung von Übergewicht (unter Zuführung von Flüssigkeit, Mineralstoffen, Spurenelementen und Vitaminen); medizinisch umstritten, da nicht nur Depotfett, sondern auch Körpereiweiß abgebaut wird.

Null|element, →neutrales Element.

Nullifikation [lat.] *die,* **1)** *allg.:* Aufhebung, Ungültigkeitserklärung.

2) in den *USA* die Auffassung, dass die Einzelstaaten kraft eigener Souveränität Bundesgesetze eigenmächtig für ungültig erklären können.

Null|instrument, hochempfindliches elektr. Messinstrument zum Nachweis der Stromlosigkeit in einem Stromzweig. Reine N. haben den Nullpunkt in der Skalenmitte und benötigen keine in Einheiten kalibrierte Skala. N. sind meist Drehspulinstrumente und werden als Nullindikatoren in Messbrücken und Kompensatoren verwendet.

Nulllösung, v.a. in der internat. Nachrüstungsdebatte Anfang der 1980er-Jahre verwendete Bez. für den vollständigen Verzicht auf die Aufstellung bestimmter (neuer) Waffensysteme.

Nullmeridian (Anfangsmeridian), willkürlich, senkrecht zum Äquator festgelegter Meridian, von dem aus die geograph. →Länge gerechnet wird; seit 1884 der Meridian von Greenwich.

Nullpunkt, Anfangspunkt einer Skala, z.B. der Temperaturskala (→absoluter Nullpunkt), oder Ursprung eines Koordinatensystems (→Koordinaten).

Nullpunkts|energie, die Energie, die ein physikal. System am absoluten Nullpunkt der Temperatur (0 K) als Schwingungsenergie **(Nullpunktsschwingungen)** enthält, da wegen der heisenbergschen →Unschärferelation die kinet. Energie auch bei $T = 0$ K nicht Null werden kann.

Nullstelle, *Mathematik:* das Argument x_0 der unabhängigen Variablen x einer reellen Funktion $f(x)$, für deren Funktionswert $f(x_0) = 0$ gilt. In einer N. schneidet oder berührt der Graph von f die x-Achse.

Nullung, eine Schutzmaßnahme gegen zu hohe Berührungsspannungen an betriebsmäßig nicht unter Spannung stehenden Teilen. Die Gehäuse elektr. Geräte werden mit dem Nullleiter als Schutzleiter verbunden. Damit führt jeder Körperschluss zu einem Kurzschluss, die vorgeschaltete Sicherung schaltet ab.

Nullwachstum, Zustand, in dem alle wesentl. Größen (z.B. Wirtschaft, Kapital, Bevölkerung) Wachstumsraten von null Prozent aufweisen. Die Forderung nach N. wurde v.a. im Zusammenhang mit wirtschaftspolit. und ökolog. Diskussionen über den 1972 vom Club of Rom veröffentlichten Bericht »Die Grenzen des Wachstums« erhoben und zielt darauf, in Anbetracht von Ressourcenverknappung und zunehmender Umweltzerstörung das unbegrenzte quantitative Wirtschaftswachstum zu stoppen und durch ein qualitatives zu ersetzen.

Numantia, Stadt der keltiber. Arevaker am Duero, Nordspanien; ihre Zerstörung (133 v.Chr.) durch Scipio Africanus d.J. beendete die Erhebung der Keltiberer gegen die röm. Herrschaft.

Numa Pompilius, der Sage nach der zweite König Roms (715–672 v.Chr.); stammte angeblich aus Cures im Sabinerland. Auf ihn wurde die Ordnung des röm. Sakralwesens und des Kalenders zurückgeführt.

Nümbrecht, heilklimat. Kurort im Oberberg. Kreis, NRW, 16500 Ew.; Papier- und Kunststoffproduktion, Werkzeugfabriken. 1969 durch Zusammenschluss entstanden. – Nahebei Schloss Homburg (17./18. Jh.) mit Museum.

Jaafar Mohammed Numeiri

Numeiri [-ˈmeɪ-] (Nimeiri, an-N.), Jaafar Mohammed, sudanes. Politiker, *Omdurman 1. 1. 1930; trat nach dem von ihm geführten Putsch 1969 als Vors. des Revolutionären Kommandorats an die Spitze des Staates. 1969–76 und 1977–85 war er MinPräs., 1969–73 Oberbefehlshaber der Streitkräfte und 1971–85 Staatspräsident.

Numen [lat. (göttl.) »Wink«] *das,* das Walten eines göttl. Wesens ohne Personcharakter, schließlich die Gottheit selbst. Als das **Numinose** wird in der Religionswiss. seit Rudolf Otto (*1869, †1937) das Heilige in seiner zugleich erschreckenden und anziehenden Wirkung bezeichnet.

Numerale [lat.] *das, Sprachwiss.:* Zahlwort, bei adjektiv. Gebrauch Zahladjektiv. Man unterscheidet: Kardinalzahlen (Kardinalia, Grundzahlen: z.B. eins, zwei), Ordinalzahlen (Ordinalia, Ordnungszahlen: z.B. der Erste, der Zweite), Multiplikativa (Vervielfältigungszahlen: z.B. einmal, zweimal), Bruchzahlen (Partitiva: z.B. halb, drittel), Distributiva (Verteilungszahlen: z.B. je zwei, je drei), Gattungszahlen (z.B. beide, zweierlei) und unbestimmte (indeterminierte) N. (z.B. einige, mehrere).

Numeri [lat. »Zahlen«] *Pl.,* in der Vulgata Bez. für das 4. Buch Mose, so benannt, weil es mit der Darstellung einer Volkszählung beginnt.

Numerik *die,* →numerische Mathematik.

numerisch [zu lat. numerus »Zahl«], zahlenmäßig, unter Verwendung von Zahlen erfolgend.

numerische Maschinensteuerung (engl. Numerical Control, Abk. NC), *Fertigungstechnik:* Steuerung bei automat. Werkzeugmaschinen **(Numerikmaschinen, NC-Maschinen)** mit ziffernmäßiger Programmeingabe, interner Informationsverarbeitung und ständiger Anpassung an den Arbeitsfortschritt. Das Steuerungsprogramm enthält alle geometr. Daten des Werkstücks (**Weginformation**) und die Angaben über Werkzeuge und Arbeitsgeschwindigkeit (**Schaltinformation**) in numer. Form und wird in einem Datenspeicher festgehalten. Nach Art der Dateneingabe und den Möglichkeiten zum Eingriff in das Bearbeitungsgeschehen unterscheidet man herkömml. n. M. mit fest vorgegebenem Arbeitsablauf, frei programmierbare n. M. (→CNC) sowie an einen zentralen Prozessrechner angeschlossene n. M. (direkte numerische Steuerung, engl. Direct Numerical Control, Abk. DNC). In Abhängigkeit von der zu erzeugenden geometr. Form unterscheidet man **Punktsteuerung** (Steuerung der Relativbewegung von Werkzeugen und Werkstücken auf einzelne, definierte Punkte), **Streckensteuerung** (Steuerung der achsparallelen Bewegung des Maschinenschlittens in jeweils einer Achse zwischen zwei definierten Punkten) und **Bahnsteuerung** (mehrere Achsen der Maschine werden gleichzeitig gefahren, wobei das Werkzeug im Eingriff ist).

numerische Mathematik (Numerik), Teilgebiet der Mathematik, in dem Methoden zur zahlenmäßigen (numer.) Berechnung der Werte mathemat. Objekte entwickelt werden. Dabei spielen bes. Näherungsverfahren und Fehleranalysen sowie deren rechentechn. Realisierung eine große Rolle, da die meisten in der Praxis auftretenden, mathematisch durch Gleichungssysteme oder Differenzialgleichungen beschriebenen Probleme nicht exakt lösbar sind. Wichtige allg. Verfahren der n. M. sind (programmierbare) Algorithmen sowie die Iterationsverfahren, die sich als wiederholte Algorithmen charakterisieren lassen.

Numerus [lat. »Zahl«] *der,* **1)** *Mathematik:* →Logarithmus.

2) *Sprachwiss.:* die grammat. Form zur Bezeichnung des Unterschieds von Einzahl (Singular), Mehrzahl (Plural), ferner in manchen Sprachen Zweizahl (Dual), auch Drei- (Trial) und Vierzahl (Quadral).

Numerus clausus [lat. »geschlossene Zahl«] *der,* die zahlenmäßige Beschränkung der Zulassungen von Bewerbern zu einer Ausbildung, einem Gewerbe oder Beruf, in erster Linie im Fachhochschul- und Hochschulbereich. In Dtl. besteht für viele Studiengänge bundesweite Zulassungsbeschränkung, im Wintersemester 1997/98 für medizin. Studiengänge (Medizin, Zahnmedizin, Tiermedizin), die einem besonderen Auswahlverfahren mit Tests unterliegen, Architektur, Betriebswirtschaft, Biologie, Pharmazie, Lebensmittelchemie, Haushalts- und Ernährungswiss., Psychologie, Rechtswiss., in NRW auch Kunstgesch., Sportwiss., Wirtschaftsinformatik. 1973 wurde in Dortmund für bundes- oder landesweit zulassungsbeschränkte Fächer eine »Zentralstelle für die Vergabe von Studienplätzen« (ZVS) eingerichtet. Sie arbeitete zunächst nach dem Bonus-Malus-System (Vergabe nach den am Länderdurchschnitt umbewerteten Abiturnoten); seit 1978 erfolgt eine (nach einem Abzug für bes. Fälle) nach Qualifikation (etwa 60%) und Wartezeit (etwa 40%) getrennte Vergabe.

Numidien, im Altertum von den Römern geprägte Bez. für das Hinterland der nordwestafrikan. Küste, das heutige O-Algerien, bewohnt von nomadisierenden Berberstämmen, den **Numidern.** Massinissa gründete um 200 v. Chr. ein

Reich N.; sein Großneffe →Jugurtha unterlag in einem langen Krieg (112–105 v. Chr.) den Römern. 46 v. Chr. machte Cäsar N. zur Prov. Africa Nova, die unter Augustus mit der Prov. Africa Vetus zur Prov. Africa Proconsularis vereinigt wurde.

Numinose *das,* →Numen.

Numismatik [grch.] *die,* →Münzkunde.

Nummernkonto, Bankkonto, das ausschließlich unter einer Nummer geführt wird, sodass der Besitzer anonym bleibt. Bei der Einrichtung des N. erfolgt jedoch eine Überprüfung der Legitimation und eine vertraul. Erfassung der Personalien. N. sind v. a. in der Schweiz und in Luxemburg üblich; in Dtl. sind sie unzulässig.

Nummuliten [lat.], Familie der Foraminiferen, deren linsen- oder scheibenförmiges, bis 10 cm Durchmesser erreichendes gekammertes Kalkgehäuse **(Münzensteine)** für die Schichten des ältesten Tertiärs kennzeichnend ist (Leitfossilien).

Nunatak [eskimoisch] *der,* Bez. für einen Felsen oder Berg, der aus Gletschern und Inlandeismassen herausragt.

Nuntiatur [italien.] *die,* Amt und Amtssitz eines Nuntius.

Nuntius [lat. »Bote«] (Apostolischer N.) *der,* päpstl. Gesandter bei einer Ortskirche und zugleich diplomat. Vertreter des Apostol. Stuhls bei einer Staatsregierung (diplomatisch im Rang eines Botschafters, kirchlich im Rang eines Titularerzbischofs). Der N. ist der Doyen des diplomat. Korps; ist ihm diese Rechtsstellung nicht eingeräumt, führt er den Titel **Pronuntius**.

Nuoro, 1) Provinz auf Sardinien, Italien, 7044 km², (1995) 272800 Einwohner.

Nuraghen: Nuraghe bei Sassari auf Sardinien; die übereinander liegenden Räume werden durch umlaufende Treppengänge in den Außenmauern verbunden

2) Hauptstadt von 1), in der Mitte Sardiniens, 37900 Ew.; archäolog. Museum mit Funden aus der Provinz; Verarbeitung landwirtsch. Produkte.

Nupe, Volk im westl. Zentralnigeria mit hoch entwickeltem Handwerk; rd. 500000 Menschen. Das Reich der N. mit der Hptst. Bida, im 13. Jh. zuerst erwähnt, bestand bis ins 19. Jahrhundert.

Nuppenbecher (Noppengläser), Trinkgefäße aus Glas, die außen mit Glastropfen verziert sind; schon in der Spätantike verbreitet, in Dtl. seit dem 15. Jh. hergestellt.

Nuraghen [italien.] (Nuragen), kegelförmige Türme aus großen Steinblöcken auf Sardinien (Mitte 2. Jt. bis 6. Jh.; mit Nachläufern bis ins 3. Jh. v. Chr.). Sie werden als »Burgen«, Grabbauten, seltener als Kultstätten gedeutet.

Nürburgring, Automobil- und Motorradrennstrecke südlich von Adenau, urspr. um die Ruine Nürburg (12. Jh.) in der Eifel. Der 1925–27 erbaute N. galt vor dem Umbau als einer der schwierigsten Rennkurse der Erde; der Kurs war 28,29 km lang. 1981–84 entstand die jetzige Rennstrecke (4,542 km lang, mit 14 Kurven und 11 Geraden). KARTE S. 186

Nurejew, Rudolf, österr. Tänzer und Choreograph tatar. Herkunft, * (auf einer Eisenbahnfahrt) bei Irkutsk 17. 3. 1938, † Paris 6. 1. 1993; verließ 1961 nach einem Gastspiel in Paris das Leningrader Kirow-Ballett (seit 1958), danach ständiger Gast des Londoner Royal Ballet. 1983–90 leitete er das Ballett der Pariser Oper. N. zeichnete sich als Tänzer (häufig mit M. Fonteyn de Arias als Partnerin) durch außergewöhnl. Virtuosität und künstler. Ausdrucksfähigkeit aus. Als Choreograph machte er sich v. a. mit Rekonstruktionen klass. Choreographien von M. Petipa und L. Iwanow (»Schwanensee«, »Dornröschen« u. a.) einen Namen. 1979 debütierte er als Opernregisseur; spielte auch in Filmen mit. BILD S. 186

📖 STUART, O.: *N. Die Biographie. A. d. Amerikan. Wien 1996.*

Nurek, Stadt in Tadschikistan, 35000 Ew., am Wachsch. N. entstand mit dem Bau des N.-Wasserkraftwerkes (2700 MW) in der Pulisangin-Enge des Wachsch, wo ein 317 m hoher Steindamm den Fluss zu einem See staut, der zur Bewässerung in der Karschi-Steppe genutzt wird.

Nurflügelflugzeug, i. e. S. Flugzeug, dessen Tragflügel, Rumpf und Höhenleitwerk zu einer Baugruppe verschmolzen sind. Als N. werden i. w. S. auch Flugzeuge bezeichnet, die zwar einen selbstständigen Rumpf, aber kein Höhenleitwerk besitzen **(schwanzlose Flugzeuge).** H. Junkers meldete 1910 ein Patent auf ein N. an; im Segelflugzeugbau entwarf A. Lippisch 1929/30 erste Pläne von Nurflügelflugzeugen.

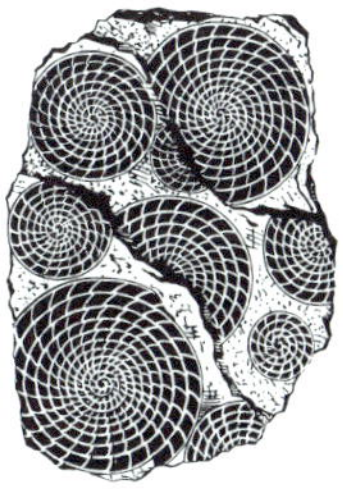

Nummuliten im Gestein

Nuppenbecher aus dem 16. Jahrhundert

Paavo Nurmi

Nuri as-Said, irak. Politiker, *Bagdad 1888, †(ermordet) ebd. 15. 7. 1958; war mehrmals Oberbefehlshaber der Armee sowie zw. 1930 und 1958 häufig MinPräs.; trug wesentlich zum Abschluss des Bagdadpaktes (1955) und zum Zusammenschluss Jordaniens mit Irak in der Arab. Union (1958) bei; im Verlauf des Putsches gegen die Monarchie 1958 ermordet.

Nuristani, Bewohner des Hindukusch in NO-Afghanistan und NW-Pakistan mit indoar. Sprache. Die rd. 100 000 N., die bis 1895 **Kafiren** (»Ungläubige«) hießen, betreiben Ackerbau sowie Ziegenhaltung. Sie wurden 1895/96 zwangsislamisiert.

Nurmi, Paavo, finn. Leichtathlet, *Loimaa (bei Turku) 13. 6. 1897, †Helsinki 2. 10. 1973; lief (1922–31) 22 anerkannte Weltrekorde auf Strecken zw. 1 500 m und 10 km; neunfacher Olympiasieger.

Nürnberg
Stadtwappen

Nürnberg, kreisfreie Stadt im RegBez. Mittelfranken, Bayern, an der Pegnitz, im W mit Fürth verwachsen, 492 900 Ew.; Verw.- und kulturelles Zentrum Mittelfrankens; Sitz der Bundesanstalt für Arbeit, Bundesfinanzdirektion; Fachbereiche Wirtschafts- und Sozialwissenschaften sowie Erziehungs- und Kulturwissenschaften der Univ. Erlangen-N., Akademie der bildenden Künste, FH, Staatsarchiv, Opernhaus, Schauspielhaus, Kammerspiele, →Germanisches Nationalmuseum, Naturhistor., Verkehrs-, Gewerbe-, Spielzeugmuseum; zoolog. Garten. Der wichtigste Ind.zweig ist die Elektrotechnik, gefolgt von Maschinen- und Fahrzeugbau, Druck-, chem., Metallwaren-, ferner Nahrungs- und Genussmittelind. (Lebkuchen), Bleistiftherstellung und Spielwarenindustrie. Alljährlich findet eine Spielwarenmesse von internat. Bedeutung statt, ferner eine Erfindermesse. Einen

Rudolf Nurejew mit seiner Partnerin Margot Fonteyn de Arias (1968)

besonderen Anziehungspunkt bietet der um 1640–50 entstandene »Christkindlesmarkt«. – Seit 1972 Hafen am Rhein-Main-Donau-Großschifffahrtsweg, nördlich der Stadt der Flughafen.

Stadtbild: Trotz schwerer Zerstörungen im 2. Weltkrieg lässt N. nach dem Wiederaufbau das histor. Stadtbild erkennen. Die Pegnitz teilt die Altstadt in die ältere Sebalderstadt (im N) und die seit dem 12. Jh. entstandene Lorenzerstadt (im S). Die Stadtbefestigung mit mehreren Türmen (14./15. Jh.) ist größtenteils erhalten. Der riesige Komplex der Burg besteht aus der im 12. Jh. entstandenen Burggrafen- und Kaiserburg (Umbauten bis ins 15./16. Jh., heute Museum), den Kaiserstallungen (graf. Sammlung) sowie der stauf. Doppelkapelle (zw. 1190 und 1220). Viele der beschädigten mittelalterl. Bauwerke sind wieder hergestellt, so die nach 1350 vollendete Lorenzkirche mit

Nürburgring

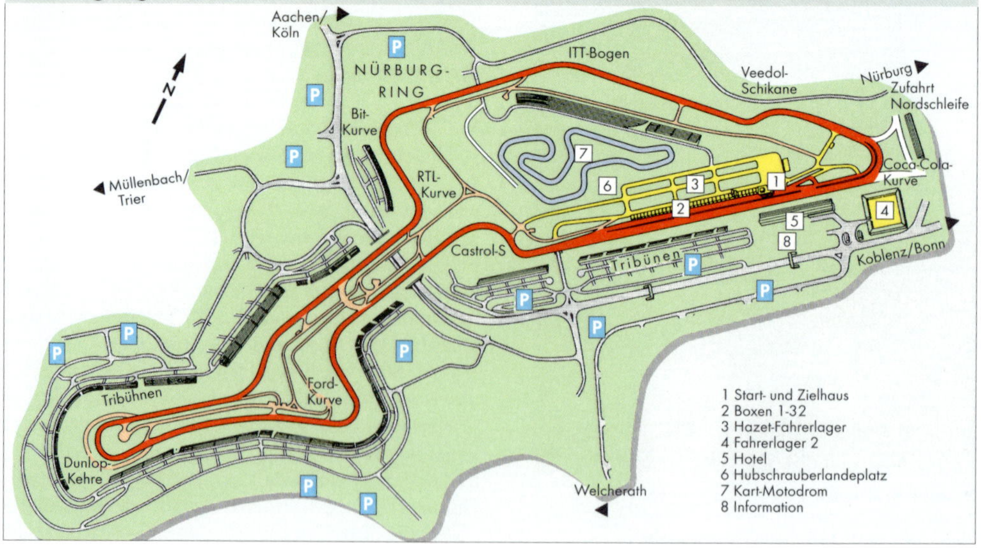

spätgot. Hallenchor (1439–77), zu deren Kunstschätzen der »Engl. Gruß« von V. Stoß (1517/18) und das Sakramentshaus von A. Krafft (1493–96; BILD) gehören. Nordwestlich dieser Kirche steht der Tugendbrunnen (1584–89), auf der O-Seite des Hauptmarktes die Frauenkirche (seit 1352) mit dem »Tucheraltar« (um 1440/50) und Werken von A. Krafft. Der Schöne Brunnen (14. Jh.) wurde 1902/03 erneuert. Das Rathaus (14. Jh., seit 1616 im Stil eines italien. Stadtpalastes neu errichtet) wurde wieder hergestellt. Die Sebalduskirche (um 1240–73) birgt das von P. Vischer d. Ä. und Söhnen gegossene Sebaldusgrab (1508–19) und die Kreuzigung von V. Stoß. Erhalten oder wieder hergestellt sind: Fembohaus (1596, heute Museum), Albrecht-Dürer-Haus (Mitte 15. Jh.), Weinstadel, Unschlitthaus, Tucherschlösschen, Mauthalle. Das Pellerhaus ist weitgehend zerstört.

Geschichte: Die Stadt entstand bei der 1050 erstmals gen. Reichsburg N. (Burggrafen seit 1191 die Hohenzollern); erhielt 1200 Stadtrecht; 1219 Großer Freiheitsbrief Kaiser Friedrichs II., seit König Rudolf I. Aufstieg zur Freien Reichsstadt (bis 1806). Kaiser Karl IV. verpflichtete 1356 (Goldene Bulle) jeden Röm. König, in N. den 1. Reichstag abzuhalten; 1427 Erwerb der Burg und vieler Rechte durch die Stadt Nürnberg 1424–1796 (sowie 1938–45); Aufbewahrungsort der Reichsinsignien; wuchs zur gebietsmächtigsten dt. Reichsstadt heran; im 15./16. Jh., bes. während der Reformation (1525 in N. eingeführt), wirtsch. und kulturelle Blüte: u. a. Maler und Grafiker (M. Wolgemut, A. Dürer), Bildhauer (A. Krafft, V. Stoß), Erzgießer (Familie Vischer), Gelehrte (W. Pirckheimer, Regiomontanus, M. Behaim), Meistersinger (Hans Sachs). Im Dreißigjährigen Krieg (1632 schwed. Besetzung) stark geschwächt, erneuter Aufschwung nach dem Erwerb durch Bayern (1806): Industrialisierung, Eröffnung der 1. dt. Eisenbahn N.–Fürth (1835), Bau des Donau-Main-Kanals (1843–45). 1933 erklärte A. Hitler N. zur »Stadt der Reichsparteitage« (1927, 1929 und 1933–38 **Nürnberger Parteitage**). Schauplatz der →Nürnberger Prozesse.

Nürnberg

Enea Silvio Piccolomini, der spätere Papst Pius II., schmeichelt in seiner »Germania« (1457/58) der Reichsstadt Nürnberg:

»Was für einen Anblick bietet diese Stadt! Welcher Glanz, welche liebliche Lage, welche Schönheiten, welche Kultur, welch vortreffliches Regiment! ... Wenn man ... von Ferne die Stadt sieht, welche Großartigkeit ... bietet sich da schon dem Blick von außen! Und im Inneren dann, welche Sauberkeit der Straßen, welche Eleganz der Häuser! ... Wie viele Bürgerhäuser kann man dort finden, die für Könige geeignet wären!«

📖 MULZER, E.: *Die Nürnberger Altstadt.* Nürnberg [2]1984. – SCHULTHEISS, W.: *Kleine Geschichte N.s.* Nürnberg [2]1987.

Nürnberger Ei, eiförmige Taschenuhr mit Federwerk, im 16. Jh. in Nürnberg hergestellt.

Nürnberger Gesetze, Bez. für das »Reichsbürger-Gesetz« und das »Gesetz zum Schutze des dt. Blutes und der dt. Ehre«, anlässlich des Nürnberger Parteitags der NSDAP am 15. 9. 1935 verabschiedet. Danach sollten die »vollen polit. Rechte« zukünftig nur den Inhabern des »Reichsbürgerrechts« zustehen, das nur an »Staatsangehörige dt. oder artverwandten Blutes« verliehen werden sollte. Das »Blutschutzgesetz« verbot bei Gefängnis- oder Zuchthausstrafe u. a. die Eheschließung zw. Juden und »Staatsangehörigen dt. oder artverwandten Blutes« (»Rassenschande«). Die N. G. verbreiterten die juristische Basis für die Diskriminierung und Verfolgung der Juden in Deutschland.

Nürnberg: Die bis auf das 12. Jh. zurückgehende Burg überragt die Altstadt, deren Bebauung bis dicht an den Fuß des Burgbergs heranreicht, im Vordergrund links ist das 1489 errichtete »Haus zum geharnischten Mann« zu erkennen; der auf dem Hauptmark gelegene Schöne Brunnen und die Frauenkirche stammen aus dem 14. Jh. (rechts)

Nürnberger Land, Landkreis im RegBez. Mittelfranken, Bayern, 801 km², (1990) 166500 Ew.; Krst. ist Lauf a. d. Pegnitz.

Nürnberger Prozesse, Gerichtsverfahren, die 1945–49 von einem Internat. Militärgerichtshof oder von amerikan. Militärgerichten in Nürnberg zur Ahndung von nat.-soz. Straftaten durchgeführt wurden. Auf der Grundlage der Moskauer Dreimächteerklärung vom 30. 10. 1943 und des Londoner Abkommens vom 8. 8. 1945 bildeten Frankreich, Großbritannien, die USA und die UdSSR einen Internat. Militärgerichtshof, vor dem am 18. 10. 1945 Anklage gegen 22 »Hauptkriegsverbrecher«

Nürnberger Prozesse: Auf der Anklagebank im Verfahren des Internationalen Militärgerichtshofs gegen 22 »Hauptkriegsverbrecher« sitzen in der oberen Reihe Karl Dönitz (nur zum Teil im Bild), Erich Raeder, Baldur von Schirach, Fritz Sauckel, Alfred Jodl, Franz von Papen, Arthur Seyß-Inquart, Albert Speer, Konstantin von Neurath, Hans Fritzsche (von links); in der zweiten Reihe Herman Göring, Rudolf Heß, Joachim von Ribbentrop, Wilhelm Keitel, Ernst Kaltenbrunner, Alfred Rosenberg, Hans Frank, Wilhelm Frick, Julius Streicher, Walter Funk, Hjalmar Schacht (von links); vor den Angeklagten sitzen die Verteidiger

erhoben wurde. Dieser Prozess (20. 11. 1945 bis 1. 10. 1946) endete mit 12 Todesurteilen gegen M. Bormann (in Abwesenheit), H. Frank, W. Frick, H. Göring, A. Jodl, E. Kaltenbrunner, W. Keitel, J. von Ribbentrop, A. Rosenberg, F. Sauckel, A. Seyß-Inquart, J. Streicher. Göring beging Selbstmord, die Übrigen wurden am 16. 10. 1946 gehängt. K. Dönitz, W. Funk, R. Heß, K. Freiherr von Neurath, E. Raeder, B. von Schirach, A. Speer erhielten Haftstrafen zw. 10 Jahren und lebenslänglich; H. Fritzsche, F. von Papen und H. Schacht wurden freigesprochen. Als verbrecher. Organisationen und Gruppen wurden SS, SD, Gestapo und Führerkorps der NSDAP eingestuft. 1946–49 fanden zwölf Nachfolgeprozesse vor amerikan. Militärgerichten statt, bei denen mit 177 Einzelpersonen jeweils bestimmte polit., militär. oder wirtsch. Führungsgruppen im Mittelpunkt der Anklage standen. Gegenstand der Verhandlungen waren u. a. medizin. Versuche an KZ-Häftlingen und Kriegsgefangenen, rechtswidrige Verfolgung von Juden und Gegnern des Nationalsozialismus durch hohe Justizbeamte, Verwaltung von Konzentrationslagern, Beschäftigung von ausländ. Zwangsarbeitern und KZ-Häftlingen in der Industrie, Geiselmorde, Mordtaten von SS-Einsatzgruppen. Von 24 Todesurteilen wurden zwölf vollstreckt, 35 Angeklagte wurden freigesprochen; alle verhängten Haftstrafen wurden bis 1956 aufgehoben. – Von den drei Verbrechenskomplexen, die in den N. P. verhandelt wurden, waren die Kriegsverbrechen (wie Mord und Misshandlung von Kriegsgefangenen und Zivilpersonen, Deportation der Zivilbevölkerung, Plünderung) vom geltenden Völkerrecht definiert, die Zulässigkeit ihrer Ahndung durch die Sieger stand außer Frage. Auch bei den Verbrechen gegen die Menschlichkeit, die als völkerrechtl. Verbrechen definiert wurden, handelte es sich um schon immer strafbare Taten. Zweifelhaft war allerdings, ob nach dem bis 1945 geltenden Völkerrecht die dt. Angriffskriege als »Verbrechen gegen den Frieden« strafbar waren. (→ NS-Prozesse)

📖 JUNG, S.: *Die Rechtsprobleme der N. P. Dargestellt am Verfahren gegen Friedrich Flick. Tübingen 1992.* – *Medizin ohne Menschlichkeit. Dokumente des Nürnberger Ärzteprozesses, hg. v.* A. MITSCHERLICH *u.* F. MIELKE. *Neuausg. Frankfurt am Main 116.–117. Tsd. 1993.* – TAYLOR, T.: *Die N. P. Hintergründe, Analysen u. Erkenntnisse aus heutiger Sicht. A. d. Amerikan. München ²1996.*

Nürnberger Religionsfriede (Nürnberger Anstand), am 23. 7. 1532 zw. Kaiser Karl V. und dem → Schmalkaldischen Bund geschlossener Vertrag, der den prot. Reichsständen als Gegenleistung für die Hilfe im Krieg gegen die Türken bis zu einem allg. Konzil oder zum nächsten Reichstag freie Religionsausübung gewährte.

Nürnberger Trichter, scherzhaft für eine Lehrmethode, bei der sich der Lernende nicht anzustrengen braucht, weil ihm der Lernstoff mechanisch eingetrichtert wird; nach G. P. Harsdörffers »Poet. Trichter. Die Teutsche Dicht- und Reimkunst, ohne Behuf der lateinischen Sprache, in VI Stunden einzugießen« (1647).

Nürtingen, Stadt im Landkreis Esslingen, Bad.-Württ., am oberen Neckar, 38900 Ew.; Große Kreisstadt; FH für Kunsttherapie; Maschinenbau, Zementwerke, Textilindustrie. – Evang. Stadtkirche (1506–1509), Rathaus (16./18. Jh.). – 1046 erstmals erwähnt; 1356 Stadt.

Nus [grch.] (Nous) *der,* Geist, Vernunft; in der antiken Metaphysik Bez. für den »höchsten« Teil der menschl. Seele (»denkende Seele« bei Aristoteles) sowie für ein den Kosmos ordnendes Prinzip (Anaxagoras, Platon) und die (reine) Seinsweise Gottes (Plotin).

Nusairier (Nosseirier), im 9. Jh. aus einer Abspaltung von den Ismaeliten hervorgegangene islam. Sondergemeinschaft (Selbstbez. **Alawiten**); gilt aufgrund ihrer theolog. Positionen als extreme Richtung des schiit. Islam (→Schiiten); heute v. a. in Syrien und im Libanon verbreitet und von großem polit. Einfluss.

Nuschke, Otto, Politiker, *Frohburg (Kr. Leipziger Land) 23. 2. 1883, †Niederneuendorf (heute zu Hennigsdorf) 27. 12. 1957; 1919 Mitgl. der Weimarer Nationalversammlung (DDP). 1945 beteiligte er sich an der Gründung der CDUD in der SBZ. Nach der Absetzung J. Kaisers als Vors. der CDUD erkannte er den alleinigen Führungsanspruch der SED in Staat und Gesellschaft an. 1949–57 war N. stellv. Min.Präs. der DDR und Leiter des Amtes für Kirchenfragen.

Nuss, 1) *Botanik:* einsamige Schließfrucht (→Frucht).

2) *Lebensmittel:* zarter Teil der Keule (beim Kalb, Rind).

Nussbaum, der Walnussbaum, →Walnuss.

Nussbaum, Felix, Maler und Grafiker, *Osnabrück 11. 12. 1904, †KZ Auschwitz 9. 8. 1944; malte in den 20er- und 30er-Jahren v. a. Hafen- und Straßenszenen, Stillleben und Porträts. 1935 emigrierte er nach Belgien. 1940 wurde er nach S-Frankreich deportiert, kehrte jedoch im gleichen Jahr illegal nach Belgien zurück. Seine Bilder stehen stilistisch der Neuen Sachlichkeit nahe und enthalten auch surrealist. Elemente.

Nussberg (Nusberg), Lew Waldemarowitsch, russ. Künstler, *Taschkent 1. 6. 1937; gestaltete zus. mit den Künstlern der von ihm (1962) mitbegründeten Gruppe »Dwischenije« (Bewegung) kinet. Objekte sowie kinet. Aktionen und Multimediaprogramme. Seit 1976 lebt N. in Westeuropa.

Nüsslein-Volhard, Christiane, Entwicklungsbiologin, *Magdeburg 20. 10. 1942; seit 1985 Direktorin am Max-Planck-Institut für Entwicklungsbiologie in Tübingen. Für ihre Entdeckungen über die genet. Kontrolle der frühen Embryonalentwicklung erhielt sie 1995 (mit E. B. Lewis und E. Wieschaus) den Nobelpreis für Physiologie oder Medizin.

Nussöl (Walnussöl), durch Auspressen von Walnüssen gewonnenes Öl. Kalt gepresstes N. dient als Speiseöl, warm gepresstes z. B. zur Herstellung von Ölfarben und Seifen.

Nut, *Technik:* längl. Vertiefung an Wellen, Zapfen, Naben, Holzbalken o. Ä. zur Führung und Befestigung anderer Teile, z. B. durch Führungsstifte, Keil oder Passfeder; bei elektr. Maschinen eine rechteckige, ovale oder runde Einkerbung im Ständer oder Läufer zur Aufnahme der Wicklung.

Nut, ägypt. Himmelsgöttin, Mutter von Osiris, Seth, Isis und Nephthys; als Frau dargestellt, die sich über ihren Gemahl, den Erdgott →Geb, beugt.

Nutation [lat.] *die,* **1)** *Astronomie:* der →Präzession der Erdachse überlagerte Störung mit einer Periode von 18,6 Jahren, die im Wesentlichen auf die Drehung der Mondbahn zurückgeht.

2) *Botanik:* durch ungleiches Wachstum gegenüberliegender Seiten eines Pflanzenteils verursachte Krümmungsbewegung, z. B. die Entfaltung einer Knospe oder die kreisende Bewegung einer Ranke.

3) *Physik:* a) kleine period. Schwankungen des Öffnungswinkels des Präzessionskegels bei der allg. Bewegung des rasch rotierenden schweren symmetr. →Kreisels. Diese Bewegung, die **pseudoreguläre Präzession,** setzt sich aus einer regulären Präzession und der N. zusammen. b) Bez. für die reguläre Präzession des kräftefreien symmetr. Kreisels; entsprechend wird der Präzessionskegel **N.-Kegel** genannt.

Felix Nussbaum: »Der tolle Platz« (1931; Berlin, Berlinische Galerie)

Nutria [span.] *die* (Biberratte, Sumpfbiber, Myocastor coypus), bis 60 cm körperlanges braunes Nagetier in Flüssen und Seen des südl. Südamerika; der runde, bis 45 cm lange Schwanz ist kaum behaart; Hinterfüße mit Schwimmhäuten, wird als Pelztier in Farmen gezüchtet.

Nutzbremsung, Bremsverfahren für elektr. Antriebe, bei dem der Antriebsmotor vorübergehend als Generator arbeitet und kinet. Energie in Form elektr. Energie ins Netz zurückspeist, z. B. bei Straßen- und U-Bahnen.

Christiane Nüsslein-Volhard

Nutzen, *Volkswirtschaftslehre:* auf der subjektiven Werteinschätzung beruhende Eigenschaft eines Gutes, zur Bedürfnisbefriedigung eines Wirtschaftssubjekts beizutragen. Unter N. wird sowohl diese Eigenschaft selbst als auch das Maß der Bedürfnisbefriedigung, das dem Käufer aus dem Konsum von Gütern erwächst, verstanden. – Die →Grenznutzenschule geht von einem kardinalen, d.h. absolut messbaren N. aus; die moderne N.-Theorie unterstellt dagegen, dass nur eine Rangordnung der N. vorgenommen werden kann (ordinales Nutzenkonzept).

Nutzfläche, *Bautechnik:* die nutzbare Fläche eines Geländes, eines Gebäudes, eines Raumes; sie ergibt sich aus der Gesamtfläche abzüglich der Nebenflächen (z.B. für Verkehr, sanitäre Anlagen).

Nutzholz, alles technisch verwertbare Holz (im Ggs. zum Brennholz).

Nutzkosten, Teil der fixen Kosten, der auf genutzte Kapazitäten entfällt; Ggs.: Leerkosten.

Nutzkraftwagen (Nutzfahrzeuge), Abk. **Nkw,** den Personenkraftwagen gegenübergestellte Kraftwagen, die bes. Güter und/oder gewerblich Personen befördern, z.B. Lastkraftwagen, Zugmaschinen, Omnibusse, Sonderfahrzeuge (Feuerwehrfahrzeuge, Krankenwagen u.a.).

Nutzlast, 1) *Baustatik:* aus der Nutzung oder Beanspruchung resultierende Belastung von Bauwerken (durch Personen, Einrichtungen, Fahrzeuge, Wind usw.), im Unterschied zur ständigen Belastung aus dem Eigengewicht der Bauteile.

2) *Verkehrswesen:* der Anteil der Zuladung eines Transportgeräts (Land-, Wasser-, Luft-, Raumfahrzeug), der nicht zu dessen Betrieb und Fortbewegung erforderlich ist und damit zur Beförderung von Lasten (einschl. Personen) genutzt werden kann. Meist wird unter N. die gegen Bezahlung beförderte Last verstanden **(Fracht, zahlende Nutzlast).**

Nutzleistung, die von einer Maschine (Generator, Motor) oder einem Gerät (Verstärker, Transformator) abgegebene nutzbare Leistung; sie ist (infolge Reibung, Abwärme u.a.) immer kleiner als die zugeführte Leistung. (→Wirkungsgrad)

Nutznießung, bes. im schweizer. Recht Bez. für →Nießbrauch.

Nutzung, *Recht:* die →Früchte einer Sache oder eines Rechts sowie die Vorteile, die der Gebrauch der Sache oder des Rechts gewährt (§100 BGB), z.B. das Wohnen in einem Haus.

Nutzungsdauer, der Zeitraum, in dem ein Wirtschaftsgut des abnutzbaren Anlagevermögens betrieblich genutzt wird. Sie ist eine Schätzgröße und für die Höhe der Abschreibungen maßgebend. Die betriebsgewöhnl. N. muß nicht unbedingt mit der **wirtschaftlichen N.** übereinstimmen, die zum gewinnmaximalen Einsatz des Anlagegutes führt. Beide Begriffe sind zu unterscheiden von der i.d.R. längeren technisch mögl. N. **(technische N.)** des Betriebsmittels.

Nutzungsrecht, 1) in der ehem. DDR a) die vertragliche Überlassung von Grundstücken zur kleingärtner. Nutzung und Freizeitgestaltung (§§312ff. ZGB). Diese Nutzungsverhältnisse gelten gemäß Art. 232 §4 EGBGB fort. b) die Verleihung eines dingl. N. an volkseigenen oder genossenschaftl. Grundstücken zum Bau und zur persönl. Nutzung eines Eigenheims oder eines anderen persönl. Bedürfnissen dienenden Gebäudes (§§287ff. ZGB). Die N. gelten fort (Art. 233 §§3,4 EGBGB); die Nutzungsberechtigten sind durch die Vorschriften des Vermögens-Ges. i.d.F.v. 3. 8. 1992 geschützt. An den errichteten Gebäuden entstand ein vom Grundstück gesondertes Gebäudeeigentum (Art. 233 §§3,4,8 EGBGB). Näheres regeln das Schuldrechtsänderungs-Ges. und das Sachenrechtsbereinigungs-Ges. jeweils vom 21. 9. 1994.

2) im Urheberrecht das vom Urheber einem anderen eingeräumte Recht, das Werk auf einzelne oder alle Nutzungsarten zu nutzen, wofür häufig eine → Lizenz erteilt oder ein Wahrnehmungsvertrag geschlossen wird.

Nuuk (früher dän. Godthåb), Hauptstadt Grönlands, an der W-Küste, 13100 Ew.; Museum; Fischfang und -verarbeitung, Druckerei, Hafen.

NVA, Abk. für →**N**ationale **V**olks**a**rmee.

Ny *das,* der 13. Buchstabe des grch. Alphabets (N, ν).

N.Y., Abk. für den Bundesstaat **N**ew **Y**ork, USA.

Nyakyusa (früher auch Konde), Bantuvolk am N-Ende des Malawisees in Tansania und Malawi. Die etwa 840000 N. treiben Ackerbau und Rinderzucht.

Nyaya [Sanskrit »Regel«] *der,* eines der sechs Systeme der ind. Philosophie (System der Logik).

Nyborg ['nybɔr], Stadt auf Fünen, Dänemark, am Großen Belt, 18300 Ew.; Eisengießerei, chem. Ind., Erdölhafen. – Von der Neuen Burg wurde der »Königsflügel« restauriert; südlich des N.-Fjords Schloss Holkenhavn (1585–1634).

Nydam, Teil der Gemeinde Østersottrup, Nordschleswig, Dänemark. – Hier wurden seit 1859 im Moor Eisenwaffen, röm. Münzen, Schmuck, Geräte des 3.–5. Jh. und zwei seegehende Ruderboote gefunden. Das erhaltene »N.-Boot« aus Eiche ist 22,84 m lang, 3,26 m breit und fasste 40 Mann.

Julius Kambarage Nyerere

Nyerere, Julius Kambarage, tansan. Politiker, *Butiama (am Victoriasee) März 1922; Lehrer, 1954 Mitbegründer und Vors. der Tanganyika African National Union (TANU), war 1961–62 Min.-Präs., ab 1962 Staatspräs. Tanganjikas, seit dem Zusammenschluss Tanganjikas und Sansibars (1964) bis 1985 Präs. Tansanias. 1977–87 leitete er die (1977 neu geschaffene Einheitspartei) Chama cha Mapinduzi (CCM; »Revolutionspartei«). Er betrieb eine sozialist. Politik mit umfassendem Verstaatlichungsprogramm. N. gilt als militanter Vertreter des Antikolonialismus und war führender Politiker im Kreis der »Frontstaaten«.

Nyíregyháza ['nji:rɛdjha:zɔ], Bezirkshauptstadt in NO-Ungarn, im Großen Ungar. Tiefland, 115600 Ew.; Freilichtmuseum; Tabak-, Nahrungsmittelind., Maschinenbau, Reifenfabrik.

Nymphenburg: Die Badenburg wurde nach Plänen von Joseph Effner 1718–21 erbaut

Nykøbing ['nykø:beŋ] (N. Falster), Stadt auf der Insel Falster, Dänemark, 25100 Ew., durch zwei Brücken mit Lolland verbunden; Zuckerfabrik, Maschinenbau, Metallverarbeitung.

Nyköping ['ny:tçø:piŋ], Hauptstadt des Verw.-Bez. (Län) Södermanland, Schweden, 48100 Ew.; Auto-, Möbel-, Elektroind., Herstellung von Flugzeugteilen. – Got. Nikolaikirche (um 1260) mit Backsteinturm (15. Jh.), Rathaus (17. Jh.), Allerheiligenkirche (13. Jh., erneuert im 17. Jh.). – N. entstand im 12. Jh. als Hafen- und Marktort.

Nyktalopie [grch.] *die,* die →Tagblindheit.

nykt..., nykto... [grch.], nacht...

Nyland, schwed. Name der finn. Provinz →Uusimaa.

Nylon® ['naılɔn; engl. Kw.] *das,* Handelsname für Chemiefasern aus →Polyamiden, bes. für die erste vollsynthet. Faser, eine aus Hexamethylendiamin und Adipinsäure hergestellte Polyamidfaser (Nylon 66).

Nymphe *die, Zoologie:* durch Auftreten von Flügelansätzen gekennzeichnetes letztes Larvenstadium mancher Insekten mit unvollkommener Verwandlung (z. B. Schild- und Blattläuse).

Nymphen, *grch. Mythos:* weibl. Naturgottheiten, zuweilen im Gefolge der Artemis, des Hermes, des Dionysos und des Pan. Die **Nereiden** leben im Meer, die **Najaden** in Quellen und Bächen, die **Oreaden** auf Bergen, die **Dryaden** in Bäumen und Wäldern. Verehrt wurden sie v. a. in Grotten **(Nymphaion).**

Nymphenburg, eine der größten Schlossanlagen der Barockzeit, im gleichnamigen Stadtteil im W Münchens; 1664 von A. Barelli begonnen, von G. A. Viscardi und J. Effner bis um 1730 fortgeführt. In den Parkanlagen befinden sich die Lustschlösschen **Pagodenburg, Badenburg, Magdalenenklause** und die **Amalienburg** (1734–39 nach Entwurf von F. de Cuvilliés d. Ä.).

Nymphenburger Porzellan, Porzellan der 1747 in Neudeck bei München gegründeten bayer. Manufaktur, die 1761 nach Nymphenburg verlegt wurde. Sie verdankt ihren Ruhm bes. den Porzellanfiguren von F. A. →Bustelli. Eine neue Blüte begann Ende des 19. Jh. Seit 1754 tragen die Erzeugnisse als Marke das bayer. Rautenwappen.

Nymphomanie [grch.] *die,* krankhaft gesteigertes sexuelles Verlangen der Frau.

Nynorsk [»Neunorwegisch«] *das,* →norwegische Sprache.

Nyon [njɔ̃], Bezirkshauptort im Kt. Waadt, Schweiz, am W-Ufer des Genfer See, 13900 Ew.; Römermuseum; Nahrungsmittel-, pharmazeut., metallurg. Ind.; Weinbau; Fremdenverkehr. – 1813–1978 bestand in N. eine Fayencemanufaktur.

Nysa ['nisa] (dt. Neisse), Stadt in der Wwschaft Opole (Oppeln), Polen, an der Glatzer Neiße, 45800 Ew.; Ind.anlagen-, Autokarosseriebau, Nahrungsmittelindustrie. – 1945 wurde N. zu 75% zerstört. Erhalten oder wiederhergestellt sind u. a. die got. Hallenkirche St. Jakob (Neubau 1401–30) mit frei stehendem Glockenturm (1474–1516), die Kreuzkirche St. Peter und Paul (1719–27) und die Jesuitenkirche (1688–92). – N., vor 1233 gegr., gehörte dem Bistum Breslau und war zeitweilig, bes. im 16./17. Jh., Residenz von dessen Bischöfen **(Fürsten von Neisse).** 1742 fiel der größere Teil des Fürstentums mit der Stadt an Preußen.

Nysa Kłodzka ['nisa 'kuɔtska], Fluss in Polen, →Neiße 1).

Nysa Łużycka ['nisa uu'ʒitska], dt.-poln. Grenzfluss, →Neiße 3).

Nysa Szalona ['nisa ʃa'lɔna], Fluss in Polen, →Neiße 2).

NYSE, Abk. für →**N**ew **Y**ork **S**tock **E**xchange.

Nystagmus [grch.] *der,* das →Augenzittern.

Nymphenburger Porzellan: Franz Anton Bustelli, Isabella und Pantalone, zwei Charaktere der Commedia dell'arte (um 1760; München, Bayerisches Nationalmuseum)

Nyx [grch.], *grch. Mythos:* die Nacht, Gestalt der kosmogon. Dichtung der Griechen, aus dem Chaos entstanden. Als ihre Kinder gelten Thanatos (der Tod) und Hypnos (der Schlaf). Auf dem Pergamonaltar ist eine meist als N. gedeutete Gestalt im Begriff, ein schlangenumwundenes Gefäß gegen die Giganten zu schmettern. Sie wurde auch als Wagenlenkerin dargestellt (röm. Sarkophage).

O

Altsemitisch Altgriechisch Römische Kapitalschrift Unziale und karoling. Minuskel

o, O, 1) Vokal (→Laut); der 15. Buchstabe des dt. Alphabets. Bei den Griechen war das lange O (Ω, →Omega) der letzte Buchstabe, daher: »das A und O«, Anfang und Ende, das Wesentliche.

2) *Chemie:* **O,** Symbol für →Sauerstoff (**O**xygenium).

3) *Geographie:* **O,** Abk. für **O**sten.

ö, Ö, Umlaut des O mit den Lautwerten [œ] oder [ø] (→Laut).

ø, Ø, Buchstabe in Alphabeten skandinav. Sprachen (hinter dem O), ein Vokal, im Dänischen und im Norwegischen mit den Lautwerten [ø] und [œ].

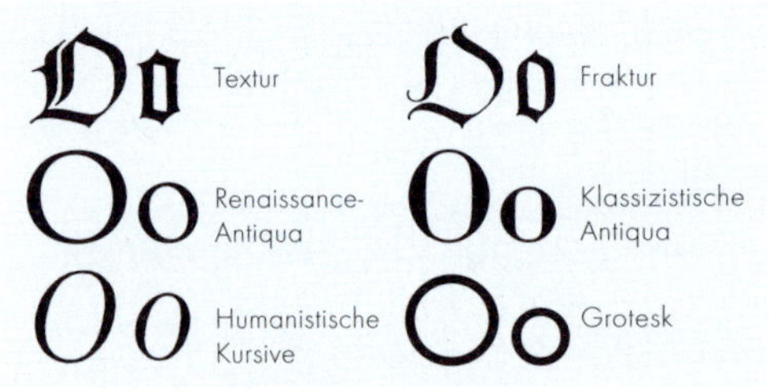

Druckschriftvarianten des Buchstabens **O**

o-, *Chemie:* Abk. für →ortho...

O' [altirisch ane »Enkel«], in irischen Familiennamen: O'Connor, Abkömmling des Connor.

Oahe, Lake [leɪk əʊ'ɑːhɪ], 1440 km² großer Stausee am Mittellauf des Missouri, im Bundesstaat South Dakota, USA, dient der Hochwasserregulierung, der Bewässerung und Elektrizitätsgewinnung.

OAS 1) Flagge

Oahu [engl. əʊ'ɑːhuː], drittgrößte Insel von Hawaii, USA, 1601 km², (1990) 836200 Ew.; mit dem Hauptort Honolulu und dem Flottenstützpunkt Pearl Harbor.

Oakland ['əʊklənd], Stadt in Kalifornien, USA, auf der O-Seite der Bucht von San Francisco, 384100 Ew.; gehört zur San Francisco-O. Metrop. Area (6,25 Mio. Ew.); kath. Bischofssitz; Schiffbau, Erdölraffinerie u. a.; Seehafen, internat. Flughafen, San Francisco Oakland Bridge (1934–36; einschl. Insel 13 km lang).

Oak Ridge ['əʊk 'rɪdʒ], Stadt in Tennessee, USA, 28200 Ew.; Teil der Knoxville Metrop. Area; kernphysikal. Forschungszentrum; Atomenergiemuseum.

OAPEC, Abk. für engl. **O**rganization of **A**rabian **P**etroleum **E**xporting **C**ountries (Organisation der arab. Erdöl exportierenden Staaten), →OPEC.

OAS, 1) Abk. für engl. **O**rganization of **A**merican **S**tates (Organisation der Amerikanischen Staaten), regionale internat. Organisation von selbstständigen amerikan. Staaten; gegr. 1948 in Bogotá von 21 lateinamerikan. Staaten und den USA, umfasst (1997) 34 Mitgl.staaten; Sitz: Washington; Ziele: Bekräftigung der Prinzipien der interamerikan. Solidarität, der Gleichberechtigung und der Nichteinmischung, Schlichtung aller Streitigkeiten zw. den amerikan. Staaten, gemeinsame Abwehr aller Angriffe auf eines der Mitgl.länder, wirtsch., soziale und kulturelle Zusammenarbeit. Institutionen: Vollversammlung auf Außenministerebene; Konsultativversammlung der Außenmin.; ständiger Rat der Botschafter mit interamerikan. Wirtschafts- und Sozialrat, Juristenrat, Kulturrat; Panamerikan. Union mit ständigem, auf zehn Jahre gewähltem Generalsekretär.

2) Abk. für frz. **O**rganisation de l'**A**rmée **S**ecrète, Geheimorganisation von nationalist. Algerienfranzosen und Mitgl. der frz. Algerienarmee, die sich 1961/62 der Algerienpolitik des frz. Staatspräs. C. de Gaulle (bes. den Verhandlungen in Evian-les-Bains über die Unabhängigkeit Algeriens) mit Terroranschlägen widersetzte; zerfiel nach der Verhaftung ihrer militär. Führer.

Oase [grch. aus ägypt.] *die,* am Rand oder im Innern von Wüsten oder Wüstensteppen gelegene Insel reicheren Pflanzenwuchses, durch Grundwassernähe oder Quellen hervorgerufen, oft durch Bewässerung vergrößert. O. sind meist dicht bevölkert und intensiv bewirtschaftet (Feldfrüchte, Obstbäume, bes. Dattelpalmen); Handelsplätze innerhalb des Karawanenverkehrs. **Flussoasen** (Ägypten, Mesopotamien u. a.) waren häufig Zentren wirtsch. und kultureller Entwicklung.

Oates [əʊts], Joyce Carol, Pseud. Rosamond Smith, amerikanische Schriftstellerin, * Lockport (N. Y.) 16. 6. 1938; Dozentin für Anglistik, entwirft in ihren Romanen und Kurzgeschichten hinter der realistisch gezeichneten Oberfläche ein düsteres Bild der modernen amerikan. Gesellschaft (»Ein Garten ird. Freuden«, R., 1967; »Jene«, R., 1969; »Im Dickicht der Kindheit«, R., 1976); ihre Kritik erhält in der Familienchronik »Bellefleur« (1980) eine historisch-satirische Dimension. Weitere Romane: »Die Schwestern von Bloodsmoor« (1983), »Die unsichtbaren Narben« (1987), »Schwarzes Wasser« (1992), »Foxfire« (1993).

Joyce Carol Oates

OAU, Abk. für engl. **O**rganization of **A**frican **U**nity (Organisation für Afrikanische Einheit), regionale Organisation, 1963 von 30 unabhängigen afrikan. Staaten gegr., steht allen souveränen Staaten Afrikas offen, mit (1997) 53 Mitgliedstaaten; Sitz: Addis Abeba; Ziele: Einheit Afrikas, Koordinierung der allseitigen Zusammenarbeit und Solidarität seiner Staaten, Blockfreiheit, Beseitigung von Neokolonialismus, Wahrung des territorialen Status quo. Höchstes Organ ist die jährl. Gipfelkonferenz der Staats- und Reg.chefs; darunter steht der Ministerrat. Die Geschäfte führt das Generalsekretariat mit einem Gen.-Sekr. an der Spitze.

1991 unterzeichneten die Mitgl. den Vertrag über die Afrikan. Wirtschaftsgemeinschaft (AEC), der vorsieht, den Kontinent bis zum Jahre 2025 über regionale Vereinigungen zu einem einheitl. Wirtschaftsraum zusammenzuschließen. 1996 unterzeichneten 49 der 53 Mitgl. den Vertrag über eine atomwaffenfreie Zone in Afrika (»Pelindaba-Vertrag«, benannt nach dem südafrikan. Kernforschungszentrum). In drei Zusatzprotokollen verpflichteten sich die Atommächte VR China, Frankreich, Großbritannien und USA, in Afrika auf die Anwendung von und die Drohung mit Atomwaffen zu verzichten; Atomwaffentests auf dem afrikan. Kontinent sind ihnen untersagt. Einbezogen in den Vertrag sind auch die Inseln Réunion, Mayotte, Kanarische Inseln, British Indian Ocean Territory und Diego Garcia

Oase: Die Oase Targhit am Rand der Westlichen Großen Erg in Algerien

OAU
Emblem

📖 KUNIG, P.: *Das völkerrechtliche Nichteinmischungsprinzip. Zur Praxis der Organisation der afrikan. Einheit (OAU) u. des afrikan. Staatenverkehrs. Baden-Baden 1981. – Organisation der Afrikan. Einheit (OAU). Resolutionen u. Erklärungen 1963–1981, hg. v.* H. STOEBER. *A. d. Engl. Berlin (Ost) 1983.*

Oaxaca [oa'xaka], **1)** Staat im S von Mexiko, von der Pazifikküste bis in die Sierra Madre del Sur und zum Isthmus von Tehuantepec.

2) (O. de Juárez) Hauptstadt von 1), in einem fruchtbaren Hochbecken, 1550 m ü.M., 216 000 Ew.; Erzbischofssitz; Univ.; Museum mit Funden der benachbarten Ruinenstätten von Mitla und Monte Albán; Kirche Santo Domingo (16./17. Jh.), Kathedrale (16./18. Jh.); die Altstadt mit ihren kolonialzeitl. Bauten wurde von der UNESCO zum Weltkulturerbe erklärt.

Oaxaca 2): Das Schnitzwerk und die Stuckaturen in der im 16./17. Jh. erbauten Kirche Santo Domingo sind mit Blattgold überzogen

Ob *der,* Hauptstrom W-Sibiriens, Russland, mit Katun 4338 km, mit Irtysch 5410 km, ohne Quellflüsse 3650 km lang, Einzugsgebiet 2,99 Mio. km^2. Der Ob entsteht westlich von Bisk, wo sich die vom Altai kommenden Quellflüsse Katun und Bija vereinigen. Als typ. Flachlandfluss mit geringer Strömungsgeschwindigkeit fließt er, häufig Seitenarme, Inseln, Altwässer bildend, in einem 20–60 km breiten Tal, das bei Hochwasser oft ganz

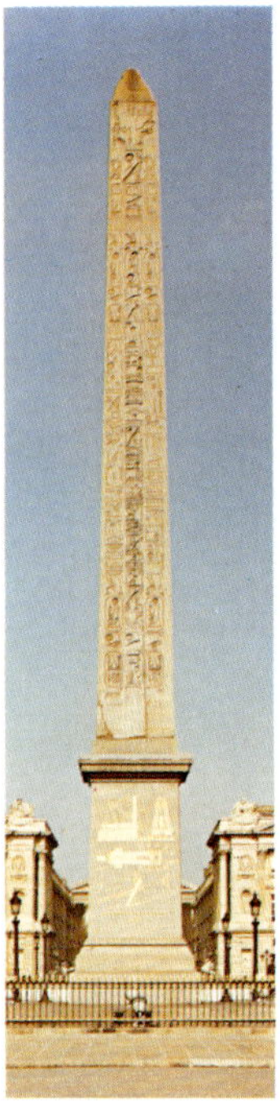

Obelisk
aus Luxor auf der Place de la Concorde in Paris

überflutet wird. Er mündet in den **Obbusen** der Karasee. Der Ob ist auf seiner ganzen Länge an rd. 155 Tagen im Jahr schiffbar und eine wichtige Transportader. Bei →Nowosibirsk befindet sich ein Staudamm. Wichtigste Nebenflüsse von rechts: Tschumysch, Tom, Tschulym, Ket, Wach; von links: Wassjugan, Irtysch, Sewernaja Soswa.

o. B., *Medizin:* Abk. für **o**hne **B**efund als Ergebnis einer medizin. Untersuchung.

Obadja (in der Vulgata Abdias), Prophet des A.T. Das **Buch O.** (wahrscheinlich nach 587 v. Chr.) gehört zu den →Kleinen Propheten und ist das kürzeste der alttestamentl. Prophetenbücher; es enthält eine Samml. von Prophetensprüchen gegen Edom.

Obdachlose, Menschen ohne menschenwürdige Unterkunft; im Sinne des Sozialhilferechts Personen, die in O.-Unterkünften oder sonstigen Notunterkünften ohne Mietvertrag als Nutzungsberechtigte leben. Als verdeckt obdachlos sind diejenigen anzusehen, die über zu wenig Mittel verfügen, um ihre Wohnungsversorgung auf Dauer sicherzustellen. Anders als →Nichtsesshafte leben O. ständig in Notunterkünften, allerdings ist die begriffl. Abgrenzung umstritten. – Weltweit leben rd. 500 Mio. Menschen in menschenunwürdigen Verhältnissen. Mitte der 1990er-Jahre wird die Zahl der O. in Dtl. auf knapp 1 Mio. geschätzt (zusätzlich 700 000 verdeckt O.). Als Hauptursachen für die steigende Zahl an O. gelten die hohe Arbeitslosigkeit, Wohnungsnot und damit zusammenhängende familiäre Probleme.

📖 ANGELE, G.: *Obdachlosigkeit – Herausforderung an Pädagogik, Soziologie u. Politik. Weinheim 1989.* – WELPE, I.: *Sozialer Streß bei O. Mering 1990.*

Obelisk

Für den Transport eines 180 Tonnen schweren Obelisken von Alexandria nach London bauten die Engländer eigens ein Schiff. Die einst für den Pharao Thutmosis III. (regierte 1490–1436 v. Chr.) gefertigte Säule wurde in einem zylindrischen Spezialschiff namens »Cleopatra« befördert. Nachdem in der stürmischen Biskaya der Schlepper das Tau zur schwimmenden Zigarre hatte kappen und die Besatzung bergen müssen, wurde die »Cleopatra« unbeschädigt vor Nordspanien treibend wieder gefunden und unter dem Jubel der Bevölkerung im Januar 1878 nach London geschleppt. Im September des Jahres wurde der Obelisk am linken Themseufer oberhalb der Waterloo Bridge aufgestellt. Die »Cleopatra« wurde verschrottet.

Obduktion [lat.] *die, Medizin:* die →Sektion.

Obeid, El, Hptst. der Region Kordofan in Zentralsudan, 140 000 Ew.; wichtiger Handelsplatz für Gummiarabikum, Vieh, Erdnüsse; Verkehrsknotenpunkt, Eisenbahnendpunkt, Flugplatz.

O-Beine, meist auf Rachitis beruhende Verbiegung der Beine nach außen; bei Säuglingen in leichten Fällen normal. Behandlung: Gymnastik, Schienung oder operative Korrektur.

Obelisk [grch. »Spitzsäule«] *der,* hoher, vierkantiger Steinpfeiler, nach oben verjüngt, in einer pyramidenförmigen Spitze endend; bes. häufig in Ägypten, meist mit Hieroglyphen. Urspr. war der O. ein als Kultsymbol des Sonnengottes Re aufgerichteter Steinkegel, dessen (oft vergoldete) Spitze von den ersten Sonnenstrahlen getroffen wurde. (→Nadeln der Kleopatra)

Ober, **1)** *Gastronomie:* Oberkellner, Kellner.

2) *Kartenspiel:* Blatt der dt. Spielkarte, entspricht der »Dame« in der frz. Spielkarte.

Ober|allgäu, Landkreis im RegBez. Schwaben, Bayern, 1 527 km², (1997) 145 000 Ew.; Kreisstadt ist Sonthofen.

Ober|alppass, Pass in der Gotthardgruppe, Schweiz, über den die Grenze zw. den Kt. Uri und Graubünden verläuft, 2 044 m ü. M.; verbindet Andermatt mit dem Vorderrheintal.

Oberammergau, Gemeinde im Landkreis Garmisch-Partenkirchen, Bayern, Sommerkurort und Wintersportplatz im Ammertal, 850 m ü. M., 5 300 Ew.; Mittelpunkt der Holzschnitzerei (u. a. Fachschule); frühbarocke kath. Pfarrkirche St. Peter und Paul (1736–42), zahlr. Häuser mit Lüftlmalerei. – 1179 erstmals erwähnt; seit dem 12. Jh. ist Holzschnitzerei belegt. – Gegründet auf ein Gelübde während der Pestzeit 1633, wird seit 1634 alle zehn Jahre das **Oberammergauer Passionsspiel** von einheim. Laienspielern (124 Sprechrollen) und Hunderten von Statisten aufgeführt; die Leidensgeschichte Christi wird nach einem Text dargestellt, der an die Augsburger Passionsspiele (15./16. Jh.) anknüpft, im Barock erweitert und mehrmals umgeformt wurde. Das Festspielhaus hat 5 200 Sitzplätze.

Oberbayern, RegBez. in Bayern, 17 529 km², (1997) 3,99 Mio. Ew.; umfasst die kreisfreien Städte Ingolstadt, München, Rosenheim und die Landkreise Altötting, Bad Tölz-Wolfratshausen, Berchtesgadener Land, Dachau, Ebersberg, Eichstätt, Erding, Freising, Fürstenfeldbruck, Garmisch-Partenkirchen, Landsberg am Lech, Miesbach, Mühldorf am Inn, München, Neuburg-Schrobenhausen, Pfaffenhofen an der Ilm, Rosenheim, Starnberg, Traunstein, Weilheim-Schongau; Verw.sitz: München.

Oberbefehlshaber, Inhaber der obersten militär. Kommandogewalt über die Gesamtstreitkräfte oder einzelne Teilstreitkräfte (Heer, Marine, Luftwaffe). O. der nat. Streitkräfte ist i. d. R. das Staatsoberhaupt (im Dt. Reich 1871–1918 der Kaiser, 1919–34 der Reichspräs., dann bis 1945 Hitler als »Führer und Reichskanzler«). In Dtl. liegen die repräsentativen Funktionen des O. beim Bundespräs., die Befehls- und Kommandogewalt über die Streitkräfte in Friedenszeiten beim Bundesmin. der Verteidigung, im Verteidigungsfall beim Bundeskanzler. In der NATO werden z.T. die den Obersten Alliierten Befehlshabern (Supreme Allied Commander) nachgeordneten militär. Führer (Commander-in-Chief) als O. bezeichnet.

Oberberg|amt, →Bergbehörden.

Oberbergischer Kreis, Kreis im RegBez. Köln, NRW, 918 km², (1997) 282100 Ew.; Kreisstadt ist Gummersbach.

Oberboden, *Bodenkunde:* oberster Horizont im Bodenprofil.

Oberbundes|anwalt, →Bundesanwaltschaft.

Oberbürgermeister, Abk. **OB, OBM,** hauptamtl. Bürgermeister in kreisfreien Städten und z.T. auch in großen kreisangehörigen Städten.

Ober|elsass, südl. Teil des Elsass, das Dép. Haut-Rhin, Frankreich.

Oberer See (engl. Lake Superior), der größte der fünf Großen Seen Nordamerikas, 183 m ü. M., 82414 km², bis 406 m tief. Durch den O. S. verläuft die Grenze zw. Kanada und den USA.

Oberfläche, 1) *Mathematik:* Gesamtheit der Randpunkte eines Körpers.

2) *Technik:* die Begrenzungsfläche eines festen Körpers gegenüber dem umgebenden Raum. Die messbare Ist-O. zeigt gegenüber der idealen geometr. O. herstellungs- und werkstoffbedingte Formabweichungen (z.B. O.-Rauheit, Welligkeit).

oberflächen|aktive Stoffe, die →Tenside.

Oberflächenbehandlung, Bez. für Verfahren, mit denen Werkstoffoberflächen, v.a. zwecks Korrosions-, Verschleiß- und Alterungsschutz, mit gewünschten Oberflächeneigenschaften durch →Beschichten versehen werden (oft nach Vorbehandlung z.B. durch Sandstrahlen, Schleifen).

Oberflächenphysik, Spezialgebiet der Festkörperphysik, das sich mit den physikal. Eigenschaften der Grenzflächen von Festkörpern gegen Gasphasen oder Vakuum befasst. Unter der (idealen) Oberfläche sind die ersten drei bis vier Atomlagen des Festkörpers zu verstehen, in denen starke Abweichungen von der regelmäßigen räuml. Anordnung der Atome im Kristallgitter auftreten. Das physikal. und chem. Verhalten von Oberflächen spielt eine große Rolle bei der Katalyse, Galvanotechnik, Adhäsion, Verschleißfestigkeit, Korrosion, Dünnschichttechnik (z.B. Dünnschichtchromatographie), Oberflächenbearbeitung, beim Ionenaustausch u.a. technisch wichtigen Prozessen. Reine Oberflächen können am einfachsten durch Spaltung eines Kristalls hergestellt werden. Da sich nach jeder Oberflächenbehandlung in Sekundenbruchteilen neue Adsorptionsschichten und Verunreinigungen auf der Oberfläche ablagern, solange der Kristall mit einer Gasatmosphäre in Kontakt steht, müssen Oberflächenuntersuchungen im Ultrahochvakuum durchgeführt werden. Wichtige Methoden der Oberflächenanalyse sind Elektronenmikroskopie, →ESCA, →LEED-Verfahren und Sekundärionenmassenspektrometrie, Sputtern (→Kathodenzerstäubung) und andere Plasmabehandlungen.

Oberammergau: Schlussszene »Triumph und Verherrlichung Christi« der Aufführung des Oberammergauer Passionsspiels von 1970

Oberflächenspannung, eine →Grenzflächenspannung, die bei Flüssigkeiten an der Grenzfläche gegen den Gasraum wirkt und die Oberfläche zu verkleinern sucht. Sie ist die Folge der gegenseitigen Anziehung der Flüssigkeitsmoleküle, die an der Oberfläche, an der gleichartige Nachbarn nur auf einer Seite existieren, als Resultierende eine in das Innere gerichtete Kraft liefert; daher verursacht die O. z.B. die Kugelform kleiner Tropfen. Die O. nimmt mit zunehmender Temperatur ab und wird stark durch in der Flüssigkeit gelöste Stoffe, z.B. Tenside, beeinflusst.

Oberflächenspannung

Mit etwas Geschick kann man kleine, leichte Gegenstände auf einer ruhigen Wasseroberfläche ablegen, z.B. eine Nadel, eine Rasierklinge oder eine Büroklammer. Auch manche Tiere nützen die Oberflächenspannung aus, z.B. Wasserläufer.
Ein wenig Seife oder Geschirrspülmittel setzt die Oberflächenspannung jedoch so stark herab, dass die Gegenstände untergehen.

Oberflächenstruktur, in der →generativen Grammatik die konkrete Realisierung des Satzes; sie ist mittels →Transformationen aus der →Tiefenstruktur abgeleitet. Eine O. kann auf versch. Tiefenstrukturen zurückgeführt werden, z.B. der Satz »Sie beobachteten ihn im Auto« auf die Tiefenstruktur »Sie beobachteten ihn, während sie im

Oberhausen
Stadtwappen

Auto saßen« und »Sie beobachteten ihn, während er im Auto saß«.

Oberflächenwasser, an der Geländeoberfläche abfließendes, nicht in den Boden eindringendes Niederschlagswasser.

Oberflächenwellen, *Geophysik:* seism. Wellen, die sich im Unterschied zu den **Raumwellen** an der Erdoberfläche ausbreiten (→Erdbeben).

Oberflächenwellen|elemente (SAW-Bauelemente), Bauelemente der Akustoelektronik, die akust. Oberflächenwellen (AOW) zur Signalübertragung und -verarbeitung ausnützen. O. bestehen i. d. R. aus einem piezoelektr. Substrat, auf dem ein eingangs- und ein ausgangsseitiger elektr. Wandler mit fingerförmiger Struktur aufgebracht sind. Aufgrund der →Piezoelektrizität kann so elektr. in akust. Energie und umgekehrt umgewandelt werden; Anwendung u. a. als Filter, Verstärker, Verzögerungsschaltung.

Ọberflacht, Teil der Gemeinde Seitingen-O. im Landkr. Tuttlingen, Bad.-Württ. – Fundort eines alemannischen Reihengräberfeldes (6./7. Jh. n. Chr.); reiche Beigaben.

Ọberfranken, RegBez. in Bayern, 7231 km², (1997) 1,11 Mio. Ew.; umfasst die kreisfreien Städte Bamberg, Bayreuth, Coburg, Hof und die Landkr. Bamberg, Bayreuth, Coburg, Forchheim, Hof, Kronach, Kulmbach, Lichtenfels und Wunsiedel im Fichtelgebirge; Verw.sitz ist Bayreuth.

Oberhaus, in Ländern mit Zweikammerparlament die Kammer, die im Unterschied zum Unterhaus nicht oder nur teilweise aus allg. Wahlen hervorgeht (z. T. anders bezeichnet; in Großbritannien das House of Lords).

Oberhausen: Bergarbeitersiedlung

Ọberhausen, kreisfreie Stadt im RegBez. Düsseldorf, NRW, im Ruhrgebiet, nördlich der Ruhr und beiderseits von Emscher und Rhein-Herne-Kanal, 223 900 Ew.; Stranski-Inst. für Metallurgie, Verw.- und Wirtschaftsakademie; Theater, Städt. Galerie (Kunst des 20. Jh.) im Schloss O. (1806–18 erbaut); Stadion Niederrhein. Steinkohlenbergbau; Stahl-, Maschinen-, Fahrzeug- und Kraftwerksbau, chem. Ind., Stahl- und Walzwerke. Die Internat. Kurzfilmtage O. finden jährlich seit 1955 statt (zunächst »Westdt. Kurzfilmtage«). – 1758 wurde in Osterfeld die erste Eisenhütte des Ruhrreviers in Betrieb genommen; 1862 Zusammenlegung mehrerer Gemeinden zu O., 1874 Stadt.

Ọberhavel, Landkreis in Brandenburg, 1795 km², (1997) 173 700 Ew.; Krst. ist Oranienburg.

Oberhof, im MA. das Gericht der Mutterrechtsstadt, das den Tochterrechtsstädten Rechtsbelehrung erteilte und später meist deren Berufungsinstanz war. Bedeutende O. waren u. a. Dortmund, Magdeburg, Lübeck, Freiburg im Breisgau, Frankfurt am Main und Iglau.

Ọberhof, Stadt im Landkreis Schmalkalden-Meiningen, Thür., im Thüringer Wald, 800–835 m ü. M., 2 100 Ew.; Rennsteiggarten (Hochgebirgsflora); Erholungs- und Wintersportort. – 1470 als »Herberge auf dem schwarzen Wald« erstmals erwähnt; seit 1985 Stadt.

Ọber|itali|en, Norditalien mit dem italien. Alpenanteil und der Poebene, etwa mit den Regionen Piemont, Aostatal, Lombardei, Trentino-Südtirol, Venetien, Friaul=Julisch-Venetien, Ligurien, Emilia-Romagna.

Ọberkirch, Stadt im Ortenaukreis, Bad.-Württ., am Austritt der Rench aus dem Schwarzwald, 18 900 Ew.; Wein- und Obstbau; Papier-, Metall-, Holzind. – Stadtrecht 1326; gehörte bis 1803 zum Hochstift Straßburg, dann zu Baden.

Oberkirchenrat, 1) die oberste kirchliche Verw.behörde in einigen evang. Landeskirchen (Baden, Mecklenburg, Oldenburg, Württemberg).

2) Amtsbez. der jurist. und theolog. Mitgl. der obersten kirchl. Verw.behörde in fast allen evang. Landeskirchen.

Oberkọchen, Stadt im Ostalbkreis, Bad.-Württ., 496 m ü. M., auf der Schwäb. Alb am oberen Kocher, 8 600 Ew.; Opt. Museum; Werkzeug- und Maschinen-, opt. Ind. (Carl Zeiss). – O., eine mittelalterl. Gründung der Herren von Kochen, wurde 1968 Stadt.

Oberkommando der Wehrmacht, Abk. **OKW,** 1938–45 oberster militär. Stab der dt. Wehrmacht unter Hitlers direktem Befehl. Chef des OKW war Generalfeldmarschall W. Keitel.

Oberkreisdirektor, in Ndsachs. und NRW hauptamtl. Leiter der Kreisverwaltung (→Landrat).

Ọberländer, Adolf, Maler und Zeichner, *Regensburg 1. 10. 1845, †München 29. 5. 1923; schuf humorvoll-satir. Darstellungen menschl. Verhaltensweisen (oft als anthropomorphisierende Tierzeichnung), v. a. für die »Fliegenden Blätter«.

Oberlandesgericht, Abk. **OLG,** in Dtl. ein Gericht der ordentl. Gerichtsbarkeit (zw. dem Landgericht und dem Bundesgerichtshof), als höheres Gericht der Länder meist für den Bezirk mehrerer Landgerichte zuständig. In Berlin heißt das O. Kammergericht. Das O. entscheidet als Kollegialgericht (die einzelnen Spruchkörper heißen Senate); die Senate sind grundsätzlich mit drei Richtern besetzt, auch Einzelrichterentscheidungen sind zulässig. Es ist überwiegend Rechtsmittelgericht, in bestimmten Strafsachen aber erste Instanz (Senat mit fünf Richtern). – In *Österreich* gibt es O. als Gerichte der ordentl. Gerichtsbarkeit in Graz, Innsbruck, Linz und Wien.

Oberlausitz, Landschaft beiderseits der oberen Spree und der Lausitzer Neiße, überwiegend in Dtl. (Sachsen), O-Teil in Polen. Sie erstreckt sich vom Breslau-Magdeburger Urstromtal im N bis zum Lausitzer Gebirge im SO und Lausitzer Bergland im S. Die größten Städte sind Zittau, Görlitz und Bautzen. Um Hoyerswerda und südlich von Weißwasser und Görlitz Braunkohlenbergbau.

Geschichte: Die Landschaft ging aus dem von westslaw. Milzenern bewohnten Gebiet um Bautzen (Wohngau Milsca) hervor, das seit Ende des 10. Jh. meist zur sächs. Ostmark gehörte. Nachdem im 14. Jh. die spätere Niederlausitz sowie das Land Bautzen und Görlitz unter böhm. Oberhoheit gekommen waren, bürgerte sich für Bautzen und Görlitz der Name O. ein. 1346 wurde der **Sechsstädtebund** (Bautzen, Görlitz, Zittau, Lauban, Kamenz, Löbau) geschlossen. 1623/35 fiel die O. an Kursachsen. 1815 wurde der nördl. Teil Preußen (Provinz Schlesien), der sächsisch gebliebene Teil 1835 dem Königreich Sachsen eingegliedert. Der Teil östlich der Lausitzer Neiße kam 1945 an Polen, der sächs. Teil gehörte 1952–90 zum DDR-Bezirk Dresden.

🕮 *O., hg. vom Geographisch-Kartograph. Institut Meyer. Mannheim u. a. 1992.*

Oberleitung, → Fahrleitung.

Oberleitungsomnibus (Trolleybus), nicht schienengebundenes Nahverkehrsmittel zur Personenbeförderung; von einem Elektromotor angetrieben, der den Strom mit zwei Stromabnehmern einer zweipoligen Fahrleitung entnimmt.

Oberlicht, in der Dachhaut ausgesparte und verglaste Öffnung zur Beleuchtung von Hallen u. a.; der getrennt zu öffnende obere Teil eines Fensters; auch Bez. für Deckenlampe.

Oberliga, in Dtl. Bez. für regionale Spielklassen in mehreren Sportarten, als **Amateur-O.** höchste Klasse der Fußballamateure.

Oberlin, Johann Friedrich, Pfarrer, Sozialpädagoge, * Straßburg 31. 8. 1740, † Waldersbach (Vogesen) 1. 6. 1826; seit 1767 evang. Pfarrer in Waldersbach; Philanthrop, der Wohlfahrt und Bildung der verarmten Gemeinde förderte. 1770 gründete er die ersten Kleinkinderschulen.

Obermarchtal, Gemeinde im Alb-Donau-Kreis, Bad.-Württ., am rechten Ufer der Donau, 1200 Ew. – Ehem. Prämonstratenser-Reichsabtei (1171 gegr.); die barocke Klosterkirche St. Peter und Paul (1686–92) wurde mit Stuckaturen der Wessobrunner Schule ausgestattet.

Obernburg a. Main, Stadt im Landkr. Miltenberg, Bayern, 8800 Ew.; Museum mit Funden aus einem Römerkastell; Bekleidungsind., Chemiefaser-, Farbenfabrik.

Oberndorf am Neckar, Stadt im Landkreis Rottweil, Bad.-Württ., 14700 Ew.; Heimat- und Waffenmuseum; Maschinen- und Apparatebau, Waffen-, Kunststoff-, Textilindustrie.

Obernkirchen, Stadt im Landkreis Schaumburg, Ndsachs., am Rand der Bückeberge, 10600 Ew.; Glasind., Maschinen- und Pumpenfabrik, Sandsteinbrüche.

Oberon, *Astronomie:* ein Mond des Planeten → Uranus.

Oberon [aus Alberon, Nebenform zu Alberich] (altfrz. Auberon), Zwergenkönig, Gemahl der Feenkönigin Titania, entspricht dem Zwerg Alberich der dt. Heldensage; erscheint zuerst als Helfer der Menschen in dem altfrz. Epos »Huon de Bordeaux« (zw. 1216 und 1229), wurde später auch mit dem Artusstoff verbunden und im 16. Jh. aus frz. Volksbüchern in die engl. Lit. übernommen (u. a. E. Spenser, B. Jonson, W. Shakespeare). C. M. Wielands Märchenepos »O.« (1780) diente als Vorlage für die Oper von C. M. von Weber (1826).

Oberösterreich, Bundesland Österreichs, 11980 km^2, (1995) 1,39 Mio. Ew.; Landeshauptstadt: Linz. – O. grenzt im W an Dtl., im O an die Tschech. Rep. und liegt beiderseits der Donau zw. Inn und Enns; hat nördlich der Donau mit dem Mühlviertel Anteil am Böhm. Massiv, im äußersten N am südl. Böhmerwald (im Plöckenstein 1378 m ü. M.). Im S schließt sich das fruchtbare, reich besiedelte Alpenvorland mit dem Inn-, Hausruck- und Traunviertel an. Die Gebirge im S gehören zu den Nördl. Kalkalpen (u. a. das Sengsen-, das Höllen-, das Tote Gebirge und der Dachstein; Nationalpark). Große Alpenrandseen sind Traun-, Atter- und Mondsee. – O. entwickelte sich vom traditionellen Agrarland zum bedeutendsten Ind.gebiet in Österreich. Um Kremsmünster Erdöl- und Erdgasförderung, im Hausruck und im Innviertel Braunkohlenabbau, im Salzkammergut Salzgewinnung; Wasserkraftwerke an Donau, Inn und Enns. Zentrum der Ind. ist der Großraum Linz u. a. mit Maschinen- und Anlagenbau, Stahlwerken, chem. Ind.; in Ranshofen Aluminiumhütte, im Trauntal Textil-, Zellstoff- und Papierfabriken; Fahrzeugbau v. a. in Steyr. Für den Ackerbau wer-

Oberösterreich
Wappen

den 25% der Fläche O.s genutzt, 23% als Wiesen und Weiden (bed. Rinderzucht); 37% sind Wald. Fremdenverkehr v.a. im Salzkammergut und in den Gebirgsregionen.

Geschichte: Das Gebiet des heutigen O. südlich der Donau gehörte seit 15 n.Chr. zur röm. Provinz Noricum ripense, die gegen Ende des 5.Jh. aufgegeben wurde. Im 6.Jh. drangen Baiern, im 8.Jh. im SO Slawen ein; das nach 905 zum Grenzland gegen die Magyaren gewordene O. wurde von bayer. Adelsgeschlechtern in Besitz genommen. Mehrere Grafschaften und Gaue entstanden; bedeutendster war der Traungau, der 1192 an die Babenberger kam. Als selbstständiges Land mit eigenem Namen (Austria superior) wird O. 1264 erstmals genannt und 1466 als Fürstentum bezeichnet. 1779 wurde das Innviertel mit O. vereinigt. O. verblieb bis 1782 in der Verwaltungseinheit mit Niederösterreich, war ab 1804/15 Erzherzogtum, 1849–1918 selbstständiges Kronland und ist seit 1918 österr. Bundesland.

📖 HAIDER, S.: *Geschichte O.s. München 1987.*

Oberpfaffenhofen, Ortsteil der Gem. Weßling, Landkreis Starnberg, Oberbayern; Sitz eines der fünf Forschungszentren der Dt. Forschungsanstalt für Luft- und Raumfahrt e.V. mit großen Versuchs- und Simulationsanlagen sowie Bodenbetriebseinrichtungen für Raumfahrtmissionen.

Oberpfalz, RegBez. in Bayern, 9691 km², (1997) 1,06 Mio. Ew.; umfasst die kreisfreien Städte Amberg, Regensburg, Weiden i.d. Oberpfalz und die Landkr. Amberg-Sulzbach, Cham, Neumarkt i.d. Oberpfalz, Neustadt a.d. Waldnaab, Regensburg, Schwandorf und Tirschenreuth; Verw.sitz: Regensburg. – Die histor. O. ging 1268 aus stauf. Hausbesitz im bayer. Nordgau hervor; gehörte ab 1777 zu Pfalz-Bayern und wurde 1838 zur bayer. Provinz O. erweitert.

Oberpfälzer Hügelland, südwestl. Vorland des Oberpfälzer Waldes, Bayern, Hügelland zw. Fichtelgebirge im N, Fränk. Alb im W, dem mittleren Regen im S und dem Oberpfälzer Wald im O und NO; etwa 450–750 m ü.M.

Oberpfälzer Wald, Mittelgebirge in Bayern, an der Grenze zur Tschech. Rep., zw. der Cham-Further Senke im S, der Wondrebsenke im N und dem vorgelagerten Oberpfälzer Hügelland im W; als Teil der Böhm. Masse v.a. aus Gneisen und Graniten, im N auch aus Glimmerschiefer aufgebaut. Der östl. **Hintere O. W.,** über den sich die europ. Hauptwasserscheide zieht, erreicht im Entenbühl 901 m ü.M.; der westl. **Vordere O. W.** ist weitgehend flächenhaft ausgebildet. Das Klima ist rau; Buchen-Tannen-Fichten-Wald, in höheren Lagen reiner Fichtenwald. Bed. Kaolinvorkommen im nördl. O. W.; Textil- und elektrotechn. Industrie.

Oberpräsident, in Preußen 1815–1945 der oberste Verwaltungsbeamte einer →Provinz.

Oberprima, *veraltet:* Abschlussklasse des Gymnasiums, die 9. Klasse (heute die 13. Klasse).

Oberprokurator (Oberprokuror), in Russland nach der Abschaffung des Patriarchats seit 1722 bis 1917 der weltl. Vertreter des Zaren beim Hl. Synod, von 1817 an als bevollmächtigter Min. und Leiter des »Amtes für den orth. Glauben«.

Ober-Ramstadt, Stadt im Landkreis Darmstadt-Dieburg, Hessen, im nordwestl. Odenwald, 15500 Ew.; Heimatmuseum; Farbenherstellung, Kunststoff-, Metallverarbeitung.

Oberrealschule, bis 1972 (seit 1964 unter der Bez. Oberrealgymnasium) bestehende Schulart; die O. war seit 1900 eine mit Gymnasium und Realgymnasium gleichberechtigte höhere Schule.

Oberrheinischer Kreis, einer der (seit 1512) zehn Reichskreise des Hl. Röm. Reiches (bis 1806), umfasste 1532 20 Hochstifte, Reichsabteien und Propsteien (u.a. Worms, Speyer, Straßburg, Basel, Fulda), acht weltl. Reichsfürsten (u.a. Hessen, Baden, Lothringen), 22 Reichsgrafen und Herren (u.a. Nassau, Salm, Waldeck) und 22 Reichsstädte (u.a. Worms, Speyer, Frankfurt am Main).

Oberrheinisches Tiefland (Oberrheinebene), die 30–50 km breite Niederung des Oberrheins, von Basel bis Mainz 300 km lang; zw. Schwarzwald und Odenwald im O und den Vogesen und der Haardt im W; ein tektonisch noch aktiver Grabenbruch **(Oberrheingraben),** Teil einer von der Rhonemündung bis Oslo reichenden Bruchzone (Mittelmeer-Mjösen-Zone), die schon im Paläozoikum angelegt wurde, dann v.a. im Tertiär (Zeit der Alpenfaltung) einbrach (zeitweise auch Meeresüberflutung), während die Randgebirge an Staffelbrüchen (lössbedeckte Vorhügelzone) herausgehoben wurden; bis 3000 m mächtige alttertiäre und bis über 1000 m mächtige jungtertiäre und pleistozäne Ablagerungen. Die bis 15 m eingetiefte Rheinaue wurde durch die tullasche Rheinkorrektion erheblich verändert. Das gegenüber dem Graben deutlich herausgehobene Rheinhess. Hügelland (geologisch: Mainzer Becken) zählt nicht zum Oberrheingraben wohl aber zum O. T. Es ist klimatisch eines der am meisten begünstigten Gebiete Dtl.s, hat zahlr. Heilbäder (z.B. Badenweiler, Baden-Baden, Wiesbaden) und ist eine Hauptverkehrsader im europ. Nord-Süd-Verkehr.

📖 PFLUG, R.: *Bau u. Entwicklung des Oberrheingrabens. Darmstadt 1982.*

Obers *das, bair., österr.:* süße Sahne, Rahm.

Obersachsen, urspr. die Bewohner der Mark Meißen, dann die des ehem. Kurfürstentums Sachsen. Die O. werden im Unterschied zu den Niedersachsen i. Allg. nur als Sachsen bezeichnet.

Obersächsisch, →Mundarten.

Obersächsischer Kreis, einer der (seit 1512) zehn Reichskreise des Hl. Röm. Reiches; umfasste Kursachsen, Brandenburg, die ernestin. Fürstentümer, Pommern, Anhalt, mehrere Abteien und Grafschaften.

Obersalzberg, Berghang bei Berchtesgaden, 900–1000 m ü.M.; hier lag Hitlers »Berghof« (April 1945 zerstört, 1952 geschleift).

Obersalzbrunn, bis 1935 Name der Stadt Bad Salzbrunn, heute →Szczawno Zdrój.

Oberschenkel, *Anatomie:* →Bein.

Oberschlesi|en (poln. Górny Śląsk), der südl. Teil von →Schlesien, bildete nach den Gebietsabtretungen an Polen und die Tschechoslowakei nach dem Versailler Vertrag 1919–38 (Hptst.: Oppeln) und 1941–45 (Hptst.: Kattowitz) eine preuß. Provinz.

Oberschlesisches Industriegebiet (poln. Górnośląski Okręg Przemysłowy, Abk. GOP), Ind.gebiet in Polen, Wwschaft Katowice (Kattowitz), der kleinere S-Teil zur Tschech. Rep., zw. Ratibor, Tschenstochau, Krakau und Ostrau. Durch seine Bodenschätze (Steinkohle, Brauneisenerze, Blei-Zink-Erze u.a.) entwickelte es sich seit der Mitte des 18. Jh. (Beginn des Steinkohlenabbaus) zu einem Zentrum der Schwerind. (Kohlen-, Erzbergbau, Hüttenind., Energiewirtschaft, Maschinenbau, chem. Ind.) und ist heute die bedeutendste Bergbau- und Ind.konzentration Polens. Hauptindustriestandorte sind Kattowitz, Zabrze, Bytom, Chorzów, Gliwice, Sosnowiec, Ruda Śląska und Ostrau.

📖 FUCHS, K.: *Wirtschaftsgeschichte Oberschlesiens 1871–1945. Dortmund [2]1991.*

Oberschule, 1938–45 Bez. der höheren Schule, 1945–55 in einigen Bundesländern Bez. für Gymnasien oder zur fachgebundenen Hochschulreife führende höhere Schulen; in der DDR war polytechn. O. die Bez. für die zehnklassige Schule, auf der die erweiterte O. (Klassen 11 und 12) aufbaute.

Oberschwaben, westl. Teil des nördl. Alpenvorlandes, Bad.-Württ., zw. Donau, Iller, nördl. Allgäu und Bodensee.

Geschichte: Der polit. Begriff O. entstand mit der Bildung der Reichslandvogtei O. durch König Rudolf I. Durch die polit. Zersplitterung, seine Siedlungsformen und seinen wirtsch. Charakter, den Katholizismus und die zahlr. barocken Klöster und Kirchen erhielt O. ein eigenes Gepräge; 1803–10 unter Bayern, Württemberg und Baden aufgeteilt.

Oberschwingungen, Bez. für Schwingungen, deren Frequenzen ganzzahlige Vielfache der Frequenz der Grundschwingung sind (→harmonische Analyse).

Obersekunda, *veraltet:* die 7. Klasse des Gymnasiums (heute die 11. Klasse).

Oberspreewald-Lausitz, Landkreis in Brandenburg, 1217 km², (1997) 155000 Ew.; Krst. ist Senftenberg.

Oberst, höchste Rangstufe der Stabsoffiziere (in der Marine entsprechend der »Kapitän zur See«).

Oberstdorf, Gemeinde (Markt) im Landkreis Oberallgäu, Bayern, 843 m ü.M., in den Allgäuer Alpen, 10300 Ew.; heilklimat. und Kneipp-Kurort, Bergsteiger- und Wintersportplatz (Skiflugschanze, Eisstadion); Ausgangspunkt der Nebelhornbahn und der Fellhornbahn. – Kath. Seelenkapelle (15. Jh.). – O. wurde 1495 Marktstätte.

Oberstdorf: Renaissancefresken aus dem 16. Jh. an der Nordfassade der im 15. Jh. erbauten Seelenkapelle

Oberste Heeresleitung, Abk. **OHL,** im 1. Weltkrieg die oberste dt. Kommandobehörde, an deren Spitze der Chef des Generalstabes des Feldheeres stand.

Oberster Gerichtshof, Abk. **OGH, 1)** das höchste Gericht in Zivil- und Strafsachen in Österreich, Sitz: Wien.

2) in Dtl. →Bundesgerichte.

Oberster Sowjet, ständiges Volksvertretungsorgan in der →Sowjetunion.

Oberstes Gericht, Abk. **OG,** das höchste Gericht in der DDR, Sitz: Berlin, 1990 aufgelöst.

Oberstes Landesgericht, nach §8 Einführungs-Ges. zum Gerichtsverfassungs-Ges. in jedem Land mögl. Obergericht, bisher nur in Bayern errichtet (Bayer. O. L. in München, Abk. BayObLG). Es entscheidet in Zivilsachen anstelle des Bundesgerichtshofs über Revisionen bei Verletzung von Landesrecht, in Strafsachen anstelle der Oberlandesgerichte, als erste Instanz in Staatsschutzsachen und als Revisionsinstanz.

Oberstimme, *Musik:* im mehrstimmigen Satz die höchste Stimme.

Oberstleutnant, Stabsoffizier zw. Major und Oberst, bei der Marine »Fregattenkapitän«.

Obertauern, Fremdenverkehrssiedlung auf der Tauernpasshöhe in den Radstädter Tauern,

Österreich, 1750 m ü. M.; bed. Wintersportgebiet (Zehnerkarseilbahn).

Obertertia, *veraltet:* die 5. Klasse des Gymnasiums (heute die 9. Klasse).

Oberth, Hermann, Raketenforscher, *Hermannstadt (Siebenbürgen) 25. 6. 1894, †Nürnberg 28. 12. 1989; entwarf 1917 eine Rakete von 25 m Länge und 5 m Durchmesser (Treibstoff Alkohol und Sauerstoff). 1923 beschrieb er die wesentl. Elemente der heutigen Großraketen; 1938–40 machte er Raketenversuche an der TH in Wien, 1941 kam er an die Heeresversuchsanstalt Peenemünde, 1955–58 arbeitete er in Huntsville (Ala., USA).

Obertöne (Nebentöne), die beim Erklingen eines Tones (des Grundtones) mitklingenden Töne. Diese stehen im Schwingungsverhältnis 1:2, 2:3, 3:4 usw. Bei ventillosen Blasinstrumenten (Posthorn, Alphorn u. a.) bilden die O. die durch →Überblasen erzielbare Reihe von Tönen (Naturtonreihe). Anzahl und Intensität der O. bestimmen die Klangfarbe (→Klang) eines Tones.

Obertöne

Wenn die Saite eines Musikinstruments schwingt, so schlägt sie in der Mitte am weitesten aus, sodass sich ein Wellenbauch bildet. Dort jedoch, wo sie eingespannt ist, steht sie still. Diese beiden Randpunkte sind die Knoten. Diese Schwingung der Saite ist die Grundschwingung, der Ton, den wir dabei hören, heißt Grundton. Die Saite hat aber noch ein komplizierteres Schwingungsmuster, da der Grundschwingung noch weitere überlagert sind. Diese Oberschwingungen haben ebenfalls Knoten an den festen Saitenenden, aber dazwischen noch weitere; bei der ersten Oberschwingung ist es einer, bei der zweiten sind es zwei und so fort. Die zugehörigen Töne haben ansteigende Frequenzen und heißen Obertöne.
Sie sind stets schwächer als der Grundton und treten bei allen Musikinstrumenten auf. Ihre besondere Zusammensetzung macht erst die Klangfarbe der verschiedenen Instrumente aus. Während sie bei einem Instrument stärker absorbiert werden, können sie bei einem anderen stärker hervortreten. Unser Musikgenuss wird also wesentlich dadurch bestimmt, dass wir es nicht mit sterilen Einheitstönen zu tun haben: Zwar hat derselbe Ton immer die gleiche Grundfrequenz; wegen des unterschiedlichen Klangspektrums seiner Obertöne hört er sich beim Klavier aber ganz anders an als bei der Geige.

Obertshausen, Stadt im Landkr. Offenbach, Hessen, im Rodgau, 24 600 Ew.; Automobilzulieferind., Wirkwarenmaschinenfabrik, Metall verarbeitende und Lederwarenindustrie.

Oberursel (Taunus), Stadt im Hochtaunuskreis, Hessen, am S-Hang des O-Taunus, 41 000 Ew.; luth.-theolog. Hochschule, Reformhaus-Fachakademie, Institut für Bienenkunde, Vortaunusmuseum; Elektro-, Nahrungsmittel-, Pharma-, Textilindustrie. – Rathaus (17. Jh.), Pfarrkirche St. Ursula (15. Jh.). – 791 erstmals urkundlich erwähnt, seit 1444 Stadt.

Oberverwaltungsgericht, Abk. **OVG,** →Verwaltungsgerichtsbarkeit.

Oberviechtach, Stadt im Landkr. Schwandorf, Bayern, zw. Oberpfälzer Wald und Oberpfälzer Hügelland, 5 100 Ew.; Textil-, Glasind., Maschinenbau. Geburtsort des Dr. Eisenbarth (Museum).

Obervolta, bis 1984 Name von →Burkina Faso.

Oberwasser, das Wasser oberhalb einer Staustufe (Wehr, Schleuse, Kraftwerk).

Oberwesel, Stadt im Rhein-Hunsrück-Kreis, Rheinl.-Pf., im Rheindurchbruchstal, 4 200 Ew.; Fremdenverkehr, Weinbau. – Eines der schönsten Ortsbilder am Mittelrhein: got. Stiftskirche Unserer Lieben Frau (1308–50; Schnitzaltar, Lettner); mittelalterl. Stadtbefestigung mit 16 Türmen; auf der Stadtmauer die gotische Wernerkapelle (um 1290). – Seit 1216 Stadt.

Oberwiesenthal, Kurort, Stadt im Landkreis Annaberg, Sachsen, 903 m ü. M., am Fichtelberg im Erzgebirge, 3 800 Ew.; Kurort und Wintersport; Handschuh- und Wintersportgeräteindustrie. – Aufgrund von Silbererzfunden im Fichtelgebirge 1527 angelegt, erhielt O. 1530 Stadtrecht.

Obhutspflicht, die Pflicht, einer anderen Person allgemein oder in besonderen Lebenslagen beizustehen. Die O. kann auf Gesetz, Vertrag, behördl. Auftrag oder auf tatsächl. Übernahme beruhen und ist i. d. R. auf eine gewisse Dauer gerichtet. Die Verletzung der O. wird in bestimmten Fällen (§ 170 d StGB, Verletzung der Fürsorge- und Erziehungspflicht; § 221 StGB, Aussetzung; § 223 b StGB Misshandlung von Gebrechlichen und Kranken) mit Strafe bedroht.

Objekt [lat.] *das,* **1)** *Grammatik:* nominale Ergänzung zu einem Verb im Satz (ÜBERSICHT Syntax).

2) *Philosophie:* der Gegenstand des Erkennens, Denkens und Handelns, dem das Subjekt gegenübersteht. (→Subjekt-Objekt-Problem)

objektiv, 1) *allg.:* sachlich, unvoreingenommen, unparteiisch; tatsächlich.

2) *Philosophie:* unabhängig von einem Subjekt und seinem Bewusstsein existierend.

Objektiv [lat.] *das,* in zusammengesetzten opt. Geräten das dem Objekt zugewandte opt. System zur Erzeugung einer möglichst verzerrungs- und farbfehlerfreien Abbildung. Es besteht meist aus mehreren Linsen und/oder Spiegeln und bewirkt ein reelles Bild des Objekts. Die abbildenden Eigenschaften von O. unterscheiden sich nach dem jeweiligen Verwendungszweck erheblich; typ. Bauformen sind u. a. Fernrohr-, Mikroskop-, Projektions-O. sowie →fotografische Objektive; über O. mit veränderl. Brennweite →Zoomobjektiv.

objektiver Geist, Zentralbegriff in Hegels Staatsphilosophie: Bez. für die sich in Recht, Moralität, Sittlichkeit, Staat, »Volksgeist« und »Weltgeist« darstellende überindividuelle Vernunft.

objektives Recht, → Recht.

objektives Strafverfahren, selbstständiges Strafverfahren, das nicht auf Verurteilung einer bestimmten Person zielt, sondern auf Einziehung, Verfall, Vernichtung oder Unbrauchbarmachung von Gegenständen, die durch eine Straftat hervorgebracht (Falschgeld), zu einer solchen gebraucht oder bestimmt worden sind (z. B. Waffen; §§ 73 ff. StGB, 413 ff. StPO).

Objektivismus *der,* eine Richtung der Erkenntnistheorie, die, im Ggs. zum → Subjektivismus, dem Erkenntnisvermögen die Fähigkeit zuschreibt, vom Subjekt unabhängige reale Gegenstände und objektive Ideen zu erfassen.

Objektivität *die,* erkenntnistheoret. Begriff für die überindividuelle, unabhängig vom Einzelnen bestehende Wahrheit eines bestimmten Gegenstandes (Objekts), Sachverhalts oder einer Aussage; auch die Eigenschaft der Unabhängigkeit von individuellen Umständen, histor. Zufällen oder beteiligten Personen. In der Wiss. ist O. verbindl. Kriterium für die intersubjektive Geltung von Aussagen und Verfahren; sie erweist sich an deren allgemeiner Überprüfbarkeit.

Objektkunst, Ausdrucksform der modernen Kunst, die an die Stelle der Abbildung des Gegenstandes diesen selbst in veränderter oder unveränderter Form, als Abguss oder Nachbildung aus einem unspezif. Material präsentiert oder in ein Kunstwerk einbezieht. Die O. umfasst aber auch Arbeiten, die nicht von einem vorgefundenen Objekt ausgehen, sondern Material (Holz, Metall, Stein u. a.) zu einem nicht abbildenden Kunstwerk gestalten, sowie Relikte, die von einer Aktion zeugen. – Die O. setzte ein mit in Collage- oder Assemblagetechnik ausgeführten Objektbildern und -plastiken des Kubismus, Futurismus, Dadaismus und Konstruktivismus. Innerhalb des Surrealismus erlangte sie durch die Verabsolutierung des → Objet trouvé zum → Readymade durch M. Duchamp eine neue Dimension. Zur O. gehören ferner die Montage, das Combinepainting, die Akkumulation, das Environment und die Installation.

📖 *Collage u. O. vom Kubismus bis heute, bearb. v.* D. WALDMAN. *A. d. Amerikan. Köln 1993.* – PICKEL, K.: *Das Objekt als neue Kunstform im frühen 20. Jh. Weimar 1995.*

Objektmikrometer (Objektmessplatte), auf einem Objektträger angebrachte Messskala, meist 1 mm lang, mit einer Teilung in 0,01 mm; dient zum Eichen von Feinmessokularen und Okularmikrometern an Mikroskopen.

Objektsprache, *Sprachwiss.:* Sprache als Gegenstand der Betrachtung, wird in einer Metasprache beschrieben.

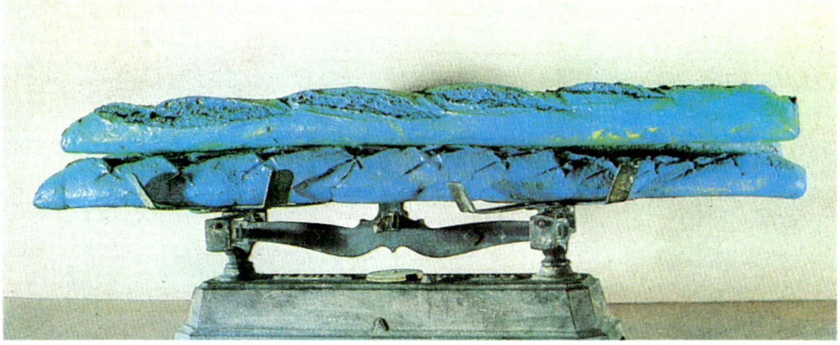

Objektkunst: Man Ray, »Blue bread« (1958; Privatbesitz)

Objektsteuern, die → Ertragsteuern.

Objektträger, planparallele Glasplatte, trägt das meist mit einem Deckglas geschützte Untersuchungsobjekt in der Mikroskopie.

Objet trouvé [ɔb'ʒɛ tru've, frz.] *das,* vorgefundener Gegenstand (auch Abfallprodukt), der, aus seinem Zusammenhang gelöst, in ein Kunstwerk einbezogen wird (z. B. die Merzcollagen von K. Schwitters).

Oblast [russ. »Gebiet«] *die,* unmittelbar der Zentralgewalt unterstelltes Verw.gebiet einiger Republiken (z. B. Russland, Ukraine) der ehem. Sowjetunion. **Autonome O.,** autonome Gebiete der kleineren Völker in Russland.

Objet trouvé: Kurt Schwitters, Merzbild 25 A, »Das Sternenbild« (1920; Düsseldorf, Kunstsammlung Nordrhein-Westfalen)

Oblate [lat. oblatus »dargebracht«] *die,* ungesüßtes, papierdünnes Gebäck, Gebäckunterlage aus Weizen- oder Maismehl. O. werden in fast allen christl. Kirchen als Hostien verwendet.

Oblạten [zu Oblate], **1)** in der frühen und mittelalterl. Kirche Bez. für Kinder, die von ihren Eltern einem Kloster übergeben und für das Klosterleben bestimmt wurden.

2) Bez. für Erwachsene, die sich einem Orden oder Kloster anschließen, ihr Leben im Geist der Ordensregel gestalten, jedoch nicht Vollmitglieder sind.

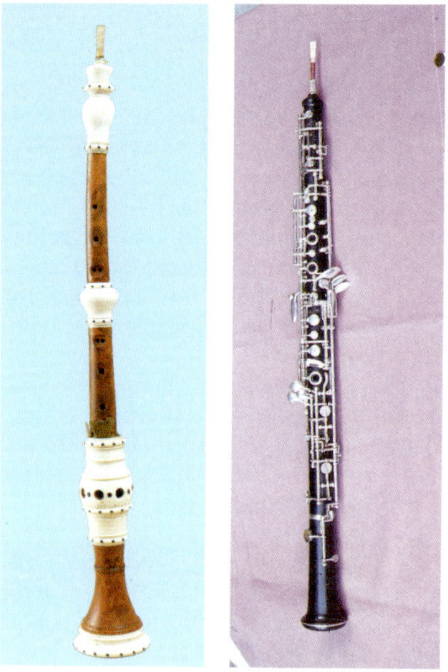

Oboe 1): Instrument aus der 2. Hälfte des 17. Jahrhunderts, rechts daneben die seit Mitte des 18. Jahrhunderts gebaute heutige Form

Obliegenheit, Rechtsgebot, das im Rahmen eines Schuldverhältnisses im eigenen Interesse zu befolgen ist, im Ggs. zur Verpflichtung. Die Beachtung von O. steht dem Einzelnen zwar frei, allerdings hat er bei Nichtbeachtung die Folgen zu tragen; spielt bes. im Versicherungsrecht (z.B. in Form einer Mitteilung gefahrerhöhender Umstände an den Versicherer) eine Rolle.

obligạt [zu lat. obligare »binden«], **1)** *allg.:* unerlässlich, erforderlich, unentbehrlich; unvermeidlich.

2) *Musik:* (obligate Stimme) Stimme, die nicht wegbleiben darf, z.B. eine Instrumentalstimme, die mit der Gesangsstimme konzertiert (obligate Violine u.a.); Ggs.: Stimme ad libitum (die nach Belieben ausgeführt oder weggelassen werden kann).

Milton Obote

Obligatiọn [lat.] *die, Recht:* 1) Schuld (im Sinne einer Verbindlichkeit, gleichgültig aus welchem Rechtsgrund); 2) die →Schuldverschreibung.

Obligatiọnenrecht, Abk. **OR,** als 5. Teil des schweizer. ZGB das Gesetz vom 30. 3. 1911, das das Zustandekommen von vertragl. und gesetzl. Schuldverhältnissen, die einzelnen Vertragstypen, das Handels-, Gesellschafts- und Wertpapierrecht regelt.

obligatọrisch [lat.], vorgeschrieben, verbindlich (z.B. Unterricht); Ggs.: fakultativ. **Obligatorischer Vertrag,** schuldrechtl. Vertrag, Verpflichtungsgeschäft.

Ọbligo [italien.] *das, Wechsel-* und *Scheckrecht:* Verbindlichkeit, Verpflichtung. **Ohne O.,** Abk. **o.O.,** frei von O., ohne Gewähr, ein die Haftung ausschließender Vermerk.

Obödiẹnz [lat.] *die, kath. Kirchenrecht:* die Gehorsamspflicht der Kleriker und Ordensangehörigen gegenüber ihren geistl. Oberen (Papst, Bischof, Ordensoberer).

Obọe [frz. hautbois »hohes Holz«] *die,* **1)** Holzblasinstrument mit doppeltem Rohrblatt als Mundstück, enger konischer Röhre aus Hartholz, die in eine kleine Stürze ausläuft. Der Luftstrom des Bläsers erregt die Rohrblätter zu gegeneinander schlagenden Schwingungen; es entsteht ein obertonreicher, etwas näselnder Klang. Die O. hat 23 Löcher, von denen 6 mit den Fingern, die übrigen mit Klappen gedeckt werden; der Tonumfang reicht von b bis f^3 (a^3). Außer der eigentl. (Sopran-)O. gibt es: die Altlage mit der **Liebes-O. (O. d'Amọre)** sowie die Tenorlage durch die **O. da Caccia,** aus der sich das →Englischhorn entwickelte. Das Bassinstrument der O.-Familie ist das →Fagott. Eine O. in Baritonlage, das →Heckelphon, hat sich nicht durchsetzen können. Die Grundgestalt der O. war schon den alten Ägyptern bekannt, den alten Griechen als →Aulos. Aus der von Arabern vermittelten Form entwickelten sich in Dtl. Schalmei und Bomhart, in Frankreich im 17. Jh. die eigentl. Oboe.

📖 GOOSSENS, L. *u.* ROXBURGH, E.: *Die O. Aus dem Engl. Neuausg. Frankfurt am Main 1983.*

2) *Orgel:* Zungenstimme, meist im 8-Fuß.

Ọbolus [grch. obolós, eigtl. »Bratspieß«] *der,* **1)** *allg.:* kleine Geldspende.

2) *Metrologie:* (Obolos) antikes grch. Massemaß: 1 O. = 0,72 g (att. Maß); altes Apothekergewicht: 1 O. = 10 Gran = $^1/_2$ Skrupel.

3) *Numismatik:* (Obolos) antike Münzeinheit in Gold, Silber, seltener Bronze ($^1/_6$ Drachme); im MA. und der frühen Neuzeit eine kleine Münze, auch Obol, Hälbling, Scherf genannt.

Obọte, Apollo Milton, ugand. Politiker, * Akoroko (N-Uganda) 28. 12. 1924 (nach anderen Angaben 1925); seit 1960 Vors. des Uganda People's Congress (UPC), war 1962–71 Premiermin., seit 1966 auch Staatspräs.; 1971 durch einen Militärputsch unter Führung von Idi Amin Dada gestürzt. O. lebte bis zu dessen Sturz in Tansania. 1980 nach einem umstrittenen Wahlsieg seiner Partei zum

Staatspräs. gewählt, wurde er 1985 erneut durch Putsch gestürzt.

Obotriten, slaw. Stamm, → Abodriten.

Obra *die,* teilweise kanalisierter linker Nebenfluss der Warthe, Polen, 253 km lang, entspringt in der Wwschaft Kalisz (Kalisch), durchfließt den O.-Bruch, mündet bei Schwerin (Warthe).

Obradović [-vitç], Dositej, eigtl. Dimitrije O., serb. Schriftsteller, *Ciacova (bei Temesvar) 1739 (?), †Belgrad 28. 3. 1811; urspr. Mönch, Hauptvertreter der serb. Aufklärung. Seine »Autobiographie« (1783–89) ist das erste literar. Werk der neueren serb. Literatur. O. war der erste serb. Kultusminister.

Obraszow [-zts-], Sergei Wladimirowitsch, russ. Schauspieler, Puppenspieler und Regisseur, *Moskau 5. 7. 1901, †ebd. 7. 5. 1992; gründete 1931 das Zentrale Staatl. Puppentheater in Moskau, erweiterte Spielmöglichkeiten und Thematik des Puppentheaters, v. a. des Stabfigurenspiels.

Obrecht ['o:brεxt], (Hobrecht) Jacob, frankofläm. Komponist, *Bergen op Zoom (?) 22. 11. 1450 oder 1451, †Ferrara 1505; einer der Hauptmeister der niederländ. Musik um 1500; schrieb in ausgewogenem, klaren, dabei eher konservativen Stil u. a. Messen, Motetten und Chansons; im Mittelpunkt steht die zykl. Vertonung des Ordinarium missae.

Sergei Wladimirowitsch Obraszow mit einer seiner Puppen (1966)

Obrenović [-vitç], serb. Dynastie, begründet von → Miloš Obrenović. Die O. regierten – in unversöhnl. Rivalität zu den Karadjordjević – als Fürsten 1817–42 und 1858–1903, seit 1882 als Könige von Serbien: Miloš O. (1817–39 und 1858–60), Michael O. (1839–42 und 1860–68), Milan I. O. (1868–89), Alexander I. O. (1889–1903).

O'Brien [əʊ'braɪən], **1)** Edna, irische Schriftstellerin, *Tuamgraney (Cty. Clare) 15. 12. 1932; schilderte in ihren Romanen und Erzählungen die Einsamkeit und Desillusionierung von Frauen sowie die sozialen, religiösen, emotionalen und sexuellen Zwänge, denen sie ausgesetzt sind, z. B. in der autobiographisch gefärbten Romantrilogie »Die Fünfzehnjährigen« (1960), »Das Mädchen mit den grünen Augen« (1962), »Mädchen im Eheglück« (1964); experimentierte später u. a. mit der Erzähltechnik des Bewusstseinsstroms; schreibt auch für Bühne (»Virginia«, 1981) und Fernsehen.

2) Kate, irische Schriftstellerin, *Limerick 3. 12. 1897, †Canterbury (England) 13. 8. 1974; schrieb vom Katholizismus geprägte historisch-psycholog. Familienromane (»Das Haus am Fluss«, 1931; »Jene Dame«, 1946) sowie Essays und Reisebücher.

Edna O'Brien

Hermann Obrist: Alpenveilchen, Stickerei (1895; München, Münchner Stadtmuseum)

Obrigheim, Gemeinde im Neckar-Odenwald-Kreis, Bad.-Württ., am Neckar im Kleinen Odenwald, 5 400 Ew.; Kernkraftwerk (328 MW).

Obrigkeit, seit dem 15. Jh. auftretender Begriff, der die Inanspruchnahme herrschaftl. Gebotsgewalt (v. a. Gesetzgebungs- und Ordnungsbefugnisse) dokumentiert. Der O.-Gedanke kommt zunächst in den Stadtrechten des späten 15. Jh. zum Ausdruck, greift auf die ländl. Rechtsetzung durch den Grundherrn über und erscheint im 16. Jh. auf territorialer Ebene als Landes-O. Aus ihr entwickelte sich die Landeshoheit.

Obrigkeitsstaat, um 1900 geprägter polem. Begriff für den monarchisch-autoritären und bürokrat. Staat.

Obrist, Hermann, schweizer. Kunstgewerbler und Bildhauer, *Kilchberg bei Zürich 23. 5. 1863, †München 26. 2. 1927; 1897 in München an der Gründung der »Vereinigten Werkstätten für Kunst und Handwerk« beteiligt, gehörte zu den (theoret.) Exponenten des Jugendstils, schuf neben Textilentwürfen Denkmäler, Brunnen, Keramiken und Schmiedearbeiten.

Observable [lat. observare »beobachten«] *die,* in der Quantentheorie eine messbare (beobachtbare) Größe, z. B. Energie, Impuls, Spin oder Ladung, an Atomen oder sonstigen mikrophysikal. Gebilden.

Obsidian: ägyptischer Silberspiegel mit Obsidiangriff, Höhe 28 cm (um 1800 v. Chr.; Kairo, Ägyptisches Museum)

Observanten, Abk. **OFM-Obs,** Mitte des 14. Jh. entstandene Reformbewegung innerhalb des Franziskanerordens (→Franziskaner); seit 1517 als eigenständige Ordensfamilie anerkannt.

Observanz [lat.] *die,* **1)** *kath. Kirche:* Bez. für die Gebräuche in Ordensgemeinschaften.

2) *Verwaltungsrecht:* Gewohnheitsrecht von örtlich begrenzter Geltung, oft als **Herkommen** bezeichnet.

Observation [lat.] *die,* planmäßige Beobachtung einer Person, eines Vorganges oder Gegenstandes.

Observatorium [zu lat. observator »Beobachter«] *das,* Beobachtungsstation für astronom. (→Sternwarte), geophysikal. oder meteorolog. Vorgänge.

Observer, The [ðɪ əbˈzəːvə], zum →Guardian gehörende brit. Sonntagszeitung (gegr. 1791).

Obsession [lat.] *die,* Zwangsvorstellung, Zwangshandlung.

Obsidian [lat.] *der,* vulkan. Gesteinsglas mit Gasresten und weniger als 3% Wasser, entstanden aus rasch erstarrten, siliciumreichen Laven, schwarz, dunkelgrau bis dunkelbraun, oft zus. mit Bimsstein, Liparit und Perlit.

obskur [lat. »bedeckt«], fragwürdig, verdächtig; von nicht näher bekannter, zweifelhafter Herkunft.

Obsoleszenz [lat.] *die,* Funktions- und Wertverlust bes. von Gebrauchsgütern aufgrund von Abnutzung und Veralterung. Als Marketingstrategie ist die **geplante O.** die bewusste Verkürzung der technisch mögl. Lebensdauer eines Produkts, um die Ersatzbeschaffung zu beschleunigen (z. B. Einbau von Mängeln und »Sollbruchstellen«).

obsolet [lat.], veraltet, nicht mehr üblich.

Obst, Bez. für die essbaren, meist saftreichen, fleischigen Früchte und die Samenkerne von Kultursorten v. a. mehrjähriger O.-Gehölze. Im O.-Bau und O.-Handel unterscheidet man: Kern-O. (z. B. Apfel, Birne), Stein-O. (z. B. Kirsche, Aprikose), Schalen-O. (z. B. Hasel- und Walnuss) und Beeren-O. (z. B. Heidelbeere, Johannisbeere, Weinbeere). Nach Güte und Verwendungszweck werden Tafel-O. (Edel-O.) und Wirtschafts-O. unterschieden; nach dem Reife- und Verwendungszeitpunkt: das zum sofortigen oder baldigen Verzehr bestimmte Sommer-O., das sich nicht lange aufbewahren lässt (z. B. Beeren-O. und bis zur Genuss- oder Vollreife spätestens Ende Sept. am Baum bleibendes Kern- und Stein-O.), und das Herbst-O. (bis Mitte Nov. reifendes Kern-O.) sowie das bei physiolog. Pflückreife (Baumreife) gepflückte Winter-O., das zur Nachreife eingelagert wird. – Nicht kultiviertes O. nennt man →Wildfrüchte, in den Tropen und Subtropen angebautes O. →Südfrüchte. – O. zählt wegen seines Gehalts an Vitaminen, Spurenelementen, Fruchtsäuren,

Obst: Inhaltsstoffe einiger Frischobstarten (je 100 g essbarer Anteil)

Obstart	Wasser in g	Eiweiß in g	Fett in g	Kohlenhydrate in g	Mineralstoffe mit höherem Anteil*)	Vitamin C in mg
Apfel, ungeschält	84,4	0,2	0,6	10,9	K, Ca, P, Fe	12
Aprikose	86,3	1,0	0,2	10,3	K, Ca, P, Mg, Fe	10
Birne	85,0	0,6	0,4	10,0	K, Ca, P, Mg	5
Erdbeere	89,9	0,8	0,5	6,3	K, Ca, P, Mg, Fe	62
Heidelbeere	73,2	0,7	0,6	19,6	K, Ca, P, Mg, Fe	22
Johannisbeere, rot	84,7	1,1	0,2	7,9	K, Ca, P, Mg, Fe	36
Johannisbeere, schwarz	80,4	1,5	0,2	10,3	K, Ca, P, Mg, Fe	189
Pfirsich	87,5	0,7	0,1	8,7	K, Ca, P, Mg	10
Pflaume	84,2	0,6	0,1	11,9	K, Ca, P, Mg	5
Preiselbeere	89,7	0,7	0,6	5,4	K, Ca, P, Mg, Fe	12
Sauerkirsche	84,3	1,1	0,4	10,5	K, Ca, P, Mg	12
Stachelbeere	87,3	0,8	0,2	10,4	K, Ca, P, Mg, Fe	34
Süßkirsche	81,6	1,1	0,4	12,7	K, Ca, P, Mg	15

*) Ca = Calcium, Fe = Eisen, K = Kalium, Mg = Magnesium, P = Phosphor

Frucht-, Trauben- und Rohrzucker sowie Aromastoffen zu den wertvollsten Lebensmitteln. Der Gehalt an diesen Stoffen schwankt innerhalb der einzelnen Arten nach Sorte und Umweltbedingungen beträchtlich. Ihr Mengenverhältnis bedingt den Geschmack des Obstes.

📖 *Obstsorten-Atlas. Kernobst, Steinobst, Beerenobst, Schalenobst, bearb. v.* R. Silbereisen *u. a. Stuttgart* ^{2}*1996.*

Obstbau, der als Zweig der Landwirtschaft und des Gartenbaus (Erwerbs-O.) sowie in Privatgärten und im Bauernbetrieb (Selbstversorger-O.) betriebene Anbau Obst tragender Dauerkulturen. Obst wird als flächige, geschlossene Rein- und Mischpflanzung (auch als Mischkultur) sowie in Reihenpflanzung in Kleingärten angebaut. Im Intensiverwerbs-O. überwiegt der Niederstamm, der als Buschbaum und als Spindelbaum mit Streuverzweigung in geschlossenen Teilstücken (Quartieren) mit Baumreihen (bzw. Hecken) und Arbeitsgassen für Pflege- und Erntearbeiten angepflanzt wird. Hochstämme finden sich v. a. beim Selbstversorger sowie an Straßen und Wegen.

Wirtschaftl. O. erfordert richtige Standort- (Boden, Klima, Lage) und Sortenwahl, sorgfältige Pflanzung (Anzucht in Baumschulen) und Pflege. Dazu gehören: Bodenbearbeitung, Düngung, Humus- und Wasserversorgung, regelmäßiger Obstbaumschnitt, Schädlingsbekämpfung und Sondermaßnahmen (z. B. Schutz gegen Frost, Wind und Wildverbiss, Bereitstellung von genügend Bienen zur Blütezeit, Pflanzenschutz und Lagerhaltung). Im Erwerbs-O. kommen betriebs- und marktwirtsch. Aspekte hinzu (z. B. Qualitäts- oder Massenanbau, Spezialisierung auf eine oder mehrere Sorten).

Die wichtigsten Erwerbsobstbaugebiete in Dtl. sind das Unterelbegebiet (Altes Land), das Bodenseegebiet, Nordwürttemberg (Heilbronn), die Niederrhein. Bucht und einige Gebiete in Oldenburg und Holstein. Das Gebiet um Werder/Havel ist das älteste geschlossene natürl. O.-Gebiet Dtl.s neben einigen Kirschen- und Pflaumenanbaugebieten in Sachsen-Anhalt, Sachsen und Thüringen.

📖 *Lucas' Anleitung zum O., bearb. v.* F. Winter *u. a. Stuttgart* ^{31}*1992.* – Loose, H.: *Obstbaumschnitt. Kern-, Stein- u. Beerenobst. Neuausg. München u. a.* ^{11}*1997.*

Obstbaumformen. Beim Kern- und Steinobst unterscheidet man nach der Stammlänge zw. **Hochstamm** (1,80–2 m), **Dreiviertelstamm** (1,60–1,80 m), **Halbstamm** (1,20–1,50 m), **Viertel-** oder **Meterstamm** (0,80–1 m; v. a. für industriell zu verwertendes Schüttelobst) und **Niederstamm** (0,40–0,60 m; als Buschbaum, Spindelbusch und Spindel mit Streuverzweigung). Die von Natur aus strauchartigen Stachel- und Johannisbeeren werden auch als **Halbstämmchen** (0,30–0,50 m) und **Hochstämmchen** (1–1,50 m) gezogen.

Obstipatio̱n [lat.] *die, Medizin:* → Verstopfung.

Obstmaden, Raupen von Schmetterlingen, die in Kern- und Steinobstfrüchten leben; bes. schädlich sind die Raupen des Apfelwicklers und des Pflaumenwicklers (Pflaumenmade).

Obstmaden: Pflaumenmade; a von einer Raupe zerfressene Frucht mit Kot, b die Raupe verlässt die Frucht

Obstruktio̱n [lat. obstruere »versperren«] *die,* gezielter Widerstand, mit dem unerwünschte Maßnahmen durchkreuzt werden sollen; i. e. S. der Versuch einer Minderheit, v. a. in der Volksvertretung, die Beschlüsse der Mehrheit zu verhindern.

Obstwein, weinähnliches Getränk aus vergorenem Apfel- oder Birnensaft (regional auch Most genannt), mit mindestens 5 Vol.-% Alkohol. Aus sonstigen Früchten (abgesehen von Trauben) gegorene Getränke werden als Fruchtweine bezeichnet.

obszö̱n [lat.], unanständig, anstößig, schamlos.

Ọbwalden (amtl. Unterwalden ob dem Wald), Kanton der Schweiz, 491 km^2, (1995) 31 300 Ew.; umfasst das Gebiet der Sarner Aa mit den Hochtälern von Lungern und Engelberg (N-Flanke des Titlis, 3 239 m ü. M.); Hauptort ist Sarnen. Die größtenteils deutschsprachige Bev. ist überwiegend katholisch. Almwirtschaft; Maschinenbau, Metallverarbeitung, elektrotechn., Holz-, Nahrungsmittel-, Baustoffind., Kraftwerke; Fremdenverkehr.

Geschichte: → Unterwalden.

Obwalden Kantonswappen

Ocạmpo, Victoria, argentin. Schriftstellerin, * Buenos Aires 1891 (?), † ebd. 27. 1. 1979; einflussreiche Vermittlerin lateinamerikan. und europ. (frz.) Kultur; kulturkritisch bedeutend sind die autobiograph. Essays »Testimonios« (10 Bde., 1935–77) und die »Autobiografía« (6 Bde., hg. 1979–84).

OCart(h), Abk. für **O**rdo **Cart(h)**usiensis, die → Kartäuser.

O'Casey [əʊˈkeɪsɪ], Sean, irischer Dramatiker, * Dublin 30. 3. 1880, † Torquay (heute zu Torkay) 18. 9. 1964; war Hilfsarbeiter, schloss sich früh der irischen Unabhängigkeitsbewegung an. O'C. gilt als bedeutendster irischer Dramatiker seit J. M. Synge. Seine frühen Stücke üben soziale Kritik, die späteren sind expressionist. Versuche eines am sozialen Gewissen der Zeit zweifelnden Dichters. Seine Dramatik verbindet das Derb-Realistische mit Sinnbildhaftem, Komik und Humor mit trag. Ironie (»Der Rebell, der keiner war«, Uraufführung 1923; »Juno und der Pfau«, 1924; »Der Preispokal«, 1928; »Rote Rosen für mich«, 1942; »Kikeriki«, 1949; »Des Bischofs Freudenfeuer«, 1955). Seine sechsbändige Autobiographie (1939–56) gilt als Meisterwerk dieser Gattung.

Sean O'Casey

Occam [ˈɔkəm], engl. Philosoph, Wilhelm von, → Ockham.

Severo Ochoa

OCCAM (nach Wilhelm von Occam), Programmiersprache, die die Programmverarbeitung in Transputersystemen unterstützt. Mit OCCAM lassen sich, ausgehend von der Gesamtaufgabe, Teilaufgaben formulieren, die von den miteinander kommunizierenden →Transputern parallel gelöst werden können.

Oceanfloor-Spreading ['əʊʃənflɔː 'spredɪŋ, engl.] *das, Geologie:* →Seafloor-Spreading.

Ochab, Edward, poln. Politiker, *Krakau 16. 8. 1906, †Warschau 1. 5. 1989; 1954–68 Mitgl. des Politbüros der kommunist. Poln. Vereinigten Arbeiterpartei, war 1956 deren Erster Sekretär und 1964–68 Vors. des Staatsrats (Staatsoberhaupt).

Ochlokratie [grch., zu óchlos »Pöbel«] *die,* in der altgrch. Staatsphilosophie die nicht an Verf. und Gesetze gebundene Massen- oder Pöbelherrschaft als entartete Form der Demokratie.

Ochman, Wiesław, polnischer Sänger (Tenor), *Warschau 6. 2. 1937; trat bes. mit lyr. Partien des russ. und des italien. Repertoires sowie mit Interpretationen von zeitgenöss. Werken, u.a. von K. Penderecki, hervor.

Ochoa [engl. əʊ'tʃəʊə; span. o'tʃoa], Severo, amerikan. Biochemiker span. Herkunft, *Luarca (Asturien) 24. 9. 1905, †Madrid 1. 11. 1993; erhielt für seine Arbeiten über die Rolle der Nucleinsäuren bei der Proteinsynthese 1959 mit A. Kornberg den Nobelpreis für Physiologie oder Medizin. 1961 gelang ihm unabhängig von J. Matthaei und M. Nirenberg die Entzifferung des genet. Codes.

Ochsenzunge: Gemeine Ochsenzunge (Höhe 30–80 cm)

Ochotskisches Meer, Randmeer des Pazif. Ozeans, zw. dem asiat. Festland, Kamtschatka, den Kurilen, Hokkaidō und Sachalin, 1,39 Mio. km² groß, bis 3521 m tief; der größte Teil ist sieben Monate im Jahr mit Treibeis bedeckt. Der Fischreichtum wird von Russland intensiv genutzt. Haupthafen ist Magadan.

Ochrana [russ. »Bewachung«, »Schutz«] *die,* inoffizielle Bez. für die polit. Geheimpolizei im Russ. Reich 1880–1917.

Ochs, Peter, schweizer. Politiker, *Nantes 20. 8. 1752, †Basel 19. 6. 1821; seit 1782 Ratsschreiber in Basel, entwarf als Anhänger der Ideen der Frz. Revolution die Verfassung für einen helvet. Einheitsstaat und rief am 12. 4. 1798 die Helvet. Republik aus. Er schrieb eine »Gesch. der Stadt und Landschaft Basel« (1786–1832, 9 Bde.).

Ochse, das kastrierte männl. Rind.

Ochsen|auge, *Architektur:* meist in oberen Zonen angebrachte runde oder ovale Fensteröffnung.

Ochsenfurt, Stadt im Landkr. Würzburg, Bayern, am Main, 12000 Ew.; Zuckerfabrik, fototechn., Kunststoffwaren- u.a. Industrie. – Stadtmauer (spätes 14. Jh.), altes Rathaus (15. Jh.), neues Rathaus (1496–1513) mit Spieluhr, Pfarrkirche (13./14. Jh.); ehem. Kartäuserkloster (gegr. um 1138).

Ochsenkopf, Berg im Fichtelgebirge, 1024 m ü. M., mit Fernseh- und UKW-Sendeturm.

Ochsentreiber, das Sternbild →Bootes.

Ochsenziemer, Penis des Rindes, getrocknet als Stock, Peitsche oder Hundefutter verwendet.

Ochsenzunge [nach der Blattform] (Anchusa), Gattung der Borretschgewächse; rauhaarige Kräuter; eine Ruderalpflanze ist die ost- und mitteleurop. karmin bis blauviolett blühende **Gemeine O.** (Anchusa officinalis), eine Zierpflanze aus dem Mittelmeergebiet die azurblau blühende **Italienische O.** (Anchusa azurea).

Ochtrup, Stadt im Kr. Steinfurt, NRW, im NW des Münsterlandes, 18400 Ew.; Textil-, Bekleidungsind., Maschinen- und Fahrzeugbau, Kunststoffverarbeitung. – Roman. Stiftskirche (1230 vollendet).

OCist, Abk. für die →Zisterzienser.

Ockeghem ['oːkəxəm] (Okeghem), Johannes, frankofläm. Komponist, *um 1410, †Tours (?) 6. 2. 1497; Hauptmeister der frankofläm. Epoche zw. G. Dufay und Josquin Desprez; erweiterte und vertiefte mit weit gespannten, freien melod. Linien die Ausdruckskraft der frankofläm. Polyphonie; schrieb v.a. Messen, Motetten, Chansons, ein Requiem, ein Credo.

ABCDEFGHIJKLMNOPQRSTUVW
XYZ 0123456789 ⑀.,⑂+-*|{}
:;/='%"?&$

ABCDEFGHIJKLMNOPQRSTUV
WXYZ 0123456789
abcdefghijklmnopqrstuv
wxyz *+-=/.,:;"'_?!()<>
[]%#&@^¤£$¦\"´`^~¸ÄÅÆ
IJÑÖØÜ {}mªæijøß§¥ ▮ ―

OCR: international genormte OCR-Schriften

Ocker, feinerdige, pulvrige Verwitterungsprodukte von Eisenerz (v.a. Limonit) und Feldspat; der hohe Gehalt an Eisenoxiden, -hydroxiden und/oder basischen Sulfaten bewirkt die gelbe bis braune Färbung des natürlichen anorgan. Pigments. In der jüngeren Altsteinzeit wurde O. für die Felsmalerei (→Felsbilder) verwendet. Seit dieser Zeit wurden auch Tote auf eine O.-Schicht gebettet oder mit O. bestreut **(Ockergräber).**

Ockham ['ɔkəm] (Occam), Wilhelm von, engl. Theologe und Philosoph, *Ockham (Cty. Surrey) um 1285, †München 9. 4. 1349; Franziskaner; lehrte seit 1317 in Oxford. 1324 wurde er der Irrlehre angeklagt und vor den päpstl. Gerichtshof in Avignon geladen. 1328 entfloh er von dort zu Ludwig dem Bayern nach München und unterstützte diesen in seinem Kampf gegen das Papsttum. – Philosophisch und theologisch trat O. für den →Nominalismus ein. Der Begriff ist nach O. ein Zeichen, ein Name für eine Sache. Sein Inhalt kann nicht an sich als wahr erkannt werden. Dies gilt v.a. für die Erkenntnis übersinnl. Gegenstände (Ideen wie Seele, Gott). Die Entwicklung der Logik hat O. bedeutend gefördert.

📖 BECKMANN, J. P.: *W. von O. München 1995.*

Octavia: Bildnis auf einer etwa 40 v. Chr. geprägten Goldmünze (Berlin, Münzkabinett)

O'Connell [əʊˈkɔnl], Daniel, irischer Politiker, *bei Cahirciveen (Cty. Kerry) 6. 8. 1775, †Genua 15. 5. 1847; Führer der kath. Iren, gründete 1823 die »Catholic Association« und erreichte 1829 die Katholikenemanzipation; setzte sich als Mitgl. des brit. Unterhauses vergeblich für die Aufhebung (»Repeal«) der parlamentar. Union zw. Irland und Großbritannien ein. O., einer der großen Volksredner des 19. Jh., wurde 1841 der erste kath. Bürgermeister von Dublin.

O'Connor [əʊˈkɔnə], Frank, eigtl. Michael O'Donovan, irischer Schriftsteller, *Cork 17. 9. 1903, †Dublin 10. 3. 1966; hatte bes. Erfolg mit seinen den Alltag der kleinen Leute schildernden Kurzgeschichten (dt. Sammlungen: »Und freitags Fisch«, 1958, Neuausgabe 1989; »Die lange Straße nach Ummera«, 1959; »Bitterer Whisky«, 1962); außerdem Romane (»Die Reise nach Dublin«, 1932), Schauspiele und Gedichte.

OCR, Abk. für die →Trappisten.

OCR, Abk. für engl. **o**ptical **c**haracter **r**ecognition, die automatische opt. →Zeichenerkennung. OCR-Schrift und -Ziffern haben besondere, dem Zeichenleser angepasste Formen.

OCSO, Abk. für den Orden der →Trappisten.

Octane [zu lat. octo »Acht«], gesättigte aliphat. Kohlenwasserstoffe mit der Summenformel C_8H_{18}; farblose, in Wasser unlösl. Flüssigkeiten, die im Erdöl und in Destillations- und Crackbenzinen vorkommen. Neben dem geradkettigen **n-O.** existieren 17 Isomere mit verzweigten Kohlenstoffketten, von denen das 2,2,4-Trimethylpentan **(Isooctan)** als Grundlage für die Bestimmung der →Oktanzahlen dient.

Octans [lat.], das Sternbild →Oktant.

Octanzahlen, →Oktanzahlen.

Octavia, 1) Schwester des Kaisers Augustus, *um 70 v. Chr., †11 v. Chr.; heiratete 40 v. Chr. Marcus →Antonius, der sich nach seiner Vermählung mit Kleopatra (37 v. Chr.) von ihr trennte.

2) Gemahlin des Kaisers Nero (seit 53 n. Chr.), *um 40, †auf Pandateria (heute Ventotene, eine der Pontin. Inseln) 9. 7. 62; Tochter des Kaisers Claudius und der Messalina, wurde nach ihrer Scheidung von Nero verbannt und bald danach umgebracht.

Daniel O'Connell (Lithographie des deutschen Künstlers F. Elias, um 1830)

Octavianus, →Augustus.

Octopoda [grch.], die →Kraken.

Ocytocin *das,* →Neurohormone.

Odaliske [türk.] *die, früher:* weiße Sklavin in einem türk. Harem.

Oda Nobunaga, japan. Feldherr und Staatsmann, *Prov. Owari 1534, †(Selbstmord) Kyōto 21. 6. 1582; eroberte 1568 Kyōto, besiegte die Daimyō in Zentraljapan und setzte 1573 den letzten Ashikaga-Shogun ab; versuchte Japan zu einigen. Seine Maßnahmen zur Straffung der Verw. wurden von Toyotomi Hideyoshi fortgeführt.

Frank O'Connor

Odd Fellows [ɔd ˈfeləʊz] (Independent Order of O. F., engl. »Unabhängiger Orden der überzähligen Gesellen«), von Thomas Wildey (*1782, †1861) 1819 in Baltimore gegr. und bes. in den USA und in England verbreitete ordensähnl. Gemeinschaft mit ähnl. Verfassung und Bräuchen wie die Freimaurerei und humanitär-karitativer Zielsetzung. 1870 Gründung der ersten Loge in Deutschland.

Odds [engl. »Unterschied«, »Vorteil«] *Pl.,* **1)** *Rennwetten:* vom Buchmacher bestimmtes Verhältnis des Einsatzes zum Gewinn.

2) *Sport:* Vorgaben bei Wettkämpfen, bes. Pferderennen.

Ode: Titelblatt des ersten Bandes der »Oden und Gesänge« von Georg Rudolf Weckherlin (1618)

Ode [grch. »Gesang«, »Lied«] *die,* feierl., lyr. Gedicht in Strophenform. O. bezeichnete in der grch. Antike urspr. alle stroph. Dichtungen, die musikalisch vorgetragen wurden (u. a. der Chorgesang der grch. Tragödie); bed. Vertreter der eigenständigen Chorlyrik waren Pindar, Alkaios, Sappho; in der röm. Dichtung: Horaz. In der Neuzeit wurde die O.-Dichtung v.a. in der Renaissance, im Barock und in der Romantik bevorzugt, in der dt. Literatur v.a. von M. Opitz, G. R. Weckherlin, P. Fleming, A. Gryphius. Der heutige Begriff der O. als eines pathet., feierl. Gedichts wurde stark von F. G. Klopstock geprägt. Neuer Höhepunkt der dt. O. bei F. Hölderlin und A. von Platen.

Odense
Stadtwappen

📖 VIETOR, K.: *Geschichte der dt. O. München 1923, Nachdr. Hildesheim 1961.* – JUMP, J. D.: *The ode. London 1974.*

ODECA, span. Abk. für **O**rganización **de** **E**stados **C**entro**a**mericanos (Organisation Mittelamerikanischer Staaten), regionale internat. Organisation für wirtsch., polit. und kulturelle Zusammenarbeit und Abrüstung, der Costa Rica, El Salvador, Guatemala, Honduras, Nicaragua und (seit 1991) Panama angehören; gegr. 1951, Sitz: San Salvador.

Odelsting, die erste Kammer des norweg. Parlaments.

Odenwald: Granitblöcke im Vorderen Odenwald

Ödem [grch.] *das* (Wassersucht), Gewebequellung; bes. in Haut und Unterhaut eindrückbare, schmerzlose, diffuse Schwellung infolge krankhaft gesteigerter seröser Flüssigkeitsansammlung in den Gewebespalten; i.w.S. auch die Flüssigkeitsansammlung in den großen Körperhöhlen (Hydrops, Erguss). Ursachen von Ö. sind Stauungen durch Herzinsuffizienz (→Lungenödem) oder Lymphabflussstörungen (Lymph-Ö.), durch Eiweißmangel bei Nierenerkrankungen (renales Ö.), Kachexie, bei allerg. Reaktionen (allerg. Ö.), bei Entzündungen (lokales Ö.), ebenso nach stumpfen Verletzungen.

Ödenburg, Stadt in Ungarn, →Sopron.

Odense ['o:ðənsə], Hptst. der Insel und des Amtes Fünen, Dänemark, durch einen Kanal mit dem O.-Fjord am Großen Belt verbunden, 182 600 Ew.; luther. Bischofssitz; Univ. (seit 1964), Freilichtmuseum, Geburtshaus von H. C. Andersen u.a. Museen; Theater; Zoo. O. ist nach Kopenhagen der bedeutendste Industriestandort mit Werft, Eisen-, Stahl- und elektrotechn. Ind., gefolgt von Nahrungsmittel-, Kunststoff-, Holz- und Textilind.; Hafen, Flugplatz. – St. Knuds Kirke (um 1100, Neubau 13.–15. Jh.), Vor Frue Kirke (13. Jh.), St. Hans Kirke (v.a. 15. Jh.), Fredenskirke (1916–20) von P. V. Jensen-Klint. Von der Vierflügelanlage des Schlosses gehen drei Flügel auf Klostergebäude des 15. und 16. Jh. zurück. – 988 als **Othensve** (»Odins Heiligtum«) erstmals erwähnt; seit 11. Jh. Bischofssitz; 1815–47 Residenz der Kronprinzen.

Odenthal, Gemeinde im Rheinisch-Berg. Kr., NRW, 14 100 Ew.; im Ortsteil →Altenberg ehem. Zisterzienserkloster.

Odenwald, Mittelgebirge zw. Kraichgau und Main, gehört zu Bad.-Württ., Bayern, Hessen. Der **Vordere** oder **Kristalline O.** (mit Graniten, Dioriten, Porphyr u.a. Gesteinen), der an der Bergstraße gegen die Oberrheinebene abfällt, weist zahlr. Kuppen und Rücken auf (Neunkircher Höhe, 605 m ü.M.) und ist zu etwa einem Drittel bewaldet (meist Laubmischwald). Mit einer Schichtstufe von Heidelberg aus schließt sich die Hochfläche des **Hinteren** oder **Buntsandstein-O.s** an, hauptsächlich Nadelwald und wenig ertragreiches Ackerland. Höchste Erhebung ist der Katzenbuckel (626 m ü.M.). Südlich vom Durchbruchstal des Neckars liegt der **Kleine O.**, im Königstuhl 568 m ü.M. Hauptflüsse sind Neckar, Gersprenz, Mümling. Wichtige Wirtschaftszweige sind neben Land- und Forstwirtschaft Steinbrüche und Steinindustrie. Der **Naturpark Bergstraße-O.** umfasst den größten Teil des Gebirges.

📖 *O., hg. vom Geographisch-Kartograph. Institut Meyer. Mannheim u.a. 1990.* – MÜLLER, F.: *Kulturlandschaft O., Bergstraße. Weinheim 1994.*

Odenwaldkreis, Landkr. im RegBez. Darmstadt, Hessen, 624 km², (1997) 99 100 Ew.; Kreisstadt ist Erbach.

Odenwaldschule, Landerziehungsheim in Oberhambach, Gem. Heppenheim (Bergstraße), 1910 von P. Geheeb gegr., seit 1945 zur Gesamtschule mit allgemeinbildenden und berufl. Abschlüssen ausgebaut; bedeutende Reformschule.

Odeon [grch. ōdeĩon, zu ōdḗ »Lied«, »Gesang«] *das* (Odeum), in der Antike Gebäude für musikal. und deklamator. Aufführungen; erhalten sind das

O. des Herodes Atticus in Athen, ferner das Kleine Theater in Pompeji.

Oder *die,* **1)** (tschech. und poln. Odra) Strom in Mitteleuropa, Länge 910 km (von der Quelle bis zur Mündung in die Ostsee bei Swinemünde) oder 854 km (bis zur Mündung in das Papenwasser), davon 120 km in der Tschech. Rep. und in Polen, auf 162 km Grenzfluss zw. Dtl. und Polen, sonst in Polen, Einzugsgebiet 119 000 km². Die O. entspringt im Odergebirge in 634 m ü. M., 25 km östlich von Olmütz, durchfließt die Mähr. Pforte nach NO bis Oderberg, durchfließt Schlesien, unterhalb Frankfurt (Oder) das →Oderbruch, ist im Unterlauf in West-O. und Ost-O. (Große Reglitz) geteilt und mündet aus dem →Stettiner Haff mit drei Mündungsarmen in die Ostsee. Wichtigste Nebenflüsse sind von links: Glatzer Neiße, Katzbach, Bober (mit Queis), Lausitzer (Görlitzer) Neiße, von rechts: Klodnitz, Malapane und Warthe (mit Netze). Die O. ist auf 733 km schiffbar. 1888–1939 wurde sie von Cosel bis Breslau kanalisiert. Sie ist durch Kanäle mit dem Oberschles. Ind.gebiet, mit der Weichsel sowie über O.-Spree-Kanal und O.-Havel-Kanal mit Berlin verbunden. Ausgeprägte Wasserstandsschwankungen (mittlere Wasserführung 573, mittleres Hochwasser bei Schneeschmelze 1430, mittleres Niedrigwasser im Sommer 205 m³/s; katastrophales Hochwasser im Sommer 1997) und jährlich rd. 40 Tage Eissperre mindern die Nutzbarkeit des Stromes. An den Nebenflüssen wurden Talsperren zur Wasserstandsregulierung sowie zur Energiegewinnung errichtet. Beiderseits der unteren O. wird von Dtl. und Polen der Nationalpark »Unteres Odertal« geschaffen.

2) Fluss im S-Harz, entspringt auf der Brockenhochfläche, 54 km lang, mündet in die Rhume. In seinem Oberlauf liegt der **O.-Teich** (Staubecken, 1714–21 errichtet; 1,67 Mio. m³), oberhalb von Bad Lauterbach die **O.-Talsperre,** 1931–34 errichtet (Speicherraum 30,5 Mio. m³).

Oderberg, Stadt in der Tschech. Rep., →Bohumín.

Oderbruch *das,* Niederung der Oder in Brandenburg, zw. der Warthemündung und Oderberg, im O von Oderdeichen, im W von Grundmoränenplatten (Land Lebus, Barnim) begrenzt, 60 km lang, 12–15 km breit; Anbau von Gemüse, Zuckerrüben und Weizen. Die ehem. Sumpfniederung wurde 1715–35 im S und 1747–53 (unter Friedrich d. Gr.) im mittleren und nördl. Teil trockengelegt.

Odergebirge (tschech. Oderské vrchy), Bergland der Ostsudeten im Nordmähr. Bez., Tschech. Rep., bis 680 m ü. M.; Quellgebiet der Oder.

ODER-Glied, elektron. Grundschaltung zur log. ODER-Verknüpfung von zwei oder mehreren Eingangssignalen (→Schaltalgebra).

oder-Konto, von mehreren Kontoinhabern gemeinschaftlich geführtes Bankkonto, bei dem jeder einzeln verfügungsberechtigt ist im Unterschied zum **und-Konto,** bei dem nur alle Kontoinhaber gemeinsam verfügungsberechtigt sind.

Oder 1): Überschwemmungsgebiet im Sommer 1997 im Bereich der Warthemündung bei Kostrzyn

Odermennig (Agrimonia), Gattung der Rosengewächse in der nördl. gemäßigten Zone; meist Stauden mit gelben, aufrechten Blütentrauben; die einheim. Art **Kleiner O.** (Agrimonia eupatoria) wächst an Wegrändern und auf Wiesen.

Odermennig: Kleiner Odermennig (Höhe 30–100 cm)

Oder-Neiße-Linie, Staatsgrenze zw. Dtl. und Polen. Ihr Verlauf wurde (als vorläufige Grenze) festgelegt durch das Potsdamer Abkommen 1945 zw. Großbritannien, der UdSSR und den USA und bedeutete den Verlust der →deutschen Ostgebiete. – Nachdem Hitler 1939 im Dt.-Sowjet. Nichtangriffspakt mit der UdSSR die Teilung Polens und die →Curzon-Linie als zukünftige sowjetisch-poln. Grenze vereinbart hatte, koppelte Stalin auf der alliierten Gipfelkonferenz in Teheran 1943 und auf der Jalta-Konferenz 1945 die Nachkriegsregelung der O-Grenze Polens mit der Festlegung seiner W-Grenze. Die USA und Großbritannien stimmten dabei prinzipiell einer Westverschiebung Polens in den Raum zw. Curzon-Linie und Oder zu. – Die DDR stimmte in der Warschauer Deklaration (6. 6. 1950) und im Görlitzer Abkommen (6. 7. 1950) der O.-N.-L. zu. Die Bundesrep. Dtl. (in ihren damaligen Grenzen) erkannte die O.-N.-L. als Grenze erst 1970 im Moskauer Vertrag und im Warschauer Vertrag an. Im Zuge der Vereinigung der beiden dt. Staaten bekräftigte die »Gemeinsame Entschließung« von Bundestag und Volkskammer (21. 6. 1990) die Unverletzlichkeit der Grenze und den Verzicht auf Gebietsansprüche. Die endgültige völkerrechtl. Absicherung der dt.-poln. Grenze erfolgte im Zuge der Vereinigung der beiden dt. Staaten 1990 durch den →Zwei-plus-vier-Vertrag und durch den →Deutsch-Polnischen Grenzvertrag.

📖 LILGE, C.: *Die Entstehung der O.-N.-L. als Nebenprodukt alliierter Großmachtpolitik während des Zweiten Weltkrieges. Frankfurt am Main u.a. 1995.*

Odessa: Das Opernhaus wurde 1884–87 von Ferdinand Fellner und Hermann Helmer erbaut

Oder-Spree, Landkreis in Brandenburg, 2244 km^2, (1997) 193300 Ew.; Krst. ist Beeskow.

Oder-Spree-Kanal, 83,7 km lange Wasserstraße zw. Dahme (im SO Berlins), Spree bei Fürstenwalde und Oder bei Eisenhüttenstadt; 1891 eröffnet.

Odessa, Hauptstadt des Gebiets O. in der Ukraine, bedeutender Hafen am Schwarzen Meer, 1,06 Mio. Ew.; ukrainisch-orth. Bischofssitz; Univ. und 13 andere Hochschulen (bes. Konservatorium, Kunstakademie, Seefahrtschule), Forschungsinstitute, Theater, Museen; vielseitiger Maschinen- und Gerätebau, Schiffbau, chem., Leder-, Lebensmittel- (Teefabrik), Textilind. O. wird durch die neuen Häfen Iljitschowsk und Juschny bei O. entlastet; Flughafen. Um O. liegen mehrere Kurorte (See- und Schlammbäder). – Planmäßig angelegte Stadt mit breiten Straßen und weiten Grünanlagen, klassizist. Woronzow-Palast (1826–27) und Opernhaus (1884–87; in historisierendem Stil). Vom Hafen führt die Potjomkin-Treppe (früher Richelieu-Treppe; 1837–41; 192 Stufen) zur Stadt. – Urspr. antike grch. Siedlung **Odessos.** Der später an ihrer Stelle entstandene Handelsplatz Chadschibei wurde 1764 durch eine türk. Festung gesichert. 1789 von Russen erobert; ab 1794 zu einer neuen Hafenstadt ausgebaut und 1795 in O. umbenannt; im 19. Jh. Zentrum des Getreidehandels. Während der Revolution von 1905 Ausbruch eines Generalstreiks, dem sich meuternde Matrosen des Panzerkreuzers »Potjomkin« anschlossen. 1918 von dt., 1919 von frz., 1941–44 von dt. und rumän. Truppen besetzt.

Odets [əʊˈdets], Clifford, amerikan. Dramatiker, *Philadelphia (Pa.) 18. 7. 1906, †Los Angeles (Calif.) 15. 8. 1963; schrieb in den 30er-Jahren sozialkrit. Stücke, u.a. das sozialist. Tendenzstück »Warten auf Lefty« (1935), ferner »Die das Leben ehren« (1935), »Goldene Hände« (1937).

Odilienberg (frz. Mont-Sainte-Odile), Berg in den mittleren Vogesen bei Barr, 826 m ü. M., mit vielen vorgeschichtl. Denkmälern (Heidenmauer, ein über 10 km langer Ringwall) und dem **Odilienkloster** (früher Hohenburg, Ende des 7. Jh. von der hl. Odilia gegr.), im MA. Mittelpunkt des elsäss. Geisteslebens, seit 1661 Prämonstratenserkloster; Wallfahrtsort.

Odin [altnord.] (Wuotan, Wotan, Wodan), german. Gott, nach der Edda der oberste der →Asen, nach volkstüml. Vorstellungen auch Toten- oder Sturmgott (Anführer der →Wilden Jagd). In nord. Quellen erscheint O. als Gott der Ekstase, des Krieges, der Toten und der magisch-mant. und intellektuellen Fähigkeiten (Erfinder der Runen). Seine Gattin ist →Freyja, beider Sohn ist →Baldr. Auch Donar gilt als Sohn O.s, daneben Vidar, Vali, Hödr und Hermodr. Sein Attribut ist der Speer Gungnir, er besitzt den Zauberring Draupnir und reitet das Totenross Sleipnir. O. wird begleitet von den Raben Hugin (Gedanke) und Munin (Gedächtnis), die ihm jeden Tag das Weltgeschehen berichten. Sein Sitz ist Hlidskjalf, sein Aufenthaltsort →Walhall, wo er die Einherier (Krieger) empfängt, die er vom Schlachtfeld geholt hat, damit sie ihm beim letzten Kampf der Götter (→Ragnarök) gegen →Fenrir beistehen.

Odin: nordgermanische goldene Schmuckscheibe (Brakteat) mit einer Darstellung des einäugigen Odin, der einem Pferd mit abgeschlagenen Beinen zu Hilfe kommt

Ödipus (grch. Oidipus), *grch. Mythos:* König von Theben, Sohn des Laios und der Iokaste, wegen eines Orakelspruches, wonach er seinen Vater töten und seine Mutter heiraten würde, als Kind ausgesetzt, aber gerettet. Nachdem ihm das Delph. Orakel sein Schicksal bestätigt hatte, tötete er, ohne es zu ahnen, im Streit seinen Vater Laios, befreite Theben von der →Sphinx, indem er ihr Rätsel löste, und erhielt als Lohn den Thron und die Hand der Königin, seiner Mutter, die ihm Eteokles, Polyneikes, Antigone und Ismene gebar. Als das Geheimnis enthüllt wurde, erhängte sich Iokaste; Ö. stach sich beide Augen aus und irrte, von Antigone begleitet, in der Fremde umher, bis er im Hain der Eumeniden am Kolonos in Attika von der Erde entrückt wurde. – Trauerspiele u.a. von Sophokles (»König Ö.«, »Ö. auf Kolonos«), Aischylos (»Sieben gegen Theben«), Euripides (»Phönikerinnen«); später Voltaire (»Ö.«, 1718), H. von Hofmannsthal (»Ö. und die Sphinx«, 1906), J. Cocteau (»Oedipus rex«, 1928, Musik I. Strawinsky; »Die Höllenmaschine«, 1934), A. Gide (1931).

Ödipuskomplex, (nach der Sage von Ödipus und Elektra) von S. Freud eingeführte Bez. für eine frühkindl. Beziehung zu den Eltern, bestimmt durch die Liebe zum gegengeschlechtl. Elternteil; der gleichgeschlechtl. wird als Rivale erlebt. Unzureichende Bewältigung dieser für die Über-Ich-Bildung wichtigen Stufe (allmähl. Identifikation mit den elterl. Normen, des Jungen mit der Männlichkeit, des Mädchens mit der weibl. Rolle) kann zu vielfältigen psych. Störungen führen.

Odjibwa [əʊˈdʒɪbweɪ], nordamerikan. Indianer, →Ojibwa.

Ödland, Ländereien, die land- und forstwirtschaftlich nicht genutzt werden, aber als Kiesgruben, Torfstiche o.Ä. Erträge bringen oder kultiviert werden könnten (Heide- und Moorgebiete; →Moorkultur). **Unland** ist dagegen überhaupt nicht nutzbar (Schutthalden, Felsgebiete u.a.).

Odoaker (Odowakar), german. Heerführer in röm. Dienst, *um 430, †Ravenna 15. 3. 493; Sohn eines Skirenfürsten, wurde am 23. 8. 476 von den german. Söldnern in Italien zum (Heer-)König ausgerufen und setzte den (letzten) weström. Kaiser Romulus Augustulus ab; zerstörte 487/488 das Reich der Rugier in Noricum; wurde von dem Ostgotenkönig Theoderich wiederholt besiegt (489/490), der 493 Ravenna eroberte (»Rabenschlacht«) und O. erschlug.

Odontologie [grch.] *die,* Lehre vom Bau, von der Funktion und von den Krankheiten der Zähne.

Odyssee *die,* grch. Epos, →Homer, →Odysseus.

Odysseus (lat. Ulixes), *grch. Mythos:* König von Ithaka, tapfer, klug und listig. Im Trojan. Krieg wurde auf seinen Rat das hölzerne Pferd erbaut, mit dem Troja erobert wurde. Seine abenteuerl. zehnjährige Heimreise ist Gegenstand der »Odyssee«, eines Epos von →Homer. Die Irrfahrt führt ihn zu seltsamen und gefährl. Völkern und Menschen wie den Lotophagen, den Kyklopen und den Sirenen; schöne Göttinnen (Kirke, Kalypso) wollen ihn auf ihren Inseln festhalten. O. gelangt schließlich allein (alle seine Gefährten sind umgekommen) als Schiffbrüchiger – nach Verfolgungen durch seinen Feind Poseidon – zur Insel der Phäaken, deren König Alkinoos ihm hilft, wieder nach Ithaka zu gelangen, wo seine Frau →Penelope auf ihn wartet und wo er zunächst ihre Freier tötet.

Odysseus tötet nach seiner Heimkehr die Freier seiner Frau Penelope, Darstellung auf einem Trinkbecher aus der Mitte des 5. Jh. v. Chr.

Ōe, Kenzaburō, japan. Schriftsteller, *Ose (Präfektur Ehime) 31. 1. 1935; trat mit gesellschaftskrit. Reportagen hervor (»Hiroshima noto«, 1965); gestaltete die Suche nach eigener Identität und menschl. Werten in einer letztlich feindl. Welt, u.a. in den Romanen »Der Fang« (1958), »Eine persönl. Erfahrung« (1964), »Der stumme Schrei« (1967), »Der flammende grüne Baum« (3 Bde., 1993–95). Er erhielt 1994 den Nobelpreis für Literatur.

Kenzaburō Ōe

Oeben [ˈøː-], Jean-François, frz. Kunsttischler, *Ebern (Kr. Haßberge) um 1720, †Paris 21. 1. 1763; bed. Kunsttischler seiner Zeit, arbeitete v.a. für König Ludwig XV.

Oebisfelde [øː-], Stadt im Ohrekreis, Sa.-Anh., an der Aller in der Altmark, 7300 Ew.; Konservenfabrik, Kunststoffverarbeitung.

OECD, Abk. für engl. **O**rganization for **E**conomic **C**ooperation and **D**evelopment (Organisation für wirtschaftliche Zusammenarbeit und Entwicklung), Organisation der westl. Industrieländer mit beratender Funktion zur Koordinierung der Wirtschafts- und Währungspolitik, der Entwicklungshilfe und der Außenwirtschaftspolitik der Mitgl.staaten sowie für Aufgaben in Bereichen wie Umwelt, Energie, Verkehr, Finanzmärkte, Arbeit und Soziales; gegr. am 14. 12. 1960 durch das Pariser Übereinkommen (in Kraft seit 30. 9. 1961); Sitz: Paris. Der OECD gehören alle Mitgl.staaten der EU und der EFTA an sowie Australien, Japan, Kanada, Neuseeland, die Türkei und die USA; inzwischen auch Schwellenländer (Mexiko seit 1994, Süd-Korea 1997) und ehem. Staatshandelsländer (Tschech. Rep. 1995, Ungarn 1996, Polen 1997).

Die OECD hat keine supranat. Rechtsetzungsbefugnis, sondern erarbeitet Analysen, Empfehlungen und ständige Informationen. Im gegenseitigen Einvernehmen können auch bindende Beschlüsse gefasst werden. Leitendes Organ ist der Rat (mit Vertretern aller Mitgl.länder); Fachausschüsse leisten die prakt. Arbeit, die vom Exekutivausschuss koordiniert wird; an der Spitze des Internat. Sekretariats steht der Gen.-Sekr. (für fünf Jahre ernannt). Die OECD ist die Nachfolgeorganisation der **OEEC** (Abk. für **O**rganization for **E**uropean **E**conomic **C**ooperation, Organisation für europ. wirtschaftl. Zusammenarbeit), die am 16. 4. 1948 von zunächst 16 europ. Staaten gegr. Gemeinschaftsorganisation zum Wiederaufbau der europ. Wirtschaft im Rahmen des Marshallplans sowie zur Ausweitung und Liberalisierung des europ. Handels- und Zahlungsverkehrs (die Bundesrep. Dtl. wurde 1949 Mitgl., Spanien 1959, Kanada und die USA waren assoziierte Mitglieder).

Adam Gottlob Oehlenschläger

Oehlenschläger ['ø:-, dän. 'ø:lənslɛ:ɣər], Adam Gottlob, dän. Dichter dt. Herkunft, * Vesterbro (heute zu Kopenhagen) 14. 11. 1779, † Kopenhagen 20. 1. 1850; ab 1809 Prof. für Ästhetik in Kopenhagen; Hauptvertreter der dän. Romantik; Bekanntschaft u.a. mit Goethe, Fichte, Schleiermacher. Seine Gedichte, Epen (u.a. »Die Götter des Nordens«, 1819), Erzählungen sowie seine Dramen sind stilistisch und formal zunächst von der dt. Romantik, ab 1806 aber vom dt. und frz. klass. Drama bestimmt und tragen später biedermeierl. Züge; er verarbeitet darin bes. altnord. Stoffe.

Johannes Oekolampad

Oekolampạd [ø-] (Oecolampadius), Johannes, eigtl. J. Husschin, Humanist und Reformator, * Weinsberg 1482, † Basel 24. 11. 1531; Schüler J. Reuchlins; 1510 Priesterweihe, seit 1515 Mitarbeiter des Erasmus von Rotterdam in Basel; 1522 Anschluss an die Reformation; wirkte als Pfarrer und Prof. in Basel maßgeblich an der Durchsetzung der Reformation mit.

Friedrich Oeser

Oelde ['œl-], Stadt im Kr. Warendorf, NRW, 29 000 Ew.; Maschinenbau, Eisenverarbeitung, Möbelfabriken, Brennereien, Großdruckerei. – Im Ortsteil Stromberg hochgot. Wallfahrtskirche zum Hl. Kreuz.

Oels [ø:ls, œls], Stadt in Polen, → Oleśnịca.

Oelsnitz ['œl-], Stadt im Vogtlandkreis, Sachsen, im Tal der Weißen Elster im Vogtland, 13 000 Ew.; Teppichweberei, Textilmaschinenbau, Hartsteingewinnung, Brauerei. – Spätgot. Jacobskirche (1519 ff.); über der Stadt Schloss **Voigtsberg** (13.–15. Jh.). – Im 13. Jh. gegr.; bis 1995 Kreisstadt.

Oelsnitz/Erzgeb. ['œl-], Stadt im Landkreis Stollberg, Sachsen, am N-Rand des Erzgebirges, 13 400 Ew.; Baustoff-, Textil- und Bekleidungsind., elektron. Ind.; 1843–1967 Steinkohlenbergbau. – Ende des 12. Jh. gegr., seit 1923 Stadt.

Oer-Ẹrkenschwick ['ø:r-], Stadt im Kr. Recklinghausen, NRW, 30 500 Ew.; UNESCO-Modellbücherei; Steinkohlenbergbau, chem., Metall verarbeitende Ind., Kabelfabrik.

Oerlinghausen ['œr-], Stadt im Kr. Lippe, NRW, im Teutoburger Wald, 17 500 Ew.; archäolog. Freilichtmuseum; Elektromotoren-, Möbel-, Textilindustrie. – Auf dem Tönsberg Ruine der mittelalterl. »Hünenkirche«. – Seit 1926 Stadt.

Oeser ['ø:-] (Öser), Adam Friedrich, Maler und Bildhauer, * Preßburg 17. 2. 1717, † Leipzig 18. 3. 1799; ausgebildet in Wien und Preßburg, ging 1739 nach Dresden; ab 1759 in Leipzig tätig, wo er 1764 Direktor der Kunstakademie und kurfürstl. Hofmaler wurde; schuf dem Spätbarock verpflichtete Altar-, Wand- und Deckenbilder (u.a. in der Nikolaikirche in Leipzig, 1785–96). Bed. ist sein Einfluss auf die Entwicklung des frühen Klassizismus in Dtl. (J. J. Winckelmann, Goethe, G. R. Mengs u.a.). Goethe nahm bei ihm Zeichenunterricht.

Oesterreichische Nationạlbank ['ø:-], Abk. **OeNB,** Wien, Notenbank Österreichs, 1922 als Nachfolgebank der Oesterreichisch-Ungar. Bank als AG gegr.; 1938 aufgelöst und in die Dt. Reichsbank eingegliedert, 1945 reorganisiert; Rechtsgrundlage ist das Notenbank-Ges. vom 8. 9. 1955. Oberstes Verwaltungs- und Kontrollorgan ist der Generalrat, die Geschäftsführung liegt beim Direktorium.

Oestrich-Wịnkel ['œs-], Stadt im Rheingau-Taunus-Kr., Hessen, am Rhein, 11 900 Ew.; Sitz der European Business School; Weinbau und -handel; chem. und Kunststoff verarbeitende Ind.; Fremdenverkehr. – In Oestrich Martinskirche (Turm 12. Jh.). – 1972 durch Zusammenschluss von Oestrich, → Winkel und Mittelheim entstanden.

Oetker-Gruppe ['œ-], Mischkonzern in Familienbesitz (Muttergesellschaft ist die KG Dr. August Oetker) mit Tochtergesellschaften und Beteiligungen u.a. in den Bereichen: Nahrungs- und Genussmittel (u.a. Binding Brauerei, Henkell Sekt, Langnese Honig, Ültje), Schifffahrt (Columbus Reederei), Finanzdienstleistungen (z.B. Bankhaus Hermann Lampe KG), Einzelhandel und Hotels, Sitz: Bielefeld; hervorgegangen aus der 1891 von August Oetker (* 1862, † 1918) übernommenen »Aschoff'schen Apotheke«.

Oettingen ['œ-], 987 erstmals erwähntes edelfreies Grafengeschlecht aus dem Riesgau, im 16. Jh. geteilt in die Linien **O.-Spielberg** (1734 gefürstet) und **O.-Wallerstein** (1774 gefürstet). Das Fürstentum O. wurde 1806 mediatisiert und 1810 zw. Bayern und Württemberg geteilt.

Oettingen i. Bay. ['œ-], Stadt im Landkr. Donau-Ries, Bayern, an der Wörnitz, am N-Rand des Rieses, 5 200 Ew.; Zweigmuseum des Völkerkundemuseums München; Holz- und Metallverarbeitung; Orgelbau. – Schloss (1679–82), Fachwerkrathaus (1431), evangelische Pfarrkirche St. Jakob (1312–1460), katholische Pfarrkirche St. Sebastian (1647–64).

Œuvre ['œ:vrə, frz.] *das,* Gesamtwerk eines Künstlers.

Oeynhausen, Bad ['ø:n-], →Bad Oeynhausen.

OEZ, Abk. für **O**st**e**uropäische **Z**eit, →Zeit.

O'Faoláin [əʊ'fælɔn], Seán, irischer Schriftsteller, *Cork 22. 2. 1900, †Dublin 20. 4. 1991; stellte in gesellschaftskrit. Romanen (»Der Einzelgänger«, 1936, u.a.), in Biographien und Kurzgeschichten seine Heimat dar.

Ofen, 1) *Astronomie:* (Chemischer Ofen, lat. Fornax) Sternbild des Südhimmels.

2) *Wärmetechnik:* Gerät, in dem durch Verbrennung von festen, flüssigen oder gasförmigen Brennstoffen oder durch elektr. Strom in einem Leiter erzeugte Wärme gewonnen und an die Umgebung, an ein eingesetztes Gut oder an ein durchströmendes Medium übertragen wird (→Heizung, Hochöfen →Eisen; →Industrieöfen, z.B. die →Elektroöfen).

Geschichte: Urform des O. ist nicht ein Wärmespender für Räumlichkeiten, die nur durch die dem Kochen dienende offene Feuerstelle oder den Herd erwärmt wurden, sondern der außerhalb aus Zweigen und Lehm errichtete **Back-O.,** in dem Brot aus klebereichen Weizenarten gebacken werden konnte (in Ägypten seit dem Neuen Reich). Daneben ist (im Vorderen Orient seit dem 5. Jt. v.Chr.) der regulierbare **Töpfer-O.** belegt, dessen Abdeckung nach dem Brand zerschlagen werden musste. V.a. in O- und SO-Europa wurde von Slawen und Germanen der Back-O. ins Haus integriert und als **Heizungs-O.** genutzt; hier hat der massive Lehm-O. seine stärkste Durchbildung erfahren. Seit dem frühen MA. werden Tongeschirre (Kacheln) in den Lehm gedrückt, zunächst in die Decke; im Spät-MA. wird der Kachel-O. vollständig entwickelt, im 18. Jh. als höf. Raumausstattung der Fayence-O. Der Eisen-O. mit gusseisernen O.-Platten (oft mit Reliefschmuck) ist vom Ende des 15. Jh. bis ins frühe 19. Jh. belegt. Techn. Verbesserungen zur Ausnutzung der Wärme brachten u.a. längere O.-Rohre (Zirkulierrohr) und der Einbau von Zügen, die auch sichtbar geführt wurden (Säulen-, Etagen-O.). Ein O.-Typ mit Brennschacht (Unterbrand-O.) wurde in den USA seit 1820 verwendet. 1877 kam von Irland der Dauerbrand-O. auf den Kontinent.

Ọfen [nach den »Kalkbrennöfen« von Buda], dt. Name von Buda, dem W-Teil von →Budapest.

Ọfenpass (bündnerroman. Pass dal Fuorn), Pass in den Graubündner Alpen, Schweiz, 2149 m ü.M.; die 37 km lange Passstraße verbindet das Oberengadin (bei Zernez) über das Münstertal mit dem Vintschgau.

Ofenreise, *Metallurgie:* die Dauer des ununterbrochenen Betriebes eines Ofens. Die O. kann zehn Jahre und mehr betragen.

ọff [engl.], bei Film und Fernsehen Bez. für die Methode der Text-, Kommentar- oder allg. Tonpräsentation, bei der die Tonquelle nicht im Bild zu sehen ist (z.B. Reporter bei Fußballübertragung). Bei **on** ist die Tonquelle im Bild zu sehen.

Offaly ['ɔfəlɪ] (irisch Uíbh Fhailí; früher King's County), Cty. in Mittelirland, 1998 km², (1991) 58 400 Ew.; Verw.sitz ist Tullamore.

Offbeat ['ɔfbi:t, engl.] *der, Musik:* v.a. für den Jazz typ. minimale zeitl. Verschiebungen von Melodieakzenten gegenüber dem Grundakzent.

Off-Broadway ['ɔfbrɔ:dweɪ, engl.], gegen das kommerzielle Theater, wie es an Bühnen am New Yorker Broadway gespielt wird, engagierte Richtung meist kleinerer Truppen und Bühnen. Seit den fünfziger Jahren ist es überholt von dem radikaleren **Off-Off-Broadway,** aus dem das →Living Theatre, das »Bread and Puppet Theatre«, die Truppe »La Mama« u.a. hervorgingen.

Ọffe, Claus, Soziologe, *Berlin 16. 3. 1940; Prof. in Bielefeld, Bremen und Berlin. O. befasst sich v.a. mit der Zukunft der industriellen Arbeit, der Sozialpolitik und dem osteurop. Transformationsprozess.

Ọffenbach, Jacques (Jacob), frz. Komponist dt. Herkunft, *Köln 20. 6. 1819, †Paris 5. 10. 1880; ging mit 14 Jahren nach Paris, wo er als Violoncellist an der Opéra-Comique, dann als Kapellmeister am Théâtre Français tätig war. 1855–63 und 1873–75 leitete er eigene Theater, zuletzt mit wirtsch. Misserfolg. O. schrieb mehr als 100 Bühnenwerke. Er hat durch die Schlagkraft seiner Melodien, durch eingängige Lyrismen, zündende Rhythmik und musikal. Komik die Operette entscheidend weiterentwickelt. Welterfolg hatte die 1881, nach seinem Tod uraufgeführte Oper »Hoffmanns Erzählungen« (1880).

Weitere Werke: Operetten: »Orpheus in der Unterwelt« (1858); »Die schöne Helena« (1864); »Blaubart« (1866); »Pariser Leben« (1866); »Die Großherzogin von Gerolstein« (1867); »Die Banditen« (1869). – Musikstücke für Violoncello und Klavier, Tänze für Klavier.

Ọffenbach, 1) Landkreis im RegBez. Darmstadt, Hessen, 356 km², (1997) 330 400 Einwohner.

2) kreisfreie Stadt und Verw.sitz des Kreises O. in Hessen, am linken Mainufer, nach W und N mit Frankfurt am Main zusammengewachsen, 116 600 Ew.; Zentralamt des Dt. Wetterdienstes, Sitz der Bundesmonopolverw. für Branntwein; Hochschule für Gestaltung, Berufsfachschulen, Klingspor-Museum (für Buch- und Schriftkunst), Dt. Leder- und Schuhmuseum, Theater, Freilichtbühne, Messehallen. Lederind. mit internat. Le-

Ofen 2): Ofenplatte aus Gusseisen (1563; Marburg, Universitätsmuseum für Kulturgeschichte)

Jacques Offenbach (Fotografie von Nadar, 1875)

Offenbach 2) Stadtwappen

derwarenmessen; Maschinenbau, chem., elektrotechn. Industrie; Mainhafen. – Renaissanceschloss (1570–78 erbaut). – 977 erstmals erwähnt, kam O. 1486 an die Grafen von Isenburg. 1556 wurde es eine ihrer Residenzen (1741–1816 der Grafen von Isenburg-Birstein); Ende des 17. Jh. Aufnahme von Waldensern und Hugenotten; gilt erst seit der 2. Hälfte des 18. Jh. als Stadt.

Offenbarung, Erkenntnis, Erleuchtung. In der *Religionsgeschichte* eine auf Gott zurückgeführte Enthüllung vorher »verborgener« religiöser Wirklichkeiten, Gewissheiten oder transzendenter Wahrheiten, die allein mit den Mitteln der menschl. Vernunft weder begriffen noch begründet werden können. In den **O.-Religionen** (Judentum, Christentum, Islam, Zoroastrismus) bildet die O. das wesentl. konstitutive Moment und wird als personale Ansprache Gottes an den Menschen und persönl. Zusage von Heil verstanden. Gott spricht dabei über →Mittler (die Propheten des A. T., Jesus Christus, Mohammed, Zarathustra). Die religiösen Wahrheiten in anderen Religionen werden demgegenüber meist im Sinne eines »heiligen Wissens« gedeutet, das von dazu Beauftragten (z. B. Priester, Stammesälteste) bewahrt und weitergegeben wird.

📖 HEINRICHS, M.: *Christl. O. u. religiöse Erfahrung im Dialog. Paderborn u. a. 1984.* – SCHMITZ, J.: *O. Düsseldorf 1988.*

Offenbarung des Johannes, Abk. **Offb.,** Schrift im N. T., die →Apokalypse des Johannes.

Offenbarungs|eid, früher ein Eid zur Bekräftigung einer Auskunftspflicht; im dt. Recht durch die →eidesstattliche Versicherung ersetzt.

Offenburg
Stadtwappen

Offenburg, Krst. des Ortenaukreises, RegBez. Freiburg, Bad.-Württ., Große Kreisstadt, am Austritt der Kinzig in das Oberrhein. Tiefland, 56 000 Ew.; FH; chem. und elektrotechn. Ind., Stahlbauwerk, Werkzeugmaschinenbau, grafische Großbetriebe u. a. – Um 1100 von den Zähringern gegr.; 1235 Reichsstadt; im 16. Jh. Sitz der kaiserl. Landvögte der Ortenau; kam 1803 an Baden. Am 12. 9. 1847 Zusammenkunft bad. Liberaler (**Offenburger Versammlung;** Ausgangspunkt der bad. Revolutionsbewegung 1848/49).

offene Gesellschaft, Leitbild (v. a. des Liberalismus) einer veränderbaren und veränderl. Gesellschaft; v. a. vom krit. Rationalismus (K. R. Popper) in strikter Ablehnung aller Theorien vertreten, die vom Wirken determinist. Gesetzlichkeiten in der Geschichte (Historizismus) ausgehen oder auf sozialutop. Gesellschaftsentwürfen beruhen.

offene Handelsgesellschaft, Abk. **OHG,** Gesellschaft, die unter gemeinschaftl. Firma ein Handelsgewerbe betreibt und bei der jeder Gesellschafter den Gesellschaftsgläubigern unbeschränkt haftet (§§ 105 ff. HGB). Die OHG ist eine Gesamthandsgemeinschaft; sie kann unter ihrer Firma Rechte erwerben, Verbindlichkeiten eingehen, vor Gericht klagen und verklagt werden. Sie entsteht mit dem Abschluss des Gesellschaftsvertrags; nach außen wird sie wirksam mit ihrer Eintragung in das Handelsregister. Zur Vertretung der OHG ist, wenn der Gesellschaftsvertrag nichts anderes bestimmt, jeder Gesellschafter befugt. Die Geschäftsführungs- und Vertretungsbefugnis kann einem Gesellschafter auf Antrag der übrigen Gesellschafter durch Gerichtsentscheid aus wichtigem Grund entzogen werden. Die Vertretungsmacht umfasst uneingeschränkt und unbeschränkbar alle gerichtl. und außergerichtl. Geschäfte. Die OHG endet durch vertragsmäßigen Zeitablauf, Auflösungsbeschluss, Konkurseröffnung über das Vermögen der OHG oder eines Gesellschafters, Tod eines Gesellschafters (sofern der Vertrag nichts anderes bestimmt), Kündigung oder gerichtl. Entscheidung. – In *Österreich* gelten im Wesentlichen gleiche Bestimmungen wie im dt. Recht. Im *schweizer.* Recht entspricht die Kollektivgesellschaft der OHG (Art. 552 ff. OR).

offener Arrest, Verfügung des Konkursgerichts bei der Konkurseröffnung, an den Gemeinschuldner künftig nichts auszuhändigen oder zu leisten (§§ 118, 119 KO).

Offener Himmel, →Open Skies.

offenes Bein, →Beingeschwür.

offene Tür, im Völkerrecht das Prinzip, wonach die wirtsch. Betätigung, jedenfalls aber der Handel auf einem bestimmten Gebiet, allen Staaten und ihren Bürgern unter gleichen Bedingungen gestattet wird; entstand im 19. Jh. im Konflikt gegen die koloniale Monopolisierung des Handels.

offene Wirtschaft, *Wirtschaftstheorie:* Volkswirtschaft mit außenwirtsch. Aktivitäten (Ex- und Import von Waren, Dienstleistungen und Kapital); Ggs.: geschlossene Wirtschaft.

Offenkundigkeit (veraltet Notorietät), *Recht:* das Bekanntsein bestimmter Tatsachen; gerichts- oder gemeinkundige (notor.) Tatsachen bedürfen im Prozess keines Beweises (§ 291 ZPO).

Offenmarktpolitik, An- oder Verkauf von Wertpapieren durch die Notenbank überwiegend am Geldmarkt, um das Geldvolumen zu beeinflussen. Kauft die Notenbank Wertpapiere von den Banken, so steigt deren Liquidität, der Spielraum für ihre Kreditgewährung erweitert sich (Geldschöpfung); umgekehrt kann die Notenbank durch Verkauf von Wertpapieren die Geldmenge entsprechend verringern. Zu den **Offenmarktpapieren** zählen rediskontfähige Wechsel, Liquiditätspapiere (Schatzwechsel, Schatzanweisungen) und Schuldverschreibungen. Neuere Formen von Offenmarktgeschäften sind u. a. Devisen-Swapgeschäfte und bes. Wertpapiergeschäfte mit Rückkaufsvereinbarung (→Pensionsgeschäfte), die inzwischen bei der laufenden Liquiditätssteuerung im Vordergrund stehen. Die O. ist ein wichtiges Instrument der Geld- und Zinspolitik.

offensiv [lat.], angreifend; den Angriff bevorzugend; stürmend (im Fußballspiel); Ggs.: defensiv.

Offensive *die,* **1)** *allg.:* Angriff, Vorstoß.

2) *Militärwesen:* →Angriff.

öffentliche Anstalt, nicht rechtsfähige Anstalt der öffentl. Verwaltung (z.B. kommunale Versorgungs- und Verkehrsbetriebe); Verwaltungsträger sind Gemeinde, Stadt u.a.; abzugrenzen ist die →Anstalt des öffentlichen Rechts. In der *Schweiz* wird als ö. A. der Teil der öffentl. Verwaltung bezeichnet, der den staatl. Interessen unmittelbar zu dienen bestimmt ist, z.B. Schulen, Armee.

öffentliche Auftragsvergabe, Verfahren der Vergabe öffentl. Aufträge zur Beschaffung von Gütern und Leistungen (bes. öffentl. Investitionen) gemäß der Verdingungsordnungen für Leistungen (VOL) bzw. für Bauleistungen (VOB), der VO für Preise bei öffentl. Aufträgen nebst den Leitsätzen für die Preisermittlung aufgrund von Selbstkosten (LSP). Grundsätzlich müssen öffentl. Aufträge zunächst öffentlich ausgeschrieben werden, um den günstigsten Anbieter zu ermitteln; nur in Ausnahmefällen kann auf eine Ausschreibung verzichtet werden (freihändige Vergabe). Dadurch soll die ö. A. möglichst transparent werden und eine Beschaffung zu günstigen Bedingungen ermöglichen. (→Verdingung)

öffentliche Ausgaben, →Staatsausgaben.

öffentliche Bibliothek (öffentliche Bücherei), eine jedermann zugängl., gemeinnützige Bibliothek für die allg. Literatur- und Informationsversorgung. Sie stand früher als »Volksbücherei« im Ggs. zur wiss. Bibliothek; heute unterscheidet sie sich in der Konzeption eher von der institutsbezogenen Bibliothek (z.B. Hochschulbibliothek). Sie stellt alle Arten von bibliotheksgeeigneten Medien zur Verfügung, die die Orientierung und freie Meinungsbildung fördern und Bildung in jeder Form unterstützen (neben gedruckten auch audiovisuelle Materialien). Die ö. B. in Dtl. gliedern sich in Gemeinde-, Kreis-, Stadt-, Landes- und Staatsbibliotheken (Letztere werden als universale Bibliotheken gewöhnlich nicht als ö. B. bezeichnet); die entsprechenden Gebietskörperschaften sind die Hauptträger der ö. B., in erster Linie die Gemeinden und Städte. Die (städt.) Zentralbibliotheken unterhalten oft Zweigstellen und setzen Fahrbüchereien ein. Die ö. B. sind über ein Leih- und Informationsverkehrssystem miteinander kooperativ verbunden. Heute wird verstärkt elektron. Datenverarbeitung eingesetzt, was u.a. erhebl. Vorteile bei der Bestandsbeschaffung und -darbietung mit sich bringt.

Österreich: Hauptträger der Volksbüchereien ist das Borromäuswerk, daneben auch andere Institutionen, subventioniert vom Staat. 1948 wurde der »Verband Österr. Volksbüchereien« (Sitz: Wien) gegründet. In der *Schweiz* geht die Gründung von Bibliotheken v.a. auf die private Initiative von Vereinen und kirchl. Einrichtungen zurück. Die kulturelle Eigenständigkeit der Kantone bedingt eine uneinheitl. und vielfältige Entwicklungsgeschichte des Büchereiwesens.

Geschichte: 1828 gründete K. Preusker die »Bürgerbibliothek« in Großenhain, 1850 F. von Raumer vier »Volksbibliotheken« in Berlin. Während in Dtl. zunächst konfessionelle Vereine (→Borromäus-Verein), sozialist. Bildungsvereine oder freie Volksbildungsvereine Träger von Leihbüchereien wurden, entwickelte sich in den USA und in Großbritannien das System der »public libraries« auf kommunaler Basis, das auf die Entstehung der Volksbücherei in Österreich wirkte und um die Jahrhundertwende auch vorbildhaft die »Bücherhallenbewegung« in Dtl. anregte.

📖 THAUER, W. *u.* VODOSEK, P.: *Geschichte der öffentl. Bücherei in Deutschland. Wiesbaden* ²*1990.* – GRUND, U. *u.* HEINEN, A.: *Wie benutze ich eine Bibliothek? Basiswissen, Strategien, Hilfsmittel. München* ²*1996.*

öffentliche Einnahmen, →Staatseinnahmen.

öffentliche Güter, *allg.* alle tatsächlich öffentlich angebotenen Güter und Leistungen (Kollektivgüter), in der *Finanzwiss.* nur solche Güter und Leistungen, die aufgrund ihrer Eigenart im marktwirtsch. Prozess nicht angeboten und deshalb durch den Staat bereitgestellt werden, da sie nicht individuell genutzt werden können (z.B. äußere und innere Sicherheit). Die Besonderheit der ö. G. besteht darin, dass (insbesondere wegen ihrer Unteilbarkeit) das für die Marktwirtschaft charakterist. Ausschlussprinzip nicht gilt, d.h., dass Wirtschaftssubjekte, die nicht bereit sind, für diese Güter zu zahlen (»Trittbrettfahrer«), von der Nutzung nicht ausgeschlossen werden können. Davon zu unterscheiden sind **meritor. Güter,** bei denen der Staat bewusst in das Marktgeschehen eingreift, um das Verhalten der Wirtschaftssubjekte zu korrigieren, z.B. öffentl. Schulen.

📖 ARNOLD, V.: *Theorie der Kollektivgüter. München 1992.*

öffentliche Hand, Bez. für die Gesamtheit der jurist. Personen des öffentl. Rechts (v.a. Bund, Länder und Gemeinden).

öffentliche Klage, Anklage im Strafprozess.

öffentliche Kreditaufnahme, →Staatsschulden.

öffentliche Meinung, einerseits die in der Bevölkerung durch Umfragen nachgewiesenen vorherrschenden Meinungen, Einstellungen oder

Verhaltensweisen zu öffentlich diskutierten Fragen und Sachverhalten; andererseits die vorherrschenden Urteile in der aktuellen öffentl., meist polit. Kommunikation. Die ö. M. wird mitgeprägt durch die Massenmedien und ist ein wesentl. Element des polit. Meinungs- und Willensbildungsprozesses in einer Demokratie.

öffentlicher Dienst, alle Personen, die für den Staat oder sonstige Träger öffentl. Verwaltung bzw. öffentl. Aufgaben bei Bund, Ländern, Gemeinden oder sonstigen Einrichtungen (Körperschaften, Anstalten, Stiftungen) des öffentl. Rechts tätig sind. Man unterscheidet den unmittelbaren ö. D. (bei Bund, Ländern, Gemeinden, kommunalen Zweckverbänden) und den mittelbaren ö. D. (bei den Trägern der Sozialversicherung, der Bundesanstalt für Arbeit, den Trägern der Zusatzversorgung), bei den Einrichtungen für Wiss., Forschung und Entwicklung sowie die rechtlich selbstständigen Wirtschaftsunternehmen, bes. Versorgungs- und Verkehrsunternehmen. Wegen der Untergliederung der Angehörigen des ö. D. in →Beamte, Angestellte und Arbeiter gelten versch. Normen.

Angestellte und Arbeiter stehen in einem privatrechtl. Arbeitsverhältnis zur öffentl. Hand als ihrem Arbeitgeber. Insoweit gilt für sie dasselbe gesetzl. Arbeitsrecht wie für Privatarbeitnehmer. Indes sind Angestellte und Arbeiter des ö. D. als Sondergruppe anzusehen, da ein spezielles Tarifvertragsrecht ihnen eine besondere Stellung verschafft. So gilt für Angestellte des ö. D. weitgehend der Bundesangestelltentarifvertrag (BAT). Für die Arbeiter des Bundes, der Länder und Gemeinden gelten im Wesentlichen inhaltsgleiche Manteltarifverträge. Im Vergleich zeigt sich eine starke Annäherung des Tarifrechts an das Beamtenrecht.

Für die Bediensteten des ö. D. der ehem. DDR wurden im Einigungsvertrag Übergangsregelungen vereinbart. Eine automat. Weiterbeschäftigung wurde nicht vorgesehen. Für nicht übernommene Einrichtungen wurde das Ruhen der Arbeitsverhältnisse (Warteschleife) mit befristetem Wartegeldanspruch (70% des durchschnittl. monatl. Entgelts) vereinbart. Wer bis zum Ablauf der Frist nicht übernommen wurde, galt ohne vorherige Kündigung als arbeitslos. Des Weiteren waren bis 31. 12. 1993 auch Kündigungen (bes. wegen mangelnden Bedarfs oder Tätigkeit für den Staatssicherheitsdienst der DDR) möglich.

Der dt. ö. D. beschäftigt (Stand vom 30. 6. 1996) rd. 5,3 Mio. Personen; im Bundesdienst arbeiten davon nur rd. ein Zehntel, der größte Teil ist bei den Ländern und Gemeinden tätig.

Österreich: Bundes-, Landes- und Gemeindebeamte (aufgrund öffentlich-rechtl. Ernennung) sowie die Vertragsbediensteten (aufgrund privatrechtl. Vertrags) sind öffentlich Bedienstete. Der ö. D. ist in sieben Besoldungsgruppen gegliedert, die Allgemeine Verwaltung ferner in fünf Verwendungsgruppen (A höherer, B gehobener Dienst, C Fachdienst, D mittlerer Dienst, E Hilfsdienst).

Schweiz: Struktur und Regelungen des ö. D. sind im Großen und Ganzen mit den Gegebenheiten in Dtl. vergleichbar. Auf Bundesebene stehen die angestellten Beschäftigten im öffentlich-rechtl. Vertragsverhältnis, während die Kantone ein gemischtes System unter Einschluss privatrechtl. Vertragsgestaltungen kennen.

📖 *Der Staat als Arbeitgeber. Daten u. Analysen zum ö. D. in der Bundesrepublik, Beiträge v.* W. Brandes *u. a. Frankfurt am Main u. a. 1990.*

öffentlicher Glaube, der rechtl. Grundsatz, dass der Inhalt bestimmter öffentl. Bücher (Grundbuch, Handelsregister, Güterrechtsregister) zugunsten der auf ihn vertrauenden Personen so lange als richtig gilt, bis er widerlegt ist **(Publizitätsprinzip)**.

öffentlicher Haushalt, →Haushalt, →Haushaltsplan.

öffentliche Sachen, die Sachen des Staates oder sonstiger Verwaltungsträger, die den Verwaltungszwecken unmittelbar durch ihren Gebrauch dienen. Für die ö. S. gilt nicht der Sachbegriff des Privatrechts; ö. S. sind auch nichtkörperl. Sachen, z. B. der Luftraum. Ö. S. werden i. d. R. unterteilt in Finanzvermögen (z. B. Betriebe), Verwaltungsvermögen (z. B. Krankenhäuser), ö. S. im Gemeingebrauch (z. B. Straßen).

öffentliche Schulden, →Staatsschulden.

öffentliche Schulen, Schulen, die vom Staat oder von Gebietskörperschaften getragen werden, im Unterschied zu Privatschulen.

öffentliche Sicherheit und Ordnung, Grundbegriff des Polizeirechts. Die **öffentl. Sicherheit** umfasst den Bestand des Staates, seiner Einrichtungen und Symbole, das ungehinderte Funktionieren seiner Organe, die verfassungsmäßigen Rechtsnormen sowie Leben, Gesundheit, Freiheit, Ehre und Vermögen des Einzelnen. Unter **öffentl. Ordnung** versteht man jene ungeschriebenen Regeln für das Verhalten des Einzelnen in der Öffentlichkeit, die nach Auffassung einer überwiegenden Mehrheit zu den unerlässl. Voraussetzungen eines erträgl. und friedl. Zusammenlebens gehören.

öffentliches Recht (lat. Ius publicum), der Teil der staatl. Rechtsordnung, der die Rechtsverhältnisse regelt, die durch das Wirken der staatl. oder vom Staat abgeleiteten Hoheitsgewalt bestimmt sind. Die Einteilung der Rechtsnormen (v. a. der Gesetze) und der darauf beruhenden Rechtsakte (Willenserklärungen, Verträge, Entscheidungen) in solche des ö. R. und des Privatrechts entspricht kontinentaleurop. Tradition, sie findet sich z.B. im angloamerikan. Rechtskreis nur ansatzweise. In Dtl. bauen Gerichtsorganisation und -zuständigkeit auf dieser Unterscheidung auf; privatrechtl. Streitigkeiten werden von den ordentl. Gerichten (Zivilgerichten) und Arbeitsgerichten, öffentlichrechtl. vorwiegend von den Verfassungs- und Verwaltungsgerichten sowie den Finanz- und Sozialgerichten entschieden. In der Sache zielt das ö. R. als das »Sonderrecht des Staates« darauf ab, die staatl. Tätigkeit im Allgemeininteresse zu ermöglichen, aber auch den Schutz der Bürger vor Missbrauch der Staatsgewalt zu gewährleisten. Während für das Privatrecht der Grundsatz der Vertragsfreiheit (Privatautonomie) und der gleichrangige Schutz der Rechte typisch sind, ist das ö. R. durch die einseitige Anordnungsgewalt des Staates in den Handlungsformen des Gesetzes und des Verwaltungsakts, aber auch durch die besonderen Bindungen des Staates an die Grundrechte und an rechtsstaatl. Anforderungen gekennzeichnet. – Die genaue Abgrenzung beider Rechtsgebiete ist bis heute nicht völlig gelungen. Auch der Staat darf sich traditionell des Privatrechts bedienen und in privatrechtl. Organisationsformen (AG, GmbH) tätig werden.

Hauptgebiete des ö. R. sind neben dem Völker- und Europarecht sowie dem traditionell dazu gezählten Kirchenrecht das Staats- und Verwaltungsrecht, ferner das Straf-, das Gerichtsverfassungs- und das Prozessrecht. Einige Rechtsgebiete umfassen zugleich öffentl. und Privatrecht (Arbeits-, Sozial-, Jugendrecht u.a.). Rechtsquellen des ö. R. sind – im innerstaatl. Bereich – Verf., Gesetze, Rechts-VO, Verwaltungsvorschriften, Satzungen, Gewohnheitsrecht, Richterrecht sowie staatsrechtl. und verwaltungsrechtl. Verträge (z.B. völkerrechtl. Verträge zw. zwei Staaten, Verträge zw. Gemeinden über gemeinsame Erfüllung einer öffentl. Aufgabe). – Auch das *österr.* und *schweizer.* Recht gehen von der Zweiteilung der Rechtsordnung in privates und ö. R. aus.

📖 ARNDT, H.-W. *u.* RUDOLF, W.: *Ö. R. Grundriß für das Studium der Rechts- u. Wirtschaftswissenschaft. München* [11]*1996.*

öffentliche Unternehmen, Unternehmen im Besitz oder unter maßgebl. Beteiligung von öffentlich-rechtl. Körperschaften (z.B. →Bundesbetriebe, →kommunale Betriebe), denen auch die Gewinne zufließen. Bundes- und Landesbetriebe werden auch als Staatsbetriebe (Staatsunternehmen) bezeichnet. Neben den im Alleinbesitz der öffentl. Hand befindl. Unternehmen bestehen gemischtwirtsch. Unternehmen, an denen auch private Kapitaleigner beteiligt sind. Ö. U. treten in Organisationsformen des Privatrechts (AG, GmbH) oder des öffentl. Rechts auf, hier meist als öffentlichrechtl. Körperschaften (z.B. kommunale Zweckverbände, Sparkassen), organisatorisch und rechtlich unselbstständige Regiebetriebe oder als organisatorisch verselbstständigte Eigenbetriebe.

📖 *Handwörterbuch der öffentl. Betriebswirtschaft, hg. v.* K. CHMIELEWICZ *u.a. Stuttgart 1989.* – MÜHLENKAMP, H.: *Ö. U. München u.a. 1994.* – *Perspektiven ö. U. in der Wirtschafts- u. Rechtsordnung der Europ. Union, hg. v.* H. COX, *2 Bde. Baden-Baden 1995–96.*

Öffentlichkeit, 1) *Gesellschaftswiss.:* die Zugänglichkeit von Informationen, Kommunikation und Beteiligungsmöglichkeiten für einen unbegrenzten Kreis von Personen, auch dieser Kreis selbst; in einer Demokratie Bereich der Vermittlung staatl. Ordnungsmacht und der polit. Willensbildung.

📖 HABERMAS, J.: *Strukturwandel der Ö. Neuausg. Frankfurt am Main* [4]*1995.*

2) *Recht:* Im Prozessrecht neben der Mündlichkeit und der Unmittelbarkeit wichtiger Grundsatz der mündl. Verhandlung. Er bedeutet, dass die Gerichtsverhandlungen unbeteiligten Personen zugänglich sind, um so dazu beizutragen, das Vertrauen in die Rechtsprechung zu festigen und das Verantwortungsbewusstsein der Rechtspflegeorgane zu heben. Rundfunk-, Ton- und Filmaufnahmen zur außergerichtl. Ausstrahlung sind aber nicht gestattet. Nach den für die ordentl. Gerichtsbarkeit grundlegenden §§169ff. Gerichtsverfassungs-Ges. (GVG; ähnl. Vorschriften gibt es in den Verfahrensordnungen der anderen Gerichtsbarkeiten) ist die Verhandlung vor dem erkennenden Gericht öffentlich. In bestimmten Fällen ist die Ö. allerdings auszuschließen (z.B. in Ehe- und Kindschaftssachen, wenn die Privatsphäre von Beteiligten oder die Staatssicherheit dies erfordert). Die Verkündung des Urteils erfolgt immer öffentlich. Nicht öffentlich sind stets die Beratungen. Eine Verletzung der Vorschriften über die Ö. des Verfahrens begründet die Revision des Urteils (§551 Ziffer 6 ZPO, §338 Ziffer 6 StPO). Bei Verfahren der freiwilligen Gerichtsbarkeit ist der Grundsatz der Ö. eingeschränkt. – Auch im *österr.* und *schweizer.* Recht ist der Grundsatz der Ö. mit z.T. anderen Einschränkungen als im dt. Recht geschützt.

Öffentlichkeits|arbeit, →Public Relations.

öffentlich-rechtliche Anstalt, eine →Anstalt des öffentlichen Rechts.

Offertorium [lat. »Darbringung«] *das,* in der kath. Messfeier die Gabenbereitung und der sie begleitende Gesang.

Offizialat [lat.] *das, kath. Kirche:* bischöfl. Gerichtsbehörde; bildet auf Diözesanebene die erste Instanz der kirchl. Gerichtsbarkeit.

Offizialbetrieb (Amtsbetrieb), *Recht:* das Betreiben des Verfahrens durch das Gericht von Amts wegen; Ggs.: Parteibetrieb.

Offizialdelikt, von Amts wegen zu verfolgende strafbare Handlung; Ggs.: → Antragsdelikt.

Offizialmaxime, → Amtsgrundsatz.

offiziell [frz.], amtlich.

Offizier [frz., zu mittellat. officiarius »Beamteter«, »Bediensteter«, zu lat. officium »Dienst«, »Pflicht«] *der,* Soldat mit Dienstgrad vom Leutnant aufwärts; in der Bundeswehr Laufbahngruppe mit den Dienstgradgruppen der Generale bzw. Admirale, der Stabsoffiziere, der Hauptleute und der Leutnants. Die Gesamtheit der O. der Streitkräfte eines Landes oder eines Teils davon (früher eines Regiments) bezeichnet man als **Offizierskorps.**

Offizierlanwärter, Soldaten, über deren Bewerbung zum Offizier positiv entschieden ist. In den Mannschaftsrängen tragen sie den Zusatz OA (= O.) oder ROA (= Reserve-O.); in den Unteroffiziersrängen gibt es die Dienstgrade: Fahnenjunker, Fähnrich, Oberfähnrich sowie entsprechend Seekadett, Fähnrich (zur See), Oberfähnrich (zur See).

Offizierschulen, Einrichtungen zur Ausbildung und Bildung der Offizieranwärter und zur Fortbildung von Offizieren; hierzu gehören in der Bundeswehr die Offizierschule des Heeres in Dresden (bis 1997 Hannover), die Offizierschule der Luftwaffe in Fürstenfeldbruck, die Marineschule Mürwik bei Flensburg und die Univ. der Bundeswehr in Hamburg und München.

Offizin [lat.] *die,* **1)** Buchdruckerwerkstatt, i. e. S. Werkstatt für künstler. Buchdruck.

2) *Pharmazie:* Arbeitsraum in einer Apotheke.

offizinal (offizinell), arzneilich verwendet.

offiziös [frz.], halbamtlich; nicht verbürgt.

Offizium (Officium) [lat. »Amt«, »Pflicht«] *das, lat. Liturgie:* früher allg. üblicher Name für die dem Kleriker vorbehaltenen liturg. Handlungen, bes. das Stundengebet.

off limits [engl.], Zutritt verboten.

offline [ɔflaɪn, engl.], *Datenverarbeitung:* a) ein Peripheriegerät wird nicht von einem Rechner gesteuert, b) Daten werden nicht unmittelbar von einer Außenstation in einen Rechner zur Verarbeitung übernommen; Ggs.: online.

Öffnungsblende, die Aperturblende (→ Apertur).

Öffnungsfehler, ein → Abbildungsfehler.

Öffnungsklausel, → Tarifvertrag.

Öffnungszeiten, → Ladenschluss.

Offsetdruck [engl.], Flachdruckverfahren, bei dem druckende und nicht druckende Druckformstellen praktisch in einer Ebene liegen. Die Druckform (Mehrmetall-, gekörnte Zink- oder Aluminium-, selten Kunststoffplatte) ist chemisch so behandelt, dass sie nur an den druckenden Stellen Farbe annimmt. Der Druck erfolgt zunächst auf einen gummituchbespannten Zylinder, dann auf das zu bedruckende Material. Mit O. können hohe Druckgeschwindigkeiten und somit -auflagen erzielt werden.

Offshoretechnik [ˈɔfʃɔ:-, engl.], i. w. S. die Gesamtheit aller zur Prospektion, Exploration und Gewinnung von Rohstoffen aus dem Meer erforderl. Unternehmungen; i. e. S. Sammelbegriff für die Aufsuchung und Gewinnung von Erdöl und/oder Erdgas aus dem Meeresboden. In der ersten Phase umfasst die O. die Lagerstättenerkundung, das Ausfindigmachen von Erdöl- und/oder Erdgasvorräten im Meeresboden; in der anschließenden Erschließungsphase werden von mobilen Bohrplattformen oder -schiffen aus Probebohrungen in das mutmaßl. Feld abgeteuft; es folgt die Förderphase.

Die **Hubplattform,** für Wassertiefen bis zu 100 m, wird als schwimmfähige Plattform (Deck) von Schleppern oder durch Eigenantrieb an die Bohrstelle gebracht. Die absenkbaren Beine stehen beim Bohren auf dem Meeresboden. **Halbtaucher** sind ortsbewegl. schwimmende Plattformen, die von Schwimmkörpern mit vertikalen Säulen und Verstrebungen getragen und meist von Versorgungsschiffen geschleppt werden; ihre Arbeitstiefe beträgt 600 m (geankert) und bis etwa 1 000 m (dynam. Positionierung). **Bohrschiffe** dienen dem Aufschlussbohren in über 1 000 m Wassertiefe. Wegen der sehr viel stärkeren Hubbewegungen ist zur Erzielung eines gleichmäßigen Andrucks des Meißels auf der Bohrlochsohle am Flaschenzug ein hydraulisch-pneumat. Tauchschwingungskompensator eingebaut. Für den Tiefwasseraufschluss und in Eisberggebieten wird anstelle des Ankerns dynam. Positionierung angewandt. Die **Bohr-** und **Förderplattform** ist eine an Land vorgefertigte Stahl- oder Stahlbetonkonstruktion; jene wird mit eingerammten Pfählen am Meeresboden verankert, die Stahlbetonkonstruktion steht aufgrund ihres Gewichts auf dem Meeresboden fest; ihr unterer Teil dient gleichzeitig als Speichertank für Rohöl. Von der Plattform aus werden bis zu 60 Bohrungen abgeteuft und in Produktion genommen. Das produzierte Öl wird von Tankern, die auf See aus den Speichertanks der Plattform beladen werden, bei größeren Feldern durch wetterunabhängige Pipelines auf dem Meeresboden abtransportiert.

Offshorezentren [ˈɔfʃɔ:-, engl.], Plätze für internat. Finanzgeschäfte von Banken (**Offshorebanken,** meist Tochtergesellschaften oder Niederlassungen internat. tätiger Banken) und Unternehmen, die den Finanzmarkt des Landes, in dem sie getätigt werden, nicht berühren und deshalb wesentlichen nationalen Bestimmungen nicht unterliegen (geringe Bankenaufsicht, keine Mindestreservepflicht, weitgehende Steuerpräferenzen). Die verwendete Währung entspricht i. d. R. nicht der

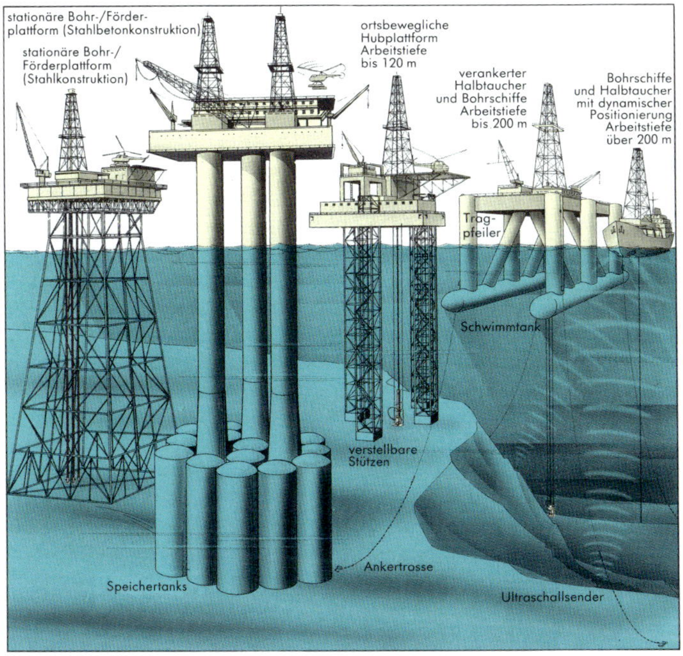

Offshoretechnik: schematische Darstellung verschiedener Bohr- und Fördereinrichtungen (links); für Wassertiefen bis zu 100 m setzt man Hubplattformen – wie die abgebildete »Dyvi Sigma« – ein, deren Geräteplattformen etwa 20 m über den Wasserspiegel angehoben werden, um ein Überspülen bei stürmischer See zu verhindern

Währung des Landes, in dem die **Offshoregeschäfte** getätigt werden, z. B. Einlagen-, Kredit- und Wertpapiergeschäfte in US-Dollar am Euromarkt in London (Eurodollar-Geschäft). Die bekanntesten O. sind London, Luxemburg, Hongkong, Singapur, die Bahamas, Barbados, Cayman Islands, Curaçao, Panama und die Bankenfreizonen in New York und Tokio.

O'Flaherty [əʊ'fleətɪ], Liam, irischer Schriftsteller, * Inishmore (Araninseln, Irland) 28. 8. 1896, † Dublin 7. 9. 1984. Seine Romane spielen meist vor dem Hintergrund der jüngeren irischen Geschichte und schildern innerlich zerrissene Menschen als Werkzeuge übermächtiger Gewalten: »Die Nacht nach dem Verrat« (1925); auch Erzählungen, autobiograph. Schriften.

OFM, Abk. für **O**rdo **F**ratrum **M**inorum, → Franziskaner.

Ofnet *die,* zwei Höhlen (Große und Kleine O.) bei Nördlingen mit alt- und mittelsteinzeitl. Kulturschichten. In der Großen O. wurden 32 menschl. Schädel gefunden, die gewaltsam vom Körper abgetrennt waren. Schädelverletzungen deuten in einigen Fällen auf Tötung (Opfer oder Kopfjagd).

Ofotenfjord ['u:futənfjo:r], tief ins Land dringender Fjord in N-Norwegen, mit dem Erzhafen Narvik; Ofotbahn, Teil der Lapplandbahn.

Ofterdingen, Heinrich von, mhd. Dichter, → Heinrich von Ofterdingen.

Ogaden, wüstenhaftes Hochland in SO-Äthiopien, 900 bis 1000 m ü. M., größtenteils Dornsavanne (100–300 mm Niederschlag jährlich). Die Bewohner, muslim. Somal, sind Nomaden. – 1891 wurde O. durch Kaiser Menelik II. erobert und Äthiopien eingegliedert; 1964–67 erstmals Kämpfe zw. Äthiopien und Somalia, das O. als mehrheitlich von Somal bewohntes Territorium beanspruchte. 1977 besetzten Verbände einer »Westsomal. Befreiungsfront« und somal. Truppen O.; sie wurden jedoch 1978 von Äthiopien mit kubanisch-sowjet. Unterstützung verdrängt.

Ogata, **1)** Kenzan, japan. Maler und Keramiker, * Kyōto 1663, † Edo (heute Tokio) 1743, Bruder von 2); seine Gemälde und keram. Arbeiten sind dem Dekorationsstil seines Bruders verwandt. Durch seine Emailfarbenmalerei über der Glasur im Stil des Ninsei brachte er die Kyōtokeramik (kyō-yaki) zu einer zweiten Blüte und prägte so die japan. Teekultur.

2) Kōrin, japan. Maler und Lackmeister, * Kyōto 1658, † ebd. 1716, Bruder von 1); bemalte die Keramiken seines Bruders; führte den dekorativen Stil Sōtatsus zu höchster Vollendung und wirkte selbst schulebildend. Berühmt sind u. a. seine Stellschirme.

Ogbomosho [-ʃo], Stadt in SW-Nigeria, 677 200 Ew.; Zentrum eines Landwirtschaftsgebiets (v. a. Kakao), Textilindustrie.

Liam O'Flaherty (zeitgenössische Zeichnung)

Juan O'Gorman: »Ciudad de México« (1942; Mexiko, Museo de Arte Moderno)

Ogburn ['ɔgbən], William Fielding, amerikan. Soziologe, *Butler (Ga.) 29. 6. 1886, †Tallahassee (Fla.) 27. 4. 1959; Prof. in New York (1914–27) und Chicago (1927–51); bahnbrechende Arbeiten zur Theorie des sozialen Wandels, entwickelte die These vom →Cultural Lag.

Oger [frz. von lat. orcus] *der,* Menschen fressender Riese und Dämon in roman. Märchen und Sagen; in der angloamerikan. Fantasyliteratur **Ork.**

OGH, Abk. für →**O**berster **G**erichts**h**of (Österreich).

Oghamschrift ['ɔgəm-, engl.; 'o:əm-, irisch] (Ogamschrift), Buchstabenschrift der ältesten ir. Sprachdenkmäler (4.–7. Jh.); erhalten sind etwa 360 kurze Inschriften auf Grab- oder Grenzsteinen.

Ogier der Däne [oʒ'je:-], Gestalt der Heldensage, die Züge eines histor. Autcharius (Authari; Gegner Karls d. Gr. im Langobardenkrieg) und episch-legendärer Gestalten vereinigt; wurde Ende des 12. Jh. Mittelpunkt des Epos »Ogier de Danemarche« von Raimbert de Paris. Über die nord. »Karlamagnus saga« wurde die Gestalt in die dän. volkstüml. Balladen des 15. und 16. Jh. übernommen, in denen Ogier unter dem Namen **Holger Danske** zum dän. Nationalhelden erhoben und mit der Dietrich- und Barbarossasage in Verbindung gebracht wurde.

Ohio 2)
Flagge

Oglio ['ɔʎo] *der,* linker Nebenfluss des Po, in N-Italien, 280 km lang.

Ogoni, Untergruppe der Ibibio östlich des Nigerdeltas in Nigeria, etwa 500 000 Angehörige; bekannt durch Holzmasken sehr verschiedenartiger Formgebung. Der Lebensraum der O. ist durch die sich ausweitende Erdölförderung bedroht. Sie gründeten 1990 das »Movement for the Survival of the Ogoni People« (MOSOP; dt. »Bewegung für das Überleben des O.-Volkes«), dessen Vors., der Schriftsteller Ken Saro-Wiwa, 1995 von den nigerian. Machthabern hingerichtet wurde.

O'Gorman, Juan, mexikan. Architekt und Maler, *Coyoacán (bei Mexiko) 6. 7. 1905, †(Selbstmord) Mexiko 13. 1. 1982. Seine frühen Bauten entstanden unter dem Einfluss Le Corbusiers und gehören zu den ersten Zeugnissen des Funktionalismus in Mexiko (Haus und Atelier für D. Rivera in Mexiko, 1929/30). Seine Bauten der 50er-Jahre sind von der Rückbesinnung auf die Tradition der mesoamerikan. Architektur geprägt. Berühmt wurde v. a. die Bibliothek der Univ. von Mexiko (1951–53, mit G. Saavedra und J. Martínez de Velasco; Außenwände mit Steinmosaik). Als Gestalter monumentaler Wandmalereien und Mosaiken gehört O. zu den Vertretern des →Muralismo.

Ogowe *der* (frz. Ogooué), Fluss in Zentralafrika, 850 km, entspringt im S der Rep. Kongo, durchquert Gabun und mündet bei Port-Gentil in den Atlantik. Im Delta Erdöl- und Erdgasförderung.

O'Grady [əʊ'greɪdɪ], Standish James, irischer Schriftsteller, *Castletown Berehaven (Cty. Cork) 18. 9. 1846, †Isle of Wight 18. 5. 1928; hatte durch seine meisterhaften Nacherzählungen altir. Sagen und mytholog. Erzählungen großen Einfluss auf die kelt. Renaissance in Irland.

Oh., Abk. für den Bundesstaat **Oh**io, USA.

O'Hara [əʊ'hɑ:rə], **1)** Frank, amerikan. Lyriker, *Baltimore (Md.) 27. 6. 1926, †Fire Island (N. Y.) 25. 7. 1966; einflussreicher Mitbegründer der Beat-Lyrik; auch kunstkrit. Essays und Einakter.

2) John Henry, amerikan. Schriftsteller, *Pottsville (Pa.) 31. 1. 1905, †Princeton (N. J.) 11. 4. 1970; gesellschaftskrit. Romane, Kurzgeschichten.

OHG, Abk. für →**o**ffene **H**andels**g**esellschaft.

Ohio [o'haɪo], **1)** *der,* größter linker Nebenfluss des Mississippi, USA, 2 102 km lang (mit Allegheny), entsteht bei Pittsburgh aus dem Zusammenfluss von Allegheny River und Monongahela River und mündet bei Cairo (Ill.); durch Kanäle mit den Großen Seen verbunden.

2) Abk. **Oh., OH,** Bundesstaat im Mittleren Westen der USA, 107 044 km^2, (1995) 11,15 Mio. Ew. (10,6 % Schwarze); Hptst.: Columbus. O. ist bis auf den flachen NW und den Anteil am Alleghenyplateau im O eine wellige Grundmoränenlandschaft mit hoch entwickelter Landwirtschaft: Mais, Weizen, Sojabohnen u. a.; Rinder- und Schweinehaltung mit Milch- und Fleischerzeugung. Bergbau: bes. Kohlenförderung und Kalksteinind., Erdöl-, Erdgaslagerstätten. Eisen- und Stahlerzeugung, Fahrzeug- und Maschinenbau, chem., Gummi- u. a. Industrie. Größte Städte: Cleveland, Columbus, Cincinnati; Staatsuniv. in Columbus. – Im 18. Jh. frz.-brit. Streitobjekt und Schauplatz heftiger Kämpfe zw. Weißen und Indianern (ab 1754 French and Indian War); fiel 1763 an Großbritannien, 1783 an die USA; 1803 als 17. Staat in die Union aufgenommen.

OHL, Abk. für →**O**berste **H**eeres**l**eitung.

Ohlau, Stadt in Polen, →Oława.

Ọhlbaum, Isolde, Fotografin, *Moosburg a. d. Isar 24. 10. 1947. Neben einfühlsamen Künstlerporträts, festgehalten in Bildbänden, entstanden Fotobücher wie »Denn alle Lust will Ewigkeit. Erotische Skulpturen auf europ. Friedhöfen« (1986), »Aus Licht und Schatten. Engelbilder« (1994) sowie »Katzen« und »Im Garten der Dichter« (beide 1997).

Ọhle *die* (poln. Oława), linker Nebenfluss der Oder, entspringt im Sudetenvorland, mündet in Breslau; 92 km lang.

Ohlin [u'li:n], Bertil Gotthard, schwed. Volkswirtschaftler und Politiker, *Klippan (Verw.gebiet Kristianstad) 23. 4. 1899, †Vålådalen (Verw.gebiet Jämtland) 30. 7. 1979; Prof. u.a. in Stockholm (1929–65); Mitgl. des Reichtags (1938–45), Vors. der Liberalen Volkspartei (1944–67) und Präs. des Nord. Rates (1959–64). O., Vertreter des Keynesianismus, beschäftigte sich v.a. mit der Außenwirtschaftstheorie; er erklärte Richtung und Stärke internat. Güterströme aus der unterschiedl. Ausstattung der Handel treibenden Länder mit Produktionsfaktoren (**Heckscher-O.-Theorem** oder **Faktorproportionentheorem,** zus. mit E. F. Heckscher); erhielt 1977 mit J. E. Meade den Nobelpreis für Wirtschaftswissenschaften.

Bertil Ohlin

Ohlsson [ɔʊlsn], Garrick, amerikan. Pianist, *Bronxville (N. Y.) 3. 4. 1948; v.a. Interpret virtuoser Klaviermusik.

Ọhm [nach G. S. Ohm] *das,* Einheitenzeichen Ω, SI-Einheit des elektrischen Widerstandes; 1 Ω = 1 Volt/1 Ampere.

Ọhm, Georg Simon, Physiker, *Erlangen 16. 3. 1789, †München 6. 7. 1854; Gymnasiallehrer, Prof. in München. Er entdeckte 1826 das nach ihm benannte Gesetz der Stromleitung (→ohmsches Gesetz); weitere Arbeiten betrafen die physiolog. Akustik und die Interferenz linear polarisierten Lichts beim Durchgang durch einachsige Kristalle.

Georg Ohm
(Ausschnitt einer zeitgenössischen Lithographie)

Ọhmgebirge (Ohmberge), bewaldete Muschelkalkberge im Unteren Eichsfeld, Thür., bis 535 m ü. M. (Birkenkopf).

Ọhm|meter [nach G. S. Ohm], Instrument zum Messen elektr. Widerstände.

ọhmscher Widerstand, der nach dem →ohmschen Gesetz bestimmte elektr. Widerstand; im Wechselstromkreis der Wirkwiderstand.

ọhmsches Gesetz [nach G. S. Ohm], 1) **o. G. der Elektrizitätslehre:** Bei konstanter Temperatur ist die elektr. Stromstärke I in einem Leiter der elektr. Spannung U direkt proportional: $U = R \cdot I$. Der nur von den Leitereigenschaften (Länge, Querschnitt, Material) und der Temperatur abhängige Proportionalitätsfaktor R wird als elektr. (ohmscher) Widerstand bezeichnet. 2) **o. G. der Akustik (ohm-helmholtzsches Gesetz):** Gesetzmäßigkeit der physiolog. Akustik, nach der das Ohr jedes Tongemisch in einfache Töne (sinusförmige Schwingungen) zerlegt (→harmonische Analyse), die getrennt empfunden werden.

ohne Bericht, Abk. **o. B.,** Wechselklausel, →Avis.

ohne Gewähr (ohne Obligo), →Obligo.

Ohnmacht, plötzl., vorübergehender Bewusstseinsverlust infolge mangelhafter Gehirndurchblutung; i.w.S. →Bewusstlosigkeit durch versch. Ursachen. (Übersicht erste Hilfe)

Ọhnsorg, Richard, Theaterleiter, *Hamburg 3. 5. 1876, †ebd. 10. 5. 1947; 1920 Gründer und Leiter der Niederdt. Bühne Hamburg, einer Laienbühne mit regelmäßigem Spielplan; sie war Vorbild für andere plattdt. Laienbühnen; seit 1936 Berufsbühne, als **Richard-Ohnsorg-Theater** (ab 1945) wurde sie durch (ins Hochdeutsche umgesetzte) Fernsehaufführungen bekannt.

Ohr (Auris), paarig angelegtes Gehör- und Gleichgewichtsorgan des Menschen und der Wirbeltiere. Das höchst entwickelte O. haben der Mensch und die Säugetiere. – Das O. des Menschen besteht aus dem äußeren O., dem Mittel-O. und dem inneren O. Das **äußere O.** fängt die Schallwellen auf **(O.-Muschel)** und leitet sie durch den äußeren Gehörgang dem schwingungsfähigen Trommelfell zu. Im **äußeren Gehörgang** finden sich Haare und Ohrenschmalz erzeugende Drüsen. Das **Mittel-O.** besteht aus **Paukenhöhle** mit Gehörknöchelchen und O.-Trompete. Das **Trommelfell,** das Gehörgang und Paukenhöhle trennt, ist eine ellipt. bindegewebige Membran. Das innere O. hat nach der Paukenhöhle hin zwei Öffnungen: das **ovale Fenster,** in dem die Fußplatte des Steigbügels ruht, und das von einer Membran verschlossene **runde Fenster.** Die **Gehörknöchelchen** bilden eine gelenkig verbundene Kette, die vom Trommelfell über Hammer, Amboss und Steigbügel zum ovalen Fenster reicht und die vom Trommelfell aufgenommenen Schwingungen überträgt. Die Übertragungseigenschaften der Gehörknöchelchen werden u.a. durch den Trommelfellspanner eingestellt und angepasst. Die **O.-Trompete (Eustachi-Röhre)** verläuft von der Paukenhöhle schräg zum Nasen-Rachen-Raum; sie sorgt für Druckausgleich zw. Außenluft und Luft im Mittel-O. Das **innere O.** besteht aus dem häutigen Labyrinth, das in das **knöcherne Labyrinth,** d.h. in entsprechend geformte Hohlräume in der Felsenbeinpyramide, eingelassen ist. Das **häutige Labyrinth** ist ein System von untereinander verbundenen bindegewebigen Röhren, die von der **Endolymphe,** einer klaren Flüssigkeit, erfüllt sind. Zw. dem häutigen und dem knöchernen Labyrinth liegt ein zweiter, mit Flüssigkeit **(Perilymphe)** erfüllter Raum, der durch das ovale Fenster mit der Paukenhöhle in

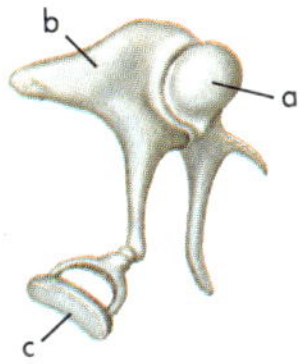

Ohr:
Die drei Gehörknöchelchen Hammer (a), Amboss (b) und Steigbügel (c)

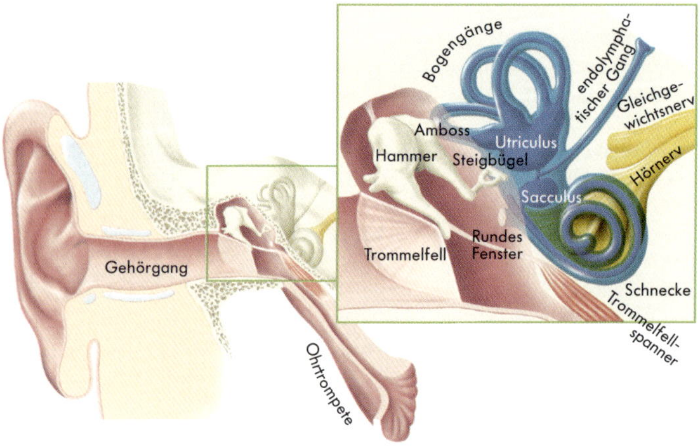

Ohr: schematische Darstellung des menschlichen Ohrs; Teile des Mittelohrs und das innere Ohr sind rechts vergrößert dargestellt

Verbindung steht; jede durch eine Schallwelle erzeugte Schwingung des Trommelfells wird daher durch die Gehörknöchelchen auf die Perilymphe übertragen. Zum häutigen Labyrinth gehören die **Schnecke** sowie die dem Gleichgewichtssinn dienenden drei **Bogengänge** und die Statoorgane mit dem Sacculus und Utriculus. Der endolymphatische Gang dient möglicherweise dem Druckausgleich im Labyrinth. Zur Schnecke zieht der als **Hörnerv** bezeichnete Teil des Hör- und Gleichgewichtsnervs (VIII. Hirnnerv), zu den Bogengängen der als **Gleichgewichtsnerv** bezeichnete andere Teil. Innerhalb der häutigen Schnecke befindet sich das eigentl. Hörorgan, das **Corti-Organ.** Dieses enthält die reizaufnehmenden Sinneszellen, mehrreihig angeordnete Haarzellen, deren Verbiegung durch wellenförmige Bewegungen der Endolymphe und der sie umgebenden Hüllen als Sinnesreiz an das Gehirn weitergeleitet wird. Je nachdem, an welcher Stelle die von der Perilymphe angeregten Wellen ihr letztlich von der auf das O. auftreffenden Tonfrequenz abhängiges Schwingungsmaximum haben, werden unterschiedl. Sinneszellen gereizt und schließlich vom Gehirn die versch. Töne registriert (→Gehör).

Ohratalsperre, Talsperre der Ohra am N-Rand des Thüringer Waldes, bei Ohrdruf; das gestaute Wasser (17,5 Mio. m³) dient der Trinkwasserversorgung im niederschlagsarmen Thüringer Becken (Raum Gotha, Erfurt, Arnstadt, Weimar, Jena) sowie der Energiegewinnung; erbaut 1960–66.

Ohrdruf, Stadt im Landkr. Gotha, Thür., an der Ohra, 6200 Ew.; vielseitige Ind. (Spielwaren, Lederwaren, Bleifarben, Porzellan, Glasinstrumente, Holz, Papier, Metall). – Schloss Ehrenstein (16. Jh.); Trinitatiskirche (1709–14). – Der bei einem 724 von Bonifatius gegr. Kloster entstandene Ort wurde 1348 erstmals als Stadt bezeichnet.

Ohre *die,* linker Nebenfluss der Elbe, 103 km lang, entspringt bei Wittingen (Ndsachs.), mündet nördlich von Magdeburg.

Ohrekreis, Landkr. in Sa.-Anh., 1493 km², (1997) 113 400 Ew.; Krst. ist Haldensleben.

Ohrenqualle (Aurelia aurita), farblose, durchscheinende Scheibenqualle, sehr häufig im Atlantik, in Nord- und Ostsee, mit bis zu 40 cm Durchmesser.

Ohrenrobben, Meeressäugetiere, →Robben.

Ohrensausen, →Ohrgeräusche.

Ohrenschmalz (Zerumen, Cerumen), Absonderung der Talgdrüsen des äußeren Gehörgangs; kann den Gehörgang völlig verschließen **(O.-Pfropf, Zeruminalpfropf)** und plötzl. Schwerhörigkeit bewirken.

Ohrenspiegelung (Otoskopie), direkte Untersuchung des äußeren Gehörgangs und des Trommelfells mit einem trichterförmigen opt. Gerät **(Otoskop).**

Ohrenzwang (Ohrwurm, Otitis externa), *Tiermedizin:* Entzündung des äußeren Gehörgangs, bes. bei Hunden, in Form eines nässenden, juckenden, z. T. eitrigen Ekzems; Ursachen: Parasiten (Milben), Fremdkörper, Nässe, Schmutz und Bakterieninfektionen. Die betroffenen Tiere reagieren mit heftigem Kopfschütteln, Schiefhalten des Kopfes und Kratzen am Ohr.

Ohrenqualle (Durchmesser bis zu 40 cm)

Ohrgeräusche (Ohrensausen, Tinnitus aurium), subjektive Gehörempfindungen, die als tiefes Summen (Rauschen, Brausen) bes. bei Mittelohrerkrankungen, als hohes Klingen (Pfeifen, Zischen) bei Innenohrkrankheiten, Durchblutungsstörungen u. a. auftreten. Anhaltende O. erfordern ärztl. Untersuchung.

Ohrid ['ɔhrit] (dt. Ochrid), Stadt in der Rep. Makedonien, am **Ohridsee** (367 km², davon 248 km² in Makedonien, der Rest in Albanien, bis 286 m tief), 42100 Ew.; orth. Bischofssitz; Nationalmuseum; Handelszentrum, Metall-, Textilind.; Fremdenverkehr. – O., das antike **Lychnidos,** hat Ruinen eines röm. Kastells, byzantin. Kirchen (mit bed. Fresken und Ikonen des 11.–14. Jh.), Moscheen; am S-Ufer des O.-Sees die Erzengelkirche (10. Jh., im 15./16. Jh. umgebaut) eines ehem. Klosters. – 1018–1767 war O. Sitz eines autokephalen orth. Bischofs. – Stadt und See wurden von der UNESCO zum Weltkulturerbe erklärt. BILD Makedonien

Öhringen, Stadt im Hohenlohekreis, Bad.-Württ., auf der Hohenloher Ebene, 21400 Ew.; Museum; Verpackungs-, Schulmöbel- u. a. Industrie. – Im Chor der Stiftskirche (Neubau 1454–1501) hohenloh. Grablege, in der Krypta Tumba (1241) der Stifterin Adelheid († um 1039), der Mutter Kaiser Konrads II.; Fachwerkrathaus (1504), Renaissanceschloss (1611–16, heute Rathaus); das klassizist. Obere Tor (1792) führt zur Karlsvorstadt. Bei Ö. das barocke Jagdschloss Friedrichsruhe (1712–17). – 1037 erstmals erwähnt; seit 1253 Stadt.

Ohrmuschelstil, vom Knorpelwerk, einer frühbarocken Ornamentgattung, abgeleiteter Dekorationsstil, benannt nach dem Motiv, das einer Ohrmuschel ähnelt, im 16./17. Jh. v. a. in den Ländern nördlich der Alpen häufig angewendet.

Ohrschmuck, im Ohrläppchen (das für die Befestigung durchstochen wird), seltener an einem Kettchen um das Ohr gelegter, in jüngerer Zeit auch mit Klemmen befestigter (Clip), meist paarweise getragener Schmuck sehr unterschiedl. Form. O. wurde zu allen Zeiten (schon in der präkeram. Phase der Jungsteinzeit) und in allen Erdteilen vorwiegend von Frauen getragen.

Ohrspeicheldrüse (Parotis), größte Mundspeicheldrüse, liegt beiderseits vor dem äußeren Ohr; das Sekret der O. leitet durch Enzymgehalt den Beginn der Verdauung der Nahrung ein.

Ohrtrompete, die → Eustachi-Röhre.

Ohrwurm, *Tiermedizin:* der → Ohrenzwang.

Ohrwürmer (Dermaptera), artenreiche Insektenordnung; der **Gemeine Ohrwurm** (Forficula auricularia), 11–15 mm lang, braun mit großer Hinterleibszange, kleinen Flügeldecken und darunter gefalteten Flügeln, ist für den Menschen harmlos, spielt jedoch in der biolog. Schädlingsbekämpfung als Blattlausvertilger eine bed. Rolle.

Ohu, Teil der Gemeinde Essenbach, Landkr. Landshut, Bayern; Kernkraftwerk.

Oimjakon, Ort am Oberlauf der Indigirka, NO-Sibirien, in Jakutien (Sacha), Russ. Föderation; einer der → Kältepole der Erde.

Oiroten, in der UdSSR 1922–47 Bez. für die vorwiegend in der Rep. Altai lebenden Altaier.

Oise [wa:z], **1)** Dép. in N-Frankreich, in der Picardie, 5860 km², (1990) 724000 Ew.; Verw.sitz: Beauvais.

2) *die,* Fluss in N-Frankreich, entspringt in den belg. Ardennen, mündet bei Conflans-Sainte-Honorine in die Seine, 302 km lang, durch Kanäle mit Aisne und Sambre verbunden.

Oistrach (Ojstrach), **1)** David (Dawid) Fjodorowitsch, russ. Geiger, * Odessa 30. 9. 1908, † Amsterdam 24. 10. 1974, Vater von 2); seine Interpretationen klass. wie zeitgenöss. Violinmusik verbanden techn. Perfektion mit hoher klangl. Ausgewogenheit.

2) Igor Dawidowitsch, russ. Geiger, * Odessa 27. 4. 1931, Sohn von 1); Schüler seines Vaters; bed. Beethoven-Interpret, 1958–75 Lehrtätigkeit am Moskauer Konservatorium.

David Oistrach

Igor Oistrach

Ōita, Präfektur-Hptst. und Hafenstadt auf der Insel Kyūshū, Japan, 420400 Ew.; kath. Bischofssitz; Fischkonserven-, chem., Textil- u. a. Ind., Erdölraffinerie; Flughafen.

o. J., Abk. für **o**hne **J**ahr, *in Druckwerken:* keine Angabe des Erscheinungsjahres.

Ojibwa [o'dʒɪbwa, engl. əʊ'dʒɪbweɪ] (Odjibwa, Chippewa, Eigenbez. Anishinabe), nordamerikan. Indianerstamm aus der Gruppe der Algonkin, im Gebiet der westl. Großen Seen in den USA (rd. 100000 Angehörige) und in Kanada (rd. 65000 Angehörige), z. T. in Reservationen; urspr. Fischer und Jäger; die südl. Gruppen lebten u. a. vom Wildreis, der auch heute noch geerntet wird; vereinzelt wird Mais angebaut.

Ojukwu, Chukwuemeka Odumegwu, nigerian. General und Politiker, * Nnewi (O-Nigeria) 4. oder 24. 11. 1933; gehört dem Volk der Ibo an, wurde 1966 Militärgouv. seiner Heimatregion und proklamierte diese 1967 zur unabhängigen Republik → Biafra, deren Staatsoberhaupt er wurde. Nach der militär. Niederlage Biafras im Bürgerkrieg gegen die nigerian. Zentralreg. 1970 ging er ins Exil (bis 1982).

o. k., O. K., Abk. für → okay.

Oka *die,* größter und wasserreichster rechter Nebenfluss der Wolga, 1500 km, entspringt auf dem Mittelruss. Höhenrücken, mündet in Nischni Nowgorod; auf 1200 km schiffbar.

Okapi [afrikan.] *das,* Huftier, → Giraffen.

Okarina [italien. »Gänschen«] *die,* kugel- oder eiförmige Gefäßflöte aus Ton oder Porzellan, mit Schnabelmundstück und 8–10 Grifflöchern; in ihrer heutigen Form zw. 1860 und 1880 in Italien entstanden. BILD S. 224

Okawango *der* (Okavango, im Oberlauf Cubango, Kubango), Fluss im südl. Afrika, entspringt auf dem Hochland von Bié, Angola, im Mittellauf z. T. Grenze zw. Angola und Namibia, versiegt nach etwa 1800 km langem Lauf am N-Rand der Kalahari mit großem Delta im **O.-Becken** (Wildreservat), Botswana; ein Deltaarm erreicht bei Hochflut den Ngamisee. Das weithin versumpfte

Ohrwürmer: Gemeiner Ohrwurm (11–15 mm lang)

Okarina aus Porzellan (Ende des 19. Jh.; Privatbesitz)

O.-Becken ist eines der größten unberührten Wildreservate Afrikas.

okay [əʊˈkeɪ, engl.], in Ordnung; einverstanden.

Okayama (Okajama), Hptst. der Präfektur O., auf Honshū, Japan, Hafen an der Inlandsee, 604 500 Ew.; Univ., Observatorium, Kunstmuseum; chem., Textil-, Gummi-, Nahrungsmittelind., Maschinenbau; bed. Landschaftsgarten (um 1700). – Stadt und Burg wurden 1573 gegründet.

Okazaki [-zaki], Stadt auf Honshū, Japan, 319 000 Ew.; Textil-, Kunstfaser-, Nahrungsmittelindustrie. – Ehem. Burgstadt.

Okeanos, *grch. Mythos:* göttl. Personifikation des Weltstroms, der die Erde ringförmig umfließt, später des Weltmeers; Sohn von Gaia (Erde) und Uranos (Himmel).

O'Keeffe [əʊˈkiːf], Georgia, amerikan. Malerin, *Sun Prairie (Wis.) 15. 11. 1887, †Santa Fe (N. Mex.) 6. 3. 1986; seit 1924 ⚭ mit A. Stieglitz; neben Blumenmotiven und Landschaften in abstrahierender Form malte sie stilllebenartige Kompositionen mit Muscheln, Tierschädeln u. a. Motiven.

Georgia O'Keeffe: »Lake George Blue« (1926; Privatbesitz)

O'Kelly [əʊˈkelɪ] (irisch ÓCeallaigh), Seán Tomás, ir. Politiker, *Dublin 25. 8. 1882, †ebd. 23. 11. 1966; 1905 Mitbegründer der Sinn Féin, 1919–21 Präs. des ersten republikan. Parlaments, ab 1927 führendes Mitgl. der Fianna Fáil, war 1932–45 stellv. MinPräs. und 1945–59 Staatspräs. der Republik Irland.

Oken, Lorenz, eigtl. Ockenfuß, Naturforscher und Philosoph, *Bohlsbach (heute zu Offenburg) 1. 8. 1779, †Zürich 11. 8. 1851; beeinflusst von F. W. J. Schellings Naturphilosophie, Prof. der Medizin in Jena, München, Zürich; gründete 1822 die →Gesellschaft Deutscher Naturforscher und Ärzte e. V.; Gründer und Herausgeber der enzyklopäd. Zeitschrift »Isis« (1817–48).

Oker *die,* linker Nebenfluss der Aller, entspringt im Oberharz, mündet bei Müden (zw. Gifhorn und Celle); 105 km. Die **O.-Talsperre** bei Altenau im Harz (seit 1956; 47,4 Mio. m^3 Stauinhalt, 2,2 km^2 Seefläche); dient der Energiegewinnung, dem Hochwasserschutz und der Erholung.

Okiinsel (Oki-shotō), japan. vulkan. Inselgruppe im Japan. Meer, 348 km^2, 30 000 Ew.; Hauptort ist Saigō auf Dōgo.

Okinawa, die größte der Ryūkyūinseln, 1254 km^2, als Präfektur (71 Inseln) 2265 km^2, (1993) 1,25 Mio. Ew.; Hptst.: Naha. – Im 2. Weltkrieg wurde O. nach heftigen Kämpfen (1. 4.–21. 6. 1945) durch amerikan. Truppen erobert; bis 1972 von den USA besetzt. Der dort errichtete US-Flotten- und Luftstützpunkt ist (trotz Verringerung der amerikan. Präsenz und teilweiser Übergabe der Anlagen an Japan) noch immer die zweitwichtigste Militärbasis der USA in Ostasien.

Okkasionalismus [lat.] *der,* philosoph. Lehre, wonach es zw. Seele und Leib keine Wechselwirkungen gibt. Gott verursache anlässlich eines leibl. Zustandes einen bestimmten seel. Zustand oder umgekehrt. Der O. wurde in Auseinandersetzung mit Descartes' Dualismus bes. von A. Geulincx und N. Malebranche vertreten.

Okklusion [lat.] *die,* **1)** *allg.:* Verschließung.

2) *Meteorologie:* →Front.

Okkultismus [lat. occultum »das Geheimnisvolle«, »Verborgene«] *der,* weltanschaul. Richtungen und Praktiken, die in die heutige wiss. Systematik nicht einzugliedernde Tatsachen der Natur und des menschl. Geistes betreffen, insbesondere außersinnl. Wahrnehmungen (Telepathie, Hellsehen), Fernbewegungen (Psychokinese), Materialisationen, personen- und ortsgebundenen →Spuk, das Schweben (Levitation) und parapsycholog. Erscheinungen über die Vermittlung durch Medien (Personen, die für angebl. Kontakte zum übersinnl. Bereich bes. befähigt sind). Die okkulten Erscheinungen sucht man teilweise mit wiss. Methoden zu erforschen (→Parapsychologie), die Erfahrungen und Lehrmeinungen werden aber von ihren Anhängern auch als Geheimwissen behandelt. O. als Bez. für Geheimwissenschaften, z. B. Magie, Kabbalistik u. Ä., ist eng mit dem Begriff Esoterik (→esoterisch) verwandt.

📖 STENGER, H.: *Die soziale Konstruktion okkulter Wirklichkeit. Eine Soziologie des »New Age«. Op-*

laden 1993. – Tegtmeier, R.: *Magie u. Sternenzauber. O. im Abendland. Köln 1995.* – Rink, S. *u.* Lösch, H.: *Stichwort O. München 1996.*

Okkupation [lat.] *die,* **1)** *Völkerrecht:* die →Besetzung.

2) *Zivilrecht:* Aneignung von herrenlosen beweg. Sachen (§ 958 BGB).

Okla., Abk. für den Bundesstaat **Okla**homa, USA.

Oklahoma [engl. əʊklə'həʊmə], Abk. **Okla., OK,** Bundesstaat im zentralen Teil der USA, 181186 km², (1995) 3,28 Mio. Ew. (7,4 % Schwarze, 8 % Indianer, 2,7 % Hispanics); Hptst.: Oklahoma City. Staatsuniv. in Norman. O. liegt großenteils in der Prärie der Interior Plains (Zentrales Tiefland), die im O von Gebirgen (Ozark Mountains, Ouachita Mountains), im W von den →Great Plains begrenzt ist. Der Ackerbau ist meist auf Bewässerung angewiesen. Wichtigster Fluss ist der Arkansas River (schiffbar bis Catoosa). Haupterwerbszweige: Landwirtschaft (Viehwirtschaft, Weizen-, Baumwollanbau) und Bergbau. Bodenschätze: bes. Erdöl, ferner Erdgas (mit Helium), Kohle, Zink-, Bleierz. Erdölverarbeitung, Nahrungsmittel- und Holzindustrie. – 1541 vom Spanier F. Vázquez de Coronado erkundet; 1682 der frz. Kolonie Louisiana angeschlossen; kam 1803 an die USA und gehörte zum Indianerterritorium, wurde 1889/93 der weißen Ansiedlung geöffnet und 1907 als 46. Staat in die Union aufgenommen.

Oklahoma City [əʊklə'həʊmə 'sɪtɪ], Hauptstadt von Oklahoma, USA, am North Canadian River, 445000 Ew.; kath. Erzbischofssitz; Univ.; Erdölraffinerie, Sekundärindustrien der Erdölförderung, Flugzeugbau, Mühlen, Schlachthäuser; Getreide-, Viehhandel.

Oklo-Reaktor, hypothet. natürl. Kernreaktor in der Uranmine Oklo in Gabun (W-Afrika). Bei Gesteinsuntersuchungen wurden Anzeichen für die Existenz prähistor. Kernspaltungs-Kettenreaktionen entdeckt, die vor ca. 2 Mrd. Jahren über etwa 2 Mio. Jahre aufgrund eines zufälligen Zusammentreffens günstiger Umstände, wie hohe natürl. Konzentration des spaltbaren Uranisotops ^{235}U von damals 3 %, abgelaufen sein könnten.

Ökoaudit [-'ɔːdɪt, engl.] *das,* →Umweltaudit.

Ökobank eG, genossenschaftl. Kreditinstitut, Sitz: Frankfurt am Main, gegr. 1988; bekannt geworden durch ihr Ziel, Kredite v. a. für alternative Unternehmen, für Kultur-, Friedens- und Umweltprojekte zu gewähren.

Ökobilanz, i. w. S. Sammelbez. für Methoden, mit denen die komplexen Umweltauswirkungen von Herstellung und Nutzung von Produkten und von Verfahrensweisen möglichst umfassend erfasst und bewertet werden sollen; i. e. S. die Bestandsaufnahme aller durch Produktion und Vertrieb von Gütern verursachten Schadstoffe und Belastungen für die Umwelt. Für die Ö. hat sich aufgrund der method. Schwierigkeiten bisher keine einheitl. Definition oder anerkannte Norm herausgebildet. Zur Erstellung einer Ö. werden folgende Schritte durchgeführt: 1) Definition des Bilanzierungszieles, 2) Erstellung der Datenbasis in Form der Sachbilanz mit den Bausteinen Vertikal- und Horizontalanalyse, Lebenswegkriterien sowie Datenauswahl, 3) Festlegung der Wirkungsbilanz und 4) Bilanzbewertung. Wichtige Teilaspekte von Ö. sind u. a. die Stoffstromanalyse und die Produktlinienanalyse.

Öko-Institut (Institut für angewandte Ökologie e. V.), 1977 von Wissenschaftlern und Bürgern gegründetes privates Institut, Sitz: Freiburg im Breisgau/Darmstadt. Ziel ist es, durch Unterstützung und Durchführung ökolog. Forschung sowie durch wissenschaftlich fundierte Information der Öffentlichkeit einen Beitrag zu einem ökologisch ausgeglichenen Fortschritt zu leisten.

Ökoläden, die →Bioläden.

Ökologie [zu grch. oĩkos »Haus« und lógos »Lehre«] *die,* aus der Biologie hervorgegangene Wiss.; sie befasst sich mit den Wechselbeziehungen zw. den Organismen und der unbelebten (abiot. Faktoren wie Klima, Boden) und der belebten Umwelt (biot. Faktoren) sowie mit dem Stoff- und Energiehaushalt der Biosphäre und ihrer Untereinheiten (z. B. Ökosysteme). Teilgebiete der Ö. sind **Autökologie** (untersucht die Ansprüche des Einzellebewesens an seine Umwelt sowie die wechselseitigen Beziehungen zw. Individuum und Umwelt), **Demökologie** (Populations-Ö.; befasst sich mit den Wechselbeziehungen artgleicher Individuen) und **Synökologie** (beschäftigt sich mit Wechselbeziehungen versch. Populationen untereinander sowie zw. diesen und der Umwelt). Neuestes und komplexestes Teilgebiet der Ö. ist die **System-Ö.,** die →Ökosysteme unter autökolog., populationsökolog. und v. a. unter synökolog. Gesichtspunkten untersucht. – In zunehmendem Maße wurde auch der Mensch (als Teil seiner Umwelt, v. a. als Manipulator der Natur) in die Ö. einbezogen. Die **Human-Ö.,** die sich den komplexen Wechselwirkungen zw. dem Menschen und seiner natürl. und techn. Umwelt widmet, ist nicht mehr nur eine naturwiss. Disziplin; sie bezieht heute vielmehr auch Erkenntnisse der Geisteswiss. (z. B. Philosophie, Psychologie, Sozialwiss.) mit ein.

Eine wichtige Rolle für die auf dem Konzept des Ökosystems basierende ökolog. Forschung spielen auch die Anwendung der Systemanalyse zur Formulierung mathemat. Modelle, ferner die Kybernetik (v. a. zur Beschreibung ökolog. Gleichgewichte) und die EDV, die die Erfassung komplexen Datenmaterials, dessen Verarbeitung im Sinne

Lorenz Oken
(Ausschnitt eines zeitgenössischen Stahlstichs)

Oklahoma
Flagge

Seán Tomás O'Kelly

von Simulationen komplexer Systeme sowie Prognosen der Wirkung von Veränderungen innerhalb eines Systems ermöglicht.

In den Mittelpunkt des öffentl. Interesses rückte die Ö. seit Ende der 1960er-Jahre, als die Auswirkungen der Umweltverschmutzung und die Begrenzung der natürl. Rohstoffvorkommen immer deutlicher wurden. Seitdem hat die Ö. eine inhaltl. und institutionelle Ausweitung erfahren, die über die naturwiss. Ö. weit hinausgeht. Ö. steht nunmehr v.a. für eine neue Weltanschauung: Die Idee vom unbegrenzten Fortschritt und Wachstum gilt als korrekturbedürftig; es wird eine Rückbesinnung darauf gefordert, dass die Natur Veränderungen nur in sehr begrenztem Maß verträgt, ohne irreversible Schäden zu erleiden, und dass die Menschheit als ein Glied des globalen Ökosystems mit dessen Gefährdung sich selbst in ihrer Existenz gefährdet.

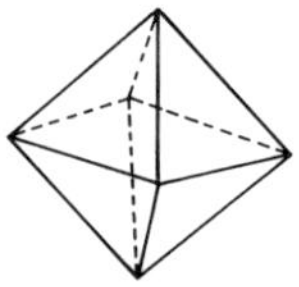

Oktaeder: regelmäßiges Oktaeder

📖 CAMPELL, B.: *Ö. des Menschen. Unsere Stellung in der Natur von der Vorzeit bis heute. A. d. Engl. Neuausg. Frankfurt am Main u. a. 1987.* – *Ö., hg. v.* HANS J. MÜLLER. *Jena* ^{2}*1991.* – BICK, H.: *Ö. Grundlagen, terrestrische u. aquat. Ökosysteme, angewandte Aspekte. Stuttgart u. a.* ^{2}*1993.* – EICHLER, H.: *Ökosystem Erde. Der Störfall Mensch. Eine Schadens- u. Vernetzungsanalyse. Mannheim u. a. 1993.* – OTT, K.: *Ö. u. Ethik. Ein Versuch prakt. Philosophie. Tübingen* ^{2}*1994.* – STREIT, B.: *Ö. kurzgefaßt. Mannheim u. a. 1994.*

ökologische Bewegung (Ökologiebewegung, Umweltschutzbewegung), Bez. für eine politisch-soziale Bewegung, die sich gegen Auswirkungen und Ursachen von Umweltzerstörung wendet. Sie setzt sich u.a. aus Bürgerinitiativen, Umweltschutzverbänden, Einzelpersonen, Wissenschaftlern und unabhängigen ökolog. Forschungsinst. zusammen. Ihr Erscheinungsbild wurde in besonderem Maße durch die Antikernkraftbewegung geprägt. Seit Beginn der 1980er-Jahre arbeitet sie zunehmend mit der Friedensbewegung zusammen. Aus der ö. B. heraus wurde 1980 die Partei »Die Grünen« gegründet.

ökologische Faktoren, →Umweltfaktoren.

ökologische Nische, Bez. für die Stellung bzw. den Lebensbereich einer Art im →Ökosystem.

ökologische Potenz, das Ausmaß der Fähigkeit einer Organismenart, versch. Intensitäten eines Umweltfaktors (z.B. Feuchtigkeit, Temperatur, Licht) zu ertragen.

ökologischer Landbau, →biologischer Landbau.

ökologisches Bauen, Richtung der zeitgenöss. Architektur. Ziel ist die Errichtung umweltfreundl., Energie sparender Bauten durch sparsamen Umgang mit natürl. Ressourcen unter Nutzung der Sonnenenergie und Anwendung von Materialien, die bei Herstellung, Gebrauch und Entsorgung Luft, Wasser und Boden möglichst wenig schädigen (z.B. Holz, Natursteine, Lehm).

ökologisches Gleichgewicht, langfristig unveränderbare Wechselwirkungen zw. den Gliedern einer Lebensgemeinschaft. Ein ö. G. ist dadurch gekennzeichnet, dass jede Veränderung im Ökosystem selbsttätig über eine Regelkreisbeziehung eine entsprechende Gegenveränderung auslöst, die den alten Zustand weitgehend wiederherstellt. Durch künstl. Eingriffe kann das ö.G. stark und gelegentlich irreversibel gestört werden.

ökologische Streubreite, die Fähigkeit von Pflanzenarten und -sorten, unter versch. Standortbedingungen gleichmäßig hohe Leistungen zu bringen.

ökologische Valenz, die unterschiedl. Intensitätsstufen eines Umweltfaktors, die für eine bestimmte Organismenart unerträglich **(Pessimum),** gerade noch erträglich **(Minimum** und **Maximum)** oder günstig **(Optimum)** sein können und damit ihre Existenz ausschließen, gefährden oder ermöglichen.

Ökonometrie [grch.] *die,* Zweig der Wirtschaftswiss., der die Wahrscheinlichkeitstheorie auf wirtschaftsstatist. Daten im Rahmen wirtschaftstheoret. Modelle, v.a. in Form simultaner Gleichungssysteme **(ökonometr. Modelle),** zur Bestimmung wirtsch. Größen, Prüfung wirtschaftstheoret. Hypothesen und Prognose wirtsch. Erscheinungen anwendet.

Ökonomie [grch.] *die,* 1) veraltete Bez. für Wirtschaftswissenschaft; 2) Wirtschaftlichkeit, Sparsamkeit; 3) Wirtschaft, wirtsch. Struktur.

Ökonomik *die,* Wirtschaftswiss.; auch Bez. für die Wirtschaft und die wirtsch. Verhältnisse einer Region oder eines Wirtschaftssektors.

ökonomisches Prinzip, →Wirtschaftlichkeitsprinzip.

Ökosozialprodukt, →Sozialprodukt.

Ökosteuern, →Umweltabgaben.

Ökosystem, Wirkungsgefüge zw. Lebewesen versch. Arten und ihrem Lebensraum, das aus den Produzenten (v.a. grüne Pflanzen), den Reduzenten oder Destruenten (z.B. Bakterien) und evtl. zw. diesen eingeschalteten Konsumenten (Pflanzenfresser, Räuber) besteht. Ö. (z.B. Laubwald, Wattenmeer, Sandwüsten usw.) sind offene Systeme. Die natürl. Stoffkreisläufe in einem Ö. sind ausgeglichen, sodass sich ein dynam. Gleichgewicht, ein sog. Fließgleichgewicht, einstellt. Die Änderung einzelner Komponenten eines Ö. kann dessen Balance empfindlich stören (z.B. Überdüngung von Gewässern) und, da Ö. immer in Beziehung zueinander stehen, auch das Gleichgewicht benachbarter Ö. beeinflussen.

Ökotop [zu grch. tópos »Ort«, »Gegend«] *das,* die kleinste ökolog. Einheit einer Landschaft.

Ökotoxikologie, Teilbereich der Toxikologie, der die Schadwirkungen von chem. Stoffen (Umweltchemikalien) auf Ökosysteme und Rückwirkungen auf den Menschen untersucht.

Ökotrophologie [zu grch. trophḗ »Nahrung«] *die,* Haushalts- und Ernährungswissenschaft.

Ökotypen, erblich fixierte, umweltbedingte Varianten bzw. Rassen einer Art, die Anpassungen an bestimmte Standortverhältnisse zeigen.

Oktaeder [grch. »Achtflächner«] *das,* ein von acht Flächen umgrenzter Körper. Ein regelmäßiges O. wird von acht gleichseitigen Dreiecken begrenzt.

Oktalsystem [grch.], ein Zahlensystem mit der Grundzahl 8. Die Zahlen sind in der Form $a_0 \cdot 1 + a_1 \cdot 8 + a_2 \cdot 8^2 + a_3 \cdot 8^3$ ... aufgebaut und werden ähnlich wie beim Dezimalsystem dargestellt, aber nur mit 8 Ziffern (0 bis 7). Das O. wird in Rechenanlagen benutzt, um Dualzahlen bequemer lesbar zu machen.

Oktant [zu lat. octo »acht«] *der,* **1)** *Astronomie:* (lat. Octans) Sternbild am Südhimmel, enthält den südl. Himmelspol.

2) *Mathematik:* der achte Teil der Kreislinie oder Kreisfläche (Sektor), ebenso jeder der acht Teile, in die der ganze Raum durch ein dreiachsiges kartes. Koordinatensystem geteilt wird.

3) *Seefahrt:* Winkelmessinstrument mit zwei Spiegeln für die Schiffsortsbestimmung, ähnlich dem →Sextanten.

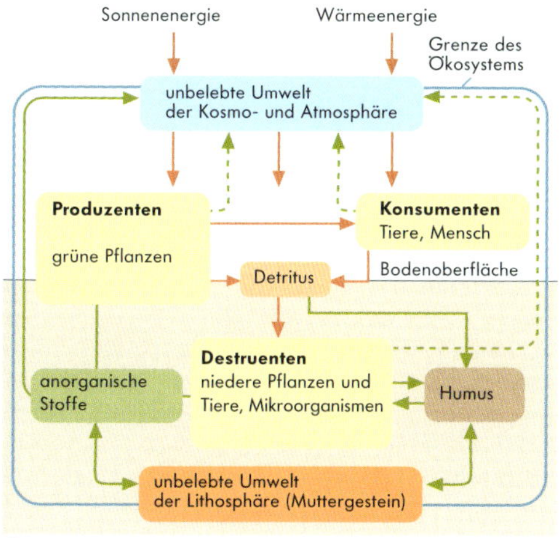

Ökosystem: Funktionsschema

Oktanzahlen (Octanzahlen), Abk. **OZ,** Maß für die →Klopffestigkeit von Ottokraftstoffen. Die Klopfintensität des Kraftstoffes wird dabei mit einem Testgemisch von n-Heptan und Isooctan (2,2,4-Trimethylpentan) verglichen. Die O. bis

Oktant 3): Spiegeloktant aus vergoldeter Bronze (1776; Hamburg, Altonaer Museum)

100 geben an, wieviel Volumenprozent Isooctan sich in einer Mischung mit n-Heptan befinden, die in einem speziellen Prüfmotor (z.B. der einzylindrige CFR-Motor, Abk. für engl. cooperative fuel research) die gleiche Klopffestigkeit hat wie der zu prüfende Kraftstoff. Bei einer Motordrehzahl von 600 Umdrehungen/min (Gemischtemperatur nicht vorgeschrieben) wird die **Research-O. (ROZ)** bestimmt, bei 900 Umdrehungen/min (Gemischtemperatur 149 °C) die **Motor-O. (MOZ).** Eine große Differenz zw. ROZ und MOZ **(Sensitivity)** bedeutet, dass die Klopffestigkeit des Kraftstoffes mit zunehmender therm. Belastung im Motor stark abnimmt. Unter **Front-O. (FOZ)** versteht man die ROZ der bis 100 °C abdestillierbaren Kraftstoffanteile. Sie beeinflusst neben ROZ und MOZ das Beschleunigungsklopfen. Zur Vermeidung des Hochgeschwindigkeitsklopfens ist v.a. eine hohe MOZ erforderlich. Die **Straßen-O. (SOZ)** wird nach standardisierten Programmen in einem Kraftfahrzeug auf dem Prüfstand oder im Straßenverkehr bestimmt. – Die O. von Kohlenwasserstoffen nehmen mit der Molekülgröße ab, mit dem Grad der Molekülverzweigung und dem ungesättigten Charakter zu. Aromaten haben bes. hohe O. Für Dieselkraftstoffe gilt die Cetanzahl (→Cetan).

Oktav [lat. octavus »der Achte«] *das,* ehemaliges Buchformat, aus der Bogenfaltung abgeleitet (8 Blätter, 16 Seiten, Zeichen 8°). Das Seitenformat ist von der Größe des ungefalteten Bogens abhängig.

Oktave [lat.] *die,* **1)** *Musik:* der (von einem Grundton aus gerechnet) achte Ton der diaton. Tonleiter, die achte diaton. Stufe, die die doppelte Zahl der Schwingungen des Grundtons hat; auch das Intervall zw. Grundton und achter diaton. Stufe und der Zusammenklang beider gleichnamiger Töne. Der gesamte musikalisch verwertbare Tonraum wird von C aus in O. eingeteilt.

2) *Verslehre:* →Ottava rima.

Oktoberrevolution: Am 5. Mai 1920 spricht Lenin in Petrograd zu Soldaten, die gegen die in Russland eingefallene polnische Armee kämpfen werden; seine beiden Vorredner, Trotzki (später ermordet) und Kamenew (später hingerichtet) am Rednerpult rechts, wurden in der Stalinära aus dem Bild entfernt (das untere Bild wurde nur wenige Sekunden später aufgenommen)

Oktavian, dt. Schreibung für Octavianus, →Augustus.

Oktett [lat.] *das,* **1)** *Musik:* Musikstück für acht Soloinstrumente, seltener Singstimmen, auch Ensemble von acht Instrumentalisten oder Sängern.

2) *Physik:* acht zusammengehörige Energie- oder Massenzustände, z.B. die Zustände der acht Elektronen in der äußeren Elektronenschale eines Atoms oder Ions, die eine Edelgaskonfiguration bilden. Als **O.-Theorie (O.-Regel)** der chem. Bindung bezeichnet man (nach G. N. Lewis und I. Langmuir) das Bestreben der Atome, eine solche Elektronenkonfiguration einzunehmen.

Oktettmodell (Achtfach-Weg-Modell), Elementarteilchenmodell, das die Klassifizierung der Baryonen und Mesonen in bestimmte, strukturmäßig zusammengehörige Gruppen **(Supermultipletts,** z.B. Singulett = 1, Oktett = 8, Dekuplett = 10 Teilchen) mit einheitl. Spin und einheitl. Parität gestattet. Es wurde 1961 von M. Gell-Mann und Y. Neeman unabhängig voneinander vorgeschlagen. Das O. entspringt der Vorstellung, dass die Ruhemassen der Elementarteilchen in analoger Weise als gequantelte Energiezustände eines einheitl. physikal. Systems aufzufassen sind wie beispielsweise die viel enger benachbarten Energiezustände eines Wasserstoffatoms.

Oktober [lat., von octo »acht«], Abk. **Okt.,** der zehnte Monat unserer Zeitrechnung, mit 31 Tagen, im altröm. Kalender der achte Monat; frühere dt. Namen: Weinmonat, Gilbhart.

Oktoberfest, ein 16-tägiges, am ersten Sonntag im Oktober endendes Volksfest in München; geht zurück auf ein Pferderennen anlässlich der Vermählung des späteren Königs Ludwig I. von Bayern mit Therese von Sachsen-Hildburghausen (1810); gilt als größtes Volksfest der Erde.

Oktoberrevolution, die Machtübernahme der Bolschewiki in Petrograd (Sankt Petersburg) am 7. 11. 1917 (nach dem damals in Russland gültigen Julian. Kalender 25. 10., daher O.), die eine politisch-soziale Umwälzung in Russland einleitete, unter Führung Lenins programmatisch (»Aprilthesen«) und konspirativ vorbereitet. Das ZK der bolschewist. Partei beschloss am 10. (23.) 10. den bewaffneten Aufstand. Dessen militär. Organisator wurde L. D. Trotzki, der am 25. 10. (7. 11.) alle strategisch wichtigen Punkte der Hauptstadt durch revolutionäre Truppen (v.a. »Rote Garden«) besetzen ließ und in der Nacht vom 25. zum 26. 10. (vom 7. zum 8. 11.) das Winterpalais stürmen ließ (Verhaftung der Mitgl. der Provisor. Regierung mit Ausnahme Kerenskis, dem die Flucht gelang). In Moskau siegten die Bolschewiki erst nach blutigen Kämpfen am 2. (15.) 11. 1917. (→Sowjetunion, Geschichte)

📖 HILDERMEIER, M.: *Die russ. Revolution 1905–1921. Frankfurt am Main ^{4}1995.*

Oktobristen, bis Ende 1917 bestehende russ. konstitutionell-monarchist. Partei, die als »Verband des 17. Oktober« 1905 gegründet wurde. Die O. wollten eine Demokratisierung der Verf. durch Reformpolitik erreichen und unterstützten die Reg. im Kampf gegen die Autonomiebestrebungen der Nationalitäten.

Oktogon [grch.] *das,* Achteck; Zentralbau über achteckigem Grundriss.

Oktopus [grch. »Achtfüßer«] *der,* Art der →Kraken.

oktroyierte Verfassung [ɔktroaˈjiːrtə-, frz.], Bez. für einseitig vom Staatsoberhaupt gegebene Verf., v.a. für die am 5. 12. 1848 von König Friedrich Wilhelm IV. von Preußen verkündete, bis 1918 im Wesentlichen gültige preuß. Verf. und die

Verf. in Österreich vom 4. 3. 1849 (1851 widerrufen), auch die frz., von Ludwig XVIII. erlassene Verf. vom 4. 6. 1814.

Oktupol|linse (Oktopollinse), acht ringförmig angeordnete zylindr. Elektroden oder Magnetpole mit wechselndem Poltyp (Plus- und Minus- bzw. Nord- und Südpol) zur Fokussierung von Strahlen geladener Teilchen.

Okudschawa [-dʒ-], Bulat Schalwowitsch, russ. Schriftsteller georgisch-armen. Herkunft, *Moskau 9. 5. 1924, †Paris 12. 6. 1997; populär als Verfasser satir., unpathet. Gedichte und Lieder, die er zur Gitarre vortrug (»Der fröhl. Trommler«, dt. Auswahl, 1969), Erzählungen und historisch-biograph. Romane: »Der arme Awrosimow« (1969), »Die Erlebnisse des Polizeiagenten Schipow bei der Verfolgung des Schriftstellers Tolstoi« (1971), »Die Reise der Dilettanten« (1. Tl. 1976, 2. Tl. u. d. T. »Flucht«, 1978), »Begegnung mit Bonaparte« (1985), »Die Frau meiner Träume« (1988).

Bulat Okudschawa

Okular [lat., zu oculus »Auge«] *das,* an opt. Instrumenten die dem Auge zugewandte Linse (oder das Linsensystem), ermöglicht die unmittelbare Betrachtung des vom →Objektiv des jeweiligen Instrumentes erzeugten Zwischenbildes. Das O. besteht meist aus der dem Auge zugewandten Augenlinse, die als Lupe wirkt, und der dem Objektiv zugewandten Feldlinse, die die Hauptstrahlen in der Austrittspupille vereinigt. Beim **Huygens-O.** liegt die Feldlinse vor, beim **Ramsden-O.** hinter dem Zwischenbild; bei Letzterem kann am Ort des Zwischenbildes eine Strichplatte o. Ä. angebracht werden.

Okularmikrometer (Okularmessplatte), kreisrunde Glasplatte mit Strich- oder Netzteilung in der Zwischenbildebene des Okulars eines Mikroskops oder Fernrohrs zum opt. Messen kleiner Abstände.

Okulation [lat.] *die,* Form der →Veredelung von Gehölzen.

Ökumene [von grch. oikouménē (gē) »die bewohnte (Erde)«, zu oĩkos »Haus«] *die,* **1)** im Verständnis des Hellenismus der Einflussbereich der hellenist. Kultur und Zivilisation in Abgrenzung zur Welt der »Barbaren«; darüber hinaus als »orbis terrarum« (»Erdkreis«) das röm. Weltreich.

2) in der frühen Kirche in Anschluss an Mt. 24,14 das weltweite christl. Missionsfeld; heute die Gesamtheit der christl. Kirchen.

ökumenische Bewegung, im 19. Jh. beginnende, im 20. Jh. eigene Institutionen ausbildende Bestrebungen innerhalb der christl. Kirchen, die konfessionelle Trennung zu überwinden. Die ö. B. nahm ihren Anfang in den reformator. Kirchen, zunächst z. B. getragen durch versch. Laienbünde und -bewegungen (CVJM, Bewegung für prakt. Christentum) und die internat. Missionsbewegung; später schlossen sich die orth. Kirchen an. Seit dem Zweiten Vatikan. Konzil (1962–65) beteiligt sich auch die kath. Kirche am ökumen. Dialog (→Ökumenismus). Der 1948 gegr. →Ökumenische Rat der Kirchen koordiniert in Zusammenarbeit mit den versch. konfessionellen Weltbünden die Arbeit der ö. B., die sich heute v. a. als weltweite Arbeits- und Aktionsgemeinschaft von Christen und Kirchen versteht.

📖 *Einheit vor uns. Modelle, Formen u. Phasen katholisch/lutherischer Kirchengemeinschaft, hg. v. der Gemeinsamen Römisch-Katholischen/Evangelisch-Lutherischen Kommission. Paderborn 1985.* – WALDENFELS, H.: *Begegnung der Religionen. Theolog. Versuche. Bonn 1990.*

Ökumenischer Patriarch, seit dem 6. Jh. Titel des Bischofs von Konstantinopel, der urspr. eine Gleichstellung mit Rom zum Ausdruck bringen sollte. Ihm kommt unter den Hierarchen der selbstständigen orth. Kirchen ein Ehrenprimat zu.

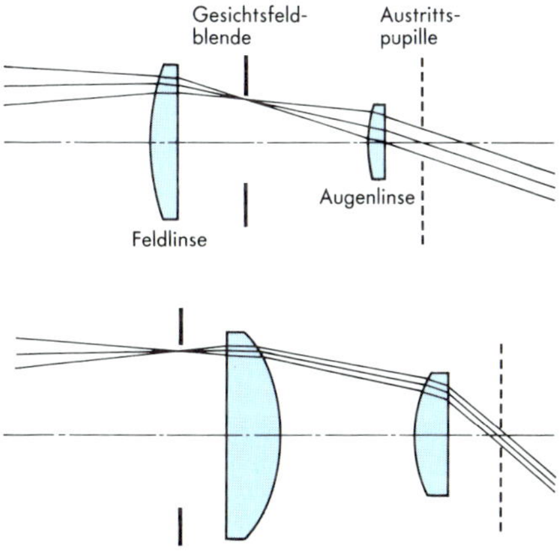

Okular: Schema eines Huygens- (oben) und eines Ramsden-Okulars

Ökumenischer Rat der Kirchen, Abk. **ÖRK** (Weltrat der Kirchen, Weltkirchenrat), organisator. Instrument der →ökumenischen Bewegung, Sitz: Genf. Die kath. Kirche ist durch Beobachter vertreten. Der ÖRK wurde 1948 in Amsterdam gegründet; er ging aus den Bewegungen für prakt. Christentum (»Life and Work«) und für Glauben und Kirchenverfassung (»Faith and Order«) hervor. Oberstes Organ ist die Vollversammlung, Beschlüsse besitzen empfehlenden Charakter.

ökumenische Konzile, Konzile, deren Beschlüsse als gesamtkirchlich bindend angesehen werden. In der kath. Kirche gelten 21 Konzile als ökumenisch, in den orth. Kirchen die ersten sieben. Die reformator. Kirchen erkennen die dogmat. Entscheidungen der vier ersten ö. K. an, die sich im Nicänischen Glaubensbekenntnis niedergeschlagen haben.

ökumenische Bewegung

Die ökumenischen Konzile (nach päpstlicher Zählung)

1. Erstes Konzil von Nikaia, 325:
Zur Zeit des Papstes Silvester I. Gegen Arius wird die Wesensgleichheit des Sohnes mit dem Vater definiert.

2. Erstes Konzil von Konstantinopel, 381:
Zur Zeit des Papstes Damasus I. Definition der Wesensgleichheit von Gottvater und Heiligem Geist.

3. Konzil von Ephesus, 431:
Zur Zeit des Papstes Cölestin I. Definition Marias als Gottesmutter gegen die Nestorianer.

4. Konzil von Chalkedon, 451:
Zur Zeit des Papstes Leo I. Definition der Zwei-Naturen-Lehre: In Christus sind die göttliche und die menschliche Natur unvermischt und ungetrennt in ihrer Eigentümlichkeit erhalten und zugleich kommen die zwei Naturen in einer Person und Hypostase zusammen.

5. Zweites Konzil von Konstantinopel, 553:
Zur Zeit des Papstes Vigilius. Verurteilung nestorianischer Schriften.

6. Drittes Konzil von Konstantinopel, 680–681:
Zur Zeit des Papstes Agatho. Verurteilung der Lehre von dem einen Willen bzw. der einen Energie in Christus; gemäß der Zwei-Naturen-Lehre hat er zwei Willen bzw. zwei Energien.

7. Zweites Konzil von Nikaia, 787:
Zur Zeit des Papstes Hadrian I. Gegen die Bilderstürmer werden Sinn und Erlaubtheit der Bilderverehrung festgehalten.

8. Viertes Konzil von Konstantinopel, 869–870:
Zur Zeit des Papstes Hadrian II. Beseitigung des Schismas des byzantinischen Patriarchen Photios.

9. Erstes Laterankonzil, 1123:
Unter Papst Kalixt II. Verurteilung der Simonie, Beilegung des Investiturstreits und Bestätigung des Wormser Konkordats.

10. Zweites Laterankonzil, 1139:
Unter Papst Innozenz II. Beendigung des Schismas des Gegenpapstes Anaklet II.; Erlass zur Annullierung der Ehen von Mönchen und Priestern und zur Beteiligung der Domkapitel bei der Bischofswahl.

11. Drittes Laterankonzil, 1179:
Unter Papst Alexander III. Neuregelung der Papstwahl; Verurteilung der Katharer.

12. Viertes Laterankonzil, 1215:
Unter Papst Innozenz III. Verurteilung der Katharer; Definition der Wesensverwandlung (Transsubstantiation) in der Eucharistie und Verpflichtung zur jährlichen Beichte und Kommunion. Festlegung des Vorgehens der Inquisition; Erlass Juden diskriminierender Gesetze. Dekret über den Kreuzzug, Verurteilung der Magna Charta und Anerkennung der Wahl Friedrichs II.

13. Erstes Konzil von Lyon, 1245:
Unter Papst Innozenz IV. Absetzung Kaiser Friedrichs II.

14. Zweites Konzil von Lyon, 1274:
Unter Papst Gregor X. Unionsmesse und Unionsvereinbarung mit den Byzantinern, die ihr Einlenken später widerriefen; Beschränkung der Macht des Kardinalskollegiums in der Konklaveordnung.

15. Konzil von Vienne, 1311–12:
Unter Papst Klemens V. Aufhebung des Templerordens; im franziskanischen Armutsstreit um die Radikalität des Armutsgelübdes Entlastung der weniger strengen Ordensmehrheit.

16. Konzil von Konstanz, 1414–18:
Beseitigung des Großen (Abendländischen) Schismas: Rücktritt des römischen Papstes Gregor XII., Absetzung des Konzilpapstes Johannes XXIII. und des avignonesischen Papstes Benedikt XIII.; Wahl Martins V.; Verurteilung von Jan Hus. Festlegung der Oberhoheit des Konzils über den Papst und Einrichtung regelmäßig abzuhaltender Konzilien (Konziliarismus).

17. Konzil von Basel-Ferrara-Florenz, 1431–43:
Unter Eugen IV. Tagung in Basel 1431–37, Verlegung nach Ferrara 1437 und nach Florenz 1439: angesichts der Bedrohung durch die Türken Union mit der griechischen, armenischen und syrischen Ostkirche; währenddessen Dogmatisierung der konziliaren Idee durch eine Minderheit in Basel und 1439 Wahl des Gegenpapstes Felix V., der allerdings 1449 zurücktrat und damit dann das letzte Papstschisma beendete; schließlich Umzug des Konzils nach Rom 1443.

18. Fünftes Laterankonzil, 1512–17:
Unter den Päpsten Julius II. und Leo X. Verurteilung des Konziliarismus und der averroistischen Lehre von der doppelten Wahrheit, der Verschiedenheit der Wahrheit der Philosophie und der Wahrheit der Theologie; Reformdekrete zur Auswahl der Bischöfe und zur religiösen Unterweisung; Definition der Unsterblichkeit und Individualität der menschlichen Seele.

19. Konzil von Trient, 1545–63:
Drei Tagungsperioden: in Trient von 1545–47 und in Bologna 1547 unter Papst Paul III. sowie erneut in Trient 1551–52 bzw. 1562–63 unter Papst Julius III. und Papst Pius IV. Als Reaktion auf die Reformation grundlegende Definitionen zum Verhältnis von Schrift und Tradition, zur Erbsünde und Rechtfertigung, zu Sakramenten, Messopfer und Heiligenverehrung; auf Beschluss des Konzils Veröffentlichung des »Index der verbotenen Bücher«, des Römischen Katechismus und des Römischen Messbuchs.

20. Erstes Vatikanisches Konzil, 1869–70:
Unter Papst Pius IX. Definition der Existenz Gottes, seines Wesens als Schöpfer und Urgrund, seiner Erkennbarkeit sowie des Verhältnisses von Glaube, Vernunft und Offenbarung; ebenso Definition des Primats und der Unfehlbarkeit des Papstes.

21. Zweites Vatikanisches Konzil, 1962–65:
Vier Tagungsperioden: unter Papst Johannes XXIII. 1962 und unter Papst Paul VI. 1963, 1964, 1965. Verabschiedung von vier Konstitutionen (über die Liturgie, die Kirche, die göttliche Offenbarung, die Kirche in der Welt von heute), neun Dekreten (über die Kommunikationsmittel, die katholischen Ostkirchen, den Ökumenismus, die Hirtenaufgabe der Bischöfe, die Ausbildung der Priester, die Erneuerung des Ordenslebens, das Laienapostolat, den Dienst und das Leben der Priester, die Missionstätigkeit), drei Erklärungen (über die christliche Erziehung, das Verhältnis der Kirche zu den nichtchristlichen Religionen, die Religionsfreiheit).

ökumenische Symbole (ökumenische Glaubensbekenntnisse), Bez. für die drei altkirchl. Glaubensbekenntnisse: das →Apostolische Glaubensbekenntnis, das →Athanasianische Glaubensbekenntnis und das Nicänisch-Konstantinopolitan. Glaubensbekenntnis (→Nicänisches Glaubensbekenntnis).

Ökumenismus *der,* seit dem Zweiten Vatikan. Konzil in der kath. Kirche übl. Bez. zur Beschreibung ihres ökumen. Auftrags, dessen Grundzüge im »Dekret über den Ö.« (1964) formuliert wurden und in dessen Mittelpunkt der gleichberechtigte Dialog zw. den christl. Konfessionen steht. Die außerhalb der kath. Kirche entstandene →ökumenische Bewegung wird dabei ausdrücklich als vom Hl. Geist gewirkt, die Spaltung der Christenheit als im Widerspruch zum Willen Christi stehend angesehen. Die vorkonziliare Forderung nach Wiederherstellung der kirchl. Einheit im Sinne einer »Rückkehr« zur kath. Kirche wurde aufgegeben. Einer Kircheneinigung steht v.a. der unterschiedl. Kirchenbegriff in den einzelnen Konfessionen entgegen.

OKW, Abk. für →**O**ber**k**ommando der **W**ehrmacht.

Ōkyo, Maruyama, japan. Maler, *Anafuto (Prov. Tamba) 12.6.1733, †Kyōto 31.8.1795; malte, angeregt von chines. Malereien der Ming-Dynastie sowie europ. Vorbildern, Landschaften, Tiere und Pflanzen in ostasiat. Pinseltechnik.

Okzident [lat. »Untergang«] *der,* der Westen, das Abendland, im Unterschied zum Orient (Morgenland).

Okzitanilen (frz. L'Occitanie), in S-Frankreich das Gebiet, in dem die Langue d'oc (→provenzalische Sprache) gesprochen wird.

...ol, *Chemie:* 1) Nachsilbe der chem. Nomenklatur, die in systemat. Namen organ. Verbindungen das Vorhandensein einer Hydroxylgruppe, –OH, anzeigt (z.B. Alkohole); 2) Endsilbe in Trivialnamen, die i.d.R. von **Ol**eum (lat. »Öl«) abgeleitet sind (z.B. Xylol).

Öl [lat. oleum], Sammelbegriff für flüssige, in Wasser schwer lösliche organ. Verbindungen, die meist dickflüssiger und schwerer flüchtig als Wasser sind. **Fette Öle** (→Fette) sind Glycerinester von z.T. ungesättigten Fettsäuren; sie hinterlassen auf Papier einen Fettfleck. **Mineralöle** werden überwiegend durch Destillation und Raffination aus Erdöl gewonnen und bestehen v.a. aus Kohlenwasserstoffen, z.B. Heiz- und Schmieröle. Unter der Bez. →Syntheseöle werden verschiedenartige, synthetisch hergestellte Ö. zusammengefasst, z.B. Ester von Dicarbonsäuren, Siliconöle. (→ätherische Öle) – In der Kulturgeschichte gilt Öl als Symbol des Friedens und Segens und des Lichtes.

ö. L., Abk. für **ö**stliche(r) **L**änge.

Öl|abscheider, Anlagen zur Abtrennung von Öl aus Abwasser. Einfachste Ö. sind Schwerkraft-Ö., die aus Becken bestehen, die von ölhaltigem Abwasser kontinuierlich durchflossen werden. Das Öl scheidet sich aufgrund seiner geringeren Dichte an der Wasseroberfläche ab und kann dort abgezogen werden. Durch Einblasen von fein verteilter Luft wird die Wirkung verbessert.

Olaf, norweg. Herrscher: **1) O. I. Tryggvasson,** König (995–1000), *um 964, ⚔bei Svolder (bei Rügen?) 1000; Wikingerhäuptling, 994 in England getauft; unterwarf 995 Norwegen und begann mit der gewaltsamen Christianisierung. O. fiel in einer Seeschlacht gegen eine dänisch-schwed. Flotte.

2) O. II. Haraldsson, O. der Heilige, König (1015–28), *um 995, ⚔Stiklestad (bei Trondheim) 29. 7. 1030; führte die gewaltsame Christianisierung Norwegens fort (→Olafs sagas); musste vor den Stammeskönigen 1028 nach Russland fliehen; bei dem Versuch, sein Reich wiederzuerobern, fiel er. O. galt bald als Heiliger und Schutzpatron Norwegens (Tag: 29.7.).

Olaf V.,
König von Norwegen

3) O. V., König (1957–91), *Appleton House (bei Sandringham, Großbritannien) 2. 7. 1903, †Oslo 17.1.1991; Sohn Håkons VII., heiratete 1929 Prinzessin Märtha von Schweden, 1940–45 im Exil in London; führte seit 1955 die Staatsgeschäfte für seinen Vater und bestieg nach dessen Tod am 21.9. 1957 den Thron.

Olafs sagas, die altnord., historisch-legendar. Darstellungen von der Einführung und Verbreitung des Christentums durch Olaf I. Tryggvasson und Olaf II. Haraldsson.

George A. Olah

Olah ['əʊlɑ:], George Andrew, amerikan. Chemiker ungar. Herkunft, *Budapest 22. 5. 1927; erhielt für seine Grundlagenforschung zu den Carbokationen 1994 den Nobelpreis für Chemie.

Öland, schwed. Ostseeinsel, durch den Kalmarsund vom Festland getrennt (Brücke), 1344 km^2, rd. 25000 Ew.; Haupt- und Badeort ist **Borgholm;** Viehzucht, Zuckerrüben-, Raps-, Roggenanbau; Zucker-, Zementherstellung; Fischerei; Fremdenverkehr. – Von einer frühen Besiedlung zeugen bronzezeitl. Hügelgräber, Gräberfelder, Schiffsetzungen, Runensteine und Fluchtburgen.

Oława [ɔ'uava], **1)** (dt. Ohlau), Stadt in der Wwschaft Wrocław (Breslau), Polen, zw. Oder und Ohle in Niederschlesien, 31100 Ew.; Eisenbahnwerkstätten, chem., Papier-, Lebensmittelindustrie. – Schloss (14.–17. Jh.), Pfarrkirche (13.–16. Jh.), klassizist. Rathaus.

2) Fluss in Polen, →Ohle.

Ölbaum:
Zweig mit Blüten (oben) und Früchten

Ölbaum (Olivenbaum, Olea), Gattung der Ö.-Gewächse im trop. und mittleren Asien, in Afrika, im Mittelmeergebiet, in Australien und Neukaledonien. Die wichtigste Art als Kultur- und Nutzpflanze ist der **Echte Ö.** (Olea europaea), ein mehr

Ölbaum: Darstellung der Olivenernte auf einer attischen Halsamphora (um 510 v. Chr.; Berlin, Antikensammlung)

als 1000 Jahre alt werdender, 10–16 m hoher Baum. Die Frucht des Ö. ist eine pflaumenähnl. Steinfrucht, die **Olive,** deren Fruchtfleisch sehr ölreich ist. Der harte Steinkern enthält meist nur einen ölreichen Samen. – Der Ö. wird seit dem 3. Jt. v. Chr. im südl. Vorderasien angebaut. Ö.-Zweige waren meist Zeichen des Sieges, bei Juden und Christen jedoch Zeichen des Friedens.

Friedrich Olbricht

Ölberg, 1) Bergkette bei Jerusalem, mit mehreren Kuppen; eine davon, Djebel et-Tur (809 m ü. M.), ist in den Evangelien vielfach mit dem Leben Jesu verbunden und nach Apg. 1, 12 Ort der →Himmelfahrt Christi; Himmelfahrtskapelle mit angebl. Fußabdruck Jesu (heute Moschee); am Fuß des Ö. befindet sich Gethsemane. In der bildenden Kunst werden bes. der betende Jesus und die schlafenden Jünger im Garten Gethsemane dargestellt.

2) Großer Ö., höchster Berg des Siebengebirges, 460 m ü. M.

Olbernhau, Stadt im Mittleren Erzgebirgskreis, Sachsen, an der Flöha, 12 300 Ew.; industriearchäolog. Museum (Kupferhammerwerk von 1537); Mittelpunkt der osterzgebirg. Holzbearbeitungs- und Spielwarenindustrie. – 1336 erstmals bezeugt, 1902 Stadt.

olberssches Paradoxon, von dem Arzt und Astronomen Heinrich Wilhelm Matthias Olbers (*1758, †1840) um 1820 aufgeworfene Frage, warum der Nachthimmel dunkel ist. Bei einem (wie man damals annahm) räumlich und zeitlich unendl. Universum, das gleichförmig mit Sternen erfüllt ist, muss der Blick eines Betrachters in jeder beliebigen Richtung schließlich auf einen Stern treffen, d. h., der Nachthimmel müsste hell leuchten. Das o. P. lässt sich mit einem endl., expandierenden Weltall lösen, das einen zeitl. Ursprung besitzt. Das o. P. wurde in ähnl. Form schon 1744 von dem schweizer. Astronomen Charles de Loys (*1730, †1789) beschrieben.

Ölbindemittel, meist hydrophobe Feststoffe, wie Torf, Holzmehl, Kunststoffschäume (z. B. aus Polyurethan) und Kunstfasermatten (aus Polyestern oder Polyolefinen), die bei Ölkatastrophen, zur Ölentfernung aus Hafenanlagen oder zur Entölung von Abwasser angewendet werden, um Mineralöl aufzusaugen.

Olbrich, Joseph Maria, österr. Architekt, *Troppau 22. 12. 1867, †Düsseldorf 8. 8. 1908; Mitgründer der Wiener Sezession (1897), für die er das Ausstellungsgebäude entwarf (1897/98); 1899 nach Darmstadt berufen, wo ihm die Gesamtleitung für die Ausgestaltung der Mathildenhöhe übertragen wurde (Bauten: u. a. Ernst-Ludwig-Haus, Hochzeitsturm, Künstlerhäuser, Ausstellungshallen); 1907 Mitbegründer des Dt. Werkbundes. O. gehörte zu den produktivsten Architekten des Jugendstils.

📖 LATHAM, I.: *J. M. O. Aus dem Engl. Stuttgart 1997.*

Olbricht, Friedrich, General, *Leisnig (Kr. Döbeln) 4. 10. 1888, †(standrechtlich erschossen) Berlin 20. 7. 1944; als Chef des Allg. Heeresamtes im Oberkommando des Heeres (seit 1940) führend in der Widerstandsbewegung tätig (→Zwanzigster Juli 1944).

Olbrychski [ɔl'brixski], Daniel, poln. Schauspieler, *Łowicz (Wwschaft Skierniewice) 27. 2. 1945; Bühnen- und Filmdarsteller (u. a. in Werken A. Wajdas): »Das gelobte Land« (1975), »Die Mädchen von Wilko« (1979), »Danton« (1983); spielte außerdem in »Sintflut« (1979), »Eine Liebe in Deutschland« (1983), »Rosa Luxemburg« (1983), »Das Geheimnis der Sahara« (TV-Serie, 1987),

Ölberg 1): Christus am Ölberg, Tafel des »Hohenfurther Altars« aus dem ehemaligen Zisterzienserkloster in Hohenfurth, dem heutigen Vyšší Brod in der Tschechischen Republik (um 1350; Prag, Národní Galerie)

»Coplan: Entführung nach Berlin« (1990), »Das lange Gespräch mit dem Vogel« (1992).

Oldenbạrnevelt, Johan van, niederländ. Staatsmann, *Amersfoort 14. 9. 1547, † (hingerichtet) Den Haag 13. 5. 1619; seit 1576 Pensionär (leitender Beamter) von Rotterdam, seit 1586 Ratspensionär der Provinz Holland, vertrat im Unabhängigkeitskampf eine aristokratisch-republikan. Richtung. Er schloss 1609 gegen den Willen des Statthalters Prinz Moritz von Oranien einen zwölfjährigen Waffenstillstand mit den Spaniern; darüber kam es zum Bruch zwischen O. und Moritz, der O. 1618 verhaften und enthaupten ließ.

Joseph Olbrich: Das 1897/98 erbaute Ausstellungsgebäude der Wiener Sezession wird von der großen durchbrochenen Kuppel beherrscht; die beabsichtigte sachliche Wirkung wurde durch sparsame Dekoration und Farbgebung erreicht

Ọldenburg, 1) histor. Territorium. Nach dem Ende des Stammesherzogtums Sachsen entstand im 11./12. Jh. um die gleichnamige Stadt die Grafschaft O. Sie gewann Stedingen (1234, den fries. Rest 1513), Varel (1386), Neuenburg und Zetel (1428) sowie Stadland und Butjadingen (1499; Letzteres 1523 dauernd) und 1575 erstmals die Herrschaft Jever, die im 17. Jh. an Anhalt-Zerbst fiel. Reichslehen wurde O. erst 1531. Als 1667 das Grafenhaus erlosch, regierte in O. die dän. Hauptlinie durch einen Statthalter, ab 1773 die jüngere Linie Gottorf. Das 1777 zum Herzogtum erhobene O. vergrößerte 1803 seinen Territorialbestand (Oldenburger Münsterland und Amt Wildeshausen). Nach napoleon. Annexion 1815 wiederhergestellt, wurde das Großherzogtum (seit 1815/29) in drei Landesteilen – neben O. die (seit 1773 bzw. 1814 oldenburg.) Fürstentümer Lübeck und Birkenfeld – regiert. 1918–33 Freistaat mit demokrat. Verf., 1933–45 mit Bremen einem nat.-soz. Reichstatthalter unterstellt; seit 1946 Teil des Landes Niedersachsen.

📖 *Geschichte des Landes O. Ein Handbuch, hg. v.* A. Eckhardt *u. a. Oldenburg 1993.*

2) Landkreis im RegBez. Weser-Ems, Ndsachs., 1063 km², (1996) 113 600 Ew.; Krst. ist Wildeshausen.

3) Oldenburg in Holstein, Stadt im Kr. Ostholstein, Schlesw.-Holst., auf der Halbinsel Wagrien, an der Vogelfluglinie, 10 000 Ew. – Der Dom ist eine roman. Backstein-Pfeilerbasilika (1156 begonnen) mit got. Chor und Barockausstattung. – Im 9./10. Jh. Hauptort der Wagrier (am Stadtrand slaw. Ringwall mit Vorburgen); 1235 (lüb.) Stadtrecht.

4) Oldenburg (Oldenburg), kreisfreie Stadt, Verw.sitz des RegBez. Weser-Ems, Ndsachs., an der Mündung der Haaren in die Hunte und am Küstenkanal, 152 100 Ew.; Univ.; Fachhochschulen, Museen, Landesbibliothek, Staatsarchiv, Staatstheater, Niederdt. Bühne, Orchester; Wasser- und Schifffahrtsamt; Molkereien, Fleisch- und Wurstwarenfabriken, Maschinenbau, Holzverarbeitungs-, Glas-, chem. und graf. Ind.; Binnenhafen. – Das Stadtbild ist wesentlich vom Klassizismus geprägt. In der von Wasserläufen umgebenen Altstadt liegen u. a. das ehem. großherzogl. Schloss (1620 vollendet) und die im 13. Jh. erbaute Lambertikirche (beide im 18. und 19. Jh. mehrmals umgebaut). Wahrzeichen von O. ist der »Lappan«, Turm des Heiliggeistspitals (1468). – 1108 erstmals erwähnt; erhielt 1345 (brem.) Stadtrecht; Mitte des 12. Jh. bis 1667 Zentrum der Grafschaft O.; 1777–1918 Residenz der Herzöge bzw. Großherzöge von O.; 1918/19–46 Hptst. des Landes Oldenburg.

Oldenburg (Oldenburg) 4): Stadtwappen

Ọldenburg (Haus O.), europ. Dynastie, die auf Egilmar I. († 1108), Graf von Aldenburg, zurückgeht. Christian VIII., der durch den Vertrag von Ripen (1460) die Erbnachfolge in Schleswig und Holstein antrat, begründete die dän. Hauptlinie (bis 1863), während sein Bruder Gerhard die gräfl. Linie O. weiterführte (1667 erloschen). Von der dän. Hauptlinie zweigte 1544 die Nebenlinie →Gottorp (auch [Schleswig-] Holstein-Gottorp[-O.]) und 1564/71 die Nebenlinie Sonderburg ab. Da die Herzöge von Gottorp, die 1762 mit Karl Peter Ulrich (Peter III.) den Thron Russland bestiegen (→Romanow), 1767/73 zugunsten von Dänemark auf Schleswig-Holstein verzichteten, erhielt die sog. bischöfl. Linie (Lübeck) 1773 die (seit 1777 zum Herzogtum erhobene) Grafschaft Oldenburg (seit 1815 großherzogl. Linie). Die Linie Sonderburg(-Glücksburg) erlangte nach dem Aussterben der dän. Hauptlinie mit dem Thronerwerb von Dänemark (1863), Griechenland (1863) und Norwegen (1905) Bedeutung.

Oldenburg [ˈəʊldənbəːg], Claes, amerikan. Künstler schwed. Herkunft, *Stockholm 28. 1.

1929; übersiedelte 1956 nach New York; einer der bedeutendsten Vertreter der Pop-Art; verfremdet seine Objekte (u.a. Billardkugel, Wäscheklammer) durch Vergrößerung ins Monumentale und Verwendung untyp. Materialien; seit 1976 Zusammenarbeit mit seiner Frau Coosje van Bruggen (*1942).

📖 *C. O.: Eine Anthologie, übers. v.* M. Taylor, *Ausst.-Kat. National Gallery of Art, Washington, D. C. Ostfildern 1995.*

Oleander: Echter Oleander (Höhe 3–6 m)

Oldenburger, schweres, vielseitig einsetzbares Warmblutpferd (Stockmaß 160–165 cm); gute Reitpferdeeigenschaften.

Oldesloe, Bad [-lo], → Bad Oldesloe.

Oldfield [ˈəʊldfiːld], Mike, brit. Rockmusiker (Multiinstrumentalist) und Komponist, *Reading (Cty. Berkshire) 15. 5. 1953; spielte in seinen Aufnahmen alle Instrumente durch Play-back-Verfahren selbst ein; verbindet internat. Folklore und Rock, z.T. auch mit Elementen klass. Musik und Minimalmusic.

Oldham [ˈəʊldəm], Stadt in der engl. Metrop. Cty. Greater Manchester, 95500 Ew.; Textil-, elektrotechn. Ind., Fahrzeug-, Flugzeugbau.

Oldtime-Jazz [ˈəʊldtaɪmˈdʒæz, engl.], übergreifende Bez. für die älteren Stilbereiche des Jazz bis etwa 1930, insbesondere New-Orleans-Jazz, Dixielandjazz und Chicago-Stil.

Oldtimer [ˈəʊldtaɪmə, engl.] *der, umgangssprachlich:* Kraftfahrzeug (v.a. PKW) alten Typs mit Sammlerwert.

Oldenburger (Stockmaß 160–165 cm)

Olduvai (Oldoway), Trockenschlucht am Rand der Serengeti in Tansania; zahlr. Funde von Tier- und Hominidenresten (Australopithecus boisei/Zinjanthropus, Homo habilis, Homo erectus; bis fast 2 Mio. Jahre alt). Seit 1974 wurden bei **Laetoli** (40 km südlich von O.) mehr als 3,5 Mio. Jahre alte Funde von Australopithecinen gemacht (auch Fußabdrücke).

Oleander [italien.] *der* (Nerium), Gattung der Hundsgiftgewächse; Sträucher und Bäume vom

Claes Oldenburg: »Weicher schwedischer Riesen-Lichtschalter; Fassung in Stoff« (1966; Köln, Museum Ludwig)

Mittelmeergebiet bis Ostasien verbreitet, mit lederigen Blättern, großen Blüten in Trugdolden, mit Milchsaft. Der **Echte O.** (**Rosenlorbeer,** Nerium oleander) ist ein immergrüner Strauch oder kleiner Baum mit rosafarbenen Blüten; Kulturformen auch andersfarbig oder gefüllt. O. enthält einen stark giftigen Milchsaft.

Olearius, Adam, eigtl. A. Ölschlegel, Schriftsteller, *Aschersleben Sept. 1599, †Schloss Gottorf (heute zu Schleswig) 22. 2. 1671; nahm an Handelsexpeditionen nach Russland (1633–35) und Persien (1635–39) teil; mit seiner kulturgeschichtlich wertvollen Darstellung »Newe Orientalische Reise« (1647) Mitbegründer der wiss. Reisebeschreibung.

Oleaster [lat.] *der,* Wildform des Olivenbaums.

Oleate [lat.], Salze und Ester der Ölsäure.

Olefine [lat.], die → Alkene.

Oleg (skandinav. Helgi), altruss. Fürst normann. Herkunft, †912 oder 922; herrschte als Nachfolger Ruriks ab 879 in Nowgorod, eroberte 882 Kiew, das seine Residenz wurde. In der Folgezeit machte er die ostslaw. und finn. Stämme des Wolga-Oka-Gebietes tributpflichtig. 907/911 unternahm er einen Feldzug gegen Konstantinopel und schloss einen günstigen Handelsvertrag mit dem byzantin. Kaiser.

Olein [lat.] *das,* → Ölsäure.

Olekma [ɔlˈjɔkma] *die,* ein Fluss in Russland, → Oljokma.

Olenjok *der* (Olenek), Fluss in Sibirien, in Jakutien (Sacha), Russ. Föderation, 2292 km, entspringt im Mittelsibir. Bergland, mündet westlich des Lenadeltas in die O.-Bucht der Laptewsee.

Oléron [ɔleˈrɔ̃] (Île d'O.), Insel vor der W-Küste Frankreichs, 175 km², 10000 Ew.; Ackerbau, Küstenfischerei, Austernzucht; Seebäder;

2862 m lange Brücke zum Festland. – Das **Seerecht von O.** (Rôles d'O.) war vom 12. bis 17. Jh. die gewohnheitsrechtl. Grundlage der atlant., der Nordsee- und Ostseeschifffahrt.

Olescha, Juri Karlowitsch, russ. Schriftsteller, *Jelisawetgrad (heute Kirowograd) 3. 3. 1899, †Moskau 10. 5. 1960; schrieb den Roman »Neid« (1928), in dem er den Konflikt zw. »alten« individuellen Gefühlen und Wünschen und der sozialisierten und industrialisierten Welt gestaltete, sowie Erzählungen und Dramen; ab Mitte der 30er-Jahre bis zur Entstalinisierung in der Sowjetunion verfemt.

Oleśnica [ɔlɛç'nitsa] (dt. Oels), Stadt in der poln. Wwschaft Wrocław (Breslau), Niederschlesien, 37500 Ew.; Nahrungsmittelind., Schuh-, Möbelfabrik. – Teile der Stadtmauer, Schloss (urspr. gotisch, im Renaissancestil umgebaut; Kirche 14./15. Jh.). – Seit 1255 Stadt; seit 1321 Residenz des Fürstentums O. (nach wechselvollem Schicksal seit 1742 unter preuß. Landeshoheit, seit 1884 zur preuß. Krone, Lehen des Kronprinzen, dessen Wohnsitz die Stadt bis 1918 war).

Oleum [lat. »Öl«] *das,* **1)** *Chemie:* rauchende →Schwefelsäure.

2) *Pharmazie:* Abk. **Ol.,** Öl, z. B. O. Jecoris (Lebertran).

Ölfarben, pigmenthaltige, flüssige Anstrichstoffe, die als Bindemittel trocknende Öle (z. B. Leinöl) enthalten. Ihre durch chem. Reaktion der ungesättigten Fettsäuren eintretende Trocknung (Polymerisation und Vernetzung unter dem Einfluss von Luftsauerstoff) wird durch Zugabe von →Trockenstoffen beschleunigt. Unter Zusatz von Harzen, Bienenwachs und äther. Ölen entstehen die bes. pastösen Ö. für die →Ölmalerei.

Ölfilter, im Maschinenbau, insbesondere bei Verbrennungsmotoren verwendete Filter zur Reinigung des Schmieröles von Schmutz und Abrieb.

Ölfrüchte, →Ölpflanzen.

OLG, Abk. für **O**ber**l**andes**g**ericht.

Olga, Fürstin von Kiew, *um 890, †Kiew 969; Gemahlin des Großfürsten Igor von Kiew, führte nach dessen Tod (945) für ihren minderjährigen Sohn die Regierung; erste Christin (Taufe 957?) auf dem Thron des Kiewer Reichs; ihr Versuch, das Reich im Rahmen einer selbstständigen Kirche zu christianisieren, scheiterte am Widerstand von Byzanz; Heilige der russ.-orth. Kirche; Tag: 11. 7.

Olifant [altfrz. »Elefant«] *der,* wahrscheinlich aus Byzanz übernommenes elfenbeinernes Jagd- oder Signalhorn des MA., meist mit reich geschnitztem Dekor; in der Sage das Horn Rolands.

Olifants River ['ɔlɪfənts 'rɪvə] (Elefantenfluss), **1)** größter rechter Nebenfluss des Limpopo, etwa 600 km lang, entspringt im W der Prov. Mpumalanga (Rep. Südafrika), mündet in Moçambique.

2) Fluss in der Prov. West-Kap, Rep. Südafrika, rd. 300 km lang, mündet in den Atlantik.

olig..., oligo... [grch.], wenig, gering.

Oligarchie [grch. »Herrschaft der wenigen«] (Oligokratie) *die,* Staatsform, begrifflich auf Aristoteles zurückgehend, der unter O. die Regierung durch eine Gruppe der Reichsten versteht; heute jede Staatsform, in der die tatsächl. Herrschaft bei kleinen Führungsgruppen liegt. Die Entstehung von O. wird dadurch begünstigt, dass die polit. Entscheidungen oft ein Maß an Sachkunde (etwa techn., wirtsch. Art) erfordern, über das jeweils nur eine kleine Gruppe verfügt.

Oligoklas [grch.] *der,* ein Mineral, →Feldspäte.

Oligomerisierung, [grch.] *die,* Aufbaureaktion, bei der, im Gegensatz zur Polymerisation, nur wenige Moleküle eines Monomeren miteinander reagieren. Je nach Anzahl der sich verbindenden Moleküle unterscheidet man Dimerisierung, Trimerisierung usw.; **Oligomere** heißen die hergestellten Verbindungen.

Oligophrenie [grch.] *die,* Intelligenzschwäche, angeborene oder infolge einer Hirnschädigung im frühen Kindesalter erworbene Intelligenzstörung; verursacht z. B. durch frühkindl. Hirnschädigung oder angeborene Stoffwechselanomalien. In Abhängigkeit vom Schweregrad der O. kann es zu Sprachstörungen, zu Störungen des Denkvermögens, Verhaltensstörungen u. a. kommen. Man unterscheidet vier Grade: Minderbegabung, Debilität, Imbezillität und Idiotie.

Oligopol [grch.] *das,* eine der →Marktformen.

Oligosaccharide [grch.], in Pflanzen verbreitete →Kohlenhydrate.

oligotroph [grch.], nährstoff- und humusarm; bezeichnet Gewässer und Böden, die nur eine relativ geringe Produktivität aufweisen.

Olifant aus Sizilien (11. Jh.; New York, Metropolitan Museum)

Oligozän [grch.] *das,* Stufe des →Tertiärs.

Oligurie [grch.] *die,* verminderte Harnausscheidung (unter 500 ml/Tag); meist durch Erkrankungen der Nieren bedingt; es besteht die Gefahr des akuten oder chron. Nierenversagens.

Olinda, Stadt im Staat Pernambuco, Brasilien, 341000 Ew.; kath. Erzbischofssitz; Zucker-, Zigarrenfabrik; Seehafen, Badeort. – Die kolonialzeitl. Bauten der Altstadt gehören zum UNESCO-Weltkulturerbe; Kathedrale São Salvador (1540 ff.), Kloster São Francisco (1583 ff., wieder aufge-

Olinda: kolonialzeitliche Häuser in der Altstadt mit Blick auf die Nachbarstadt Recife

baut im 17. Jh.), Kirche São Bento (Ende 18. Jh.), Nossa Senhora do Monte (1582 ff.). – Gegründet 1535.

Olitski, Jules, amerikan. Maler russ. Herkunft, *Snowsk (heute Schtschorsk) 27. 3. 1922; bed. Vertreter der Farbfeldmalerei, der in seinen Bildern mit minimalen tonalen Farbkontrasten die Lichtwertigkeit der chromat. Farbe darstellt.

Oliva (poln. Oliwa), seit 1926 Stadtteil von Danzig, nahe der Danziger Bucht, mit Kirche der um 1178 gegr., 1831 aufgehobenen Zisterzienserabtei, ein Backsteinbau (urspr. romanische Basilika, im 13.–14. Jh. erweitert und spätgotisch gewölbt), wurde 1925 Dom des Bistums Danzig; Klostergebäude (13.–18. Jh.). – Der **Frieden von O.** beendete am 3. 5. 1660 den 1. Nord. Krieg.

Ferdinand Olivier: »Blick vom Mönchsberg auf den Untersberg« (1824; Dresden, Staatliche Kunstsammlungen)

Olive [grch.-lat.] *die,* Frucht des → Ölbaums.

Oliveira [oliˈvejra], **1)** Francisco Xavier de, portugies. Schriftsteller, *Lissabon 21. 5. 1702, †Hackney (heute zu London) 18. 10. 1783; als Gegner der Inquisition in seiner Heimat verfolgt, lebte seit 1744 in England, wo er zur anglikan. Kirche übertrat; 1761 in Portugal (symbolisch) verbrannt; schrieb zeitgeschichtlich bed. Essays, Memoiren, Reiseberichte und Briefe im Geiste der Aufklärung.

2) Manoel de, portugies. Filmregisseur, *Porto 12. 12. 1908; führender Vertreter des portugies. Films; Dokumentarfilme (»Das Brot«, 1959), seit den 40er-Jahren Spielfilme, u. a. »Der Leidensweg Jesu in Curalha« (1963), »Vergangenheit und Gegenwart« (1972), »Benilde, Jungfrau und Mutter« (1975), »Das Verhängnis der Liebe« (1978), »Non oder Der vergängl. Ruhm der Herrschaft« (1990).

Olivenbaum, → Ölbaum.

Oliven|öl, aus den Früchten des Echten Ölbaums gewonnenes, gelbes bis grünlich gelbes, fettes Öl, das zu etwa 80% aus Glyceriden der Ölsäure besteht; Verwendung als Speiseöl, für medizin. Zwecke und als Schmieröl. Das für die EU geltende O.-Übereinkommen unterscheidet natives, raffiniertes und reines Olivenöl.

Oliver [ˈɔlɪvə], »King« Joe (Joseph), amerikan. Jazzkornettist und Komponist, *bei New Orleans (La.) 11. 5. 1885, †Savannah (Ga.) 8. 4. 1938. Seine »Creole Jazz Band« war eine der einflussreichsten Formationen des New-Orleans-Jazz.

Olivier, 1) [ɔliˈvje], Ferdinand, Maler, Zeichner und Grafiker, *Dessau 1. 4. 1785, †München 11. 2. 1841, Bruder von 2); kam 1811 nach Wien, wo er bes. von J. A. Koch und der Kunst der Nazarener beeinflusst wurde. In seinen Bildern aus dem Salzburger Land verbinden sich klassizist. Landschaftsschilderung mit romant. Empfinden und frischer Naturbeobachtung.

2) [ɔliˈvje], Friedrich, Maler und Zeichner, *Dessau 23. 4. 1791, †ebd. 5. 9. 1859, Bruder von 1); lebte 1818–23 in Rom, wo er sich den → Nazarenern anschloss und v. a. italien. Landschaften, Bauten, auch Bildnisse zeichnete. Später lebte O. in Wien und München (Mitarbeiter J. Schnorrs von Carolsfeld bei den Fresken am Königsbau der Residenz); er malte neben Bildnissen reizvolle Landschaften (Isartal, Kochelsee).

3) [əˈlɪvɪə], Sir (seit 1947) Laurence, Baron O. of Brighton (seit 1970), brit. Schauspieler, Theater- und Filmregisseur, *Dorking (Cty. Surrey) 22. 5. 1907, †Brighton 11. 7. 1989; ging 1937 zur Old Vic Company (seit 1944 Mitdirektor), 1963–73 Direktor des National Theatre, London; berühmt als Darsteller shakespearescher Figuren; auch als Darsteller und Regisseur in den Filmen »Heinrich V.« (1944), »Hamlet« (1948), »Richard III.« (1955),

»Othello« (1965); weitere Filme: »Der Komödiant« (1960), »Der Marathon-Mann« (1976); Fernsehrollen. O. war 1940–60 ⚭ mit Vivien Leigh.

Laurence Olivier in der Titelrolle der Verfilmung von Shakespeares »Richard III.« (1955)

Olivin [lat.] *der,* weit verbreitetes gesteinsbildendes Mineral, $(Mg, Fe)_2[SiO_4]$, in bas. Tiefen- und Ergussgesteinen, durchsichtig bis durchscheinend, gelblich, flaschen- bis schwarzgrün. O. sind Mischkristalle mit den Endgliedern **Fayalith,** $Fe_2[SiO_4]$, und **Forsterit,** $Mg_2[SiO_4]$. Klare gelb- bis olivgrüne und schwarze Kristalle werden als Edelsteine verwendet **(Chrysolith, Peridot).**

Olivin

Oliwa, Stadtteil von Danzig, → Oliva.

Oljokma (Olekma) *die,* rechter Nebenfluss der Lena, in Ostsibirien, Russland, 1436 km, entspringt im **O.-Gebirge** (bis 1908 m ü. M.), mündet östlich der Stadt Oljokminsk; Stromschnellen.

Ölkreiden, gezogene Farbstifte, mit Ton oder Kreide als Füllmaterial, anorgan. oder organ. Pigmenten als Farbbestandteil und pflanzl. Ölen, Wachsen und Harzen als Bindemittel.

Ölkühler, bei Verbrennungsmotoren Wärmetauscher zur Abfuhr der vom Schmieröl aufgenommenen Wärme an Wasser oder Luft.

Öl|lacke, Lacke, die trocknende Öle (z. B. Leinöl) als Bindemittel enthalten. Ö. härten bei Anwesenheit von → Trockenstoffen an der Luft aus, die entstehenden Filme vergilben mit der Zeit und sind chemisch nicht sehr widerstandsfähig.

Öl|leitung, die → Pipeline.

Ollenhauer, Erich, Politiker (SPD), * Magdeburg 27. 3. 1901, † Bonn 14. 12. 1963; seit 1916 in der sozialist. Arbeiterjugend, 1928–33 deren Vors., 1933 Mitgl. des Parteivorstandes der SPD, ging 1933 in die Emigration (Prag, Paris, Großbritannien), gehörte dem dort gebildeten Vorstand der SPD an. Nach seiner Rückkehr wurde er 1946 stellv. Vors. der neu gegründeten SPD, 1949 MdB und stellv. Fraktionsvors., 1952 als Nachfolger K. Schumachers Vors. der SPD und ihrer Bundestagsfraktion. 1951–63 war er auch Vizepräs., 1963 Präs. der Sozialist. Internationale.

Erich Ollenhauer

📖 SEEBACHER-BRANDT, B.: *O. Berlin 1984.*

Ollier [ɔlˈje], Claude, frz. Schriftsteller, * Paris 17. 12. 1922; bringt in seine dem Nouveau Roman nahe stehenden Texte mathematisch-konstruktivist. Verfahrensweisen ein, in denen er z. T. kriminalist. und utop. Elemente verwendet (u. a. »Le jeu d'enfant«, R.-Folge, 8 Bde., 1958–75; »Mon double à Malacca«, R., 1982; »Bildstörung«, R., 1988).

Olm, Schwanzlurch, → Olme.

Ölmadi|e, eine Ölpflanze, → Madie.

Ölmalerei, die Malweise mit → Ölfarben. Zum Verdünnen werden verschieden schnell trocknende Malmittel verwendet, die aus Lein-, Mohn- oder Nussöl bestehen, ggf. in Verbindung mit Weichharzen oder Balsam. Die Ö. erlaubt ein Neben- und Übereinandersetzen von Pinselstrichen, ohne dass die Farben ineinander verlaufen. Die Ö. hat vor anderen Malweisen den Vorzug, dass die Farben stunden- bis tagelang vermalbar bleiben und nach dem Trocknen ihre Farbwirkung behalten. Dicker (pastoser) Farbauftrag im Wechsel mit dünnen, durchscheinenden Farbschichten (Lasuren) ergibt mannigfache Ausdrucksmöglichkeiten. Bei der schichtenweisen Malerei wird das Bild über einer getrockneten Untermalung (Tempera oder magere Ölfarbe) aufgebaut. Den Grund und die unteren Farbtöne lässt der Maler stellenweise durch die halbdeckende oder lasierende Übermalung hindurchwirken. Bei der **Primamalerei** werden die Farben auf der Palette vorgemischt, sodass im Bild sogleich der endgültige Farbwert erzielt wird. Ölgemälde verändern beim Altern ihr Aussehen infolge chem. Umwandlungen und physikal. Einflüsse. Diese Vorgänge führen oft zum Vergilben sowie zu Rissbildungen (Krakelüren). Schlussfirnisse bieten Schutz gegen Verschmutzung und klimat. Einflüsse.

📖 MORSCHEK, K. H.: *Hb. Ö. Wiesbaden 1993.*

Olme (Proteidae), Familie lang gestreckter Schwanzlurche in Süßgewässern Europas und Nordamerikas; nie an Land gehende, zeitlebens im Larvenzustand verbleibende Tiere, u. a. der etwa 20–25 cm lange **Grottenolm** (Proteus anguinus). BILD S. 238

Olmeken, Volk unbekannter Herkunft, Träger der ältesten der → mesoamerikanischen Hochkulturen (Blütezeit um 400 v. Chr., nach ihrem Hauptfundort auch **La-Venta-Kultur** genannt). Das Siedlungsgebiet der O. erstreckte sich von O-Mexiko über das südl. Veracruz und das nördl. Tabasco. Sie brachten eine hoch entwickelte Bildhauerkunst (bis zu 2,85 m hohe Kolossalköpfe), reiche Kleinkunst (meist aus Jade) und eine Hieroglyphenschrift hervor und beeinflussten erheblich nachfolgende Kulturen.

📖 Soustelle, J.: *Die O. Aus dem Frz. Zürich 1980.*

Olmeken: Sitzender Mann, Steinplastik aus Teotitlán del Camino im Süden von Mexiko (um 600 v. Chr.; Berlin, Museum für Völkerkunde)

Olmütz Stadtwappen

Olmütz (tschech. Olomouc), Stadt im Nordmähr. Bezirk, Tschech. Rep., an der March, 106 100 Ew.; Erzbischofssitz; Univ., Museen; Stahlwerke, Maschinenbau, Nahrungs- und Genussmittelindustrie. – Mit dem Bau des Palastes auf dem Fürstenberg (heute nat. Kulturdenkmal) wurde im 12. Jh. begonnen; er wurde mit dem Wenzelsdom (1131 geweiht, im 19. Jh. neugotisch verändert) verbunden; Mauritiuskirche (im 16. Jh. vollendet), Michaelskirche (urspr. gotisch, im 17. Jh. umgebaut), Maria-Schnee-Kirche; Rathaus (15. Jh.); barocke Dreifaltigkeitssäule (1716–54); ferner zahlr. barocke Bauten. – Im 11. Jh. gegr.; seit 1063 Bistum (seit 1777 Erzbistum); seit 1233 königl. Stadt, bis 1641 Hptst. Mährens; kam 1526 an Habsburg.

Olme: Grottenolm (Länge 20–25 cm)

In der **Olmützer Punktation** vom 29. 11. 1850 musste Preußen unter dem Druck Österreichs und Russlands auf seine kleindt. Unionsbestrebungen verzichten.

Ölpalme (Elaeis guineensis), westafrikan. Fiederpalme; schlanker Stamm (bis 30 m hoch), an seiner Spitze mit einem Schopf von 20–35 fiederförmigen Blättern von 3–7 m Länge. Der Fruchtstand kann 3 000–6 000 pflaumengroße Früchte tragen. Durch Auspressen des öligen Fleisches der Früchte erhält man das →Palmöl. Auch die Samen (Palmenkerne) sind fettreich. Der Saft wird zu Palmwein vergoren.

Olpe, 1) Kreis im RegBez. Arnsberg, NRW, 711 km², (1997) 138 500 Einwohner.

2) Kreisstadt von 1), in NRW, im Sauerland, an der Biggetalsperre, 24 700 Ew.; Bäckerfachschule; Armaturen-, Maschinenfabriken, Gießereien, Herstellung elektron. und elektromechan. Geräte. – 1120 erstmals erwähnt; 1311 Stadtrecht.

Olperer, höchster Berg der Zillertaler Alpen, Tirol, Österreich, 3 476 m ü. M.

Ölpest, die Verschmutzung von Uferregionen, v. a. der Meeresküsten, samt der dortigen Flora und Fauna durch Rohöl (z. B. durch Tankerhavarien, Offshorebohrungen, Kriegshandlungen) oder Ölrückstände (z. B. aus dem Bilgenwasser der Schiffe), die in Fladen oder großen Feldern (Ölteppich) auf dem Wasser schwimmen. Das ausgelaufene Öl beeinträchtigt den Gasaustausch sowie andere Lebensfunktionen des Biotops Wasser erheblich. Innerhalb von 1–2 Wochen verfliegen die leichteren Bestandteile des Öls, die schwer flüchtigen Komponenten verbinden sich mit dem Meerwasser zu einer zähen, braunen Brühe, die nach einigen Wochen entweder auf den Meeresgrund absinkt, als Teerklumpen an die Strände treibt oder sich in den großen Wirbelströmungen sammelt. Augenfälligste Folge ist das massenhafte Verenden von Wasservögeln durch Verkleben des Gefieders. – Auf dem freien Meer schwimmende Ölfelder werden erst in einigen Wochen bis Monaten durch Bakterien und Hefepilze weitgehend abgebaut. Chem. Verfahren, das Öl durch Dispersionsmittel zum Absinken zu bringen, sind sehr umstritten, da sie, bes. in flachen Küstengewässern, möglicherweise die Organismen des Meeresbodens vergiften. Die Bekämpfung der Ö. erfolgt daher v. a. durch Eingrenzen und Abschöpfen bzw. Abpumpen der Ölschicht. – Zur biolog. Bekämpfung sind erste Ansätze durch die Züchtung eines Bakterienstammes (Pseudomonaden) gemacht worden; diese durch genet. Manipulation entstandenen Bakterien können das in einem Nährmedium enthaltene Rohöl zu etwa 60% abbauen. – Etwa 5–6 Mio. t Erdöl, Ölreste und Abfälle von Erdölkohlenwasserstoffen verschmutzen jährlich die

Ölpest: Nach dem Unfall eines Großtankers im März 1978 sind an der ölverseuchten Küste in der Bretagne (oben) etwa 15 000 Wasservögel ums Leben gekommen

Weltmeere. Die bislang größte Ö. der Geschichte wurde am Ende des 2. Golfkriegs durch die aus Kuwait abziehenden Iraker ausgelöst; nach Schätzungen gelangten durch die Zerstörung von Ölförderanlagen etwa 1,4 Mio. t Öl in den Pers. Golf.

Ölpflanzen, Kulturpflanzen, deren Samen oder Früchte fette Öle liefern, die der menschl. und tier. Ernährung dienen und für medizin. und techn. Zwecke verwendet werden. Zu den **Ölsaaten** gehören z.B. die Samen von Erdnuss, Öllein, Ölkürbis, Raps, Rizinus, Soja, Senf, Mohn, Lein, Rübsen und Sonnenblume. Zu den **Ölfrüchten** gehören die Früchte des Echten Ölbaums, der Ölpalme und der Kokospalme.

Ölrauke (Eruca vesicaria), rauhaarige Art der Kreuzblütler mit gelben Blütentrauben; im Mittelmeergebiet heimisch. Die gelblich braunen Samen enthalten 26–33% Öl; wird in Vorder- und Zentralasien kultiviert.

Ọlrik, Axel, dän. Volkskundler, *Kopenhagen 3. 7. 1864, †ebd. 17. 2. 1917; trug durch grundlegende Abhandlungen zur Erforschung der nord. Mythologie und Heldendichtung bei.

Ọlsa *die* (tschech. Olše, poln. Olza), rechter Nebenfluss der Oder in Nordmähren, Tschech. Rep., 83 km, entspringt in den Westbeskiden in Polen und mündet unterhalb von Oderberg. Von Teschen abwärts bildet sie stellenweise die Grenze gegen Polen.

Ölsande (Teersande), dunkle, bitumenreiche Sande. Die weitaus größten Vorkommen liegen in Venezuela (am Orinoco) und Kanada (die **Athabasca-Ö.** in Alberta; bis zu 18% zähflüssige, bituminöse Kohlenwasserstoffe); heute kommerziell genutzt, wobei das Bitumen durch Heißwasserextraktion vom Sand abgetrennt wird.

Ölsäure (Oleinsäure), ungesättigte Fettsäure, als Glycerinester in fast allen Fetten und bes. in den fetten Ölen enthalten; fällt in unreiner Form **(Olein)** als Nebenprodukt bei der Aufarbeitung von Talg und anderen techn. Fetten an. In reinem Zustand farb- und geruchlos, nimmt sie an der Luft leicht Sauerstoff auf, wodurch sie gelb und ranzig wird. Durch katalyt. Wasserstoffanlagerung wird sie in Stearinsäure übergeführt **(Fetthärtung).** Ö. dient für Wasserfestausrüstung von Textilien, zur Herstellung von Schmier- und Metallputzmitteln, Salben u.a. Bes. unter Stickoxideinwirkung lagert sich die Ö. in die isomere Elaidinsäure um.

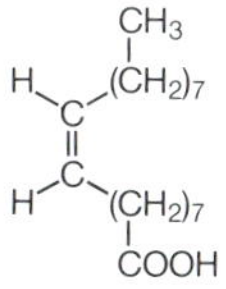

Ölsäure

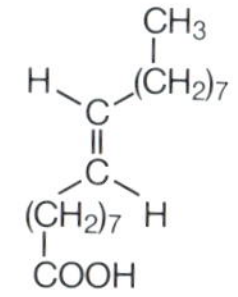

Elaidinsäure

Ölsäure

Ọlsberg, Stadt und Kneippkurort im Hochsauerlandkreis, NRW, an der oberen Ruhr, 16 300 Ew.; Bergbaumuseum Ramsbeck; Ofen- und Heizgerätebau, Metall-, Holz-, Kunststoffverarbeitung. – Entstand 1969 durch Zusammenschluss von O. und Bigge.

Ölschiefer (bituminöse Schiefer), Ton- und Mergelsteine, die meist 5–25% unlösliche organ. Substanz (Kerogen) enthalten. Durch Schwelung wird aus dem Bitumen **Schieferöl** gewonnen. Die Hauptvorkommen liegen in den USA. Zu den Ö. gehören auch die Ö. von Messel, die Posidonienschiefer, der Kuckersit Estlands und der schwermetallreiche Kupferschiefer.

Olsztyn ['ɔlʃtin], Stadt in Polen, →Allenstein.

Ọlt *der,* Fluss in Rumänien, →Alt.

Ọlten, Bezirkshauptort im Kanton Solothurn, Schweiz, an der Aare, 18 300 Ew.; Verlage, Automobilbau, Metall-, Maschinen-, Waschmittel-, Zementind.; Eisenbahnwerkstätten; Aarekraftwerk.

Oltẹni|en (rumän. Oltenia), die Kleine →Walachei.

Ölung (Letzte Ö.), →Krankensalbung.

Olymp: Das bis zu 2917 m hohe Gebirge galt in der griechischen Antike als Sitz der Götter

Ölwanne, bei Verbrennungsmotoren Unterteil des Kurbelgehäuses, zum Sammeln des Schmieröls.

Ölweide (Elaeagnus), Gattung der Ö.-Gewächse in Asien, Südeuropa und Nordamerika; sommer- oder immergrüne Sträucher, selten Bäume, mit einfachen, silbrig, auch rotbraun behaarten Blättern und steinfruchtartigen Nussfrüchten. Als Ziersträucher bekannt sind die **Schmalblättrige Ö.** (Elaeagnus angustifolia) und die **Silber-Ö.** (Elaeagnus commutata).

Olymp *der* (grch. Olympos), vielgipfliges Gebirge in Griechenland an der Grenze Thessaliens und Makedoniens, bis 2917 m ü. M.; teilweise Nationalpark; galt in der Antike als Sitz der Götter.

Olympic Airways

Olympia: Rekonstruktionsmodell der antiken Kultstätte mit dem Zeustempel aus klassischer Zeit im Zentrum, links davon befindet sich der ältere Heratempel

Olympia, antike Kultstätte des Zeus und der Hera in der grch. Landschaft Elis (NW-Peloponnes). O. war hl. Bezirk und Schauplatz der →Olympischen Spiele. Die **Altis,** der Bezirk des hl. Hains, war in klass. Zeit ein unregelmäßiges Viereck (etwa 200 × 160 m groß). Der Hauptbau der Altis war der Tempel des olymp. Zeus (um 460 v. Chr.) mit dem goldelfenbeinernen Sitzbild des Zeus (von Phidias, um 430 v. Chr.); den Außenschmuck bildeten Giebelskulpturen und Metopenreliefs, Spitzenleistungen der frühklass. Skulptur. Im N lag der Tempel der Hera (Heraion), einer der frühesten Tempelbauten Griechenlands (Mitte 7. Jh. v. Chr., nach 600 v. Chr. erneuert); hier stand u. a. der Hermes des Praxiteles. Außerhalb der Altis lagen im O das Stadion, das Hippodrom für die Wagenrennen, im S ein doppelter Apsidenbau (Rathaus?), im SW das Gästehaus, im W das Gymnasion und die Palästra, in denen die Wettkämpfer übten, ferner ein Schwimmbad, Sitz- und Schwitzbäder u. a. Die ehem. Werkstatt des Phidias wurde identifiziert durch eine Fülle von Werkstattabfall. – Dt. Ausgrabungen fanden in O. 1877–81, 1908–29, 1936–42 statt; sie wurden 1952 wieder aufgenommen. Ein Teil der Ausgrabungsfunde wird im Museum in O. aufbewahrt. Das Stadion wurde im Zustand des 4. Jh. v. Chr. wiederhergestellt. O. wurde zum UNESCO-Weltkulturerbe erklärt.

📖 SINN, U.: *O. Kult, Sport und Fest in der Antike. München 1996.*

Olympiade *die*, im antiken Griechenland und in der modernen olymp. Bewegung ein Zeitraum von vier aufeinander folgenden Jahren, nach dem sich die Olymp. Spiele wiederholen. Der Begriff ist auf die Winterspiele nicht anwendbar. Die antiken O. beginnen 776 v. Chr. und enden 393 n. Chr., die modernen beginnen 1896. – Umgangssprachlich wird der Begriff für die modernen →Olympischen Spiele und für andere turnusmäßige Wettbewerbe (Paralympics) verwendet.

Olympias, makedon. Königin, *375 v. Chr., †Pydna 316 v. Chr.; seit 357 v. Chr. Gemahlin Philipps II. von Makedonien, Mutter Alexanders d. Gr.; von Herrschsucht bestimmt, nahm sie an den Kämpfen der Diadochen um Makedonien teil. Kassander ließ sie 316 v. Chr. hinrichten.

Olympic Airways [əʊ'lɪmpɪk 'eəweɪz, engl.], grch. Luftverkehrsgesellschaft, gegr. 1957, hervorgegangen aus der TAE – Technical and Aeronautical Exploitates Company; Sitz: Athen.

Olympieion [grch.] *das,* Heiligtum des olymp. Zeus, in mehreren grch. Städten nachweisbar; am bedeutendsten war das O. in Athen.

Olympionike [grch.] *der,* der Olympiasieger, heute auch Teilnehmer an Olymp. Spielen.

Olympische Akademie (Internationale O. A.), 1961 eröffnete Einrichtung in Olympia unter der

Schirmherrschaft des Internat. Olymp. Komitees zur krit. Verbreitung der olymp. Idee durch internat. Treffen und Veröffentlichungen.

olympisches Feuer: Das Entzünden des olympischen Feuers durch eine griechische Schauspielerin im Hain von Olympia

olympische Ringe, Zeichen der internat. olymp. Bewegung und offizielles Emblem des Internat. Olymp. Komitees. Fünf ineinander verschlungene Ringe sollen die Eintracht der fünf Kontinente im Zeichen des olymp. Friedens (weißer Grund der Fahne) darstellen. Die Ringfarben sind Blau, Schwarz, Rot, Gelb und Grün. Die **olymp. Flagge** (die o. R. auf weißem Grund) wurde 1920 erstmals offiziell gehisst.

olympisches Feuer, ein während der Olymp. Spiele im Stadion in einer Schale brennendes Feuer. Bei den zu Ehren des Zeus stattfindenden antiken Spielen in Olympia waren Waffenhandlungen untersagt, symbolisch brannte ein Feuer zu Ehren der Göttin Hestia. Seit 1936 wird für die modernen Spiele ein Feuer in Olympia entzündet, aus Griechenland zum Austragungsort und dort im Fackellauf ins Hauptstadion getragen.

olympisches Gelöbnis, seit 1968 bei der Eröffnung der Olymp. Spiele von einem Aktiven des Gastgeberlandes im Namen aller gesprochene feierl. Verpflichtung, die Regeln zu achten und fair zu kämpfen (1896–1964 **olympischer Eid**), seit 1968 ergänzt durch das Gelöbnis der Kampfrichter, völlig unparteiisch sein Amt auszuüben.

Olympische Spiele, im antiken Griechenland die bedeutendsten der zahlreichen grch. Festspiele mit Wettkämpfen, in →Olympia nachweislich von 776 v. Chr. bis 393 n. Chr. alle vier Jahre (Olympiade) veranstaltet; in der Gegenwart die dem antiken Vorbild nachgestalteten weltweiten Sportspiele seit 1896. – Die wichtigsten Wettbewerbe der urspr. kultischen Veranstaltung waren: Laufen (Stadionlauf, Lauf über die doppelte Stadionlänge, Langstreckenlauf), Pentathlon, Faustkampf, Ringen, Wagenrennen der Viergespanne, Pankration, Pferderennen, Knabenwettkämpfe und Waffenlauf. Die O. S. der Neuzeit wurden 1894 von P. de →Coubertin ins Leben gerufen, erstmals 1896 und seither alle vier Jahre (nicht während der beiden Weltkriege) ausgetragen. Seit 1924 gibt es Olymp. Winterspiele; sie sind seit 1994 auf einen versetzten Vierjahresrhythmus umgestellt. Seit 1988 dauern die O. S. sowie die Olymp. Winterspiele jeweils 16 Tage. Nach den olymp. Regeln ist Veranstalter das →Internationale Olympische Komitee, das über den Ort sowie die zugelassenen Sportarten entscheidet; teilnahmeberechtigt ist jeder Sportler, der vom jeweiligen Nat. Olymp. Komitee (NOK) gemeldet wurde. Zum Eröffnungszeremoniell gehören das →olympische Gelöbnis, das Hissen der olympischen Flagge und das Eintreffen des →olympischen Feuers; die offizielle Eröffnung erfolgt durch das Staatsoberhaupt des gastgebenden Landes (olymp. Eröffnungsformel). Die Sieger erhalten **olymp. Medaillen:** in Gold für den 1., in Silber für den 2., in Bronze für den 3. Platz. (→Paralympics). ÜBERSICHT S. 242

olympische Ringe in der olympischen Fahne

📖 ZENTNER, C.: *Das große Buch der O. S. München 1995.*

Olympische Spiele

citius, altius, fortius

Das lateinische Motto der Olympischen Spiele der Neuzeit – deutsch »schneller, höher, weiter (eigentlich: stärker)« – wurde von Pierre de Coubertin propagiert, der den Rekord, die sportliche Höchstleistung, an die Spitze eines pyramidenförmig gedachten Modells des modernen Sports stellte. Der »Vater« der neuzeitlichen Olympischen Spiele griff dabei auf eine Formulierung des französischen Dominikanermönchs Henri-Martin Didon (1840–1900) zurück, der als Schriftsteller, Prediger und Erzieher wirkte. – Der Wahlspruch ist in der Sportdidaktik heute nicht mehr unumstritten, da er der Spitzenleistung ein höheres Gewicht beimisst als dem zumindest gesundheitspolitisch wichtigeren Breitensport.

olympische Sportarten, vom Internationalen Olymp. Komitee für die jeweiligen Olymp. Spiele zugelassene Sportarten, u. a. Badminton, Baseball, Basketball, Beach-Volleyball, Bogenschießen, Boxen, Fechten, Fußball, Gewichtheben, Handball, Hockey, Judo, Kanu, Leichtathletik, Moderner Fünfkampf, Radsport, Reiten, Ringen, Rudern,

16 B 15/10

Olympische Sommerspiele

Olympiade	Daten	Sportarten	Wettbewerbe	Staaten	Wettkämpfer	Ort
I.	1896: 6.4.-15.4.	9	43	14	245	Athen
II.	1900: 14.5.-28.10.	18	86	19	1078	Paris
III.	1904: 1.7.-23.11.	17	89	13	689	Saint Louis (Miss.)
IV.	1908: 27.4.-31.10.	21	107	22	2035	London
V.	1912: 5.5.-27.7.	17	102	28	2437	Stockholm
VI.	1916: ausgefallen	-	-	-	-	Berlin
VII.	1920: 20.4.-12.9.	21	152	29	2607	Antwerpen
VIII.	1924: 4.5.-27.7.	18	126	44	2972	Paris
IX.	1928: 17.5.-12.8.	15	109	46	2884	Amsterdam
X.	1932: 30.7.-14.8.	14	117	37	1333	Los Angeles (Calif.)
XI.	1936: 1.8.-16.8.	20	129	49	3936	Berlin
XII.	1940: ausgefallen	-	-	-	-	Tokio, Helsinki
XIII.	1944: ausgefallen	-	-	-	-	London
XIV.	1948: 29.7.-14.8.	18	136	59	4092	London
XV.	1952: 19.7.-3.8.	18	149	69	5429	Helsinki
XVI.	1956: 22.11.-8.12.	17	145	67	3178	Melbourne
XVI.	1956: 10.6.-17.6.	1	6	29	159	Stockholm (Reiterspiele)
XVII.	1960: 25.8.-11.9.	17	150	83	5313	Rom
XVIII.	1964: 10.10.-24.10.	20	163	93	5133	Tokio
XIX.	1968: 12.10.-27.10.	20	172	112	5498	Mexiko
XX.	1972: 26.8.-11.9.	22	195	121	7121	München
XXI.	1976: 17.7.-1.8.	22	198	92	6043	Montreal
XXII.	1980: 19.7.-3.8.	22	203	80	5283	Moskau
XXIII.	1984: 28.7.-12.8.	22	221	140	6802	Los Angeles (Calif.)
XXIV.	1988: 17.9.-2.10.	23	237	159	8473	Seoul
XXV.	1992: 25.7.-9.8.	25	257	169	9368	Barcelona
XXVI.	1996: 19.7.-4.8.	26	271	197	10332	Atlanta
XXVII.	2000: 16.9.-1.10.	-	-	-	-	Sydney

Olympische Winterspiele

Zählung	Daten	Sportarten	Wettbewerbe	Staaten	Wettkämpfer	Ort
I.	1924: 25.1.-5.2.	5	16	16	258	Chamonix-Mont-Blanc
II.	1928: 11.2.-19.2.	6	14	25	464	Sankt Moritz
III.	1932: 4.2.-15.2.	5	14	17	252	Lake Placid (N.Y.)
IV.	1936: 6.2.-16.2.	6	17	28	668	Garmisch-Partenkirchen
V.	1948: 30.1.-8.2.	7	22	28	669	Sankt Moritz
VI.	1952: 14.2.-25.2.	6	22	30	694	Oslo
VII.	1956: 26.1.-5.2.	6	24	32	820	Cortina d'Ampezzo
VIII.	1960: 18.2.-28.2.	6	27	30	665	Squaw Valley (Calif.)
IX.	1964: 29.1.-9.2.	8	34	36	1091	Innsbruck
X.	1968: 6.2.-18.2.	8	35	37	1158	Grenoble
XI.	1972: 3.2.-13.2.	8	35	35	1006	Sapporo
XII.	1976: 4.2.-15.2.	8	37	37	1123	Innsbruck
XIII.	1980: 13.2.-24.2.	8	38	37	1072	Lake Placid (N.Y.)
XIV.	1984: 8.2.-19.2.	8	39	49	1274	Sarajevo
XV.	1988: 13.2.-28.2.	8	46	57	1423	Calgary
XVI.	1992: 8.2.-23.2.	9	57	64	1801	Albertville
XVII.	1994: 12.2.-27.2.	9	61	67	1739	Lillehammer
XVIII.	1998: 7.2.-22.2.	11	68	72	2339	Nagano
XIX.	2002: 9.2.-24.2.	-	-	-	-	Salt Lake City (Ut.)

Schießen, Schwimmsport, Segeln, Softball, Tennis, Tischtennis, Turnen und Volleyball. Für das Jahr 2000 werden außerdem Taekwondo und Triathlon zugelassen. Anerkannte Wintersportarten (1994): Biathlon, Bobsport, Eishockey, Eiskunstlauf, Eisschnelllauf, Rodeln, Shorttrack und Skisport (Alpiner Skisport, Freestyle, Nord. Skisport: Springen, Langlauf und Kombination).

olympische Zulassungsregel, die vom Internat. Olymp. Komitee (IOK) in seiner Charta (Regel 45) festgelegten Grundsätze über die Startberechtigung bei Olymp. Spielen. Zugelassen sind alle Sportler, die entsprechend der Olymp. Charta und den vom IOK anerkannten Regeln der Weltfachverbände teilnahmeberechtigt sind. Diese Grundsätze umfassen für alle Teilnehmer Fair Play im Wettkampf, den Verzicht auf pharmakolog. Manipulationen und die Bereitschaft, sich jederzeit entsprechenden Dopingkontrollen zu unterwerfen. – Die o. Z. hat sich aus der früheren Ama-

Oman

Fläche: 212 457 km^2 (amtl. Angaben 1996: 309 500 km^2)
Einwohner: (1995) 2,163 Mio. Ew.
Hauptstadt: Maskat
Verwaltungsgliederung: 41 Provinzen
Amtssprache: Arabisch
Nationalfeiertag: 18. 11.
Währung: 1 Rial Omani (R. O.) = 1 000 Baizas (Bz.)
Zeitzone: MEZ + 3 Std.

teurregel entwickelt. Ab 1987 ließ das IOK Berufssportler zu den Olymp. Spielen zu; sie verzichten während der Spiele auf Werbung und Geldpreise; die Regelung von 1988 für Tennisprofis wurde zur Dauerregelung. Im Fußball bestand für die Olymp. Spiele 1992 eine von der FIFA durchgesetzte Regelung, nach der nur Spieler am olymp. Turnier teilnehmen durften, die nicht älter als 23 Jahre waren. Nach den Spielen von 1992 wurden vom IOK der Umweltverträglichkeit der Spiele erste Priorität eingeräumt und 1994 in Paris die Antidopingcharta (Medical Code) verabschiedet.

Olynth (grch. Olynthos), antike Stadt auf der Halbinsel Chalkidike, Griechenland, bei dem heutigen Dorf Myriophyton. O. war Hptst. des Staates der Chalkidier, im Olynth. Krieg (382–379 v. Chr.) durch Sparta vernichtet, bald darauf neu erstanden; 349/348 v. Chr. von Philipp II. von Makedonien wieder zerstört.

Ölzeug, durch Kunststoffdispersionen oder aufgewalzte Kunststofffolien wasserdicht gemachte Oberbekleidung v. a. für Seeleute.

Om [Sanskrit], heilige Silbe (Mantra) des Hinduismus und Buddhismus. Die bedeutungslose Silbe (auch als AUM) gilt als Manifestation der spirituellen Kraft des Absoluten.

Omaha, Indianerstamm mit Siouxsprache, in der zentralen Prärie der USA, etwa 4 000 Angehörige, z. T. in der Reservation in NO-Nebraska.

Omaha ['əʊməhɔ:], Stadt im Bundesstaat Nebraska, USA, am Missouri, 336 000 Ew.; kath. Erzbischofssitz und prot. Bischofssitz; zwei Univ.; Mittelpunkt großer Getreide- und Viehzuchtgebiete, Großschlächtereien, Landmaschinenbau.

Omaijaden (Omajjaden, Umajjaden), die erste Dynastie der → Kalifen, regierte 661–749/750 (von den Abbasiden gestürzt) in Damaskus und dann 756–1031 in Córdoba (Emirat, seit 929 Kalifat).

Oman (amtlich arab. Saltanat O., dt. Sultanat O., bis 1970 Maskat und O.), Staat im O der Arab. Halbinsel; grenzt im SW an Jemen, im W (unmarkierte Grenze) an Saudi-Arabien, im NW an die Vereinigten Arab. Emirate, im NO an den Golf von Oman, im O an das Arab. Meer. Zu O. gehören die Kuria-Muria-Inseln und die N-Spitze (Kap Musandam) der in die Straße von Hormus vorspringenden Halbinsel.

Staat und Recht: Nach der Verf. von 1996 ist O. ein Sultanat in Form einer absoluten Monarchie. Staatsoberhaupt und Reg.chef ist der ohne Parlament herrschende Sultan. Die Gesetzgebung erfolgt durch Dekrete des Monarchen. Der Konsultativrat (59 Mitgl., auf Vorschlag der Provinzen von der Zentralreg. auf drei Jahre ernannt) hat beratende Funktion. Das Kabinett als Exekutivorgan erhält seine Befugnisse vom Sultan und ist ihm verantwortlich. Parteien existieren nicht.

Landesnatur: Die Küstenebene (Al-Batina) am Golf von O. steigt zu einem Bergland (im Djebel al-Achdar 3 107 m ü. M.) an, das nach SW in eine wüstenhafte Tafellandschaft (Rub al-Chali) übergeht. Im äußersten S (Dhofar) ist der Rand der Arab. Tafel aufgebogen (Karaberge, bis 1 680 m). Es herrscht randtrop. Klima. Das Binnenland ist heiß und trocken, die Küstengebiete sind schwül mit einer relativen Luftfeuchtigkeit um 75 %; in Dhofar Monsunregen (Mai–Sept.), sonst Winterregen (an der Küste etwa 100 mm, in höheren Lagen bis 500 mm). Maskat zählt zu den heißesten Städten der Erde. Im Gebirge wachsen Laub abwerfende und immergrüne Bäume, in Dhofar Weihrauchbaum, Myrrhenstrauch u. a. Balsampflanzen.

Bevölkerung: 88 % sind Araber (wohl größtenteils aus dem Jemen eingewandert); an der Küste ist die Bev. stark durchmischt, u. a. mit negriden (Auswirkung des Sklavenhandels) und südasiat. (Einwanderer aus Belutschistan und Sind) Elementen. Etwa 500 000 Ew. sind ausländ. Arbeitskräfte. Die sesshafte Bev. lebt meist in geschlossenen Oasensiedlungen; nur etwa 20 % der Bev. sind noch Nomaden. – Keine allg. Schulpflicht, jedoch werden 80 % der Kinder eingeschult; Analphabetenquote: 59 %. In Ruwi besteht eine Univ. (gegr. 1986). – Mehr als 70 % der überwiegend islam. Bevölkerung sind Ibaditen (Charidjiten), der Rest

Staatswappen

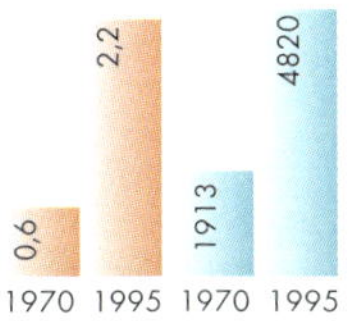

Bevölkerung (in Mio.)

Bruttosozialprodukt je Ew. (in US-$)

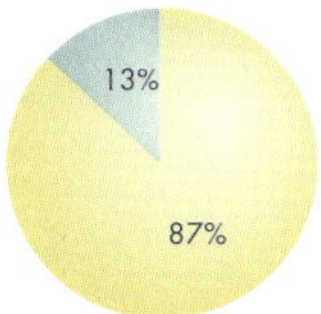

Bevölkerungsverteilung 1995

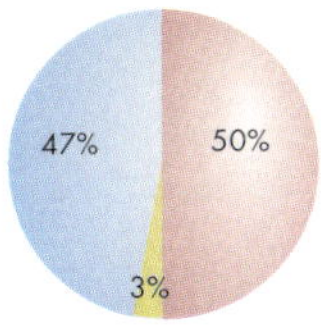

Bruttoinlandsprodukt 1994

Sunniten; der Islam ist Staatsreligion; daneben gibt es hinduist., christl. und jüd. Minderheiten.

Wirtschaft, Verkehr: Wichtigster Produktionszweig und Haupteinnahmequelle ist die Erdölförderung (seit 1967) am S-Fuß des O.-Gebirges und in Dhofar, an der der Staat mit 60 % beteiligt ist. Von den Fördergebieten wird das Rohöl über Pipelines zum Exporthafen und zur Raffinerie Mina al-Fahal (bei Maskat) gepumpt. Seit 1978 wird Erdgas gefördert. Landwirtschaft und Fischerei bilden für 42 % der Bev. die Erwerbsgrundlage. In den Oasen (Kanat- und Brunnenbewässerung) werden Datteln, Granatäpfel, Zitrusfrüchte und Tabak v.a. für den Export geerntet, für den Eigenbedarf werden Weizen, Mais, Gemüse, Oliven und Baumwolle angebaut, doch müssen Reis und Weizen zusätzlich eingeführt werden. Weihrauch wird von den Beduinen in den Karabergen gesammelt. Staatlich geförderte Fischerei im S v.a. auf Haie und Thunfische, im N auf Sardinen. Bergbau auf Kupfer (Export nach Japan und Taiwan), daneben auch Chrom, Silber und Gold. Die Handelsbilanz ist seit 1970 positiv. Der Anteil des Erdöls am Exportwert liegt bei über 90 %, wichtigste Ölabnehmer sind Japan, Südkorea, Taiwan. – Neben Karawanenwegen bestehen 4000 km asphaltierte Straßen und 19 000 km Schotterstraßen. Modern ausgebaute Häfen sind Matrah, Mina al-Fahal und Raysut. O. ist Teilhaber an der Gulf Air und verfügt über internationale Flughäfen in Maskat und Salala.

Geschichte: Das Gebiet von O. war urspr. Teil von →Hadramaut, dessen Geschick es teilte. Seit 634 stand es unter arabisch-islam. Herrschaft und war 751–1154 und ab 1428 ein faktisch unabhängiges Imamat. Ab 1507 besetzten Portugiesen Maskat und die Küstenstädte. Sie wurden 1649 wieder von den Imamen vertrieben, ab 1698 auch aus ihren ostafrikan. Niederlassungen. Nach 1744 begründete Ahmed Ibn Said (*1700, †1783) die noch heute herrschende Saiddynastie; seine Nachfolger säkularisierten das Herrscheramt (Sultan) und betrieben die Ausdehnung ihrer Herrschaft auf O-Afrika und die pers. S-Küste (1826–56 Residenz in Sansibar). Nach der Trennung von den ostafrikan. Kolonien (1856) geriet O. in zunehmende Abhängigkeit von Großbritannien und seit Ende des 19. Jh. völlig unter brit. Einfluss; 1913–20 Bürgerkrieg nach Wahl eines Imams; 1955–57 Aufstand des Imams mit brit. Hilfe niedergeschlagen. Seit den 60er-Jahren zunehmende Erdölförderung. Im Juli 1970 setzte der jetzige Sultan, Kabus Ibn Said Ibn Taimur, seinen Vater, Sultan Sir Said Ibn Taimur (1932–70), ab und leitete wirtsch. Reformen ein. 1977/78 Abzug der brit. Truppen; seit 1979 verstärkte Zusammenarbeit v.a. mit Saudi-Arabien. 1971 Eintritt in die Arab. Liga, 1981 Mitbegründer des Golfrates. Im 1. →Golfkrieg zw. Irak und Iran gewann O. eine strategisch bedeutsame Position (Straße von Hormus). Im 2. Golfkrieg 1991 beteiligte sich O. auf alliierter Seite an den Kämpfen gegen Irak. 1991 schloss O. einen Grenzvertrag mit Saudi-Arabien, 1992 einen Grenzvertrag mit Jemen. 1996 vereinbarten O. und Israel die Einrichtung von Handelsmissionen.

📖 *O. Weihrauch u. Erdöl. Landeskunde u. Reisehandbuch, hg. v.* A. Hottinger *u.a. Luzern 1993.*

Ọmar, Kalifen. Bed. v.a.: **Omar I.** (O. ibn al-Chattab, gen. al-Faruk), der 2. Kalif (634–644), *Mekka um 586, †(ermordet) Medina 3. 11. 644; eroberte Syrien, Ägypten, Mesopotamien, Teile Persiens und Kaukasiens und schuf die staatlichen Grundlagen des Kalifenreichs.

Ọmar-e Chajjạm [- xaj-; arab. »Zeltmacher«], pers. Dichter, Mathematiker, Astronom, *Nischapur 18. 5. 1048, †ebd. 4. 12. 1131; schrieb Vierzeiler, die sich durch eine aller Metaphysik abholde Skepsis auszeichnen und zu diesseitigem Lebensgenuss aufrufen; er verbesserte auch astronom. Tabellen, führte eine Reform des muslim. Kalenders durch und schuf in seiner »Algebra« eine systemat. Lehre quadrat. und kub. Gleichungen mit geometr. und algebraischen Lösungen.

Ombrọne *der,* Fluss in Mittelitalien, 161 km lang, entspringt nordöstlich von Siena und mündet in das Tyrrhen. Meer.

Ombudsmann [schwed. »Treuhänder«] *der,* i.d.R. eine von der Volksvertretung bestellte Vertrauensperson (auch Behörde), die ohne unmittelbare Eingriffsmöglichkeit die parlamentar. Kontrolle über bestimmte Verwaltungszweige verstärken soll. Entsprechende Einrichtungen sind nach schwed. Vorbild in mehreren Ländern geschaffen worden. In Dtl. sind vergleichbare Institutionen der Wehrbeauftragte, der Datenschutzbeauftragte, Bürgerbeauftragte (Rheinl.-Pf.), in Österreich die **Volksanwaltschaft,** ein vom Nationalrat proporzmäßig beschicktes Dreiergremium.

Omdurman, Stadt in der Rep. Sudan, Teil der städt. Agglomeration →Khartum, 526 000 Ew.; Islam. Univ.; Grabmal des Mahdi.

Omega [grch. »großes O«] *das,* **1)** der letzte Buchstabe des klass. grch. Alphabets (Ω, ω).

2) *Einheitenzeichen:* Ω, für →Ohm.

Omegameson, physikal. Symbol ω, ungeladenes Elementarteilchen mit sehr kurzer Lebensdauer (→Mesonen).

Omeganebel, ein Nebel aus leuchtender interstellarer Materie im Sternbild Schütze (Sagittarius), in der Gestalt dem grch. Buchstaben Ω (Omega) ähnlich.

Omegateilchen (Omegahyperon), physikal. Symbol Ω^-, ein gegenüber der starken Wechselwirkung stabiles, schweres Elementarteilchen, das nur mit negativer Ladung auftritt. Durch schwache Wechselwirkung zerfällt das O. nach einer mittleren Lebensdauer von $1{,}5 \cdot 10^{-10}$ s.

Omega-Verfahren, ein Hyperbelnavigationsverfahren (→Funknavigation) im Längstwellenbereich, besonders für die Hochseeschifffahrt, das mit acht Sendestationen weltweite Navigation oberhalb der Erdoberfläche und bis zu etwa 15 m Wassertiefe ermöglicht. Seine Genauigkeit wird bei Anwendung vorausberechneter Korrekturen tages- und jahreszeitabhängig mit etwa 1 sm (1 sm = 1,852 km) angegeben.

Omei Shan [-ʃ-], Berg in China, →Emei Shan.

Omen [lat.] *das,* Anzeichen, Vorbedeutung. In der Volkskunde waren Omina u.a. Träume, der Lauf der Gestirne und der Vogelflug.

Omikron [grch. »kleines o«] *das,* der 15. Buchstabe (O, o) des klass. grch. Alphabets.

Ōmiya (Omija), Trabantenstadt im N von Tokio, Japan, 422 000 Ew.; Eisenbahnwerkstätte; Hikawa-Schrein.

om mani padme hum [Sanskrit, wörtl. »om, Juwel im Lotos«], mag. Formel (Mantra) des Lamaismus; in Gebetsmühlen oft auf Papierstreifen geschrieben. (→Om)

Ommatidien [grch.], die Einzelaugen des Facettenauges bei Insekten und Krebsen. (→Auge)

Omnibus (Kraftomnibus, Autobus), Kurz-Bez. **Bus,** Kraftfahrzeug für die Beförderung von mehr als neun Personen (einschließlich Fahrer) und ihres Reisegepäcks. O. werden meist mit einem Dieselmotor, als Unterflur- oder Heckmotor, gebaut oder bei Kleinbussen (maximal 17 Personen) mit einem Ottomotor angetrieben. Der Antrieb kann auch elektr. über Fahrleitungen (Oberleitungsomnibus) erfolgen. Neuere Entwicklungen sind O. mit Hybridantrieb, Gasmotoren oder Brennstoffzellen. O. werden v.a. im öffentl. Nahverkehr und als Reisebusse eingesetzt. **Linienbusse** mit Sitz- und Stehplätzen haben vielfach automat. Getriebe; durch zunehmende Niederflurbauweise wird der Ein- und Ausstieg erleichtert. Durch die Mehrdeckbauweise bei gleicher Buslänge (Doppeldeckerbus) oder durch zwei gelenkig verbundene Fahrzeugteile (Gelenkbus) wird das Sitzplatzangebot erhöht. **Reisebusse** haben eine höhere Rahmenbodenanlage, deren Hohlräume als Gepäckraum dienen; **Fernreisebusse** sind meist mit verstellbaren Einzelsesseln, Klimaanlage, Sonnenschutzverglasung, Bordküche, Toilette und Waschgelegenheit ausgestattet. – Für das Führen eines O. mit mehr als acht Fahrgastsitzplätzen ist nach der Straßenverkehrs-Zulassungs-Ordnung eine besondere Fahrerlaubnis erforderlich (Personenbeförderungsschein, Abk. PBS).

Omnium [lat.] *das, Radsport:* Bahnwettbewerb (unterschiedl. Art); Punktwertung.

Omnivoren [lat.] (Allesfresser), Tiere, die sich sowohl von lebenden als auch toten pflanzl. und tier. Substanzen ernähren können; z.B. die Ratte.

Omodeo (Amadeo), Giovanni Antonio, italien. Bildhauer und Baumeister, *Pavia 1447, †Mailand 27. 8. 1522; führender Meister der oberitalien. Frührenaissance, schuf den Fassadenschmuck der Certosa bei Pavia und Grabmäler in der Colleoni-Kapelle in Bergamo.

Omophorion [grch.] *das,* in den orth. Kirchen zu den Insignien des Bischofs gehörendes Schulterband (→Pallium).

Omphale, *grch. Mythos:* lydische Königin, der →Herakles dienen musste.

Omphalos [grch. »Nabel«] *der,* der bienenkorbförmige hl. Stein in der Orakelstätte des Apoll in Delphi, urspr. wohl Opferstein für die Erdgöttin Gaia, galt als Erdmittelpunkt.

Omsk, Hauptstadt des Gebiets O., Russland, an der Mündung des Om in den Irtysch, 1,168 Mio. Ew.; Univ. und zahlr. andere Hochschulen; Verkehrsknoten (Transsibir. Eisenbahn) und Handelszentrum (nat. Westsibirien-Messe), Fluss-, Flughafen, U-Bahn (im Bau); Erdölraffinerien, chem., Maschinenbau-, Lebensmittel-, Textil-, Lederind., Flusswerft. – 1716 gegr., seit 1782 Stadt.

Ōmuta (Ōmuda), Stadt in der japan. Provinz Fukuoka, N-Kyūshū, 146 900 Ew.; Eisen verarbeitende, chem., Textil- u.a. Industrie.

Michael Ondaatje

Eugene O'Neill

Onager [grch.-lat.] *der,* ein asiat. → Halbesel.

Onan, Gestalt des A. T.; entzog sich nach 1. Mose 38,9 durch Coitus interruptus der Pflicht zum → Levirat, wofür er von Gott mit vorzeitigem Tod bestraft wurde.

Onanie [engl.] *die,* die → Masturbation.

Önanth|aldehyd [grch.] (Heptanal), ölige, stark fruchtartig riechende, flüssige Substanz ($C_6H_{13}CHO$), die im Ingweröl vorkommt. Synthetisch (aus Rizinusöl) hergestellter Ö. wird v. a. zu Önanthsäure weiterverarbeitet.

Onchozerkose [grch.] *die* (Knotenfilariose), durch Fadenwürmer der Gattung Onchocerca verursachte Wurmkrankheit, v. a. in Afrika und Mittelamerika; kann u. a. zur Erblindung führen.

Oncken, Hermann, Historiker, *Oldenburg (Oldenburg) 16. 11. 1869, †Göttingen 28. 12. 1945; Prof. u. a. in Heidelberg, München, Berlin. Als liberaler und nationaler Historiker schrieb O. im Geist L. von Rankes, u. a. »Die Rheinpolitik Kaiser Napoleons III., 1863–70«, 3 Bde. (1926).

Ondaatje, Michael, kanad. Schriftsteller, *Colombo (Sri Lanka) 12. 9. 1943; kam 1962 nach Kanada. In Montagetechnik geschrieben ist der Großstadtroman »In der Haut eines Löwen« (1987), außerdem »Es liegt in der Familie« (Familienchronik, 1982), »Der engl. Patient« (R., 1992, verfilmt).

Eugene O'Neill

»Trauer muß Elektra tragen«

Dies ist der deutsche Titel einer Dramentrilogie in 13 Akten von Eugene O'Neill. In dieser Tragödie (englischer Originaltitel: »Mourning becomes Electra«), die als sein bedeutendstes Werk gilt, hat der Dichter den in der griechischen Tragödie mehrfach behandelten Mythos um die Gestalt der Elektra, Tochter des Agamemnon und der Klytämnestra, Schwester des Orest und der Iphigenie, in die Wirklichkeit einer Epoche der amerikanischen Geschichte des 19. Jahrhunderts transportiert. Er hat das antike Thema des schicksalhaften Gefangenseins des Menschen in seinen eigenen Leidenschaften, bei dem der schuldverhaftete und in seiner Schuld hilflos unterlegene Mensch im Mittelpunkt steht, im Gewand der modernen Zeit dargestellt.

Juan Carlos Onetti

Ondes Martenot [ɔ̃:d martəˈno; frz. onde »Welle«], elektron. Tasteninstrument, bei dem die Töne als Schwebungsfrequenz aus zwei hochfrequenten Schwingungen entstehen; 1928 von Maurice Martenot (*1898, †1980) entwickelt; ermöglicht ein einstimmiges Spiel in versch. Klangfarben.

Ondit [ɔ̃ˈdi:; frz. »man sagt«] *das,* Gerücht.

Ondulation [frz.] *die,* das Wellen des Haares mit einer erhitzten Brennschere; bestimmte die Haarmode seit den 90er-Jahren des 19. Jahrhunderts. (→ Dauerwelle)

Onega *die,* schiffbarer Fluss im N des europ. Teils von Russland, 416 km, entströmt dem Latschasee, mündet in die **O.-Bucht** des Weißen Meeres.

Onegasee, Glazialsee im S Kareliens, Russ. Föderation, 9616 km², bis 127 m tief, Nov. bis Mitte Mai eisbedeckt. Die Ufer sind buchtenreich, im W, N und O felsig, im S flach und häufig vermoort; im See viele Inseln (→ Kischi); 58 Zuflüsse, einziger Abfluss: Swir (zum Ladogasee). In den O. mündet am N-Ufer der Weißmeer-Ostsee-Kanal, durch den O. führt der Wolga-Ostsee-Wasserweg.

O'Neill [əʊˈni:l], Eugene Gladstone, amerikan. Dramatiker, *New York 16. 10. 1888, †Boston (Mass.) 27. 11. 1953; Sohn eines Wanderschauspielers ir. Abstammung; 1916 Verbindung zu der Kleinbühne »Provincetown Players«, später zur »Theatre Guild«, für die er seine ersten Stücke (realist. Kurzdramen) schrieb. Expressionistischen Stationendramen über Ausbeutung (»Der haarige Affe«, 1922) und Rassismus (»Alle Kinder Gottes haben Flügel«, 1924) folgten psychologisierende, mystisch-pessimist. Familiendramen wie »Der Eismann kommt« (1940), »Ein Mond für die Beladenen« (1943), »Eines langen Tages Reise in die Nacht« (hg. 1955), »Fast ein Poet« (hg. 1957), »Alle Reichtümer der Welt« (hg. 1964). In seiner Dramentrilogie »Trauer muss Elektra tragen« (1931) gestaltete er illusionslos den schuldverhafteten Menschen, dem keine Hoffnung bleibt. Er erhielt 1936 den Nobelpreis für Literatur.

Onestep [ˈwʌnstep; engl. »Einschritt«] *der* (Schieber), schneller marschartiger Gesellschaftstanz im $^{2}/_{4}$- oder (seltener) $^{6}/_{8}$-Takt; kam um 1910 aus den USA nach Europa; folgte dem Twostep.

Onești [oˈneʃtj] (1965–90 Gheorghe Gheorghiu-Dej), Industriestadt im Bezirk Bacău, Rumänien, am Rand der Ostkarpaten, 60 300 Ew.; Erdölraffinerie, chem. Industrie.

Onetti, Juan Carlos, uruguayischer Schriftsteller, *Montevideo 1. 7. 1909, †Madrid 30. 5. 1994; lebte ab 1975 in Madrid; schrieb an W. Faulkner geschulte Romane in subtiler Sprache (»Der Schacht«, 1939; »Das kurze Leben«, 1950; »Die Werft«, 1961; »Lassen wir den Wind sprechen«, 1979; »Magda«, 1987; »Wenn es nicht mehr wichtig ist«, 1993).

Oniomanie [grch.] *die, Psychologie:* zwanghafte Kaufsucht.

Onitsha [-ʃ-], Stadt in SO-Nigeria, am Niger, 345 000 Ew.; anglikan. und kath. Erzbischofssitz; bed. Handelszentrum, Konsumgüterind., Flusshafen, 1 400 m lange Brücke über den Niger.

Onk, Djebel [dʒ-], Kreidekalkberg in NO-Algerien, 1 358 m ü. M., mit dem größten Phosphatlager der Erde.

Onkogene [grch.] (Krebsgene, Tumorgene), Gene, die eine bösartige Veränderung von Zellen bewirken können. Sie wurden zunächst bei Tumorviren (virale O.), später auch im menschl. und tier. Erbgut (zelluläre O.) gefunden. **Zelluläre O.** sind die durch äußere oder innere Einflüsse veränderte Form normaler, im Erbgut jeder Zelle vorhandener **Proto-O.,** die durch fehlerhafte Codierung eines Proteins das geregelte Zellwachstum außer Kontrolle bringen und die Zellen damit zu Tumorzellen transformieren. **Virale O.** sind Gensequenzen von Tumorviren, die durch Eindringen in eine Zelle die Bildung von Tumorzellen hervorrufen können.

Onkolith [grch.] *der,* Sedimentgestein aus **Onkoiden,** unregelmäßigen, meist rundl. Carbonatkomponenten von schaligem Aufbau.

Onkologie [grch.] *die,* Lehre von den Geschwulstkrankheiten (v. a. Krebs).

online ['ɔnlaɪn, engl.], *Datenverarbeitung:* direkte Kopplung eines Computers über den Einwählknoten eines Onlinedienstes oder Providers an ein Datennetz, z. B. Internet; Ggs.: →offline.

Onlinedienste ['ɔnlaɪn-], Betreiber nationaler oder internationaler Netze, die dem Abonnenten neben einem eigenen Informations- und Serviceangebot auch den Zugang zum offenen →Internet ermöglichen. Mittels Modem oder ISDN verschafft sich der Nutzer über einen Einwählknoten Zugang zum Netzwerk der O., wofür eine spezielle Anbietersoftware nötig ist. Die O. unterscheiden sich v. a. in der Anzahl der Einwählknoten, der Datenübertragungsrate und im Informationsangebot. Die bekanntesten kommerziellen O. in Dtl. sind AOL (America Online), CompuServe, Metronet, MSN (Microsoft Network), T-Online.

Önologie [zu grch. oĩnos »Wein«] *die,* Wein- und Weinbaukunde.

Onomasiologie [zu grch. onomasía »Benennung«] *die,* Bezeichnungslehre, sprachwiss. Teildisziplin der Semantik, die die sprachl. Bezeichnung für (nicht an eine einzelne Sprache gebundene) Gegenstände und Sachverhalte auflistet und damit die Aufstellung eines sprachunabhängigen Begriffssystems anstrebt. Dabei können ebenso Bedeutungsähnlichkeiten von Ausdrücken in Form von Wortfeldern systematisiert wie die geograph. Verteilung von Bezeichnungen erfasst werden (Sprach- und Wortatlanten). Die O. untersucht das sich wandelnde Verhältnis von Wörtern gegenüber den Begriffen und Sachverhalten. Der O. steht die →Semasiologie gegenüber.

Onomastik [grch.] *die,* Namenkunde.

Onomastikon [grch.] *das,* Namenverzeichnis.

Onomatopöie [grch.] *die,* die →Lautmalerei.

Onsager, Lars, amerikan. Physikochemiker norweg. Herkunft, *Oslo 27. 11. 1903, †Coral Gables (Fla.) 5. 10. 1976; arbeitete über die Leitfähigkeit von Lösungen, über Elektrolyte, Thermodynamik und statist. Mechanik; stellte eine Theorie zur Isotopentrennung auf. Für Untersuchungen zur Thermodynamik irreversibler Prozesse erhielt er 1968 den Nobelpreis für Chemie.

Lars Onsager

Ontake *der,* erloschener Vulkan auf Honshū, Japan, 3063 m ü. M.; hl. Berg mit Shintoheiligtum auf dem Gipfel.

Ontario [engl. ɔn'teərɪəʊ], Provinz →Kanadas, 1068580 km², (1995) 11,1 Mio. Ew. (über 1 Mio. französischsprachig, 240000 Indianer); Hptst.: Toronto. O. liegt größtenteils auf dem Kanad. Schild. Im dicht besiedelten S wird Milch- und Viehwirtschaft betrieben, ferner werden Gemüse, Obst, Tabak, Sojabohnen und Zuckerrüben angebaut. Nord-O. ist dünn besiedelt und von riesigen Wäldern bedeckt (Holzwirtschaft); Bergbau auf Gold, Silber, Nickel-, Kupfer-, Platin-, Kobalt-, Eisen- u. a. Erze, auch Uran. O. hat vielseitige Ind. (Nahrungsmittelind., Eisen- und Stahlerzeugung, Metallverarbeitung, Fahrzeugbau, chem., Elektroind.). – O. kam 1763 aus frz. in brit. Besitz; die Besiedlung setzte erst 1783 verstärkt ein; 1791–1840 als Oberkanada eigene Prov., seit 1867 Prov. Ontario.

Ontariosee (engl. Lake Ontario), der östlichste und kleinste der Großen Seen Nordamerikas, an der Grenze zw. Kanada und den USA, 75 m ü. M., 19529 km², bis 243 m tief; Haupthäfen: Toronto und Hamilton (Kanada), Rochester (USA).

Ontogenie [grch.] *die* (Ontogenese), Entwicklungsgeschichte des einzelnen Lebewesens (→Entwicklung); Ggs.: Phylogenese.

Ontologie [grch.] *die,* im 17. Jh. entstandene Bez. für die Lehre vom Seienden (→Sein), die die formalen (oberste Strukturen und Gesetzlichkeiten) und materialen (inhaltl. Gliederung des Seienden) Prinzipien der Wirklichkeit begrifflich zu bestimmen sucht. Der Sache nach geht die O. bis auf die Seinslehre des Parmenides zurück, klass. Ausgestaltungen finden sich bei Platon und Aristoteles und in der Scholastik. Die Entwicklung der O. fand einen vorläufigen Abschluss in Leibniz' Monadenlehre. Im Sinne einer realist. Seinslehre wurde die O. von I. Kant als unhaltbare Metaphysik abgelehnt und durch die Transzendentalphilosophie ersetzt. Im 20. Jh. kam es zu einer Erneuerung der O., bes. bei N. Hartmann, G. Jacoby und M. Heidegger.

📖 KEIL, G.: *Grundriß der O. Marburg ²1984.*

Onyx

Onyx [grch., eigtl. »Kralle«] *der,* eine wie Achat aus unterschiedlich gefärbten (meist schwarzen oder braunen und weißen) Lagen bestehende Varietät des →Chalcedon, die als Schmuckstein verwendet wird.

oo... [grch. ōón »Ei«], ei...

o. O., Abk. für: 1) **o**hne **O**rt, d. h. ohne Angabe des Erscheinungsortes; 2) **o**hne →**O**bligo.

O|ogamie [grch.] *die,* Fortpflanzung der Vielzeller durch Eibefruchtung. Der unbewegl. weibl.

Opal
als Einschluss im Muttergestein

Gamet (Eizelle) wird vom bewegl. männl. Gameten (Samenzelle) aufgesucht und befruchtet.

O|ogenese [grch.] *die* (Eibildung), Entwicklung der weibl. Geschlechtszellen bei Tieren und Mensch. Die Ureizellen **(Oogonien)** vermehren sich im Eierstock durch Mitose (Vermehrungsperiode) und wachsen durch Dotterbildung zu **Oozyten** heran (Wachstumsperiode). Menschl. Oozyten sind dotterarm. Aus jeder Oozyte gehen durch zwei Reifeteilungen eine Eizelle und drei (oder nur zwei) Richtungs- oder Polkörperchen hervor.

O|ogonium [lat.] *das,* **1)** *Botanik:* bei Algen und Pilzen das weibl. Geschlechtsorgan; in ihm entstehen eine oder mehrere Eizellen, die nach Befruchtung zu keimfähigen Zygoten werden.

2) *Zoologie:* die Ureizelle, →Oogenese.

O|oid [grch.] *das,* kugeliges bis ovales Mineralkorn (Durchmesser bis 1 mm) mit konzentr. Anwachsschalen von Calcit, Brauneisen, Chamosit oder Manganoxid um einen oft andersartigen Kristallisationskern.

O|olith [grch. »Eierstein«] *der,* aus Ooiden bestehendes Sedimentgestein, z. B. Kalk-O., Rogenstein mit sandigem Bindemittel; wirtschaftlich bed. sind **Eisen-** und **Manganoolith.**

Oort, Jan Hendrik, niederländ. Astronom, *Franeker 28. 4. 1900, †Leiden 5. 11. 1992; 1945–70 Direktor der Sternwarte in Leiden, 1958–61 Präs. der Internat. Astronomischen Union; bahnbrechende Arbeiten über Aufbau und Dynamik (insbesondere die Rotation) des Milchstraßensystems.

Opal

Der Opal ist der Edelstein mit den meisten Varietäten. Durch den Einschluss verschiedenster Mineralien kommt er in quasi allen Farbschattierungen vor. Da gibt es den schillernd milchweißen Edelopal, den rotgelben Feueropal, den bläulichen oder grünlichen Schwarzopal oder den rot schimmernden Jaspopal (und noch Milch-, Wachs-, Holz-, Glas-, Honig-, Achatopal u. a.). Zudem verändert sich das Aussehen von Opalen auch bei unterschiedlichen Temperaturen und je nach Licht oder Luftfeuchtigkeit. Der Opal ist auch von allen Edelsteinen der empfindlichste und kann leicht zerbrechen.

Oosterschelde [-ˈsxɛldə], Nordseebucht im SW der Niederlande, ein ehem. Mündungsarm der Schelde; durch bewegl. Sturmflutwehr gegen Meereseinbrüche geschützt. (→Deltawerke)

O|ozyte [grch.] *die,* Eizelle (→Oogenese).

OP, Abk. für: 1) **O**rdo fratrum **p**raedicatorum, die →Dominikaner. 2) **Op**erationssaal.

op., *Musik:* Abk. für **Op**us.

opak [lat. »schattig«, »dunkel«], undurchsichtig.

Opal [grch.-lat., zu altind. úpala-h »Stein«] *der,* lebhaft schillerndes amorphes Mineral aus wasserhaltiger Kieselsäure, $SiO_2 \cdot n\,H_2O$, entsteht bei der Zersetzung von Silikaten durch heiße Wässer und scheidet sich als Kieselsinter aus heißen Quellen aus. **Hyalit** ist wasserklar, traubig. Der **Edel-O.** zeigt infolge feiner Sprünge und Schichtung schöne Interferenzfarben und wird deshalb als Edelstein geschätzt, ebenso der feuerrote **Feuer-O.** Trübere bis undurchsichtige, meist deutlich farbige Varietäten sind der **Gemeine O.,** der grüne **Pras-O.,** der chalcedonhaltige **Kascholong,** der rote **Jasp-O.** und die versteinerten Hölzer **(Holzopal).**

Opaleszenz *die,* opalartiges Schillern von trüben Medien, in denen Teilchen von der Größenordnung der Lichtwellenlänge suspendiert sind, infolge der Lichtstreuung (Tyndall-Effekt). Da rotes Licht weniger gestreut wird als blaues, erscheinen Medien mit O. (z. B. verdünnte Milch) im Gegenlicht rötlich, bei seitl. Beleuchtung vor dunklem Hintergrund bläulich.

Opalglas, lichtdurchlässiges Trübglas mit einem dem Opal ähnl. Farbenspiel.

Opanke [serb. opanka »Schuhe«] *die,* absatzloser Schuh ohne Brandsohle, dessen Sohle hochgewalkt und mit dem Schaft verbunden ist.

Oparin, Alexander Iwanowitsch, sowjet. Biochemiker, *Uglitsch 4. 3. 1894, †Moskau 21. 4. 1980; leitete seit 1946 das Inst. für Biochemie der Akademie der Wiss. der UdSSR; arbeitete über biochem. Probleme und den Ursprung des Lebens.

Op-Art [ˈɔpɑːt; amerikan., Abk. für **Op**tical **Art** »optische Kunst«] *die,* Bez. für eine seit Mitte der 1950er-Jahre entwickelte zeitgenöss. Kunstform, die auf linearen Strukturrastern und der Farbperspektive beruht. Mithilfe kalkulierter Gesetzmäßigkeiten von Linien, Flächen und Farbkombinationen erzielt sie illusionist. (perspektivisch-)dekorative Effekte. Vorarbeiten leisteten Vertreter des Futurismus, des Orphismus, des russ. Konstruktivismus, der Stijlgruppe und des Bauhauses. Die Bez. Op-Art setzte sich um 1965 durch (Ausstellung »The Responsive Eye«, New York, Museum of Modern Art). Bed. Vertreter sind V. Vasarély, R. Anuskiewicz, Bridget Riley, L. Wilding und die Mitgl. der Groupe de Recherche d'Art Visuel in Paris, die sich wie J. R. Soto und J. Le Parc die von der Op-Art angewandten Methoden bei der Gestaltung kinet. Plastiken zunutze machten. Die Op-Art beeinflusste v. a. die angewandten Künste und die Werbegrafik nachhaltig.

Opatija (italien. Abbazia), Seebad und Kurort in Istrien, Kroatien, am Kvarner, 13 000 Ew.; im Kurpark die Villa Angiolina (1844), ehem. Besitz des österr. Kaisers.

Opava, 1) *die,* Nebenfluss der Oder, →Oppa.

2) Stadt in der Tschech. Rep., →Troppau.

OPEC, Abk. für engl. **O**rganization of **P**etroleum **E**xporting **C**ountries, Organisation Erdöl exportierender Länder, gegr. 1960, Sitz: Wien (seit 1965; vorher Genf). Mitgl.: Algerien, Indonesien, Irak, Iran, Katar, Kuwait, Libyen, Nigeria, Saudi-Arabien, Venezuela, Vereinigte Arab. Emirate; Ecuador und Gabun schieden 1992 bzw. 1996 aus. Ziele sind die Koordinierung ihrer Erdölpolitik und Stabilisierung der Weltmarktpreise für Erdöl. Wichtigstes Organ ist die i.d.R. zweimal jährlich tagende Konferenz der Erdölmin., die die Richtlinien (v.a. Ölpreise und Fördermengen) festlegt; der Board of Governors sowie das Sekretariat unter Vorsitz des Gen.-Sekr. haben administrative Befugnisse. – Die OPEC war zunächst eine Schutzorganisation gegen die Ölkonzerne, mit denen Fördermengen und feste Rohölpreise ausgehandelt wurden. Als diese 1973 zögerten, die Forderungen nach höherem Inflationsausgleich und Anhebung der Listenpreise zu akzeptieren, begann die OPEC die Preise autonom festzusetzen und setzte das Erdöl als polit. Druckmittel ein. So kam es zum ersten »Ölpreisschock«, der bis Anfang 1974 zu einer Vervierfachung des Rohölpreises führte. Ein weiterer Preisschub erfolgte 1979, als die meisten OPEC-Staaten begannen, ihre Fördermengen stark einzuschränken, um ihre Ölreserven zu strecken. Energiesparmaßnahmen sowie die gesteigerte Erdölproduktion anderer Länder (v.a. Mexiko, Norwegen, Großbritannien) bewirkten, dass der OPEC-Anteil an der Welterdölförderung (ÜBERSICHT →Erdöl) sank (1970: 49,9%, 1995: 40,9%), der Erdölpreis und die Einnahmen der OPEC-Länder zurückgingen. Die Mitgliedsländer der OPEC vereinigen rd. drei Viertel der weltweiten Erdölvorräte auf sich. Ein Sonderfonds für Entwicklungshilfe (OPEC Fund for International Development) wurde 1976 eingerichtet. – Sieben Mitgl.länder sind zugleich Mitgl. der 1968 gegr. **Organisation der arab. Erdöl exportierenden Staaten** (engl. Abk. **OAPEC**).

Opel (Adam O. AG), Rüsselsheim, Automobilunternehmen, gegr. 1862 von Adam O. (*1837, †1895) zur Nähmaschinen-, später Fahrradproduktion, seit 1898 Kfz; 1929 Umwandlung in eine AG und Übernahme durch die →General Motors Corporation. Im Zuge der dt. Vereinigung übernahm O. die Automobilwerke Eisenach (heute **O. Eisenach GmbH**) und errichtete dort 1992 ein neues Werk.

Openairfestival ['əʊpən'eə-, engl.] *das,* künstler. Großveranstaltung im Freien.

Open Skies ['əʊpən 'skaɪz, engl.] (Offener Himmel), im März 1992 von 25 Staaten der NATO und des ehem. Warschauer Paktes unterzeichneter Vertrag über gegenseitige militär. Luftüberwachung. Der Vertrag gestattet den Unterzeichnerstaaten eine jährlich festgelegte Anzahl militär. Aufklärungsflüge nach kurzfristiger Ankündigung. Erste Kontrollflüge erstreckten sich auf die USA, Kanada und den asiat. Teil Russlands. Der O.-S.-Vertrag steht allen Staaten der KSZE offen.

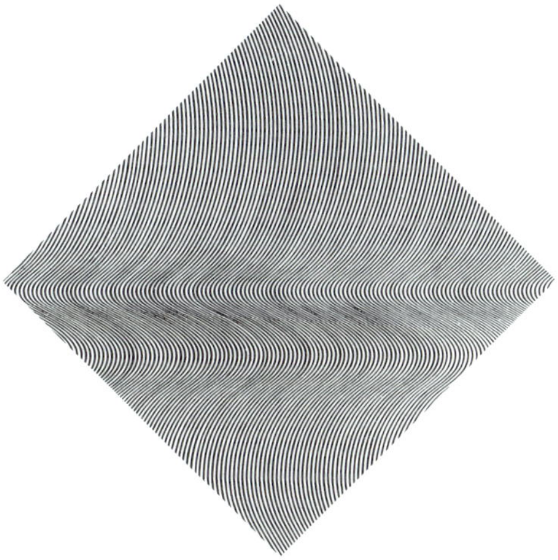

Op-Art (von oben): Victor de Vasarély, »Opus 3« (1969; Paris, Musée d' Art Moderne de la Ville de Paris); Bridget Riley, »Crest« (1964; Privatbesitz)

Oper [italien.] *die,* ein mit musikal. Mitteln gestaltetes Bühnenstück, in dem Dichtung, Gesangs- und Instrumentalmusik, Schauspiel- und auch Tanzkunst zusammenwirken. Man unterscheidet **ernste O.** als musikal. Tragödie (italien. **Opera seria,** frz. **Grand Opéra**) und **komische O. (Opera buffa, Opéra comique),** deren volkstümlichere Abart das Singspiel ist, und die →Operette. Formal ist die O. bis in die 2. Hälfte des 19. Jh. **Nummern-O.,** d.h. eine Aneinanderreihung in sich geschlossener Stücke (die instrumentale Ouvertüre, Arien, Duette, Terzette, Chöre, Instrumentalsätze). Erst das **Musikdrama** von R. Wagner stellt ein durchkomponiertes sinfon. Ganzes dar.

Geschichte: Aus dem Streben, die vermeintl. Form und den Geist der grch. Tragödie wieder zu

OPEC

Oper: Szenenfoto einer Aufführung der – 1871 zur Eröffnung des Suezkanals in Kairo uraufgeführten – Oper »Aida« von Giuseppe Verdi im römischen Amphitheater in Verona

erwecken, entstand Ende des 16. Jh. in Florenz die O., indem man auch Monolog und Dialog der Schauspiele vertonte (»Dafne«, 1598, von I. Peri), nicht nur wie bisher in den Hirtenstücken die Zwischenchöre. Die erste bed. O. war C. Monteverdis »Orfeo« (1607). 1637 wurde in Venedig das erste Opernhaus eröffnet. Charakteristisch für die venezian. Barock-O. sind v.a. Belcanto, Da-capo-Arie und das vom Generalbass begleitete Rezitativ. Von Italien wirkte die O. nach Frankreich (J.-B. Lully) und Dtl., bes. nach Wien und Dresden. Die erste erhaltene O. mit dt. Text ist S. T. Stadens »Seelewig« (1644). Seit etwa 1730 wurde die dt.-sprachige O. von italien. und frz. Werken verdrängt.

Um 1700 löste die Neapolitan. Schule die venezian. O. ab (A. Scarlatti; Opera seria). Für die Opera buffa wurde v.a. G. B. Pergolesis »La serva padrona« (1733) bedeutsam. Die zur neapolitan. Richtung gehörenden O. von G.F. Händel wirken trotz pathet. Ausdrucks eher als Konzerte auf der Bühne. Gleichlaufend mit der Entstehung der Opera buffa führte in England die Reaktion gegen das Pathos der Opera seria zur volkstüml. Parodie (→Ballad-Opera). In Frankreich hatte J.-P. Rameau den O.-Typ Lullys weiterentwickelt; daneben entstand die Opéra comique. C.W. Gluck (»Orfeo ed Euridice«, 1762) erneuerte die O. durchgreifend, indem er die Musik den dramat. Erfordernissen unterordnete. Dem Einfluss Glucks setzte man die Opera buffa entgegen (N. Piccinni, B. Galuppi; G. Paisiello, D. Cimarosa u. a.). In Dtl. regte die Opera buffa das dt. Singspiel an (z. B. J. A. Hiller, G. Benda, K. Ditters von Dittersdorf).

Alle Elemente der Zeit zusammenfassend, schuf W. A. Mozart ein autonomes musikal. Theater, zunächst noch in italien. Sprache. Seine »Zauberflöte« (1791) war die erste vorbildhafte dt. Oper. In L. van Beethovens »Fidelio« verbindet sich die Musik mit ideellen Elementen. In Frankreich führte der Weg zur trag., meist histor. »Großen O.« (Grand Opéra), die auf reiche Ausstattung und Erzielung dramat. Effekte angelegt war (D.F.E. Auber, G. Meyerbeer). Das erste Meisterwerk der dt. romant. O. ist C. M. von Webers »Freischütz« (1821). Die bürgerliche kom. O. wurde durch A. Lortzing, O. Nicolai und F. von Flotow vertreten. Die sinfon. O. ist R. Wagners Schöpfung und erreicht ihren Höhepunkt v.a. in »Tristan und Isolde« (1865) und in der Tetralogie »Der Ring des Nibelungen« (vollendet 1876).

Bed. italien. O.-Komponisten in der 1. Hälfte des 19. Jh. waren G. Rossini, V. Bellini und G. Donizetti. Die frz. Opéra comique wurde von Auber, F. A. Boieldieu und A. Adam weiter gepflegt; mit gesellschaftskrit. Akzenten versehen, setzte sie sich während des zweiten Kaiserreichs in den Operetten J. Offenbachs fort. Die dramat. O. des Italieners G. Verdi, mit ihrer Realistik in die Zukunft weisend, wurde zum Inbegriff italien. Opernschaffens. Um 1875 wirkten sich die neuen Kräfte auch in anderen Ländern aus. G. Bizets »Carmen« (1875) blieb allerdings in Frankreich eine Ausnahme. Zw.

Grand Opéra und Opéra comique in Frankreich steht das Drame lyrique, die lyrisch-dramat. Oper (C. Gounod, A. Thomas, J. Massenet, C. Saint-Saëns). M. Mussorgski gab mit »Boris Godunow« (1874) der nationalruss. Schule wichtige Anregungen, die A. Borodin, P. I. Tschaikowsky und N. Rimski-Korsakow mit anderen Traditionen verknüpften. Mit Werken nat. Eigenart traten die Tschechen B. Smetana (»Die verkaufte Braut«, 1866), A. Dvořák (»Rusalka«, 1901) und L. Janáček (»Jenufa«, 1904) hervor. Die italien. O. erlebte um die Jh.wende mit G. Puccini und den Veristen R. Leoncavallo und P. Mascagni eine späte Blüte. In Dtl. wurde der Stil Wagners in den Werken von H. Pfitzner und bes. von R. Strauss weitergeführt.

Die Wendung zur Neuen Musik bahnte sich in der Zeit um den 1. Weltkrieg in den O. von A. von Zemlinsky und F. Schreker sowie in den frühen Bühnenwerken A. Schönbergs an. A. Berg nahm die Traditionen des Musikdramas, der Nummern-O. und der absoluten Musik auf und schuf unter Verwendung der Zwölftontechnik wegweisende Werke (»Wozzeck«, 1925; »Lulu«, 1937, vollendet von F. Cerha, 1979). An Berg knüpften E. Krenek, L. Dallapiccola und B. A. Zimmermann an. Etwa gleichzeitig entstand im Zug der Antiromantik ein historisierender O.-Typ (P. Hindemith, I. Strawinsky); daneben gab es die stofflich aktuelle Zeit-O. (Hindemith, Krenek) und die zeitkrit. O., z.B. »Die Dreigroschenoper« von K. Weill (1928) nach einem Text von B. Brecht und das von Brecht geprägte Lehrstück (Hindemith, H. Eisler) sowie die Schul-O. (Weill, Hindemith, P. Dessau). Außerdem wurden Versuche unternommen, das O.-Oratorium neu zu beleben (I. Strawinsky, A. Honegger, D. Milhaud); eine Einheit von Musik, Sprache und Bewegung erstrebte C. Orff.

In der Musik nach 1950 erfuhr die Tradition der symphon. O. und der Kammer-O. eine Fortführung, z.B. in Werken von B. Britten, B. Blacher, W. Fortner, G. von Einem, R. Liebermann, H. W. Henze und G. Klebe. Neuen Aufschwung nahm auch die anspruchsvolle Dichtung verarbeitende Literatur-O. (K. Penderecki, G. Ligeti, A. Reimann, W. Rihm, U. Zimmermann). Musikalisch oder dramaturgisch von der Tradition der O. sich abhebende Werke schufen M. Kagel, L. Nono, L. Berio, K. Stockhausen, O. Messiaen, J. Cage, P. Glass.

📖 *Pipers Enzyklopädie des Musiktheaters. O., Operette, Musical, Ballett, hg. v.* C. DAHLHAUS *u.a., auf 6 Bde. u. 1 Register-Bd. ber. München u.a. 1986 ff.* – SCHREIBER, U.: *Opernführer für Fortgeschrittene, 2 Bde. Kassel u.a. 1988–91.* – ABERT, A. A.: *Geschichte der O. Kassel u.a. 1994.* – PAHLEN, K.: *Opernlexikon. München 1995.* – RENNER, H.: *O., Operette, Musical. Neuausg. München 1996.*

Opera buffa [italien.] *die,* → Oper.

Operand [lat.] *der, Datenverarbeitung:* der zur Ausführung eines Befehls aufgerufene Inhalt einer Speicherzelle.

Operation [lat. »Handlung«, »Verrichtung«] *die,* **1)** *Datenverarbeitung:* Arbeitsschritt einer Rechenanlage, i. Allg. der Ausführung eines Maschinenbefehls entsprechend.

2) *Mathematik:* Durchführung einer bestimmten log. oder mathemat. Vorschrift, z.B. Differenziation, Integration.

3) *Medizin:* chirurg. Eingriff in den Körper des Kranken oder Verletzten zu diagnost. und/oder therapeut. Zwecken. Rechtlich stellt jede O. eine Körperverletzung dar, sie darf deshalb nur mit Einwilligung des Patienten oder eines gesetzl. Vertreters erfolgen. Eine Ausnahme besteht bei unmittelbarer Lebensgefahr.

4) *Militärwesen:* allg. jede zeitlich und räumlich zusammenhängende, auf ein bestimmtes Ziel ausgerichtete Handlung einer Seite. Trifft eine O. auf eine der Gegenseite, kommt es zum Gefecht. Die O. kann Truppenbewegungen, Kampfhandlungen sowie sonstige Maßnahmen jeder Art umfassen.

Operationalismus *der,* wissenschaftstheoret. Richtung, nach der wiss. Begriffe ihre Bedeutung durch Operationen, z.B. physikal. Messverfahren, erhalten. So war H. Dingler davon überzeugt, dass Euklid seine Grundbegriffe »Punkt«, »Gerade« und »Ebene« aus den handwerkl. Verfahren der Steinmetze gewonnen hatte.

Oper: Szenenfoto aus der Uraufführung der Literaturoper »Hamletmaschine« von Wolfgang Rihm am Nationaltheater Mannheim im Jahr 1987

Operationsresearch [ɔpəˈreɪʃnsrɪsəːtʃ, engl.] *das,* Abk. **OR** (Unternehmensforschung), Teilgebiet der Wirtschaftswiss. mit dem Ziel, auf der Grundlage mathemat. Modelle Handlungsalternativen in Wirtschaft, Verwaltung und bei polit. Planungen zu entwickeln. Verfahren der OR sind die

Modelle der mathemat. Programmierung, Netzplanmodelle, Simulation, Entscheidungsbaumverfahren, Modelle des Systems Dynamics, Lagerhaltungs-, Markow-, Warte-, Ersatz- und Spielmodelle. Enge Beziehungen bestehen zw. OR und Wirtschaftsinformatik.

Operationsverstärker (Rechenverstärker, engl. Operational Amplifier), Abk. **OV,** universell einsetzbarer linearer Gleichspannungsverstärker mit hoher, idealerweise frequenzunabhängiger innerer Spannungs- und Leistungsverstärkung, hohem Eingangswiderstand und niedrigem Ausgangswiderstand. O. bestehen im Prinzip aus zwei Verstärkerstufen, die auf einen gemeinsamen Ausgang arbeiten. Durch immer vorhandene geringfügige Unsymmetrien ergibt sich eine Verschiebung der Transferkennlinie gegen den Nullpunkt, d.h., es entsteht eine Offsetspannung, die für jeden O. charakteristisch ist und durch eine Vorspannung am Eingang kompensiert werden kann. Der O. ist ein wichtiger Grundbaustein für die lineare (analoge) Schaltkreistechnik in der Mess-, Steuer-, Regelungs- und Analogrechnertechnik. Durch Variation der äußeren Beschaltung ergeben sich zahlreiche Schaltungsarten mit unterschiedl. Eigenschaften, z.B. Konstantspannungs- oder -stromquelle, Impedanzwandler, Messverstärker, Oszillator, aktiver Filter; in der Digitaltechnik: Analog-digital- oder Digital-analog-Umsetzer.

operative Führung, *Militärwesen:* →Strategie.

Operator [lat.] *der,* **1)** *Datenverarbeitung:* a) Bez. der Funktionszeichen einer Programmiersprache, insbesondere derer für arithmet. und log. Operationen; b) Berufsbez.; Bedienpersonal einer (größeren) elektron. Datenverarbeitungsanlage.

2) *Mathematik:* Zuordnungsvorschrift (Abbildung) von Elementen eines abstrakten Raumes zu Elementen eines anderen Raumes, mit besonderer Bedeutung in der Quantentheorie, in der messbare physikal. Größen (z.B. Energie, Impuls) durch O. im →Hilbert-Raum repräsentiert werden. Spezielle O. sind →Funktionale.

Operette [italien. »kleine Oper«] *die,* musikal. Bühnenstück mit lockerer, heiterer Handlung, gesprochenem Dialog, Gesang und Tanz. Die Wurzeln der O. liegen in den Parodien auf die ernste Oper, in der Opéra comique, im Singspiel und in der Gesangsposse. In Paris wirkte J. Offenbach entscheidend auf ihre Entwicklung ein. In Wien baute F. von Suppé die einheim. Posse nach dem Vorbild von Offenbachs Frühwerken aus. Der von J. Lanner und J. Strauß (Vater) geschaffene Wiener Walzer und der österr. Volksliedton gaben der klass. Wiener O. das Gepräge. Ihr Meister wurde J. Strauß (Sohn), daneben sind C. Millöcker, R. Heuberger, K. Zeller zu nennen. Die jüngere Wiener O. übernahm opernhafte Ausdrucksmittel und ausländ. Tanzformen (Hauptvertreter: L. Fall, F. Lehár, O. Straus). E. Kálmán schuf den Typ der »ungar. O.« (Csardásmelodien). In Berlin pflegten um 1900 P. Lincke und W. Kollo eine mehr der Posse und der Ausstattungsrevue zugeneigte Richtung, zu der auch die Österreicher R. Benatzky, F. Raymond und der Ungar P. Abraham gerechnet werden. Weitere Vertreter sind E. Künneke, T. Mackeben, J. Gilbert, N. Dostal. Die Funktion der O. hat heute weitgehend das →Musical übernommen.

📖 KLOTZ, V.: *O. Porträt u. Handbuch einer unerhörten Kunst. München u. a. 1991.*

Opernglas, →Fernrohr.

Operon [lat.] *das, Genetik:* Funktionseinheit aus benachbarten Strukturgenen, deren Produkte für Stoffwechselvorgänge benötigt werden und deren →Transkription durch eine vorgeschaltete Kontrollregion gemeinsam reguliert wird.

Opfer [ahd., zu lat. operari »arbeiten«, »opfern« (d.h. einer Gottheit durch Opfer dienen)], in den Religionen die rituelle Darbringung einer Gabe an eine Gottheit oder numinose Macht, häufig (v.a. in den Stammesreligionen) mit der Erwartung einer Gegenleistung verbunden; auch Bez. der Opfergabe selbst. Als Grundform religiösen Handelns bildet das O. v.a. in den Stammesreligionen in vielfältigen Formen (z.B. Trank-O., Brand-O., Darbringung der ersten Früchte der Ernte oder Erstgeburt als **Erstlings-O.**) die Grundlage des →Kultus. In den Weltreligionen verlor das O. im Laufe ihrer religionsgeschichtl. Entwicklung an Bedeutung. Die mit ihm ursprünglich verbundenen Vorstellungen erfuhren eine theolog. Umdeutung (im Christentum in Analogie zum jüd. Passahlamm die Auffassung vom Tod Jesu als O.-Tod) oder wurden ganz abgelehnt (Buddhismus, Dschainismus).

Opfer|entschädigung, die Versorgung für Opfer von Gewaltverbrechen, d.h. für Personen (für Ausländer rückwirkend ab 1. 7. 1990), die durch einen vorsätzl., rechtswidrigen tätl. Angriff oder durch dessen Abwehr eine gesundheitl. Beeinträchtigung erfahren haben, sowie für die Hinterbliebenen von Gewaltopfern. Die vom Staat nach Maßgabe des O.-Gesetzes i.d.F.v. 7. 1. 1985 gewährten Leistungen, die bei den Versorgungsämtern der Bundesländer beantragt werden müssen, umfassen u.a. Krankenbehandlung, Rehabilitation, Hinterbliebenenrente und Sterbegeld. Die Höhe der Leistungen ist im Bundesversorgungs-Ges. geregelt. – In *Österreich* und der *Schweiz* gibt es ähnl. Bestimmungen.

Opferstock, Behälter für Geldspenden in christl. Kirchen.

Ophelia, 1) *Astronomie:* ein Mond des Planeten Uranus.

2) weibl. Figur in Shakespeares »Hamlet«.

Ophikleide [grch.] *die,* Klappenhorn in Alt-, Bass- und Kontrabasslage mit 8–12 Klappen, erstmals 1817 von J.-M. Asté, gen. Halary, in Paris gebaut; bes. die Basslage fand Eingang in Opern- und Militärorchester; um 1850 durch die Tuba verdrängt.

Martin Opitz: Titelblatt der Gedichtsammlung »Teutsche Poëmata …« (1624)

Ophiolithe [grch.], zusammenfassende Bez. für meist grüne bas. Vulkanite (Diabase, Kissenlava) und Intrusivgesteine (Gabbro) sowie ultrabas. Gesteine (Serpentinit, Peridotit), submarin, v.a. am Mittelozean. Rücken entstanden.

Ophiten [grch.] (aramäisch Naassener, Schlangenbrüder), Sammelbez. für verschiedene gnost. Gruppen im 2. Jh., in deren Lehrsystemen die Schlange die zentrale Stellung einnahm, sowohl als Vermittlerin der Erkenntnis als auch (in einigen Gruppen) als Bringerin des Verderbens.

Ophiuchus [grch.], das Sternbild →Schlangenträger.

Ophthalmologie [zu grch. ophthalmós »Auge«] *die,* →Augenheilkunde.

Ophüls ['ɔph-], Max, eigtl. M. Oppenheimer, frz. Filmautor, Regisseur dt. Herkunft, *Saarbrücken 6. 5. 1902, †Hamburg 26. 3. 1957; wandte sich 1930 dem Film zu und war in Dtl., nach der Emigration (1933) in Österreich, Italien, den USA und in Frankreich tätig; Filme: »Die verkaufte Braut« (1932), »Liebelei« (1933), »Der Reigen« (1950), »Madame de …« (1953), »Lola Montez« (1955). Er wirkte u.a. durch die spielerisch-leichte Bildführung stilbildend.

Opiate [grch.], Arzneimittel, die Opium oder Opiumalkaloide (bes. Morphin) enthalten.

Opinionleader [ə'pɪnjənli:də, engl.] *der* (Meinungsführer), von P. F. Lazarsfeld (*1901, †1976) geprägter Begriff der soziolog. Kommunikations- und Wahlforschung für Personen, die aufgrund ihrer Wirkung in den Massenkommunikationsmitteln, ihres sozialen Status und ihres Wissens einen bestimmenden Einfluss auf die öffentl. Meinung ausüben, sowie Persönlichkeiten, die durch Vermittlung und Auslegung von Informationen die Einstellungen und Entscheidungen der informellen Gruppe prägen, der sie angehören.

opistho… [grch. ópisthen »hinten«], hinten…

Opisthobranchia [grch.], Hinterkiemer, Unterklasse der →Schnecken.

Opisthodomos [grch. »Hinterhaus«] *der,* im grch. Tempel der Raum hinter der Cella.

Opisthotonus [grch.] *der,* anhaltender schmerzhafter Krampf der Rückenmuskulatur mit Rückwärtsbewegung des Nackens und Rückens; bes. bei Wundstarrkrampf, Gehirnhautentzündung.

Opitz, Martin, Dichter, *Bunzlau 23. 12. 1597, †Danzig 20. 8. 1639; wurde 1627 als Opitz von Boberfeld geadelt; einer der bedeutendsten dt. Dichter und Poeten des Barock. Studierte 1618/19 Philosophie und Jura; wurde 1625 in Wien zum Dichter (Poeta laureatus) gekrönt, 1629 Mitgl. der →Fruchtbringenden Gesellschaft. Ab 1626 polit. Ratgeber und Gesandter des Burggrafen von Dohna, 1633–36 im Dienst der schles. Piastenherzöge; danach Diplomat des poln. Königs in Danzig. Seine literaturgeschichtl. und für die dt. Verslehre grundlegende Bedeutung gründet in der metr. Reform der Dichtung, die Wort- und Versakzent in Einklang bringt. O. forderte eine an der westeurop. Renaissance orientierte dt.sprachige Kunstdichtung (»Buch von der dt. Poeterey«, 1624; »Teutsche Poemata…«, 1624); verfasste außer geistl. und weltl. (stilistisch und formal vorbildl.) Lyrik, Lehrgedichten und Hirtendichtung auch Musterübersetzungen niederländ., frz. und italien. Werke. O. schrieb außerdem das Schauspiel »Dafne« (1627; mit Musikeinlagen von H. Schütz).

Martin Opitz (Ausschnitt aus dem Nachstich eines Kupferstichs von Jacob van der Heyden, 1631)

📖 Garber, K.: *M. O., »der Vater der dt. Dichtung«. Stuttgart 1976.*

Opium [lat., von grch. opós »Pflanzensaft«] *das,* (Meconium, Laudanum), der durch Anritzen der unreifen, ausgewachsenen Fruchtkapseln des Schlafmohns gewonnene und an der Luft zu einer plast. Masse getrocknete Milchsaft. **Roh-O.** enthält 20–25 % Alkaloide (10–12 % Morphin, daneben Noscapin, Thebain, Codein, Papaverin, Narcein). O. dient zur Gewinnung der O.-Alkaloide, v.a. von →Morphin. Gereinigtes O. wird selten auch als schmerzstillendes, krampflösendes Mittel oder Antidiarrhoikum verwendet; es unterliegt dem Betäubungsmittel-Gesetz. Wegen seiner beruhigenden, schmerzstillenden Wirkung wird O., bes. in asiat. Ländern, als Rauschgift missbraucht (O.-Rauchen). Die körperl. Auswirkungen einer O.-Sucht sind Appetitlosigkeit und Abmagerung bis zur völligen Entkräftung.

Max Ophüls

📖 Seefelder, M.: *O. Landsberg 1996.*

Opiumkrieg, der britisch-chinesische Krieg 1839–42, in dem die Briten europ. Wirtschaftsinteressen gegenüber China durchsetzten (→China, Geschichte).

Opladen, Industriestadt in NRW, seit 1975 zu →Leverkusen.

ÖPNV, Abk. für **ö**ffentlicher **P**ersonen**n**ah**v**erkehr. (→Personenverkehr)

Opole [ɔ'pɔlɛ], Stadt in Polen, →Oppeln.

Oporto [-tu], früherer Name von →Porto.

Opossums [engl., aus Algonkin] (Didelphis), Gattung bis 45 cm langer (einschließlich des Greifschwanzes 80 cm erreichender), überwiegend grauer und weißl., rattenähnlicher Beuteltiere mit zwei Arten in Nord- und Südamerika.

Opossums: nordamerikanisches Opossum (Kopf-Rumpf-Länge bis 45 cm)

Oppa *die* (tschech. Opava), linker Nebenfluss der oberen Oder, in der Tschech. Rep., 122 km lang, mündet bei Ostrau; z. T. Grenzfluss zu Polen.

Oppeln Stadtwappen

Oppeln (poln. Opole), Hauptstadt der Wwschaft O., Polen, an der Oder, in Oberschlesien, 130 000 Ew.; kath. Bischofssitz, TH, histor., Regionalmuseum, Zoo; wichtigster zentraler Ort im westl. Oberschlesien; Maschinenbau, Metallverarbeitung, Zement-, Lebensmittel-, Möbel-, Bekleidungs- u. a. Ind.; Eisenbahnknoten und Flusshafen. – Rundturm (1300) der ehem. Piastenburg, spätgot. Dom, Franziskanerkloster (1287 gegr.) mit spätgot. Kirche, Dominikanerkloster (1295 gegr.) mit ursprünglich got. Kirche. – Die ursprünglich slaw. Siedlung wurde 1202 Residenz der Herzöge von O., die um 1217 eine erste städt. Siedlung nach dt. Recht anlegen ließen; eine nachfolgende, größere Gemeinde erhielt vor 1254 Stadtrecht. Bis 1945 gehörte O. als Verw.zentrum des RegBez. O. (9 715 km^2, [1939] 1,56 Mio. Ew.) zur Prov. Oberschlesien.

Oppenheim, Stadt im Landkr. Mainz-Bingen, Rheinl.-Pf., links des Rheins; 6300 Ew.; Landeslehr- und Versuchsanstalt für Wein- und Gartenbau, Dt. Weinbaumuseum; Weinbau und -handel, Weinbrennereien; Fremdenverkehr. – Katharinenkirche, ein bed. got. Bau (1262–1360, Westchor 1415 ff.), Franziskanerklosterkirche (14. Jh.); Adelshöfe des 17./18. Jh. Über O. die Ruine der Reichsburg Landskron (13./16. Jh.). – 765 erstmals erwähnt; 1226 Stadtrecht; kam 1375 (Erbpfandschaft), endgültig 1648 an Kurpfalz.

Oppenheim, 1) Abraham, Bankier, *Köln 24. 5. 1804, †ebd. 9. 10. 1878; baute das von seinem Vater Salomon O. (*1772, †1828) in Bonn gegr. Kommissions- und Wechselhaus (seit 1801 in Köln) zu einer bed. dt. Privatbank aus (seit 1909 »Bankhaus Sal. Oppenheim jr. & Cie.«); setzte sich mit G. von Mevissen und F. Harkort für den Auf- und Ausbau des Eisenbahnwesens und die dt. Versicherungswirtschaft ein.

2) Dennis, amerikan. Künstler, *Electric City (Wash.) 6. 9. 1938; Vertreter der Land-Art und der Body-Art; neben Aktionen und Installationen auch Skulpturen aus architekton. Elementen und Objekte unter Verwendung von Alltagsgegenständen mit symbolhaft-assoziativer Wirkung.

3) Meret, Malerin und Objektkünstlerin, *Berlin 6. 10. 1913, †Basel 15. 11. 1985; verfremdete in ihren Objekten Alltagsgegenstände durch vieldeutige Veränderungen des Materials; auch Bilder und Collagen.

Oppenheimer, 1) Carl, Biochemiker, *Berlin 21. 2. 1874, †Den Haag 24. 12. 1941, Bruder von 2); arbeitete über Enzyme, Stoffwechsel und Energetik der lebenden Substanz.

2) Franz, Volkswirtschaftler und Soziologe, *Berlin 30. 3. 1864, †Los Angeles 30. 9. 1943, Bruder von 1); urspr. Arzt; Vertreter eines »liberalen Sozialismus«; sah die Ursache des sozialen Elends im Monopol am Boden und trat für die Abschaffung des Großgrundbesitzes sowie für Siedlungsgenossenschaften ein. – *Werke:* Der Staat (1907); System der Soziologie, 9 Tle. (1922–35).

Oppenheim: Südwand des 1317–33 erbauten Langhauses der Katharinenkirche

3) Joseph Süß, gen. Jud Süß, jüd. Finanzmann, *Heidelberg 1698 oder 1699 (nach anderen Quellen 1692), † (hingerichtet) Stuttgart 4. 2. 1738; führte als Geheimer Finanzrat (ab 1736) Herzog Karl Alexanders von Württemberg nach merkantilist. Prinzipien Steuern und Abgaben unter Umgehung der Rechte der Stände ein. Neben Verfassungsbruch wurde ihm in einem rechtlich anfechtbaren Prozess v.a. persönl. Bereicherung im Amt vorgeworfen. O. wurde noch am Todestag des Herzogs verhaftet und später zum Tode verurteilt. Das Schicksal O.s wurde mehrfach literarisch bearbeitet; die Darstellungen von W. Hauff (1828) und L. Feuchtwanger (1929) verzerrte der nationalsozialist. Tendenzfilm »Jud Süß« von V. Harlan (1940).

📖 Gerber, B.: *Jud Süß. Aufstieg u. Fall im frühen 18. Jh. Hamburg 1990.*

4) ['ɔpnhaɪmə], Julius Robert, amerikan. Atomphysiker, *New York 22. 4. 1904, † Princeton (N.J.) 18. 2. 1967; 1947–66 Direktor des Institute for Advanced Study in Princeton; Arbeiten zur relativist. Quantentheorie und Kernphysik. Unter seiner wiss. Leitung wurde 1943–45 die erste Atombombe in Los Alamos hergestellt. Nach Kriegsende sprach er sich – aus techn. und moral. Gründen – gegen den Bau der Wasserstoffbombe und für eine internat. Kontrolle der Kernwaffen aus. Nach einer Anhörung wegen »kommunistischer Umtriebe« wurde ihm 1954 die Erlaubnis entzogen, an geheimen Projekten mitzuarbeiten; 1963 rehabilitiert.

📖 Hoffmann, K.: *J. R. O. Schöpfer der ersten Atombombe. Berlin u. a. 1995.*

5) Max, gen. Mopp, österr. Maler und Grafiker, *Wien 1. 7. 1885, † New York 19. 5. 1954; emigrierte 1938 in die Schweiz, 1939 in die USA. Sein Werk ist anfangs vom Expressionismus geprägt, ab 1912 dominieren kubist. Stilelemente. O. trat bes. mit Porträts (u.a. H. und T. Mann, A. Schönberg) sowie Musiker- und Orchesterbildern hervor. Weiteres Bild Alfred Lichtenstein

Oppenordt [ɔpə'nɔ:r] (Oppenord, Oppenort), Gilles Marie, frz. Architekt, Dekorateur und Ornamentzeichner, *Paris 27. 7. 1672, † ebd. 13. 3. 1742; wirkte mit seinen Entwürfen und Ornamentzeichnungen bahnbrechend auf die Entwicklung des Rokoko in Frankreich (Régence, Louisquinze).

Oppidum [lat.] *das,* urspr. ein befestigter, ständig bewohnter Ort der Italiker; in röm. Zeit jede stadtähnl. Siedlung, die weder Colonia noch Municipium war. – In der archäolog. Fachsprache sind O. vorwiegend die kelt. befestigten Siedlungen des 2. und 1. Jh. v. Chr.

Oppolzer, Theodor von, Astronom, *Prag 26. 10. 1841, † Wien 26. 12. 1886; berechnete Planeten- und Kometenbahnen, verfasste den »Canon der Finsternisse«, der alle Mond- und Sonnenfinsternisse von 1206 v. Chr. bis 2161 n. Chr. enthält.

Opportunismus [lat.] *der,* das Handeln nicht nach Grundsätzen, sondern nach Zweckmäßigkeit, auf Vorteile achtend; insbesondere im politisch-gesellschaftl. Zusammenhang das Sichausrichten nach den jeweiligen Einflussverhältnissen.

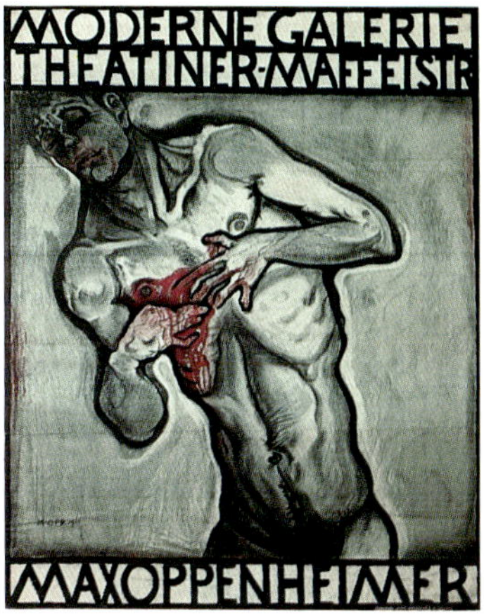

Max Oppenheimer: Plakat für eine Ausstellung in der Modernen Galerie in München (1911)

Opportunitätskosten (Alternativkosten), Kostenbegriff, der Kosten als entgangenen Nutzen auffasst, den man bei einer alternativen Verwendung von Gütern hätte erzielen können. O. sind somit eine Vergleichsgröße für den entgangenen Gewinn, Ertrag oder Nutzen aus der besten der nicht gewählten Alternativen.

Opportunitätsprinzip, *Recht:* strafprozessualer Grundsatz, der die Erhebung einer Anklage in das Ermessen der Anklagebehörde stellt (meist im Zusammenwirken mit dem Gericht). Das O. durchbricht das den Strafprozess beherrschende Legalitätsprinzip. Es ist ein notwendiges Korrektiv des Anklagezwanges, v.a. bei Bagatellsachen. Im Verwaltungsrecht besagt das O., dass eine Behörde nach ihrem Ermessen handeln darf. Dies gilt v.a. im Polizei- und Ordnungsrecht, wo die Polizei befugt, im Grundsatz aber nicht gezwungen ist, gegen Störer einzugreifen.

Im *österr.* Strafprozess (§ 34 StPO) gilt das O. nur in wesentlich geringerem Umfang. In der *Schweiz* ist es kantonal unterschiedlich geregelt.

Julius Robert Oppenheimer

Opposition [lat.] *die,* **1)** *allg.:* gegensätzl. Haltung, Gegnerschaft, Widerspruch.

2) *Astronomie:* Gegenschein, → Aspekt.

3) *Politik* und *Gesellschaft:* 1) i.w.S. der Widerstand der öffentl. Meinung oder bestimmter Gruppen gegen die Regierung oder die herrschende Schicht sowie die Personen oder sozialen Gruppen, die diesen Widerspruch tragen, auch Untergrundbewegungen, bes. in Militär- und Parteidiktaturen; 2) i.e.S. parlamentar. Opposition, der Teil des Parlaments, der den die Regierung tragenden Abgeordneten gegenübersteht, also die Parteien, Gruppen und unabhängigen Abgeordneten, die der Regierungspolitik grundsätzlich oder in Einzelfragen ablehnend oder kritisch gegenüberstehen, wobei eine kooperative, konstruktive oder auch obstruktive Politik (→Obstruktion) verfolgt werden kann. (→Parlamentarismus)

OPraem, Abk. für **O**rdo **Praem**onstratensis, die →Prämonstratenser.

Opsonine [grch.], Bestandteile (meist Antikörper) des Blutserums; sie lagern sich an körperfremde antigene Substanzen und Mikroorganismen an und begünstigen deren Vernichtung durch Phagozytose.

Optativ [lat.] *der,* Wunschform des Verbs, im Deutschen mit dem Konjunktiv identisch.

Optik [grch.] *die,* urspr. die Lehre vom sichtbaren →Licht, heute allg. die Physik aller diesem ähnlichen elektromagnet. Strahlungen (Ultraviolett bis fernes Infrarot) und deren Wechselwirkungen mit Materie.

Die Gesetzmäßigkeiten der Lichtausbreitung sowie der Emission und Absorption von Licht und die Wechselwirkungsprozesse von Licht mit Materie oder elektr. (→Elektrooptik) und magnet. (→Magnetooptik) Feldern sind Untersuchungsobjekt der **physikal. O.** Die **geometr. O. (Strahlen-O.)** umfasst alle Erscheinungen, bei denen der Wellencharakter des Lichtes vernachlässigt werden kann. Sie operiert mit Strahlen als geometr. Linien, deren Ausbreitungsrichtung durch →Brechung und →Reflexion beeinflusst werden kann und die bestimmte →Abbildungen vermitteln (Abbildungstheorie von Gauß und Abbe). Ihre Gesetze lassen sich als →Elektronenoptik oder Ionen-O. auf die Ausbreitung von Elektronen und Ionen übertragen. Die **Wellen-O.** behandelt die Erscheinungen des Lichtes, die an seine Wellennatur geknüpft sind: →Beugung, →Interferenz, →Polarisation; zu ihr gehören ferner elektroopt., magnetoopt. und kristallopt. Erscheinungen (Kristall-O.). Effekte, bei denen die Teilchennatur des Lichtes (→Photonen) in den Vordergrund tritt, z.B. der →Photoeffekt, die Absorptions- und Emissionsspektren der Atome und Moleküle, die Verstärkung von Licht durch stimulierte Emission im →Laser, der Raman- oder Compton-Effekt, können nur durch die **Quanten-O.** beschrieben werden. Weitere Spezialgebiete der physikal. O. sind →nichtlineare Optik, →integrierte Optik, →adaptive Optik, die O. der →Lichtleiter und die →Röntgenoptik. Die **techn. O.** behandelt die Anwendung der O. zur Lösung von Aufgaben der Informations- und Messtechnik, der Licht- und Beleuchtungstechnik sowie die Entwicklung opt. Bauelemente und Systeme. – Die **atmosphär. O.** beschreibt das Verhalten des Lichtes in der Atmosphäre, z.B. Haloerscheinungen (→Halo), →Luftspiegelungen und →Regenbogen. Die **physiolog. O.** behandelt die physikal. und physiolog. Gesetzmäßigkeiten des Sehens.

Geschichte: Mit den Ansätzen der Antike (u.a. Euklids Katoptrik und die Dioptrik des Ptolemäus), den Arbeiten von Alhazen und der Auffindung des richtigen Brechungsgesetzes (W. Snellius 1621; R. Descartes 1629) war bis zum 17. Jh. die Grundlage der geometr. O. geschaffen. Ihre Anwendung führte zu Beginn des 17. Jh. zur Erfindung des Fernrohres (H. Lipperhey) und des Mikroskops (H. und Z. Janssen). Ab der Mitte des 17. Jh. entwickelten sich die verschiedenen Vorstellungen von der Natur des Lichtes, v.a. die Wellentheorie (F. M. Grimaldi und R. Hooke 1665, C. Huygens 1678) und die Korpuskulartheorie (I. Newton 1704). Die 2. Hälfte des 19. Jh. brachte die Erkenntnis der elektromagnet. Natur des Lichtes (J. C. Maxwell 1864) sowie eine erste atomist. Deutung opt. Erscheinungen mithilfe der Elektronentheorie (H. A. Lorentz 1892–95). – Die sich ab der Mitte des 19. Jh. entwickelnde Spektralanalyse (R. W. Bunsen und G. Kirchhoff 1859) führte zur Auffindung von Spektralserien, deren Begründung dann Aufgabe der Quantentheorie wurde. Diese nahm ihren Ausgang in der Ableitung des planckschen Strahlungsgesetzes der Wärmestrahlung (M. Planck 1900) und wurde durch die von A. Einstein (1905) aufgestellte Lichtquantenhypothese untermauert, mit der man den Photoeffekt deuten konnte. Damit war gleichzeitig der Welle-Teilchen-Dualismus des Lichtes aufgezeigt. In jüngster Zeit erhielt die O. bes. durch die Entwicklung des Lasers neue Impulse.

Die Bez. O. wird auch für ein opt. System, d.h. die Gesamtheit der bei der Bilderzeugung wirksamen Elemente (Linsen, Prismen, Spiegel) einer opt. Anordnung verwendet.

📖 Schröder, G.: *Techn. O. Würzburg ⁷1990.* – Römer, H.: *Theoret. O. Weinheim u.a. 1994.*

Optimaten [lat.], im spätrepublikan. Rom die senator. Adelspartei, im Unterschied zu den Popularen (»Volkspartei«).

Optimierung, Teilgebiet der Mathematik, das die optimale Festlegung von Größen, Eigenschaften, zeitl. Abläufen u.a. eines Systems mithilfe numer. Verfahren untersucht. Es umfasst insbesondere die Suche des kleinsten (Minimierung) oder größten (Maximierung) Wertes einer mathemat. Funktion mehrerer Veränderlicher (Ziel-, Objektfunktion) in einem bestimmten, durch Nebenbedingungen festgelegten und in Form von Gleichungen oder Ungleichungen beschriebenen (zulässigen) Bereich. Man unterscheidet **lineare** und **nichtlineare O.** (lineare und nichtlineare Programmierung), je nachdem, ob die Zielfunktion und die zugehörigen (Un-)Gleichungen linear oder nichtlinear sind. O.-Aufgaben sind als Verfahren des Operationsresearch bes. in der Betriebs- und Volkswirtschaft von Bedeutung.

Optimismus [zu lat. optimum »das Beste«] *der,* die Ansicht oder Lebenshaltung, die das eigene bzw. das menschl. Dasein oder die Verfassung der Welt im Ganzen als sinnvoll, werthaft und daher »gut« oder doch als besser als ihr Nichtsein bejaht (z.B. Leibniz: die Welt als die beste aller möglichen); Ggs.: Pessimismus, Skeptizismus, Nihilismus.

Optimum [lat.] *das,* unter den gegebenen Bedingungen der erreichbare Bestwert, beste Leistung, Höchstwert, günstigste Bedingung.

Option [lat. »freie Wahl«, »Wunsch«] *die,* **1)** *Börsenwesen:* →Optionsgeschäft.

2) *Völkerrecht:* der bei Abtretung eines Gebiets an einen anderen Staat vereinbarte Vorbehalt, dass sich dessen Bewohner innerhalb einer bestimmten Frist für eine bestimmte Staatsangehörigkeit erklären können. I.d.R. ist mit der O. für die alte Staatsangehörigkeit die Verpflichtung verbunden, das entsprechende Gebiet zu verlassen.

3) *Zivilrecht:* die i.d.R. vertraglich eingeräumte Anwartschaft, ein Recht unter bestimmten Bedingungen durch einseitige Erklärung zu erwerben (z.B. Vorkaufsrecht).

Options|anleihe (engl. Warrant-Bond), Bez. für eine besondere Anleihe, deren Inhaber über das Recht auf Verzinsung und Rückzahlung hinaus ein Recht (Optionsrecht) auf den Bezug von Aktien des Anleiheschuldners haben. Im Börsenhandel kann das Optionsrecht von der Anleihe getrennt sein, woraus sich drei Kursnotierungen ergeben: 1) für die O. einschließlich Optionsrecht (»volle Stücke«, O. »cum«), 2) die O. mit bereits abgetrenntem Optionsrecht (»leere Stücke«, O. »ex«) und 3) den Optionsschein, d.h. das Optionsrecht, das in der O. verbrieft ist.

Optionsgeschäft (Optionshandel), ein Termingeschäft im Börsenhandel; durch den Kauf der Option erwirbt der Käufer das Recht, innerhalb der Optionsfrist vom Verkäufer jederzeit Lieferung (**Kaufoption,** engl. **Call**) oder Abnahme (**Verkaufsoption,** engl. **Put**) einer bestimmten Menge von Wertpapieren, Devisen oder börsenmäßig gehandelten Waren zum Basiskurs (am Abschlusstag vereinbarter Kurs) zu verlangen. Der Käufer einer Kaufoption (Verkaufsoption) rechnet mit steigenden (sinkenden) Kursen und erzielt einen Gewinn, wenn der Börsenkurs, z.B. einer Aktie, am Ende der Optionsfrist höher (niedriger) ist als die Summe aus Basispreis, Optionspreis und Spesen.

Options|schein (Bezugsschein, engl. Warrant), Urkunde, in der bei Optionsanleihen das Recht auf den Bezug von Aktien oder auch Anleihen, ausländ. Währungseinheiten, bestimmten Mengen eines Edelmetalls oder Rohstoffs verbrieft ist. Der O. (einer Optionsanleihe können auch mehrere O. beigefügt sein) ist zwar zunächst Teil der Anleihe, kann aber abgetrennt und selbstständig an der Börse gehandelt werden. Dies gilt auch, wenn das Optionsrecht zum Aktienbezug mit einem Genussschein gekoppelt ist **(Optionsgenussschein).** O., die nicht im Zusammenhang mit einer Optionsanleihe emittiert werden, werden als nackte O. (Naked Warrants) bezeichnet. Das Verhältnis von O.-Kurs und Aktienkurs heißt Hebel (Leverage).

optische Aktivität, die Eigenschaft mancher fester Stoffe, Flüssigkeiten, Lösungen und Gase, die Schwingungsebene von linear polarisiertem Licht, das sie durchläuft, zu drehen, wobei die Größe des Drehwinkels von der Wellenlänge abhängt und proportional zur Weglänge des Lichts im optisch aktiven Material anwächst. Rechtsdrehung liegt vor, wenn die Polarisationsebene, gegen die Fortpflanzungsrichtung des Lichtes gesehen, im Uhrzeigersinn gedreht wird, Linksdrehung, wenn sie diesem entgegen gedreht wird. Verantwortlich für die o.A. ist die →Asymmetrie im Molekülbau. **Racemate** sind optisch aktive Verbindungen, die rechts- und linksdrehende Formen gemischt in gleicher Menge enthalten und deshalb nicht drehen.

optische Aufheller, →Aufhellung.

optische Datenverarbeitung, zusammenfassende Bez. für Verfahren, bei denen Licht (analog den elektr. Spannungen oder Strömen in der elektron. Datenverarbeitung) zum Umformen, Speichern und Übertragen von Daten dient. Zur o.D. gehören insbesondere opt. Speicher und Übertragungssysteme (→Lichtleiter). Auf der Basis optisch bistabiler Systeme, bei denen es über ein Intervall einer Eingangsintensität zwei mögl. Systemzustände gibt, können log. Operationen (analog denen in herkömml. Computern) über Lichtsignale ausgeführt werden. Neben der bis 10000mal größeren Schaltgeschwindigkeit bietet die o.D. die Möglichkeit der Parallelverarbeitung von Informationen, die für die Entwicklung künftiger opt. Computer von großer Bedeutung ist.

optische Nachrichtentechnik, Anwendungsgebiet der →Optoelektronik im Bereich der Nachrichtenübertragung. Neue Kommunikationssysteme, die Informationen (Telefongespräche, Telegramme, Bildsignale, Daten eines Computers) mithilfe von Lichtimpulsen über große Entfernungen auf →Lichtleitern übertragen können, erschließen der Nachrichtentechnik einen wesentlich erweiterten Frequenzbereich. Durch die hohen Trägerfrequenzen wird die Übertragungskapazität der Nachrichtenkanäle um das Vielfache gesteigert.

optischer Speicher, Datenspeicher hoher Speicherkapazität und kurzer Zugriffszeit, dessen Speicherinhalt auf opt. Weg, insbesondere mithilfe von Laserstrahlen, gelesen und meist auch auf opt. Weg aufgezeichnet wird. Zu den o. S. gehören der → holographische Speicher und die → optische Speicherplatte, i. w. S. auch fotograf. Speicher und der Mikrofilm.

optischer Test, *Physiologie:* 1936 von O. Warburg eingeführte photometr. Messung, bei der die enzymat. Aktivität der Dehydrogenasen durch Registrierung der Extinktionsveränderung bei 340 nm gemessen wird.

optisches Glas, für Linsen, Spiegel und Prismen verwendetes Klarglas mit festgelegten Werten der Brechzahlen. Es muss farblos und frei sein von Blasen, Knoten, Steinchen, Schlieren und Spannungen. Man unterteilt grob in das bleifreie **Kronglas** mit relativ niedriger Dispersion und das **Flintglas,** ein bleioxidhaltiges Alkaliglas mit hoher Dispersion.

optische Speicherplatte (engl. optical disc), kreisförmige Scheibe zur Speicherung digitaler Informationen, die mit einem Laserstrahl in die Speicherschicht eingeschrieben und aus ihr ausgelesen werden. Grundlage der Informationsaufzeichnung bei o. S. ist die Veränderung der opt. Eigenschaften in kleinen Bereichen (Durchmesser etwa 0,5 µm) des Speichermediums, die beim Lesen erkannt und damit ausgewertet werden können; die Eigenschaft, die dabei ausgenutzt wird, ist das Reflexionsverhalten. Je nach Verfahren werden die Daten irreversibel (z. B. → CD-Rom) oder auch reversibel gespeichert. Spezielle o. S. sind CDI (Abk. für engl. compact disc interactive) zur interaktiven Text-, Bild- und Tonanwendung und Foto-CDs zur Speicherung von Farbfilmaufnahmen.

optisches Pumpen, von A. Kastler entwickeltes Verfahren, durch Lichteinstrahlung in Materie die Besetzungsdichte bestimmter metastabiler Energiezustände gegenüber dem Gleichgewichtszustand bed. zu erhöhen. (→ Laser)

optische Täuschungen, den objektiven Gegebenheiten widersprechende Gesichtswahrnehmungen, v. a. bei geometr. Konfigurationen **(geometrisch-optische Täuschungen);** beruhen physiologisch auf der Bau- und Funktionsweise des (menschl.) Auges, psychologisch auf einer Fehldeutung oder einem Schätzfehler bei der Erfassung des Wahrgenommenen. Als weitere Ursachen können (bes. bei perspektiv. Täuschungen) Lernerfahrungen oder das Phänomen der Größenkonstanz sowie Einschätzungen von Farbhelligkeit und Farbverlauf eine Rolle spielen. Ein bekanntes Beispiel ist die **poggendorffsche Täuschung,** bei der eine Gerade von einem Parallelenband oder mehreren in einem schrägen Winkel gekreuzt und dadurch unterbrochen wird. Die Teile der Geraden scheinen gegeneinander versetzt zu verlaufen.

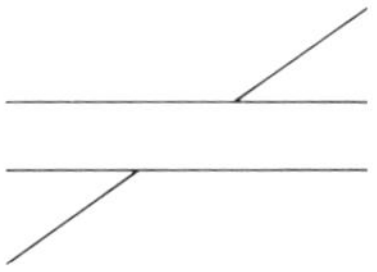

optische Täuschungen: poggendorffsche Täuschung

optische und feinmechanische Industrie, zusammenfassende Bez. für Industrien, deren Erzeugnisse bei zunehmender Einbeziehung elektron. Teile und Verfahren mit großer Präzision u. a. vielfach zum Messen, Steuern und Regeln eingesetzt werden.

optische Täuschungen: Die unterbrochenen Linien scheinen spiralförmig angeordnet zu sein, tatsächlich sind es aber konzentrische Kreise

optische Weglänge (Lichtweg), die auf die Lichtgeschwindigkeit *c* im Vakuum bezogene Weglänge *nl* beim Durchtritt des Lichtes durch ein Medium der Brechzahl *n* und der Länge *l.* Der Unterschied der o. W. zweier kohärenter Teilstrahlen wird als **Gangunterschied** bezeichnet.

Opto|elektronik [grch.], Teilgebiet der Elektronik (Grenzgebiet zw. Optik und Elektronik), das die Anwendung der Signalübertragung mittels Licht (einschließlich der IR- und UV-Strahlung) durch Steuerung des Stroms einer elektr. Strahlungsquelle umfasst. Kennzeichen ist die Wechselwirkung zw. Photonen und elektr. Ladungsträgern. Physikal. Grundlage sind hauptsächlich elektroopt. und magnetoopt. Effekte, Photoeffekte und Lumineszenzerscheinungen. Optoelektron. Bauelemente (→ Optokoppler) dienen zum Steuern, Regeln und Übertragen elektr. und opt. Signale. Sie sind meist Halbleiter. Als Strahlungssender werden Lumineszenzdioden und Laserdioden, als Strahlungsempfänger Photodioden, -widerstände und -transistoren verwendet.

Optokoppler, aus einem Lichtsender (z. B. Lumineszenzdiode) und einem Lichtempfänger (z. B. Phototransistor) bestehendes optoelektron. Bauelement zur Übertragung elektr. Signale. O. werden zur rückwirkungsfreien Kopplung und galvan. Trennung von Stromkreisen bei geringerer Größe und hoher Arbeitsgeschwindigkeit eingesetzt.

Opunti|e *die* (Opuntia), Kakteengattung in Nord- und Südamerika, in andere Erdteile eingeschleppt; baum- oder strauchförmige Pflanze mit flach gedrückten Sprossabschnitten; die Früchte einiger Arten sind essbar, z. B. die des **Feigenkaktus** (Opuntia ficus-indica). BILD Kakteen

Opus [lat.] *das,* Abk. **op., 1)** *allg.:* künstler., auch wiss. Werk.

2) *Musik:* Einzelwerk eines Komponisten; seit etwa 1800 geben die Komponisten ihren Werken eine O.-Zahl; zuvor versah man meist nur die gedruckten Werke mit O.-Zahlen.

Opus Dei [lat. »Werk Gottes«], internat. Vereinigung kath. Christen mit Sitz in Rom, 1928 von dem span. Priester J. Escrivá de Balaguer y Albas (* 1902, † 1975; 1992 selig gesprochen) in Madrid gegr.; weibl. Abteilung seit 1930; vereinigt Priester und (überwiegend) Laien. Das Selbstverständnis ist geprägt durch ein Ideal christl. Vollkommenheit, das geistl. Leben und Heiligung des Alltags verbindet. Die Missionierung gilt allen sozialen Schichten, bes. werden aber die »Eliten« als Zielgruppen angesprochen. Theologisch und kirchenpolitisch streng konservativ-restaurative Positionen vertretend, ist das O. D. Gegenstand zahlr. kontroverser Auseinandersetzungen. Seit 1982 sind die Priester des O. D. der Gehorsamspflicht gegenüber dem jeweiligen Ortsbischof enthoben. Das O. D. hat rd. 77 000 Mitgl. (darunter rd. 2 000 Priester) in 87 Ländern (rd. 40 % aller Mitgl. in Spanien und Lateinamerika).

📖 STEIGLEDER, K.: *Das O. D. – eine Innenansicht. Zürich [4]1991.* – BERGLAR, P.: *O. D. Leben u. Werk des Gründers Josemaría Escrivá. Köln [3]1992.*

OR, Abk. für **1)** *kath. Ordenswesen:* (Confoederatio Oratorii Sancti Philippi Nerii) die Oratorianer, → Oratorium.

2) → Obligationenrecht.

Oradea (dt. Großwardein), Hauptstadt des Kr. Bihor in Rumänien, an der Schnellen Körös, 6 km von der Grenze zu Ungarn, 221 900 Ew.; chem., Nahrungsmittelind., Werkzeugmaschinen-, Textil-, Leder-, Rauchwarenfabriken, Holzverarbeitung, Tonerdewerk. – Spätbarocke Bauten prägen das Stadtbild. – Der **Friede von Großwardein** beendete 1538 den Thronstreit in Ungarn zw. dem Röm. König Ferdinand I. und dem von den »Patrioten« 1526 ausgerufenen König Johann I.; er beließ beiden Herrschern bis zum Tode Johanns den Königstitel.

Oradour-sur-Glane [ɔradursyrˈglan], Ort im frz. Dép. Haute-Vienne, 1800 Einwohner. – O.-s.-G. wurde 1944 als Repressalie gegen die frz. Widerstandsbewegung von der SS niedergebrannt, insgesamt wurden etwa 600 Personen ermordet; heute Gedenkstätte.

Öræfajökull [ˈœ:rajvajœkydl], Gletscher in S-Island, höchster Teil des Vatnajökull, auf einem Vulkan (letzte große Ausbrüche 1362 und 1727), mit der höchsten Erhebung Islands, dem Hvannadashnúkur (2 219 m ü. M.).

ora et labora [lat.], bete und arbeite!, die das benediktin. Mönchtum entscheidend prägende Maxime.

Orakel [lat., zu orare »beten«, »reden«] *das,* Zukunftsdeutung mithilfe von Zeichen, in allen Kulturen verbreitet (u. a. chines. O.-Knochen aus dem 16.–14. Jh. v. Chr. erhalten). In der grch.-röm. Antike waren die Etrusker für ihre O.-Kunst berühmt (Beobachtung des Vogelflugs, Leberschau). Wichtige O.-Stätten waren Dodona, Olympia (beide dem Zeus geweiht), Delphi, Didyma (O. des Apoll), in hellenist. Zeit das Heiligtum des ägypt. Ammon in der Oase Siwa (Libysche Wüste). Seherinnen waren auch die → Sibyllen.

oral [lat.], in der Mundgegend gelegen, durch den Mund.

Oral *der,* mit dem Mundraum gebildeter Laut.

orale Phase, nach S. Freud die erste Entwicklungsstufe der menschl. Sexualität, bei der der Mund erogene Zone für den sexuellen Lustgewinn (durch Saugen und Lutschen) ist. Fixierung auf die o. P. (z. B. durch zu frühe Entwöhnung von Brust oder Flasche) kann im Erwachsenenalter zu psych. Störungen führen.

Oral History [ˈɔ:rəl ˈhɪstərɪ, engl.] *die,* Forschungsmethodik insbesondere der modernen Geschichtswiss., die mit der Befragung von Zeitzeugen zusätzl. histor. Quellen erschließt. Im Prinzip schon seit der Antike üblich, dient sie heute der Ergänzung herkömml. Methoden der geschichtswiss. Forschung, bes. zur Untersuchung zeit- und sozialgeschichtl. Sachverhalte sowie auch schriftloser Kulturen.

Oral Poetry [ˈɔ:rəl ˈpəʊɪtrɪ, engl.] *die,* in der vergleichenden Literaturwiss. Bez. für das kulturelle Phänomen der mündlich überlieferten, schriftlosen Sprachkunst (als Vorstufe literar. Erzählkunst). Entscheidend für die Theorie einer ursprünglich mündl. Epenkomposition war die Erkenntnis, dass die mündl. Darstellungsweise anderen Strukturgesetzen als die geschriebene Lit. folgt, so z. B. spezif. metr. und rhythm. Strukturen, Motive, Handlungsskizzen und Formelhaftigkeit aufweist. Die weitere Forschung übertrug unter Berücksichtigung der unterschiedl. Traditions- und Rezeptionsbedingungen mündl. Dichtung die Untersuchungen auch auf die schriftlich niedergelegte ep. Dichtung der verschiedenen Literaturen (u. a. »Beowulf«, »Nibelungenlied«).

Oran [ɔˈrã, frz.] (arab. Ouahran, Wahran), Wilayathptst. in NW-Algerien, am Golf von O., 700 000 Ew., zweitgrößte Stadt des Landes; kath. Bischofssitz; Univ. (seit 1965), TH; Nahrungsmittel-, Textil-, Metall- u. a. Ind.; bed. Hafen, internat. Flughafen; Ausgangspunkt der westlichen Sahara-

Oran: Das klassizistische Theater- und Opernhaus am Platz des 1. November wurde 1906 eröffnet; im Hintergrund ist das auf dem Hügel Aidour liegende, aus dem 18. Jh. stammende spanische Castillo de Santa Cruz zu erkennen

route. – Muslimische Altstadt mit alter Kasba und Moscheen, Kirche St.-Louis (1839) und Festung Château Neuf (1563–1701); ehem. Europäerstadt (im 19. Jh. angelegt) mit klassizist. Theater- und Opernhaus (1906) am Platz des 1. November; im W, auf dem Hügel Aidour, das ehem. span. Castillo de Santa Cruz (18. Jh.). – 902 von andalus. Händlern gegr., wuchs rasch zu einem bed. Handelshafen; gehörte ab 1437 zum Sultanat von Tlemcen; 1509–1792 span., 1708–32 und ab 1792 osman.; 1830 von Frankreich erobert. Am 3. 7. 1940 vernichteten brit. Einheiten einen Teil der frz. Flotte vor Mers el-Kebir. Bei der Landung der Alliierten leisteten die dem Vichy-Regime unterstehenden frz. Truppen im Nov. 1942 heftigen Widerstand.

Orange [oˈrã:ʒə, frz.] *das,* Farbempfindung, die durch eine Spektralfarbe mit einer Wellenlänge zw. etwa 590 nm (Gelb-O.) und 615 nm (Rot-O.) oder durch additive Farbmischung von Rot und Gelb hervorgerufen wird.

Orange: Das gut erhaltene römische Theater aus dem 1. Jh. n. Chr. mit mehrgeschossiger Bühnenrückwand und halbkreisförmig angeordneten Sitzstufen bot Platz für 10 000 Zuschauer

Orange [ɔˈrã:ʒə; frz., aus arab.-span.] *die,* die → Apfelsine.

Orange [ɔˈrãʒ], Stadt in SO-Frankreich, Dép. Vaucluse, nahe der Rhone, 28 100 Ew.; Schuhind., Glasfabrik. – Aus röm. Zeit sind bedeutende Bauwerke des 1. Jh. n. Chr. erhalten: das Theater mit halbkreisförmig angeordneten Sitzen (für 10 000 Zuschauer) und der sog. Triumphbogen (beide UNESCO-Weltkulturerbe), Kathedrale (1208 geweiht). – O., das röm. **Arausio,** war im MA. Hauptort des Fürstentums → Oranien.

Orangeat [ɔrãˈʒa:t, frz.] *das,* kandierte Orangenschale.

Orangerie [ɔrãʒˈri:, frz.] *die, Baukunst:* Gewächshaus zum Überwintern von Orangenbäumen u. a. exot. Pflanzen, seit dem 17. Jh. Teil barocker Parkanlagen; im späten 19. Jh. verlor die O. an Bedeutung und wich den Eisen-Glas-Konstruktionen der Gewächshäuser. – Beispiele in Dtl.: die O. in Kassel (1702–10), Dresden (Zwinger, 1711–22), die Neue O. im Schlosspark von Schwetzingen (1761/62). Bild Kassel

Orang-Utan [malaiisch »Waldmensch«] *der* (Pongo pygmaeus), in den Regenwäldern Borneos und N-Sumatras lebende Art der Menschenaffen mit sehr langen Armen, kurzen Beinen und rotbraunem oder gelbbraunem Fell. Die Männchen erreichen eine Scheitelhöhe von 1,5 m, die Weibchen sind wesentlich kleiner. Die Männchen haben im Alter starke Kehlsäcke. Der O.-U. durchwandert (Schwingkletterer) in kleinen Familien das Geäst hoher Bäume, baut sich aus Zweigen ein Schlafnest, ernährt sich von Früchten und Blättern. Bild Affen

Orani|en (frz. Orange), ehem. Fürstentum im Rhonetal, Hptst.: Orange; kam 1530 an Nassau-Châlons, 1544 an Wilhelm I. von Nassau-Dillenburg, den späteren Statthalter der Niederlande. Er begründete die ältere Linie Nassau-O., die 1702 mit Wilhelm III. erlosch. Obwohl der preuß. König O. beanspruchte, fiel es 1713 an Frankreich. Doch führten die jüngere Linie Nassau-O. und der König von Preußen den Titel eines Fürsten von O. weiter (→ Nassau, Geschichte).

Orani|enbaum, 1) Stadt im Landkr. Anhalt-Zerbst, Sa.-Anh., 5 200 Ew. – Regelmäßige barocke Stadtanlage (seit 1683); Schloss (1683–89); Schlosskirche (1702–12); Schlosspark, ein Teil im engl. Stil mit Pagode und chines. Teehaus (Ende 18. Jahrhundert).

2) bis 1948 Name der Stadt → Lomonossow.

Orani|enburg, Kreisstadt des Oberhavelkreises, Brandenburg, an der Havel und am Oder-Havel-Kanal, 29 000 Ew.; chem. und pharmazeut.

Ind., Holzind., Metall verarbeitende und Nahrungsmittelindustrie. – Schloss (1651ff.); Lustgarten mit Orangerie (um 1700); neuroman. Pfarrkirche (1864–66) von F. A. Stüler. – Urspr. **Bötzow,** entstand 1217 um die gegen 1200 errichtete gleichnamige Burg; 1350 als Stadt bezeugt, 1652 in O. umbenannt, nachdem die Kurfürstin Luise Henriette, geb. Prinzessin von Oranien-Nassau, dort ein Schloss hatte erbauen lassen. – 1933 entstand in O. eines der ersten nat.-soz. KZ (bis 1935). 1936 wurde nördlich von O. das KZ →Sachsenhausen errichtet. BILD Sachsenhausen

Oranienburg
Stadtwappen

Oranje *der* (engl. Orange River), Strom im südl. Afrika, 2250 km, entspringt 3160 m ü. M. in den Drakensbergen, durchfließt Lesotho, bildet die S-Grenze des Freistaats und die Grenze zw. der Prov. Nord-Kap und Namibia, mündet in den Atlantik; nicht schiffbar; größter Nebenfluss: Vaal. – Durch das **Oranje-Fluss-Projekt** (1966 begonnen) Nutzung des Wassers zur Bewässerung, Wasserversorgung und Energieerzeugung.

Oranjefreistaat (afrikaans Oranje Vrystaat, engl. Orange Free State), ehemalige (bis 1995) Provinz, heute Freistaat der Rep. →Südafrika.

Orans [lat. »Betende(r)«] *der,* Figur der frühchristl. Kunst, die betend beide Arme erhebt.

Orant *der, Botanik:* →Dorant.

Oraon (Kurukh), den Mundavölkern ähnl. Volk mit dravid. Sprache auf dem Chota-Nagpur-Plateau, Indien; Feldbau und Viehhaltung; 1,7 Mio., hängen z. T. noch ihrer animist. Religion an.

Oration [lat.] *die,* in der kath. Messe allg. jedes vom Priester laut vorgetragene Gebet.

Oratorianer, *kath. Ordenswesen:* →Oratorium.

Oratorium [kirchenlat. »Bethaus«] *das,* **1)** *Baukunst:* im MA. ein kleiner gesonderter Gebetsraum, bes. bei Märtyrergräbern; in Ordenskirchen Bez. des Chors, eines Nebenchors oder einer Chorkapelle, auch eines Gebetsraums im Klostertrakt.

2) *kath. Kirchenrecht:* nichtöffentl. Sakralraum zur Feier des Gottesdienstes.

3) *kath. Ordenswesen:* Kurz-Bez. für versch. religiöse Gemeinschaften, deren Mitgl. **(Oratorianer)** keine Ordensgelübde ablegen. 1) das **O. des heiligen Filippo Neri,** eine 1552 auf Initiative von F. Neri entstandene, 1575 päpstlich anerkannte Vereinigung von Priestern und Laien, die sich der Wiss. und der Seelsorge widmen; erstes O. in Dtl. 1692 in Aufhausen. 2) das **O. von Jesus und Maria,** eine 1611 von Pierre de Bérulle (*1575, †1629) gegr. frz. Weltpriestervereinigung; als Verband zentralistisch verfasst; Sitz des Generaloberen ist Paris; erstes O. in Dtl. 1643 in Kevelaer.

4) *Musik:* mehrteilige Komposition auf einen geistl. (meist bibl.), seltener weltl. Text für Chor, Solostimmen und Orchester, meist nicht für szen. Aufführungen bestimmt. Das vorwiegend ep. O. enthält auch dramat. und lyr. Züge; die Abgrenzung gegen verwandte Gattungen (Kantate, Passion) ist oft schwierig. Das O. entstand im 17. Jh. in Italien. Es entwickelten sich zunächst zwei Arten: das volkssprachl. italien. und das lat. O. Letzteres entstand aus dem liturg. Dialog des frühen 17. Jh. und erhielt etwa 1640 durch G. Carissimi seine gültige Form (u. a. ist ein Erzähler Träger der Handlung). – Vorläufer des italien. O. waren geistl. Lauden und Madrigale; dieser O.-Typ schloss sich formal der Oper des 17. Jh. an. Um 1700 wurden die Komponisten der neapolitan. Schule (u. a. L. Vinci, L. Leo, N. Jommeli, N. Porpora) wie in der Oper auch im O. richtungweisend für die weitere Entwicklung. Das O. gelangte auch nach Frankreich (M. A. Charpentier) und Dtl. (R. Keiser, J. Mattheson, J. J. Fux, J. A. Hasse). Den Höhepunkt erreichte die Entwicklung des bibl. O. in den großen Chor-O. G. F. Händels (u. a. »Messias«, 1742). J. Haydn tat mit den »Jahreszeiten« (1801) den entscheidenden Schritt zum weltl. O. Im 19. Jh. schufen bed. Werke F. Mendelssohn Bartholdy (»Paulus«, 1836; »Elias«, 1846), H. Berlioz (»Die Kindheit Christi«, 1854) und F. Liszt (»Die Legende von der hl. Elisabeth«, 1862). Zahlr. weltl. oder geistl. O. entstanden auch im 20. Jh., so u. a. I. Strawinskys »Oedipus Rex« (1927), P. Hindemiths »Das Unaufhörliche« (1931), A. Honeggers »Johanna auf dem Scheiterhaufen« (1938), E. Kreneks »Spiritus intelligentiae, sanctus« (1956), L. Berios »Traces« (1964), K. Pendereckis »Dies irae« (1967).

📖 OEHLMANN, W.: *Reclams Chormusik- u. Oratorienführer. Stuttgart ⁷1995.*

Orb, Bad, →Bad Orb.

Orbe [ɔrb], **1)** *die,* Fluss im Schweizer Jura, 67 km, entspringt südwestlich des Lac de Rousses, fließt hinter Orbe kanalisiert weiter als **Thièlle,** mündet in den Neuenburger See.

2) Bezirkshauptort im Kt. Waadt, Schweiz, an der Orbe, 5100 Ew.; Nahrungsmittelind., Weinbau; Reste röm. Landhäuser mit bed. Mosaiken, Burg (Donjon von 1255–59), got. Kirche (15. Jahrhundert).

Orbis pictus [lat. »gemalter (Erd)kreis«], Titel einer Bilderfibel des J. A. →Comenius (1654).

Orbis terrarum [lat.] *der,* der Erdkreis, die bewohnte Erde.

Orbit [ˈɔːbɪt, engl.] *der,* Umlaufbahn, bes. von Raumflugkörpern (z. B. Satelliten) um die Erde oder einen anderen Himmelskörper.

Orbital *das, Chemie:* aufgrund quantenmechan. Überlegungen aus der →Schrödinger-Gleichung abgeleitete Wellenfunktion, die einen Elektronenzustand beschreibt und aus der die räuml. Verteilung der Aufenthaltswahrscheinlichkeit von Elektronen in der Hülle eines Atoms (**Atom-O.,** Abk.

AO) oder Moleküls (**Molekül-O.**, Abk. MO) hervorgeht.

Orbiter [engl. ˈɔːbɪtə] *der,* bemannter oder unbemannter Raumflugkörper auf einer Planeten- oder Mondumlaufbahn.

Orcagna [ɔrˈkaɲa], Andrea, eigtl. A. di Cione, italien. Maler, Bildhauer und Baumeister, zuerst erwähnt 1343/44 in Florenz, †ebd. 1368; wahrscheinlich Bruder der Maler Nardo di Cione und Iacopo di Cione. – Hauptwerke in Florenz: Fresken in S. Croce (Fragmente erhalten), Altarbild der Strozzi-Kapelle von Santa Maria Novella (1357), Marmortabernakel mit Reliefs aus dem Marienleben in Or San Michele (1352–59).

Orcein *das,* rotbrauner, farbgebender Bestandteil versch. Flechtenfarbstoffe; wird in der Histologie zum Anfärben elast. Fasern verwendet.

Orchester [-k-; von Orchestra] *das,* **1)** aus einer größeren Anzahl von Instrumentalmusikern zusammengesetzter Klangkörper, der i. d. R. von einem Dirigenten geleitet wird. Das O. erlangte erstmals im 16. Jh. Bedeutung durch das Aufkommen selbstständiger Instrumentalmusik. Das »klass. O.« Haydns und Mozarts umfasst neben dem chorisch besetzten Streicherensemble im Normalfall je zwei Flöten, Oboen, Fagotte und Hörner. Dazu treten in einigen Werken Klarinetten, Trompeten, Posaunen und Pauken. Bis zum Ende des 19. Jh. wird die Besetzungsstärke durch Vervielfachung der Bläser sowie durch Einführung neuer Instrumente mehr als verdoppelt. Höhepunkte differenzierter Anwendung aller O.-Mittel bilden die Werke von R. Strauss und G. Mahler. Im 20. Jh. zeigt sich als Reaktion hierauf die Tendenz zu kammermusikal. Besetzungen (A. Schönberg, 1. Kammersinfonie op. 9, 1906) und zu immer wieder neuartiger, also nicht normierter Klangzusammenstellung. Als Sitzordnung des O. hat sich im 19. Jh. bes. in Dtl. eine auf die von J. F. Reichardt 1775 eingeführte Ordnung zurückgehende, lange gültige Norm herausgebildet, die ersten und zweiten Violinen links und rechts vom Dirigenten, dazwischen im Halbkreis in wechselnder Anordnung Bratschen und Violoncelli samt den Kontrabässen zu platzieren und die Bläser im Hintergrund aufzureihen. Seit 1945 setzte sich auch in Dtl. die von L. Stokowski eingeführte »amerikanische Sitzordnung« durch, bei der 1. und 2. Violinen links vom Dirigenten sitzen. Allerdings tauschte man die Plätze von Bratschen (in Dtl. vorn rechts) und Violoncelli (Mitte) aus. Schon immer gab es Abweichungen von der jeweils standardisierten Sitzordnung, die heute v. a. bei Aufnahmen für Rundfunk und Fernsehen, nur noch geringe Bedeutung hat. Zunehmend geht man auch im Konzertbetrieb dazu über, die Sitzordnung den jeweiligen akust. Bedingungen anzupassen. – Vom Sinfonie-O. (seit der Mitte des 18. Jh.) ist das Kammer-O. mit seiner kleinen Besetzung zu unterscheiden, im 19. Jh. auch das Blas-O. im Bereich der Marsch- und Militärmusik, im 20. Jh. ferner die großen und kleinen Unterhaltungs-O. sowie das Jazzorchester (→ Bigband).

Andrea Orcagna schuf in den Jahren 1352–59 den Marmortabernakel mit Reliefs aus dem Marienleben in der Kirche Or San Michele in Florenz

📖 BEKKER, P.: *Das O. Geschichte, Komponisten, Stile. A. d. Engl. Kassel u. a. 1989.* – HAFFNER, H.: *O. der Welt. Der internat. Orchesterführer. Berlin 1997.*

2) der vor der Bühne gelegene Raum für die Musiker.

Orchestra [-ç-; grch. »Tanzplatz«] *die,* der kreisförmige Platz für den Chor im grch. antiken Theater; im hellenist. und röm. Theater auch der hufeisen- oder halbkreisförmige Platz zw. Spielhaus und Zuschauerraum.

Orchestration (Orchestrierung) *die,* svw. → Instrumentation; auch die Umarbeitung einer Komposition (bes. eines Klavier- oder Orgelwerkes) für Orchester.

Orchestrion [-ç-, grch.] *das,* mechan. Musikinstrument in Form einer größeren Vitrine mit einer Vielzahl von Orgelpfeifen, die den Klang von Blas- und Streichinstrumenten wiedergeben, sowie Schlaginstrumenten und später einem Klavier; u. a. in Dresden und im bad. Schwarzwald (Vöhrenbach) bis etwa 1920 gebaut. BILD S. 264

Orchideen [zu Orchis] (Knabenkrautgewächse, Orchidaceae), Familie ausdauernder einkeimblättriger Pflanzen, meist im trop. Amerika und Asien,

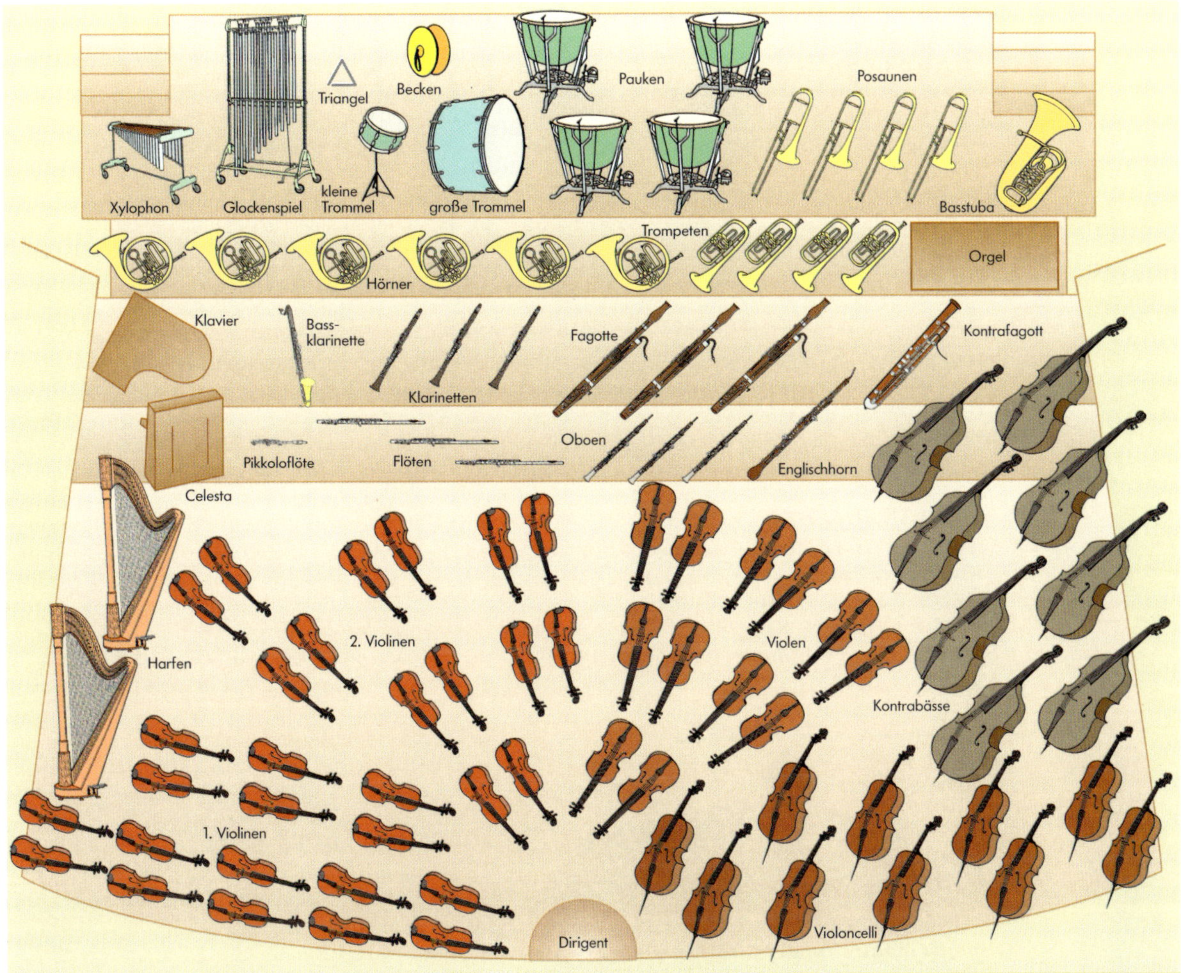

Orchester 1): Die von dem amerikanischen Dirigenten Leopold Stokowski zu Beginn des 20. Jahrhunderts eingeführte »amerikanische Sitzordnung« für große Sinfonieorchester wurde nach 1945 auch in Deutschland übernommen

dort vorwiegend als Epiphyten, in Europa nur Bodenpflanzen. O. besitzen verdickte Wurzeln oder Sprossknollen; von den sechs Blütenblättern ist das untere als Lippe ausgebildet; Staubblätter und Griffel sind zu einem Säulchen verwachsen. Die Samen der Kapselfrucht sind staubfein, ohne Nährgewebe und keimen nur bei Anwesenheit bestimmter Pilze. Alle heim. O. stehen unter Naturschutz; zu ihnen gehören u.a. Frauenschuh (Cypripedium), Knabenkraut (Orchis), Ragwurz (Ophrys), Riemenzunge (Himantoglossum), Nestwurz (Neottia). Zur Schnittblumengewinnung werden viele trop. O. unter Glas kultiviert, z.B. Cattleya, Phalaenopsis, Cymbidium, Paphiopedilum. BILDER Cattleya, Knabenkraut

🕮 *Orchideenkultur. Botan. Grundlagen, Kulturverfahren, Pflanzenbeschreibungen, hg. v.* G. FAST. *Stuttgart* ³*1995.*

Orchis [grch.], **1)** *der, Anatomie:* der →Hoden. **2)** *Botanik:* [wegen hodenähnl. Knollen] *die,* die Orchideengattung →Knabenkraut.

Orchitis *die,* die →Hodenentzündung.

Orchomenos, Stadt des Altertums in Böotien, in myken. Zeit (1600–1200 v. Chr.) Hauptort der Minyer, mit Deichbauten, unterird. Stollen, Kuppelgrab. Ausgrabungen weisen O. als ein frühes Kulturzentrum Griechenlands von neolith. bis in myken. Zeit aus. Die spätere Geschichte war durch die Rivalität mit Theben bestimmt. O. wurde von den Thebanern 363 v. Chr. zerstört, nach 335 aber von den Makedonen wieder aufgebaut. Freigelegt wurden Reste antiker Bauten.

Ordal [angelsächs.] *das,* →Gottesurteil.

Orden [von lat. ordo »Reihe«, »Ordnung«, »Stand«], **1)** (Ordensgemeinschaft) Zusammenschluss von Personen, die sich bestimmten Regeln unterwerfen und damit verbundene Verpflichtungen übernehmen.

Christl. Ordensgemeinschaften: in der kath. Kirche von der Kirche bestätigte religiöse Gemeinschaften, deren Mitgl. nach einer Vorbereitungszeit (Noviziat) die Gelübde der Keuschheit, des Gehorsams und der Armut abgelegt und sich zu einem gemeinschaftl. Leben unter der Autorität eines Oberen, oft in einem →Kloster, und nach einer bestimmten Lebensordnung (Regel, Konstitution) verpflichtet haben. Man unterscheidet zw. männl. und weibl. O., nach ihrer Tätigkeit zw. kontemplativen und aktiven O. Die O. haben ihre Wurzeln im Mönchtum der frühen Kirche. Im Zusammenhang mit den Kreuzzügen entstanden die geistl. →Ritterorden. Die Abwehr von Tendenzen der Verweltlichung innerhalb der Kirche führte im 13. Jh. zur Gründung der →Bettelorden. Wichtigster Träger der kath. Reform wurde der im 16. Jh. gegr. O. der →Jesuiten. Im 19. Jh. entstanden zahlr., meist in der Krankenpflege und im Erziehungswesen tätige, v.a. weibl. →Kongregationen.

Evang. Kirchen →Bruderschaften.

In den *nichtchristl. Religionen* spielen die O. im Rahmen des →Mönchtums im Buddhismus und Dschainismus eine große Rolle. Im Islam haben die →Derwische geistl. O. ausgebildet.

Orchestrion mit Walzen, Blechtrompeten und Blechposaunen aus der Firma der Dreh- und Karusselorgelbauer Ignaz Bruder + Söhne (um 1860; Waldkirch, Elztäler Heimatmuseum)

📖 *Die großen Ordensgründer. Benedikt – Dominikus – Franziskus – Ignatius, Beiträge v.* J. Lang *u. a. Freiburg im Breisgau 1990.*

2) *weltliche O.:* Im Verlauf des Spätmittelalters wurden überall in Europa von regierenden Fürsten neue weltl. Ritter-O. (z. B. Annunziaten-O., Hosenband-O., O. vom Goldenen Vlies) gestiftet, deren Aufgabe nun nicht mehr der Kampf gegen die »Ungläubigen«, sondern der Einsatz für die Stärkung des Ansehens und der Macht des Fürsten war. Dieser hatte stets das Großmeisteramt inne. Äußerer Ausdruck der Mitgliedschaft in einem O. waren die Ordenstracht und -insignien; Bedingung für die Aufnahme war ein Adelstitel. – Seit dem Beginn der Neuzeit nannten sich auch Gemeinschaften O., z. B. die Sprachgesellschaften im 17. Jh., die weltanschaul. O. der Freimaurer und Rosenkreuzer sowie die student. Geheimbünde Ende des 18. Jahrhunderts.

3) *Verdienst-O.:* Ehrenzeichen, Abzeichen für besondere militär., künstler., wiss. u. a. Verdienste. Von der ursprüngl. Gemeinschaft der sog. Hoforden (→Orden 2), deren Mitgl. sich gemeinsamen Zielen und Aufgaben verschrieben hatten, wurde im Verlauf der Jh. der Begriff O. auf das Abzeichen dieser Vereinigungen übertragen. Neben diesen – stets einklassigen – O. entstanden im 17./18. Jh. militär. Verdienst- und Tapferkeitsorden, die in zunächst drei, später in fünf »Klassen« eingeteilt waren. – Fast alle Staaten der Welt verleihen O., Ausnahmen bilden u. a. die Schweiz und Israel. – Ehrenzeichen und Medaillen (auch Erinnerungskreuze oder -medaillen) – oft volkstüml. als O. bezeichnet – gelten nicht als O. Im Übrigen können O. in Republiken auch »Ehrenzeichen« genannt werden (z. B. Österreich, USA). Die O. und Ehrenzeichen der Bundesrep. Dtl. werden nach dem Bundes-Ges. vom 26. 7. 1957 vom Bundespräs. gestiftet und verliehen (z. B. der →Verdienstorden der Bundesrepublik Deutschland; genehmigt ist der O. →Pour le mérite; Ehrenzeichen sind u. a. das Ehrenzeichen des DRK, das Dt. Feuerwehrehrenkreuz). Die Länder verleihen eigene O. und Ehrenzeichen. Die Annahme ausländ. Titel, O. und Ehrenzeichen bedarf der Genehmigung des Bundespräs. Alle früheren dt. Reichs- und Landesauszeichnungen dürfen getragen werden, sofern sie kein nat.-soz. Symbol enthalten oder dieses vorschriftsmäßig entfernt ist. Verboten bleiben sonstige nat.-soz. Auszeichnungen. – Im Einigungsvertrag wurde geregelt, dass Ansprüche aus verliehenen staatl. Auszeichnungen der DDR erloschen sind.

📖 *O. Europas, bearb. v.* J. Nimmergut. *Augsburg* [2]*1991.*

Ordensbänder (Catocala), Gattung großer Eulenschmetterlinge mit wenigen Arten in Dtl. Die rindenfarbigen Vorderflügel bedecken in Ruhestellung (an Baumstämmen) die leuchtend roten, gelben, blauen oder weißen, schwarz gebänderten Hinterflügel, die bei Störung plötzlich freigelegt werden. Bekannt sind u.a. das **Blaue Ordensband** (Catocala fraxini; Flügelspannweite etwa 9 cm).

Ordensbänder: Das Blaue Ordensband legt in der Schreckstellung die blau gebänderten Hinterflügel frei

Ordensburgen, →Deutschordensburgen.

Ordenshochschulen, →kirchliche Hochschulen.

ordentliche Gerichtsbarkeit, die durch die ordentl. Gerichte ausgeübte Gerichtsbarkeit. Gerichte der o. G. sind der Bundesgerichtshof, die Oberlandesgerichte, die Land- und die Amtsgerichte. Die o. G. wird unterteilt in: 1) die streitige Zivilgerichtsbarkeit, 2) die freiwillige Gerichtsbarkeit, 3) die Strafgerichtsbarkeit. Der Begriff ist historisch zu erklären: Die Gerichte der o.G. des Dt. Reiches (nach 1871) waren unabhängig im rechtsstaatl. Sinne (also »ordentlich«) im Ggs. zu anderen Einrichtungen der Rechtsprechung.

Order [frz.] *die,* Befehl, Verfügung; Bestellung.

Orderpapiere, Wertpapiere, die zwar eine bestimmte, namentlich bezeichnete Person als berechtigt benennen, aber durch →Indossament an eine andere Person übertragen werden können (indossable Papiere). O. kraft Gesetzes **(geborene O.)** sind u.a. Wechsel und Scheck. Daneben stehen die **gekorenen O.,** die durch **Orderklausel** (»an Herrn/Frau X oder dessen/deren Order«) zu O. gemacht werden können, z.B. kaufmänn. Anweisungen, Konnossemente, Ladescheine, Transportversicherungspolicen (§ 363 HGB).

Ordinalzahl [lat.], die →Ordnungszahl.

Ordinariat [lat.] *das,* **1)** *Hochschulwesen:* der Lehrstuhl eines Ordinarius.

2) *kath. Kirche:* die zentrale Verwaltungsbehörde (Generalvikariat, Diözesankurie) eines Bistums.

Ordinarium [lat.] *das, lat. Liturgie:* das formale Gerüst und die gleich bleibenden Texte eines Gottesdienstes, die im Missale festgelegt sind.

Ordinarius [lat.] *der,* Universitätsprofessor, Inhaber eines ordentl., planmäßigen Lehrstuhls.

Ordinate [lat.] *die,* die zweite (y-)Koordinate eines Punktes im rechtwinkligen kartes. Koordinatensystem (→Koordinaten); die senkrechte (y-)Achse heißt **Ordinatenachse.**

Ordination [lat. ordinatio »Anordnung«; »Einsetzung in ein Amt«] *die,* **1)** *Kirchenrecht:* in den evang. Kirchen die Beauftragung (keine Weihehandlung) befähigter Gemeindeglieder zur Wortverkündigung und Sakramentsverwaltung unter Anerkennung und Mitwirkung der Gemeinde und die Verpflichtung des Berufenen auf die Bekenntnisschriften und Gesetze der (Landes-)Kirche; in der kath. Kirche die Spendung des Sakraments der →Weihe (Ordo). In den orth. Kirchen (**Cheirothesie** [»Handauflegung«]) i.e.S. die Weihe der niederen Weihegrade; i.w.S. der konstitutive (rechtsetzende) Akt der Priesterweihe.

2) *Medizin:* ärztliche Verordnung; veraltet für Sprechstunde.

Ordnung, 1) *allg.:* übersichtlicher Zustand; unter einem bestimmten Prinzip zu einem einheitl. Ganzen zusammengefügte Vielheit von Teilen oder Elementen; geregelte, ungestörte Situation.

2) *Biologie:* in der Systematik eine Einheit zw. Familie und Klasse.

3) *Mathematik:* a) die →Ordnungsrelation; b) auch als **Grad** bezeichnete Kennzahl zur Klassifizierung mathemat. Objekte, z.B. die O. algebraischer Kurven, die O. einer Differenzialgleichung.

4) *Philosophie:* metaphysisch-ontolog. Grundbegriff: Gestaltetheit des Seins als System, Struktur, Hierarchie, Organismus u.a. auf Einheit hin (Kosmos, Welt), im Ggs. zum Ungeordnet-Chaotischen; in erkenntnistheoret. Funktion: die Erfahrung als »nach Regeln« geordnetes Ganzes (Kant), unter Vernunftideen stehend; in der Ethik: als Wert-O. das normative System.

5) *Soziologie:* die Struktur der Beziehungen in einer sozialen Einheit (Gruppe, Verband, Klan, Sippe, Gesellschaft, Staat). (→Ordo)

Ordnungsbehörden, in den dt. Ländern die von der Vollzugspolizei zu unterscheidenden Behörden der öffentl. Verwaltung, zu deren Aufgabengebiet die →öffentliche Sicherheit und Ordnung gehören, z.B. Bauordnungsamt, Gewerbeaufsichtsamt.

Ordnungsmittel, im Unterschied zu Kriminalstrafen gerichtl. Maßnahmen zur Aufrechterhaltung der Ordnung bei der Durchführung von Verfahren mit überwiegendem Sanktionscharakter (i.e.S. werden O. Beugemittel genannt). O. sind das Ordnungsgeld und – vielfach ersatzweise – die Ordnungshaft (auch Beugehaft).

Ordnungspolitik, Gesamtheit aller wirtschaftspolit. Maßnahmen, die den rechtl. Ordnungsrahmen gestaltet, innerhalb dessen der Wirtschaftsprozess abläuft. Hat sich ein Staat grundsätzlich für eine marktwirtschaftl. Wettbewerbsordnung auf der Grundlage des Privateigentums an Produktionsmitteln entschieden, dann muss die O. diesen Ordnungsrahmen präzisieren, v.a. durch Ausgestaltung von Wirtschaftsrecht und -verfassung. Teilbereiche der O. sind: Wettbewerbspolitik, Politik zur Gestaltung der Unternehmens- und der Eigentumsordnung, Verteilungs- und Sozialpolitik, Verbraucherberatung und -schutz.

Örebro 2): Stadtansicht mit dem als Vierflügelanlage 1573–1627 erbauten Renaissanceschloss im Vordergrund

Ordnungsrelation (Ordnung), *Mengenlehre:* eine zweistellige Relation, die reflexiv bzw. antireflexiv, antisymmetrisch und transitiv ist; sie wird als O. 1. Art (z.B. die Kleiner-Gleich-Relation $\leq$) bzw. O. 2. Art (z.B. die Kleinerrelation $<$) bezeichnet. Eine Menge mit einer O. heißt **geordnete Menge**.

Ordnungswidrigkeiten, rechtswidrige und vorwerfbare Handlungen, die gegen Vorschriften eines Gesetzes verstoßen, das die Ahndung mit einer Geldbuße (→Buße) zulässt. O. wird als sog. Verwaltungsunrecht kein krimineller Gehalt beigemessen, weshalb sie nicht mit Strafe bedroht werden. O. sind in zahlr. bundes- bzw. landesrechtl. Einzel-Ges. (Steuerrecht, Straßenverkehrsrecht und Baurecht) normiert. Nach dem Ges. über O. (OWiG) i.d.F.v. 19. 2. 1987, das lediglich ein Rahmen-Ges. mit nur einzelnen hier genannten O.-Tatbeständen ist, ist für die Verfolgung und Ahndung von O. grundsätzlich die Verwaltungsbehörde (Ordnungsbehörde) zuständig. In Bagatellfällen kann sie ein Verwarnungsgeld von 5 bis 75 DM erheben, ansonsten eine Geldbuße (5–1000 DM, soweit nichts anderes geregelt) auferlegen. Es gilt das Opportunitätsprinzip.

Ordnungszahl, 1) *Chemie, Physik:* (Atomnummer) Formelzeichen Z, Stellenzahl eines chem. Elements im Periodensystem; stimmt mit der Kernladungszahl (Protonenzahl) des Atomkerns überein.

2) *Mathematik:* (Ordinalzahl) natürl. Zahl zur Kennzeichnung der Stelle, an der ein Element einer geordneten Menge steht (z.B. der erste, der zweite usw.).

Ordo [lat. »Reihenfolge«, »Ordnung«], *der,* das Weltbild der mittelalterl. Philosophie charakterisierender Leitbegriff: Alles »Irdische« unterliege einer immanenten, zielgerichteten Ordnung, deren Grund und Zweck Gott sei (Schöpfungsordnung).

Ordoliberalismus, →Neoliberalismus.

Ordonnanz [frz.] *die,* **1)** veraltet für Erlass.

2) *Militärwesen:* in der Bundeswehr ein zu besonderen dienstl. Zwecken abgeordneter Soldat. Der **Ordonnanzoffizier** ist der Bearbeiter von dienstlich-persönl. Angelegenheiten bei Bataillons- und Brigadekommandeuren und Leitern militär. Dienststellen in entsprechendem Rang.

Ordos, Hochplateau in China, in der autonomen Region Innere Mongolei; in der großen Schleife des Hwangho; von der Chines. Mauer durchzogen; zum größten Teil Sandwüste.

Ordovizium [nach dem kelt. Volksstamm der Ordovizier, N-Wales] *das,* zweites System des Paläozoikums (ÜBERSICHT geologische Systeme); paläogeographisch stand einem südl. **Gondwana-Kontinent,** durch einen breiten Ozean getrennt, eine Norderde **(Laurasia)** gegenüber. Paläomagnet. Daten lassen den Südpol im westl. Nordafrika, den Nordpol im Zentralpazifik vermuten. Man unterscheidet eine tonige Stillwasser- (mit Graptolithen) und eine sandig-kalkige Flachwasserfazies; Beginn lebhafter Krustenbewegungen. Stratigraphisch wichtige Fossilien sind: Graptolithen, Trilobiten, Conodonten und Brachiopoden (Entwicklung der Kalkschaler). Gesteine des O. sind Grauwacken, Sandsteine, Quarzite, Tonschiefer, Kalke und oolith. Eisenerze.

Ordschonikidse, 1) 1931–90 Name der Stadt →Wladikawkas.

2) 1937–43 Name von →Jenakijewo.

Ordschonikidse, Grigori Konstantinowitsch, sowjet. Politiker georg. Herkunft, *Gorescha (Gouv. Kutaissi) 24. 10. 1886, †(Selbstmord) Moskau 18. 2. 1937; schloss sich 1903 den Bolschewiki an; errichtete im Auftrag Stalins 1920–21 die Sowjetherrschaft in Georgien und Armenien.

Öre [schwed.] *das* auch *die* (dän. und norweg. Øre; isländ. Eyrir, *Pl.* Aurar), 1873–75 eingeführte kleine Währungseinheit in Schweden, Dänemark, Norwegen und Island; 1 Ö. = $^1/_{100}$ Krone.

Oreade [grch.] *die,* Bergnymphe (→Nymphen).

Örebro [-'bru:], **1)** Bezirk (Län) in Mittelschweden, 8519 km², (1995) 276800 Einwohner.

2) Hauptstadt von 1), 123200 Ew., an der W-Spitze des Hjälmarsees; Univ., Sporthochschule, Museen; Maschinenbau, Schuh-, Papier-, Keksfabriken. – Got. Nikolaikirche (13./14. Jh.); Renaissanceschloss, unter Einbeziehung der Burg (13. Jh.) als Vierflügelanlage mit vier starken Rundtürmen 1573–1627 erbaut (heute Sitz der Länsregierung).

Oreg., Abk. für den Bundesstaat **Oreg**on, USA.

Oregano (Origano) [italien.] *der,* Gewürz aus den getrockneten Blättern und blühenden Zweigspitzen des Gemeinen Dosts; für Pizza u. a.

Oregon ['ɔrɪgən] (Abk. Oreg., OR), einer der Kordillerenstaaten der USA, am Pazif. Ozean, 251419 km², (1995) 3,14 Mio. Ew. (1,6% Schwarze, 4% Hispanics); Hptst.: Salem. Das Kaskadengebirge schneidet O. in zwei Teile; der größere östl. Teil wird vom Columbiaplateau eingenommen, der westl. von den Coast Ranges durchzogen. Zwischen ihnen und dem Kaskadengebirge liegt das 100 km breite niederschlagsreiche Tal des Willamette River. Der Ackerbau ist im Columbiaplateau auf künstlich bewässerte Gebiete beschränkt. Bedeutend sind die Holzwirtschaft und die auf ihr beruhende Ind., weiter Nahrungsmittel- und Aluminiumind.; Fremdenverkehr. Staatsuniv. in Eugene und Portland. – O. wurde 1846 zw. Großbritannien und den USA geteilt. Der amerikan. Teil wurde 1859 (nach Abtrennung von Idaho und Washington) 33. Staat der Union.

Orel [russ. ar'jɔlj] (Orjol), Hauptstadt des Gebietes O. in Russland, im Schwarzerdegebiet an der oberen Oka, 346600 Ew.; TH, Turgenjew-Museum, Gemäldegalerie; Maschinenbau, Stahlwalzwerk, Uhrenfabrik, chem., Textilindustrie.

Orenburg (1938–57 Tschkalow), Hauptstadt des Gebiets O. in Russland, am Uralfluss, 556500 Ew.; vier Hochschulen, mehrere Museen und Theater; Maschinenbau, Erdgasverarbeitung (um O. Erdgasgewinnung; Erdgasexportleitung an die ukrain.-slowak. Grenze bei Uschgorod), Nahrungsmittel-, Schuhind., Seidenwerk.

Orense, 1) Provinz Spaniens, in Galicien, 7278 km², (1991) 350500 Ew., Hptst.: Orense.

2) Stadt in Spanien, → Ourense.

Orest, *grch. Mythos:* Sohn des → Agamemnon und der Klytämnestra. Nach der Ermordung seines Vaters durch Ägisth, den Liebhaber seiner Mutter, wurde O. von seiner Schwester Elektra gerettet. Erwachsen geworden, rächt er den Vater an Klytämnestra und Ägisth. Als Muttermörder wird er von den Erinnyen verfolgt, doch das Gericht der Götter spricht ihn mit der Stimme Athenes frei (so bei Aischylos). Nach der jüngeren, von Euripides überlieferten Version gebietet Apoll dem Muttermörder, das Kultbild der Artemis aus Taurien nach Delphi zu holen. Dort trifft er seine Schwester → Iphigenie und bringt auch sie glücklich nach Hause. Begleitet wird er immer von seinem treuen Freund Pylades. Später vermählte sich O. mit Hermione, der Tochter des Menelaos. – Das Schicksal des O. gehört – in Anknüpfung an die großen grch. Tragiker – zu den immer wieder bearbeiteten Stoffen der Weltliteratur, u. a. in Goethes »Iphigenie« (1787). Meist steht jedoch die Beziehung O.s zu seiner Schwester Elektra im Mittelpunkt: E. O'Neill »Trauer muß Elektra tragen« (1931), J.-P. Sartre »Die Fliegen« (1943), G. Hauptmann »Elektra« (1948). Opern von Richard Strauss »Elektra« (1909), E. Krenek »Das Leben des O.« (1930).

Öresund (Sund), Meerenge zw. der dän. Insel Seeland und dem südschwed. Schonen, verbindet Nord- und Ostsee. Seit 1993 ist eine feste Verbindung über den Ö. im Bau (Hochbrücke, künstl. Insel, Tunnel).

ORF, Abk. für → **Ö**sterreichischer **R**und**f**unk.

Orfe *die* (Aland, Nerfling, Leuciscus idus), rd. 60 cm lange Art der Karpfenfische, die vom Rhein bis zum Ural vorkommt. Die Zuchtrasse **Goldorfe** ist ein Zierfisch in Teichen.

Carl Orff

Orff, Carl, Komponist, * München 10. 7. 1895, † ebd. 29. 3. 1982; Kapellmeister in München, Mannheim und Darmstadt. 1924 gründete er mit Dorothea Günther eine Schule für Gymnastik, Musik und Tanz. Hier entwickelte O. das heute nach ihm benannte »O.-Instrumentarium« zur Realisierung seines »O.-Schulwerks« (1930–35), einer elementaren Musiklehre. – O. schrieb v. a. Opern und szenisch aufführbare Oratorien; dabei strebte er eine Einheit von Musik, Sprache und Bewegung an. – 1990 wurde das O.-Zentrum München, Staatsinst. für Forschung und Dokumentation, eröffnet.

Carl Orff: Das »Orff-Instrumentarium« besteht aus den Stabspielen (Alt- und Sopran-Xylophon, Alt- und Sopran-Glockenspiel) und dem kleinen Schlagwerk (Triangel, Zimbeln, Becken, Schellenbänder, Tamburin, Trommeln, Rasseln, Kastagnetten und Pauken)

Werke: Szenische Oratorien: »Carmina burana« (1937); »Catulli carmina« (1943); »Trionfo di Afrodite« (1953; diese Werke als Trilogie »Trionfi« zusammengefasst). – Bühnenwerke: »Die Kluge« (1943, eigene Dichtung); »Die Bernauerin« (1947, eigene Dichtung); »Antigonae« (1949); »Ein Sommernachtstraum« (1952, Neufassung 1964); »Oedipus der Tyrann« (1959); »Prometheus« (1968); »Das Spiel vom Ende der Zeiten« (1973, Neufassung 1980).

📖 Liess, A.: *O. Idee u. Werk. München ²1984.* – Orff, G.: *Mein Vater u. ich. Erinnerungen an C. O. Neuausg. München u. a. ²1995.*

Organ [grch. órganon »Werkzeug«] *das,* **1)** *Biologie:* aus versch. Zellen und Geweben unterschiedl. Struktur zusammengesetzte, für spezif. funktionelle Leistungen verantwortl. Einheit, z. B. Atmungs- oder Verdauungs-O., bei Pflanzen z. B. Wurzel, Spross, Blätter oder Blüte. Funktionell zusammenwirkende O. bilden ein **O.-System,** z. B. Nerven-, Gefäßsystem.

2) *Recht:* eine Person oder Personenmehrheit, die in Staat, Gemeinden, Körperschaften, Vereinen oder Gesellschaften bestimmte, durch Gesetz oder Statut umrissene Aufgaben erfüllt (z. B. Vorstand, Aufsichtsrat).

Organdy [-di, engl.-frz.] *der* (Organdin), durch Färben, Bedrucken oder Buntweben gemusterter, durch spezielle Ausrüstung milchig durchscheinender (transparenter) Baumwollbatist.

Organellen (Zellorganellen), in Zellen vorkommende organähnl. Gebilde mit spezif. Struktur und Funktion, z. B. Mitochondrien, Plastiden.

Organgesellschaft, → Organschaft.

Organigramm *das* (Organogramm), die graf. Darstellung einer Organisationsstruktur.

Organisation [frz.] *die,* **1)** *allg.:* funktionsgemäßer Aufbau; planmäßige Gestaltung, Regelung.

2) *Gesellschaft:* Verband zur Vertretung gemeinsamer Interessen und zur Erreichung gemeinsamer (sozialpolit.) Ziele.

3) *Wirtschafts-* und *Sozialwiss.:* (Betriebs-O.) einerseits die Gesamtheit der Vorgänge des ordnenden Gestaltens, andererseits das Ergebnis dieser Vorgänge selbst. Speziell werden zielgerichtete soziale Systeme, in denen Menschen und Objekte dauerhaft in einem Strukturzusammenhang stehen (institutionaler O.-Begriff), ferner die Regeln, welche das Handeln in solchen Systemen festlegen (instrumentaler O.-Begriff), und schließlich die Tätigkeit des Gestaltens derartiger Systeme (funktionaler O.-Begriff) mit der Bez. O. belegt. Aufgrund dieser Vielschichtigkeit ist die organisationstheoret. Forschung i. Allg. interdisziplinär ausgerichtet.

In der **betriebswirtschaftlichen O.-Lehre** wird O. als ein dauerhaftes arbeitsteiliges System verstanden, in dem die personalen (menschl.) oder sachl. (maschinellen) Aufgabenträger als Systemelemente zur Erfüllung der Unternehmensaufgabe (Produktion von Sachgütern oder Angebot von Dienstleistungen) und zur Erreichung des Unternehmungszieles (z. B. Gewinn- oder Umsatzmaximierung) untereinander verbunden sind. Die formale Zuordnung von Aufgaben, Personen und Sachmitteln stellt das Beziehungsgefüge oder die **Aufbau-O.** dar, durch die die Verteilungs-, Kommunikations- und Leitungsprobleme gelöst werden sollen. Die raum-zeitl. Zuordnung der Systemelemente heißt **Ablauf-O.** und verlangt eine Arbeitsgang- oder Prozessstrukturierung. Die Aufbau-O. einer Unternehmung umfasst die Bildung von Stellen (Funktionsbereiche für Personen) nach versch. Verfahren (Zentralisationsformen) und von Abteilungen, die Besetzung von Stellen, die Schaffung von Leitungssystemen (Zentralisation und Dezentralisation von Entscheidungen durch Instanzenbildung), die Berücksichtigung von Stabsstellen, den Aufbau von Kommunikationssystemen, die den Arbeitszusammenhang zw. den Stellen durch geeignete Informationsbeziehungen, unter Umständen auch mittels Einrichtung von Kollegien, sicherstellen. – Ablauforganisator. Maßnahmen beziehen sich bes. auf die Regelung zeitl. und räuml. Beziehungen zw. Arbeitsgängen.

O. werden auch durch informale Erscheinungen (informale Gruppen, Kommunikation, Macht, Normen und Führung, sozialer Status, persönl. Beziehungen) geprägt, die für das Verhalten von und in O. von erhebl. Bedeutung sind. Mit derartigen sozialen Phänomenen befasst sich die **O.-Psychologie** und untersucht u. a. das individuelle Verhalten in O., das Gruppen- und Führungsverhalten und seine Auswirkung auf Motivation, Leistung und Zufriedenheit der O.-Mitgl., den Einfluss von Werten und Wertorientierungen auf organisator. Handeln (→ Organisationskultur) sowie die organisator. Gestaltung unter (sozial)psycholog. Gesichtspunkten (→ Organisationsentwicklung). Mit dem gesellschaftl. Differenzierungsprozess bildete sich eine eigenständige → Organisationssoziologie heraus.

📖 Laux, H. u. Liermann, F.: *Grundlagen der O. Heidelberg u. a. ³1993.* – Schmidt, Götz: *Methode u. Techniken der O. Gießen ¹⁰1994.* – *Organisationstheorien, hg. v.* A. Kieser. *Stuttgart u. a. ²1995.* – *Neue Organisationsformen im Unternehmen, hg. v.* H.-J. Bullinger *u.* H.-J. Warnecke. *Berlin u. a. 1996.*

Organisation de l'Armée Secrète [ɔrganiza'sjɔ̃ də lar'me sə'krɛːt], → OAS.

Organisation der Afrikanischen Einheit, → OAU.

Organisation der Amerikanischen Staaten, → OAS.

Organisation für Sicherheit und Zusammenarbeit in Europa, Abk. →OSZE.

Organisation Gehlen, →Gehlen, Reinhard.

Organisation Mittelamerikanischer Staaten, →ODECA.

Organisationsdelikte, Straftaten, die in der Bildung, Fortführung oder Unterstützung verbotener (bes. verfassungsfeindl.) Vereinigungen bestehen (z.B. §§84ff., 129, 129a StGB). Bisweilen wird auch die Bandenbildung dazugerechnet.

Organisationsentwicklung, Verfahren, die unter Anwendung verhaltenswiss. Erkenntnisse auf eine Erhöhung der Effektivität von Organisationen und eine verbesserte Übereinstimmung von organisator. Praktiken und persönl. Zielen der Organisations-Mitgl. abzielen. Durch die Änderung der Kenntnisse und Wertnormen von Organisations-Mitgl., der Interaktionsmuster sowie der informations- und fertigungstechnisch beeinflussten Handlungsbedingungen wird eine Modifikation des individuellen Denkens, Verhaltens und Handelns in Organisationen angestrebt. Es werden prozessorientierte (z.B. Gruppentraining, Prozessberatung, Konfrontationstreffen) und soziotechn. (z.B. Arbeitsstrukturierungsmaßnahmen) Interventionsmethoden angewendet.

Organisationsklausel (Absperrklausel), Bestimmung in einem Tarifvertrag, dass der tarifgebundene Arbeitgeber nur organisierte Arbeitnehmer oder nur der tarifschließenden Gewerkschaft angehörige Arbeitnehmer beschäftigen darf (im angloamerikan. Arbeitsrecht: »Closed Shop«). Beide Klauseln sind nach der Rechtsprechung nichtig, da sie gegen Art. 9 Abs. 3 GG (negative Koalitionsfreiheit) verstoßen.

Organisationskultur (Unternehmenskultur), die von den Mitgl. einer Organisation hinsichtlich deren Zweck gemeinsam getragenen Grundüberzeugungen, Werte und Einstellungen, die sich oft sichtbar manifestieren (z.B. organisationsspezif. Symbolik wie Architektur, Slogans, Kleiderordnungen) und deren spezif. Ausprägung häufig auf die besonderen Bedingungen der Gründungssituation einer Organisation zurückzuführen ist. Sie beeinflussen die Wahrnehmungs- und Handlungsmuster ihrer Mitgl. und wirken gegebenenfalls auch koordinierend. Wesentl. Funktion der O. ist es, die Integration und Motivation der Organisations-Mitgl. über den Aufbau einer organisationsbezogenen Identität und eines »Wir-Gefühls« zu ermöglichen.

Organisationssoziologie, Forschungszweig der Soziologie, analysiert die Struktur der sozialen Beziehungen zw. Menschen im Binnenbereich und in den Außenbeziehungen von Organisationen, insbesondere die Zusammenhänge zw. Zielen und innerer Aufbaustruktur, zw. Herrschaftsstruktur und Leistungsfähigkeit einer Organisation sowie dem Organisationsziel und dem Einzelinteresse der Mitglieder.

organisch, ein Organ oder den Organismus betreffend, der belebten Natur angehörend; mit etwas eine Einheit bildend.

organische Architektur, Strömungen der modernen Architektur, die Bestrebungen wie die Harmonisierung von Bauten und Landschaft, das organ. Zusammenfügen von Bauteilen, die Verwendung natürl. Baumaterialien und die Zweckbezogenheit in biolog., psycholog. und sozialem Sinn umfasst. Seit L. H. Sullivan suchten Architekten wie F. L. Wright, H. Häring, H. Scharoun, A. Aalto, Eero Saarinen und F. Otto sowie Vertreter des ökolog. Bauens Ziele der o. A. zu verwirklichen.

organische Chemie, Teilgebiet der →Chemie.

organische Verbindungen, *Chemie:* die Verbindungen des Kohlenstoffs mit Ausnahme der wasserstofffreien Chalkogenide (z.B. CO, CO_2, CS_2; →Chalkogene) und deren Abkömmlingen (z.B. Kohlensäure), der salzartigen und metall. Carbide sowie der Metallcarbonyle (→Kohlenstoffverbindungen).

organisierte Kriminalität (organisiertes Verbrechen), von kriminellen Vereinigungen mit hohem Organisationsgrad geplante und begangene Straftaten mit z.T. international organisierter Verwertung der Tatbeute. Die Abgrenzung zu anderen Arten der Kriminalität ist im Einzelfall schwierig. In Europa entwickelte sich die o. K. in den einzelnen Staaten unterschiedlich. Die skandinav. Länder, ferner die Schweiz und Belgien haben mit der Kontrolle geringere Probleme als Italien, die Niederlande, Großbritannien, Dtl. und Polen sowie die Nachfolgestaaten der Sowjetunion. Für die Schweiz wird angenommen, dass eine organisierte Basiskriminalität v.a. im Drogenhandel anzutreffen ist. Im Übrigen besteht ein verstärkter Trend zur Internationalität. Als Schwerpunkte der o. K. kommen v.a. Rauschgifthandel und -schmuggel, Waffenhandel und -schmuggel sowie Nuklearkriminalität (z.B. Plutoniumschmuggel), Kfz-Diebstahl, ferner Diebstahl von und Handel mit gestohlenen Kunstgegenständen, Zuhälterei, Prostitution, Menschenhandel und illegales Glücks- und Falschspiel, Schutzgelderpressung, unerlaubte Arbeitsvermittlung und Beschäftigung, illegale Einschleusung von Ausländern, illegale Entsorgung von Sonderabfall und illegaler Technologietransfer sowie Geldwäsche in Betracht. Obwohl kriminelle Organisationen in Dtl. schon seit Jahrzehnten bekannt sind (z.B. die sog. Ringvereine in Berlin), hat das organisierte Verbrechen erst in den letzten Jahren besondere Schubkraft erhalten. Neuere

Analysen haben die ausgefeilte Logistik krimineller Organisationen verdeutlicht.

Nach Mitteilungen der Bundesreg. gab es in Dtl. 1996 mit Blick auf die o. K. 845 Ermittlungsverfahren, die rd. 8400 Tatverdächtige betrafen, denen etwa 48000 Einzeldelikte zur Last gelegt wurden. Der Gesamtschaden der o. K. in Dtl. wird für 1996 auf 2,7 Mrd. DM, der durch sie erzielte Gewinn auf 1,3 Mrd. DM geschätzt.

Zur Bekämpfung der o. K. wurden das Ges. zur Bekämpfung des illegalen Rauschgifthandels und anderer Erscheinungsformen der o. K. (OrgKG) vom 15. 7. 1992 und das Verbrechensbekämpfungs-Ges. vom 28. 10. 1994 verabschiedet. Da die kriminellen Organisationen nicht anders als legale Wirtschaftsunternehmen die Gewinnmaximierung anstreben und illegale Gewinne in großem Umfang in den legalen Wirtschaftskreislauf zurückschleusen müssen, wurde im OrgKG ein neuer Straftatbestand der Geldwäsche geschaffen und die →Vermögensstrafe eingeführt, um der o. K. die finanziellen Grundlagen zu entziehen. Ergänzend hierzu wurde 1993 das Ges. über das Aufspüren von Gewinnen aus schweren Straftaten (sog. Geldwäsche-Ges.) erlassen, dessen Wirksamkeit, gemessen an dem mit ihm verfolgten Zweck, bezweifelt wird (→Geldwäscherei).

Im Bereich der EU gibt es Bestrebungen, mobile internat. Einsatzeinheiten zu bilden, auch auf höherer Ebene Kooperationsstrukturen zu schaffen und die Rechtshilfe auszubauen. Weitergehender Handlungsbedarf besteht bei der Bekämpfung der Korruption, die als wesentl. Element der o. K. gilt. Bei der Bekämpfung der o. K. sind weder der Konflikt zw. Sicherheitsbestreben einerseits sowie Freiheits- und Grundrechten andererseits noch die Defizite der Effektivität zu verkennen. Dies gilt namentlich für Rasterfahndungen, den Einsatz techn. Mittel (z. B. Peilsender), den Einsatz verdeckter Ermittler, die Ausdehnung des Anwendungsbereichs des sog. Kronzeugen sowie die Erweiterung der Abhörmöglichkeiten von Verdächtigen in →Wohnungen.

📖 RAITH, W.: *Mafia: Ziel Deutschland. Vom Verfall der polit. Kultur zur o. K. Neuausg. Frankfurt am Main 9.–12. Tsd. 1992.* – SIEBER, U. *u.* BÜGEL, M.: *Logistik der o. K. Wiesbaden 1993.*

Organismus [grch.-lat.] *der,* **1)** *Biologie:* Lebewesen, ein- oder mehrzelliger belebter Naturkörper.

2) *Philosophie:* eine räumlich begrenzte Struktur, in der zum einen die Teile und Elemente das Ganze aufbauen, zum anderen das Ganze als solches auf die Teile (seine Glieder und Organe) steuernd und zwecksetzend Einfluss nimmt. Vom →Mechanismus unterscheidet sich der O. durch materiellen und geistigen Austausch mit seiner Umgebung (seiner Umwelt), durch Fortpflanzung, Wachstum, Entwicklung und Formen der Freiheit. – Das Verhältnis von O. und Mechanismus bildete ein Zentralproblem der Naturphilosophie seit der Antike (Seelenlehre Platons, Form- und Entelechiebegriff des Aristoteles). Leibniz suchte beides in seiner Monadenlehre zu einer Synthese zu bringen. Kant sieht die Naturerfahrung unter dem Leitbild des Mechanismus stehen, da der für den O. zentrale Begriff des Zwecks lediglich eine die menschl. Erfahrung regulierende →Idee sei, der O. somit nicht Gegenstand wissenschaftl. Erkenntnis werden könne. Der →Vitalismus sucht wieder das Organische in der Natur herauszuarbeiten.

Organklage (Organstreitigkeit), Klage eines Organs oder Organteils einer jurist. Person des öffentl. Rechts gegen ein anderes Organ derselben jurist. Person. Am bedeutsamsten ist die O. auf Bundesebene zw. obersten Organen des Bundes (bes. Bundestag, Bundesrat, Bundespräs., Bundesreg.) oder anderen Beteiligten, die durch das Grundgesetz oder die Geschäftsordnung eines obersten Bundesorgans mit eigenen Rechten ausgestattet sind (z. B. Abg., Fraktionen), um ihre wechselseitigen Rechte und Pflichten. Über die O. entscheidet das Bundesverfassungsgericht. In einigen Bundesländern sind O. zw. den obersten Landesorganen vor dem Landesverfassungsgericht zugelassen. O. gibt es auch in der Gemeinde (Kommunalverfassungsstreit).

organogen [grch.] (biogen), organ. Ursprungs, von Organen oder Organismen erzeugt; Organe bildend.

Organologie [grch.] *die* (Organographie), Teilgebiet der Morphologie, das sich mit Bau und Funktion von Organen befasst.

Organometallverbindungen, die →metallorganischen Verbindungen.

Organon [grch. »Werkzeug«] *das,* die Logik als Hilfsmittel der Wissenschaft; auch Titel der logischen Schriften des Aristoteles.

Organschaft, Rechtsverhältnis zw. zwei oder mehreren Unternehmen, die rechtlich selbstständig, aber wirtsch. und organisatorisch voneinander abhängig sind. Eine O. ist gegeben, wenn eine jurist. Person (AG, GmbH) wirtsch., finanziell und organisatorisch wie eine Betriebsabteilung in ein inländ. beherrschendes Unternehmen als Obergesellschaft eingegliedert ist **(Organgesellschaft).** Zwei in O. stehende Gesellschaften werden im Umsatz- und Gewerbesteuerrecht als Einheit behandelt; bei der Körperschaftsteuer wird der Gewinn der Organgesellschaft bei Vorliegen eines Gewinnabführungsvertrages der Obergesellschaft zugerechnet.

Organspender, →Transplantation.

Orgel: Die Orgel in der evangelischen Nicolaikirche in Altenbruch (bei Cuxhaven) wurde 1727–30 von Johann Heinrich Klappmeyer erbaut (Restaurierungen 1925, 1956–58, 1965–67); die Orgel in der Kaiser-Wilhelm-Gedächtniskirche in Berlin (rechts) ist ein Werk des Berliner Orgelbauers Karl Schuke aus dem Jahr 1962

Organtransplantation [grch.-lat.], →Transplantation. (→Herztransplantation, →Lebertransplantation, →Nierentransplantation)

Organum [grch.-lat. »Werkzeug«] *das,* im MA. Bez. für Musikinstrumente (bes. für die Orgel) sowie für das menschl. Stimmorgan. O. heißt auch die früheste, improvisierend ausgeführte Form der abendländ. Mehrstimmigkeit in der Kunstmusik des 9.–13. Jh.: Die zweite Stimme bewegt sich in Oktaven, Quinten oder Quarten gleichlaufend mit der Hauptstimme oder steigt in Gegenbewegung bis zum Quarten- oder Quintenabstand, teils bleibt sie orgelpunktartig liegen. Der rhythm. Verlauf wird durch die versch. Modi (→Modalnotation) geregelt. Vereinzelt findet sich das O. bis ins 15. Jahrhundert.

Orgasmus [grch., zu orgān »heftig verlangen«] *der,* der nach Reizsummation beim Geschlechtsverkehr u. a. sexuellen Handlungen ausgelöste Höhepunkt der Lustempfindung; umfasst komplexe Reaktionen des gesamten Organismus (bes. reflektor. Muskelkontraktionen im Bereich der Genitalorgane, beim Mann mit →Ejakulation) sowie ein starkes Befriedigungsgefühl.

Orgel [zu Organum], Tasteninstrument mit Pfeifen, die durch einen Luftstrom zum Erklingen gebracht werden. Die drei Hauptglieder sind: 1) **Windwerk,** das in einem Blasebalg die Luft zu Wind verdichtet und diesen durch die Windkanäle in die Windladen leitet, auf denen die Pfeifen stehen; 2) **Pfeifenwerk** mit den Pfeifen, die in einzelnen, voneinander getrennten Reihen, entsprechend den Registern (Spielen), zusammengefasst sind. Zu jedem Register gehören Pfeifen von gleicher Bauart, Mensur und Klangfarbe, die sich über den ganzen Tonumfang der Klaviatur erstrecken; 3) **Regierwerk:** a) die Tastenreihen (Klaviaturen), und zwar gewöhnlich zwei (bei größten O. bis fünf) für die Hände (Manuale) und eine für die Füße (Pedal); b) die Registerzüge, -knöpfe oder -platten, durch deren Betätigen der Wind mechanisch, pneumatisch oder elektrisch zu den Registern geleitet wird.

Zu jeder Klaviatur gehören i. d. R. mehrere **Register.** Mit jeder Taste sind also mehrere Pfeifen verbunden, in jedem Register der Klaviatur eine. Durch Ein- und Ausschalten der Register kann man wahlweise durch das Niederdrücken einer Taste eine, mehrere oder alle der zur Taste gehörigen Pfeifen erklingen lassen. Das Manual hat gewöhnlich einen Umfang: C–f^3 oder g^3 (54 oder 56 Tasten), das Pedal C–f^1 (30 Tasten). Dieser Umfang wird durch die in versch. Oktavlagen gestimmten Register bis um vier Oktaven erweitert. Die Register werden in Grundstimmen, Aliquote und gemischte Stimmen (Mixturen) eingeteilt. Grundstimmen geben den der Taste entsprechenden Ton in der durch die Fußtonzahl bestimmten

Oktave an, Aliquote einen zum Grundton der Taste gehörigen Oberton, gemischte Stimmen auf einen Tastendruck mehrere Obertöne zugleich. Aliquote und gemischte Stimmen können nur in Verbindung mit Grundstimmen verwendet werden. Die Hauptfamilien der Grundstimmen sind Prinzipale, Flöten, Gedackte, Streicher und Rohrwerk (Zungenpfeifen). Die **Pfeifen** sind aus Zinn, Kupfer, Bronze, Zinn-, Bleilegierungen oder Holz. Die O. enthält Lippen- (Labial-) und Zungenpfeifen (Rohrwerke). Neben den offenen gibt es gedeckte Pfeifen (Gedackte, →gedackt). Das **O.-Gehäuse** umschließt das Innere der O.; sein sichtbarer Teil, der **O.-Stuhl (O.-Prospekt, -Gesicht),** ist oft künstlerisch reich geschmückt. In das Gehäuse ist der Spielschrank eingebaut; er ist bei pneumatisch oder elektrisch regierten O. durch den frei stehenden Spieltisch ersetzt. Kleine Abarten der O.: Portativ, Positiv und Regal.

Geschichte: Die erste ausgeprägte Form der O. ist die von Ktesibios in Alexandria im 3. Jh. v. Chr. gebaute O., bei der Wasser zur Regelung des Winddrucks diente. Im 8. Jh. kam die Wind-O. von Byzanz aus ins Abendland. Die Scheidung des Pfeifenwerks in mehrere Register kennt man seit dem 15. Jh. Das 17./18. Jh. widmet sich der klangl. Ausgestaltung (Barock-O.). Das 19. Jh. brachte zahlr. Erfindungen, so auch die »Walze« zur Auslösung eines dynam. Anschwellens vom Piano bis zum Fortissimo. Die 1920 einsetzende **O.-Bewegung** griff wieder auf das Klangbild der Barock-O. zurück. Bedeutende O.-Bauer waren E. Compenius, A. Schnitger, G. und A. Silbermann.

📖 JAKOB, F.: *Die O. Mainz ⁶1987.* – RÜGE, U. *u.* RÜGE, U.: *Berühmte O.n in Europa. München 1994.*

Orgelmusik, Musik, die für die Ausführung auf der Orgel bestimmt ist. Wichtige Hauptformen der O. sind: Präludium, Fantasie, Tokkata, Passacaglia, Ricercar, Fuge, Sonate, Suite, Choralbearbeitungen aller Art, Konzert. Die Hauptmeister der älteren Zeit sind: G. Gabrieli, M. Prätorius, C. Merulo, A. de Cabezón, J. P. Sweelinck, S. Scheidt, D. Buxtehude, N. Bruhns, G. Frescobaldi, J. J. Froberger, J. Pachelbel, J. S. Bach, J. L. Krebs; der neueren u. a.: F. Liszt, C. Franck, F. Mendelssohn Bartholdy, J. von Rheinberger, M. Reger, H. Kaminski, J. N. David, E. Pepping, H. Distler, P. Hindemith, M. Dupré, J. Alain, C.-M. Widor und O. Messiaen.

📖 LUKAS, V.: *Reclams Orgelmusikführer. Stuttgart ⁶1992.*

Orgi|en [grch.], im alten Griechenland heilige Handlungen, bes. die religiösen Riten im Demeterkult, dann die ekstat. Riten des Dionysoskultes; heute v. a. Bez. für zügellose Gelage.

Ori|ent [aus lat. (sol) oriens »aufgehend(e Sonne)«, »Osten«] *der,* das Morgenland, im Unterschied zum Okzident (Abendland); im Sprachgebrauch nicht einheitlich abgegrenzt. Im Allg. versteht man unter O. die Länder Vorderasiens (auch: Vorderer O.) mit Ägypten, i. w. S. das Gebiet der islam. Kultur.

Ori|entalide, typolog. Kategorie für die v. a. auf der Arab. Halbinsel, in Mesopotamien und Nordafrika lebenden Menschen mit mittelhohem, grazilem Wuchs, langem Kopf, schmalem Gesicht, großer, leicht gebogener Nase, mandelförmiger Lidspalte, dunkelbraunen Augen, schwarzem Haar und hellbrauner Haut.

ori|entalische Kirchen, veraltete Bez. für das östl. Christentum (→Ostkirchen); i. e. S. die altoriental. (morgenländ.) Nationalkirchen, die im 5./6. Jh. im Gefolge der christolog. Auseinandersetzungen und Lehrentscheidungen aus der Gemeinschaft der Reichskirche ausschieden. (→armenische Kirche, →äthiopische Kirche, →Jakobiten, →koptische Kirche, →Nestorianer)

ori|entalische Musik, i. w. S. die Musik aller asiat. Hochkulturen; i. e. S. die Musik aller islam. Länder Nordafrikas und des Nahen und Mittleren Ostens etwa bis Afghanistan. In diesem Sinn entspricht der Begriff o. M. dem Verbreitungsgebiet der arab. Musik. Im islam. Verbreitungsraum hat sich, vermutlich aufgrund der religiösen Gemeinsamkeit und zeitweise staatl. Einheit, ein verhältnismäßig einheitl. Kunstmusikstil entwickelt. Die o. M. ist einstimmig und vokal betont, obwohl der Orient zugleich die Heimat vieler, auch abendländ. Musikinstrumente ist. Die Melodien, die meist in freier Einstimmigkeit begleitet werden, gehören zwar stets einem bestimmten Melodietyp (→Maqam) an, sie werden aber improvisatorisch frei und sehr verzierungsreich ausgeführt. Als Texte dienen meist die klass. Poesieformen. Der Gesangston ist gepresst und leicht näselnd. Entsprechend dem anscheinend endlos gleitenden Melodieverlauf ist auch der Rhythmus, zumindest der Singstimme und der Melodieinstrumente, recht ungebunden. Die verwendeten Tonleitern sind meist siebenstufig, sie enthalten aber stets Schleiftöne (oft mit Leittontendenz), die man allg. (jedoch nicht ganz zutreffend) als $^1/_4$-, $^3/_4$- und $^5/_4$-Töne bezeichnet. Häufig sind $1^1/_2$-Tonschritte. Die mehrtönige Trommelbegleitung wirkt oft als Bordun. Im Unterschied zu dieser einheitl. Kunstmusik hat die Volksmusik der einzelnen Völker ihre typ. Eigenart bewahrt. Die wichtigsten heute noch gebräuchl. Instrumente sind Schellen- und Vasentrommel, kleine Doppelpauke, Längsflöte, Doppelklarinette, Oboe, Trompete, Hackbrett, Zither, Lauten und Streichinstrumente (Kemantsche und Rabab).

Urspr. wurde die arabisch-islam. Musik ausschließlich mündlich überliefert; heute bedient man sich z. T. der europ. Notenschrift. Obwohl die Musik der modernen Komponisten in der Tradition wurzelt, entlehnt sie aus der westl. Musik harmon. Wendungen, ersetzt lange Rhythmusperioden durch Zweier- und Dreiertakte und tendiert zur Vergrößerung des Ensembles.

Ori|entalistik *die,* Wiss. von den oriental. Sprachen, Literaturen und Kulturen, die in ihren Anfängen auf die Übersetzertätigkeit seit dem 12. Jh. zurückgeht; sie umfasst zahlr. Teilgebiete, u. a. Ägyptologie, Altorientalistik, Semitistik, Hebraistik, Arabistik, Islamkunde, Iranistik, Indologie, Turkologie, Japanologie, Sinologie, Südostasienwissenschaften, Afrikanistik.

Ori|entbeule, → Leishmaniasen.

Ori|ent|express, erster Luxuszug Europas, verkehrte von 1883–1977 von Paris über Straßburg–Stuttgart–München–Wien nach Istanbul (später mit wechselnder Streckenführung als internat. Schnellzug); seit 1982 als Venice-Simplon-Orient-Express (VSOE) wieder im Einsatz; seit 1993 u. a. auch auf der Strecke Düsseldorf–Köln–Frankfurt über Zürich, St. Anton und Innsbruck nach Venedig, 1998 erstmals wieder nach Istanbul über Paris, Budapest und Bukarest.

Ori|entierung [lat.], **1)** *Baukunst:* die Ausrichtung eines sakralen Bauwerks, im christl. Bereich → Ostung.

2) *Mathematik:* der Durchlaufsinn einer geometr. Figur, z. B. die Auszeichnung einer von 2 Seiten einer Fläche.

3) *Physiologie:* die Fähigkeit von Organismen (Mensch, Tier und Pflanze), sich in Raum und Zeit zurechtzufinden, eine bestimmte Raumlage beizubehalten oder zielgerichtet verändern zu können; beruht v. a. auf versch. Reizen aus der Umwelt, aber auch auf Gedächtnisleistungen und Lernvorgängen.

Ori|entierungsstufe, Bez. für das 5. und 6. Schuljahr, insofern hier im Rahmen der Unterrichtsdifferenzierung eine Erleichterung des Übergangs zur Sekundarstufe I angestrebt wird.

Ori|ent|teppiche, → Teppich.

Oriflamme [altfrz. »Goldflamme«], im MA. die Kriegsfahne der frz. Könige; heute ein zweizipfliges Hängebanner.

Origano [italien.] *der,* das Gewürz → Oregano.

Origanum [lat.], Lippenblütlergattung, → Dost.

Origenes, grch. Theologe und Philosoph, * Alexandria um 185, † Tyrus um 254; Lehrer und Leiter der alexandrin. Katechetenschule; 212 exkommuniziert; 232 Eröffnung einer eigenen Schule in Caesarea; starb an den Folgen von Folterungen während der Christenverfolgung unter Kaiser Decius; galt bereits zu Lebzeiten als bedeutendster und umstrittenster Theologe der grch. Kirche; führte ein streng asket. Leben, das er bis ins Extrem steigerte (nach dem Kirchenhistoriker Eusebios Selbstkastration aufgrund seiner Deutung von Mt. 19,12) und bejahte das Martyrium. – O. schuf mit der **Hexapla,** einer Zusammenstellung von fünf voneinander abweichenden grch. Bibelübersetzungen mit dem hebr. Original, die Arbeitsgrundlage für eine wiss. Bibelexegese; kommentierte als Exeget fast alle bibl. Bücher und entwickelte die Lehre vom dreifachen (dem buchstäbl., moral. und allegor.) Schriftsinn; verfasste mit »De principiis«, einer Darstellung der christl. Lehre in der Begrifflichkeit der hellenist. Philosophie (Neuplatonismus), das erste christl. Lehrsys-

Orientexpress: Schlafwagen Nummer 3544 in nachgestellter Szenerie; der besonders in den 1920er- und 1930er-Jahren spektakulär gewordene Luxuszug ist seit 1982 mit orginalgetreu rekonstruierten Waggons wieder zwischen den Metropolen Europas unterwegs

Orientierung

Vogelzug und Lachswanderung; Honigbiene und Brieftaube; Fledermaus und Kellerassel: Tiere suchen Futterstellen und Laichplätze, ziehen oft weit hin und her, finden punktgenau den heimischen Schlag oder Stock. Selbst einfache Tiere können sich orientieren, und bei mancher Höchstleistung der Orientierungskünstler im Tierreich weiß der Mensch bis heute nicht genau, wie sie erzielt wird.
Die elementarsten Verhaltensmuster zum Überleben gehen sicher unbewusst vor sich: Schlüsselreize wie hell und dunkel, feucht oder warm oder trocken lösen im Tier Fluchtreaktionen oder anziehende Bewegung aus. Doch die komplizierten Orientierungsleistungen sind damit nicht zu erklären. Um das Nest oder die Laichgewässer wieder zu finden, müssen die Tiere bestimmte Orientierungsmerkmale gelernt und abgespeichert haben: Sie brauchen gleichsam eine Landkarte im Kopf, mit der die jeweils aktuelle Position abgeglichen und der günstigste Kurs festgelegt werden kann. Diese Informationen können, wie bei uns Menschen, visueller Natur sein. Da die Tierwelt aber auch viele andere Sinnesorgane entwickelt hat, verlassen sich manche Arten lieber auf Geruchs- oder Echokarten, ja sogar auf Magnetfelder.

tem. Von seinen apologet. Schriften ist die Apologie gegen den spätantiken Philosophen Celsus (»Contra Celsum«) erhalten. – Die Auffassungen des O. **(Origenismus)** beeinflussten nahezu die gesamte Theologie des grch. Ostens und führten zu heftigen Auseinandersetzungen, in deren Gefolge sie 399 erstmals und 553 endgültig als häretisch verurteilt wurden.

Orléans
Stadtwappen

📖 Berner, U.: *O. Darmstadt 1981.*

original [lat., zu origo »Ursprung«], ursprünglich, echt, urschriftlich, eigen.

Original *das,* Urbild; Urfassung, Urschrift.

Originalgrafik (Künstlergrafik), im Ggs. zur Reproduktionsgrafik druckgraf. Blätter, die vom Künstler selbst entworfen wurden, deren Druckstöcke und -platten er persönlich hergestellt, die Abzüge eigenhändig angefertigt oder für deren techn. Herstellung er Anweisungen gegeben oder sie überwacht hat. Sie sind i. d. R. von ihm eigenhändig signiert und (meist) mit Angaben zur Auflagenhöhe versehen.

Originalität *die,* Ursprünglichkeit; Besonderheit.

originär, ursprünglich.

originell [frz.], in seiner Art neu, schöpferisch; eigenartig, urwüchsig, komisch.

Orihuela [ori'ụela], Stadt im Land Valencia, Prov. Alicante, Spanien, im Tal des unteren Segura, 50 000 Ew.; Mittelpunkt einer Vega; Bischofssitz; Nahrungsmittel-, Textil- und Lederindustrie. – O. ist das röm. **Aurariola.**

Orinoco *der* (Orinoko), Strom im nördl. Südamerika, 2 140 km lang, entspringt, im Oberlauf **Paraguá** genannt, in der Sierra Parima (Bergland von Guayana). Nach Austritt aus dem Hochland umfließt er dieses in großem, nach NO offenem Bogen. 40 km unterhalb Esmeralda stellt die durch A. von Humboldts Forschungen bekannte Bifurkation über Río Casiquiare und Rio Negro eine Verbindung mit dem Amazonas her. Unterhalb der Mündung des Río Apure beginnt der ostwärts gerichtete Unterlauf des O. in den Savannen der Llanos. Er mündet mit vier großen und zahlr. kleinen Mündungsarmen in einem etwa 30 000 km² großen Delta in den Atlant. Ozean. Insgesamt sind rd. 1 930 km des O. schiffbar.

Orion *der,* **1)** *Astronomie:* auffälliges Sternbild der Äquatorzone, im Winter am Abendhimmel sichtbar. Etwa in Höhe des Himmelsäquators liegen die drei Gürtelsterne ζ, ε, δ (von Osten nach Westen), die auch **Jakobsstab** genannt werden. Nördlich davon liegen die beiden hellen Schultersterne, wobei der östliche (α) der zweithellste Stern **(Beteigeuze)** des O. ist; der westliche (γ) heißt **Bellatrix.** Fast symmetrisch zu den Schultersternen liegen südlich von den Gürtelsternen die Fußsterne, wobei der westliche (β) der hellste Stern des O. ist **(Rigel).** Als **Schwertgehänge** werden die schwächeren Sterne bezeichnet, die sich etwa in der Mitte zw. den Gürtel- und Fußsternen befinden. In der Mitte des Schwertgehänges liegt der →Orionnebel, links unterhalb vom Gürtel der Pferdekopfnebel.

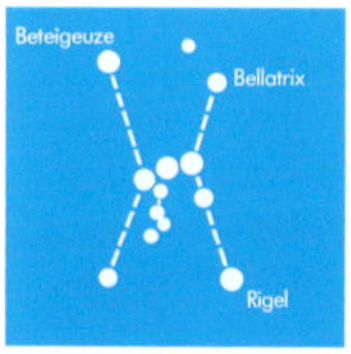

Orion 1)

2) *grch. Mythos:* Sohn des Poseidon, ein schöner Jäger aus Böotien von riesenhafter Gestalt; Geliebter der Eos, die ihn nach Delos entführte. O. wurde von der jagenden Artemis getötet.

Orioniden, aus dem Sternbild Orion kommender Meteorstrom um den 19. Okt., der auf den Halleyschen Kometen zurückgeführt wird.

Orionnebel, mit bloßem Auge erkennbarer leuchtender Gasnebel (M 42, NGC 1976) im Sternbild Orion. Der Zentralbereich des etwa 1 600 Lichtjahre (Lj) entfernten O. hat einen Durchmesser von 15 Lj, die Gesamtmasse wird auf etwa 700 Sonnenmassen geschätzt. Der O. gilt als Geburtsstätte für neue Sterne.

Orissa, Staat →Indiens. – Das Gebiet von O. war bis zum 13. Jh. Teil des ind. Kalinga-Reiches; es kam 1592 an die Großmoguln, 1751 an den Marathenstaat von Nagpur. Seit 1803 britisch, gehörte es zur Prov. Bengalen, seit 1912 zur Prov. O. und Bihar; seit 1936 eigene Prov., der (1947/48) 24 ehem. Fürstenstaaten eingegliedert wurden.

Oriya, Volk im östl. Vorderindien (v. a. in Orissa). Seine Sprache, das Oriya (20 Mio. Sprecher), gehört zur östl. Gruppe der indoar. Sprachen; dem Bengali eng verwandt, mit einer auf das Devanagari zurückgehenden eigenen Schrift.

Orizaba [ori'zaβa], Stadt im Staat Veracruz, Mexiko, in der Sierra Madre Oriental, 179 000 Ew.; Technikum; Textil-, Tabakindustrie.

Orizaba, Pico de [- ori'zaβa], Berg im Hochland von Mexiko, →Citlaltépetl.

Orkan [niederländ. aus span.] *der* (tropischer Zyklon), Luftströmung mit größerer Geschwindigkeit als 32,7 m/s oder 118 km/h bzw. Windstärke 12 der Beaufort-Skala; in den Tropen über 200 km/h.

Orkneyinseln (engl. Orkney Islands), brit. Inselgruppe (etwa 70 Inseln, davon 24 bewohnt) vor der Nordspitze Schottlands. Die O. bilden die Local Authority Orkney, 992 km², (1991) 20 000 Ew.; Landwirtschaft. Die größte Insel ist Mainland mit der Hptst. Kirkwall. Die O. wurden von Norwegen her besiedelt und besitzen bed. prähistor. Denkmäler, darunter megalith. Steinkreise und Grabhügel.

Orkus [lat.] *der, röm. Mythos:* der Gott des Todes, auch das Totenreich, die Unterwelt.

Orlando [ɔː'lændəʊ], Stadt in Florida, USA, 164 700 Ew.; kath. Bischofssitz; Univ.; elektron. Ind., Tourismus; internat. Flughafen. Südwestlich von O. die Vergnügungsparks »Walt Disney

World«, »Epcot Center« und »Sea World« (Ozeanarium).

Orlando di Lasso, frankofläm. Komponist, →Lasso.

Orléans [ɔrle'ã:], Stadt in Frankreich, Verw.sitz der Region Centre und des Dép. Loiret, an der Loire, 105 100 Ew.; kath. Bischofssitz; Univ., biolog. und Ind.forschungsanstalten, Museen; Nahrungsmittelind., Maschinen-, Fahrzeug-, Heizungsgeräte-, Werkzeugbau, Reifenfabrik, Textil-, chem. und pharmazeut. Ind., Motorenbau. – Kathedrale Sainte-Croix (im 13. Jh. begonnen, vom 17. bis 19. Jh. in got. Formen erneuert), Kirche Saint-Aignan (15. Jh., Krypta 11. Jh.), Stadthaus (16. Jh.). Zahlr. Bauten der Spätgotik, Renaissance und des Barock wurden im 2. Weltkrieg beschädigt. – O., das gall. **Cenabum,** war Hauptort der kelt. Carnuten. Die röm. **Civitas Aureliani** wurde im 4. Jh. Bischofssitz. Im 10./11. Jh. war die Stadt Residenz der Kapetinger. 1429 befreite die Jungfrau von O. (→Jeanne d'Arc) die Stadt von der engl. Belagerung. Im 16. Jh. war O. ein Stützpunkt der Hugenotten.

Orléans [ɔrle'ã:], seit 1344 Herzogstitel mehrerer Seitenzweige des frz. Königshauses, denen das Herzogtum O., das **Orléanais,** verliehen wurde. Die Söhne des 2. Herzogs von O. begründeten die Linien O. und Angoulême. Erstere gelangte 1498 mit Ludwig XII., letztere 1515 mit Franz I. auf den frz. Thron. 1626 verlieh Ludwig XIII. das Herzogtum seinem Bruder Gaston, der keine Erben hinterließ. – Der Stammvater des jüngsten, 1660 von Ludwig XIV. belehnten Hauses O. wurde Philipp (*1640, †1701), Bruder König Ludwigs XIV. Aus seiner Ehe mit der pfälz. Prinzessin Liselotte stammte Philipp (*1674, †1723), seit 1715 Regent für Ludwig XV. (→Régence). Sein Urenkel Ludwig Philipp (*1747, †1793) schloss sich der Revolution von 1789 an (»Philippe Égalité«) und stimmte für den Tod Ludwigs XVI., wurde dennoch hingerichtet. Sein Sohn Ludwig Philipp war 1830–48 frz. König. Als die ältere Hauptlinie der Bourbonen 1883 ausstarb, gingen deren dynast. Ansprüche auf das Haus O. (seitdem Haus Frankreich) über.

Orléansville [ɔrleã'vil], bis 1962 Name der Stadt →El-Asnam.

Orlik, Emil, Maler und Grafiker, *Prag 21. 7. 1870, †Berlin 28. 9. 1932; lebte ab 1905 in Berlin; bestimmend für seinen Stil und seine Motive wurde der japan. Farbholzschnitt; schuf Radierungen (v. a. meisterhafte Porträts), Holzschnitte u. a.; auch Bühnenbilder. Weitere BILDER Asch, Döblin

Orlon® *das,* Handelsname für eine Polyacrylnitrilfaser.

Orlow *der,* einer der größten geschliffenen Diamanten, 189,6 Karat, aufbewahrt im Moskauer Kreml-Museum; benannt nach Graf G. →Orlow, der ihn 1755 Katharina II. schenkte.

Orkneyinseln: Blick über das rund 20 km westlich der Hauptstadt Kirkwall liegende Stromness auf Mainland

Orlow, 1) Alexei Grigorjewitsch, Graf (seit 1762), Fürst Tschesmenski (seit 1770), russ. Admiral, *Ljublino (Gebiet Twer) 5. 10. 1737, †Moskau 5. 1. 1808, Bruder von 2); war 1762 an der Ermordung von Kaiser Peter III. beteiligt, Oberbefehlshaber der russ. Ostseeflotte, schlug im Türkenkrieg (1768–74) 1770 bei Çeşme im Ägäischen Meer die türk. Flotte vernichtend.

2) Grigori Grigorjewitsch, Graf (seit 1762) und Reichsfürst (seit 1772), *17. 10. 1734, †Moskau 24. 4. 1783, Bruder von 1); Günstling Katharinas II.

Orly [ɔr'li], frz. Stadt im südl. Vorortbereich von Paris, Dép. Val-de-Marne, 21 800 Ew.; Zivilluftfahrtschule; einer der Großflughäfen von Paris.

Emil Orlik: »Frau in verlorenem Profil«, Holzschnitt (um 1905)

Ormandy ['ɔ:məndɪ], Eugene, eigtl. Jenő Blau-Ormándy, amerikan. Dirigent ungar. Herkunft, *Budapest 18. 11. 1899, †Philadelphia (Pa.) 12. 3. 1985; war 1936–80 Chefdirigent des Philadelphia Orchestra (1936–38 zus. mit L. Stokowski); bekannt u. a. durch seine Interpretationen von Werken der Spätromantik und des Impressionismus.

Ormesson [ɔrmɛ'sɔ̃], Jean Lefèvre, Graf **d'O.,** frz. Journalist und Schriftsteller, *Paris 16. 6. 1925; hatte verschiedene Posten in Min.-Kabinetten und bei der UNESCO inne; veröffentlichte z. T. autobiographisch inspirierte Romane (u. a. »Der Glanz des Reiches«, 1971; »Wie es Gott gefällt«, 1974; »Die Legende vom ewigen Juden«, 1991), Essays und eine Biographie F. R. de Chateaubriands (1982).

Eugene Ormandy

Ormocere [Kw. aus engl. **or**ganically **mo**dified **cer**amics] (Ceramers, Polycerams), Materialien, die über einen chem. Syntheseprozess durch Verknüpfung von Bausteinen, die typisch für Gläser oder keram. Materialien (z. B. SiO_2, Al_2O_3, TiO_2) sind, mit organ. Bausteinen (organ. oder organofunktionelle Gruppen, Polymerbausteine) hergestellt werden. Damit lassen sich im Ggs. zu reinen Mischprozessen Homogenitäten bis in den molekularen Bereich herab erzielen und Werkstoffe von hoher Transparenz erzeugen. O. werden v.a. für Beschichtungen (Hartschichten auf Kunststoffen) eingesetzt.

Ormus (Ormuz), Insel an der Küste Irans, →Hormus.

Ormuzd [-'muzd, mittelpers.], altiran. Gottheit, →Ahura Masda.

Ornament [lat.] *das,* dekorative Verzierung an Bauwerken und Gegenständen, die ursprünglichste Äußerung des künstler. Ausdrucks. Das O. kann die Form des Gegenstandes, dessen Schmuck es bildet, gliedern und betonen, sich aber auch neutral zu ihr verhalten oder sie überwuchern. Die Formensprache der **Ornamentik** (Gesamtkomposition der O.), die in ihren Anfängen nicht nur dekorativer, sondern auch zeichenhaft-symbolhafter Art sein kann, ist von unerschöpfl. Reichtum. Sie bewegt sich zw. den Polen eines rein linearen, abstrakt geometr. Stils (→griechische Kunst, →Mäander, →Maßwerk u.a.) und einer von organ. Formen ausgehenden, zuweilen naturalistischen Gestaltungsweise (→Akanthus, →Palmette, →Laubwerk u.a.).

Ornamentstich, graf. Darstellung von Ornamententwürfen, die seit Mitte des 15. Jh. Kunsthandwerkern, Bildhauern und Architekten als Vorlagen dienten und sich zu einer eigenen Kunstgattung entwickelten.

Ornamentstich des Meisters E. S. (um 1450)

Ornat [lat.] *der,* Schmuck, feierl. Amtstracht.

Orne [ɔrn], **1)** *die,* Fluss in W-Frankreich, 158 km, entspringt in den Hügeln der Perche und mündet in die Seinebucht.

2) Dép. in NW-Frankreich, in der Basse-Normandie, 6103 km², (1990) 293900 Ew., Hptst.: Alençon.

Orneta (dt. Wormditt), Stadt in der Wwschaft Elbląg (Elbing), Polen, 8500 Ew.; Metallverarbeitung, Holzindustrie. – Got. Pfarrkirche (vor 1379) und Rathaus (1373).

Ornithologie [grch.] *die,* Wiss. von den Vögeln, Vogelkunde.

Ornithose [grch.] *die,* weltweit verbreitete bakterielle Infektionskrankheit des Wild- und Hausgeflügels (Möwen, Tauben, Hühnervögel) und von Ziervögeln wie Sittichen und Papageien **(Papageienkrankheit, Psittakose),** die v.a. durch Einatmen des Staubs erregerhaltiger Ausscheidungen der befallenen Vögel oder durch direkten Kontakt mit infizierten Tieren auf den Menschen übertragbar ist (Zoonose); der Erreger gehört zur Gattung der Chlamydien (Chlamydia psittaci). Symptome sind Schläfrigkeit, Appetitlosigkeit, Schwäche, Durchfall, Lähmungserscheinungen und Krämpfe. Beim Menschen kommt es nach einer Inkubationszeit von 6–20 Tagen zu grippeartigen Beschwerden oder zu einer hoch fieberhaften Bronchitis und Lungenentzündung mit Herz-Kreislauf-Schwäche von teils tödl. Ausgang. Daneben gibt es symptomarme Formen. Die Behandlung erfolgt mit Antibiotika (Tetracycline). Verdachts-, Erkrankungs- und Todesfälle bei Mensch und Tier sind meldepflichtig.

Örnsköldsvik [œrnʃœlds'vi:k], Hafenstadt im VerwBez. (Län) Västernorrland, Schweden, am Bottn. Meerbusen, 59100 Ew.; Holzverarbeitung (Zellstofffabriken), Metall-, Lederindustrie.

oro... [grch. óros »Berg«], Berg..., Gebirgs...

Orogenese [grch.] *die* (Gebirgsbildung, Tektogenese), *Geologie:* im Ggs. zur →Epirogenese eine vergleichsweise kurzfristige, aber nachhaltige Verformung begrenzter Bereiche der Erdkruste. Die O. ist mit vertikalen und horizontalen Verlagerungen der Gesteine, mit Faltung, Bruchtektonik, Deckenbau, Vulkanismus, Plutonismus, Gesteinsmetamorphosen und seism. Aktivität (Erdbeben) verbunden; sie ruft im Zusammenhang mit Hebungs- und Senkungsvorgängen Oberflächenformen von hoher Reliefenergie (Kettengebirgsgürtel, Inselbögen und Tiefseerinnen) hervor. Sie wird primär ausgelöst durch Bewegung des Erdmantels, der die relativ dünnere Erdkruste mehr passiv folgt. Zonen der O. sind Bereiche mit verstärkter Wärmeabgabe des Erdinnern; die dadurch bewirkten Prozesse der Umkristallisation und teilweisen Aufschmelzung lassen die Lagerungsverhältnisse in Erdkruste und -mantel instabil werden. Die O. konzentriert sich auf lang gestreckte, meist schmale, vielfach bogenförmig verlaufende Zonen der Erde. Im Laufe der Erdgeschichte wurde die gesamte Erdoberfläche z.T. mehrfach in solche orogenen Vorgänge einbezogen. Heute bestehen noch zwei erdumspannende, orogen aktive Gürtel: ein zirkumpazif. Gürtel rings um den Pazifik sowie ein zweiter, mediterraner Gürtel, der sich vom Mittelmeer über Vorderasien und den Himalaja bis Indonesien erstreckt.

Orographie [grch.] *die,* Beschreibung der Gebirgsformen.

Oromo (Galla), äthiopides Volk im südl. Äthiopien und im NO Kenias, sprachlich der kuschit. Gruppe der hamitosemit. Sprachen angehörend. Die O. sind im N meist kopt. Christen, im O Muslime, im S haben sie z.T. noch ihre traditionelle Religion. Die etwa 20 Mio. O. (über 19 Mio. in Äthiopien) treiben Feldbau und Viehzucht, z.T. sind sie noch Vollnomaden.

Orontes *der* (türk. Asi Nehri, arab. Nahr el-Asi), Fluss in Vorderasien, 570 km, entspringt im Hochtal der Beka (Libanon), durchfließt NW-Syrien (bildet u.a. die Oasen der Städte Homs und Hama) und mündet in der Türkei bei Antakya ins Mittelmeer.

Orotsäure, die biochem. Muttersubstanz der Pyrimidinbasen (→Nucleinsäuren), in Säugetiermilch und in Bakterien. Synthet. O. wird in der Leberschutztherapie, Diätetik, Geriatrie und als Futterzusatz verwendet.

Oroyafieber (Bartonellose, Peruwarze), in den Hochtälern der Anden auftretende, durch Stechmücken der Gattung Phlebotomus übertragene Infektionskrankheit; Erreger ist Bartonella bacilliformis. Symptome: plötzlich auftretendes hohes Fieber, anäm. Erscheinungen, später mit Ausbildung warziger Hautknoten im Gesicht und an den Gliedmaßen. Die Behandlung erfolgt medikamentös mit Chloramphenicol, Penicillin oder Streptomycin.

Orphismus: Robert Delaunay, »Hommage à Blériot« (1914; Privatbesitz)

Orozco [oˈrɔsko], José Clemente, mexikan. Maler, *Ciudad Guzmán (Jalisco) 23. 11. 1883, †Mexiko 7. 9. 1949; Vertreter des frühen →Muralismo; monumentale Wandbilder mit Themen aus Mexikos Vergangenheit und Gegenwart; auch Gemälde, Aquarelle und Grafiken.

José Clemente Orozco: »Der Mann aus Feuer«, Kuppelfresko in der Kapelle des Hospicio Cabañas in Guadalajara (1938/39)

Orpheus, *grch. Mythos:* thrak. Sänger und Leierspieler, Sohn der Muse Kalliope und des Apoll. Als seine Gemahlin Eurydike durch einen Schlangenbiss umkommt, steigt er in die Unterwelt und rührt deren Götter durch sein Lied so sehr, dass sie Eurydike die Rückkehr erlauben. Doch übertritt er das Verbot, sich umzuschauen, ehe sie die Oberwelt erreicht haben; deshalb muss sie im Totenreich bleiben. Über den Tod des O. gibt es mehrere Versionen; nach der ältesten (Aischylos) haben ihn Mänaden zerrissen, da er Apoll mehr verehrte als Dionysos. – Opern »L'Orfeo« (1607) von C. Monteverdi, »O. und Eurydike« (1762) von C. W. Gluck; Operette »O. in der Unterwelt« von J. Offenbach; Ballett »Orphée« (1948) von I. Strawinsky; Dramen »Orphée« (1927) von J. Cocteau, »Eurydike« (1942) von J. Anouilh.

Orphik [grch.] *die,* von Thrakien ausgehende philosophisch-religiöse Bewegung in der grch. Antike und im Hellenismus, die sich auf Orpheus berief. Nach ihrer Lehre kann ein sittl. Leben der Reinigungen und Enthaltsamkeit den Menschen aus der Materie befreien, in die die Seele verbannt ist, und das Ende der Seelenwanderung bewirken. – Die O. beeinflusste stark die Pythagoräer, Platon und das Christentum (Christus wurde häufig durch Orpheus symbolisiert dargestellt).

Orphismus *der,* von dem Dichter G. Apollinaire 1913 geprägter Name für eine von R. Delaunay begründete Kunstrichtung. Ausgehend von kubist. Formfacettierung konzentrierte sich der O. auf die Zerlegung des Lichteindrucks und erreichte im Gemälde auf der Grundlage des Farbprismas einen Simultaneffekt von Farbkontrasten. Dem O. schlossen sich Sonja Delaunay-Terk, zeitweilig auch F. Picabia, F. Kupka und J. Villon an. Der O. beeinflusste u.a. Maler des Blauen Reiters.

Hans Christian Ørsted
(Stich nach einem Gemälde des dänischen Malers Nicolai Marstrand)

Daniel Ortega Saavedra

José Ortega y Gasset

Orscha, Stadt in Weißrussland, am Dnjepr, 123 000 Ew.; Flachsverarbeitung, Werkzeugmaschinenbau; Hafen.

Orseille [ɔrˈsɛj, frz.] *die,* braunroter bis violetter Pflanzenfarbstoff aus Flechtenarten.

Orsini, röm. Adelsgeschlecht, dem u.a. die Päpste Nikolaus III. (1277–80) und Benedikt XIII. (1724–30) entstammten; es kämpfte als Führer der Guelfen gegen die ghibellin. Colonna um die Vorherrschaft in Rom.

Orsk, Stadt im Gebiet Orenburg, Russland, am Uralfluss, 271 000 Ew.; Nickelhütte, Erdölverarbeitung, Schwermaschinenbau.

Ørsted [ˈœrsdɛð], Hans Christian, dän. Chemiker und Physiker, *Rudkøbing 14. 8. 1777, †Kopenhagen 9. 3. 1851; von F. W. J. Schellings Naturphilosophie beeinflusst; entdeckte 1819/20 im Pfeffer das Alkaloid Piperin, beschäftigte sich 1822 mit der Kompressibilität von Gasen und Flüssigkeiten und konstruierte 1822/23 mit J.-B. J. Fourier das erste →Thermoelement. 1820 beobachtete Ø. während einer Vorlesung die Ablenkung einer Magnetnadel durch elektr. Ströme. A. M. Ampère entwickelte daraufhin die Theorie des Elektromagnetismus für den stat. Fall. Nach Ø. wurde die nichtgesetzl. Einheit Oersted benannt.

Ort, 1) *der* (*Pl.* Örter), *Astronomie:* →astronomischer Ort.

2) *der* auch *das, Geschichte:* von vermutlich 1426 bis 1798 Bez. für das vollberechtigte Mitgl. der Schweizer Eidgenossenschaft (»Dreizehn alte O.«); 1798 durch »Kanton« ersetzt.

3) *der, Heraldik:* Heroldsbild, Quadrat mitten am oberen Schildrand.

4) *der, Mathematik:* →geometrischer Ort.

Ortasee (italien. Lago d'Orta), See in N-Italien, am Südrand der Alpen, 18 km² groß, bis 143 m tief, mit der Insel San Giulio.

Ortega Saavedra, Daniel, nicaraguan. Politiker, *La Liberdad (Prov. Chontales) 11. 11. 1945; als einer der Kommandanten der Sandinist. Befreiungsfront 1967–74 in Haft, war führend am Sturz A. Somozas (1979) beteiligt, dann Mitgl. der Junta, 1985–90 gewählter Staatspräsident.

Ortega y Gasset, José, span. Philosoph, Soziologe und Essayist, *Madrid 9. 5. 1883, †ebd. 18. 10. 1955; wurde 1910 Prof. in Madrid; Gründer und Hg. der »Revista de Occidente« (1923–36); lebte 1936–46 in der Emigration. Für die späteren kulturphilosoph. Schriften O. y G.s waren Nietzsche, Dilthey und die Lebensphilosophie bestimmend. Im individuellen Leben sieht er die eigentl. Wirklichkeit, aus der alles (Gesellschaft, Kultur) erwächst. Kulturschaffende Fähigkeiten besitzt nach O. y G.s allein die geistig führende Elite.

Werke: Meditationen über Don Quijote (1914); Die Aufgabe unserer Zeit (1923); Der Aufstand der Massen (1929); Buch des Betrachters (8 Bde., 1916–28, dt.); Geschichte als System (1941); Der Mensch und die Leute (hg. 1957).

Ortelius, Abraham, eigtl. Oertel oder Ortels, Kosmograph und Kartograph, *Antwerpen 4. 4. 1527, †ebd. 28. 6. 1598; gab 1570 das »Theatrum orbis terrarum« (53 Karten in Kupferstich) heraus.

Ortelsburg, Stadt in Polen, →Szczytno.

Ortenau *die,* Landschaft in der Vorbergzone des mittleren Schwarzwalds und am Oberrhein; Wein-, Obst-, Tabakanbau. Hauptort: Offenburg.

Ortenaukreis, Landkreis im RegBez. Freiburg, Bad.-Württ., 1861 km², (1996) 399 100 Ew.; Krst. ist Offenburg.

Ortese, Anna Maria, italien. Schriftstellerin, *Rom 13. 6. 1914, †Rapallo 9. 3. 1998; Verfasserin neorealist., psychologisch vertiefter Erzählungen (»Neapel, Stadt ohne Gnade«, 1953) und Romane z. T. mit märchenhaft-fantast. Zügen (»Iguana. Ein romant. Märchen«, 1965; »Il cardillo addolorato«, 1993; »Alonso e i visionari«, 1996).

Ortheil, Hanns-Josef, Schriftsteller, *Köln 5. 11. 1951; schreibt Romane (»Fermer«, 1979; »Schwerenöter«, 1987; »Agenten«, 1989; »Abschied von den Kriegsteilnehmern«, 1992) sowie literaturwiss. Arbeiten und Essays (»Jean Paul«, 1984; »Schauprozesse. Beiträge zur Kultur der 80er-Jahre«, 1990).

Orthikon [grch.] *das,* spezielle Elektronenstrahlröhre, die in der Fernsehkamera das opt. Bild unter Ausnutzung des →Photoeffektes in elektr. Signale umwandelt. Die Abtastung erfolgt mit langsamen Elektronen (hohe Empfindlichkeit).

Orthit [grch.] *der* (Allanit), pechschwarzes, radioaktives monoklines Mineral, mit Gehalt an Seltenerdmetallen (Cer) und Thorium; v.a. in Tiefengesteinen; Struktur wie Epidot.

ortho... [grch.], **1)** recht..., gerade..., richtig...

2) *Chemie:* Abk. **o-**, Vorsilbe zur Kennzeichnung der 1,2-Stellung von zwei Substituenten bei aromat. Verbindungen (z. B. beim 1,2- oder o-Dichlorbenzol).

orthochromatisch [grch.], Bez. für nicht rotempfindliche fotograf. Schichten.

Orthodontie [grch.] *die,* →Kieferorthopädie.

orthodox [grch.], **1)** rechtgläubig; in Übereinstimmung mit der herrschenden (kirchl.) Lehrmeinung.

2) zur orth. Kirche gehörend.

orthodoxe Kirche, →Ostkirchen.

Orthodrome [grch.] *die,* kürzeste Verbindung zw. zwei Punkten auf einer Kugel, verläuft auf einem Großkreis; wichtig für Nautik und Navigation.

Orthogesteine, metamorphe Gesteine, die aus magmat. Gesteinen hervorgegangen sind, im Ggs. zu den aus Sedimenten gebildeten **Paragesteinen**.

Orthognathie [grch.] *die,* gerade Kieferstellung mit normalem Scherenbiss (und normaler Gesichtsprofilbildung).

orthogonal [grch.], rechtwinklig, senkrecht aufeinander stehend; z. B. nennt man zwei Vektoren eines Vektorraumes, in dem ein Skalarprodukt definiert ist, o. **(orthogonale Vektoren),** wenn ihr Skalarprodukt Null ergibt.

Orthographie [grch.] *die,* → Rechtschreibung.

Orthohelium, *Physik:* der Triplettzustand des Heliums. Für angeregte Heliumatome existieren zwei versch. Sorten von Energiezuständen (Termsysteme), zw. denen es nur sehr selten Übergänge gibt. Sie unterscheiden sich dadurch, dass in dem einen System die Spins der beiden Hüllenelektronen des Heliums parallel stehen (Gesamtelektronenspin $S = 1$, **Orthohelium**), im anderen dagegen antiparallel ($S = 0$, **Parhelium, Parahelium,** Singulettzustand). Dementsprechend stellen die vom O. emittierten Spektrallinien Tripletts dar, während die Parheliumlinien Singuletts sind.

Orthoklas [grch.] *der,* Mineral, → Feldspäte.

Orthopädie [grch.] *die,* Fachgebiet der Medizin, das sich mit der Erforschung, Erkennung, Vorbeugung, Behandlung und Rehabilitation von angeborenen und erworbenen krankhaften Veränderungen (einschl. Verletzungen) des Halte- und Bewegungsapparates beschäftigt; z. B. mit Haltungsfehlern, Gelenk- und Abnutzungserkrankungen.

📖 RÖSSLER, H. *u.* RÖTHER, W.: *O., begr. v.* P. PITZEN. *München u. a.* [17]*1997.*

orthopanchromatisch [grch.], Bez. für fotograf. Schichten, die alle Farben richtig in Grautönen wiedergeben.

Orthophenylphenol (o-Phenylphenol), farblose, kristalline Substanz; in Wasser nicht, in Alkohol und Äther löslich. O. wird in Form des wasserlösl. Natrium-Salzes (Phenolat) als techn. Konservierungsmittel und Desinfektionsmittel für Seifen verwendet.

Orthophotoverfahren, *Photogrammmetrie:* Verfahren zur Entzerrung von Messbildern nicht ebener Objekte, bes. von Luftbildern unebenen Geländes, bei denen das ursprüngl. Bild meist streifenweise optisch oder photoelektronisch auf einen einheitl. Maßstab umgebildet wird. Die erforderl. Geländehöhen werden i. d. R. an einem Doppelbildauswertegerät (→ Photogrammmetrie) gewonnen und zur Umbildung einem Orthophotogerät (Orthophotoskop, Orthoprojektor) zugeführt. Das fotografisch festgehaltene Ergebnis der Umbildung, das **Orthophoto,** ist in geometr. Hinsicht einer topograph. Karte nahezu gleichwertig; es ist jedoch reicher im Detail.

Orthopteren [grch.] (Orthopteroidea), die → Geradflügler.

Orthostasesyndrom, nach Lagewechsel (Liegen, Stehen) auftretende Kreislaufregulationsstörung. Dabei kommt es infolge Blutdruckabfalls zu ungenügender Durchblutung des Gehirns (u. a. mit Schwarzwerden vor den Augen sowie Schwindel- und Schwächegefühl).

Orthostaten [grch.], *Baukunst:* hochkant stehende, geglättete Steinquader oder starke Platten, wesentl. Bestandteile in der Architektur Kleinasiens und N-Syriens im 2. Jt. v. Chr.; den Mauern von Repräsentativbauten vorgeblendet, z. T. reliefiert und zusätzlich bemalt (O.-Reliefs in der hethit. und assyr. Architektur mit Darstellungen von Kulthandlungen, Jagd- und Kriegsszenen; künstler. Höhepunkt unter den neuassyr. Königen im 9.–7. Jh. v. Chr.). Bei grch. Tempeln bilden O. den Wandsockel; auch z. B. bei Megalithbauten Maltas verwendet.

Ortiz, 1) [ɔr'tis], Adalberto, ecuadorian. Schriftsteller, auch Maler, *Esmeraldas 9. 2. 1914; zunächst Lehrer, dann Diplomat, Journalist; schrieb als einer der ersten ecuadorian. Autoren Gedichte und Romane, die auf die Folklore der Schwarzen und Mulatten zurückgreifen (»Juyungo. Roman aus dem Urwald«, 1943).

2) ['ɔ:tɪz], Simon, amerikan. Schriftsteller, *Albuquerque (N. Mex.) 27. 5. 1941; wuchs in einer Indianerreservation auf; gilt als einer der wichtigsten indian. Dichter in den USA (u. a. »Naked in the wind«, Ged., 1970); setzt sich in seinen Gedichten und Kurzgeschichten für die Rechte der Indianer ein (»Dunkle Wolken am Horizont«, 1978; »Earth power coming. Short fiction in Native American literature«, 1983, Hg.).

Ortleb, Rainer, Politiker (FDP), *Gera 5. 6. 1944; in der DDR 1968–90 Mitgl. der LDPD; Febr. bis Aug. 1990 Vors. der LDP bzw. des Bundes Freier Demokraten, wurde im Dez. 1990 MdB. 1990–95 war er stellv. Bundesvors. der FDP, 1990–91 Bundesmin. für besondere Aufgaben und 1991–94 Bundesmin. für Bildung und Wissenschaft.

Ortlergruppe, stark vergletschertes Gebirgsmassiv der Zentralalpen, in Südtirol, Italien, im **Ortler** 3 899 m ü. M.

örtliche Betäubung (Lokalanästhesie), → Anästhesie.

Ortolan [lat.] *der,* Singvogel, → Ammern.

Orton ['ɔ:tən], Joe, engl. Dramatiker, *Leicester 1. 1. 1933, †(ermordet) London 9. 8. 1967; schrieb sozialkrit. Stücke mit witzigen Dialogen: »Seid nett zu Mr. Sloane« (1964), »Was der Butler sah« (hg. 1969) u. a.

Ortsbeben, nur im Bereich des Epizentrums nachweisbares Erdbeben.

Ortsbestimmung, 1) (Ortung) in der Schiff- und Luftfahrt die Feststellung der geograph. Breite

Orvieto: Die farbenreiche, mit Skulpturen, Mosaiken und Reliefs reich geschmückte Westfassade des ab 1290 erbauten Doms wurde im 1. Drittel des 14. Jh. konzipiert und im 17. Jh. vollendet

und Länge eines Ortes auf der Erdoberfläche oder der Position eines Land-, See-, Luft- oder Raumfahrzeuges mithilfe von Himmelskörpern bekannter Koordinaten, ergänzt durch Funk- und opt. Peilungen und Radar. (→GPS)

2) (geograph. O.) die O. durch Angabe von →Länge 3) und →Breite 2) eines Ortes, wegen der Art der Bestimmung auch »astronom. O.« genannt (Horrebow-Talcott-Methode). Auf ein globales Referenzellipsoid bezogene Breiten und Längen werden heute überwiegend mit den Verfahren der Satellitengeodäsie bestimmt.

George Orwell

Ortskurve, grafische Darstellung einer elektr. Größe in Abhängigkeit von einem variablen Parameter in der komplexen Zahlenebene.

George Orwell

»Alle Tiere sind gleich, aber einige Tiere sind gleicher als andere.«

Diese zynische Feststellung findet sich in dem satirischen Roman »Farm der Tiere« (englisch: »Animal Farm«) von George Orwell. Er beschreibt die Entwicklung und schließlich den Niedergang eines Gemeinwesens der Tiere, die die Menschen von ihrem Hof verjagt haben, um selbst eine demokratische Form des Miteinanderlebens und -arbeitens zu beginnen. Am Schluss haben die Schweine die Herrschaft an sich gerissen; sie unterdrücken die anderen Tiere und beuten sie auf die gleiche Weise aus, wie es vorher die Menschen taten. Ihre Revolution ist vertan. – Das Zitat gibt der pessimistischen Auffassung Ausdruck, dass das Prinzip der Gleichheit (alle Tiere sind gleich = alle Menschen sind gleich) in keiner Form des menschlichen Zusammenlebens zu verwirklichen sei.

Ortsstatut (Ortssatzung, Ortsgesetz), das von den Gemeinden aufgrund ihrer Autonomie erlassene Recht (Ortsrecht). O. dürfen das geltende Bundes- oder Landesrecht nur ergänzen; bei Verstoß dagegen sind sie ungültig.

Ortstafelstreit, →Kärnten (Geschichte).

Ortstein, *Bodenkunde:* brauner bis schwarzer, verfestigter Horizont im Unterboden, bes. von Podsolen (→Bleicherde), durch ausgewaschene Eisen- und Aluminiumhydroxide und Humuskolloide des Oberbodens gebildet, die die Bodenteilchen verkitten; fast wasserundurchlässig.

Ortsvektor, in einem euklid. Vektorraum der Vektor, der einen Punkt *P* mit dem Ursprung verbindet.

Ortszeit, die für alle Orte auf gleichem Längengrad (Meridian) geltende Zeit; die Stundenzählung beginnt mit 0 Uhr beim Durchgang der Sonne durch den Meridian um Mitternacht. Die **bürgerl. Zeit** ist die für ein größeres Gebiet geltende Zonenzeit. (→Zeit)

Ortszuschlag, Teil der Beamtenbesoldung, →Besoldung.

Ortung, →Ortsbestimmung.

Orụro, Hauptstadt des Dep. O., Bolivien, 3700 m ü.M., auf dem Altiplano, 183200 Ew.; Bischofssitz; TU; Mittelpunkt des bedeutendsten bolivian. Bergbaugebiets (u.a. Zinn, Blei, Silber).

Orviẹto, Stadt in der mittelitalien. Prov. Terni, Umbrien, auf steilem Tuff-Felsen, 21400 Ew.; Bischofssitz; Weinbau. – Bed. mittelalterl. Bauten, bes. der Dom (1290 begonnen), ein Hauptwerk der italien. Gotik mit Fresken (»Das jüngste Gericht« von L. Signorelli), farbenreiche W-Fassade im 1. Drittel des 14. Jh. konzipiert, im 17. Jh. vollendet; im Palazzo Faina Etruskermuseum.

Orwell ['ɔːwəl], George, eigtl. Eric Arthur Blair, engl. Schriftsteller, *Motihari (Bihar, Indien) 25. 1. 1903, †London 21. 1. 1950; Beamter der brit. Polizei in Birma, kämpfte 1936 auf republikan. Seite im Span. Bürgerkrieg; begann als Schriftsteller mit Sozialreportagen; warnte vor totalitären Denk- und Lebensformen, bes. eindrucksvoll in den Antiutopien »Farm der Tiere« (1945) und »1984« (1949), in denen er Schreckensvisionen einer bis in privateste Bereiche von einem totalitären System kontrollierten Gesellschaft zeichnet; ferner Essays und zahlreiche publizist. Arbeiten.

📖 CRICK, B.: *G. O. Ein Leben. A. d. Engl. Neuausg. Frankfurt am Main 1990.*

O̱ryx|antilope, →Pferdeböcke.

Os, chem. Symbol für →Osmium.

Ọs [lat. os »Knochen«, »Gebein«] *das, Anatomie:* die →Knochen.

Ọs [lat. os »Gesicht«, »Mund«] *das, Anatomie:* der →Mund.

Os [schwed.] *der* auch *das* (schwed. Ås, engl. Esker), in Grundmoränenlandschaften von Schmelzwässern der Gletscher subglazial aufgebauter, dammartiger Wall (bis etwa 30 m hoch) aus geschichtetem Sand oder Kies.

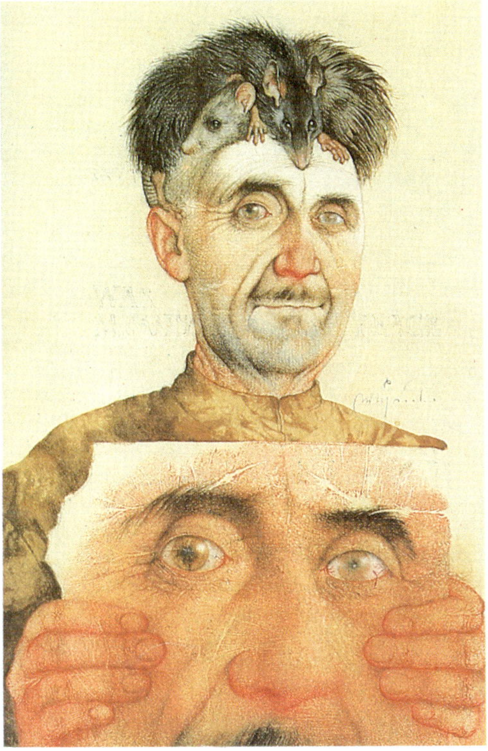

George Orwell: Aquarell von Michael Mathias Prechtl (1983; Privatbesitz)

Ōsaka, Stadt auf Honshū, Japan, an der Mündung des schiffbaren Yodogawa in die Ō.-Bucht der Japan. Inlandsee; 2,59 Mio. Ew.; Verw.sitz der Stadtpräfektur Ō.; Erzbischofssitz, fünf Univ., mehrere Museen, Goethe-Inst., Gelände der Weltausstellung 1970; Mittelpunkt des Ind.gebietes **Hanshin** und nach Tokio wichtigstes Wirtschaftszentrum Japans; Eisen-, Stahl-, Werft-, Zement-, chem., Textil-, Papier-, Holz- und Nahrungsmittelind.; U-Bahn, Hafen; auf einer künstl. Insel (Eisenbahn- und Straßenbrücke) in der Bucht der internat. Flughafen Kansai (seit 1994; Terminal von R. Piano). – Ō.-Burg (1615 und 1868 niedergebrannt, 1931 Rekonstruktion in Stahlbeton; heute Museum); in der Innenstadt Amtshäuser der Edozeit, Bauten der Meiji- und Taishōzeit, zahlr. Ausstellungsbauten von internat. Architekten errichtet, Sony Tower und Ethnolog. Museum von Kurokawa Kishō; im S buddhist. Shitennōji-Tempel (gegr. 593, nach dem 2. Weltkrieg rekonstruiert; steinernes Torii 1294), Sumiyoshi-Schrein (202 gegr., 1810 rekonstruiert). – Vom 4. bis 7. Jh. kaiserl. Residenz; ab 1583 Residenz von Toyotomi Hideyoshi (Bau einer Burg).

Ōsaka
Stadtwappen

Osasco [-ku], Ind.stadt im Staat São Paulo, Brasilien, im Gebiet von Groß-São Paulo, 567 000 Ew.; Nahrungsmittel-, chem., Auto-, Textil- u. a. Industrie.

Osazonreaktion, in der Zuckerchemie angewandte Reaktion zur Identifizierung von Monosacchariden. Die bei der O. gebildeten **Osazone** entstehen durch Reaktion von Monosacchariden (Hexosen, Pentosen; allg. von Verbindungen, die in 1,2-Stellung eine Carbonyl- und eine Hydroxylgruppe enthalten) mit überschüssigem Phenylhydrazin; sie sind in Wasser schwer löslich und haben charakterist. Schmelzpunkte.

OSB, Abk. für **O**rdo **S**ancti **B**enedicti →Benediktiner.

John Osborne

Osborne [ˈɔzbən], John James, engl. Dramatiker und Schauspieler, *London 12. 12. 1929, †Shrewsbury 24. 12. 1994; Hauptvertreter der »Angry young men« (der »Zornigen jungen Männer«); griff in seinen Dramen (»Blick zurück im Zorn«, 1957; »Der Entertainer«, 1957; »Richter in eigener Sache«, 1965; »Watch it come down«, 1975; »Déjàvu«, 1991) die Konventionen der engl. Gesellschaft an; schrieb auch histor. und politischkrit. Stücke und Fernsehspiele; Autobiographie »A better class of person« (1981).

Oscar *der,* volkstüml. Bez. für den **Academy Award,** den Filmpreis (eine vergoldete Statuette), der seit 1929 jährlich von der »Academy of Motion Picture Arts and Sciences« in Hollywood für die besten Einzelleistungen (Darstellung, Regie, Drehbuch, Musik u. a.) des amerikan. Films und den besten ausländ. Film verliehen wird.

Oscar:
vergoldete Statuette (Höhe 25,6 cm)

Osch, Hauptstadt des Gebiets O., in Kirgistan, am S-Rand des Ferganabeckens, 238 000 Ew.; Naturseiden-, Baumwollverarbeitung, elektrotechn. Ind.; Ostpamirstraße nach Chorog.

O-Schale, die zur Hauptquantenzahl $n = 5$ gehörige Hauptschale der →Atome, die maximal 50 Elektronen aufnehmen kann.

Oschatz, Stadt im Landkr. Torgau-Oschatz, Sachsen, 18 200 Ew.; Herstellung von Strickwaren, Waagen, Glasseide. – Spätgot. Stadtkirche Sankt Ägidien (1443 begonnen), got. Kirche des ehem. Franziskanerklosters (14./15. Jh.), Renaissancerathaus (nach Brand 1842 wieder aufgebaut). – Erstmals 1350 als Stadt erwähnt; war bis 1994 Kreisstadt.

Oschersleben (Bode), Kreisstadt des Bördekreises, Sa.-Anh., in der Magdeburger Börde an der Bode, 15 500 Ew.; Bau von Elektromotoren, Verdichtern, Pumpen, Zucker-, Süßwarenherstellung, Kartoffelverarbeitungswerk; Rennstrecke »Motopark O.«. – Renaissancewohnbau (1545) einer ehem. Schlossanlage. – Stadtrecht 1235 bezeugt.

Öschinensee, See in den Berner Alpen, Schweiz, oberhalb des Kandertales, 1578 m ü. M., 1,14 km^2 groß, bis 56 m tief; aufgestaut durch einen Bergsturz.

Oseberg: Das 21,58 m lange und 5,10 m breite Osebergschiff wurde 1903 aus einem Bootgrab freigelegt (9. Jh.; Oslo, Museum der Wikingerschiffe auf Bygdøy)

Oseberg ['u:sɔbærg], Ortschaft am Oslofjord in Norwegen. Hier wurde 1903 ein Schiff des 9. Jh. aus Eichenholz zum Rudern und Segeln **(O.-Schiff)** von 21,58 m Länge und 5,10 m Breite freigelegt. Es barg u. a. die Grabausstattung einer norweg. Fürstin **(O.-Grab)** mit Geräten, Wagen, Schlitten usw. Die Funde, mit ihrem reich geschnitzten Bandornament wertvolle Zeugnisse der german. Kunst, werden in der Univ. Oslo, das Boot im Museum auf Bygdøy aufbewahrt.

Ösel, estn. Insel, → Saaremaa.

Douglas D. Osheroff

Osheroff ['ɔʃ-], Douglas D., amerikan. Physiker, *1945; Prof. an der Stanford University (Calif.); entdeckte 1971/72 bei Tieftemperaturuntersuchungen die suprafluiden Phasen von ^{3}He. 1996 erhielt er dafür mit D. M. Lee und R. C. Richardson den Nobelpreis für Physik.

Ōshima Nagisa

Ōshima [-ʃ-], Nagisa, japan. Filmregisseur, *Kyōto 31. 3. 1932; setzte sich v. a. mit dem Nachkriegsjapan und dessen Konflikten mit der Tradition auseinander, u. a. in »Nacht und Nebel über Japan« (1960), »Die Rückkehr der drei Trunkenbolde« (1968), »Tagebuch eines Diebes aus Shinjuku« (1968), »Tod durch Erhängen« (1969), »Die Zeremonie« (1971). Internat. Aufsehen erregten die Zeitbilder über Sexualität und Verbrechen »Im Reich der Sinne« (1976), »Im Reich der Leidenschaft« (1978), »Max, mon amour« (1985).

Oshogbo [-ʃ-], Stadt in SW-Nigeria, 444 000 Ew. (v. a. Yoruba); kath. Bischofssitz; Museum (traditionelle nigerian. Kunst); Kakaohandel und -verarbeitung; Textil-, Tabakind.; Stahlwerk.

Osijek (dt. Esseg, ungar. Eszég), Stadt in Kroatien, an der Drau, 104 800 Ew.; Univ., Museum Slawoniens; Maschinenbau, Textil-, Nahrungsmittelind.; Flusshafen. – 1196 als Handelsplatz erwähnt; 1526–1687 türkisch. Im kroatisch-serb. Krieg 1991 stark zerstört.

Osiris, ägypt. Gott, Sohn des Erdgottes Geb und der Himmelsgöttin Nut. Nach älterer Überlieferung ertrinkt O.; nach einem jüngeren Mythos wird er von Seth ermordet, von seiner Frau und Schwester Isis jedoch wieder belebt, die von ihm den Sohn Horus empfängt; Horus besteigt den Thron der Lebenden, während O. im Totenreich regiert. – O. wird als Mumie mit Krummstab und Geißel dargestellt.

Oskar, Könige von Schweden und Norwegen: **1) O. I.** (1844–59), *Paris 4. 7. 1799, †Stockholm 8. 7. 1859, Vater von 2), Sohn Karls XIV. Johann; war Anhänger des Skandinavismus.

2) O. II. (1872–1907), *Stockholm 21. 1. 1829, †ebd. 8. 12. 1907, dritter Sohn von 1); näherte sich außenpolitisch dem Dt. Reich, musste 1905 auf den norweg. Thron verzichten. (→ Norwegen, Geschichte)

Öskemen, Stadt in Kasachstan, → Ust-Kamenogorsk.

Osker, altital. Volksstamm v. a. in Kampanien, wo die O. schon früh unter den Kultureinfluss der grch. Küstenstädte gerieten. Im 6. Jh. von den Etruskern, im 5. Jh. von den Samniten, deren Sprache die Römer als Oskisch bezeichneten, überschichtet.

Osler-Krankheit [nach dem kanad. Internisten William Osler, *1849, †1919], erbl. Blutgefäßanomalie mit herdförmig erweiterten Haut- und Schleimhautkapillaren, aus denen es heftig bluten kann (v. a. häufiges Nasenbluten).

Ösling *der,* luxemburg. Teil der Ardennen.

Osiris: Der 9 cm hohe Brustschmuck aus Gold und Lapislazuli stellt den von Horus (links) und Isis (rechts) beschützten Gott dar (9. Jh. v. Chr.; Paris, Louvre)

Oslo [norweg. 'uslu] (1624–1924 Christiania, ab 1877 Kristiania), Haupt- und Residenzstadt Norwegens, ein eigener VerwBez., an der innersten Bucht des O.-Fjords, 482 600 Ew.; luther. und kath. Bischofssitz; Univ., theolog. Fakultät, Architek-

Oslo: Die im 13. Jh. errichtete und 1588–1648 als Schloss ausgebaute Festung Akershus ist das älteste Bauwerk der Stadt (links); das 1931–50 erbaute Rathaus, hier die Südfassade, gilt als Wahrzeichen Oslos

tur-, Sport-, Musik-, veterinärmedizin. Hochschule; Akademie der Wiss., Kunstakademie; Nationaltheater, Galerien und Museen, darunter das Edvard-Munch-Museum, das Vigeland-Museum und das Freilichtmuseum →Bygdøy. Wichtigste Ind.zweige sind Elektrotechnik, graf. Gewerbe, Nahrungsmittelind. und Schiffbau. Personen- und Handelshafen, internat. Flughafen Fornebu.

Stadtbild: Wahrzeichen der Stadt ist das Rathaus (1931–50); Domkirche (1697 geweiht); königl. Schloss (1825–48); Univ. (1841–51; in der Aula Wandbild von E. Munch, 1926); historist. Storting-gebäude (1861–66) und Nationaltheater (1891–99); funktionalist. Neues Theater (1929); Frognerpark mit Skulpturen von G. Vigeland; im ehem. Gebäude der Norweg. Nationalbank (1902–06) wurde 1990 das staatl. Museum für Gegenwartskunst eröffnet. – Im NW liegt das Wintersportgebiet von Nordmarka mit der Skisprungschanze von Holmenkollen.

Geschichte: O., um 1048 von König Harald III. gegr., hatte 1286–1350 als Residenzstadt eine erste Blütezeit. Im 13. Jh. wurde auf einer felsigen Halbinsel über dem Fjord die Festung Akershus errichtet (1588–1648 als Schloss ausgebaut), in deren Schutz Christian IV. nach dem Brand von 1624 die neue Stadt anlegen ließ. Nach der Lösung Norwegens von Dänemark (1814) wurde O. wieder Residenzstadt.

OSM, Abk. für **O**rdo **S**ervorum **M**ariae, die →Serviten.

Osman dan Fodio (Usman dan Fodio), islam. Reformator und Reichsgründer, *Marata (bei Gobir, N-Nigeria) 1745, †Sokoto 1817; führte mit reformbegeisterten Anhängern (meist Fulbe) einen »Heiligen Krieg«, der zur Eroberung der meisten Hausastaaten N-Nigerias und zur Gründung eines Reiches der →Fulbe führte.

Osmanen (Ottomanen), von Osman I. Ghasi begründete Dynastie, deren Sultane von etwa 1300 bis 1922 das nach ihr benannte Osman. Reich beherrschten. I. w. S. Bez. des Stammesverbandes und der herrschenden muslim. Oberschicht, die in ihrem Ursprung auf das Turkvolk der Ogusen zurückgehen. (→Türkei, Geschichte)

Osman I. Ghasi [-zi], Fürst (seit etwa 1281/1300), *1258, †Söğüt 1326; Begründer der nach ihm benannten Dynastie der osman. Sultane; folgte seinem Vater Ertogrul nach dessen Tod (1281?) als Stammesoberhaupt, erweiterte seinen Herrschaftsbereich und bezeichnete sich seit etwa 1300 als unabhängigen Herrscher (Emir); schuf die Grundlagen des Osman. Reiches.

Osmanisches Reich [nach Osman I. Ghasi] (Ottomanisches Reich), das türk. Reich bis 1922 (→Türkei, Geschichte).

Osmium *das,* chem. Symbol **Os,** ein Element aus der achten Nebengruppe des →Periodensystems der chemischen Elemente; Ordnungszahl 76, relative Atommasse 190,2, Dichte 22,61 g/cm^3, Schmelzpunkt 3050 °C, Siedepunkt 5020 °C. O. ist ein bläulich weißes, sehr hartes, sprödes Edelmetall aus der Gruppe der →Platinmetalle. Mit einer Dichte von 22,61 g/cm^3 ist es nach Iridium das zweitschwerste aller chem. Elemente. In der Natur kommt O. stets zus. mit den anderen Platinmetallen vor, z. B. in den Mineralen Syssertskit und Newjanskit. O. wird verwendet als Bestandteil sehr harter Legierungen, z. B. für spezielle elektr. Kontakte, in Legierungen mit Iridium für Schreibfedern, Injektionsnadeln und Dentalinstrumente, daneben gelegentlich als Katalysator.

osmophore Gruppen, Atomgruppierungen, die in Riechstoffen den Geruch bestimmen.

Osmose [grch.] *die,* die Diffusion zw. zwei Substanzen (i. d. R. Flüssigkeiten) unterschiedl. Kon-

Oskar II., König von Schweden und Norwegen (Ausschnitt eines Holzstichs, um 1900)

Oslo Stadtwappen

zentration, insbesondere zw. zwei gleichartigen Lösungen, durch eine semipermeable Membran. Solche halbdurchlässigen Trennwände, die z.B. zur Reinigung oder Anreicherung von Stoffen genutzt werden (Dialyse), lassen kleinere Teilchen

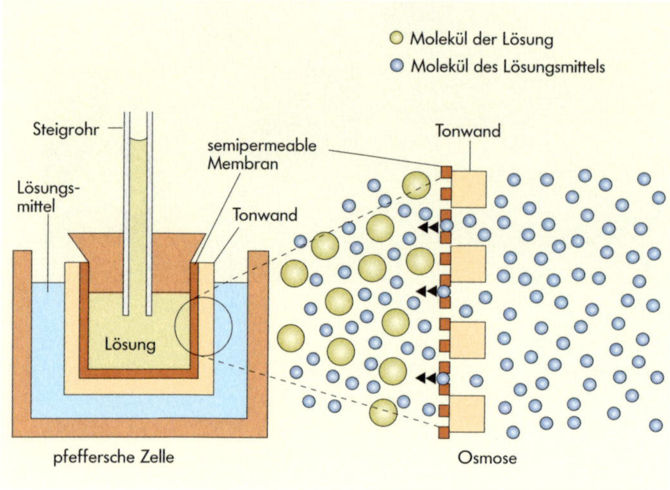

Osmose: Bestimmung des osmotischen Drucks in einer pfefferschen Zelle

(z.B. die des Lösungsmittels) hindurch, halten aber größere (z.B. die des gelösten Stoffes) zurück. Dabei diffundieren mehr Moleküle in die stärker konzentrierte Lösung als umgekehrt, die daher so lange verdünnt wird, bis sich gleich viele Lösungsmittelmoleküle in beide Richtungen bewegen. Der dann auf der Seite der schwächer konzentrierten Lösung herrschende hydrostat. Überdruck wird als **osmotischer Druck** bezeichnet. Er ist mithilfe einer pfefferschen Zelle messbar: Durch Diffusion des Lösungsmittels in die Lösung steigt diese in einem Steigrohr; die Steighöhe ist dabei ein Maß für den osmot. Druck. Dieser kann auch als derjenige Druck gedeutet werden, den die in der Lösung befindl. Moleküle des gelösten Stoffes auf die für sie undurchlässige Membran ausüben. Für den osmot. Druck p einer stark verdünnten (idealen) Lösung gilt die Zustandsgleichung idealer Gase, d.h., er ist gleich dem Gasdruck, der sich einstellen würde, wenn der gelöste Stoff als Gas bei gleicher Temperatur T das Volumen V der Lösung ausfüllen würde: $p = nRT/V$ (**Van't-Hoff-Gesetz;** R Gaskonstante, n/V Konzentration in Mol/l). – Lösungen mit gleichem osmot. Druck heißen **isotonisch.** Befinden sich versch. Flüssigkeiten zu beiden Seiten der Trennwand, spricht man von **Di-O.** Wird z.B. ein mit Alkohol gefüllter Tonzylinder in ein Gefäß mit Wasser gestellt, so dringt der Alkohol durch die Trennwand nach außen und das Wasser nach innen; dabei kann die Durchtrittsgeschwindigkeit für beide Flüssigkeiten versch. groß sein. – Da auch die Zellmembranen semipermeabel sind, entsteht ein osmot. Druck auch in lebenden Zellen. Die O. ist bes. für Pflanzenzellen wichtig. Sie bewirkt den Stofftransport, reguliert den Wasserhaushalt und erzeugt einen als Turgor bezeichneten Innendruck, der der Pflanze Form und Stabilität verleiht. – Bei Tieren und beim Menschen wird die Konstanthaltung des osmot. Drucks in Blut und Gewebeflüssigkeit als **Osmoregulation** bezeichnet. Sie erfolgt über Steuerung der Aufnahme und Abgabe von Wasser und Mineralen sowie durch Ausscheidung osmotisch aktiver Stoffwechselprodukte (z.B. Harnstoff). Der Osmoregulation dienen Osmorezeptoren, hormonale Steuereinrichtungen und Organe mit resorptiven und exkretor. Leistungen (Niere, Haut, Schleimhäute).

Osmose

Auf Osmose beruhen viele alltägliche Phänomene, z.B. dass Kirschen oder Tomaten bei Regen aufplatzen oder geschrumpfte Rosinen durch Einweichen wieder schön prall werden. Osmose wird auch zur Konservierung benutzt: Wenn man Lebensmittel einsalzt oder einzuckert, wirkt auf die Mikroorganismen, die sich darin einnisten möchten, ein so starker osmotischer Druck, dass sie buchstäblich austrocknen oder zumindest nicht mehr schädlich sind.

Osmotherapie [grch.], therapeut. Maßnahme, die bei Hirnödem angewendet wird. Hyperton. Lösungen (meist 20%ige Mannitollösungen) werden in die Blutbahn eingespritzt, dadurch tritt Wasser aus den Geweben in die Blutbahn über, das durch die Nieren ausgeschieden wird.

Osnabrück, 1) Landkreis im RegBez. Weser-Ems, Ndsachs., 2122 km², (1996) 344200 Einwohner.

Osnabrück 2) Stadtwappen

2) kreisfreie Stadt und Verw.sitz von 1), in Ndsachs., an der Hase, in den Ausläufern des Wiehengebirges und des Teutoburger Waldes, 167700 Ew.; kath. Bischofssitz; Univ., FH, kath. FH, Staatsarchiv, Sitz der Dt. Bundesstiftung Umwelt (Verwaltungsbau von E. Schneider-Wessling, 1992–96), Museen (u.a. seit 1998 Felix-Nussbaum-Museum), Zoo, botan. Garten; Fahrzeug- und Werkzeugmaschinenbau, Kabelmetallherstellung, Papier- und Stahlind. Durch einen Stichkanal ist der Stadthafen an den Mittellandkanal angeschlossen. – Im 2. Weltkrieg erlitt bes. der Stadtkern schwere Schäden. Wiederhergestellt wurden der Dom (1218–77), die got. Kirchen St. Johann, St. Marien und St. Katharinen, das Rathaus (1487–1512), Stadtwaage (1532), das Schloss (1667–75, heute Univ.) sowie zahlr. Häuser des 16.–19. Jh.; Städt. Theater im Jugendstil (1912), Heilig-Kreuz-Kirche von D. Böhm (1932). – O. entwickelte sich als Marktsiedlung um einen von

Karl d. Gr. gegr. Bischofssitz; 1147 erstmals als Stadt bezeichnet. Seit 1246 Mitgl. der Hanse. Behielt bis ins 17. Jh. die Stellung einer fast reichsunmittelbaren Stadt (gehörte aber bis 1802/03 zum Fürstbistum O.). 1643–48 neutralisierter Verhandlungsort zw. Kaiser und evang. Reichsständen über den Westfäl. Frieden.

3) Bistum, unter Karl d. Gr. (vor 803?) errichtet und der Kirchenprovinz Köln eingegliedert; 1803 aufgelöst; 1824 als exemtes Bistum neu umschrieben; seit 1929 Suffraganbistum von Köln.

Osning *der,* → Teutoburger Wald.

Carl von Ossietzky (um 1935)

Ösophagoskopie *die,* Speiseröhrenspiegelung mittels Endoskop.

Ösophagus [grch.] *der,* die → Speiseröhre.

Ösophagusvarizen, erweiterte Venen in der Speiseröhre, bes. im unteren Bereich. Ö. entstehen bei Pfortaderstauung. Sie können zu lebensbedrohl. Blutungen führen, da sie infolge praller Füllung oft sehr dünnwandig und bei jedem Schluckakt leicht verletzbar sind.

Osorno, 1) Vulkan in der südchilen. Kordillere, 2 660 m ü. M.; bis ins 19. Jh. tätig.

2) Stadt in S-Chile, im Großen Längstal, 123 000 Ew.; Bischofssitz; Marktort (große Viehmärkte). O. hat die älteste dt. Schule in Chile. – O., 1558 gegr., verdankt seinen Aufschwung der dt. Einwanderung um 1852.

Ossa, Gebirgsstock in NO-Thessalien, Griechenland, im Hauptgipfel 1978 m ü. M.

Ossarium [lat.] *das,* Beinhaus auf Friedhöfen, in der Antike Urne für Gebeine.

Ossein [lat.] *das,* in Wirbeltierknochen enthaltenes Kollagen, das zu Glutinleimen und Gelatine weiterverarbeitet wird.

Osservatore Romano, L' [italien. »Der röm. Beobachter«], vatikan. Tageszeitung, halbamtl. Organ des Hl. Stuhls, gegr. 1861.

Osseten, Volk im mittleren Kaukasus. Die rd. 600 000 O. bewohnen v. a. die Rep. → Nordossetien innerhalb der Russ. Föderation und das Autonome Gebiet → Südossetien innerhalb Georgiens; sie sind Ackerbauern, in den Bergen Viehzüchter. Das **Ossetische,** die Sprache der O., gehört zu den iran. Sprachen.

Ossetische Heerstraße, Passstraße durch den Zentralen Kaukasus über den Mamissonpass (2 829 m ü. M.) von Alagir in Nordossetien (Russ. Föderation) nach Kutaissi (Georgien), 275 km lang.

Ossiacher See, See in Kärnten, Österreich, 501 m ü. M., 11 km lang, 10,6 km² groß, bis 47 m tief; am S-Ufer **Ossiach** (670 Ew.) mit ehem. Benediktinerabtei (vor 1028 gegr.) und roman. Kirche (im 18. Jh. barock umgebaut); Fremdenverkehr.

Ossian (irisch Oisín), schottisch-gäl. mytholog. Held des 3. Jh., der im Alter erblindet und als Barde die Taten seines Vaters, des Königs der Kaledonier, verherrlicht; Figur des irischen Sagenkreises (»Ossian. Zyklus«), von dem Prosafragmente aus dem 9./10. Jh. und spätere Gedichte erhalten sind; seit dem 12. Jh. kamen Balladen hinzu, die oft O. zugeschrieben wurden. Diese regten J. → Macpherson zu seinen O.-Dichtungen an.

Ossietzky, Carl von, Publizist, * Hamburg 3. 10. 1889, † (an den Folgen der Lagerhaft) Berlin 4. 5. 1938; arbeitete als entschiedener Pazifist für die »Dt. Friedensgesellschaft«, war 1927–33 Chefredakteur der Ztschr. »Die Weltbühne«, wurde 1931 wegen »Landesverrats« und »Verrats militär. Geheimnisse« zu Gefängnis verurteilt, weil die »Weltbühne« die geheime, gegen den Versailler Vertrag verstoßende Aufrüstung der Reichswehr aufgedeckt hatte; 1932 amnestiert, 1933–36 in versch. Konzentrationslager gebracht. 1936 erhielt er den Friedensnobelpreis für 1935, durfte ihn aber nicht annehmen.

📖 KRAIKER, G. *u.* SUHR, E.: *C. von O. Reinbek 1994.*

Osnabrück 2): Der städtische Markt wird durch die strengen Formen des dreigeschossigen, 1487–1512 erbauten Rathauses und der Stadtwaage aus dem Jahr 1532 (rechts) bestimmt

Ossifikation [lat.] *die* (Knochenbildung), Vorgang der Ausbildung des Knochengewebes und der Knochenentwicklung.

Ossipenko, 1939–58 Name der ukrain. Stadt →Berdjansk.

Leonie Ossowski

Ossowski, Leonie, eigtl. Jolanthe Kurtz-Solowjew, Schriftstellerin, *Röhrsdorf (heute Osowa Sień, Wwschaft Leszno) 15. 8. 1925; sozialpolitisch engagierte Autorin (»Die große Flatter«, Jugendroman 1977, verfilmt), thematisiert das dt.-poln. Verhältnis (»Weichselkirschen«, R., 1976, verfilmt); schrieb »Herrn Rudolfs Vermächtnis« (R., 1997); auch Drehbücher und Hörspiele.

OSsT, Abk. für **O**rdo **S**anctissimae **T**rinitatis, →Trinitarier.

Ostade, Adriaen van, eigtl. A. Hendricx, niederländ. Maler und Radierer, getauft Haarlem 10. 12. 1610, begraben ebd. 2. 5. 1685; schilderte in meist kleinformatigen Gemälden, Zeichnungen und Radierungen das bäuerl. Leben; auch Porträts und Stillleben.

Adriaen van Ostade: »Der Spielmann« (1673; Den Haag, Mauritshuis)

Ost|afrikanische Gemeinschaft, 1967–77/81 bestehende Wirtschaftsgemeinschaft von Kenia, Tansania und Uganda.

Ost|afrikanisches Grabensystem, Bruchsystem im O Afrikas, das sich bis nach Vorderasien erstreckt. Südlichster Teil ist der **Njassagraben** (Malawisee), der sich in den **Zentralafrikan.** (Tanganjikasee bis Albertsee) und den **Ostafrikan. Graben** (bis zum Turkanasee) aufspaltet; dieser wird im schmalen Äthiop. Graben fortgesetzt und erweitert sich dann zum Danakiltiefland, wo er sich in den Graben des Golfes von Aden und den des Roten Meeres teilt; Gesamtlänge rd. 6000 km, größter Höhenunterschied zw. Grabensohle und Horst über 4800 m; von zahlr. Seen durchsetzt, im N auch von Meeresarmen erfüllt, im zentralen Teil von Vulkanen begleitet.

Ostaijen [ɔsˈtaːjə], Paul van, fläm. Lyriker, *Antwerpen 22. 2. 1896, †Anthée (Prov. Namur) 17. 3. 1928; neben G. Gezelle und K. van de Woestijne einer der bedeutendsten fläm. Lyriker.

Ost|albkreis, Landkreis im RegBez. Stuttgart, Bad.-Württ., 1512 km², (1996) 311100 Ew.; Krst. ist Aalen.

Ost|allgäu, Landkreis im RegBez. Schwaben, Bayern, 1395 km², (1997) 127500 Ew.; Krst. ist Marktoberdorf.

Ost|alpen, Teil der →Alpen östlich der Linie Bodensee–Rheintal–Splügen–Comer See.

Ostangli|en, engl. Landschaft →East Anglia.

Ostasi|en, im W durch das wüsten- und steppenhafte Hochland Zentralasiens begrenzter Kulturraum im pazifiknahen Teil des asiat. Kontinents, der als festländ. Gebiete S-China, die Große Ebene und die Mandschurei sowie die Halbinsel Korea, ferner die vorgelagerten Kurilen, Sachalin, die japan. Inseln und Taiwan umfasst.

Ostbengalen, östl. Teil von →Bengalen, bildet den Staat →Bangladesh.

Ostblock, im Zusammenhang mit dem Ost-West-Konflikt im Westen gebräuchl. Schlagwort, i. w. S. für alle europ. und asiat. Staaten, die nach dem 2. Weltkrieg unter sowjet. Hegemonie gerieten; i. e. S. alle Staaten Ostmittel-, Ost- und Südost-Europas, die als Mitgl. des Rats für gegenseitige Wirtschaftshilfe und des Warschauer Pakts in Abhängigkeit von der UdSSR standen. Die anfänglich monolithisch erscheinende Einheit des O. wurde aufgrund polit., wirtsch. und ideolog. Interessengegensätze sowie im Zuge von Selbstständigkeitsbestrebungen infrage gestellt, v. a. in Polen (»poln. Herbst«) und Ungarn (Volksaufstand, beide 1956). 1968 scheiterte ein Reformversuch in der Tschechoslowakei (»Prager Frühling«) und führte zur →Breschnew-Doktrin. Der Reformkurs M. Gorbatschows in der UdSSR (seit 1985) begünstigte schließlich mittelbar stärkere Verselbstständigungs- und Demokratisierungsprozesse im O. (zuerst 1988/89 in Ungarn, 1989 in Polen), bis die rasanten polit. Umwälzungen in Mittel- und O-Europa 1989–91 zum Zerfall des O. führten: 1991 Auflösung des Rats für gegenseitige Wirtschaftshilfe und des Warschauer Pakts sowie Ende 1991 Auflösung der UdSSR. Die von den Transformationsprozessen in der Gesellschaft überlagerte notwendige wirtsch. und polit. Stabilisierung ehem. O.-Staaten wird durch schwierige nat. Selbstfindungsprozesse (→Nationalitätenfrage) z. T. behindert. Einige frühere O.-Staaten bemühen sich um die Aufnahme in die EU. Im Juli 1997 wurden Polen, Tschechien und Ungarn von der NATO eingeladen, Beitrittsverhandlungen aufzunehmen.

Ostchinesisches Meer (chines. Dong Hai), Randmeer des Pazif. Ozeans, zw. China, Taiwan, den Ryūkyūinseln, Kyūshū (Japan) und dem Gelben Meer; größtenteils flaches Schelfmeer, im Okinawagraben bis 2719 m tief.

Ostdeutscher Rundfunk Brandenburg, Abk. **ORB,** Rundfunkanstalt des öffentl. Rechts; gegr. 1991, Sitz: Potsdam; Mitgl. der ARD. (→Rundfunk)

Ostdeutschland, bis 1919 geographisch nicht fest abgegrenzte Bez. sowohl für die Gebiete des Dt. Reiches östlich der Elbe als auch i. e. S. für die Ostprovinzen Preußens und des Dt. Reiches (Ost- und Westpreußen, Brandenburg, Posen, Schlesien, Pommern), 1919–39 für dieselben Gebiete ohne die an Polen abgetretenen Teile, nach 1945 zunehmend für das Gebiet der SBZ bzw. der DDR (wobei sich für die Gebiete östlich der Oder-Neiße-Linie die Bez. →deutsche Ostgebiete einbürgerte). Seit der Wiederherstellung der dt. Einheit und dem Abschluss des Dt.-Poln. Grenzvertrages 1990 Bez. für die neuen Bundesländer.

Ostelbi|en, frühere Bez. für die dt., speziell preuß. Gebiete östlich der Elbe; beherrscht von den konservativen ostdt. Großgrundbesitzern **(Ostelbier).**

Osten, Abk. **O,** eine →Himmelsrichtung.

Ostende (fläm. Oostende), Stadt, Seebad und Hafen in der belg. Prov. Westflandern, 68 900 Ew.; Kunstmuseen; Fischfang, -handel und -verarbeitung sowie Austernzucht; Bekleidungs-, Metall- und Holzind., Schiffbau, Diamantschleiferei, Seilerei; Fährhafen nach Großbritannien (Dover).

osteo... [grch.], Knochen...

Osteoblasten [grch.], Knochenbildungszellen; wandeln sich nach Bildung der Knochengrundsubstanz in Osteozyten (Knochenzellen) um.

Osteochondrose [grch.] *die,* nichtentzündl. Entartung des Knochen- und Knorpelgewebes, z. B. im Bereich der Wirbelsäule.

osteogen [grch.], 1) Knochen bildend (von Geweben gesagt); 2) vom Knochen ausgehend (z. B. von Krankheiten).

Osteoklasten [grch.], Knochenzerstörungszellen; Zellen, die beim Knochenumbau die Knochengrundsubstanz abbauen.

Osteologie [grch.] *die,* Lehre vom Bau der Knochen.

Osteom [grch.] *das,* gutartige Knochengeschwulst.

Osteomalazie [grch.] *die,* die →Knochenerweichung.

Osteomyelitis [grch.] *die,* die →Knochenmarkentzündung.

Osteoporose, Form der Knochenatrophie, eine Verminderung der Knochenmasse pro Volumeneinheit, die das alters- und geschlechtsspezif. Maß der natürl. Rückbildung überschreitet und im manifesten Stadium den Grad einer schmerzhaften mechan. Skelettinsuffizienz (Unterschreitung der Mindestbelastbarkeit mit Gefahr von Knochenbrüchen) erreicht: die Symptome bestehen daneben in Wirbelveränderungen und Wirbelsäulenverkrümmung. Als eine der Hauptursachen wird der Rückgang der Produktion von Östrogen in den Wechseljahren angesehen.

Osteosynthese [grch.], operative Vereinigung von Knochenbruchenden durch mechan. Hilfsmittel (z. B. Marknagelung, Verschraubung, Anlagerung von Knochenspänen).

Oster, Hans, General, *Dresden 9. 8. 1888, † (hingerichtet) KZ Flossenbürg 9. 4. 1945; 1933–44 Stabschef der militär. Abwehrorganisation (seit 1935 unter W. Canaris), wurde als entschiedener Gegner des nat.-soz. Reg.systems eine der treibenden Kräfte des militär. Widerstandes gegen Hitler. Am 21. 7. 1944 wurde er verhaftet.

Oster|aufstand, am 24. 4. 1916 in Dublin ausgebrochener Aufstand ir. Nationalisten, der zur Ausrufung der Irischen Rep. führte; bis Ende April 1916 von brit. Truppen niedergeschlagen.

Österbotten (finn. Pohjanmaa), histor. Landschaft in NW-Finnland, am Bottn. Meerbusen; im Küstengebiet werden Fischerei, Ackerbau und Viehzucht betrieben, im dünn besiedelten Hinterland vorwiegend Holzwirtschaft.

Osterburg (Altmark), Stadt im Landkreis Stendal, Sa.-Anh., in der Altmark, 8 400 Ew.; Nahrungsmittel- und opt. Ind.; Holzverarbeitung. – Pfarrkirche Sankt Nikolai (urspr. spätromanisch, im 15. Jh. umgebaut). – Erhielt vor 1296 Stadtrecht.

Östergötland ['œstɔrjøːt-], VerwBez. (Län) in Mittelschweden, 10 562 km², zw. Vättersee und Ostsee, (1995) 415 600 Ew.; Hptst. ist Linköping.

Osterholz, Landkreis im RegBez. Lüneburg, Ndsachs., 651 km², (1997) 105 700 Ew.; Krst. ist Osterholz-Scharmbeck.

Osterholz-Scharmbeck, Kreisstadt des Landkreises Osterholz, RegBez. Lüneburg, Ndsachs., am Rand des Teufelsmoores, 30 500 Ew.; Torfschiff- und Vogelmuseum; Fahrzeugbau, Metall- und Kunststoffverarbeitung, Zigarrenfabrik. – 1185 Gründung eines Benediktinerdoppelklosters (roman. Klosterkirche), später Nonnenkloster, 1650 aufgehoben. 1927 Vereinigung von Osterholz und Scharmbeck, 1929 Stadtrecht.

Oster|insel (span. Isla de Pascua, polynes. Rapa Nui), chilen. Insel im S-Pazifik, auf dem Ostpazif. Rücken, 180 km², (1992) 2 800 Ew. (Polynesier und Chilenen); einzige Orte sind Hangaroa und Mangareva. Die O. ist vulkan. Ursprungs (bis 511 m ü. M.) und hat subtropisch-ozean. Klima; überwiegend Grasflur. Es wird Viehhaltung, Ackerbau und Fischfang betrieben. Flughafen (auch Notlande-

OSTDEUTSCHER RUNDFUNK BRANDENBURG

Ostdeutscher Rundfunk Brandenburg

Hans Oster

Ostende Stadtwappen

Osterinsel: Blatt eines Tanzpaddels (Wien, Museum für Völkerkunde)

Osterinsel: Die monumentalen Tuffsteinfiguren – wie hier an der Nordküste – stellen wahrscheinlich Ahnen dar; den separaten Kopfaufsatz tragen sie vermutlich als Schmuck oder Rangabzeichen

bahn der NASA); Tourismus. – Die O. wurde durch Polynesier, wahrscheinlich durch zwei versch. Bev.-Gruppen, besiedelt, erstmals um 400 n. Chr. (die These T. →Heyerdahls einer Besiedlung von Südamerika her wird allg. abgelehnt) und dann um 1350. Die lokale Kultur entwickelte einen eigenen Kunststil, dessen klass. Periode vom 12. bis 17. Jh. dauerte. Die monumentalen Figuren (moai) aus Tuffstein (2,0–9,8 m hoch, mit Kopfschmuck) waren z. T. in Reihen auf Steinplattformen aufgestellt und haben wahrscheinlich Ahnen dargestellt. Als formal besonders vollendet gelten die halbmondförmigen Brustgehänge aus Holz mit zwei Köpfen im Profil sowie die Tanz-(Zeremonial-) Paddel. – Die O. ist die einzige polynes. Insel, auf der man eine Schrift kannte; das hieroglyphenähnl. Schriftsystem (auf Holztafeln, »rongorongo«) ist seit 1956 partiell entziffert. Die polynes. Sprache ist heute weitgehend von der span. verdrängt. – Am Ostersonntag 1722 wurde die Insel durch eine niederländ. Expedition unter Admiral J. Roggeveen entdeckt. 1862 verschleppten Peruaner zahlr. Bewohner zum Guanoabbau nach Südamerika. 1888 wurde die O. von Chile annektiert.

📖 *1500 Jahre Kultur der O., Redaktion:* A. GRAF VON BOTHMER-PLATES *u. a., Ausst.-Kat. Senckenbergmuseum Frankfurt. Mainz 1989.*

Osterlamm (Passahlamm), das Opfertier des Passahfests (nach 2. Mose 12, 3–6; →Passah).

Ọsterland, seit dem 14. Jh. Bez. für die Gebiete der wettin. Mark Landsberg an unterer Elster und Pleiße (um Leipzig); ab 1382 um das Pleißenland und Teile Thüringens vergrößert, 1485 auf Thüringen und Meißen (Sachsen) aufgeteilt (bis 1547 Bez. für das Gebiet um Leipzig und Altenburg).

Ọ̈sterling, Anders, schwed. Schriftsteller und Literaturkritiker, * Helsingborg 13. 4. 1884, † Stockholm 13. 12. 1981; 1941–64 Sekretär der Schwed. Akademie, ab 1947 Vors. des Nobelkomitees; gestaltete in formal vollendeten Gedichten die idyll. Landschaft Schonens.

Osterluzei *die* (Pfeifenblume, Aristolochia), Gattung der O.-Gewächse in den gemäßigten und warmen Gebieten; mit ganzrandigen, wechselständigen Blättern und meist pfeifenförmigen, grünl. oder gelbl. Blüten. Die bekannteste Art ist die **Gemeine O.** (Aristolochia clematitis) mit hellgelben, gebüschelten Blüten.

Ostermarschbewegung, in Großbritannien entstandene Bewegung, die in der Osterzeit (erstmals 1958) jährlich Demonstrationen gegen Krieg und Atomrüstung durchführt. In der Bundesrep. Dtl. entwickelte sie sich in den 1960er-Jahren in engem Zusammenhang mit der außerparlamentar. Opposition und der Friedensbewegung.

Ostern, ältestes christl. Fest und Hauptfest des Kirchenjahrs; hervorgegangen aus der christl. Umdeutung des jüd. Passahfests; wird seit dem 2. Jh. jährlich zum Gedächtnis des Todes, seit dem 4. Jh. als Feier der Auferstehung Jesu Christi begangen. Seinen liturg. Höhepunkt findet das Osterfest in der Feier der **Osternacht,** in den evang. Kirchen im Gottesdienst am Ostersonntag. Der **Ostertermin** ist durch das 1. Konzil von Nizäa (325) auf den ersten Sonntag nach dem ersten Vollmond nach Frühlingsbeginn festgelegt worden. Die Berechnung erfolgt in den orth. Kirchen nach dem julian.,

Ostern

Der Brauch, gefärbte und verzierte Ostereier zu verschenken, wurde angeregt von der mittelalterlichen Eier- und Speisenweihe, dem Zinsei (der Lieferung von Eiern als Naturalzins) und der Eierspende zu Ostern. Der Fund von zwei mit Streifen und Tupfen bemalten Gänseeiern in einem Wormser Grab aus der ersten Hälfte des 4. Jahrhunderts n. Chr. hat gezeigt, dass das Bemalen von Eiern eine sehr alte Sitte ist. Literarisch festgehalten sind gefärbte Eier für Deutschland zuerst im frühen 13. Jahrhundert in der »Bescheidenheit« des Spruchdichters Freidank. Die Bezeichnung Osterei erscheint erstmals 1615 in Straßburg. Bevorzugt waren in Osteuropa goldfarbene, in Mittel- und Westeuropa rot gefärbte Ostereier. Andere Färbungen kamen im 17. Jahrhundert auf, zusammen mit vielfältigen Verzierungen und Schmucktechniken (z. B. Auskratzen der Farbe, Ätzen, direkte Wachsmalerei, Batik).

Gegen Ende des 18. Jahrhunderts wurden Ostereier mit aufgemalten Sprüchen als Patengeschenk und Verehrungs-, Freundschafts- und Liebesgabe üblich. Besonders kostbar sind die Silber-, Gold-, Glas- und Porzellaneier, die sich Angehörige der oberen Gesellschaftsschicht anfertigen ließen, sowie die »Überraschungseier« des russischen Goldschmieds Carl Fabergé für die Zarenfamilie.

Österreich

Fläche: 83 853 km²
Einwohner: (1995) 7,968 Mio. Ew.
Hauptstadt: Wien
Verwaltungsgliederung: 9 Bundesländer
Amtssprache: Deutsch
Nationalfeiertag: 26. 10.
Währung: 1 Schilling (S) = 100 Groschen (Gr, g)
Zeitzone: MEZ

in den übrigen Kirchen nach dem gregorian. Kalender.

Brauchtum: In den zahlreichen volkstüml. (zumeist Frühlings-)Bräuchen leben häufig vorchristl. und mag. Motive weiter, z. B. das **Osterfeuer** bzw. **Osterrad,** das als heilkräftig geltende (vor Sonnenaufgang schweigend aus einem Bach geschöpfte) **Osterwasser;** Gebäcke und Gebildbrote mit Fruchtbarkeitssymbolen oder in Form des Osterlamms oder des Osterhasen (älteste Nachweise 1638 bzw. 1682 aus dem Saar- und Neckargebiet) sind z. T. noch üblich. Die Herkunft des **Osterhasen** wird versch. gedeutet: missverstandenes Osterlammgebildbrot oder österl. Zinsabgabe in Verbindung mit dem Osterei; er wurde schließlich (zuerst am Oberrhein, im Elsass und in der Pfalz) zum österl. Eierbringer (Kinderglauben). Zahlr. Spiele knüpfen sich an das **Osterei,** das zurückgeht auf das mittelalterl. Zinsei und die Eierspende zu O. sowie auf die Fastenpraxis der älteren Kirche; erstmals für Dtl. erwähnt im 12. Jh., das Verstecken seit dem 17. Jh. Im kath. Alpenraum sowie in der kath. Lausitz hat sich das **Osterreiten** erhalten.

📖 *Ostereier – Osterbräuche. Vom Symbol des Lebens zum Konsumartikel, bearb. v.* R. Vossen *u. a. Hamburg* ⁶*1995.*

O-Sterne, Sterne der Spektralklasse O (sehr heiße Sterne mit Oberflächentemperaturen über 25 000 K); in ihren Spektren treten Absorptionslinien des ionisierten Heliums auf.

Osterode am Harz, 1) Landkreis im RegBez. Braunschweig, Ndsachs., 636 km², (1996) 88 500 Einwohner.

2) Kreisstadt von 1), in Ndsachs., am SW-Rand des Harzes, 26 600 Ew.; Elektronik-, elektrotechn., Metallindustrie. – Fachwerkhäuser (16. und 17. Jh.), Rathaus (1552), Kornhaus (18. Jh.), Reste der Stadtmauer. – 1152 erwähnt; zw. 1218 und 1233 Stadtrecht; 1286–1596 Residenz von Braunschweig-Grubenhagen.

3) Osterode (Ostpreußen), Stadt in Polen, → Ostróda.

Österreich (amtlich Republik Ö.), Staat in Mitteleuropa, grenzt im NW an Deutschland, im NO an die Tschech. Rep. und die Slowak. Rep., im O an Ungarn, im S an Slowenien und Italien, im SW an die Schweiz und Liechtenstein.

Staat und Recht: Ö. ist eine parlamentarisch-demokrat. Bundesrep. Die Verf.ordnung basiert auf dem Bundes-Verf.-Ges. von 1920 i. d. F. von 1929, das am 1. 5. 1945 wieder in Kraft gesetzt wurde. Staatsoberhaupt ist der auf sechs Jahre direkt gewählte Bundespräs. Er ist Oberbefehlshaber der Streitkräfte und benennt den Bundeskanzler sowie auf dessen Vorschlag die übrigen Mitgl. des Kabinetts, das vom Vertrauen des Nationalrats abhängig ist. Die Legislative besteht aus dem Nationalrat (183 Abg., auf vier Jahre direkt gewählt) und dem die Länderinteressen wahrenden Bundesrat (63 Mitgl., von den Länderparlamenten nach dem Verhältniswahlrecht gewählt). Die von Nationalrat und Bundesrat gemeinsam gebildete Bundesversammlung tritt nur zur Vereidigung des Bundespräs. sowie zum Beschluss über eine Kriegserklärung zusammen. Jedes Bundesland wird durch eine Landesreg. unter Vorsitz des vom Landtag gewählten Landeshauptmanns verwaltet. Wichtigste Parteien: Sozialdemokrat. (bis 1991 Sozialist.) Partei (SPÖ), Österr. Volkspartei (ÖVP), Freiheitl. Partei (FPÖ), Grüne Alternative.

Landesnatur: Der Alpen- und Donaustaat erstreckt sich von W nach O zw. Bodensee und Neusiedler See über rd. 570 km. Rd. $^2/_3$ des Landes liegen in den Ostalpen. Getrennt durch Längstalzüge gliedern sich die österr. Alpen in drei Großräume: die Nördl. Kalkalpen mit zahlr. Alpenrandseen, weiter die z. T. vergletscherten Zentralalpen, in denen die höchste Erhebung des Landes, der Großglockner (3 798 m ü. M.), liegt, schließlich die Südalpen, zu denen u. a. die Karn. Alpen und Karawanken gehören. Nördlich der Alpen breitet sich bis zur Donau das Alpenvorland aus mit dem Innviertel und dem Hausruck. Nach NO erfolgt über das Tullner Becken der Übergang zum Karpatenvorland mit dem westl. Teil des Weinviertels. Im

Staatswappen

A

Internationales Kfz-Kennzeichen

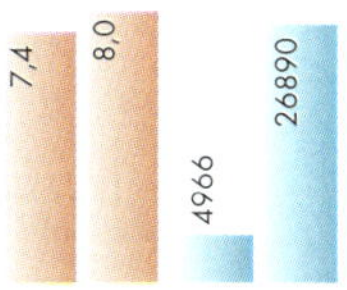

1970 1995 Bevölkerung (in Mio.)
1970 1995 Bruttosozialprodukt je Ew. (in US-$)

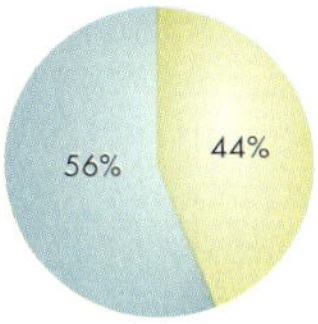

Stadt
Land
Bevölkerungsverteilung 1995

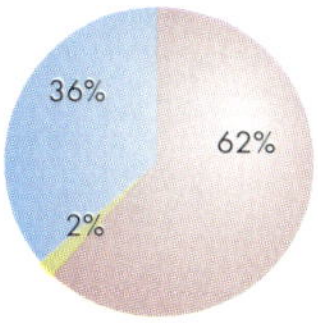

Industrie
Landwirtschaft
Dienstleistung
Bruttoinlandsprodukt 1994

Österreich

1

2

3

4

1 Das Parlamentsgebäude in Wien wurde 1873–83 nach Plänen von Theophil Hansen erbaut; der Athene-Brunnen vor der giebelbekrönten Säulenhalle entstand 1898–1902 | **2** Weinanbaugebiet in der Wachau, Niederösterreich | **3** Landschaft im Gesäuse, östlich von Admont, Steiermark; im Hintergrund sind die Ennstaler Alpen zu erkennen | **4** Das Naturschutzgebiet Lange Lacke im Seewinkel, Burgenland, wird teilweise durch Viehwirtschaft genutzt

Mühl- und Waldviertel hat Ö. Anteil am Böhm. Massiv (im Plöckenstein 1378 m ü. M.). Im O liegt das Wiener Becken; in der Grazer Bucht hat Ö. noch Anteil am Pannon. Becken. Das Gebiet um den Neusiedler See zählt zum Kleinen Ungar. Tiefland. 96 % des Landes entwässern zur Donau. – Ö. liegt im Übergangsbereich vom ozean. zum kontinentalen Klima, größtenteils mit vorherrschenden W-Winden und Niederschlägen bis 1500 mm pro Jahr. Im Alpenbereich herrscht alpines Klima mit Niederschlägen bis 3000 mm. Im Wiener Becken fallen dagegen nur 500–600 mm. Rd. 38 % der Landesfläche sind mit Wald bedeckt. Die Waldgrenze liegt bei 1500–2200 m ü. M.

Bevölkerung: Rd. 98 % der Österreicher sind deutschsprachig, daneben gibt es Minderheiten von Kroaten, Slowenen, Ungarn, Tschechen; Slowenisch und Kroatisch sind z. T. als zusätzl. Amtssprachen zugelassen. Die Gebirgsregionen sind dünn besiedelt; unterhalb 500 m ü. M. wohnen 70 % der Ew.; die größte Bev.dichte haben Vorarlberg, Ober-Ö. und der Ballungsraum Wien (20 % aller Ew.). Rd. 55 % der Bev. leben in Städten. – Allg. Schulpflicht besteht vom 6. bis 15. Lebensjahr; weiterführende und höhere Ausbildung an Gymnasien, berufsbildenden Schulen, Fachschulen, Akademien, sechs Kunsthochschulen (darunter drei Musikhochschulen) und 12 Univ. – Rd. 84 % der Bev. gehören der kath. Kirche an (Kirchenprovinzen Wien und Salzburg). 5,6 % der Bev. gehören der Evang. Kirche des Augsburg. (Lutheraner) und des Helvet. Bekenntnisses (Reformierte) an; rd. 1,3 % der Bev. bekennen sich zum Islam.

| 5

| 6

| **5** Am Nordufer des Wolfgangsees liegt der bekannte Fremdenverkehrsort Sankt Wolfgang im Salzkammergut
| **6** Landschaft bei Ellmau im nördlichen Tirol; im Hintergrund (links) der 2344 m hohe Wilde Kaiser

Wirtschaft, Verkehr: Ö. ist ein leistungsfähiger Ind.staat, dessen regionale Wirtschaftsstruktur durch die unterschiedl. geogr. Gegebenheiten bestimmt wird. Rund 44% der Landesfläche werden landwirtschaftlich genutzt. Vorherrschend im Alpenraum sind Viehzucht und Milchwirtschaft. Ackerbau wird bes. im Gebiet nördlich der Donau, im Burgenland und in der Südsteiermark betrieben; angebaut werden v.a. Mais, Gerste, Weizen, Kartoffeln, Zuckerrüben, Futterpflanzen, Obst und Wein. Große Bedeutung hat die Forstwirtschaft. Die Ind.gebiete konzentrieren sich v.a. um die großen Städte, bes. im südl. Wiener Becken, oberösterr. Alpenvorland, steier. Mur- und Mürztal, Grazer Becken und Unterinntal. Da der Abbau von einheim. Bodenschätzen unrentabel geworden ist, müssen zwei Drittel des Bedarfs an mineral. Rohstoffen eingeführt werden. Abgebaut werden v.a. Eisenerz, Braunkohle, Erdöl und Erdgas, Magnesit, Quarzsand, Gips, Blei- und Zinkerze, Graphit und Kaolin. Die wichtigsten Ind.zweige sind Nahrungs- und Genussmittelind., Maschinen- und Fahrzeugbau, Metall-, Erdölverarbeitung, chem., elektrotechn., Textil-, Bekleidungs-, Leder-, Papier- und Holzindustrie. Die Elektrizitätsgewinnung beruht zu 69% auf Wasserkraft, der Rest auf Wärmekraft; die Kraftwerksleistung beträgt rd. 14200 MW. Der Fremdenverkehr hat große wirtsch. Bedeutung: etwa 18 Mio. Auslandsgäste jährlich, davon über die Hälfte aus Deutschland. Die meistbesuchten Bundesländer sind Tirol, Salzburg, Kärnten, Vorarlberg, Wien. – Die Außenhandelsbilanz zeigt seit Jahren eine negative Tendenz. Die wichtigsten Exportgüter sind Maschinen, Halbfertigerzeugnisse, Textilien, Rohstoffe, Nahrungs- und Genussmittel. Importiert werden u.a. Maschinenbau- und Ind.erzeugnisse, Rohstoffe, Pkw u.a. Transportmittel. Haupthandelspartner sind Dtl. u.a. EU-Länder, Schweiz, Japan, USA. – Ö. ist ein wichtiges Transitland, v.a. für den N-S-Verkehr über die Alpen, woraus sich zunehmend große verkehrstechn. Probleme ergeben. Man ist bemüht, weitere Teile des Schwerverkehrs von der Straße auf die Schiene zu verlagern. Das Eisenbahnnetz umfasst 6411 km, wovon die →Österreichischen Bundesbahnen 5849 km betreiben. Es gibt über 500 Seilbahnen, 130 Sessel- und 2750 Schlepplifte. Das Straßennetz hat eine Länge von 107838 km, davon 1596 km Autobahnen und 10243 km Bundesstraßen. Wichtigste Binnenwasserstraße ist die Donau, größte Güterumschlagplätze sind Linz und Wien. Internat. Flughäfen in Wien-Schwechat, Salzburg, Graz, Klagenfurt, Linz und Innsbruck.

Geschichte

Vorgeschichte: →Mitteleuropa.

Die baierische und babenbergische Herrschaft: Die Geschichte Ö.s beginnt mit der Festigung einer dauernden Herrschaft der →Baiern im Donau- und Alpengebiet zu Beginn des 6.Jh.; zum baier. Stammesbereich gehörten damals schon das westl. Niederösterreich, Oberösterreich, Salzburg und Tirol. Im 8. Jh. kam Kärnten hinzu. 787/788 gliederte Karl d. Gr. das Stammesherzogtum in das Fränk. Reich ein. Nach der Niederwerfung der Awaren (791/796) konnte das baier. Herrschaftsgebiet auch nach O und SO erweitert werden. Eine Reihe von Marken (u.a. die Awar. Mark) schützten das Land. Otto d. Gr. erneuerte das System der Marken und schuf die Ostmark (996 »Ostarrichi« gen.) gegen die Ungarn, die sich allmählich donauabwärts vorschob. Aus den Marken entstanden später die Länder Österreich, Steiermark und Krain. Otto II.

Österreich, Verwaltungsgliederung (Stand 1996)

Bundesland	Fläche in km²	Ew. in 1 000	Ew. je km²	Hauptstadt
Burgenland	3 966	274,8	69,3	Eisenstadt
Kärnten	9 533	562,2	59,0	Klagenfurt
Niederösterreich	19 174	1 521,5	79,4	Sankt Pölten
Oberösterreich	11 979	1 383,8	115,5	Linz
Salzburg	7 155	508,4	71,1	Salzburg
Steiermark	16 388	1 207,8	73,7	Graz
Tirol	12 648	659,9	52,2	Innsbruck
Vorarlberg	2 601	343,8	132,2	Bregenz
Wien	415	1 592,6	3 837,6	-
Österreich	83 859	8 054,8	96,1	Wien

Ferdinand I., Römischer Kaiser (Ausschnitt aus einem Kupferstich von Hans Sebald Lautensack, 1556)

trennte Kärnten als selbstständiges Herzogtum von Bayern ab. Das führende Geschlecht wurden die Babenberger (seit 976 Markgrafen, seit 1156 Herzöge von Österreich), die 1192 auch die Steiermark erwarben (seit 1180 Herzogtum). Als die Babenberger 1246 erloschen, bemächtigte sich der böhm. König Ottokar II. Přemysl 1251–54 der Herrschaft in Österreich, gewann 1260 die Steiermark, erbte 1269 Kärnten und Krain. Erst Rudolf I. von Habsburg machte der böhm. Macht in den Donau- und Alpenländern ein Ende. 1282 verlieh er die Herzogtümer Österreich und Steiermark seinen Söhnen Albrecht I. und Rudolf II., während Kärnten mit Krain den Grafen von Görz und Tirol überlassen wurden. Als Träger der Röm. Königskrone betrachteten die →Habsburger die österr. Länder als ihren Hausmachtbereich. Albrecht II. erwarb 1335 Kärnten und Krain, Rudolf IV. 1363 Tirol. Durch Teilungen (1379 und 1406/11) entstanden drei habsburgisch-österr. Ländergruppen: die niederösterr. Länder (Nieder- und Ober-Ö.), die innerösterr. Länder (Krain, Steiermark, Kärnten, Inner-Istrien, Triest) und die vorderösterr. Länder (Tirol, Vorarlberg, die schwäb. und elsäss. »Vorlande«, der [nach der Niederlage von →Sempach] Restbesitz im N der Schweiz). Durch Erbvertrag mit den Luxemburgern wurde Albrecht V. nach dem Tod seines Schwiegervaters, Kaiser Sigismund, 1437/38 König von Böhmen und Ungarn, 1438/39 Röm. König (als Albrecht II.). Nach Erlöschen der albertin. Linie folgten in Böhmen und Ungarn einheim. Könige. Maximilian I. einigte (1491) alle österr. Erblande (seit 1453 Erzherzogtum) wieder; gegen Frankreich behauptete er die burgund. Länder (seit 1477); 1500 erbte er Görz. Die Heirat seines Sohnes, Philipps des Schönen, mit Johanna der Wahnsinnigen (1496) sicherte den Habsburgern Spanien mit seinen italien. Besitzungen und den amerikan. Kolonien.

Der Aufstieg zur Großmacht: Karl V., der Enkel Maximilians, überließ 1521 seinem jüngeren Bruder Ferdinand (I.) die österr. Erblande einschließlich Tirols. Damit wurde Ferdinand (seit 1531 Röm. König, seit 1556/58 Kaiser) der Stammvater der österr. Linie der Habsburger; nach dem Tod des letzten Jagiellonen, Ludwigs II., in der Schlacht von Mohács 1526 wählten ihn auch die Böhmen und Ungarn (Kroaten) zum König (1526/27). Aus den Türkeneinfällen (erste Belagerung Wiens 1529; Errichtung der österr. →Militärgrenze) ergab sich die Notwendigkeit einer länderübergreifenden funktionsfähigen Staatsorganisation. Die von Ferdinand geschaffenen kollegialen Zentralbehörden blieben nach Abspaltung kaiserl. Reichsbehörden bis 1848 erhalten. Unter den Söhnen Ferdinands I. wurden die habsburg. Lande 1564 nochmals und nach dem Tod Maximilians II. 1619 ein letztes Mal geteilt.

Österreich - Verwaltungsgliederung

Österreich - Wirtschaft

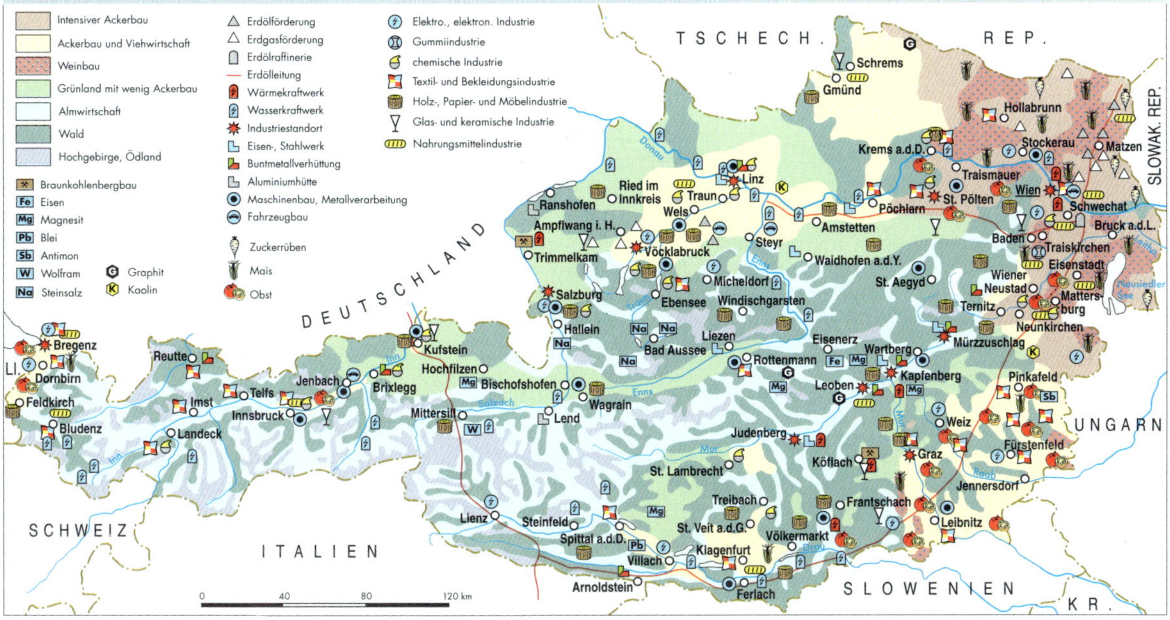

Die adligen Stände wurden zu Vorkämpfern der Reformation, die zunächst – wegen des Vordringens der Osmanen – geduldet wurde (Ausbreitung bis 1572/78). Mit den gegenreformator. Maßnahmen Ferdinands (II.) ab 1590/95 begann die Abkehr von der Politik der Zugeständnisse; der 1. kaiserl. Türkenkrieg (1593–1606) war begleitet von der Erhebung prot. ungar. Magnaten unter I. Bocskay (1604/06). Kaiser Rudolf II. (seit 1576) begünstigte die Rekatholisierung, doch musste er 1609 (»Majestätsbrief«) den böhm. Ständen Religionsfreiheit gewähren. Als 1618 die Gegenreformation voll einsetzte, formierte sich die vom prot. Adel geführte böhm. Konföderation mit dem Ziel, die böhm. und niederösterr. Länder zu einem antihabsburg. ständ. Bund zusammenzuschließen. Der böhm. Aufstand 1618–20 führte zum →Dreißigjährigen Krieg. Ferdinand II. (seit 1619 Kaiser) behauptete die Macht des Hauses Ö. unter schweren Eingriffen in die Landrechte (1627/28; u. a. Beseitigung des böhm. Wahlkönigtums, Vertreibung des alten Adels).

Nach dem →Westfälischen Frieden 1648 verlagerten die Habsburger in der Zeit Ferdinands III. (seit 1637 Kaiser), obgleich sie im Besitz der Krone des Hl. Röm. Reiches blieben, ihre Politik fast völlig auf Ö. und dynast. Interessen. Sozialökonom. Strukturveränderungen, so das Entstehen von Großgrundherrschaften v. a. in den böhm. Ländern, verschlechterten die grundherrlich-bäuerl. Verhältnisse (Steigerung der Fronen). Angesichts gewaltiger Kriegskosten fehlten die Investitionsmittel. Leopold I. (Kaiser seit 1658) stellte sich seit 1663 den Osmanen entgegen. Im »Großen Türkenkrieg«, der 1683 mit der Abwehr der Türken vor Wien in der Schlacht am Kahlenberg begann, wurde bis 1699 (Frieden von Karlowitz) ganz Ungarn (einschl. Kroatien) zurückerobert. Der →Spanische Erbfolgekrieg (1701–13/14) sicherte Ö. die Herrschaft über die span. Nebenländer, darunter die reichen span. Niederlande. Der Türkenkrieg 1714–18 brachte N-Serbien, N-Bosnien, die Kleine Walachei und das Banat unter österr. Herrschaft, durch Tausch gegen Sardinien auch Sizilien. Damit

Österreich (Geschichte): Frans Geffels, »Die Entsatzschlacht vor Wien«, Darstellung der Schlacht am Kahlenberg 1683 (um 1688; Wien, Historisches Museum)

Joseph II., Römischer Kaiser (zeitgenössischer Kupferstich)

erreichte Ö. seine größte territoriale Ausdehnung. Die Politik Karls VI. zielte auf eine Sicherung dieses Bestandes, die →Pragmatische Sanktion sollte auch die weibl. Thronfolge garantieren.

Das Zeitalter des Absolutismus (1740–1804): Maria Theresia, die Tochter von Karl VI., musste dennoch ihre Ansprüche im →Österreichischen Erbfolgekrieg (1740–48) verteidigen. Sie verlor zwar in den beiden →Schlesischen Kriegen den größten Teil Schlesiens an Friedrich II., doch bestätigte der Aachener Frieden (1748) die Reichskrone und die Großmachtstellung Österreichs. Mit dem →Siebenjährigen Krieg (1756–63) begann der Ggs. zur neuen Großmacht Preußen. Mit einer grundlegenden Staatsreform vollzog Maria Theresia einschneidende Eingriffe in die histor. Landesverf., deren Sonderrechte die Monarchie schwächten: Die Länder verloren ihr Recht auf eigene Verw. und die Stände ihr Mitspracherecht in der Wiener Zentrale; Verw. und Justiz wurden getrennt und durch Vereinigung der Hofkammern der österr. und böhm. Erblande eine neue Zentralbehörde für die polit., Finanz- und Militärverw. geschaffen. Diese Institutionalisierung der monarchisch-staatl. Verwaltung setzte sich auf der Länderebene fort. Der Adel wurde zum Dienst für die Monarchie verpflichtet. Da die Staatsreform nur für die böhmisch-österr. Erblande galt, wurde der spätere österr.-ungar. Dualismus bereits fixiert. Maria Theresias Sohn, Joseph II., der, seit 1765 Mitregent, 1780 die Alleinherrschaft antrat, versuchte, im Sinne des aufgeklärten Absolutismus (→Josephinismus) aus den habsburg. Ländern einen Einheitsstaat mit dt. Amtssprache zu schaffen. Sein Plan, die österr. Niederlande gegen Bayern zu tauschen, scheiterte. Er hob 1781 die Leibeigenschaft auf und löste viele Klöster auf. Andere Reformen scheiterten an der heftigen Abwehr in Ungarn und den österr. Niederlanden. Sein Bruder und Nachfolger, als Kaiser Leopold II. (1790–92), versuchte einen Kompromiss, doch bahnte sich schon 1794/95 die Abwendung vom aufgeklärten Absolutismus an. In der Auseinandersetzung mit dem revolutionären und napoleon. Frankreich stand Ö. nach dem Ausscheren Preußens im Basler Frieden 1795 allein. Die Zerstörung des europ. Gleichgewichts in den →Französischen Revolutionskriegen und in den →Napoleonischen Kriegen führte zu gravierenden Territorialverlusten und zur Auflösung des Hl. Röm. Reiches (1806).

Aufstieg zur Großmacht – von Ferdinand I. zu Leopold II.

Das Kaiserreich Österreich (1804–66): Am 11. 8. 1804 nahm Kaiser Franz II. den erbl. Titel eines »Kaisers von Österreich (als Franz I.) an; die staatsrechtl. Stellung der Länder der Habsburgermonarchie blieb unverändert. Bis 1809 verlor Ö. an Napoleon I. die österr. Niederlande, Vorder-Ö., Tirol, Krain, Teile Ober-Ö.s, Kärntens, Kroatiens und die Erwerbungen aus der 3. Poln. Teilung. Seit 1810 bzw. 1813 betrieb K. W. Fürst von Metternich als Außenmin. die Rettung Ö.s als Großmacht, zunächst in Anlehnung an Napoleon I. (Heirat mit der Kaisertochter Marie Louise), dann im Kampf gegen ihn. Erst im Aug. 1813 schloss sich Ö. in den →Befreiungskriegen der Koalition gegen Napoleon an.

Die Neuordnung Europas nach dem Sturz Napoleons I. auf dem Wiener Kongress 1814/15 brachte für Ö. die Rückgabe der abgetretenen Teile seiner Erblande, Salzburgs und Dalmatiens, dazu erhielt es Venetien und die Lombardei; dagegen verzichtete es auf seinen südwestdt. Besitz. Unter Metternich (seit 1821 Staatskanzler) nahm Ö. im Europa der Restaurationszeit eine führende Stellung ein (→Heilige Allianz). Es war Präsidialmacht des Dt. Bundes und hatte auch in Italien durch die habsburg. Nebenlinien die Vormacht. Im Inneren bekämpfte Metternich alle liberalen Bestrebungen (Karlsbader Beschlüsse), v.a. unterdrückte er die nat. Bewegungen der nichtdt. Völker der Donaumonarchie. Nach 1830 verhärtete sich die Politik der Wiener Reg.zentrale, die unfähig war, den tiefen sozialen Wandel des 19. Jh. zu bewältigen. Das Verlangen des Besitz- und Bildungsbürgertums, aber auch eines Teils des Adels, nach Systemveränderungen und die Auswirkungen der Wirtschaftskrise seit den 1840er-Jahren förderten den Ausbruch der Märzrevolution von 1848. Sie verband sich mit dem Aufbegehren der unterdrückten Nationalitäten und erschütterte die gesamte Monarchie. Der Ausbruch der Revolution in Wien am 13. 3. führte sofort zum Sturz Metternichs. Am 25. 4. wurde für die nichtungar. Länder eine liberale Verf. erlassen, während Ungarn zu Ö. im Verhältnis der Personalunion stehen sollte. Zur gleichen Zeit trat die →Frankfurter Nationalversammlung zusammen, in Mailand und Venedig siegte die nat. Revolution. Unter dem Druck einer Massenbewegung sollten der neue Reichstag als verfassunggebendes Parlament berufen und der Wahlzensus beseitigt werden. In Prag forderte ein Aufstand v.a. nat. Rechte der böhm. Länder, doch wurde er von Fürst Windischgrätz blutig niedergeschlagen (11.–17. 6.). Auch in Italien erlangte die österr. Staatsmacht mit den Militäraktionen von Graf Radetzky wieder die Oberhand. In Ungarn bereitete sich seit März 1848 der offene Bürgerkrieg vor, zw. der kaiserl. Reg. und dem ungar.

Österreich: Staatsoberhäupter

Die Markgrafen der bayr. Ostmark bzw. von Österreich (976-1156); die Herzöge (1156-1453) und die regierenden Erzherzöge (seit 1453) von Österreich; die Könige von Ungarn und Böhmen (seit 1526/27); die Röm. Kaiser (seit 1804 Kaiser von Österreich)

Babenberger

Luitpold I.	976- 994
Heinrich I.	994-1018
Adalbert der Siegreiche	1018-1055
Ernst	1055-1075
Luitpold II.	1075-1095
Leopold III., der Heilige	1095-1136
Leopold IV.	1136-1141
(Herzog von Bayern 1139-1141)	
Heinrich II. Jasomirgott	1141-1177
(Herzog von Bayern 1143-1156)	
Leopold V.	1177-1194
(Herzog von Steiermark 1192-1194)	
Friedrich I.	1194-1198
Leopold VI., der Glorreiche	1198-1230
(Herzog von Steiermark 1194-1230)	
Friedrich II., der Streitbare	1230-1246
(Herzog von Steiermark 1230-1246)	
Hermann	1248-1250
(Markgraf von Baden 1243-1250)	
Ottokar II. Přemysl	1251-1276
(König von Böhmen 1253-1278)	

Habsburger

Albrecht I.	1282/83-1308
(Herzog von Steiermark; Röm. König seit 1298)	
Friedrich III., der Schöne	1308-1330
(Röm. König seit 1314)	
Albrecht II., der Lahme	1330-1358
Rudolf IV., der Stifter	1358-1365
Albrecht III. und Leopold III.	1365-1379

albertinische Linie (Ober- und Niederösterreich)

Albrecht III.	1379-1395
Albrecht IV.	1395-1404
Albrecht V.	1404-1439
(Röm. König [A. II.] seit 1438)	
Ladislaus Posthumus	1439/52-1457
(König von Ungarn und Böhmen [Ladislaus V.] 1440/1453)	

leopoldinische [steirische] Linie (Inner-, Vorderösterreich und Tirol)

Leopold III.	1379-1386
Wilhelm	1379-1406

jüngerer steirischer Zweig (Innerösterreich)

Leopold IV.	1406-1411
Ernst der Eiserne	1411-1424
Friedrich V.	1424/35-1493
(Röm. König/Kaiser [Friedrich III.] seit 1440/1452)	

älterer Tiroler Zweig (Vorderösterreich und Tirol)

Friedrich IV.	1406-1439
Sigmund	1439-1490

Römische Kaiser

Maximilian I.	1493-1519
(Röm. König/Kaiser seit 1486/1508)	
Karl I.	1519-1521/22
(Röm. König/Kaiser [Karl V.] seit 1519/30; König von Spanien seit 1516)	
Ferdinand I.	1521/22-1564
(Röm. König/Kaiser seit 1531/56; König von Ungarn und Böhmen seit 1526/27)	

österreichische Hauptlinie (Österreich unter und ob der Enns [»niederösterr. Lande«]; Könige von Böhmen und Ungarn und Röm. Kaiser)

Maximilian II.	1564-1576
Rudolf II.	1576-1612
Matthias	1612-1619

steirische Linie (Innerösterreich)

Karl II.	1564-1590
Ferdinand II.	1590/1619-1637
(Röm. Kaiser seit 1619)	

Tiroler Linie (Vorderösterreich und Tirol [»oberösterr. Länder«])

Ferdinand II.	1564-1595
Maximilian III.	1602-1618
Leopold V.	1618/25-1632
Ferdinand Karl	1632/46-1662
Sigmund	1662-1665

Könige von Böhmen und Ungarn und Röm. Kaiser bzw. Kaiser von Österreich

Ferdinand III.	1637-1657
Leopold I.	1657-1705
Joseph I.	1705-1711
Karl VI.	1711-1740
Maria Theresia	1740-1780

Habsburg-Lothringer

Joseph II.	1780-1790
Leopold II.	1790-1792
Franz II. (I.)	1792-1835
(Röm. Kaiser 1792-1806; Kaiser von Österreich seit 1804)	
Ferdinand I.	1835-1848
Franz Joseph I.	1848-1916
Karl I.	1916-1918

Bundespräsidenten (Erste Republik)

Karl Seitz*)	1919-1920
Michael Hainisch	1920-1928
Wilhelm Miklas	1928-1938

(Zweite Republik)

Karl Renner	1945-1950
Theodor Körner	1951-1957
Adolf Schärf	1957-1965
Franz Jonas	1965-1974
Rudolf Kirchschläger	1974-1986
Kurt Waldheim	1986-1992
Thomas Klestil	seit 1992

*) 1. Präsident der konstituierenden Nationalversammlung

Österreich (Geschichte): Maria Theresia, Kupferstich von Gilles Petit nach einem Gemälde von Martin van Meytens aus dem Jahr 1743

Reichstag kam es im Sept. zum Bruch. Eine neue Erhebung in Wien wurde am 31. 10. mit der Erstürmung der Stadt durch die Truppen des Fürsten Windischgrätz (d. Ä.) beendet; mehrere Führer des Aufstands, so R. Blum, wurden standrechtlich erschossen. Schon vorher hatte ein kaiserl. Manifest den Reichstag zum 15. 11. nach Kremsier berufen. An die Spitze eines neuen Ministeriums trat F. Fürst zu Schwarzenberg. Kaiser Ferdinand I. dankte am 2. 12. 1848 zugunsten seines Neffen Franz Joseph I. ab. In Kremsier konnte sich die Reg. mit dem Reichstag nicht verständigen, sie löste ihn auf und oktroyierte am 4. 3. 1849 eine konstitutionelle Gesamtstaatsverf. (Märzverf.). Ungarn, das sich unter L. Kossuth für unabhängig erklärt hatte (14. 4. 1849), wurde im Aug. 1849 mit russ. Hilfe unterworfen. Schwarzenberg brachte die Versuche der Frankfurter Nationalversammlung, anstelle eines Dt. Bundes einen Bundesstaat (mit oder ohne Ö., →Großdeutsche, →Kleindeutsche) zu errichten, zum Scheitern und erzwang 1850 (Olmützer Punktation) die Wiederherstellung des Dt. Bundes. Die Spannungen zw. Preußen und Ö. wuchsen. Mit dem »Silvesterpatent« 1851 hob Schwarzenberg die Märzverf. mit den Grundrechten auf. Nach seinem Tod betrieb A. von Bach als Innenmin. einen entschiedenen bürokrat. Zentralismus. In der Außenpolitik erwies sich die bewaffnet-neutrale und vermittelnde Haltung Ö.s im Krimkrieg als verhängnisvoll: Ö. zog sich dadurch die dauernde Feindschaft Russlands zu. In Italien erreichte der sardisch-piemontes. Minister Graf Cavour ein Bündnis mit dem Frankreich Napoleons III., das Ö. 1859 bei Magenta und Solferino schwere Niederlagen zufügte; Ö. verlor die Lombardei. Der wachsende Widerstand Ungarns gegen das neoabsolutist. System führte zur Verf.änderung im Oktoberdiplom von 1860, das unter Wahrung der vollen Krongewalt durch dezentralisierte Verw. der Länder die Macht der zentralist. Bürokratie beschränken sollte. Das nach dem Scheitern dieses Konzepts (bes. in Ungarn) verkündete Februarpatent (1861) kehrte zur zentralist. Reichsgewalt zurück, modifiziert durch eine nichtparlamentar. Konstitutionalisierung des Reichsrats und ein Verw.system abgestufter Autonomie. Der Dt. Krieg 1866 gegen Preußen führte zum Verlust Venetiens und gefährdete die Großmachtstellung Ö.s (Ausscheiden aus dem Dt. Bund). Damit wurde die Nationalitätenfrage zum Reichsproblem.

Österreich-Ungarn (1867–1918): Der österr. Min.-Präs. F. Graf Beust schloss 1867 den Ausgleich mit Ungarn ab. Die Sonderverf. Ungarns von 1848 wurde wiederhergestellt. So entstand die Doppelmonarchie →Österreich-Ungarn. Die innere Gesch. Transleithaniens (Ungarn mit seinen Nebenländern) entwickelte sich fortan selbstständig, dagegen wurde Zisleithanien (österr. Reichshälfte) immer stärker in den Nationalitätenkampf verwickelt. Die dt. liberale Verfassungspartei erreichte eine allg. Liberalisierung, auch eine Verbesserung der Finanzlage. Doch widersetzten sich die Tschechen dem dt.-zentralist. System und forderten 1868 die Eigenstaatlichkeit der böhm. Länder; den Polen in Galizien musste die poln. Amtssprache zugestanden werden. Im Dt.-Frz. Krieg 1870/71 blieb Ö. neutral. Im Inneren versuchte Kaiser Franz Joseph I. weiterhin vergeblich, einen Ausgleich mit Tschechen und Polen zu erreichen; föderalist. Programme scheiterten auch am Widerstand der Deutschliberalen und der Ungarn. Das Dreikaiserbündnis (Dt. Reich, Russland, Ö.-Ungarn) wurde durch den Widerspruch österr. und russ. Interessen auf dem Balkan erschüttert, doch erreichte Ö. auf dem Berliner Kongress (1878) die Zustimmung zur Besetzung und Verw. der türk. Provinz Bosnien und Herzegowina. Mit der Reg.übernahme durch E. Graf Taaffe änderte sich die Nationalitätenpolitik; er erließ Verordnungen über die Doppelsprachigkeit der Behörden für Böhmen und Mähren (1880), für die slowen. Gebiete (1882) und für Ö.-Schlesien (1882); in Prag wurde 1882 eine tschech. Univ. errichtet. Doch gelang ihm die Entspannung nicht auf Dauer; 1893 musste er zurücktreten. Die ohne Kontakte mit dt. Parteien gewährten Zugeständnisse von MinPräs. K. Graf Badeni (1895–97) an die Tschechen (Wahlrechtsreform, Sprachverordnungen, 1899 wieder aufgehoben) verschärften den Nationalitätenstreit, der nun den Gesamtstaat bedrohte. Um 1880 hatte nach Lockerung des Wahlzensus die Bildung neuer Parteien begonnen: die auf das Kleinbürgertum, später auf die Bauern gestützte Christlichsoziale Partei unter K. Lueger, die Sozialdemokrat. Partei unter V. Adler, die die Arbeiterschaft organisierte, aber 1911 in eine dt. und eine tschech. Partei zerfiel, die Liberalen, die sich in radikale (Alldt. Vereinigung) und gemäßigte Gruppen aufgliederten. Bei den ersten allg., gleichen und direkten Wahlen (1907) zum Reichstag siegten die Massenparteien: Christlichsoziale Partei, Sozialdemokrat. Partei, deutschnat. Gruppen (u.a. Alldt. Vereinigung, seit 1910 Dt. Nationalverband).

Die Außenpolitik Ö.-Ungarns hatte durch den Abschluss des Zweibunds mit dem Dt. Reich 1879 eine neue Grundlage erhalten. 1881 wurde der Dreikaiserbund erneuert, der jedoch mit der russ.-bulgar. Krise (1887/88) sein Ende fand. Dem Zweibund folgte 1882 der Dreibund mit dem Dt. Reich und Italien, ein Bündnis, das von Anfang an durch die italien. →Irredenta belastet war. Serbien gab unter der Dynastie Karađorđević, die 1903 auf den Thron gelangt war, die Anlehnung an Ö. auf und arbeitete, von der russ. Diplomatie gefördert, auf die Trennung der südslaw. Gebiete von der Habsburgermonarchie hin. Die Annexion Bosnien und Herzegowinas durch Ö. (1908) verschärfte den Ggs. zu Serbien und löste eine europ. Krise aus. In

Österreich (Geschichte): Friedrich von Amerling, »Kaiser Franz I. von Österreich im Kaiserornat«, Franz I. trägt die habsburgische Hauskrone, die seit 1804 auch die Kaiserkrone war (1832; Wien, Kunsthistorisches Museum)

den Balkankriegen (1912/13) verhinderten v.a. die Warnungen der dt. Reg. österr. Eingreifen. Erst die Ermordung des Thronfolgers Franz Ferdinand in Sarajevo (28. 6. 1914) durch großserb. Nationalisten löste die Kriegserklärung an Serbien aus (Anlass zum Ausbruch des 1. Weltkriegs). Im Inneren hatte die Monarchie mit größten Schwierigkeiten zu kämpfen. T. Masaryk und E. Beneš wirkten, vom Ausland förmlich anerkannt, für die polit. Unabhängigkeit der Tschechen. 1916 starb Kaiser Franz Joseph I., sein Großneffe Karl I. bestieg den Thron. Durch einen baldigen Friedensschluss (Geheim-

verhandlungen mit Frankreich durch →Sixtus, Prinz Bourbon-Parma) und eine föderalist. Neuordnung suchte er den Bestand Ö.-Ungarns zu retten, doch vollzog sich mit dem militär. Zusammenbruch im Okt./Nov. 1918 die Auflösung der Habsburgermonarchie.

Franz Joseph I., Kaiser von Österreich und König von Ungarn (um 1910)

Die erste Republik (1918–37): Der Waffenstillstand wurde noch von der letzten kaiserl. Regierung unterzeichnet (3.11.), sie trat am 11.11. zurück; am gleichen Tag verzichtete Karl I. auf den Thron. Die Provisor. Nationalversammlung (bestehend aus den 1911 gewählten dt. Reichsratsabgeordneten) proklamierte die »Rep. Deutschösterreich« und erklärte sie zum Bestandteil der »Dt. Rep.«. Der Sozialdemokrat K. Renner bildete als Staatskanzler aus allen in der Nationalversammlung vertretenen Parteien eine Koalitionsreg., die in der Folgezeit das Verhältniswahlrecht (anstelle des Mehrheitswahlrechts) und das Stimmrecht für Frauen einführte. Aus den Wahlen vom 16.2.1919 ging die Sozialdemokrat. Arbeiterpartei Ö.s als stärkste polit. Kraft hervor. Die neue Nationalversammlung bestätigte die Staatsbildung und annullierte u.a. durch das Habsburgergesetz die monarch. Strukturen. Mit Sozialgesetzen (u.a. Achtstundentag, Regelung von Frauen- und Kinderarbeit) suchte die Reg. die sozialen Spannungen abzubauen und die revolutionären Strömungen einzudämmen. Nach alliierter Einlösung der Territorialforderungen der ČSR (→Sudetenland) und Italiens (→Südtirol) konnte sich Ö. nur in den Abstimmungsgebieten in S-Kärnten und Dt.-Westungarn (Burgenland) behaupten, auch Vorarlberg blieb bei Österreich. Dagegen wurde der Verzicht auf Südtirol und die sudetendt. Gebiete im Versailler Vertrag (1919) und im Vertrag von St.-Germain-en-Laye (1919) festgeschrieben, die beide zugleich den Anschluss an das Dt. Reich verboten. Ö. wurde in den Völkerbund aufgenommen. Der dt. Reststaat der einstigen Donaumonarchie, territorial ein Achtel der Gesamtmonarchie, erhielt grundlegend veränderte polit., wirtsch. und soziale Strukturen; als Nachfolgestaat war er mit hohen Reparationsleistungen belastet, die den polit. und wirtsch. Neubeginn erschwerten. Am 1.10.1920 trat die neue demokrat. Verf. in Kraft. Die Wahlen vom 17.10.1920 veränderten durch den Sieg der bürgerl. Parteien die innenpolit. Situation. Die Christlichsoziale Partei (CP) setzte sich als stärkste polit. Kraft durch und stellte, in Koalition mit kleinen bürgerl. Parteien wie der Großdt. Volkspartei (GVP) und dem Landbund (LB), meist den Bundeskanzler. Die Sozialdemokraten standen seit 1920 in Opposition, bauten jedoch ihre Machtstellung in Wien aus (Bürgermeisteramt 1919–34) und prägten dort durch sozial- und bildungspolit. Reformen das moderne Profil der Stadt. Die wirtsch. Sanierung des Landes (Beendigung der Inflation, Einführung der Schillingwährung) konnte nur mithilfe der durch den Völkerbund vermittelten Kredite durchgeführt werden (Genfer Protokolle, 1922). Diese Kredite waren immer mit dem Anschlussverbot an Dtl. verbunden. Bis 1932 konnte keine der bürgerl. Reg. dauerhafte wirtsch. Erfolge erringen. Seit Okt. 1926 wechselten die Kabinette rasch, die polit. Polarisierung zw. Sozialdemokratie und bürgerl. Parteien verstärkte sich. Die Demokratie wurde gefährdet durch die nichtstaatl., bewaffneten Selbstschutzformationen der Parteien (der Republikan. Schutzbund der Sozialdemokraten, die am italien.-faschist. Vorbild ausgerichteten →Heimwehren), die sich blutige Zusammenstöße lieferten. 1930 gelang zwar der Reg. Schober die Liquidierung aller Kriegsschulden und der alliierten Generalpfandrechte, nicht aber die Bildung einer Dt.-Österr. Zollunion. Die Weltwirtschaftskrise brachte hohe Arbeitslosigkeit und völlige Zerrüttung der Staatsfinanzen. Im April 1932 siegte die nat.-soz. Partei, die organisatorisch der dt. Parteileitung unterstellt war, in Landtags- und Gemeindewahlen. Im Mai 1932 bildete E. Dollfuß als Bundeskanzler eine Koalitionsreg. aus CP, LB und Heimatblock. Die schwache parlamentar. Mehrheit und der Aufschwung der nat.-soz. Bewegung veranlassten Dollfuß im Mai 1932, den Nationalrat auszuschalten und mit Notverordnungen zu regieren. Die NSDAP wurde offiziell verboten, setzte aber ihre Tätigkeit illegal fort. Im Februar 1934 wurden auch die Sozialdemokraten nach einem Aufstand des Republikan. Schutzbundes aufgelöst. Mit der Maiverf. 1934 wurde die Abkehr von demokrat. Prinzipien legalisiert. Die →Vaterländische Front, einzige polit. Partei, propagierte einen Ständestaat, der von autoritärem Katholizismus und Heimwehrfaschismus geprägt sein sollte. Die Röm. Protokolle (17.3.1934) sicherten die Verbindung zu Italien und Ungarn. Als bei einem fehlgeschlagenen nat.-soz. Putsch Dollfuß ermordet wurde, musste sich Hitler wegen der Haltung

Karl Renner

Engelbert Dollfuß

Mussolinis von den Vorgängen distanzieren, doch sandte er F. von Papen als Sonderbotschafter nach Wien, um den »Anschluss« vorzubereiten. Die Annäherung zw. Mussolini und Hitler seit dem Italien.-Äthiop. Krieg 1935/36 zwang Dollfuß' Nachfolger Schuschnigg zum Abkommen mit Dtl., das die staatl. Integrität Ö.s und die Nichteinmischung im Inneren garantierte, aber Ö. zu einer an Dtl. orientierten Außenpolitik verpflichtete (Juli 1936). Gleichzeitig nahmen der nat.-soz. Druck und die Unterwanderung des Reg.apparats zu. Nach der Zusammenkunft Hitlers mit Schuschnigg in Berchtesgaden (12. 2. 1938) erzwang Hitler die Einsetzung des Nationalsozialisten A. Seyß-Inquart zum Innenminister.

Österreich im großdeutschen Reich (1938–45): Unter dt. Druck gab Schuschnigg die für den 13. 3. 1938 geplante Volksabstimmung über den Erhalt der Unabhängigkeit auf und trat am 11. 3. zurück. Nach dem Einmarsch dt. Truppen am 12. 3. vollzog der von Bundespräs. Miklas zum Bundeskanzler ernannte Seyß-Inquart den »Anschluss« an das Dt. Reich (durch Volksabstimmung am 10. 4. bestätigt). Sofort danach setzte die Internierung von Regimegegnern ein (Ausbau des KZ Mauthausen), auch in die Judenverfolgungen wurde Ö. einbezogen. Das »Ostmark-Ges.« vom 14. 4. 1939 gliederte Ö. in »Reichsgaue«. 1939–45 nahmen österr. Soldaten an den Kämpfen des 2. Weltkriegs teil. Widerstandsgruppen organisierten, z. T. in Verbindung zu dt. Organisationen, antifaschist. Aktionen.

Die zweite Republik (seit 1945): 1943 beschlossen die Alliierten auf der Moskauer Konferenz, Ö. als eigenen Staat wieder herzustellen; in Jalta (Febr. 1945) wurde die Aufteilung des Landes in vier Besatzungszonen vereinbart.

In den von sowjet. Truppen seit Ende März 1945 eroberten Gebieten (Einnahme von Wien am 13. 4.) bildete der Sozialdemokrat K. Renner am 27. 4. eine provisor. Regierung, die die Wiederherstellung der Rep. Ö. verkündete. Diese Reg., der Vertreter der Sozialdemokratie (jetzt Sozialist. Partei, SPÖ), der neu gegründeten Österr. Volkspartei (ÖVP) und der Kommunist. Partei (KPÖ) angehörten, führte die Verf. von 1920 (i. d. F. von 1929) wieder ein und annullierte alle nat.-sozialistisch bestimmten Gesetze. Nachdem Anfang Mai 1945 amerikan., brit. und frz. Truppen in den W eingerückt waren, übernahmen die USA, die UdSSR, Großbritannien und Frankreich mit dem 1. Kontrollabkommen (4. 7.) die oberste Reg.gewalt in Ö. und grenzten die Besatzungszonen gegeneinander ab. Am 20. 10. 1945 wurde die provisor. Regierung auch von den westl. Besatzungsmächten anerkannt. Der provisor. Status endete mit den ersten Nationalrats- und Landtagswahlen (25. 11. 1945), bei denen die ÖVP die absolute Mehrheit errang, und mit dem Zusammentritt der Bundesversammlung und der Wahl Renners zum Bundespräsidenten. Die Alliierten übten ihre höchste Gewalt nur über die österr. Bundesreg. aus. Ihre durch das alliierte Kontrollabkommen vom 28. 6. 1946 erweiterte Kompetenz ermöglichte den Beginn des wirtsch. Wiederaufbaus mit der Marshallplanhilfe 1948–51 (1,6 Mrd. Dollar). ÖVP und SPÖ bildeten 1947–66 eine große Koalition, wobei die ÖVP den Bundeskanzler (u. a. L. Figl, J. Raab), die SPÖ den Vizekanzler stellte. Die KPÖ verlor seit 1947 immer mehr an Gewicht, 1955/56 wurde die →Freiheitliche Partei Österreichs (FPÖ) gegründet.

In der Außenpolitik misslang v. a. infolge des brit. und amerikan. Einspruchs eine Regelung der Südtirolfrage durch Anwendung des nat. Selbstbestimmungsrechts (→Südtirol). Behindert durch den Ost-West-Konflikt, führten die Verhandlungen zur Beendigung des Besatzungsstatus erst am 15. 5. 1955 im Österr. Staatsvertrag zur Unabhängigkeit und (teilweise eingeschränkten) Souveränität unter Erneuerung des Anschlussverbots an Dtl., bei freiwilliger Verpflichtung zur Neutralität. Noch im selben Jahr wurde Ö. in die UN aufgenommen, 1956 erfolgte die Aufnahme in den Europarat, 1960 der Beitritt zur Europ. Freihandelsassoziation. Seit 1977 bestand völliger Freihandel mit den Staaten der EG. 1989 stellte Ö., das dem Europ. Währungssystem (EWS) angeschlossen ist, den Aufnahmeantrag in die Europ. Gemeinschaft (EG).

1970–83 stellte die SPÖ allein die Regierung; 1983 ging ihr Stimmenanteil wieder zurück. Bundeskanzler war 1970–83 B. Kreisky. Seine Regierung setzte wichtige innenpolit. Reformen durch, so für Steuern, Straf- und Familienrecht. Bei den Wahlen zum Nationalrat 1983 verlor die SPÖ die

Leopold Figl

Bruno Kreisky

Österreich (Geschichte): Adolf Hitler (vorn am Rednerpult) verkündet in seiner Rede am 15. März 1938 auf dem Wiener Heldenplatz den Anschluss Österreichs an das Deutsche Reich

absolute Mehrheit, die ÖVP verzeichnete einen leichten Zuwachs, während die FPÖ aufgrund des Wahlrechts ihre Mandatszahl erhöhen konnte. Nach Kreiskys Rücktritt übernahm F. Sinowatz das Amt an der Spitze eines Koalitionskabinetts aus SPÖ und FPÖ (mehrfach umgebildet). Zu heftigen Kontroversen kam es anlässlich der Wahl von K. Waldheim zum Bundespräs. (im Amt 1986–92); die Auseinandersetzungen um seine Vergangenheit als Offizier der dt. Wehrmacht führten auch zu außenpolit. Belastungen. Sinowatz trat als Bundeskanzler zurück, sein Nachfolger wurde F. Vranitzky (SPÖ). Nach dem Bruch der Koalition mit der FPÖ im Sept. 1986 bildete er eine Regierung mit der ÖVP, die nach den Wahlen vom Nov. 1986 (Gewinne für die FPÖ, Einzug der Grünen ins Bundesparlament) im Amt blieb. In den Nationalratswahlen vom Okt. 1990 konnte die SPÖ ihre Mehrheit von 43 % bei großen Verlusten der ÖVP und wiederum starken Gewinnen für die FPÖ halten. Vranitzky stand weiterhin an der Spitze einer SPÖ/ÖVP-Koalitionsregierung. Heftige innenpolit. Kontroversen gab es um die FPÖ, in der 1986 J. Haider die Führung übernahm. Mit seinem rechtsnat. Programm konnte die Partei auch in den Landtagswahlen 1992 erhebl. Stimmengewinne erzielen.

Thomas Klestil

Bundespräs. ist seit 8. 7. 1992 T. Klestil (ÖVP, nach Stichwahl). Er wurde am 19. 4. 1998, diesmal als überparteilicher Kandidat, wieder gewählt. 1995 wurde ein Nationalfonds der Rep. Österreich für die Opfer des Nationalsozialismus gestiftet. Bei den Wahlen zum Nationalrat im Okt. 1994 behauptete die SPÖ ihre führende Stellung und bildete erneut unter Bundeskanzler Vranitzky zus. mit der ÖVP eine große Koalition. Nach dem Rücktritt Vranitzkys übernahm V. Klima (SPÖ) am 27. 1. 1997 die Führung dieser Koalition.

Viktor Klima

Nach dem Ende des Ost-West-Konfliktes (1990/91 geriet die Frage der Neutralität immer stärker in die innenpolit. Diskussion. Nach Verhandlungen mit der EG (EU) schloss Ö. im März 1994 einen Vertrag über den Beitritt zur EG (EU). Nach dessen Billigung durch die Bev. im Juni 1994 trat Ö. zum 1. 1. 1995 der Gemeinschaft bei. Im Febr. 1995 trat Ö. dem NATO-Programm »Partnerschaft für den Frieden« bei.

📖 *Statist. Hb. für die Republik Ö., hg. vom Österr. Statist. Zentralamt, N. F., Jg. 1ff. Wien 1950ff. (jährl.). – Atlas der Republik Ö., hg. v.* H. Bobek *u. a., 11 Lfgg. u. Nachtrag. Wien u. a. 1960–86.* – Lhotsky, A.: *Das Zeitalter des Hauses Ö. Wien 1971. – Descriptio Austriae. Ö. u. seine Nachbarn im Kartenbild von der Spätantike bis ins 19. Jh., bearb. v.* J. Dörflinger *u. a. Wien 1977.* – Tollmann, A.: *Geologie von Ö., 3 Bde. Wien 1977–86.* – Klenner, F.: *Eine Renaissance Mitteleuropas. Die Nationwerdung Ö.s. Wien 1978. – Ö., Zweite Republik. Zeitgeschichte u. Bundesstaatstradition. Eine Dokumentation mit Kommentaren, hg. v.* G. Wagner, *2 Bde. Thaur u. a. 1983–87.* – Bruckmüller, E.: *Sozialgeschichte Ö.s. Wien u. a. 1985.* – Gutkas, K.: *Die Zweite Republik. Österreich 1945–1985. Wien u. a. 1985. – Ö.s Erste u. Zweite Republik. Kontinuität u. Wandel ihrer Strukturen u. Probleme, hg. v.* E. Zöllner. *Wien 1985.* – Drimmel, H.: *Ö. 1918–1938, 3 Bde. Wien u. a. 1986–89. – Der österr. Weg. 1970–1985: 15 Jahre, die Ö. verändert haben, hg. v.* E. Fröschl *u.* H. Zoitl. *Wien 1986.* – Butschek, F.: *Die österr. Wirtschaft im 20. Jh. Stuttgart u. a. ²1987.* – Klenner, F.: *Die österr. Gewerkschaftsbewegung. Wien 1987.* – Wolfram, H.: *Die Geburt Mitteleuropas. Geschichte Ö.s vor seiner Entstehung, 378–907. Berlin 1987. – Die bevormundete Nation. Ö. u. die Alliierten 1945–1949, hg. v.* G. Bischof *u.* J. Leidenfrost. *Innsbruck 1988. – NS-Herrschaft in Ö. 1938–1945, hg. v.* E. Tálos *u.* W. Neugebauer. *Wien 1988. – Das österr. Parteiensystem, hg. v.* A. Pelinka *u.* F. Plasser. *Wien u. a. 1988.* – Zöllner, E.: *Der Österreichbegriff. Formen u. Wandlungen in der Geschichte. München 1988. – Ö. zu Beginn des 3. Jahrtausends. Raum u. Gesellschaft, Prognosen, Modellrechnungen u. Szenarien, hg. v.* E. Lichtenberger. *Wien 1989. – Ö., Deutschland u. die Mächte. Internat. u. österr. Aspekte des »Anschlusses« vom März 1938, hg. v.* G. Stourzh *u.* B. Zaar. *Wien 1990.* – Lechner, K.: *Die Babenberger. Markgrafen u. Herzöge von Ö., 976–1246. Wien u. a. ⁴1992.* – Kann, R. A.: *Geschichte des Habsburgerreiches 1526–1918. A. d. Amerikan. Wien u. a. ³1993. – Österr. Geschichte, hg. v.* H. Wolfram, *auf 10 Bde. ber. Wien 1994ff.* – Armingeon, K. *u.* Freitag, M.: *Deutschland, Ö. u. die Schweiz. Die polit. Systeme im Vergleich. Opladen 1997. – Grundzüge der Wirtschaftspolitik Ö.s, hg. v.* E. Nowotny *u.* G. Winckler. *Wien u. a. ²1997.* – Lichtenberger, E.: *Ö. Geographie, Geschichte, Wirtschaft, Politik. Darmstadt 1997. – Die Verfassung der Republik. ... 75 Jahre Bundesverfassung, hg. v.* A. J. Noll. *Wien u. a. 1997. – Wissenschaft als Kultur. Ö.s Beitrag zur Moderne, hg. v.* F. Stadler. *Wien u. a. 1997.*

Österreich (Haus Ö., lat. Domus Austriae, italien. Casa d'Austria), 1306 erstmals nachweisbare, seit dem 15. Jh. gültige Bez. des Gesamtherrschaftsbereiches und der Gesamtdynastie der →Habsburger.

Österreicher, die östl. Gruppe des bair. Stammes. Die Ö. haben in landständiger Entwicklung und durch Aufnahme fränk. Stammesteile im hohen MA. sowie durch Zuwanderung slaw. und ungar. Bev.teile ein eigenes, wenn auch nicht einheitl. Stammestum ausgeprägt. Die Vorarlberger sind Alemannen.

Österreichische Bundesbahnen, Abk. **ÖBB,** Staatsbahnen der Rep. Österreich; Sitz: Wien. Zunächst als Privat-, seit 1841 als Staatsbahnen errichtet, wurden sie ab 1880 zunehmend verstaatlicht; seit 1923 selbstständiger Wirtschaftskörper unter staatl. Aufsicht, seit 1969 rechtlich ein Zweig der staatl. Betriebsverw., aber organisatorisch von dieser getrennt geführt (die oberste Verw. der ÖBB lag beim Bundesmin. für öffentl. Wirtschaft und Verkehr, Organe des Unternehmens waren Vorstand und Verw.rat). Mit der Bahnreform 1992 (seit 1. 1. 1994 in Kraft) wurde die ÖBB in eine Kapitalgesellschaft mit Vorstand und Aufsichtsrat umgewandelt und aus dem Bundeshaushalt ausgegliedert, unterliegt aber weiterhin dem Weisungsrecht des Bundesmin. für öffentl. Wirtschaft und Verkehr. Die ÖBB ist nur noch für den Betrieb zuständig; der Bund trägt die Kosten für die Eisenbahninfrastruktur.

Österreichische Bundes-Sportorganisation, Abk. **BSO,** Dachorganisation des österr. Sports und seiner Sportfachverbände; gegr. 1969, Sitz: Wien.

österreichische Gewerkschaften, →Österreichischer Gewerkschaftsbund.

Österreichische Industrieholding AG, Abk. **ÖIAG,** Wien, staatliche Holdinggesellschaft zur Verw. der verstaatlichten Ind.; gegr. 1967 als Österr. Industrieverwaltungsges. mbH (ÖIG), seit 1986 jetziger Name. In der ÖIAG wurden teilweise bereits 1946 verstaatlichte Unternehmen der Grundstoffindustrie zusammengefasst. Mit dem ÖIAG-Gesetz von 1993 ist die Privatisierung der Staatsbetriebe Hauptaufgabe des Unternehmens. Teilprivatisiert wurden u.a. die Österr. Mineralölverwaltungs AG (ÖMV AG, 1994–96) und die Voest-Alpine Stahl AG (VA Stahl AG, 1995). Mehrheitlich in Staatsbesitz sind u.a. noch Unternehmen des Bergbaus und der Aluminiumindustrie. Weitere Staatsunternehmen (z.B. Austria Tabak AG) sollen über die ÖIAG privatisiert werden.

österreichische Kunst. Die Kunst in Österreich lässt in den einzelnen Ländern eine z.T. selbstständige Entwicklung erkennen. Ihre Eigenständigkeit begann sich unter den Habsburgern bes. in Ober- und Niederösterreich auszubilden. In den Blütezeiten der österr. Kunst um 1300, um 1500, dann v.a. im Barock um 1700 und auch noch um 1830/40 im »Biedermeier« wirkte sich ihr Einfluss auf den gesamten dt. Sprachbereich aus. Eine zentrale Rolle spielten schließlich Historismus und Jugendstil (Sezession) in Wien.

Von der Romanik bis zum Barock: Bis zum Ende des 13. Jh. dominierte östl. Einfluss in der Architektur (Martinskirche in Linz, 8. Jh.; ehem. Stiftskirche in Millstatt, 11. und 12. Jh.; ehem. Domkirche in Gurk, um 1140–1200; Rundkapelle in Petronell, 1200; Karner, v.a. in Niederösterreich: Tulln, Pulkau, Hartberg, Mödling, Bad Deutsch-Altenburg), in der Bauplastik (Pfarrkirche in Schöngrabern, Anfang des 13. Jh.), in der Wandmalerei (Kirche Mariä Himmelfahrt in Lambach, um 1080; Johanneskapelle in Pürgg, Ende des 12. Jh., Westempore der Domkirche in Gurk, um 1230), in der Glasmalerei (ehem. Stiftskirche in Ardagger, um 1230–40; Zisterzienserkloster Heiligenkreuz, Ende des 13. Jh.) und in der Buchmalerei, deren Zentrum seit dem 2. Drittel des 11. Jh. Salzburg war (Riesenbibel des Klosters Admont, 12. Jh.). Berühmte Werke der Goldschmiedekunst sind der noch aus karoling. Zeit stammende Tassilokelch (um 780; Kremsmünster, Schatzkammer der Abtei) und der »Verduner Altar« des →Nikolaus von Verdun in Klosterneuburg (1181 vollendet).

Die Gotik wurde zunächst v.a. von den Zisterziensern und den Bettelorden für ihre Bauten übernommen (Chöre der Stiftskirchen der Zisterzienserklöster Heiligenkreuz, 1280–95, und Zwettl, 1383 geweiht; Augustinerkirche und Minoritenkirche in Wien, beide 1. Hälfte des 14. Jh.). Bedeutendstes Zeugnis der got. Baukunst ist St. Stephan in Wien (1304 ff.). Angesichts der Bedrohung durch die Türken wurden v.a. in Kärnten im 15./16. Jh. viele Wehrkirchenanlagen errichtet (Diex, Eberndorf, Eisenerz). Höhepunkte im Bereich der Plastik bilden seit 1400 die aus Salzburger Werkstätten stammenden Schönen Madonnen des Weichen Stils und v.a. die seit Mitte des 15. Jh. entstandenen Schnitzaltäre wie der Altar der Pfarrkirche Sankt Wolfgang in Kefermarkt (1470–76), der St.-Wolfgang-Altar in der Pfarrkirche von Sankt Wolfgang im Salzkammergut von M. Pacher und seiner Werkstatt (um 1471–75), die Altäre der Pfarrkirche in Gampern in Oberösterreich (1497–1507) und der Pfarrkirche in Mauer bei Melk (um 1520). Es bildeten sich regionale Malerschulen in Salzburg (R. Frueauf d.Ä.), Wien (Schottenmeister) und Kärnten (Thomas von Villach). Von hohem künstler. Rang sind die Glasmalereien der Pfarrkirche St. Bartholomäus in Friesach (um 1270–80, zuvor in der Dominikanerkirche), der ehem. Stiftskirche in Viktring (um 1400) und der Wallfahrtskirche St. Leonhard in Tamsweg (1430–50).

Unter Kaiser Maximilian I. begann der Einfluss der Renaissance wirksam zu werden, u.a. vermittelt durch italien. Baumeister (Ausbau der Residenzen Innsbruck, Graz, Linz, Wien, Wiener Neustadt, Ausbau von Burgen und Schlössern wie Ambras, Schallaburg, Hochosterwitz, Schloss Porcia in Spittal an der Drau, Hofburg mit Stallburg und Amalienburg in Wien). Für Maximilian I.

österreichische Kunst

1

2

3

4

1 Das Neues Rathaus in Wien wurde 1872–83 nach Plänen des Architekten Friedrich von Schmidt im neugotischen Stil erbaut | **2** Gustav Klimt, »Die Hoffnung II« (1907/08; Privatbesitz) | **3** Friedensreich Hundertwasser, »Sonne und Spiraloide über dem Roten Meer« (1960; Privatbesitz) | **4** Das von Hans Hollein entworfene Haas-Haus wurde 1987–90 am Stephansplatz in Wien errichtet

wurde ab 1508 in der Innsbrucker Hofkirche ein prunkvolles Grabmal, das Maximiliansgrab, geschaffen.

Den Übergang zur Malerei der →Donauschule bildeten die Werke von R. Frueauf d. J., J. Breu und L. Cranach d. Ä.; Hauptwerke schufen W. Huber (Feldkircher Annenalter) und A. Altdorfer (Sebastiansaltar im Stift St. Florian).

Der Barock wurde eingeleitet mit dem von dem Italiener S. Solario entworfenen Dom in Salzburg (1614–28), der für den barocken Kirchenbau nördlich der Alpen richtungweisend wurde. Auch mit Palästen, großartigen Schloss- und Klosteranlagen wirkte die österr. Barockbaukunst beispielgebend für ganz Deutschland. Die führenden Architekten, J. B. Fischer von Erlach (Schönbrunn, Karlskirche und Nationalbibliothek in Wien) und L. von Hildebrandt (Unteres Belvedere in Wien, Stift Göttweig), nahmen sowohl italien. als auch frz. Anregungen auf. Bed. Baumeister waren ferner J. Prandtauer (Benediktinerstift →Melk) sowie M. Steinl, J. Munggenast, J. Prunner und N. F. L. von Pacassi. Unter den Bildhauern ragen bes. T. Schwanthaler, M. Guggenbichler, G. R. Donner und F. Messerschmidt hervor. Unter den Malern dominieren D. Gran (Kuppelfresko der Hofbibliothek in Wien, 1726–30), P. Troger (Fresken in den Benediktinerstiften Melk, Seitenstätten und Altenburg), B. Altomonte (Fresken der Stiftskirche Wilhering, 1744–50), J. Rottmayr, M. Schmidt (»Kremser Schmidt«) und F. Maulbertsch.

Vom Klassizismus bis zur Gegenwart (19./20. Jh.): Führende Vertreter der klassizist. **Architektur** zu Beginn des 19. Jh. waren in Wien Josef Georg Kornhäusel und der Schweizer Peter von Nobile. Ludwig Christian von Förster vollzog in seinen Entwürfen für die Wiener Ringstraße den entscheidenden Schritt zu einem repräsentativen historisierenden Stil. Bed. Bauten im Stil des Historismus errichteten Heinrich Freiherr von

5

6

5 Teilansicht der rechten Seite des Maximiliansgrabes in der Innsbrucker Hofkirche; die Bronzefiguren entstanden zwischen 1510 und 1516 | 6 Gartensaal (Sala Terrena) im 1721–23 von Lukas von Hildebrandt erbauten Oberen Belvedere in Wien

Ferstel mit der Votivkirche in Wien, Friedrich Freiherr von Schmidt folgte mit dem Wiener Rathaus, Eduard van der Nüll und August Siccard von Siccardsburg, C. Freiherr von Hasenauer und G. Semper (Wiener Hofburgkomplex). O. Wagner, wie J. Hoffmann und J. M. Olbrich Mitgl. der 1897 gegründeten Wiener Sezession und einer der führenden Repräsentanten des Sezessionsstils, entwickelte sich zu einem Pionier der modernen Architektur (Postsparkassenamt in Wien, 1904–06). Wie Wagner befasste sich auch Hoffmann mit kunsthandwerkl. Entwürfen; 1903 gründete er mit K. Moser die Wiener Werkstätte. Den Aufbruch in die moderne funktionalist. Architektur markieren v.a. die Werke von A. Loos (Haus Steiner in Wien, 1910).

C. Holzmeister war bereits zw. den Weltkriegen auch als Lehrer von großer Bedeutung. Die Entwicklung der modernen österr. Architektur nach 1945 wurde maßgeblich getragen von Architekten wie R. Rainer, Karl Schwanzer, G. Peichl, W. Holzbauer, H. Hollein und Josef Lackner. Sie traten auch im Ausland mit beispielhaften Bauten hervor. Von den Architekten der jüngeren Generation machten bes. auf sich aufmerksam: Hermann Czech, Heinz Tesar, die auch als Designer tätigen Adolf Krischanit und Otto Kapfinger, Laurids und Klaus Koda, Manfred Ortner, ehem. Mitgl. der Gruppe Haus-Rucker-Co., sowie die Gruppe Coop Himmelblau mit dekonstruktivist. Bauten.

Die *Plastik* des 19. Jh. tritt stark hinter die Malerei zurück. Als Bildhauer zu erwähnen sind v.a. F. A. von Zauner und K. von Zumbusch. Von Anton Hanak ausgehend, entwickelte sich F. Wotruba zu einem Klassiker der modernen Plastik im figürl. Bereich. Aus seiner Schule gingen u.a. Joannis Avramidis, R. Hoflehner und A. Hrdlicka hervor. Einen Gegenpol zur figürl. Plastik bildet v.a. K. Prantl mit seinen Meditationssteinen.

In der *Malerei* leitete J. A. Koch, dessen Werk nachhaltig auf die Landschaftsmalerei des 19. Jh. wirkte, vom Klassizismus zur Romantik über. Sie hatte in dem Nazarener J. Ritter von Führich und in M. von Schwind ihre führenden Vertreter. Die Malerei des Wiener Biedermeier, das auch durch qualitätvolle kunsthandwerkl. Erzeugnisse besondere Bedeutung erlangte, erhielt ihren spezif. Charakter durch Maler wie J. P. Krafft, L. Schnorr von Carolsfeld, F. G. Waldmüller, Peter Fendi, Friedrich von Amerling, Joseph Danhauser und Franz Eybl. Hauptmeister der österr. Vedutenmalerei ist R. von Alt. Für Mode, Wohnkultur und Kunstgewerbe wurde in den 70er- und 80er-Jahren des 19. Jh. der neubarocke Stil H. Makarts vorbildlich (Makartstil). Der Antipode Makarts, Anton Romako, erweist sich in seinen Porträts, wie C. Schuch in seinen Stillleben und Landschaftsbildern der Spätzeit, als ein Wegbereiter der österr. Moderne. Hauptexponent des Sezessionsstils ist G. Klimt. Der Sezession schlossen sich ferner u.a. Wilhelm Bernatzik sowie Rudolf Jettmar, Vertreter einer symbolistisch geprägten Malerei, an. Der zunächst von Klimt beeinflusste E. Schiele leitete wie Richard Gerstl zum Expressionismus über, der in Österreich in den Gemälden O. Kokoschkas seine markanteste und durchaus eigenständige Ausprägung fand. A. Kubin nimmt unter den Zeichnern des 20. Jh. einen hervorragenden Platz ein. Angeregt von F. Hodler und A. Gallén-Kallela entwickelte A. Egger-Lienz einen volkstüml., monumentalen Stil. Seit den 30er-Jahren des 20. Jh. spielt Herbert Boeckl, bes. auch als Lehrer an der Wiener Akademie, eine zentrale Rolle. Einen vergleichbaren Einfluss hatte der Dichter und Maler A. P. Gütersloh auf die Wiener Schule des fantast. Realismus mit R. Hausner, W. Hutter, A. Brauer, Anton Lehmden, E. Fuchs, die neben H. Fronius,

A. Frohner, A. Hrdlicka und Karl Korab auch mit graf. Arbeiten hervortraten, Margret Bilger zugleich auch mit Glasmalereien. Als Grafiker wie als Maler erfolgreich ist F. Hundertwasser, der mit seinen architekton. Entwürfen internat. Aufmerksamkeit erregte (Hundertwasserhaus in Wien, 1983–85). Das breite Spektrum zeitgenöss. Strömungen in der Malerei verkörpern ferner u.a. Curt Stenvert, der sich auch mit Objektkunst befasst, Maria Lassnig, Wolfgang Hollegha, Gottfried Kumpf, Josef Mikl, A. Rainer, C. L. Attersee, Alfred Klinkan und Hubert Schmalix. Neben Kurt Moldovan sind v.a. W. Pichler, P. Flora und Günter Brus als Zeichner von Bedeutung. Hermann Nitsch und O. Muehl, Hauptvertreter des Wiener Aktionismus, wurden in den 1960er-Jahren durch provozierende Happenings bekannt. Valie Export tritt als Performance-, Video- und Filmkünstlerin hervor. Friederike Pezold sucht mithilfe von Zeichnungen, Fotos und Videos eine neue Zeichensprache zu entwickeln.

📖 SEDLMAYR, H.: *Österr. Barockarchitektur 1670–1740. Wien 1930.* – SOTRIFFER, K.: *Malerei u. Plastik in Österreich von Makart bis Wotruba. Wien u. a. 1963.* – WAGNER-RIEGER, B.: *Wiens Architektur im 19. Jh. Wien 1970.* – ACHLEITNER, F.: *Österr. Architektur im 20. Jh., auf 4 Bde. ber. Salzburg* [1–3]*1983 ff.* – SOTRIFFER, K.: *Im Schnittpunkt der Welten. 1000 Jahre Kunst in Österreich. Wien 1985.* – *Die Wiener Secession, hg. v. der Vereinigung Bildender Künstler Wiener Secession, 2 Bde. Wien u. a. 1986.* – *Wiener Malerei der Biedermeierzeit, bearb. v.* G. FRODL. *Rosenheim 1987.* – DICHAND, H.: *Die Künstler der klass. Moderne in Österreich. Neuausg. Frankfurt am Main u. a. 1989.* – *Österr. Skulptur, mit Beiträgen v.* W. DRECHSLER *u. a., Ausst.-Kat. Wiener Secession, Wien 1990.* – *Die Phantasten. Brauer, Fuchs, Hausner, Hutter, Lehmden, hg. v.* W. SCHURIAN *u. a., Ausst.-Kat. Künstlerhaus, Wien 1990.*

österreichische Literatur. Die Frage nach der nat. Eigenständigkeit der ö. L. innerhalb der deutschsprachigen Literatur ist Gegenstand von Forschungskontroversen. Im Unterschied zu früheren Abgrenzungen wird die Geschichte der ö. L. von der heutigen Germanistik als bereits im frühen MA. einsetzend angesehen. Innerhalb der österr. Grenzen gibt es heute neben der deutschsprachigen Literatur eine slowen., kroat. und ungar. Literatur der Minderheiten, die in der jeweiligen nationalsprachigen Literaturgeschichtsschreibung Berücksichtigung findet.

Neben die anonyme frühmittelhochdt. geistlich-mönch. Dichtung trat in der 1. Hälfte des 12. Jh. als erste literar. Persönlichkeit Frau Ava in das Blickfeld. Der Minnesang war Mitte des 12. Jh. u. a. durch den Kürenberger vertreten; am Wiener Hof wirkte zeitweise Walther von der Vogelweide; in der Nachfolge standen Ulrich von Lichtenstein (u. a. »Frauendienst«, 1255), Neidhart von Reuental, Oswald von Wolkenstein. Große Bedeutung erlangte nach 1250 Wernher der Gartenaere und dessen Verserzählung »Meier Helmbrecht«.

Renaissance und Humanismus entfalteten sich am Prager Hof Karls IV. (dort entstand, wohl 1401, »Der Ackermann aus Böhmen« des Johannes von Tepl) und am Wiener Hof Rudolfs IV. und Friedrichs III. Das Jh. des Barock ist an künstler. Erscheinungen bes. reich. Alle dichter. Gattungen wurden gepflegt: Lyrik (Catharina Regina von Greiffenberg, S. Rettenpacher, Laurentius von Schnüffis), Epik (W. H. von Hohberg), Barockprosa (Romane von J. Beer, Predigten von Abraham a Sancta Clara), Dramatik (Barocktheater, höf. Oper und Ordensdrama, vertreten durch A. Vogt, S. Rettenpacher, N. Avancinus). Das 1776 zum Hof- und Nationaltheater erhobene Wiener Burgtheater diente anfänglich den Tendenzen der Aufklärung, dann wurde die dt. Klassik vorherrschend. Das volkstüml. Theater (Volkstheater) fand seine Pflegestätte auf den Vorstadtbühnen (J. A. Stranitzky u. a.).

Das 19. Jh. brachte eine reiche Entfaltung österr. Dichtung: im dramat. Bereich durch F. Grillparzer, F. Raimund, J. Nestroy, L. Anzengruber, auf erzähler. Feld durch A. Stifter, F. von Saar, Marie von Ebner-Eschenbach, auf lyr. Gebiet durch Österreichs bedeutendsten Mundartdichter F. Stelzhamer. Bertha von Suttner kämpfte gegen den Krieg (Friedensnobelpreis 1905), Ada Christen für die Überwindung der sozialen Nöte der Frau. Aus deutschsprachigen Randgebieten der Donaumonarchie kamen N. Lenau, A. Grün, C. Sealsfield. Die Vielzahl der Begriffe für die literarische Entwicklung der 1860er- bis 80er-Jahre (Symbolismus, Neuromantik, Wiener Expressionismus, Dekadenz) spiegelt die Vielfalt ihrer Vertreter wider. Auch den Kreis des sog. »Jungen Wien« mit A. Schnitzler, R. Beer-Hofmann, H. von Hofmannsthal und dem Theoretiker der Gruppe, H. Bahr, verband kein eigentl. Programm; gemeinsam war lediglich das Wissen um das nur noch hinausgeschobene, unabwendbare Ende des Habsburgerreiches und ein gleichzeitiges Interesse an dem »Inneren« des Menschen. Der gesellschafts- und sprachkrit. Impuls von K. Kraus wirkte stark auf Autoren wie T. Däubler, T. Haecker. Eine weitere Gruppe innerhalb dieser Generation bildeten die deutschsprachigen Schriftsteller Prags: M. Brod, E. Weiß, F. Werfel, R. M. Rilke und F. Kafka, dem A. Kubin nahe steht. Ebenfalls noch zur Generation der vor 1900 Geborenen gehören die großen Romanciers R. Musil, H. Broch, A. P. Gütersloh, J. Roth und H. von Doderer. Der bedeutendste Dramatiker der Zwischenkriegszeit war Ö. von Horváth. Nach 1945 blieb die Aufarbeitung des Nationalsozialismus in der ö. L. langhin aus. Unter den nach 1945 aus dem Exil Zurückgekehrten ragen u.a. H. Weigel, F. Torberg und Hilde Spiel hervor. Autoren wie E. Fried, J. Lind und E. Canetti blieben, mit Ausnahme gelegentl. Besuche, Österreich fern und wurden z.T., wie v.a. Canetti, erst relativ spät rezipiert. Nicht mehr nach Österreich zurückgekehrt sind F. Hochwälder und F. Bruckner. Im Übrigen herrschte in Österreich eine starke Aversion gegen den Kommunismus; so wurden etwa die Stücke B. Brechts am Burgtheater nicht gespielt. Eine wichtige Rolle für die fortschrittlichere moderne ö. L. hatten neu oder wieder gegründete österr. Literaturzeitschriften. Die »manuskripte«, Ztschr. des Grazer »Forum Stadtpark«, begannen experimentell und schlugen die Brücke zur »Wiener Gruppe« (H. C. Artmann, F. Achleitner, K. Bayer, G. Rühm, O. Wiener) u.a. Vertretern der →konkreten Poesie, erweiterten aber schließlich ihr Programm und bringen heute vorzugsweise der »Neuen Subjektivität« zuzurechnende Texte, während der literar. Avantgardismus in den Linzer »Neuen Texten« gepflegt wird. Entscheidend für die Entwicklung der ö. L. nach 1945 war der erste Nachkriegs-Präs. des österr. PEN-Clubs, F. T. Csokor. Typisch für die verzögerte Aufarbeitung der jüngeren Vergangenheit ist der literar. Werdegang G. Fritschs. Den eigentlich bedeutsamsten Roman über die Kriegsjahre in Wien schrieb Ilse Aichinger mit »Die größere Hoffnung« (1948). Krass-realistisch und dabei mit äußerstem Raffinement entlarvten C. Merz und H. Qualtinger den Mitläufer und Opportunisten in der Maske des Biedermanns. Die poet. Antwort auf die Zeit des Nationalsozialismus formulierte neben der vom persönl. Leid der Verfolgung getragenen dunkel-metaphor. Lyrik P. Celans mit den Mitteln der konkreten Poesie E. Jandl, der Hauptvertreter der experimentellen Lyrik in Österreich. Von der Programmatik, v.a. im Vergleich mit Texten von K. Bayer und O. Wiener, her verwandt, von ebenso hohem theoret. und ästhet. Anspruch, jedoch weniger zeitbezogen und von großer assoziativer Privatheit sind die avantgardist. Texte von Friederike Mayröcker. Das weitaus erfolgreichste Mitgl. der »Wiener Gruppe« ist H. C. Artmann, der v.a. durch seine Mundartgedichte bekannt wurde, die aber alle in dieses Genre gesetzten inhaltl. wie orthograph. Erwartungen durchkreuzten und bis hin zur Mundartwelle im späten »Austropop« Wirkung zeigten. Die Zusammenhänge von Sprache und Politik, Sprachregelung und sozialer Normierung in der österr. Gesellschaft hat in einprägsamen Texten M. Scharang deutlich gemacht. Ebenso bestimmen krit. Anliegen die Werke von G. Wolfgruber, F. Innerhofer und P. Henisch. Eine gesellschaftskrit. Neubelebung des Volksstückes leisteten F. Mitterer und P. Turrini. P. Handkes literar. Weg führte vom experimentellen Sprachspiel über vom frz. Nouveau Roman beeinflusste Prosa zur »Neuen Subjektivität«. W. Bauer porträtierte in seinen Theaterstücken die Jugend der 60er-Jahre. Daneben findet sich eine Gruppe von Autoren, die auch noch Wurzeln außerhalb Österreichs haben (M. Dor, G. Sebestyén, Ilse Tielsch, P. Marginter, H. Eisenreich, H. Zand, G. Saiko).

Die Brücke von der Vorkriegslit. der kath. Literaturtradition zur Gegenwart schlugen Autorinnen wie Gertrud Fussenegger, Erika Mitterer und Christine Busta. Neben Ingeborg Bachmann, die wie Ilse Aichinger Mitgl. der »Gruppe 47« war, sind für die 50er- und v.a. 60er-Jahre zunächst Christine Lavant und Marlen Haushofer zu nennen. Nicht nur als Zeugnisse des Feminismus zu lesen, aber doch Stationen im Prozess der Entdeckung des Weiblichen abbildend, sind die Romane und Erzählungen Barbara Frischmuths. Daneben sind auch v.a. Elfriede Jelinek, Brigitte Schwaiger und Dorothea Zeemann zu nennen.

Zentrale Bedeutung kommt T. Bernhard und den vom Verlust an Urvertrauen gequälten, nicht nur mit dem blinden Schicksal, sondern auch mit der Blindheit der Mitmenschen konfrontierten »Helden« seines nicht nur die ö. L. nach 1945 prägenden Schaffens zu. Von anderer Natur, aber auf ihre Weise die Landschaft der österr. Nachkriegslit. gleichfalls prägend, waren die schriftsteller. Beiträge von G. Jonke, A. Dach, G. Amanshauser, A. Okopenko, H. Eisendle, J. Zoderer und A. Brandstetter. Zentren der literar. Szene in Österreich waren nach 1945 neben Wien v.a. Salzburg, Graz und Klagenfurt. In den Umkreis der »Grazer Autorenversammlung«, die sich 1973 gegen den offiziellen, von Wien dominierten PEN-Club (1969–72 unter der Präsidentschaft A. Lernet-Holenias) als eine Art »Sezession« konstituierte, gehören neben P. Rosei u.a. A. Kolleritsch, K. Hoffer und v.a. G. Roth. Das österr. Kinderbuch repräsentieren Autorinnen wie Mira Lobe, Christine Nöstlinger, Käthe Recheis. Unter den Autoren der jüngsten Zeit (»Postmoderne«) wurden u.a. J. Winkler, R. Schneider, F. Mitterer, E. Hackl, C. Ransmayr, R. Menasse, J. Haslinger, Marlene Streeruwitz, N. Gstrein Franzobel (eigtl. F. S. Griebl) und M. Köhlmeier bekannt.

📖 GIEBISCH, H. *u.* GUGITZ, G.: *Bio-bibliograph. Literaturlexikon Österreich. Von den Anfängen bis zur Gegenwart. Wien 1964, Nachdr. ebd. 1984.* – *Die zeitgenöss. Literatur Österreichs, hg. v.* H. SPIEL. *Zürich u. a. 1976.* – VOGELSANG, H.: *Österr. Dramatik des 20. Jh. Wien 1981.* – ADEL, K.: *Aufbruch u. Tradition. Einführung in die ö. L. seit 1945. Wien*

1982. – Literatur der Nachkriegszeit u. der fünfziger Jahre in Österreich, hg. v. F. ASPETSBERGER *u.* N. FREI. *Wien 1984.* – INNERHOFER, R.: *Die Grazer Autorenversammlung (1973–1983). Zur Organisation einer »Avantgarde«. Wien u. a. 1985. – Österr. Schriftsteller im Exil, hg. v.* S. M. PATSCH. *Wien u. a. 1986. – Die ö. L. Eine Dokumentation ihrer literarhistor. Entwicklung, hg. v.* H. ZEMAN, *2 Teile. Graz 1989.* – RUISS, G. *u.* VYORAL, J. A.: *Literar. Leben in Österreich. Neuausg. Wien 1991.* – ZEYRINGER, K.: *Innerlichkeit u. Öffentlichkeit. Ö. L. der achtziger Jahre. Tübingen 1992. – Geschichte der Literatur in Österreich von den Anfängen bis zur Gegenwart, hg. v.* H. ZEMAN, *auf mehrere Bde. ber. Graz 1994 ff.* – SEBALD, W. G.: *Die Beschreibung des Unglücks. Zur ö. L. von Stifter bis Handke. Frankfurt am Main 4.–5. Tsd. 1994. – Die Wiener Moderne. Literatur, Kunst u. Musik zwischen 1890 u. 1910, hg. v.* G. WUNBERG. *Neudr. Stuttgart 1995. – Literaturgeschichte Österreichs, hg. v.* H. ZEMAN. *Graz 1996. – Hauptwerke der ö. L., hg. v.* E. FISCHER. *München 1997.*

Österreichische Mineralölverwaltungs AG, Abk. **ÖMV AG,** Wien, Unternehmen der Mineralölwirtschaft, gegr. 1955; zählte als Staatsunternehmen zur Österr. Industrieholding AG, seit 1994 teilprivatisiert (1996 noch 35 % in Staatsbesitz); gemessen am Umsatz größtes österr. Unternehmen.

österreichische Musik. Die Ausbildung einer spezifisch ö. M. ist seit dem 17. Jh., mit dem Aufstieg Österreichs zur europ. Großmacht, anzusetzen. Seit dieser Zeit bis in die jüngste Gegenwart ist für sie die Verschmelzung von Einflüssen aus Italien, dem dt. Bereich oder anderen Ländern der Habsburger charakteristisch. In der Reg.zeit Leopolds I. war Wien eines der Zentren italien. Musik, doch bildete sich ein eigener wiener. Stil heraus, u. a. mit J. J. Fux und A. Caldara. In der 2. Hälfte des 18. Jh. war die 1. Wiener Schule (mit M. G. Monn und G. C. Wagenseil) von entscheidender Bedeutung für die →Wiener Klassik. Für Vorklassik und Klassik in Österreich sind u. a. volkstüml. Liedhaftigkeit (Ländler) und leichte Verständlichkeit kennzeichnend. Auf dieser Linie liegt der österr. Beitrag zur Gesch. des Singspiels (Wiener »National-Singspiel«, ab 1778) und der auf ihm gründenden Operette, gleicherweise auch der Siegeszug des Wiener Walzers. In eigener Weise trug Österreich von F. Schubert bis zu G. Mahler zur Geschichte des Kunstliedes bei. Die Rolle von Wien als einem Zentrum musikal. Schaffens bis zum Beginn des 20. Jh. belegen die Namen von A. Bruckner, J. Brahms, H. Wolf und G. Mahler. Entscheidenden Einfluss auf die Musik der Gegenwart gewann schließlich die 2. Wiener Schule mit A. Schönberg und seinem Schülerkreis (u. a. A. Berg, A. Webern, E. Wellesz) wie auch der eigenwillige J. M. Hauer. Mit dem z. T. politisch begründeten Weggang bed. Komponisten aus Österreich (S. von Hausegger, F. Schreker, Schönberg, E. Krenek, K. Weigl, Wellesz) wurden traditionsgebundene Tendenzen wieder stärker (F. Schmidt, J. Marx, F. Salmhofer, G. von Einem). Zw. Spätromantik und Atonalität stand A. von Zemlinsky. Der Zwölftontechnik bedienten sich H. E. Apostel und H. Jelinek. Die ältere Generation der avantgardist. Musik ist durch Komponisten wie R. Haubenstock-Ramati und F. Cerha vertreten. Zu den bed. Komponisten der nachfolgenden Generation zählen u. a. K. Schwertsik, D. Kaufmann, H. K. Gruber, K. Ager, W. Zobl, B. Liberda und T. Pernes.

📖 TITTEL, E.: *Österr. Kirchenmusik. Werden, Wachsen, Wirken. Wien 1961. – Österr. Komponisten der Gegenwart, hg. v.* H. GOERTZ. *Wien 1979.* – SALMEN, W.: *Bilder zur Geschichte der Musik in Österreich. Innsbruck 1979.* – FLOTZINGER, R.: *Geschichte der Musik in Österreich. Graz u. a. 1988. – Musik in Österreich. Eine Chronik in Daten, Dokumenten, Essays u. Bildern, hg. v.* G. KRAUS. *Wien 1989. – Beiträge zur ö. M. der Gegenwart, bearb. v.* K. BREITNER *u. a. Tutzing 1992. – Musikgeschichte Österreichs, hg. v.* R. FLOTZINGER *u.* G. GRUBER, *3 Bde. Wien u. a. 1995.* – PASS, W. *u. a.: Orpheus im Exil. Die ö. M. 1938–1945. Wien 1995.*

Österreichische Nationalbank, →Oesterreichische Nationalbank.

Österreichische Nationalbibliothek, Staatsbibliothek in Wien, bis 1920 k. k. Hofbibliothek; Anfänge liegen im Spät-MA., Erwerb versch. Bibliotheken (1656 der Fugger, 1665 der Ambraser Samml., 1738 des Prinzen Eugen); 1726 von Karl VI. zum öffentl. Gebrauch bestimmt; seit 1727 in dem von J. B. und J. E. Fischer von Erlach errichteten Barockbau; bed. Handschriften- und Inkunabelsamml., Spezialsamml. (Karten-, Musik-, Papyrus-, Porträtsammlung/Bildarchiv, Theatersammlung). ÜBERSICHT Bibliothek.

Österreichische Postsparkasse AG, Wien, 1997 durch Umwandlung der öffentlich-rechtl. Postsparkasse (PSK) in eine AG entstandenes Kreditinst., das der Aufsicht des Bundesmin. für Finanzen untersteht; geht zurück auf die 1883 gegründete Österr. Postsparkasse, seit 1994 PSK.

Österreichische Post- und Telegrafenverwaltung, →Post & Telekom Austria AG.

Österreichischer Erbfolgekrieg, europ. Krieg (1740–48) um die Erbfolge Maria Theresias in den habsburg. Erblanden, ausgelöst durch den Angriff Preußens auf Schlesien (→Schlesische Kriege). Trotz der Anerkennung der Pragmat. Sanktion von 1713 durch alle europ. Staaten erhob Kurfürst Karl Albrecht von Bayern Erbansprüche auf die habsburgischen Länder. Frankreich erreichte durch eine Koalition mit Spanien, Kursachsen und den wittelsbach. Kurfürsten von Bayern, Köln und der Pfalz 1742 die Wahl des bayr. Kurfürsten als Karl VII. zum Röm. Kaiser gegen Maria Theresias Gemahl Franz (I.) Stephan. Durch den Kriegseintritt Großbritanniens, Sardiniens und der Generalstaaten 1742/43 aufseiten Österreichs weitete sich der Krieg von Bayern, Böhmen und Mähren nach Oberitalien, ins Elsass und in die österr. Niederlande aus. Nach dem Ausscheiden Bayerns im Frieden von Füssen und der Kaiserwahl Franz' I. Stephan (1745) behauptete Friedrich II., d. Gr., von Preußen Schlesien im Frieden von Dresden (Dez. 1745). Mit der frz. Offensive in Oberitalien und in den Niederlanden (unter Moritz von Sachsen) traten Frankreich und Großbritannien als verfeindete Mächte hervor. Das Eingreifen Russlands führte schließlich zum **Aachener Frieden** (18. 10. 1748), in dem Österreich das Herzogtum Parma und Piacenza an eine Nebenlinie der span. Bourbonen abtrat; sein übriges Gebiet behauptete es mit Ausnahme Schlesiens; die Pragmat. Sanktion wurde allg. anerkannt.

Österreichischer Gewerkschaftsbund, Abk. **ÖGB,** am 30. 4. 1945 gegr., in 15 Fachgewerkschaften gegliederter gewerkschaftl. Spitzenverband, Sitz: Wien. Der ÖGB umfasst als Einheitsgewerkschaft Arbeiter, Angestellte und Beamte. Oberstes Organ ist der alle vier Jahre stattfindende **Bundeskongress,** auf dem das **ÖGB-Präsidium** und die **Kontrollkommission** gewählt werden. Höchstes Gremium zw. den Kongressen ist der **Bundesvorstand,** in dem alle Fachgewerkschaften und alle Fraktionen vertreten sind. Der ÖGB ist überparteilich, jedoch bestehen Fraktionen der sozialist., christl. und kommunist. Gewerkschafter. Zuständig für Tarifverhandlungen sind allein die Fachgewerkschaften.

Österreichischer Gewerkschaftsbund

Österreichischer Kreis, seit 1512 einer der zehn →Reichskreise des Hl. Röm. Reiches (bis 1806); umfasste alle dt. Besitzungen des Hauses Österreich (ohne die böhm. Länder), außerdem die Bistümer Trient, Brixen und Chur u. a. kleinere Territorien.

Österreichischer Rundfunk, Abk. **ORF,** öffentlich-rechtl. Rundfunkanstalt, Sitz: Wien, gegr. 1924 als »Radio-Verkehrs-AG« (RAVAG), 1957 als »Österr. Rundfunk GesmbH« (Abk. ORF) neu gegr., 1974 in eine Anstalt öffentl. Rechts umgewandelt.

Österreichisches Staats|archiv, Gesamtinstitution der Archive der österr. Zentralbehörden in Wien; besteht seit 1945 als Nachfolger des »Reichsarchivs Wien«, das 1938 erstmals die großen Wiener Archive vereinigte, heute in fünf Abteilungen: Haus-, Hof- und Staatsarchiv (1749 von Kaiserin Maria Theresia begründet, bed. für die dt. und österr.[-ungar.] Gesch.); Allg. Verw.archiv; Finanz- und Hofkammerarchiv; Kriegsarchiv; Verkehrsarchiv.

Österreichische Volkspartei, Abk. **ÖVP,** österr. christlich-demokrat. Partei; gegr. 1945 in Wien mit Anhängerschaft v. a. in Landwirtschaft, Gewerbe, bei Angestellten und Beamten, in geringerem Umfang auch in der Arbeiterschaft. Die ÖVP betonte 1945 programmatisch die Prinzipien der österr. Eigenständigkeit, des Föderalismus und der Wirtschaftslenkung durch Berufsverbände und Gewerkschaften, später (1972) die Profile einer entideologisierten Partei der »fortschrittl. Mitte«. Sie besteht organisatorisch aus drei Bünden mit Gliederungen auf Landes-, Bezirks- und Ortsebene: Österr. Arbeiter- und Angestelltenbund (ÖAAB), Österr. Bauernbund (ÖBB), Österr. Wirtschaftsbund (ÖWB); angeschlossen sind die Junge ÖVP und die Österr. Frauenbewegung. Die Partei wird von einem Obmann geleitet (1945: L. Kunschak, 1945–52: L. Figl, 1952–60: J. Raab, 1960–63: A. Gorbach, 1963–70: J. Klaus, 1970-71: H. Withalm, 1971–75: K. Schleinzer, 1975–79: J. Taus, 1979–89: A. Mock, 1989–91: J. Riegler, 1991–95 E. Busek, seit 1995 W. Schüssel). 1945–70 war die ÖVP stärkste Partei im Nationalrat und besaß (1945–49, 1966–70) die absolute Mehrheit. Bis 1970 stellte sie den Bundeskanzler, 1947–66 in Koalition mit der SPÖ. 1966–70 führte sie allein die Regierung, 1970–87 stand sie in der Opposition. Seit 1987 ist sie mit der SPÖ Reg.partei. Bei den Nationalratswahlen 1990 und 1994 erlitt die ÖVP Verluste. 1992 wurde ihr Kandidat (T. Klestil) Bundespräsident.

📖 *Volkspartei – Anspruch u. Realität. Zur Geschichte der ÖVP seit 1945, hg. v.* R. KRIECHBAUMER *u.* F. SCHAUSBERGER. *Wien u. a. 1995.*

österreichische Weine, in den Qualitätsstufen Tafel- und Landweine, Qualitätsweine und Prädikatsweine hergestellte Weiß- und Rotweine. 33 Rebsorten (davon 22 weiße) sind zum Anbau zugelassen; größere Bedeutung haben die Weißweinsorten Grüner Veltliner, Müller-Thurgau, Welschriesling und die Rotweinsorten Blauer Portugieser und Blaufränkisch. Nach dem Wein-Ges. von 1986 werden vier Weinbauregionen (Niederösterreich, Burgenland, Steiermark, Wien) mit zus. 16 Weinbaugebieten benannt; zu Niederösterreich gehören z. B. Weinviertel, Wachau, Kamptal, Kremstal, Traisental, Donauland, Carnuntum und die Thermenregion. KARTE S. 308

Österreichisch-Schlesi|en, der nach den Schles. Kriegen bei Österreich verbliebene südl. Teil Schlesiens, der 1919/20 zw. der Tschechoslowakei und Polen aufgeteilt wurde.

Österreichring, Motorsportrennstrecke in der Nähe von Zeltweg in der Obersteiermark, 5,942 km lang, auf der der Große Preis von Österreich in der Formel 1 gefahren wird.

Österreich-Ungarn (amtlich 1869–1918 Österreichisch-Ungarische Monarchie, volkstümlich auch Donaumonarchie), ehem. Vielvölkerstaat in Mittel- und SO-Europa, mit (1914) 676 615 km² und (1910) 51,39 Mio. Ew. nach Russland territorial zweitgrößte europ. Großmacht vor dem 1. Weltkrieg. Staatsrechtlich war Ö.-U. eine Realunion mit einem verfassungsrechtlich allen Kronländern gemeinsamen erbl. Herrscher und eine Doppelmonarchie zweier gleichberechtigter Reichsteile, des österr. (Zisleithanien; Kaiserreich) und des ungar. (Transleithanien; Königreich). Gemeinsam verwalteten beide Bosnien und Herzegowina (1878 besetzt, seit 1908 Reichsland). Nach dem österr.-ungar. Ausgleich 1867 (Unterscheidung zw. zentralistisch – z. B. Außenpolitik, Heerwesen, Finanzen – und föderalistisch-eigenverantwortlich veralteten Ressorts) erfolgte die Gesamtreg. der Donaumonarchie ohne Gesamtverf. in den als gemeinsam bestimmten Angelegenheiten durch kaiserl. und königl. (k. u. k.) Ministerien, den Gemeinsamen Ministerrat bzw. Delegationen. In den übrigen innenpolitischen Angelegenheiten handelten beide Reichshälften in abgestufter Selbstständigkeit: durch eigene kaiserlich-königliche (k. k.) bzw. königlich-ungar. Reg. (k.) und eigene Zweikammervolksvertretungen. Ungelöst blieb die → Nationalitätenfrage. (→ Österreich, Geschichte)

📖 Galántai, J.: *Der österreichisch-ungar. Dualismus 1867–1918. A. d. Ungar. Wien u. a. 1990.*

österreichische Weine

Osterspiele, ältester und für die Entwicklungsgeschichte des → geistlichen Dramas bedeutendster Typus des mittelalterl. Dramas, der das österl. Heilsgeschehen in dramat. Gestaltung vorführt. Am Anfang steht der Ostertropus, ein lat. Wechselgesang, der den Gang der drei Marien zum Grabe gestaltet (älteste Texte aus dem 10. Jh.). Allmählich trat an die Stelle der liturg. Wechselrede die dramat. Handlung, oft erweitert durch neue Personen und neue, später auch burleske Szenen. So entwickelten sich die Spiele aus kirchlich gebundener Liturgie zum selbstständigen dt. Drama. Auch von den lat. Sequenzen, die sich mit Schmerz und Klage der Maria befassen (Marienklagen), führt eine Linie zu den Osterspielen. Das älteste überlieferte O., das ganz in dt. Sprache verfasst ist (alemannisch), ist das von Muri (Schweiz) aus der Mitte des 13. Jh., das künstlerisch selbstständigste das »Redentiner O.« von 1464. Durch Einbeziehung der ganzen Leidensgeschichte Christi entwickelten sich aus den O. die → Passionsspiele.

Östersund [œs-], Hauptstadt des Verw.gebiets (Län) Jämtland, Schweden, 59 000 Ew.; Altertumssammlung, Freilichtmuseum; Holz-, chem., Leder-, elektron. Ind., Maschinenbau.

Osterwieck, Stadt im Landkreis Halberstadt, Sa.-Anh., an der Ilse, 4 200 Ew.; Maschinenbau, Leder-, Zucker-, Bekleidungs-, Konservenind., Herstellung von Lacken und Farben. – O. hat ein durch zahlr. Fachwerkhäuser (16.–17. Jh.) geprägtes Stadtbild; spätgotische Stadtkirche St. Stephan (15.–16. Jh.) mit roman. Westbau (12. Jh.); Nikolaikirche (1262). – 1073 erstmals erwähnt, seit Anfang des 13. Jh. als Stadt bezeichnet.

Ost|europa, allg. Bez. für die Länder im O Europas (Litauen, Lettland, Estland, Weißrussland, die Ukraine, europ. Teil Russlands). – Im polit. Sprachgebrauch auch für die ehem. Ostblockstaaten verwendet. (→ Ostblock)

Vorgeschichte: Kulturen der frühen **Altsteinzeit** (Acheuléen) sind in O. nur schwach vertreten (östl. Schwarzmeergebiet). Im Mittelpaläolithikum (Micoquien und Moustérien) hat der Neandertalmensch O. von der Schwarzmeerküste bis zur Kama durchstreift. Das Jungpaläolithikum des europ. Teils Russlands hat durch Freilandstationen mit dorfartigen Siedlungen besondere Bedeutung.

Bestattungsfunde zeigen, dass die Träger der jungpaläolith. Kulturen O.s Menschen vom Cro-Magnon-Typus waren. Es gibt eine Fülle von Kunstwerken (weibl. Statuetten, Tierskulpturen, Ritzornamentik) aus den Fundstätten am Dnjestr, Dnjepr, an der Desna und am oberen Don. In der **Mittelsteinzeit** bildeten sich stärker isolierte Formengruppen. Einflüsse der **Jungsteinzeit** haben O. im 5. Jt. vom Balkan her und später über Kaukasien erreicht. Die Bug-Dnjestr-Kultur hat kleine Siedlungen mit Rechteckhäusern auf Steinfundament. Haustiere sind außer dem Hund Schweine und Rinder. Die Menschen lebten überwiegend von Jagd und Fischfang. Die weit verbreitete **Dnjepr-Donez-Gruppe** ist durch spitzbodige Keramik mit der Frühphase der Bug-Dnjestr-Kultur, andererseits mit dem Formengut der von der Memel bis zum Aralsee reichenden Kulturgruppen mit Kamm- und Grübchenkeramik verbunden. Die für die Ausbreitung der Agrarwirtschaft in Mitteleuropa maßgebende →bandkeramische Kultur hat sich in O. bis zum Dnjestr ausgedehnt, wo sie auf die Bug-Dnjestr-Kultur trifft. Diese wird von der Tripoljekultur abgelöst, die die markanteste jungsteinzeitl. Kultur O.s bildet und durch wohlgeformte Tongefäße gekennzeichnet ist. Die Träger der Tripoljekultur lebten in geschlossenen Dörfern, trieben Ackerbau und hielten Rinder, Schweine und Ziegen. Ende des 3. Jt., Anfang des 2. Jt. v. Chr. wurde das südl. O. von Steppenkulturen, bes. der Ockergrabkultur oder Kurgankultur, beherrscht. Für die Wirtschaftsform der Steppenkulturen ist das Auftreten von Pferd und Wagen und die Zunahme der Haltung von Schaf und Ziege bedeutsam. Das nördl. und mittlere O. ist in der Jungsteinzeit hauptsächlich von den Trägern der kamm- und grübchenkeram. Kulturen besiedelt worden. In der **Bronzezeit** haben die kulturellen Impulse Transkaukasiens um 2500 v. Chr. zur Bildung der Maikop- und Nowoswobodnajakultur und im 2. Jt. zur nordkaukas. Kultur geführt, die zu den metallurg. Zentren O.s wurden (Fürstengräber von Maikop). In der mittleren Bronzezeit bildeten die Kammergräberkultur, die Abaschewokultur, die westl. Andronowokultur und die kolchid. Kultur markante Regionalgruppen. Zentren des Kupferbergbaus lagen im südl. und mittleren Ural. Mit Sicherheit lässt sich das Erscheinen der Skythen in O. erst mit dem Auftreten von Fürstengräbern der frühen Eisenzeit mit Beigaben in skythisch-iran. Stil im 7. Jh. v. Chr. erfassen. Die **skyth. Kultur** gab dem Steppenraum in der Zeit von 700 bis 300 v. Chr. ihr Gepräge. Im 3. Jh. v. Chr. drangen die Sarmaten von der Wolga aus in den skyth. Siedlungsraum ein.

Zur *Geschichte* O.s vgl. Geschichte der einzelnen Länder; →Europa, Geschichte.

📖 Zernack, K.: *O. Eine Einführung in seine Geschichte. München 1977.*

Ostleuropabank (offizielle engl. Bez. European Bank for Reconstruction and Development, Abk. EBRD, Europäische Bank für Wiederaufbau und Entwicklung, Abk. EBWE), am 15. 4. 1991 gegründete internat. Bank; Sitz: London. Das Eigenkapital (10 Mrd. ECU) wurde von 39 europ. und außereurop. Staaten, darunter der Bundesrep. Dtl., sowie der EG-Kommission und der Europ. Investitionsbank aufgebracht (1996: 58 Mitgl.staaten). Größter Einzelaktionär sind mit 10 % die USA; die EU-Staaten halten 51 % der Anteile. Aufgabe der O. ist es, die ehemals kommunist. Staaten O-Europas und die Nachfolgestaaten der Sowjetunion bei ihrem Übergang von einer zentralgelenkten Planwirtschaft zu einem funktionsfähigen marktwirtschaftl. und demokrat. System zu unterstützen; Förderschwerpunkt der O. ist der private Sektor, in den 60 % der Mittel der O. fließen müssen.

Ostleuropaforschung, →Ostforschung.

Ostleuropäische Tafel (Osteuropäische Plattform, Russische Tafel), *Geologie:* seit Beginn des Paläozoikums nicht mehr regeneriertes Kernstück des europ. Kontinents, bestehend aus dem Balt. und Ukrain. Schild sowie der Russ. Platte. Sie wird von der 4 Mio. km² großen **Osteurop. Ebene (Russ. Ebene)** eingenommen.

ostleuropäische Zeit (Abk. OEZ), →Zeit.

Ostfalen, neben Angrivariern und Westfalen ein Teilstamm der (Nieder-)Sachsen, dessen Ursprung ungeklärt ist; wahrscheinlich ging ein Teil der Cherusker in den O. auf. Die O. waren zw. Weser, Lüneburger Heide, Elbe und Harz ansässig.

Ostfildern, Stadt im Landkr. Esslingen, Bad.-Württ., Große Kreisstadt, 30 100 Ew.; Techn. Akademie; Maschinen-, Werkzeugbau, feinmechan., elektrotechn. Industrie.

Ostflandern (fläm. Oost-Vlaanderen), Provinz Belgiens, 2 982 km², (1995) 1,35 Mio. Ew.; Hauptstadt ist Gent.

Ostflevoland, Polder im südöstl. IJsselmeer, Niederlande, 540 km², Trockenlegung 1950–57; bildet mit dem Südflevoland (430 km²) die Prov. Flevoland.

Ostforschung (Osteuropaforschung), wiss. Erforschung von Politik und Gesellschaft, Recht und Wirtschaft sowie Geschichte und Kultur des europ. Ostens und Südostens; die Südosteuropaforschung wird z. T. als eigenes Gebiet abgegrenzt; neben speziellen Instituten an Univ. unterhalten einige große Forschungsinstitute für Wirtschaft oder Weltwirtschaft Osteuropaabteilungen, auch einige Ges. widmen sich der O.; in Berlin besteht eine Arbeitsgemeinschaft der Bibliotheken und Dokumentationsstellen der Ost-, Ostmittel- und Südosteuropaforschung. Es bestehen u. a. das Ost-

Ostfriesland: Marschlandschaft Krummhörn im Südwesten (links) und Fehnkolonie in der Geest um Aurich

europa-Institut an der Freien Universität Berlin (gegr. 1951), das Johann-Gottfried-Herder-Institut in Marburg (gegr. 1950), das Institut für Geschichte Osteuropas und Südosteuropas der Univ. München (gegr. 1952), das Südost-Institut in München (gegr. 1930) und das Bundesinstitut für ostwiss. und internat. Studien in Köln (gegr. 1970).

Ostfränkisches Reich, nach den Reichsteilungen des 9. Jh. der Ostteil des →Fränkischen Reiches, das spätere »Reich der Deutschen« (Regnum Teutonicum), aus dem das Hl. Röm. Reich hervorging (→deutsche Geschichte).

Ostfriesische Inseln, ein Teil der →Friesischen Inseln.

Ostfriesland, Küstenlandschaft zw. dem Mündungsgebiet der Ems und dem Jadebusen mit den vorgelagerten Ostfries. Inseln; von einem flachen Geestrücken durchzogen, in dem der Landesmittelpunkt, Aurich, liegt. Nach N, S und W schließen sich Flach- und großenteils kultivierte Hochmoore an; ein breites Marschband umsäumt das Land im N und W. Im dünn besiedelten Hinterland ist Landwirtschaft, bes. Viehzucht, an der Küste Fischerei, in den größeren Hafenstädten (Emden, Leer) gewerbl. Wirtschaft vorherrschend. Die Ostfries. Inseln sind beliebte Ferienziele.

Geschichte: Bereits zur Steinzeit besiedelt, schon im 9. Jh. O. genannt. Nach dem Zerfall des Karolingerreiches im 9. Jh. bildeten sich mehrere selbstständige Bauernrepubliken, die sich in einer Art Landfriedensbund zusammenschlossen. Als der Verband verfiel (nach 1327), grenzten sich die nun unter die Herrschaft von Häuptlingen tretenden Gebiete scharf gegeneinander ab. Ulrich Cirksena gelang es, O. unter seiner Herrschaft zu vereinigen; 1464 erhielt er O. als Reichsgrafschaft (Butjadingen, Varel und Jever kamen an Oldenburg); Hptst. wurde Emden, 1561 Aurich. Zwischen 1570 und 1744 ständige Auseinandersetzungen zw. den (luth.) Landesherren und den Landständen unter Führung der von den niederländ. Generalstaaten gestützten (ref.) Stadt Emden. 1744 (Aussterben der Cirksena, seit 1654 Reichsfürsten von O.) nahm Preußen O. in Besitz, verlor es aber 1807 an Napoleon I., der es dem Königreich Holland, 1810 Frankreich einverleibte. Ab 1815 Teil des Königreichs Hannover, kam mit diesem 1866 an Preußen. 1919 Freistaat; 1946 zu Niedersachsen.

📖 DEETERS, W.: *Kleine Geschichte O.s. Leer 1985.* – MADER, R. *u.* CHRISTOPHERS, E.: *Butjadingen u. O. Hamburg* [3]*1989.*

Ostgebiete, →deutsche Ostgebiete.

Ostgermanen, zusammenfassende Bez. für die german. Stämme und Völker der Goten, Bastarnen, Burgunder, Gepiden, Heruler, Rugier, Skiren und Wandalen z. Z. der Völkerwanderung.

Ostghats (engl. Eastern Ghats), Gebirge in Indien, bildet den O-Rand des Dekhan, im S bis 1628 m ü. M.; geringe Niederschläge durch den NO-Monsun.

Ostgoten (Ostrogoten, Greutungen), einer der beiden großen Stämme der →Goten, der um 350 n. Chr. unter Ermanarich ein Reich nördlich des Schwarzen Meeres gründete, aber 375/376 von den Hunnen unterworfen wurde. Nach dem Untergang des Hunnenreichs (nach Attilas Tod 453) ließen sich die O. unter röm. Oberhoheit in Pannonien nieder. Viele traten in das oström. Heer ein. 488 zogen sie unter Theoderich (d. Gr.), der dem Geschlecht der Amaler entstammte, seit 471 König der O. und zugleich Feldherr des oström. Kaisers war, nach Italien, wo er den weström. Regenten Odoaker beseitigte. Er gründete dort ein Reich, das Italien mit Sizilien, Dalmatien, Slawonien, das

Alpengebiet und die Provence umfasste, aber Teil des röm. Imperiums blieb. Bald nach seinem Tod (526) verfiel das Reich und unterlag trotz des Widerstands der Könige Witigis, Totila und Teja den byzantin. Feldherren Belisar und Narses. BILD Theoderich (d. Gr.)

📖 WOLFRAM, H.: *Die Goten. München* ³*1990.*

Ostheim v.d. Rhön, Stadt im Landkr. Rhön-Grabfeld, Bayern, 3800 Ew.; Brauereien, Orgelbau; im Kirschenanbaugebiet (»Ostheimer Weichseln«). – Kirchenburg (die größte Dtl.s; 1579–1619), Rathaus (um 1590). – 804 erwähnt; 1546 als Stadt bezeugt; 1920–45 zu Thüringen.

Osthilfe, die ab 1926 von der preuß. Regierung und der Reichsregierung getroffenen kreditpolit. Maßnahmen zugunsten der durch die Errichtung des Poln. Korridors in Schwierigkeiten geratenen ostpreuß. Landwirtschaft **(Ostpreußenhilfe).** Die Umschuldungs- und Entschuldungsmaßnahmen wurden vom Kabinett Brüning auch auf Ostelbien und Ostbayern ausgedehnt, ab Juni 1933 (bis 1937) von der nat.-soz. Regierung auf das gesamte Reichsgebiet.

Ostholstein, Kreis in Schleswig-Holstein, 1392 km², (1996) 197400 Ew.; Krst. ist Eutin.

Ostia (Lido di O.), Seebad an der Tibermündung, gehört zu Rom (rd. 25 km entfernt). – Das antike O. (heute **O. Antica** gen.), einige km landeinwärts, nahe der damaligen Mündung des Tiber, war der Hafen Roms; in der Kaiserzeit auch Flottenstützpunkt, im MA. verödet. Ausgrabungen seit 1909 (u.a. Wohnhäuser, Thermen, Tempel, Forum, Theater).

Ostinato [italien. »hartnäckig«] *der* oder *das, Musik:* das ständige Wiederholen einer melod., rhythm. oder harmon. Formel meist in der tiefsten Stimme. Eine besondere Form des O. ist der **Basso ostinato,** die fortgesetzte Wiederkehr eines Themas oder eines Harmoniemodells im Bass (z.B. in der →Passacaglia und der →Chaconne).

Ostindi|en, alter Name für Vorder- und Hinterindien und den Malaiischen Archipel, im Unterschied zu Westindien.

Ostindische Kompanie, →Handelskompanien.

Ostitis [grch.] *die,* Knochenentzündung.

Ostjaken, das Volk der →Chanten.

Ostjordanland (Transjordanien), die östlich des Jordan gelegenen Gebiete von Palästina, heute identisch mit Jordanien.

Ost-Kap, Provinz im SO der Rep. Südafrika, 170616 km², (1996) 6,66 Mio. Ew.; Hptst. ist Bisho; 1994 durch Vereinigung der südöstl. Kapprovinz mit Ciskei und Transkei entstanden.

Ostkirchen, Sammelbez. für alle christl. Kirchen, die nach der endgültigen Teilung des Röm. Reichs (395) zu dessen Osthälfte gehörten, dort entstanden oder von dort durch Mission gegr. wurden. Nach Glaubenslehre und Geschichte werden folgende Kirchen und Kirchengruppen unterschieden: die im byzantin. Kulturkreis entstandene orth. Kirche; die im Gefolge der theolog. Auseinandersetzungen des 5./6. Jh. entstandenen altoriental. Nationalkirchen; die Kirchen und Gemeinschaften, die sich dem Papst unterstellten und unierte Teilkirchen der kath. Kirche bilden. – 1) *orth. Kirche:* die Gesamtheit der historisch weitgehend aus der nachkonstantin. Reichskirche, v.a. aus deren östl. Hälfte, hervorgegangenen Kirchen, die sich als gleichberechtigte Glieder der »einen, heiligen, kath. und apostol. Kirche Christi des wahren (orth.) Glaubensbekenntnisses« auf der Basis der gleichen theolog., liturg. und spirituellen Tradition verstehen. Hinsichtlich ihrer organisator. Struktur bestehen gegenwärtig 14 **autokephale orth. (Landes-)Kirchen,** außerdem einige **autonome Kirchen,** die in Fragen ihrer inneren Verwaltung selbstständig, jedoch einer autokephalen (Mutter-)Kirche verbunden sind. Allen gemeinsame Lehrgrundlage und Basis des Kirchenrechts bilden die Beschlüsse der nach orthodoxem Verständnis sieben →ökumenischen Konzile (325–787). Die Kirchenverf. ist synodal. Leitungsgremium einer orth. (Landes-)Kirche ist die Synode, innerhalb derer dem Ersthierarchen (Patriarch, Metropolit, Erzbischof) der Ehrenvorsitz zukommt. Analog wird die höchste Instanz zur Entscheidung von Fragen auf gesamtorth. Ebene in einer ökumen. Synode gesehen, zu deren Vorbereitung seit 1961 mehrere panorth. Konferenzen stattfanden. Innerhalb der Gesamtorthodoxie kommt dem →ökumenischen Patriarchen der Ehrenvorrang zu. Theologisch versteht sich die orth. Kirche als ird. Abbild der himml. Kirche. Sie begründet ihre Überzeugung von der durch sie ge-

Ostia: Das bei Ausgrabungen freigelegte Forum mit dem dem Jupiter, der Juno und der Minerva geweihten Tempel, der unter Hadrian 120 n. Chr. erbaut wurde

lebten Orthodoxie (als rechter Lehre und rechtem Lobpreis Gottes) mit der Bewahrung des urchristl. Erbes in Glaube und Leben und ihrer Rolle als Repräsentantin der unverfälschten Überlieferung der apostol. Kirche. Mittelpunkt des kirchl. Lebens ist der Gottesdienst; grundlegende Liturgien sind die Basilius- und die Chrysostomosliturgie. Als den Trägern geistl. Autorität und geistl. Lebens und Zentren der Bewahrung religiöser, kultureller und nat. Identität kommt dem (oft asketisch geprägten) Mönchtum und den Klöstern innerhalb der orth. Kirchen seit frühester Zeit eine zentrale Bedeutung zu. Aus dem Mönchtum werden i. d. R. die Bischöfe gewählt. Die orth. Kirche hat heute weltweit rd. 170 Mio. Mitglieder; größte orth. Landeskirche ist die russ.-orth. Kirche mit rd. 80 Mio. Mitgliedern. In der ökumen. Bewegung sind fast alle orth. Kirchen vertreten. Am Zweiten Vatikan. Konzil nahmen Beobachter der orth. Kirchen teil. – 2) *altoriental. Nationalkirchen:* → orientalische Kirchen. – 3) *unierte Teilkirchen:* die, z. T. seit dem MA., mit der kath. Kirche verbundenen Teilkirchen altoriental. oder orth. Herkunft. Die unierten Kirchen erkennen den Jurisdiktions- und Lehrprimat des Papstes an, bewahren jedoch in Kirchensprache, Liturgie, Spiritualität, Verf. und kirchenrechtl. Besonderheiten die Traditionen ihrer altoriental. und orth. Mutterkirchen. Einzige vollständig mit der kath. Kirche unierte O. ist die maronit. Kirche (→ Maroniten). Teilunionen bestehen mit versch. Kirchen des armen., äthiop., byzantin., kopt., ostsyr. und westsyr. Ritus.

📖 *Das Glaubensleben der O. Eine Einf. in Gesch., Gottesdienst u. Frömmigkeit der orth. Kirche, hg. v.* H.-C. Diedrich. *München 1989.* – Hämmerle, E. *u. a.: Zugänge zur Orthodoxie. Göttingen* [2]*1989.*

Ostmakedonien und Thrakien, Region in Griechenland, 14157 km², (1991) 574000 Ew.; Hptst. ist Komotini.

Ostmark, 1) (Bairische O.) von Karl d. Gr. als Awar. Mark errichtete Grenzmark zw. Enns/Erla, Voralpen und Wienerwald; von den Ottonen erneuert; abhängig von Bayern, 976 den Babenbergern als Markgrafen verliehen; ab 1130/35 als »marchio Austriae« bezeichnet; wurde zum Kernland → Österreichs (Geschichte).

2) (Sächsische O.) 965 durch Teilung der Elbmark Geros entstandene, gegen die Slawen (Sorben) errichtete Grenzmark; erstreckte sich nördlich der Mark Meißen von der unteren Saale bis zur Lausitz; kam 1136 an die Wettiner.

3) im nat.-soz. Sprachgebrauch 1938–42 die amtl. Bez. für Österreich.

Ostmitteldeutsche, die durch Sprache und Kultur verbundenen Alt- und Neustämme der Thüringer, Sachsen und Schlesier sowie die mitteldt. Bevölkerungsteile Anhalts, der preuß. Prov. Sachsen und Brandenburgs bis zur niederdt. Sprachgrenze im Norden. (→ Mundarten)

Ostmitteleuropa (Östliches Mitteleuropa), politisch-geograph. Begriff, der i. e. S. Rumänien, einen Teil der Nachfolgestaaten der Habsburgermonarchie und die nach der Oktoberrevolution auf dem Gebiet des früheren Russ. Reiches gebildeten Staaten umschließt (Polen, die balt. Staaten, Tschech. Rep., Slowak. Rep. und Ungarn). – 1992 wurde in Krakau ein Vertrag über die Errichtung einer **Freihandelszone O.** (Ungarn, Polen, Tschech. Rep., Slowak. Rep.) unterzeichnet.

Ostniederdeutsche, die niederdt. Stämme östlich der Elbe. (→ Mundarten)

Ostpakistan, bis 1971 Landesteil von Pakistan, seitdem als → Bangladesh selbstständiger Staat.

Ostpolitik, i. w. S. die dt. Außenpolitik gegenüber den Staaten Ostmittel- und Osteuropas; i. e. S. die in den 1960er-Jahren eingeleitete, in der Vertragsdiplomatie der sozialliberalen Koalition (1969–82), bes. unter W. Brandt (1969–74), gipfelnde Außenpolitik gegenüber der UdSSR, Polen und der Tschechoslowakei, stand in engem Zusammenhang mit der Dtl.politik (→ deutsche Geschichte).

📖 Bender, P.: *Die »Neue O.« u. ihre Folgen. Vom Mauerbau zur Vereinigung. München* [3]*1995.*

Ostpreußen, ehem. preuß. Provinz im NO des mitteleurop. Tieflands, südlich und östlich der Ostseeküste; gegliedert in die RegBez. Königsberg, Gumbinnen, Allenstein und (bis 1939) Westpreußen; Hauptstadt war Königsberg.

Geschichte: Das Gebiet des späteren O. wurde erst im Neolithikum (etwa ab 3000 v. Chr.) besiedelt. Im 2. und 3. Jh. n. Chr. bewohnten die Goten O., danach die balt. Prußen, deren Name auf ihr Siedlungsgebiet übertragen wurde. Die ersten Christianisierungsversuche im 9./10. Jh. scheiterten. Um 1225 wandte sich Herzog Konrad I. von Masowien um Hilfe gegen die Prußen an den Dt. Orden, dem er das Culmer Land schenkte. Das spätere O. ging aus dem Ostteil des Deutschordenslandes hervor, das, 1525 in das Herzogtum Preußen übergeführt, 1618 in Personalunion mit Brandenburg vereinigt und im Frieden von Oliva (1660) aus poln. Lehnshoheit gelöst, zur Keimzelle des Königreichs Preußen (1701 Krönung von Kurfürst Friedrich III. als Friedrich I. zum »König in Preußen«) wurde. In dem durch Pest 1709/10 entvölkerten Land wurden etwa 40000 Kolonisten v. a. aus der Schweiz, der Pfalz, Nassau und Salzburg (1732) angesiedelt. Im Siebenjährigen Krieg war O. 1758–62 von den Russen besetzt. Königsberg (Pr) entwickelte sich mit seiner Univ. zu einem Mittelpunkt des dt. Geisteslebens. 1815 wurde die Provinz O. (das bisherige königlich-preuß. Gebiet einschließlich des 1772 hinzugekommenen Ermlands, aber ohne Marienwerder) gebildet, die 1824–78 mit **Westpreußen** (vom Königreich Preußen bei der 1. Poln. Teilung annektierter westl. Teil des Ordensstaates) zur Provinz Preußen vereinigt war. Der 1. Weltkrieg brachte O. durch die russ. Invasion schwere Schäden. Die durch den Versailler Vertrag festgelegten Gebietsabtretungen des Dt. Reiches (Poln. Korridor) schnitten O. vom übrigen Reichsgebiet ab. Das Memelland wurde an die Alliierten abgetreten (1923 von Litauen besetzt und annektiert). Der ostpreuß. Kreis Soldau kam an Polen, Danzig wurde Freie Stadt. Durch die Kriegsereignisse 1944/45 erlitt die Bev. hohe Verluste (614 000 Tote); O. wurde am 25. 4. 1945 vollständig von sowjet. Truppen erobert. Zahlreiche Flüchtlinge konnten durch die Kriegsmarine evakuiert werden. Durch das Potsdamer Abkommen (2. 8. 1945) kam das nördl. O. unter Verwaltung der UdSSR (zu Russland) und das südl. O. unter poln. Verwaltung. Im Zwei-plus-vier-Vertrag vom 12. 9. 1990 und im Dt.-Poln. Grenzvertrag vom 14. 11. 1990 erklärten die Vertragspartner die 1945 entstandenen Grenzen für endgültig.

📖 FRANZ, W.: *Ostpreuß. Landeskunde. Kiel 1993.* – HERMANOWSKI, G.: *O. Lexikon Geografie, Geschichte, Kultur. Neuausg. Augsburg 1996.*

Ọstpreußen, dt. Neustamm, der aus einer Mischung der balt. Prußen mit den seit dem 13. Jh. eingewanderten Deutschen und den meist im 15. und 16. Jh. zugewanderten Masuren (im S) und Litauern (im NO) entstand; stellte bis zur →Vertreibung der Deutschen (1945/46) 97 % der Bev. von Ostpreußen.

Ostprignitz-Ruppin, Landkreis in Brandenburg, 2 510 km², (1997) 115 600 Ew.; Kreisstadt ist Neuruppin.

Ostpunkt, der Punkt des Horizonts, der von beiden Schnittpunkten des Meridians mit dem Horizont um 90° entfernt ist und in dem die Sonne zur Tagundnachtgleiche aufgeht **(Morgenpunkt).** Gegenpunkt ist der Westpunkt **(Abendpunkt).**

Ostrakismọs [grch.] *der* (Ostrazismus, Scherbengericht), eine in Athen vermutlich durch Kleisthenes eingeführte, zuerst 487, zuletzt 416 v. Chr. angewendete Maßregel, durch die das Volk die Verbannung einzelner Bürger auf zehn Jahre (ohne Verlust des Bürgerrechtes und des Vermögens) aussprechen konnte. Die Bürger mussten den Namen des zu Verbannenden auf Tonscherben **(Ostraka)** schreiben; die Mehrheit der Stimmen entschied.

Ọstrakon [grch.] *das,* irdenes Täfelchen, Rest eines zerbrochenen Gefäßes im Altertum, bes. in Ägypten, statt Papyrus als Schreibstoff verwendet. Die gefundenen Ostraka enthalten Texte in altägypt., grch. und kopt. Sprache.

Ostrakismos: Keramikscherben aus Athen mit den Namen von Aristides, Kimon und Themistokles, die ins Exil geschickt wurden (5. Jh. v. Chr.)

Ọstrau (tschech. Ostrava), Hauptstadt des Nordmähr. Gebiets, Tschech. Rep., an der Oder, 326 300 Ew.; Bergbauhochschule (gegr. 1716), Planetarium, Besucherstollen; Zentrum des Reviers von O. und Karwin, das den S-Teil des →Oberschlesischen Industriegebietes umfasst. Neben den Schachtanlagen, Kokereien, Hochöfen, Stahl- und Walzwerken bestimmen Maschinenbau (bes. für den Bergbau), chem., Baustoff-, Papier- sowie Nahrungs- und Genussmittelindustrie das Wirtschaftsleben. Eisenbahnknotenpunkt und Flugplatz. – Im Stadtteil Petershofen (Petrkovice) wurde 1952/53 eine Freilandstation der jüngeren Altsteinzeit mit Grundrissen von drei Behausungen und Herdstellen aufgedeckt. Die z. T. freiliegende Steinkohle wurde bereits von eiszeitl. Jägern als Brennstoff benutzt. Eine aus Hämatit geschnitzte weibl. Statuette gehört zum »Statuettenhorizont«, der um 25 000 v. Chr. zw. Don und Atlantik verbreitet war. – O. entstand 1945 aus der

Ostrakismos

Ostraka sind irdene Täfelchen oder Reste zerbrochener Gefäße, die im Altertum als billiges Schreibmaterial anstelle des teuren Papyrus verwendet wurden. Tausende dieser Tonscherben sind z. B. in Ägypten gefunden worden; verzeichnet sind darauf Steuerquittungen, Rechnungen, kurze Geschäftsbriefe und Notizen, Inhaltsangaben von Vorratsgefäßen, Zaubersprüche und Schulübungen, Skizzen und Entwürfe.

Die in Athen gefundenen Scherben sind lediglich mit Namen versehen. Sie wurden bei Abstimmungen verwendet, bei denen das Volk die Verbannung einzelner Bürger auf zehn Jahre aussprechen konnte. Sie wurden zum Teil schon vorbereitet an das Stimmvolk ausgeteilt (auf der Agora in Athen fand man Krüge mit Scherben, die alle von einer Hand mit demselben Namen versehen waren).

Der erste bekannte Fall eines Scherbengerichts (Ostrakismos) stammt aus dem Jahr 487/486 v. Chr. Es hatte keinen Verlust der bürgerlichen Rechte und des Vermögens zur Folge. Das Scherbengericht wurde bald ein Mittel im Kampf der Politiker gegeneinander, von dem u. a. Aristides, Themistokles und Kimon getroffen wurden. Der letzte Ostrakismos fand 417/416 v. Chr. statt.

Vereinigung der Städte **Mährisch-O.** (tschech. **Moravská Ostrava**) und **Schlesisch-O.** (tschech. **Slezská Ostrava**).

Ostróda [ɔsˈtruda] (dt. Osterode in Ostpreußen), Stadt in der Wwschaft Olsztyn (Allenstein), Polen, am Drewenzsee, 33000 Ew.; Eisenbahnwerkstätten, Bootsbau, Bau von kinotechn. Apparaten. – O. war seit etwa 1340 Sitz einer Komturei des Dt. Ordens.

Östrogene [grch.], weibl. →Geschlechtshormone.

Ostrogoten, die →Ostgoten.

Ostrołęka [ɔstrɔˈu̯ɛŋka], Hauptstadt der Wwschaft O., Polen, am Narew, 53300 Ew.; Zellstoff-, Papierind., Fleisch- und Milchverarbeitung.

Oströmisches Reich, das →Byzantinische Reich.

Ostroumowa-Lebedewa, Anna Petrowna, russ. Künstlerin, *Sankt Petersburg 17. 5. 1871, †Leningrad (heute Sankt Petersburg) 5. 5. 1955; schuf überwiegend farbige Holzschnitte mit Ansichten von Leningrad und Umgebung; Buchillustrationen, Porträts und impressionistisch beeinflusste Aquarelle.

Alexander Nikolajewitsch Ostrowski

Ostrowski, 1) Alexander Nikolajewitsch, russ. Dramatiker, *Moskau 12. 4. 1823, †Schtschelykowo (Gebiet Kostroma) 14. 6. 1886; gilt als einer der bedeutendsten russ. Dramatiker. Seine gesellschaftskrit. Stücke, deren Stärke v. a. in der Charakterisierung der Personen und der Darstellung des Milieus liegt, schildern v. a. die Welt der Kaufleute, Kleinbürger und Beamten und des Theaters, u. a. »Das Gewitter« (1859), »Das tolle Geld« (1870), »Wölfe und Schafe« (1875).

2) Nikolai Alexejewitsch, russ. Schriftsteller, *Wilija (Gebiet Rowno) 29. 9. 1904, †Moskau 22. 12. 1936; war seit 1928 blind, schrieb den autobiograph. Roman »Wie der Stahl gehärtet wurde« (1932–34), dessen Held, ein Jungarbeiter nach der Revolution, zu einem Leitbild für die Sowjetjugend wurde; unvollendet blieb der Roman »Die Sturmgeborenen« (1936).

Ostrów Wielkopolski [ˈɔstruv vjɛlkɔˈpɔlski] (dt. Ostrowo), Stadt in der Wwschaft Kalisz (Kalisch), Polen, 47500 Ew.; Waggon-, Maschinenbau, Lebensmittel-, elektrotechn. Ind.; Bahnknoten. – Im 13. Jh. erstmals erwähnt; erhielt 1410 Stadtrecht.

Ostrumelien, Landschaft in Bulgarien, umfasst das fruchtbare Becken der oberen Maritza zw. Balkan und Rhodopegebirge und reicht bis zum Golf von Burgas (Schwarzes Meer).

Ostsee (Baltisches Meer), kleines und flaches Nebenmeer des Atlantiks, durch die Skandinav. Halbinsel und Jütland von diesem getrennt, über Skagerrak und Kattegat mit der Nordsee verbunden; Anrainerstaaten sind Dtl., Dänemark, Schweden, Finnland, Russland, Estland, Lettland, Litauen und Polen. Seine Gesamtfläche beträgt einschl. Kattegat 0,39 Mio. km^2, mittlere Tiefe 55 m, größte Tiefe 459 m (Landsorttief), Wasservolumen 0,02 Mio. km^3. Die O. gliedert sich in Kattegat, Beltsee, Arkonasee, Bornholmsee, Gotlandsee, Rigaer Bucht und Finn. Meerbusen, Ålandsmeer, Schärenmeer und Bottn. Meerbusen. – Sie ist geologisch jung. Während der letzten Eiszeit war ihr Becken mit Eis bedeckt; bei dessen Rückzug füllte es sich mit Schmelzwasser (Balt. Eisstausee) und bildete das mit Nordsee und Weißem Meer verbundene salzige **Yoldiameer** (→Yoldia). Danach hob sich das Land, die O. wurde vom Weltmeer abgeschnitten, süßte aus zum **Ancylussee** (→Ancylus). Durch Erhöhung des Spiegels des Weltmeeres trat sie erneut durch die Beltsee mit der Nordsee in Verbindung und bildete das salzreiche **Litorinameer** als Vorläufer der heutigen Ostsee (auch Myameer gen.). In der geolog. Gegenwart hebt sich bes. der Nordraum der O. (maximal 80 cm im Jh., der Wasserstand an der pommerschen Küste steigt dagegen um 10 cm im Jh.).

Der Salzgehalt liegt, durch die Zuflüsse von Binnenwasser (jährlich 479 km^3) und den geringen Wasseraustausch der O. mit der Nordsee bedingt, bei einem Mittel von etwa 8‰ an der Oberfläche. Die von der Nordsee eindringenden Gezeiten sind sehr gering; der Tidenhub erreicht im Kattegat 40 cm, in der Beltsee 20–30 cm, in der mittleren O. nur wenige cm. Der Wasserstand wird meist durch unperiodisch winderzeugte Schwankungen beherrscht. Dabei kann es in den flachen Gebieten in der westl. O. sowie im Inneren des Finn. und Bottn. Meerbusens zu Sturmfluten kommen. – Der Ertrag des Fischfangs (bes. Hering, Dorsch, Lachs, Sprotte, Scholle, Flunder, Aal) ist mäßig. – Mit dem internat. Schiffsverkehr besteht über den Nord-O.-Kanal eine Verbindung. Zahlr. Fährlinien verbinden die Küstenplätze. Die Vogelfluglinie hat sich seit 1963 durch die Hochbrücke über den Fehmarnsund zur Hauptverkehrsader zw. Skandinavien und Mitteleuropa entwickelt. Wichtigste O.-Häfen sind: Kopenhagen, Stockholm, Luleå, Wasa, Turku, Helsinki, Kotka, Sankt Petersburg, Riga, Memel, Königsberg, Danzig, Gdingen, Stettin, Rostock, Lübeck, Kiel.

Die starke Belastung der O. durch Meeresverschmutzung (→Meer) ist auf die dichte Besiedlung der Küstengebiete und den geringen Wasseraustausch mit dem Atlantik zurückzuführen. Spezielle Maßnahmen wurden 1974 mit der Helsinki-Konvention eingeleitet, der alle Anrainerstaaten beigetreten sind. Seit 1979 erfolgt eine gezielte Überwachung mit Auswertung durch eine Expertenkommission, deren zweiter Bericht 1990 vorlag. Danach ist die Belastung zwar sehr hoch, nimmt aber derzeitig nicht weiter zu. Bis 1995 sollte entsprechend dem Beschluss der »Baltic Marine Environment Protection Commission« die Einleitung von Verschmutzungen halbiert werden.

📖 *Die O. Natur u. Kulturraum, hg. v.* J. Newig *u.* H. Theede. *Husum 1985.* – Liedl, F. *u. a.: Die O. Meeresnatur im ökolog. Notstand. Göttingen 1992. – Meereskunde der O., hg. v.* G. Rheinheimer. *Berlin u. a.* [2]*1995.*

Ostseeprovinzen (baltische Provinzen), die ehem. Gouvernements →Livland, →Estland und →Kurland des Russ. Reiches; in diesem nahmen sie bis in die 2. Hälfte des 19. Jh. eine Sonderstellung ein (Selbstverw., dt. Amtssprache). 1918 wurden aus den O. die Rep. Estland und Lettland gebildet.

Ostseerat, Kooperations- und Beratungsgremium der Ostseeanrainerstaaten sowie der EU-Kommission, gegr. 1992, soll die Unterstützung der westl. Ostseestaaten für die marktwirtsch. Umstrukturierung in Polen, Russland und den drei balt. Republiken koordinieren. Darüber hinaus ist eine Zusammenarbeit in den Bereichen Umweltschutz, Verkehr, Bildungswesen und Tourismus geplant. Hauptorgan ist die jährl. Konferenz der Repräsentanten der Mitgliedsländer.

Ostsee-Weißmeer-Kanal, der →Weißmeer-Ostsee-Kanal.

Ostsibirische See, Randmeer des Nordpolarmeeres zw. den Neusibir. Inseln, der Wrangelinsel und dem nordostsibir. Festland, 936 000 km², bis 155 m tief; außerhalb küstennaher Gebiete ganzjährig eisbedeckt.

Ostsiedlung, →deutsche Ostsiedlung.

Ostslawen, →Slawen.

Osttirol, der österr. Bez. Lienz, Hptst. Lienz, vom übrigen Bundesland Tirol durch die Abtrennung Südtirols räumlich isoliert; durch das Drautal mit Kärnten verbunden; seit 1967 Straßenverbindung nach N durch den Felber-Tauern-Tunnel.

Ostung, *Baukunst:* im christl. Bereich die religiös motivierte W-O-Orientierung der Hauptachse sakraler Bauten; seit dem frühen Christentum werden Kirche, Apsis, Altar i. d. R. nach O gerichtet, begründet mit der Hinwendung zu Jesus Christus als dem »Licht der Welt«; Abweichungen meist aus städtebaul. Gründen.

Ostverträge, die von den Reg. Brandt und Schmidt in den 1970er-Jahren geschlossenen Verträge, v. a. mit der UdSSR, Polen und der Tschechoslowakei; →Ostpolitik, →deutsche Geschichte.

Ostvorpommern, Landkreis in Meckl.-Vorp., 1940 km², (1997) 115 500 Ew.; Krst. ist Anklam.

Ostwald, Wilhelm, Chemiker, Physiker und Philosoph, *Riga 2. 9. 1853, †Großbothen (Muldentalkreis) 4. 4. 1932; entdeckte 1888 das nach ihm benannte **Verdünnungsgesetz,** das die Beziehung für die Abhängigkeit der elektrolyt. Dissoziation von der Konzentration der Lösung ableitet. Für Arbeiten über katalyt. Prozesse (»Autokatalyse«, 1890) sowie chem. Gleichgewichtsverhältnisse und Reaktionsgeschwindigkeiten erhielt er 1909 den Nobelpreis für Chemie. Bedeutendes leistete er auf dem Gebiet der Farbenlehre (→Farbe) und in der Organisation der naturwiss. Forschung. O. entwickelte die Lehre des energet. Monismus (→Energetik), derzufolge das Wesen der gesamten Wirklichkeit Energie ist. Er war 1911–15 Vors. des »Dt. Monistenbundes«.

Wilhelm Ostwald (Ausschnitt einer Kohle- und Kreidezeichnung des deutschen Malers Anton Klamroth, um 1910)

Ost-West-Konflikt, Bez. für die Gegensätze, die nach dem 2. Weltkrieg unter den Siegermächten aufbrachen und zu einer globalen weltpolit. Polarisierung in ein westl. Lager unter der Führung der USA und ein östl. Lager unter der Vorherrschaft der UdSSR (Ostblock) führten (→Kalter Krieg); Höhepunkte: Eingliederung der ČSR in das sowjet. Herrschaftssystem 1947/48, Berliner Blockade 1948/49, Koreakrieg 1950–53, Berlinkrise 1958–62, →Vietnamkrieg und Kubakrise 1962. Atomares Patt, Entspannungspolitik, der sowjetisch-chines. Konflikt und das Aufkommen der Dritten Welt veränderten den O.-W.-K. Grundsätzlich

Ostsee - Entwicklungsstadien

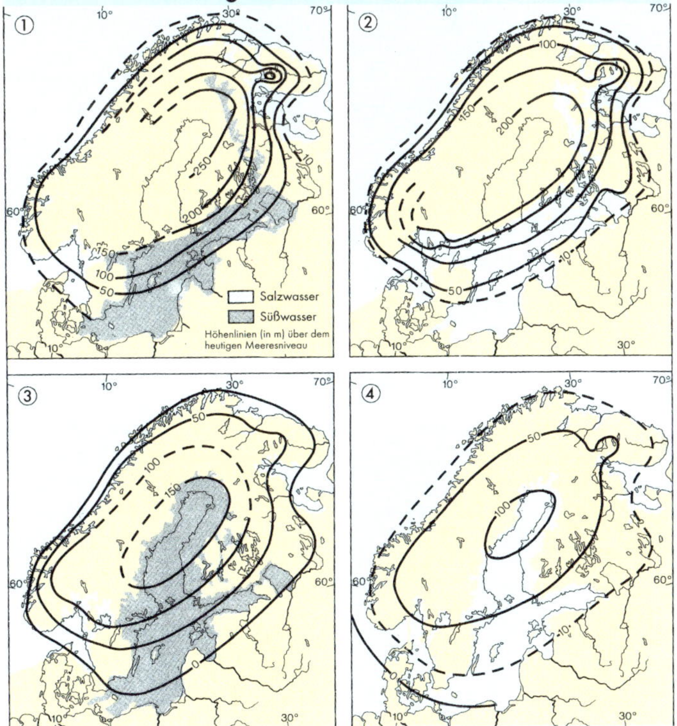

Ostsee: Die vier Hauptstadien der spät- und nacheiszeitlichen Entwicklung; **1** Baltischer Eisstausee um 8300 v. Chr.; **2** Yoldiameer um 7700 v. Chr.; **3** Ancylussee um 6000 v. Chr.; **4** Litorinameer um 5000 v. Chr.

Oswald von Wolkenstein: Das Porträt erscheint als Titelblatt einer von ihm selbst in Auftrag gegebenen illuminierten Sammlung seines Werks (Handschrift B, um 1432; Innsbruck, Universitätsbibliothek) und gilt als erstes realistisches Porträt eines deutschsprachigen Autors; daneben der Anfang eines wohl 1416 entstandenen autobiographischen Liedes aus der 1425–27 verfassten Wiener Handschrift (Wien, Österreichische Nationalbibliothek)

entspannte er sich aber erst im Zuge des KSZE-Prozesses bes. seit 1985, v. a. nach dem sowjet. Abzug aus Afghanistan 1989. Bereits entschärft durch die sowjet. Politik von Glasnost und Perestroika, wurde dem O.-W.-K. durch den Niedergang der kommunist. Regime in O- und Mitteleuropa 1989/91 und den Zerfall der Sowjetunion 1991 die polit. Grundlage entzogen. Trotz der Überwindung der polit. Spaltung Europas und der Teilung Dtl.s (1989/90) bleiben die gravierenden wirtsch. Unterschiede zw. W-Europa und den ehem. Ostblockstaaten ein ernsthaftes Problem für das weitere Zusammenwachsen Europas. Eine Gefahr stellen auch die zunehmenden ethn., nat. und kulturellen Konflikte in SO-Europa und der ehem. Sowjetunion (→Nationalitätenfrage) dar.

📖 CZEMPIEL, E.-O.: *Weltpolitik im Umbruch. Das internat. System nach dem Ende des O.-W.-K. München ^{2}1993.*

Ostzone, nach 1945 häufig gebrauchte Bez. für die SBZ bzw. die DDR.

Oswald, König von Northumbria (633–641), *um 604, †5. 8. 641; unterstützte nach seiner Taufe die Missionierung der Briten; fiel im Kampf gegen den König von Mercia; seit Anfang des 8. Jh. als Märtyrer verehrt (Tag: 5. 8.).

Oswald, Eduard, Politiker (CSU), *Augsburg 6. 9. 1947; Mitgl. des Bundestages seit 1987, seit Mai 1992 Parlamentar. Geschäftsführer der CSU; seit Jan. 1998 Bundesmin. für Raumordnung, Bauwesen und Städtebau.

Oswald von Wolkenstein, spätmittelhochdt. Lyriker und Liederkomponist, *Südtirol (Schloss Schöneck im Pustertal?) um 1377, †Meran 1445; entstammte einem tirol. Adelsgeschlecht, führte ein abenteuerl. Wanderleben, hatte maßgebl. Anteil am Kampf des Tiroler Adels gegen Herzog Friedrich IV. von Österreich »mit der leeren Tasche«. Neben geistl. Lyrik und Liebesliedern, die – fern vom hohen Minnesang – erot. Verlangen und Erleben kraftvoll Ausdruck geben, sind biograph. Lieder mit einer oft grotesk-überspitzten, oft iron. Darstellung erlebter Episoden charakteristisch für seine Kunst.

📖 KÜHN, D.: *Ich, Wolkenstein. Eine Biographie. Neuausg. Frankfurt am Main ^{8}1992.* – MAROLD, W.: *Kommentar zu den Liedern O.s von W., hg. v.* A. ROBERTSHAW. *Innsbruck 1995.*

Oświęcim [ɔɕ'fjɛntɕim], Stadt in Polen, →Auschwitz.

OSZE, Abk. für **O**rganisation für **S**icherheit und **Z**usammenarbeit in **E**uropa, engl. Organization for Security and Cooperation in Europe, Abk. OSCE, Staatenverbindung, hervorgegangen (mit Wirkung zum 1. 1. 1995) aus der →KSZE, versteht sich als eine »regionale Abmachung der Vereinten Nationen«. Der einmal jährlich tagende frühere KSZE-Rat der Außenmin. nennt sich nun »Ministerrat«, der Ausschuss hoher Beamter »Hoher Rat«. Dem neuen »Ständigen Ausschuss«, der ebenso wie der Gen.-Sekr. und das Sekretariat seinen Sitz in Wien hat, wurden Steuerungsaufgaben zugewiesen. Das Amt des Hochkommissars für nat. Minderheiten arbeitet eng mit dem OSZE-Büro für demokrat. Institutionen und Menschenrechte in Warschau zusammen. Beide haben die Aufgabe, Minderheitenkonflikte frühzeitig zu erkennen und dafür zu sorgen, dass die OSZE-Mechanismen zur polit. und militär. Krisenbewältigung in Gang gesetzt werden.

📖 LÜBKEMEIER, E. *u.* THRÄNERT, O.: *NATO, OSZE u. Europ. Sicherheit. Bonn 1995.* – GRIESSMANN, H.-J.: *Europ. Sicherheit am Scheideweg. Chancen u. Perspektiven der OSZE. Hamburg 1996.*

Oszillation [lat.] *die, Physik:* →Schwingung.

Oszillationstheorie, geotektonische Theorie des Geologen E. Haarmann (*1882, †1945) zur Erklärung der Krustenbewegungen der Erde durch weiträumige, wellenförmige Verbiegungen (Oszillationen) der Erdkruste aufgrund kosmisch ausgelöster, subkrustaler Magmenverlagerungen **(Primärtektogenese).** An den Flanken der Aufwölbungen gleiten Sedimentmassen in die Einsenkungen, wobei sie gefaltet und verschoben werden **(Sekundärtektogenese).** (→Undation)

Oszillator [lat.] *der,* **1)** *Elektrotechnik/Elektronik:* Schaltung zum Erzeugen elektr. Schwingungen. Die Grundstruktur besteht aus einem Verstärker und einem frequenzabhängigen Rückkopplungsnetzwerk. Je nachdem, ob O. auf eine feste Frequenz eingestellt sind oder nicht, unterscheidet man **Festfrequenz-O.** (Verwendung z.B. bei Festfrequenzsendern) und **durchstimmbare O.** (VFO, Abk. für engl. Variable Frequency Oscillator; Verwendung z.B. in Rundfunkempfängern, Messgeneratoren). O. können entweder frei schwingen, d.h. ihre Frequenz wird allein durch das frequenzbestimmende Glied (z.B. →Schwingkreis, →RC-Glied) bestimmt, oder sie werden phasenstarr mit einer Schwingung mit vorgegebener Frequenz synchronisiert **(Mitnahme-O.).** Nach der Art der Realisierung des frequenzabhängigen Rückkopplungsnetzwerks unterscheidet man z.B. **RC-O.** (Rückkopplungsnetzwerk wird durch ein RC-Glied gebildet), **LC-O.** (Rückkopplungsnetzwerk wird durch ein →LC-Glied gebildet) und **Quarz-O.** (Rückkopplungsnetzwerk wird durch einen →Schwingquarz gebildet oder ergänzt). Nach der Frequenz der O. unterscheidet man **NF-O., HF-O.** und **Mikrowellenoszillatoren.**

2) *Physik:* schwingungsfähiges physikal. System (Massenpunkt, Ladung u.a.). Ein wichtiger Spezialfall ist der →harmonische Oszillator.

Oszillograph [lat.-grch.] *der,* Gerät zur Beobachtung oder Aufzeichnung zeitlich veränderlicher elektr. Ströme oder Spannungen. Nach dem Wirkprinzip unterscheidet man **Schleifen-O.** (enthalten eine Messschleife mit aufgeklebtem Spiegel, die sich bei Stromfluss im Feld eines Dauermagneten dreht und die Drehbewegung in eine proportionale Auslenkung eines über den Spiegel geführten Lichtzeigers umformt) und →Oszilloskope (Oszillographen i.e.S.).

Oszilloskop [lat.-grch.] *das* (Elektronenstrahloszilloskop, Kathodenstrahloszilloskop), elektron. Messgerät, mit dem der zeitl. Verlauf elektr. Spannungen auf einem Bildschirm sichtbar gemacht werden kann. Zur Aufzeichnung der elektr. Vorgänge dienen →Oszillographen. Ein O. besteht im Prinzip aus einer →Elektronenstrahlröhre, der Zeitablenkeinrichtung, versch. Verstärkern und dem Bildschirm. In der Elektronenstrahlröhre emittiert eine Glühkathode frei bewegl. Elektronen, die beschleunigt und gebündelt (fokussiert) werden, zwei senkrecht zueinander stehende Plattenpaare (X- und Y-Ablenkung) durchlaufen und an der Aufprallstelle die Leuchtschicht des Bildschirms anregen. Die vielseitigen Verwendungsmöglichkeiten des O. ergeben sich daraus, dass bei Anlegen zweier veränderl. Spannungen an die Ablenkplatten deren gegenseitige Abhängigkeit auf dem Bildschirm sichtbar gemacht werden kann. Üblicherweise legt man die Messgröße an die (vertikal ablenkenden) Y-Platten und schließt an die (horizontal ablenkenden) X-Platten eine periodische, proportional mit der Zeit ansteigende Sägezahnspannung an. Legt man an beide Ablenksysteme je eine period. Spannung, so entstehen bei ganzzahligem Verhältnis der Frequenzen auf dem Leuchtschirm geschlossene Kurven (Lissajous-Figuren), die Aufschlüsse über das Verhältnis von Wechselstromgrößen geben können. Mehrere gleichzeitig ablaufende Vorgänge stellt man durch periodische elektr. Umschaltung (→Chopper) von einem Vorgang auf den anderen mithilfe eines Mehrkanal-Verstärkereinschubs (Chopperbetrieb oder alternierender Betrieb) oder mit einem **Zweistrahl-O.** oder **Vierstrahl-O.** dar, bei denen mehrere Elektronenstrahl- und Ablenkplattensysteme in eine Röhre eingebaut sind. Moderne O. weisen neben analog arbeitenden Zusatzeinrichtungen (z.B. Verstärkern, Spektrumanalysatoren, Kennlinienschreibern) auch digitale Geräte (z.B. Digitalvoltmeter, Zähler, Frequenzmessgeräte) auf, mit denen hochgenaue Amplituden- und Zeitmessungen durchgeführt werden können. **Speicher-O.,** deren Bildröhre mit einem speziellen Leuchtschirmmaterial ausgerüstet ist, können ein Oszillogramm für einige Stunden auf ihrem Bildschirm speichern. Beim **digitalen Speicher-O.** werden die Augenblickswerte schrittweise aufgenommen, gespeichert und als Punktfolge auf dem Bildschirm dargestellt.

Otaru, japan. Hafenstadt auf Hokkaidō, nordwestlich von Sapporo, 161 000 Ew.; Fischereischule und -versuchsanstalt; Fischkonserven-, Gummiind.; Ausfuhr von Holz und Kohle.

Otavi, Ort in N-Namibia, 1 415 m ü.M., etwa 1 000 Ew.; durch die 1903–06 erbaute **O.-Bahn** mit Swakopmund und Windhuk (538 km) verbunden. Im (bis zu 2 148 m ü.M. hohen) Karstgebirge des **O.-Berglands** Abbau von Kupfer-, Blei-, Zink- und Vanadiumerzen, bes. um →Tsumeb.

Otero Silva, Miguel, venezolan. Schriftsteller, *Barcelona 26. 10. 1908, †Caracas 28. 8. 1985; schrieb neben Gedichten sozialrevolutionäre Romane, u.a. »Casas muertas« (1955), »Ich weine nicht« (1970), »La piedra que era Cristo« (1984).

Ottawa: Ansicht des Regierungsviertels am Ottawa River mit dem auf einem Hügel liegenden Parlamentsgebäude mit dem Friedensturm (Bildmitte), das 1859–65 nach dem Vorbild des neugotischen Londoner Parlamentsgebäudes erbaut und 1919–27 nach Brand erneuert wurde

Marcus Salvius Otho, römischer Kaiser (Porträt auf einem römischen Denar, 69 n. Chr.)

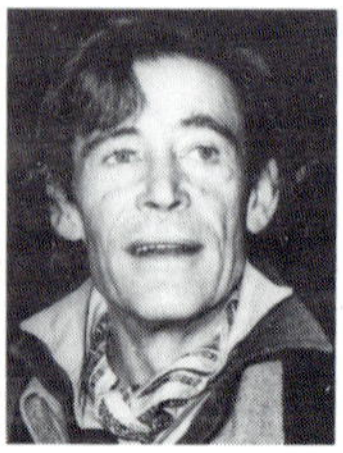

Peter O'Toole

Otfried von Weißenburg (Otfrid von Weißenburg), Theologe und Dichter, *im Elsass um 800, †Weißenburg um 870; Mönch des Klosters Weißenburg im Unterelsass; vorher Schüler des Hrabanus Maurus im Kloster Fulda; verfasste in südrheinfränk. Mundart eine Ludwig dem Deutschen gewidmete althochdt. Bearbeitung des Lebens Jesu aufgrund der vier Evangelien (zw. 863 und 871 vollendet). Sie verwendete als erste größere dt. Dichtung den aus dem lat. Hymnenvers stammenden Endreim.

Othello, der »Mohr von Venedig«, dunkelhäutiger Held des gleichnamigen Trauerspiels von Shakespeare (1604); ein Feldherr in venezian. Diensten, der aus Eifersucht seine Gattin Desdemona erdrosselt und sich später selbst tötet, nachdem er ihre Unschuld erkannt hat. Den Stoff fand Shakespeare in einer italien. Novelle von G. Giraldi. Opern von Rossini (1816) und von Verdi (1887).

Othman ibn Affan, der 3. Kalif (644–656), *Mekka um 574, †(ermordet) Medina 17. 6. 656; ein Schwiegersohn Mohammeds, als Herrscher schwach und nachgiebig. Er veranlasste die Redaktion des Korans.

Otho, Marcus Salvius, röm. Kaiser (15. 1.–16. 4. 69), *Ferentinum (heute Ferentino, Prov. Frosinone) 28. 4. 32, †(Selbstmord) bei Cremona 16. 4. 69; Statthalter der Prov. Lusitania, schloss sich 68 den Gegnern Neros an, ließ Galba ermorden und sich selbst zum Kaiser ausrufen; unterlag im Kampf gegen Vitellius. Er war verheiratet mit Poppaea Sabina, der 2. Frau des Kaisers Nero.

Otitis [grch.] *die,* →Mittelohrentzündung.

Otmuchów [ɔt'muxuf] (dt. Ottmachau), Stadt in der Wwschaft Opole (Oppeln), Polen, in Oberschlesien, an der Glatzer Neiße, 5 200 Ew.; Zuckerfabrik. – Domkirche (urspr. 13. Jh., 1690–93 neu gebaut), Renaissanceschloss, Rathaus mit Turm (1618), barocke Mariensäule, Sperlingsturm (16. Jh.) der alten Stadtbefestigung, Bischofspalast (1706/1707; 1927 umgebaut). Oberhalb O. Neiße-Stausee (23,5 km²).

Otologe [grch.] *der,* Arzt für Ohrenheilkunde (Otologie).

Otomí, Indianerstamm im zentralen Hochland Mexikos; heute sprechen nur noch über 300 000 ihre eigene, zur Otomangue-Sprachfamilie gehörende Sprache.

O'Toole [əʊ'tu:l], Peter Seamus, irischer Schauspieler, *Connemara (Cty. Galway) 2. 8. 1932; als Bühnendarsteller bes. erfolgreich in Dramen von Shakespeare; internat. bekannter Filmschauspieler, u. a. »Lawrence von Arabien« (1960), »Becket« (1963), »Der lange Tod des Stuntman Cameron« (1979), »Ein Draufgänger in New York« (1982), »Der letzte Kaiser« (1987), »Rebeccas Töchter« (1991).

Otosklerose [grch.] *die,* herdförmige Knochenneubildungen der knöchernen Labyrinthkapsel im Schläfenbein, die die normale Steigbügelbeweglichkeit blockieren und eine zunehmende Schallleitungsschwerhörigkeit zur Folge haben; Erbkrankheit.

Otoskopie *die,* die →Ohrenspiegelung.

Otranto, Hafenstadt in Apulien, Prov. Lecce, Italien, an der 70 km breiten **Straße von O.,** 5 100 Ew.; Erzbischofssitz. – 1080 begonnener roman. Dom; Kreuzkuppelkirche San Pietro (10./11. Jh.), Kastell mit Ecktürmen (1485–98). – Grch. Gründung, wichtiger Hafen in röm. Zeit.

Otricoli, Gemeinde in Umbrien, Prov. Terni, Italien; Fundort einer antiken Büste, des »Zeus von O.« (heute Rom, Vatikan. Sammlungen).

Ōtsu, Stadt auf Honshū, Japan, östlich von Tokio, Präfektur-Hptst., 268 600 Ew.; chem. Ind., Elektrogeräte- und Präzisionsmaschinenbau.

ottava [italien. »Oktave«], *Musik:* als **8va** Abk. für →all'ottava.

Ottava rima *die* (Ottava, Oktave), italien. Strophenform, die als →Stanze auch in der dt. Dichtung weit verbreitet ist.

Ottawa [engl. 'ɔtəwə], Hauptstadt von Kanada, Prov. Ontario, an der Mündung des Rideaukanal in den Ottawa River, 314 000 Ew.; Sitz der Bundesreg., des Generalgouverneurs, des Obersten Gerichtshofes, eines kath. Erzbischofs und eines anglikan. Bischofs; zwei Univ., Forschungsinstitute, Nationalbibliothek; National Arts Center (Opernhaus, Konzerthalle, Theater); Holz-, Papierind., Druckereigewerbe u. a.; internat. Flughafen. – Das

Regierungsviertel im Stil der engl. neugot. Baukunst wird beherrscht vom Parlamentsgebäude (1859–65, 1919–27 erneuert) mit dem Friedensturm; nach 1950 zahlr. Verwaltungs- und Kulturbauten; Neubau der National Gallery (1988). – 1827 als **Bytown** gegr. (seit 1854 O.); wurde 1858 Hptst. der Prov. Kanada, 1867 (nach Gründung des Dominion of Canada) Bundeshauptstadt.

Ottawa River [ˈɔtəwə ˈrɪvə], linker, oft seenartig erweiterter Nebenfluss des Sankt-Lorenz-Stroms, Kanada, 1271 km lang, mündet bei Montreal.

Otten, Karl, Schriftsteller, *Oberkrüchten (heute zu Niederkrüchten, Kr. Viersen) 29. 7. 1889, †Muralto (Kt. Tessin) 20. 3. 1963; emigrierte 1933 nach Großbritannien; begann als expressionist. Lyriker und Erzähler, Mitarbeit an der Zeitschrift »Die Aktion«; später formstrenge Gedankenlyrik; Herausgeber bed. Anthologien expressionistischer Dichtung.

Otter (Lutrinae), fast weltweit verbreitete Unterfamilie der Marder mit dichtem, wasserundurchlässigem Fell, verschließbaren kurzen Ohren und Schwimmhäuten zw. den Zehen. Der in fast ganz Eurasien verbreitete, mit Schwanz bis 1,3 m lange, dunkelbraune, in Dtl. geschützte **Fisch-O.** (Lutra lutra) frisst Wassertiere. Verwandte sind der südamerikan. **Riesen-O.** (Pteronura brasiliensis) und der **See-O.** (**Meer-O., Kalan,** Enhydra lutris), der in nordpazif. Küstengewässern lebt; wegen seines Felles stark bejagt, jedoch durch internat. Schutzmaßnahmen vor Ausrottung bewahrt. Der **Zwerg-O.** lebt in Südasien; zahme Tiere werden in Malakka zum Fischfang eingesetzt.

Otter: Der Fischotter (Körperlänge bis 85 cm) bewohnt meist einen selbst gegrabenen Bau mit einem unter dem Wasserspiegel liegendem Eingang an Uferböschungen

Ottern [zu Natter], → Vipern.

Otterndorf, Stadt im Landkr. Cuxhaven, Ndsachs., an der Nordseeküste (Elbmündung), im Land Hadeln, 6300 Ew.; Käserei, Herstellung von Konserven und Fruchtsäften; Hafen. – O. erhielt 1400 Stadtrecht.

Ottheinrich, Kurfürst von der Pfalz, → Otto.

Ottmachau, Stadt in Polen, → Otmuchów.

Ottawa Stadtwappen

Karl Otten (Zeichnung von Egon Schiele)

Otto, Herrscher:

Hl. Röm. Reich: **1) O. I., der Große,** König (seit 936), Kaiser (seit 962), *23. 11. 912, †Memleben 7. 5. 973, Sohn und Nachfolger Heinrichs I., Vater von 2); brach die Macht der Stammesherzöge und verlieh die meisten Herzogtümer an Angehörige des sächs. Herrscherhauses. Die wichtigste Stütze seines starken Königtums wurden die Bischöfe (Reichskirchensystem). Die Ungarn besiegte O. auf dem Lechfeld bei Augsburg (10. 8. 955). Die Ostgrenze gegen die Slawen wurde durch die Gründung von Bistümern, bes. des Erzbistums Magdeburg (968) als Missionszentrum, und die Erfolge des Markgrafen Gero ausgedehnt und gesichert. 951/952, 961–965 und 966–972 zog O. nach Italien; er machte sich zum König des langobardisch-italien. Reiches, heiratete die Königinwitwe Adelheid und ließ sich 962 in Rom zum Kaiser krönen (Bindung der Kaiserwürde an das dt. Regnum, das spätere Hl. Röm. Reich; Orientierung der Reichspolitik nach Italien; Schirmvogtei über die röm. Kirche). – Durch die Ehe seines Sohnes mit Theophano erreichte er 972 die Anerkennung seines Kaisertums durch Byzanz. O. wurde im Magdeburger Dom beigesetzt.

📖 *O. der Große, hg. v.* H. ZIMMERMANN. *Darmstadt 1976.* – BEUMANN, H.: *Die Ottonen. Stuttgart u. a.* ^{3}*1994.*

2) O. II., König (seit 961), Kaiser (seit 967), *955, †Rom 7. 12. 983, Sohn von 1) und dessen 2. Gemahlin Adelheid, Vater von 3); wurde bereits 967 zum (Mit-)Kaiser gekrönt und 972 mit der byzantin. Prinzessin Theophano vermählt. 980 zog er nach Rom, wo er die Stellung des Papstes gegen den stadtröm. Adel sicherte. Im Kampf gegen die Sarazenen in Unteritalien erlitt er 982 eine vernichtende Niederlage bei Crotone (Kalabrien). Auf dem Reichstag von Verona 983 ließ er seinen Sohn Otto zum König wählen. 983 zerstörte der Aufstand der Dänen und Slawen fast das ganze Aufbauwerk seines Vaters östlich von Saale und Elbe.

3) O. III., König (seit 983), Kaiser (seit 996), *980, †Paternò (bei Viterbo) 24. 1. 1002, Sohn von 2); stand bis 996 unter der Vormundschaft erst seiner Mutter Theophano, dann seiner Großmutter Adelheid und des Erzbischofs Willigis von Mainz. Seine eigene Reg. beschränkte sich v. a. auf Kämpfe um Rom, wo er 996 zum Kaiser gekrönt wurde und 999 den Erzbischof Gerbert von Aurillac zum Papst (Silvester II.) erhob. In engem Einvernehmen mit ihm versuchte er nun, seine Konzeption von der Erneuerung des Röm. Reichs zu verwirklichen. O. wollte Rom zum Sitz des Reiches (aus Germanen, Romanen und Slawen) machen, dessen Leitung Kaiser und Papst gemeinsam zukommen sollte. Durch die Gründung des Erzbistums Gnesen, seine Beteiligung an der Gründung des Erzbistums Gran und seine Anerkennung Stephans I. als König von Ungarn wurde die Verselbstständigung des Ostens eingeleitet.

📖 Althoff, G.: *O. III. Darmstadt 1996.*

4) O. IV., O. von Braunschweig, Röm. König (seit 1198), Kaiser (seit 1209), *in der Normandie um 1177, †Harzburg (heute Bad Harzburg) 19. 5. 1218; Sohn Heinrichs des Löwen; wuchs in England am Hof seines Onkels Richard Löwenherz auf. 1198 wählte ihn die welf. Partei zum Gegenkönig Philipps von Schwaben. Nach dessen Tod (1208) konnte er sich durchsetzen und wurde 1209 zum Kaiser gekrönt. Als er die stauf. Italienpolitik aufgriff und die Eroberung des unter päpstl. Lehnshoheit stehenden Sizilien begann, veranlasste Papst Innozenz III. 1211 die Wahl des Staufers Friedrich II. zum Gegenkönig. Nach der Niederlage gegen den mit Friedrich verbündeten frz. König Philipp II. August bei Bouvines (1214) verlor O. seinen Anhang in Dtl. und blieb auf Braunschweig beschränkt.

📖 Hucker, B. U.: *Kaiser O. IV. Hannover 1990.*

Otto IV.

Papst Innozenz III. fällt ein eindeutiges Urteil über die beiden aus der Doppelwahl von 1198 hervorgegangenen deutschen Könige, den Welfen Otto von Braunschweig und den Staufer Philipp von Schwaben (Dekretale Venerabilem):

»Aber von denjenigen, denen in erster Linie die Wahl des Kaisers zusteht, haben, wie bekannt ist, ebenso viele oder sogar mehr für Otto als für Philipp gestimmt; außerdem ist in solchen Fällen die Eignung und die Würdigkeit des Gewählten mehr zu berücksichtigen als die Zahl der Wähler, und von den Wählern wird nicht so sehr die Mehrheit im Sinne der bloßen Zahl gefordert als ein gesunder Verstand hinsichtlich ihrer Überlegungen, und so ist Otto geeigneter zur Regierung des Reiches als Philipp.«

Bayern: **5) O. von Northeim,** Herzog (1061–70), †11. 1. 1083; entstammte dem sächs. Hochadel; verlor das ihm von der Kaiserinwitwe Agnes 1061 verliehene Herzogtum Bayern infolge einer Anklage wegen Hochverrats. O. war ein Führer des großen Sachsenaufstands (1070–75) gegen Heinrich IV.

6) O. I. von Wittelsbach, Herzog (seit 1180), *um 1120, †Pfullendorf 11. 7. 1183, Großvater von 7); einer der wichtigsten Ratgeber Kaiser Friedrichs I. Barbarossa, der ihm nach dem Sturz Heinrichs des Löwen (1180) das verkleinerte Herzogtum Bayern verlieh, das seitdem in der Hand der Wittelsbacher blieb.

Nikolaus Otto

7) O. II., der Erlauchte, Herzog (seit 1231), *Kelheim 7. 4. 1206, †Landshut 29. 11. 1253, Enkel von 6); gewann durch Heirat für Wittelsbach die Rheinpfalz (um 1224); wurde 1251 Stellvertreter König Konrads IV. in Deutschland.

Braunschweig-Lüneburg: **8) O. I., das Kind,** Herzog (seit 1235), *1204, †Harzburg (heute Bad Harzburg) 9. 6. 1252; Enkel Heinrichs des Löwen, Neffe von 4); besaß seit 1227 alle welfischen Stammlande, die 1235 von Kaiser Friedrich II. zum Herzogtum Braunschweig-Lüneburg erhoben wurden. Er ist der Stammvater aller späteren Welfen.

Griechenland: **9) O. I.,** König (1832–62), *Salzburg 1. 6. 1815, †Bamberg 26. 7. 1867, 2. Sohn König Ludwigs I. von Bayern; wurde 1832 von der grch. Nationalversammlung zum König gewählt; durch die Revolution von 1862 gestürzt.

Pfalz: **10) O. Heinrich** (gen. Ottheinrich), Kurfürst (seit 1556), *Landshut 10. 4. 1502, †Heidelberg 12. 2. 1559; erhielt 1505 mit seinem Bruder Philipp Pfalz-Neuburg. In der Kurpfalz, die er nach dem Tod Friedrichs II. erhalten hatte (1556), führte er die luth. Reformation ein; Förderer der Wiss. und Künste; er gründete die berühmte Heidelberger Bibliothek (→Palatina) und ließ 1556–59 das Heidelberger Schloss durch den »Ottheinrichsbau« erweitern.

Otto, 1) Berthold, Pädagoge, *Bienowitz (heute Bieniowice, bei Góra, Wwschaft Leszno) 6. 8. 1859, †Berlin 29. 6. 1933; gründete 1906 in Berlin eine Reformschule (»B.-O.-Schule«); vertrat eine »Pädagogik vom Kinde aus« unter natürl. Lernen (Muster: familiäre Tischgemeinschaft) in freiem Gesamtunterricht. – *Werke:* Die Zukunftsschule, 2 Tle. (1901–14); Die Reformation der Schule (1912).

2) Frei, Ingenieur und Architekt, *Siegmar (heute zu Chemnitz) 31. 5. 1925; trat als Pionier auf dem Gebiet flexibler Hängedachkonstruktionen und auf dem des ökolog. Bauens hervor; bed. Bauten: u. a. Pavillon für die Weltausstellung in Montreal (1966/67, mit R. Gutbrod), Überdachung von Olympiabauten in München (1972), Ministerratsgebäude in Riad (1978–82, mit Gutbrod und O. Arup), Einfamilienhäuser am Tiergarten in Berlin (1989, mit H. Kendel).

3) Nikolaus August, Maschinenbauer und Unternehmer, *Holzhausen a. d. Haide (bei Nassau) 14. 6. 1832, †Köln 26. 1. 1891; gründete 1864 mit E. Langen die Gasmotorenfabrik Deutz (Name ab 1872), erfand 1867 zusammen mit Langen einen atmosphär. Gasmotor und 1876 den Viertaktgasmotor mit verdichteter Ladung und Fremdzündung (→Ottomotor), der das Vorbild für den gesamten weiteren Verbrennungsmotorenbau gab.

📖 Sittauer, H. L.: *Nicolaus A. O., Rudolf Diesel. Leipzig ⁴1990.*

4) Teo, Bühnenbildner, *Remscheid 4. 2. 1904, †Frankfurt am Main 9. 6. 1968; war 1927/31 Bühnenbildner der Berliner Krolloper, 1931/32 Ausstattungschef der Staatstheater Berlin, emigrierte nach Zürich, schuf Bühnenbilder u. a. für B. Brecht,

F. Dürrenmatt, die Regisseure G. Gründgens, G. Strehler, F. Kortner.

5) Walter F. (Friedrich), klass. Philologe, *Hechingen 22. 6. 1874, †Tübingen 23. 9. 1958; Prof. in Wien, Basel, Frankfurt am Main, Königsberg (Pr); arbeitete bes. über den grch. Mythos.

Ottobeuren, Marktgemeinde im Landkr. Unterallgäu, Bayern, 7900 Ew.; Kneippkurort; Werkzeug-, Maschinenbau, Fleischwarenherstellung. – Die 764 gegr. Benediktiner-Reichsabtei wurde 1711–25, die doppeltürmige Klosterkirche 1737–66 (u.a. von J. M. Fischer) erbaut. Die Abtei O. zählt zu den bedeutendsten Barockanlagen Europas. Im Kloster bes. bemerkenswert Kaiser- und Theatersaal, Bibliothek (Innenausstattung von J. B. Zimmermann, 1715/16) sowie die Kunstsammlung (Museum). Weitere BILDER Putto, Johann Baptist Zimmermann

Ottocento [-'tʃɛnto; italien. »achthundert«] *das,* italien. Bez. für das 19. Jahrhundert.

Ottokar (Otakar), Könige von Böhmen: **1) O. I. Přemysl** (1198–1230), *um 1155, †15. 12. 1230, Großvater von 2); erwirkte 1198 bei Philipp von Schwaben, 1203 beim Papst, 1212 bei Kaiser Friedrich II. Zuerkennung des Erbkönigtums für Böhmen, das er kulturell und wirtsch. förderte.

2) O. II. Přemysl (1253–78), *1233, ⚔ 26. 8. 1278, Enkel von 1); nach dem Aussterben der Babenberger (1246) bemächtigte er sich 1251 Österreichs und gewann 1260 auch die Steiermark, 1269 Kärnten und Krain. Er unterstützte den Dt. Orden gegen die heidn. Prußen (Gründung des ihm zu Ehren benannten Königsberg), förderte die Einwanderung der Deutschen in Böhmen und Mähren und gründete zahlr. Städte. Als mächtigster Reichs- und Kurfürst hoffte er, mit päpstl. Hilfe die Reichskrone zu erlangen. Als 1273 König Rudolf I. von Habsburg zum Röm. König gewählt wurde, verweigerte O. die Anerkennung; 1276 unterwarf er sich und verzichtete auf die österr. Lande. Bei dem Versuch, sie zurückzugewinnen, wurde er bei Dürnkrut auf dem Marchfeld von Rudolf im Bunde mit Ungarn besiegt.

📖 HOENSCH, J. K.: *Přemysl Otakar II. von Böhmen. Der goldene König. Graz u. a. 1989.*

Ottokraftstoffe [nach N. A. Otto], gasförmige oder verdampfbare Kraftstoffe, die zum Betrieb von Motoren mit Fremdzündung (→Ottomotor) geeignet sind. Die wichtigsten Komponenten für O. sind die aus Erdöl hergestellten, allg. Benzin genannten Kohlenwasserstoffgemische wie Leichtbenzin, Crackbenzin, Reformatbenzin, Pyrolysebenzin sowie das Autogas (→Flüssiggas). **Normal-** und **Superbenzin** unterscheiden sich durch ihre Klopffestigkeit (→Oktanzahlen). Die Erhöhung der Oktanzahlen kann durch Zusatz von →Antiklopfmitteln erreicht werden. Die Zumischung

Frei Otto: Hängedachkonstruktion des 1966–67 mit dem Stuttgarter Architekten Rolf Gutbrod erbauten Deutschen Pavillons für die Weltausstellung in Montreal

von Bleialkylen als Antiklopfmittel ist in Dtl. seit 1996 nicht mehr zulässig. Unverbleiter O. **(bleifreies Benzin)** hat einen Bleigehalt bis 0,013 g/l. Die Klopffestigkeit beträgt für **Superbenzin:** ROZ ab 95,0 und MOZ ab 85,0 sowie für **Normalbenzin:** ROZ ab 91,0 und MOZ ab 82,5. Aus Umweltschutzgründen wird der Einsatz von Alternativkraftstoffen (z.B. →Biokraftstoff) und schadstoffarmen Kraftstoffen mit einem Benzolgehalt von ≤ 1% (»Ökobenzin«) gefordert und gefördert.

Ottomane [frz., eigtl. türkisch »Liege«] *die,* im 18. Jh. aufgekommene Bez. für ein kleines Kanapee (gepolsterte Sitzbank; Sofa).

Ottomanen, die →Osmanen.

Ottomotor [nach N. A. Otto], als Hub- oder Kreiskolbenmaschine ausgebildeter →Verbrennungsmotor mit äußerer (außerhalb des Brennraums hervorgerufener) Gemischbildung, bei dem →Ottokraftstoffe als Treibstoffe verwendet werden; als Zweitakt- oder Viertaktmotor ausgeführt.

Ottobeuren: Die Abtei gehört zu den Denkmälern barocker Baukunst; die doppeltürmige Klosterkirche wurde in den Jahren 1737–66 (1748–55 unter Leitung von Johann Michael Fischer) erbaut

Das Kraftstoff-Luft-Gemisch wird entweder in einem →Vergaser (bei Gasmotoren in einem Gasmischer) oder bei Einspritz-O. durch Einspritzen von Benzin in das Ansaugrohr erzeugt. Vom abwärts

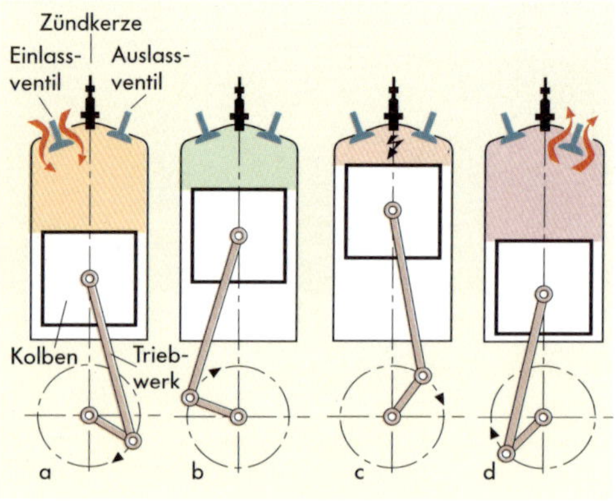

Ottomotor: Ventil- und Kolbeneinstellungen beim Viertaktverfahren; a Ansaugen, b Verdichten, c Zünden und Verbrennen, d Ausschieben; ein Arbeitsspiel umfasst zwei Umdrehungen der Kurbelwelle

gehenden Kolben angesaugt, strömt das Gemisch in den Brennraum. Dort wird es durch den Kolben auf Drücke bis zu 30 bar verdichtet und dann durch die Zündkerze entzündet. Die Flamme durchläuft den Brennraum mit Geschwindigkeiten von 20–30 m/s, wobei Temperaturen von 2000–2500 °C und Drücke bis 70 bar auftreten. Dadurch wird der Kolben nach unten gedrückt und verrichtet Arbeit. Da Kraftstoff-Luft-Gemische nur bei einem Luftverhältnis λ (Verhältnis von zugeführter Luftmenge zum theoret. Luftbedarf) zw. 0,8 und 1,2 zündfähig sind, müssen zur Leistungsregelung des O. Luft- und Kraftstoffmenge gleichzeitig verändert werden (höchste Leistung bei leichtem Luftmangel, $\lambda \approx 0{,}9$; geringster Kraftstoffverbrauch bei $\lambda \approx 1{,}1$). Dies geschieht sowohl bei Vergasermotoren als auch bei Einspritz-O. mit einer Drosselklappe. – Der O. ist bei gleichem Hubraum leichter als der Dieselmotor und erreicht höhere Leistungen, wird daher v.a. für Pkw sowie als Flug- und Außenbordmotor verwendet. Bei Kfz. mit →Katalysator lässt sich bei O. die Emission von Kohlenmonoxid (CO), Kohlenwasserstoffen und Stickoxiden (NO_x) um bis zu 90 % verringern. Die zukünftige Entwicklung von O. zielt auf Verbesserung des Wirkungsgrads und Verminderung der Schadstoff- und der Geräuschemission.

Luise Otto-Peters

Ottonen, die →Liudolfinger.

ottonische Kunst, die Kunst im Zeitalter der Ottonen (um 960–1024). Die unter den Saliern bis zum Regierungsantritt Heinrichs IV. (1056) entstandenen Werke werden als spätottonisch angeschlossen. Im Unterschied zur vorausgehenden karoling. Kunst befreite sich die o. K. zunehmend von der spätantiken Tradition und steht damit am Beginn einer eigentl. dt. Kunst. Nach der Heirat Ottos II. mit der byzantin. Prinzessin Theophano wurden byzantin. Einflüsse wirksam. Die Eingliederung des Episkopats in die Reichsverwaltung durch Otto I. führte zu einer Einheit polit. und religiöser Zielsetzungen. Die künstler. Schwerpunkte lagen im kaiserl. Stammland Sachsen mit Magdeburg. Hinzu kamen weitere Zentren: Köln, Essen, Fulda, Regensburg, Reichenau, Trier und Hildesheim, das unter Bischof Bernward eine besondere Blüte erfuhr. Die o. K. ist stilgeschichtlich Teil der →Romanik in Europa und bezeichnet die Frühromanik in Dtl. – In der *Baukunst* entstand ein für die dt. Architektur bis zur Gotik verbindl. Kirchentypus: die kreuzförmige, dreischiffige Basilika mit zwei Querschiffen, zwei ausgeschiedenen Vierungen mit Türmen, zwei Chören und mit Stützenwechsel nach dem gebundenen System im Langhaus (St. Michael in Hildesheim, 1010–33; weiteres BILD →Hildesheim). Den Kirchen ist häufig ein Westbau vorgelagert (Münster in Essen, 1039 ff.), der von Treppentürmen flankiert sein kann. Charakteristisch sind ungegliederte Wandflächen, die i.d.R. mit Wandmalereien bedeckt waren (St. Georg in Oberzell auf der Reichenau, um 990), und flache Holzdecken. Als neue Kapitellformen traten Würfel-, Trapez- und Pilzkapitell auf. Unter byzantin. Einfluss entstand die Emporenbasilika (Stiftskirche in Gernrode, 961 ff.). – In der *Bildhauerkunst* entstanden die ersten selbstständigen Kultbilder aus Holz wie das Gerokreuz des Kölner Doms (um 970) und die mit Goldblech beschlagene Goldene Madonna des Essener Münsterschatzes (um 980). Eine außerordentl. Lebendigkeit der Gebärdensprache kennzeichnet nicht nur die Bronze- (Bernwardstür für St. Michael in Hildesheim, 1015; heute im Dom) und Elfenbeinreliefs (Buchdeckel des Codex aureus von Echternach, um 1040), sondern auch die Reliefs der *Goldschmiedekunst.* Zu den hochrangigen Werken gehören das Antependium aus dem Basler Münster (um 1020; BILD →Antependium), der von Heinrich II. gestiftete Ambo und die Pala d'Oro (um 1020) im Aachener Münster sowie das Reichskreuz (um 1024). – Wichtigstes Zeugnis otton. Malerei ist die *Buchmalerei,* die in ihrer Vergeistigung und Monumentalität wesentlich von der Aussagekraft der Gebärde und dem Verzicht auf Ornamentalisierung bestimmt ist (Malerschulen: Reichenau, Echternach, Regensburg, Köln, Trier, Hildesheim).

📖 JANTZEN, H.: *O. K., bearb. v.* W. SCHENKLUHN. *Neuausg. Berlin 1990.*

Otto-Peters, Luise (Louise), Schriftstellerin und Journalistin, Pseud. Otto Stern, * Meißen 26. 3. 1819, † Leipzig 13. 3. 1895; Vorkämpferin der →Frauenbe-

ottonische Kunst

1

2

3

4

5

| **1** Detail aus der berühmten, von Bischof Bernward für den Hildesheimer Dom in Auftrag gegebenen Bronzetür aus dem Jahr 1015; die Szene stellt Adam und Eva dar, die nach dem Sündenfall von Gott zur Rede gestellt werden | **2** Das von Erzbischof Gero von Köln für seine Grablege im Kölner Dom um 970 gestiftete expressive Holzkreuz (»Gerokreuz«) gehört zu den richtungsweisenden Werken ottonischer Bildhauerkunst | **3** Die ein bis zwei Jahre nach der Geburt Ottos III. (980) geschnitzte Elfenbeinplatte stellt das Kind mit seiner Mutter Theophano und seinem Vater Otto II. zu Füßen Jesu Christi dar; auf der Seite Theophanos steht Maria, auf der Otto II. der heilige Mauritius, der Patron der Ottonen (Mailand, Civiche Raccolte d'Arte Applicata) | **4** und **5** Sankt Michael in Hildesheim; die Innenansicht der ottonischen Basilika zeigt das Mittelschiff mit dem 1960 wieder eingebauten Deckenbild mit Blick in den Westchor, daneben Teilansicht des Westchors

wegung, gründete die »Frauenzeitung für höhere weibl. Interessen« (1849) und 1865 mit Auguste Schmidt den »Allg. dt. Frauenverein« (Vereinsorgan »Neue Bahnen«); ⚭ mit dem Erzähler und polit. Publizisten August Peters (*1817, †1864).

Otto Versand GmbH & Co., Großversandhaus mit warenhausähnl. Vollsortiment, Sitz: Hamburg, gegr. 1949; verfügt über zahlr. Beteiligungs- und Tochterges. im In- und Ausland (u.a. Schwab Versand AG, Handelsges. Heinrich Heine GmbH & Co.) und zählt damit zu den größten Versandhandelsgruppen der Welt.

Otto von Bamberg, Missionar (»Apostel der Pommern«), *um 1060 in Mittelfranken oder Schwaben, †Bamberg 30. 6. 1139; seit 1102 Bischof von Bamberg; führte das Christentum in Pommern ein (Missionsreisen 1124/25 und 1128) und organisierte im Auftrag Bolesławs III. die pommersche Kirche; Heiliger, Tag: 30. 6.; in Bamberg: 30. 9.

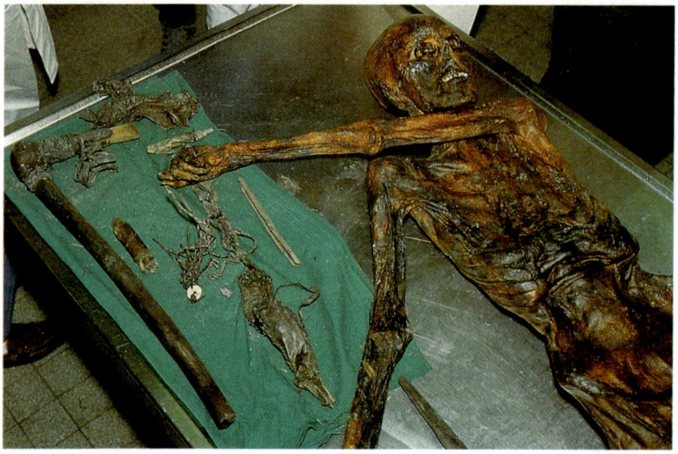

Ötztaler Alpen: Im September 1991 im Similaungletscher aufgefundener mumifizierter Leichnam eines vermutlich um 3300 v. Chr. bei der Überquerung der Alpen umgekommenen Mannes, daneben einige seiner Ausrüstungsgegenstände

Ouagadougou Stadtwappen

Otto von Freising, Bischof und mittellat. Geschichtsschreiber, *Neuburg (heute Klosterneuburg) um 1112, †Kloster Morimond (Burgund) 22. 9. 1158, Sohn des Markgrafen Leopold III. von Österreich und Onkel Friedrichs I. Barbarossa; Zisterzienser, wurde 1138 Abt in Morimond, 1138 Bischof von Freising. Er nahm am 2. Kreuzzug 1147 teil, beteiligte sich aber nur gelegentlich an den Reichsangelegenheiten. Seine Weltchronik (»Geschichte der zwei Reiche«, 8 Bücher, 1143–46), die alle Geschichte als Ringen zw. Welt- und Gottesreich deutet, gilt als das bedeutendste geschichtsphilosoph. Werk des MA. Seine »Gesta Friderici I. imperatoris« (2 Bücher, 1157) sind eine bedeutsame histor. Quelle über die frühe Stauferzeit.

Ottweiler, Stadt im Landkreis Neunkirchen, Saarland, an der Blies, 15 800 Ew.; Karnevals-, Landesschulmuseum; Gießerei, Kleiderfabrik.

ÖTV, Abk. für die Gewerkschaft **Ö**ffentliche Dienste, **T**ransport und **V**erkehr.

Otway ['ɔtweɪ], Thomas, engl. Dramatiker, *Woolbeding (Cty. West Sussex) 3. 3. 1652, †London 14. 4. 1685. Seine kunstvoll gebauten Blankverstragödien (»Die Wayse«, 1680; »Das gerettete Venedig«, 1682) sind Vorläufer des sentimentalen bürgerl. Trauerspiels.

Ötztal, das größte rechte Seitental des Oberinntales in Tirol, Österreich, von der Ötztaler Ache durchflossen, etwa 40 km lang, steigt stufenförmig von der Mündung (680 m ü. M.) über Ötz (820 m ü. M.), Umhausen (1036 m ü. M.), Längenfeld (1180 m ü. M.) und Sölden (1377 m ü. M.) nach Zwieselstein (1472 m ü. M.) an. Hier gabelt es sich in **Venter Tal** (Vent 1896 m ü. M.) und **Gurgltal** (Obergurgl 1930 m ü. M.). Die Rofenhöfe (2014 m ü. M.) oberhalb von Vent sind die höchstgelegene bäuerl. Dauersiedlung Österreichs. Bed. Fremdenverkehrsregion Tirols.

Ötztaler Alpen, Teil der Zentralalpen zw. Oberinntal, Reschenpass, Etschtal und Passeiertal; z. T. stark vergletschert; 15 Gipfel über 3500 m ü. M. (Wildspitze 3768 m ü. M., Weißkogel 3739 m ü. M.); über den Hauptkamm verläuft seit 1919 die Grenze zw. Österreich (Tirol) und Italien (Südtirol). Fremdenverkehr; Energiewirtschaft.

Im Similaungletscher der Ö. A. wurde im Sept. 1991 der mumifizierte Leichnam (»Ötzi«, auch »Similaunmann«) eines vermutlich um 3300 v. Chr. bei der Überquerung der Alpen umgekommenen Mannes gefunden, der aufgrund der Ausrüstungsgegenstände (u. a. Flachbeil aus Kupfer) als Hirte aus der späten Jungsteinzeit (Kupferzeit) gilt. Der Leichnam ist seit März 1998 in einem Museum in Bozen der Öffentlichkeit zugänglich gemacht.

Ouabain [uaba'i:n, frz.-afrikan.] *das,* ein Glykosid, →Strophanthine.

Ouagadougou [waga'dugu, frz.], Hauptstadt von Burkina Faso, 634 500 Ew.; kath. Erzbischofssitz; Univ., Nationalmuseum (Kunst der Mosi); Nahrungsmittel-, Textil-, Holz-, Metall- u. a. Ind.; bed. Verkehrsknotenpunkt, Endpunkt der Eisenbahnlinie von Abidjan, internat. Flughafen.

Ouargla [war'gla, frz.] (arab. Warkala), Bezirkshauptstadt im NO der alger. Sahara, 90 000 Ew.; Sahara- und Erdölmuseum; Oasenwirtschaft (Dattelpalmen); Kunsthandwerk; Flugplatz. Südlich von O. Erdölförderung (Hassi Messaoud).

Oud [ɔu̯t], Jacobus Johannes Pieter, niederländ. Architekt, *Purmerend (Prov. Nordholland) 9. 2. 1890, †Wassenaar (Prov. Südholland) 5. 4. 1963, Mitbegründer von De →Stijl und der CIAM; prägte ab 1917 die Formensprache von De Stijl und wurde einer der wichtigsten Vertreter des →internationalen Stils; baute Arbeitersiedlungen, bes. in Rotterdam, wo er 1918–33 Stadtbaumeister war, Wohnhäuser der Weißenhofsiedlung in Stuttgart (1927), das Shell-Haus in Den Haag (1938–42) u. a. Seine Bauten sind von strenger, klar und harmonisch gestalteter Sachlichkeit.

📖 STAMM, G.: *J. J. P. O. Bauten u. Projekte 1906–1963. Mainz u. a. 1984.*

Oudenaarde ['ɔu̯dəna:rdə] (frz. Audenarde), Stadt in der belg. Prov. Ostflandern, an der Schelde, 26 800 Ew.; Textilind.; spätgot. Rathaus (1525–36), Sint-Walburgakerk (12.–14. Jh., unvollendet), Basilika Onze Lieve Vrouw van Pamele (1234 begonnen). – In der Schlacht von O. siegte im Span. Erbfolgekrieg eine britisch-österr. Armee unter Marlborough und Prinz Eugen von Savoyen am 11. 7. 1708 über die Franzosen unter Vendôme.

Oujda [uʒ'da, frz.], Provinz-Hptst. in NO-Marokko, 260000 Ew.; Univ., ethnograph. Museum; Metall-, Nahrungsmittel-, chem. Ind., Zementfabrik; Verkehrsknotenpunkt. Bei O. Bergbau (Blei, Zink, Mangan, Steinkohle).

Oulu ['ɔu̯lu] (schwed. Uleåborg), Hauptstadt der Prov. O. in N-Finnland, an der inselreichen Deltamündung des Oulujoki in den Bottn. Meerbusen (Ostsee), 104300 Ew.; luther. Bischofssitz; Univ., botan. Garten; Zellstofffabriken, Düngemittel- und Sprengstoffind., Sägewerke, Mühlen, Seifen- und Lederfabrik; Tiefwasserhafen Toppila.

Oum er-Rbia [umɛr'bja, frz.], ständig Wasser führender, längster Fluss Marokkos, 555 km lang; entspringt im Mittleren Atlas, mündet südwestlich von Casablanca in den Atlantik; Stauwerke.

Ounce [aʊns; engl.] *die* (Unze), Einheitenzeichen **oz,** Masseneinheit in Großbritannien und den USA: im Avoirdupois-System 1 oz avdp = 1/16 lb = 28,349527 g; im Apothecaries-System (Arzneimittel) und im Troysystem (für Edelmetalle und Edelsteine): 1 troy ounce = 1 oz tr = 480 grain = 31,103481 g. Außerdem ein Hohlmaß für Flüssigkeiten, in Großbritannien: 1 fluid oz = 8 fl. drams = 28,4131 cm^3, in den USA: 1 fl. oz = 8 fl. drams = 29,5737 cm^3.

Our [u:r] *die,* linker Nebenfluss der Sauer, Grenzfluss zw. der Bundesrep. Dtl. und Luxemburg; 120 km lang.

Ourcq [urk] *der,* rechter Nebenfluss der Marne im nordöstl. Frankreich, 80 km lang; durch den O.-Kanal (108 km) mit Paris verbunden.

Ourẹnse [o-; galicisch] (span. Orense), Hauptstadt der span. Provinz Orense, Galicien, am Miño, 109300 Ew.; Bischofssitz; Musik- und Theaterkonservatorium; Nahrungsmittel-, Porzellan- und Keramikindustrie. – In der Altstadt die im Kern roman. Kathedrale San Martín (12./13. Jh.; Capilla del Cristo, 16. Jh., ist ein Meisterwerk des galic. Barock), ehem. Bischofspalast (13. Jh., mehrfach umgebaut; Museum), siebenbogige Brücke (1230) über den Miño; röm. Ruinen. – O. wurde wegen seiner heißen Schwefelquellen von den Römern **Aquae Urentes**, wegen der nahen Goldwäscherei **Aurium** genannt.

Ouro Prêto ['oru 'pretu; brasilian. »schwarzes Gold«], Stadt im Staat Minas Gerais, Brasilien, 1060 m ü. M., 70000 Ew.; Univ. (v. a. Bergbaufakultät), Mineralien- und Bergbaumuseum; Textilind., Eisen-, Aluminiumhütte. – Stadtbild mit Barock- und Rokokobauten, zahlreiche Straßenzüge des 18. Jh. sind unverändert erhalten (UNESCO-Weltkulturerbe); Kirche São Francisco de Assis (18. Jh.) und Nossa Senhora do Pilar (1731–86) mit Werken von Aleijadinho. – O. hatte bereits im 18. Jh. dank reicher Goldvorkommen 40000 Einwohner.

Ourthe [urt] *die,* rechter Nebenfluss der Maas in Belgien, entspringt in den Ardennen und mündet bei Lüttich; 166 km lang.

Ouse [u:z] *der,* **1)** Fluss in England, in der Cty. North Yorkshire, geringer Anteil in der Cty. Humberside, 99 km lang (ohne Quellflüsse Ure und Swale), durchfließt das Vale of York, vereinigt sich mit dem Trent zum →Humber.

2) Great Ouse, Fluss in England, 258 km lang, entspringt in den East Midlands (Cty. Northamptonshire), durchfließt die Fens, mündet in den Wash; großenteils schiffbar.

Ousmane [us'man], Sembène, senegalesischer Schriftsteller, →Sembène, Ousmane.

Outfit ['aʊtfɪt; engl. »Ausrüstung«] *das,* (mod.) Kleidung, Aufmachung.

Outlaw ['aʊtlɔ:, engl.] *der,* von der Gesellschaft Ausgestoßener; Verbrecher.

Ọutokumpu, Bergbausiedlung in O-Finnland, Prov. Kuopio, 7000 Ew.; Kupfererzgrube; Grubenmuseum.

Outplacement ['aʊtpleɪsmənt, engl.] *das,* ein von einem Unternehmen initiiertes Programm mit dem Ziel, gekündigte Arbeitnehmer (i. d. R. Führungskräfte) bei der Bewältigung der Trennung vom Unternehmen und bei einer schnellen Wiederbeschäftigung zu unterstützen.

Output ['aʊtpʊt, engl.] *der,* **1)** *Datenverarbeitung:* Bez. sowohl für die von Datenverarbeitungsanlagen (Computern) über besondere →Peripheriegeräte ausgegebenen Daten als auch für den Vorgang der Ausgabe dieser Daten.

2) *Wirtschaft:* (Ausstoß, Ausbringung, Produktion, mengenmäßige Leistung) der mengenmäßige Ertrag, der im Fertigungsprozess durch die Kombination von Produktionsfaktoren entsteht. (→Input-Output-Analyse)

Outsider ['aʊtsaɪdə, engl.] *der,* der →Außenseiter.

Outsourcing ['aʊtsɔ:sɪŋ; Kw. aus engl. **out**side »außen«, »außerhalb« und re**sourc**e »Hilfsmittel«] *das,* Bez. für den Übergang von der eigenen betriebl. Leistungserstellung zum Fremdbezug (Make or buy), um die Kosten zu senken. Mit O. kann sowohl die Verringerung der Fertigungstiefe in bisherigen Kernbereichen gemeint sein (z. B. der Bezug von Teilen bei einem Zulieferunternehmen) als auch die Auslagerung von sog. Randaktivitäten (z. B. Erstellung von Marktprognosen). Wenn im Zuge des O. bei einem Betriebsübergang Arbeitnehmer übernommen werden, so behalten diese ihre arbeits- und tarifvertragl. Rechte auch gegenüber dem neuen Arbeitgeber.

📖 HORCHLER, H.: *O. Eine Analyse der Nutzung u. ein Hb. der Umsetzung. Köln 1996. – O., hg. v.* U. KOPPELMANN. *Stuttgart 1996.*

Ouvertüre [uvɛrˈty:rə; frz. »Eröffnung«] *die,* instrumentales Einleitungsstück zu Bühnen- und Vokalwerken (Oper, Ballett, Schauspiel, Kantate, Oratorium); im 17. und 18. Jh. auch zu Suiten (O.-Suite). – Um 1640 wurde in Frankreich erstmals die Bez. O. für das Vorspiel zu einem Ballett verwendet. Die sog. **frz. O.** erhielt in der 2. Hälfte des 17. Jh. ihre feste Form: langsamer erster Teil, schneller Mittelteil, dann ein langsamer, oft mit dem ersten thematisch verwandter Schlussteil. In Italien bürgerte sich seit dem Ende des 17. Jh. (A. Scarlatti) die neapolitan. **Opernsinfonia** als Einleitung für Opern und Oratorien ein. Sie enthält drei Sätze in der Folge schnell – langsam – schnell und bildet eine der wichtigsten Voraussetzungen für die Entstehung der vorklass. und klass. Sinfonie. – Daneben entwickelte sich Ende des 17. Jh. (losgelöst von Oper und Ballett) die **O.-Suite,** eine instrumentale Tanzfolge mit O., die als selbstständige Instrumentalgattung in der 1. Hälfte des 18. Jh. in Dtl. bes. beliebt war (J. S. Bach, G. F. Händel).

Die Einbeziehung der O. in das Ganze des Bühnenwerks verwirklichten nach Ansätzen v. a. bei J.-P. Rameau und C. W. Gluck die Komponisten des 19. Jh. Besonders C. M. von Weber und R. Wagner in seinen frühen Opern bemühten sich, in der O. den Inhalt des Bühnenwerks mit musikal. Mitteln vorzuzeichnen. Im Ggs. dazu stellt die **Potpourri-O.** der kom. Oper des 19. Jh. (V. Bellini, G. Donizetti, D. F. E. Auber, A. Lortzing) und der Operette nur Melodien des nachfolgenden Werkes zusammen (J. Strauß).

Parallel zur **Opern-O.** entwickelte sich die sinfon. **Konzert-O.** (L. Cherubini, L. van Beethoven) über die Programm-O. (F. Mendelssohn Bartholdy, H. Berlioz) zur →sinfonischen Dichtung, die bisweilen noch O. genannt wurde. An die Stelle der O. tritt bei R. Wagner oft das kürzere, in die Stimmung des Werkes einführende Vorspiel, bei G. Verdi die knappe Introduktion. Seit Verdis Oper »Othello« (1887) fallen instrumentale Vorspiele bei Opern meist fort.

Ouwater [ˈɔuwa:tər], Aelbert van, niederländ. Maler, *Oudewater (bei Gouda) (?) um 1415, †Haarlem um 1475; ab etwa 1440 in Haarlem tätig, wo er die Malerei von J. van Eyck fortsetzte und die Haarlemer Malerschule begründete. Einziges gesichertes Werk ist die »Auferstehung des Lazarus« (zw. 1450 und 1460; Berlin, Gemäldegalerie), dessen herbe Zeichnung, drast. Charakterisierung und feine Licht- und Raumwiedergabe bereits Grundzüge der holländ. Malerei zeigen; zu seinen Schülern gehörte Geertgen tot Sint Jans.

Ouzo [ˈuzo] *der,* grch. Anisbranntwein.

Ovamboland, das Wohngebiet der Ovambo (→Ambo) im N von Namibia, zw. Etoscha-Nationalpark und angolan. Grenze, eine weite, ebene Savanne um 1100 m ü. M.; Viehhaltung und Hirseanbau, versch. Industrie. Der Hauptort Oshakati bildet mit Ondangwa (Flugplatz) eine Agglomeration von 1 000 000 Einwohnern.

Ovarium [lat.] *das,* der →Eierstock.

Overath, Gemeinde im Rheinisch-Berg. Kreis, NRW, 25 400 Ew.; Metall-, Kunststoff-, Holzverarbeitung. – Propstei St. Cyriax (gegr. 1256); dreischiffige Pfeilerbasilika der kath. Pfarrkirche St. Walburga (um 1150; 1953–55 erweitert).

Overbeck, 1) Franz Camille, evang. Theologe, *Sankt Petersburg 16. 11. 1837, †Basel 26. 6. 1905; 1870–97 Prof. in Basel, mit F. Nietzsche befreundet; stellte das »Urchristentum« als eschatologisch bestimmte, grundsätzlich welt- und kulturverneinende, einmalige, unwiederbringlich vergangene Größe dem sich der Welt und Kultur anpassenden »histor. (Schein-)Christentum« der späteren Kirchengeschichte gegenüber, das er als »christl. Selbsttäuschung« scharf kritisierte. Die dialekt. Theologie (bes. der frühe K. Barth) nahm Gedanken O.s auf.

2) Johann Friedrich, Maler, *Lübeck 3. 7. 1789, †Rom 12. 11. 1869; gründete 1809 als Schüler der Akademie in Wien mit F. Pforr u. a. den **Lukasbund** (→Nazarener); ab 1810 lebte er mit seinen Genossen im ehem. Kloster San Isidoro in Rom. Mit anderen Nazarenern schuf er die Fresken in der Casa Bartholdy (1816/17; heute Berlin, Nationalgalerie) und im Casino Massimo (1817–29). Sein

Johann Friedrich Overbeck: »Triumph der Religionen in den Künsten« (1831–40; Frankfurt am Main, Städelsches Kunstinstitut)

bes. in frühen Porträts und Zeichnungen von echter Empfindung und neuem Naturgefühl getragener Stil erstarrte später zu einer dogmatisch-religiösen Idealität.

Overdrive ['əʊvədraɪv, engl.] *der,* bei Pkw Schnellgangzusatzgetriebe, das bei höherer Geschwindigkeit automatisch schaltet und die Motordrehzahl herabsetzt.

Overijssel [ovər'ɛjsəl], Prov. der →Niederlande; seit dem 10. Jh. zum Bistum Utrecht, wurde 1527/28 durch Karl V. habsburgisch, dann eine der sieben Prov. der Utrechter Union von 1579.

Overkill ['əʊvəkɪl, engl.] *das,* Zustand der militärischen Aufrüstung mit jener Menge nuklearer Sprengköpfe, die über das zur Vernichtung des Gegners nötige Potenzial hinausgeht.

Øverland ['ø:vərlan], Arnulf, norweg. Schriftsteller, * Kristiansund 27. 4. 1889, † Oslo 25. 3. 1968; wandte sich unter dem Eindruck des 1. Weltkrieges dem Sozialismus zu; war 1941–45 in Konzentrationslagern (Grini und Sachsenhausen). Ø.s Dichtungen (Lyrik, Dramen, Novellen) zeichnen sich durch meisterhafte Form, Wahrheits- und Gerechtigkeitsliebe und geistreiche Ironie aus.

Over-the-counter-Geschäft ['əʊvə ðə 'kaʊntə-; engl. »Geschäft über den Ladentisch«] (OTC-Geschäft), zum einen Bez. für das →Tafelgeschäft, zum anderen Sammel-Bez. für den außerbörsl. Wertpapierhandel in den USA. Zum **Over-the-counter-market** zählen auch Neuemissionen vor der amtl. Börseneinführung sowie der Telefonhandel mit börsennotierten Aktien; umfangmäßig der größte Wertpapiermarkt der Erde.

Ovid, eigtl. Publius Ovidius Naso, röm. Dichter, * Sulmo (heute Sulmona) 20. 3. 43 v. Chr., † Tomis (heute Constanța) etwa 17 n. Chr.; aus wohlhabender Ritterfamilie, war nach Horaz' Tod der gefeiertste Dichter der Hauptstadt. 8 n. Chr. wurde er von Augustus aus Italien nach Tomis (wohl als Mitwisser der Ausschweifungen von Augustus' Enkelin Julia) verbannt. O. schrieb in seiner Jugend Liebesgedichte (»Amores«), Liebesbriefe von Personen der grch. Heldensage (»Epistulae« oder »Heroides«) und das Lehrgedicht »Ars amandi« (Liebeskunst) in Distichen. Es folgten zwei große erzählende Dichtungen: die »Metamorphosen« (Verwandlungen, so von Menschen in Tiere, Pflanzen usw.), ein Kranz von Sagenerzählungen, und die nicht vollendeten »Fasti«, eine groß angelegte Erklärung des röm. Festkalenders sowie damit verknüpfter Sagen, Namen und Kultbräuche. Aus O.s Verbannungszeit stammen die Trauerlieder (»Tristia«) und die »Epistulae ex Ponto« (Briefe vom Schwarzen Meer). O. ist der Dichter der gesicherten augusteischen Friedensordnung. Sein Stil ist voller Witz und Anmut, seine Fantasie unerschöpflich, sein Versbau formvollendet.

Ovid: Leander schreibt an Hero, kolorierte Zeichnung aus einer französischen Versübersetzung der »Heroides« aus dem Jahr 1496 (Paris, Bibliothèque Nationale)

🕮 HOLZBERG, N.: *O. Dichter u. Werk.* München *1997.*

Oviedo [oβ'jeðo], Hauptstadt der Region Asturien, Spanien, am N-Rand des Kantabr. Gebirges, 194 600 Ew.; Bischofssitz; Univ. (gegr. 1604), Theater, Museen; Bergbau, Metall-, chem., Leder- u. a. Industrie. – Got. Kathedrale (1388–1539), Bischofspalast (16.–18. Jh.), Kirche San Tirso el Real (im 9. Jh. als mozarab. Kirche gegr.), ehem. Kloster San Vicente (15. und 18. Jh.), Kirche San Julián de los Prados (812–842). Nahebei die westgot. Kirchen Santa María de Naranco (urspr. die Empfangshalle des astur. Königspalastes, um 850; im 10./11. Jh. in eine Kirche umgewandelt) und San Miguel de Lillo (ehem. Palastkapelle, 9. Jh., im 15. Jh. verändert). – O. geht auf ein 761 gegr. Benediktinerkloster zurück, 810–924 Hauptstadt des Königreichs Asturien.

Oviparie [lat.] *die,* Ablage von Eiern, und zwar i. e. S. von Eiern, die noch unbefruchtet sind (z. B. Fische, Lurche) oder beim Ablegen befruchtet werden (z. B. Insekten). Die Ablage von befruchteten Eiern, die bereits mehr oder weniger weiterentwickelt sind, heißt **Ovoviviparie.**

ÖVP, Abk. für →Österreichische Volkspartei.

Ovulation [lat.] *die,* →Eierstock.

Ovulationshemmer, Arzneimittel (auf hormonaler Basis) zur Unterdrückung der Entwicklung und Abgabe befruchtungsfähiger Eizellen aus

Robert Owen

Jesse Owens

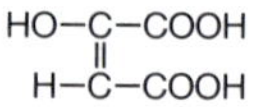

Oxalessigsäure
(Enolform)

Oxalsäure

dem Eierstock der Frau; gelten als sicherste Methode der →Empfängnisverhütung.

Owen ['əʊɪn], **1)** David Anthony, brit. Politiker, *Plympton (Cty. Devon) 2. 7. 1938; Arzt, 1977–79 Außenmin., 1981 Mitbegründer der von der Labour Party abgespaltenen Social Democratic Party (SDP), war 1983–87 ihr Vorsitzender.

2) John, neulat. Dichter, *Plas Dhu (bei Llanarmon, Wales) 1564, †London 1622. Seine maximenhaften Epigramme gegen Laster und Torheit menschlichen Verhaltens wirkten stark auf das dt. Epigramm des 17. Jahrhunderts.

3) Robert, brit. Unternehmer und Sozialpolitiker, *Newton (Powys, Wales) 14. 5. 1771, †ebd. 17. 11. 1858, einer der bedeutendsten brit. Frühsozialisten. Als Mitbesitzer und Leiter einer Baumwollspinnerei in New Lanark (1800–29) versuchte er, durch Verbesserung der materiellen und sozialen Lage der Fabrikarbeiter (Einrichtung einer Mustersiedlung, in der er der Kindererziehung besondere Bedeutung beimaß, Begrenzung des Arbeitstages auf 10,5 Std., Verbot der Arbeit von Kindern unter zehn Jahren) Voraussetzungen für eine effektive Produktion zu schaffen. Mit der Einrichtung von Läden, in denen Waren fast zum Selbstkostenpreis verkauft wurden, beeinflusste O. die späteren Konsumvereine (→Genossenschaft). Das Experiment, in seiner Siedlung »New Harmony« (Indiana, USA; 1825–29) Vorstellungen über eine umfassende Gesellschaftsreform auf der Basis von Gemeinschaftssiedlungen mit gleichem Anteil aller am Ertrag der Produktionsstätten in die Tat umzusetzen, scheiterte an polit. und religiösen Differenzen. Seine Ideen hatten auch Einfluss auf die Gewerkschaftsbewegung.

Werke: Eine neue Auffassung von der Ges. (4 Bde., 1813/14); Das Buch von der neuen moral. Welt (8 Bde., 1836–44).

Elsässer, M.: *Soziale Intentionen u. Reformen des R. O. in der Frühzeit der Industrialisierung. Berlin 1984.*

Jesse Owens

einer der erfolgreichsten Leichtathleten aller Zeiten, fiel schon als Schüler durch seine erstaunlichen Leistungen in der Leichtathletik auf. Sein Studium in Ohio finanzierte der Sohn armer Bauern sich durch Gelegenheitsarbeiten. Am 25. Mai 1935 stellte er in Ann Arbor (Michigan) vier Weltrekorde auf oder ein: 100 Yards in 9,4 Sekunden, 220 Yards in 20,3 Sekunden, Weitsprung 8,13 Meter (dieser Rekord hatte Bestand bis 1960) und 220 Yards Hürden in 22,6 Sekunden.
Bei den Olympischen Spielen in Berlin 1936 gewann Owens vier Goldmedaillen (100 Meter, 200 Meter, Weitsprung und mit der 4 × 100-Meter-Staffel); er prägte die Spiele als Sportlerpersönlichkeit. Das deutsche Publikum feierte ihn, doch Adolf Hitler, der die Spiele zu einer Demonstration der Überlegenheit der »arischen Rasse« hatte machen wollen, vermied es, ihm die Hand zu reichen. Owens wurde wenig später einer der Ersten, die ihre sportliche Bekanntheit kommerziell vermarkteten. Nach dem Ende seiner Laufbahn war er in verschiedenen Berufen tätig. Nach Berlin, in die Stadt, in der er zu Weltruhm gelangt war, kehrte er gern und oft zurück.

Axel Gustavsson Graf Oxenstierna:
Kupferstich (1652)

Owens ['əʊɪnz], Jesse, eigtl. James Cleveland O., amerikan. Leichtathlet, *Danville (Ala.) 12. 9. 1913, †Tucson (Ariz.) 31. 3. 1980; gewann 1936 in Berlin vier olymp. Goldmedaillen (100-, 200-, 4×100-m-Lauf und Weitsprung); stellte 1935 innerhalb von zweieinhalb Stunden vier Weltrekorde auf oder ein.

Oxalessigsäure (Oxobernsteinsäure), v. a. in der Enolform vorliegende organ. Säure, die in Form ihrer Salze (Oxalacetate) als Zwischenprodukt des →Zitronensäurezyklus Bedeutung hat.

Oxalsäure [zu grch. oxýs »scharf«, »sauer«] (Äthandisäure, Kleesäure), die einfachste Dicarbonsäure, im Pflanzenreich in Form ihrer Salze **(Oxalate)** sehr verbreitet, z. B. als saures Kaliumsalz im Sauerklee **(Kleesalz),** als Calciumsalz in vielen Pflanzen und im Harn. Technisch wird sie durch Alkalischmelze von Natriumformiat oder durch Oxidation von Kohlenhydraten (z. B. Rohrzucker) in Gegenwart von Katalysatoren hergestellt. O. wird in der Analytik als Urtitersubstanz für die Alkali- und Manganometrie, zur quantitativen Bestimmung von Calcium und zur Trennung der seltenen Erden verwendet. In der Färberei dient O. als Beiz- und Bleichmittel.

Oxenstierna ['uksənʃæ:rna], Axel Gustavsson, Graf O. von Södermöre (seit 1645), schwed. Staatsmann, *Gut Fånö (heute zu Enköping, Uppland) 6. 7. 1583, †Stockholm 7. 9. 1654; wurde 1612 Reichskanzler Gustavs II. Adolf, leitete nach dessen Tod (1632) die schwed. Politik in Dtl., führte nach seiner Rückkehr nach Schweden 1636–44 die Vormundschaftsreg. für Königin Christine; beendete den Krieg gegen Dänemark (1643–45; Frieden von Brömsebro 1645); setzte zahlr. innere Reformen durch (u. a. Reichstagsordnung 1617).

Oxer [engl.] *der, Pferdesport:* Hindernis bei Springprüfungen aus 2 Ricks mit dazwischen gestellter Hürde; erfordert einen Hochweitsprung des Pferdes.

Oxford ['ɔksfəd], Hauptstadt der engl. Cty. Oxfordshire, an der Mündung des Cherwell in die Themse, 98 500 Ew.; anglikan. Bischofssitz, Univ., Brookes University (früher FH), Filiale der Europ. Wirtschaftshochschule, Museen, botan. Garten (gegr. 1621), Theater; Druckereien und Verlage, elektrotechn. Ind., Fahrzeug- und Maschinenbau. – Die **O. University** ist die älteste und neben Cambridge berühmteste Univ. Englands, hervorgegangen aus versch., meist von Klöstern getragenen Schulen, deren Existenz schon für das frühe 12. Jh. bezeugt ist. Die ältesten der 40 Colleges sind: University College (1249), Balliol (1263–68), Merton (1264), Oriel (1326), Queen's (1340), New College (1379) und Lincoln College (1427). Das größte und bedeutendste wurde Christ Church College (1525 eröffnet). Zur Univ. gehören bed. Bibliotheken, darunter die Bodleiana (→Bodley) und die Radcliffe Camera (1737–49 von J. Gibbs erbaut). Neben der Kathedrale (12.–14. Jh.) weitere mittelalterl. Kirchen: St. Michael's, St. Peter-in-the-East, St. Mary the Virgin, St. Mary Magdalen. Bed. auch Sheldonian Theatre (1663–69 von C. Wren); klassizist. Kirche All Souls (1706–08), Ashmolan Museum (1839); neugot. Univ.museum (1855–60). – 912 erstmals erwähnt.

Oxford: Das 1525 eröffnete Christ Church College mit dem Tom Tower aus dem Jahr 1681 ist das bedeutendste unter den 40 Colleges der Stadt

Oxford
Stadtwappen

Oxfordbewegung ['ɔksfəd-], eine im 19. Jh. in Oxford entstandene, maßgeblich von J. H. Newman (bis 1845) und dann von Edward Pusey (* 1800, † 1882) beeinflusste Bewegung innerhalb der Kirche von England, die im Sinne des **Anglokatholizismus** eine kirchl. Erneuerung durch Rückbesinnung auf das altkirchl. Verständnis von Kirche, Amt, Sakrament und Liturgie anstrebte. Der Anglokatholizismus wurde zur dominierenden Richtung innerhalb der Kirche von England und lebt in der →High Church fort.

Oxfordgruppenbewegung ['ɔksfəd-], →Moralische Aufrüstung.

Oxfordshire ['ɔksfədʃɪə], Cty. in England, nördlich der Themse, 2608 km², (1995) 598 400 Ew.; Hptst. ist Oxford.

Oxford University Press ['ɔksfəd jʊnɪ'vəːsɪtɪ pres], ältester Verlag der Welt, gegr. 1478 in Oxford; Sitz: Oxford. Der zur Oxford University gehörende Verlag (Zweigniederlassungen in 20 Ländern) ist v.a. durch Lehr- und Wörterbücher zur engl. Sprache weltbekannt.

Oxid [frz., zu grch. oxýs »scharf«, »sauer«] (früher Oxyd) *das,* chem. Verbindung eines Elements mit Sauerstoff, in der dieser i. d. R. der elektronegative Bestandteil ist (nur bei den Sauerstoffverbindungen des Fluors ist Sauerstoff der elektropositive Bestandteil). Nach der Anzahl der Sauerstoffatome im Molekül des O. spricht man von Monoxid, Dioxid, Trioxid, Tetroxid usw. O. mit zusätzl. Gehalt an Sauerstoff sind die →Peroxide und die →Hyperoxide. Nach der Reaktion der O. mit Wasser unterscheidet man Säure bildende (z. B. Schwefeltrioxid), Basen bildende (z. B. O. der Alkalimetalle), amphotere (z. B. Aluminiumoxid) sowie indifferente O. (z. B. Kohlenmonoxid).

Oxidantien →Oxidation.

Oxidasen, Elektronen übertragende Enzyme, die bei vielen tier. und pflanzl. Stoffwechselvorgängen wichtig sind.

Die altehrwürdige englische **Oxford University Press** *unterhielt früher ein umfangreiches Bücherlager älterer Standardlehrbücher und Nachschlagewerke. Manche davon verkauften sich nur sehr langsam. Der König der Ladenhüter aber war eine Übersetzung des Neuen Testaments aus dem Koptischen ins Lateinische. Das Buch wurde im Jahre 1716 in einer Auflage von 500 Stück gedruckt. Das letzte Exemplar wurde 1907 verkauft.*

Oxidation *die,* i. e. S. die Reaktion chem. Elemente oder Verbindungen mit Sauerstoff (z. B. Verbrennung von Kohlenstoff, Korrosion von Eisen), auch die Abspaltung von Wasserstoff aus chem. Verbindungen. I. w. S. bedeutet O. die Elektronenabgabe von Elementen, Ionen oder Verbindungen, sodass sich deren Oxidationszahl (→Wertigkeit) erhöht; die Elektronen werden dabei von anderen Substanzen, den **O.-Mitteln**

(Oxidantien), aufgenommen, die gleichzeitig reduziert werden. Der der O. entgegengesetzte (und stets mit ihr gekoppelte) Prozess ist die →Reduktion. O.-Vorgänge zählen zu den häufigsten chem. Reaktionen (bes. die durch den Luftsauerstoff bewirkte atmosphär. O. von Metalloberflächen, Fetten, Kunststoffen).

Oxidationstherapie, Sammelbez. für medizin. Außenseiterverfahren, mit denen eine bessere Sauerstoffversorgung des Körpers erreicht werden soll. Hierzu kann ein Ozon-Sauerstoff-Gemisch direkt in die Blutbahn gegeben **(Ozontherapie)** oder über eine Nasensonde zugeführt **(Sauerstoff-Mehrschritt-Therapie)** oder Blut dem Körper entnommen und nach Ultraviolettbestrahlung wieder infundiert werden (**hämatogene O.,** »Blutwäsche«).

Oxidationszahl (Oxidationsstufe), →Wertigkeit.

Oxidationszone, von der Erdoberfläche bis zum Grundwasserspiegel reichende Verwitterungszone von Erzlagerstätten. Sie enthält Oxide, Hydroxide, Carbonate, Sulfate u.a. Schwermetallverbindungen von sulfid. Erzen. Die sich bildenden, oft durch Eisenverbindungen rot gefärbten porösen Massen werden bergmännisch als **eiserner Hut** bezeichnet. (→Zementationszone)

Oxidimetrie *die* (Redoxtitration), Sammelbez. für alle Verfahren der Maßanalyse, denen Oxidations- und Reduktionsvorgänge (Redoxreaktionen), die rasch und quantitativ verlaufen, zugrunde liegen. Oxidimetr. Verfahren sind u.a. die **Bromometrie** (Oxidationsmittel Brom), die **Jodometrie** (Oxidationsmittel Jod) und die **Manganometrie** (Oxidationsmittel Kaliumpermanganat).

Oxidoreduktasen, eine der sechs Hauptgruppen der →Enzyme. O. katalysieren Redoxreaktionen und sind im pflanzl. und tier. Stoffwechsel, bes. bei Energie liefernden Abbauprozessen wichtig.

Oxime [Kw.], organ. Verbindungen mit der allg. Formel RR'C=NOH (R und R' Alkyl- oder Arylrest bzw. Wasserstoff; chemisch Isonitrosoverbindungen), die unter Abspaltung von Wasser aus Aldehyden **(Aldoxime)** oder Ketonen **(Ketoxime)** und Hydroxylamin entstehen. Da O. meist gut kristallisieren und sich leicht wieder spalten lassen, werden sie zur Isolierung und Reinigung der Aldehyde und Ketone verwendet.

Oxin *das* (8-Hydroxychinolin), kristalline farblose organ. Verbindung, die u.a. als Desinfektionsmittel und in der Metallanalyse als Reagenz verwendet wird; Muttersubstanz von Antiseptika und Antimykotika.

Oxiran *das,* das →Äthylenoxid.

Oxo... [gekürzt aus Oxygenium], *Chemie:* Bez. der chem. Nomenklatur, die bei organ. Verbindungen ein an ein Kohlenstoffatom doppelt gebundenes Sauerstoffatom (z.B. in den Oxocarbonsäuren), bei komplexen anorgan. Verbindungen das Vorhandensein von an ein Zentralatom als Liganden gebundenen Sauerstoffatomen anzeigt.

Oxocarbonsäuren (früher Ketonsäuren, Ketocarbonsäuren), Carbonsäuren, in denen die Wasserstoffatome einer oder mehrerer CH_2-Gruppen durch ein doppelt gebundenes Sauerstoffatom ersetzt sind, z.B. →Acetessigsäure, →Lävulinsäure.

Oxosynthese (Hydroformylierung), technisch wichtige Reaktion von Alkenen mit Kohlenmonoxid und Wasserstoff zu Aldehyden. Diese **Oxoaldehyde** werden meist durch Hydrierung zu Alkoholen **(Oxoalkohole)** weiterverarbeitet.

Oxus *der,* antiker Name des Flusses →Amudarja.

Oxy..., *Chemie:* 1) veraltete Bez. für Hydroxy... in Namen organ. Verbindungen; bedeutet heute, dass ein Sauerstoffatom an zwei Atome gebunden ist, die nicht anders miteinander verknüpft sind; wird zur Kennzeichnung von Resten der Form –OR verwendet (R Alkyl- oder Aryl-Rest; z.B. Methoxy..., Phenoxy...); 2) in der anorgan. Chemie früher zur Kennzeichnung von Oxidsalzen verwendet (z.B. Wismutoxychlorid, heute: Wismutchloridoxid).

Oxychlorierung, Reaktion organ. Verbindungen mit Sauerstoff und Chlorwasserstoff.

Oxyd *das,* früher für →Oxid.

Oxygenasen, Sauerstoff übertragende Enzyme.

Oxygenium [grch., eigtl. »Säurebildner«] *das,* der →Sauerstoff.

Oxymoron [grch.] *das, rhetor. Figur:* widersprüchl. Verbindung von Gegensätzen in einer Äußerung, um eine nachhaltige stilist. Wirkung zu erreichen, z.B. »beredtes Schweigen«.

Oxytocin [grch.] *das,* (Ocytocin) →Neurohormone.

Oxyuriasis *die,* der →Madenwurm.

Oybin, Gemeinde im Kr. Löbau-Zittau, Sachsen, 393 m ü.M., im Lausitzer Gebirge, am Fuß des bewaldeten gleichnamigen Sandsteinfelsens (518 m ü.M.), 1700 Ew.; Erholungsort und Wintersportplatz. – Ehem. Zölestinerkloster. Auf dem O. Ruinen der Burg des 14.Jh. und der got. Klosterkirche.

Oyo, Stadt in SW-Nigeria, 237900 Ew.; kath. Bischofssitz; Kunsthandwerk, Textilindustrie. – Alt-O. (100 km nordöstlich des heutigen O.) war seit etwa 1000 ein Stadtstaat der Yoruba und etwa 1650–1750 Zentrum eines mächtigen Staatenbundes. Der Alafin, noch heute sakrales Oberhaupt aller Yoruba, verlegte nach der Zerstörung von Alt-O. durch die Fulbe 1835 seinen Sitz ins heutige Oyo.

oz, Einheitenzeichen für →Ounce.

Oz, Amos, eigtl. Amos Klausner, israel. Schriftsteller, *Jerusalem 4. 5. 1939; Prof. für hebräische

Amos Oz

Literatur an der Univ. in Beerscheba; Mitbegründer der Friedensbewegung »Frieden jetzt«. Seine Werke reflektieren in teils realist., teils fantastisch-satir. Weise kritisch die Entwicklung Israels, das Kibbuzleben und das Verhältnis zu den Arabern sowie die Holocaustthematik (»Keiner bleibt allein«, R., 1966; »Mein Michael«, R., 1968; »Sumchi«, R., 1978; »Der perfekte Frieden«, R., 1982; »Black box«, R., 1987; »Der dritte Zustand«, R., 1991; »Nenn die Nacht nicht Nacht«, R., 1994); »Bericht zur Lage des Staates Israel« (Reportage, 1992). Erhielt 1992 den Friedenspreis des Dt. Buchhandels.

OZ, Abk. für → **O**ktan**z**ahlen.

Özal [-z-], Turgut, türk. Politiker, *Malatya 13. 10. 1927, †Ankara 17. 4. 1993; 1980–82 Vizepremier, 1983 Gründer und Vors. der rechtsliberalen Mutterlandspartei, war 1983–89 MinPräs., seit 1989 Staatspräs.; stabilisierte Wirtschaft und Politik.

Ozäna [grch.] *die,* die → Stinknase.

Ozark Mountains ['əʊzɑ:k 'maʊntɪnz], waldiges Bergland, bis 540 m ü. M., in Missouri, Arkansas und Oklahoma, USA; Blei- und Zinkerzbergbau; Stauseen, Fremdenverkehr.

Ozawa [-z-], Seiji, japan. Dirigent, *Hoten (Mandschurei) 1. 9. 1935; Leiter u. a. des Sinfonieorchesters von Boston (seit 1973) und des neugegr. Musikfestivals in Matsumoto (Japan, seit 1992); trat v. a. als Mozart-Dirigent und Interpret der Musik des 19. und 20. Jh. hervor.

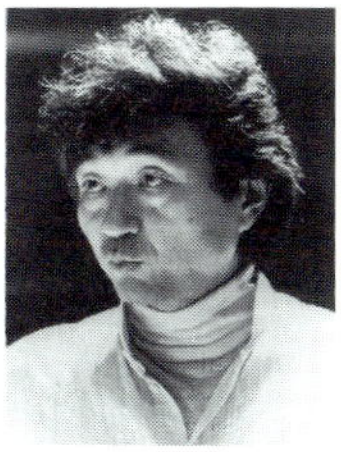

Seiji Ozawa

Ozean [grch. ōkeanós] *der,* das → Meer.

Ozeani|en, die Inseln und Inselgruppen des Pazifiks zw. Amerika, den Philippinen und Australien sowie zw. dem Nördl. und dem Südl. Wendekreis; Neuseeland zählt nur i. w. S. dazu. Die über 7500 Inseln (einschließlich Neuguinea und Neuseeland) umfassen zus. eine Landfläche von fast 1,3 Mio. km² und sind über ein Meeresgebiet von etwa 70 Mio. km² verstreut. Etwa 2100 Inseln sind bewohnt mit (1991) 12,3 Mio. Bewohnern. Nach der ethn. Zugehörigkeit der Bev. unterteilt man O. traditionell in **Melanesien** mit Neuguinea, dem Bismarckarchipel, den Salomoninseln, Neukaledonien, den Loyaltyinseln, den Neuen Hebriden und den Fidschiinseln, **Mikronesien** mit den Karoli-

Ozeanien

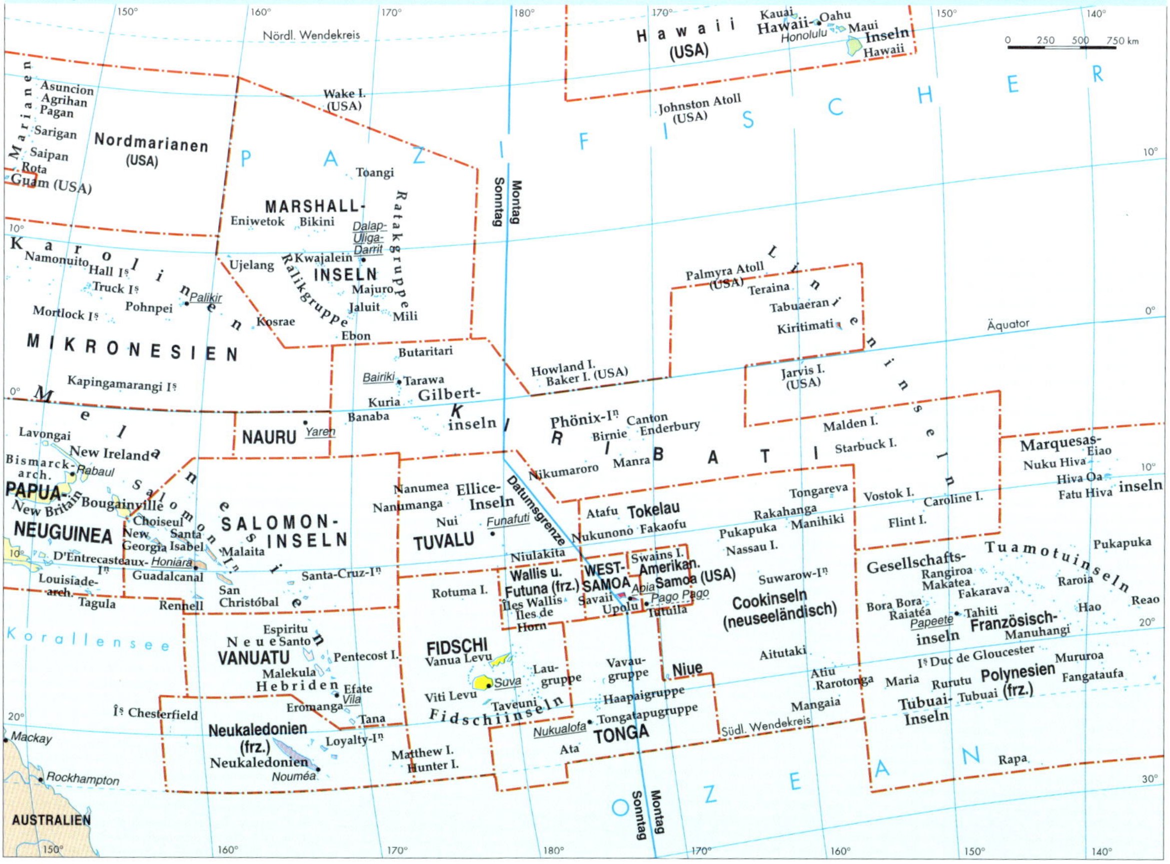

Entdeckung und Erforschung Ozeaniens

1513 V. Núñez de Balboa entdeckt den Pazifischen Ozean für Europa
1519–21 F. de Magalhães entdeckt bei seiner Weltumsegelung die Marianen und die Philippinen
1526 Der Portugiese J. de Meneses gelangt an die N-Küste von Neuguinea
1567 Á de Mendaña de Neira entdeckt die Salomoninseln
1606 P. Fernández de Quirós entdeckt die Neuen Hebriden
1615/16 Der Niederländer J. Le Maire entdeckt einen Teil der Tongainseln sowie New Ireland und New Britain
1642 A. J. Tasman segelt von Batavia nach Tasmanien, Neuseeland, den Tongainseln, den Fidschiinseln, New Britain und New Ireland
1722 Der niederländ. Admiral J. Roggeveen findet u. a. die Osterinsel
1767 S. Wallis entdeckt Tahiti u. a. Gesellschaftsinseln, während P. Carteret die Salomoninseln wiederentdeckt
1768 Der Franzose L. A. de Bougainville besucht Tahiti, die Neuen Hebriden, den Louisiadearchipel und die nördlichen Salomoninseln
ab 1768 J. Cook macht auf seinen drei Reisen zahlreiche Entdeckungen: Er umsegelt Neuseeland, findet die O-Küste Australiens und erforscht die meisten Inselgruppen
1778 J. Cook entdeckt Hawaii

nen, Marianen, Marshall-, Gilbertinseln und Nauru sowie **Polynesien** mit den Samoa-, Tonga-, Tokelau-, Phönix-, Ellice-, Cookinseln, den Linieninseln, den Inseln Frz. Polynesiens, den Îles Wallis und Îles de Horn, den Hawaii-Inseln und der Osterinsel.

O. besteht aus Vulkaninseln (»hohe Inseln«), die häufig durch Saumriffe geschützt sind, Koralleninseln und Atollen. Das Klima ist tropisch-maritim, durch kühlende Seewinde gemildert; die aus NO und SO kommenden Passate bringen ganzjährig Niederschläge.

Geschichte: 1513 entdeckte V. Núñez de Balboa den Pazif. Ozean. Unter den Seefahrern, die O. danach erschlossen, ist J. Cook bes. hervorzuheben. Mit dem niederländ. Souveränitätsanspruch auf West-Neuguinea (1828) und der Errichtung des frz. Protektorats über die zentralpolynes. Inseln (Tahiti, Gesellschaftsinseln, Tuamotu-Gruppe u.a. 1842) begann das koloniale Zeitalter in O., das die traditionellen Sozialstrukturen veränderte (mit Ausnahme von Tonga erlosch das einheim. Königtum). Nach dem 1. Weltkrieg besaßen Großbritannien, Frankreich, die Niederlande, Australien und die USA Kolonien in O.; die dt. Schutzgebiete hatten Japan und Neuseeland als Mandate des Völkerbundes erhalten. Im 2. Weltkrieg war O. 1941–45 Kriegsschauplatz. 1946 wurden die frz. Besitzungen (Französisch-Polynesien, Neukaledonien) »Überseegebiete« der Frz. Republik. 1947 kamen die japan. Mandatsgebiete als UN-Treuhandgebiete unter die Verw. der USA; 1990 Aufhebung der UN-Treuhandschaft über die Marianen (außer Guam), Marshallinseln und Mikronesien. 1959 wurde Hawaii Bundesstaat der USA. Die Niederlande traten ihren Teil Neuguineas (West-Irian) 1963 an Indonesien ab. 1970 löste Großbritannien den Protektoratsvertrag mit Tonga. Im Rahmen der erst zu Beginn der 1960er-Jahre einsetzenden Entkolonialisierung erhielten versch. Territorien ihre Unabhängigkeit: Westsamoa (1962), Nauru (1968), Fidschi (1970), Papua-Neuguinea (1975), die Salomoninseln (1978), Tuvalu (1978) und Kiribati (1979).

Kunst: Gemeinsam ist den ozean. Völkern das Fehlen von Metallwerkzeugen bis zur Ankunft der Europäer. Die Werke der alten Holzschnitzkunst sind mit Stein- und Muschelwerkzeugen sowie mit Kratzern aus Zahnmaterial und versch. Glättinstrumenten hergestellt worden. Stein und Muschelschalen sind in versch. Teilen von O. auch zu Schmuck und zur Gestaltung von meist zweidimensional angelegten Werken oder Teilformen bearbeitet worden. Zum Aufmodellieren v.a. der Fleischteile von Gesichtern auf Schädel fand Ton Verwendung. Eine hervorragende Rolle in der Kunst O.s spielen die aus Baumbast geklopften Stoffbahnen, die zur Anfertigung bemalter Maskenaufbauten und zeremonieller Kleidung gebraucht wurden. In ihrer Bedeutung oft unterschätzt sind weitere biegsame vergängl. Materia-

Ozeanien: Staatliche Gliederung (Stand 1995)

Staat	Fläche in km²	Ew. in 1 000	Hauptstadt
Fidschi	18 274	784	Suva
Kiribati	811	79	Bairiki
Marshallinseln	181	54	Dalap-Uliga-Darrit
Mikronesien	702	124	Palikir
Nauru	21	11	Yaren
Neuseeland	270 534	3 575	Wellington
Palau	487	17	Koror
Papua-Neuguinea	462 840	4 302	Port Moresby
Salomoninseln	27 556	378	Honiara
Tonga	747	98	Nuku'alofa
Tuvalu	26	10	Fongafale
Vanuatu	12 189	169	Vila
Westsamoa	2 831	171	Apia
abhängige Gebiete	Fläche in km²	Ew. in 1 000	Verwaltungssitz
Australischer Bund			
Norfolkinsel	35	2	Kingston
Chile			
Osterinsel	180	2,8	Hangaroa
Frankreich			
Frz.-Polynesien	4 000	217[1)]	Papeete
Neukaledonien	19 058	181	Nouméa
Wallis und Futuna	274	14	Mata Utu
Großbritannien			
Pitcairn	4,6	0,06	-
Indonesien			
Irian Jaya	421 981	1 650[2)]	Jayapura
Neuseeland			
Cookinseln	240	18,5	Avarua
Niue	259	2	Alofi
Tokelauinseln	10,1	1,8	-
USA			
Amerikanisch-Samoa	197	55	Pago Pago
Guam	541	140	Agaña
Hawaii	16 760	1 187	Honolulu
Nordmarianen	457	47	Capitol Hill (auf Saipan)

[1)] 1994. – [2)] 1990

lien, z.B. Blätter und Stängel von Palmen und Ziersträuchern, Schnüre und Troddeln (u.a. aus Tier- und Menschenhaaren), Vogelbälge und -federn, die zu Körperschmuck und Kleinkunstwerken verwendet werden; dasselbe gilt teilweise für die Gestaltung verzierter Behälter aus Holz, Kokosschalen, Kürbis und Bambus sowie für die oft figürl. Ausformung von Dolchen, für Spatel (in Melanesien) sowie Ohrschmuck und kleine Keulen (in Polynesien) aus Vogel- und Menschenknochen oder aus Walrosszahn und -knochen. Neben den Werken der Kleinkunst, der Malerei und der Plastik beanspruchen die Bauformen, bes. jene der Kulthäuser, einen besonderen Rang als selbstständige Form des räumlich-figurativen Gestaltens (z.B. als mehrdeutige Versinnbildlichung myth. tiergestaltiger Schöpferwesen).

Die ozean. Kunst ist in allen ihren Erscheinungsformen Teil der Religion und des Lebens in der Gesellschaft; sie umfasst über die Einzelwerke hinaus auch die Anlage der zugehörigen Feste (Tänze und Körperschmuck der Teilnehmer, Gesang oft esoter. Inhalts, Instrumente und deren Musik als Stimme der übermenschl. spirituellen Wesen). Masken, Schnitzwerke und andere figürl. Gestaltungen stellen im Rahmen ihres Auftritts die Gemeinten nicht nur dar, sondern sie werden als diese selbst aufgefasst.

📖 STINGL, M.: *Kunst der Südsee. A.d. Tschech. München 1985.* – *Kunst u. Kultur aus der Südsee,* bearb. v. W. STÖHR, *Ausst.-Kat. Rautenstrauch-Joest-Museum für Völkerkunde Köln 1987.* – LANGE, P. W.: *Südseehorizonte. Eine maritime Entdeckungsgeschichte O.s. Leipzig u.a. [3]1990.* – KREISEL, W.: *Die pazif. Inselwelt. Darmstadt 1991.*

Ozeanographie [grch.] *die,* die →Meereskunde.

Ozellen [lat. ocellus »Äuglein«] (Punktaugen), *Zoologie:* einfachste Lichtsinnesorgane bei den Gliederfüßern.

Ozelot [aztek.-frz.] *der* (Pardelkatze, Leopardus pardalis), bes. in Wäldern und Buschlandschaften der südl. USA bis Südamerika lebende Kleinkatze, gelblich mit schwarzbrauner Fleckenzeichnung; Körper 65–100 cm lang, Schwanz etwa 30–45 cm lang; nachtaktiv, frisst u.a. kleinere Säugetiere und Vögel. Durch rücksichtslose Bejagung (wegen des begehrten Fells) sind die Bestände bedroht. BILD S. 334

Ozenfant [ozã'fã], Amédée, frz. Maler und Kunstschriftsteller, *Saint-Quentin 15. 4. 1886, †Cannes 4. 5. 1966; war mit Le Corbusier Begründer des Purismus, den er auch als Schriftsteller und an den von ihm in Paris (1930), London (1935) und New York (1939) gegründeten Schulen vertrat; malte v.a. Stillleben, auch figürl. Kompositionen.

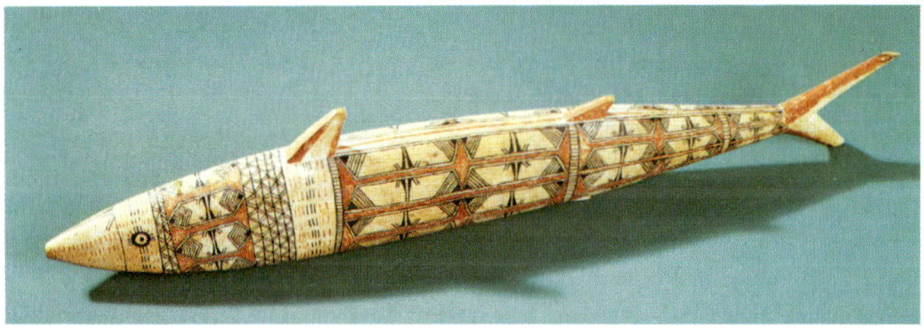

Ozeanien: Porträtkopf einer Totenstatue aus Holz, Bougainville, Papua-Neuguinea (oben links); Maske aus Baumfarn, Ton und einer Harzmischung von Malekula, Vanuatu (oben rechts); Fisch aus bemaltem Holz, Santa-Cruz-Inseln, Salomoninseln (alle Basel, Museum für Völkerkunde)

Ozon [grch. »das Duftende«] *der,* fachsprachlich *das,* aus dreiatomigen Molekülen (O_3) bestehende Form des Sauerstoffs; in hoher Konzentration tiefblaues Gas (Siedepunkt −111,9 °C, Schmelzpunkt −192,5 °C) mit durchdringendem Geruch, das sich unter Einwirkung von atomarem Sauerstoff auf molekularen Sauerstoff bildet, aber leicht wieder gemäß $O_3 \rightleftharpoons O_2 + O$ und $2O \rightarrow O_2$ zerfällt. Durch das Auftreten atomaren Sauerstoffs ist O. eines der stärksten Oxidationsmittel und in höheren Konzentrationen stark giftig. O. wird als Oxidations- und Bleichmittel sowie bei der Wasseraufbereitung anstelle von Chlor als Desinfektionsmittel verwendet. – O. bildet sich überall dort, wo durch Energiezufuhr (u.a. bei der Einwirkung energiereicher Strahlung oder bei elektr. Entladungen) Sauerstoffatome aus Sauerstoffmolekülen freigesetzt werden, die dann mit weiteren Sauerstoffmolekülen reagieren. In der **O.-Schicht** der Atmosphäre bildet sich O. aus molekularem Sauerstoff unter dem Einfluss der kurzwelligen UV-Strahlung der Sonne. Es zerfällt zwar durch Absorption von UV-Strahlung sofort wieder, doch lagert sich der dabei frei werdende atomare Sauerstoff erneut an molekularen Sauerstoff an, sodass in der O.-

Schicht ein Gleichgewicht zw. Auf- und Abbau von O. besteht. Diese O.-Schicht ist äußerst wichtig, weil sie den größten Teil der UV-Strahlung zurückhält. Nur ein kleiner Teil dieser Strahlung durchdringt sie und trifft auf die Erdoberfläche auf. In geringen Mengen ist diese Strahlung lebensnotwendig (der menschl. Körper benötigt sie zur Herstellung des Vitamins D), in größeren ruft sie jedoch Schädigungen (Sonnenbrand, Hautkrebs) hervor. Wichtiger noch ist der klimat. Effekt: Bei der Strahlungsabsorbtion wird zugleich Strahlungsenergie in Wärmeenergie umgesetzt; daraus erklärt sich die Temperaturzunahme in der Stratosphäre.

Bes. erhöhte O.-Konzentrationen in bodennahen Luftschichten können v.a. über Gebieten mit starker Abgasentwicklung auftreten, wo O. aus Stick- und Schwefeloxiden unter der Einwirkung des Sonnenlichts entsteht. O. führt in diesen Mengen zu gesundheitl. Schädigungen bei Mensch, Tier (v.a. Reizung der Schleimhäute) und Pflanzen (Bleichflecken), ferner zu Schäden an organ. Substanzen wie u.a. an Textilien, Leder, Anstrichen.

Ozonloch, Bez. für die über der Antarktis stark zerstörte Ozonschicht der Erdatmosphäre. Die Ozonschicht wird durch chem. oder physikal. Einwirkung von der Erde aus nachteilig beeinflusst. Als Hauptursache für die Schädigung gelten die Fluorchlorkohlenwasserstoffe (FCKW). Sie steigen nach ihrer Freisetzung langsam in die Atmosphäre auf und erreichen nach 10–15 Jahren die Stratosphäre. Dort zerbrechen sie schließlich und setzen reaktionsfreudige Chloratome und -oxide frei, die mit dem Ozon reagieren und es zu Sauerstoff abbauen. 1985 wurde das O. in der Antarktis entdeckt, das nach Ansicht von Wissenschaftlern mit den beschriebenen Phänomenen zusammenhängt. Weitere Messungen ergaben (Mitte der 90-er Jahre), dass das O. größer ist als je zuvor. Auf einer Fläche von 32 Mio. km² (entspricht etwa der eineinhalbfachen Fläche des nordamerikan. Kontinents) ist die Ozonkonzentration in der Stratosphäre um mehr als die Hälfte zurückgegangen, das O. hat sich damit gegenüber 1991 um 15 % ausgedehnt. Diese Zunahme resultiert aus dem Zusammenwirken von FCKW, Halonen sowie den Schwefelsäure-Aerosolen, die durch vulkan. Eruptionen, v.a. durch den Ausbruch des Pinatubo auf den Philippinen (Juni 1991), in die Stratosphäre gelangten. Die Aerosole fangen Stickstoffverbindungen ein, wobei reaktive Chlorverbindungen frei werden, die zum Ozonabbau führen. Inzwischen wird auch über der Nordhemisphäre ein Rückgang der Ozonkonzentration (im Frühjahr 1993 um 10–20 %) beobachtet.

Einer weiteren Schädigung der Ozonschicht muss v.a. wegen der biolog. Auswirkungen (u.a. Erhöhung der Mutationsraten, Zunahme von Hautkrebserkrankungen) entgegengewirkt werden, auch ist mit Rückwirkungen auf das Klima zu rechnen. Durch Anwendungsbeschränkungen bzw. -verbote und Entwicklung von Ersatzstoffen für FCKW wird versucht, dieser negativen Beeinflussung der Ozonschicht entgegenzuwirken.

📖 RÖTH, E.-P.: *O. – Ozonsmog. Grundlagen der Ozonchemie. Mannheim u.a. 1994.*

Ozonosphäre, die Schicht der oberen Stratosphäre, in der Ozon vorkommt. (→Atmosphäre)

Ozontherapie, →Oxidationstherapie.

Ozelot (Körperlänge bis zu 1 m)

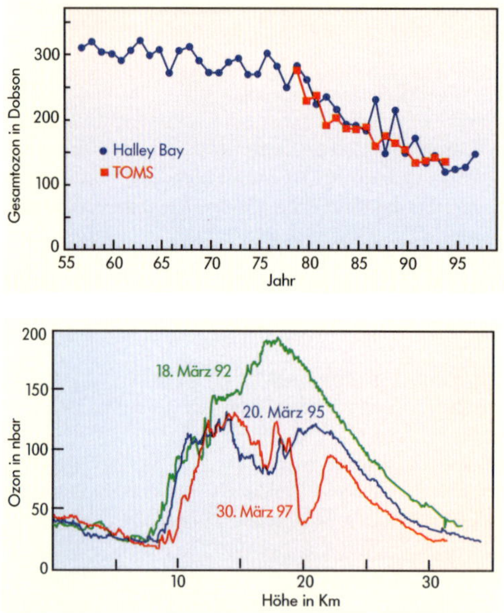

Ozonloch (von oben): Die Monatsmittelwerte an Ozon, gemessen in Dobson-Einheiten (1 Dobson-Einheit ≙ 10^{-3} atm · cm ≙ $2{,}7 \cdot 10^{16}$ Moleküle/cm² bei Normaldruck und -temperatur), über der britischen Antarktisstation Halley Bay nehmen seit 1968 beständig ab; die Werte des »total ozone mapping system« (TOMS) an Bord des amerikanischen Wettersatelliten Nimbus 7 bestätigen diese Beobachtungen; auch über der Arktis wird die Ozonschicht, hier gemessen in nbar (10^{-9} bar), seit 1993 in zunehmendem Maße angegriffen

p, P [peː] *das,* **1)** Konsonant (→Laut), der 16. Buchstabe des dt. Alphabets, stimmloser, bilabialer Verschlusslaut.

2) p., auch **pinx.,** für **p**inxit; **P** oder **P.:** auf röm. Inschriften u.a. **P**ublius, **P**opulus, **P**ontifex, **P**roconsul; in neuerer Zeit **P**apa (Papst), **P**astor, **P**ater.

3) *Chemie:* 1) Abk. **p-**, für →para...; 2) **P**, chem. Symbol für →Phosphor.

4) *Einheitenzeichen:* **p,** für →Pond.

5) *Formelzeichen: p* für Druck; ***p*** für Impuls und elektr. Dipolmoment; *P* für Leistung und Parität, ***P*** für elektr. Polarisation.

Druckschriftenvarianten des Buchstabens **P**

6) *Musik:* **p,** für **p**iano; **p.,** für **p**iù oder **p**oco; **pp,** für **p**ianissimo oder **p**iù **p**iano.

7) *Physik:* **p,** Symbol für →Proton.

8) *Vorsatzzeichen:* **p,** für Pico, **P,** für Peta.

9) *Währungszeichen:* **p,** für **P**enny und **P**ara; **P,** für **P**ula; **₱,** für den Philippin. **P**eso.

Pa, 1) chem. Symbol für →Protactinium.

2) Einheitenzeichen für →Pascal.

PA, 1) Abk. für **P**atres **A**lbi, die →Weißen Väter.

2) *Chemie:* Abk. für →**P**oly**a**mide.

Pa., Abk. für den Bundesstaat **P**ennsylv**a**nia, USA.

p.a., 1) Abk. für lat. **p**ro **a**nno, fürs Jahr.

2) *Chemie:* Abk. für **p**ro **a**nalysi (analysenrein).

Paar (geordnetes P.), *Mathematik:* eine Menge (a, b) aus zwei in einer Ordnung stehenden Elementen a, b (erste bzw. zweite Komponente).

Paarbildung (Paarerzeugung), die gleichzeitige Entstehung eines Teilchens und seines Antiteilchens bei der Wechselwirkung hoch energet. Elementarteilchen mit Materie. Ein Beispiel ist die spontane Umwandlung eines Lichtquants (Röntgen- oder γ-Quant), dessen Energie nach der →Äquivalenz von Energie und Masse mindestens so groß ist wie die doppelte Ruheenergie eines Elektrons, in ein Elektron-Positron-Paar im starken Coulomb-Feld eines Atomkerns. Wegen der Erhaltungssätze von Energie und Impuls ist P. nur dann möglich, wenn auf einen weiteren Reaktionspartner, z.B. den Atomkern, Impuls übertragen werden kann. Die überschüssige Energie des Strahlungsquants wird als kinet. Energie auf die erzeugten Teilchen verteilt. Der umgekehrte Vorgang ist die Vernichtung eines Teilchen-Antiteilchen-Paares, z.B. eines Elektrons und eines Positrons **(Paarvernichtung, Annihilation, Zerstrahlung)** unter Aussendung von zwei oder drei Photonen (Vernichtungsstrahlung).

Paarhufer (Paarzeher, Artiodactyla), Säugetierordnung (Nichtwiederkäuer, Schwielensohler, Wiederkäuer), bei der der dritte und vierte Zeh und der Mittelfußknochen bes. stark entwickelt sind; der erste Zeh fehlt stets.

Paarlauf, *Eis-* und *Rollkunstlauf:* Wettbewerb für Paare (Läufer und Läuferin); besteht aus Kurzprogramm und Kür.

Paarreim, Reim in der Form aa, bb usw.

Paarung, 1) *Biologie:* die →Begattung.

2) *Sport:* in Zweikampfsportarten oder Sportspielen die beiden Gegner bzw. Mannschaften in einem Wettkampf.

Paarvernichtung, →Paarbildung.

Paasche-Index [nach dem Wirtschaftswissenschaftler Hermann Paasche, *1851, †1922], Formel zur Indexberechnung, die das Gewichtungsproblem durch Verwendung des Gewichtsschemas der laufenden Periode löst (im Ggs. zum →Laspeyres-Index); in der amtl. Statistik kaum verwendet, da das Gewichtsschema ständig neu ermittelt werden muss.

Paasikivi, Juho Kusti, finn. Politiker, *Tampere 27. 11. 1870, †Helsinki 14. 12. 1956; 1918 Min.-

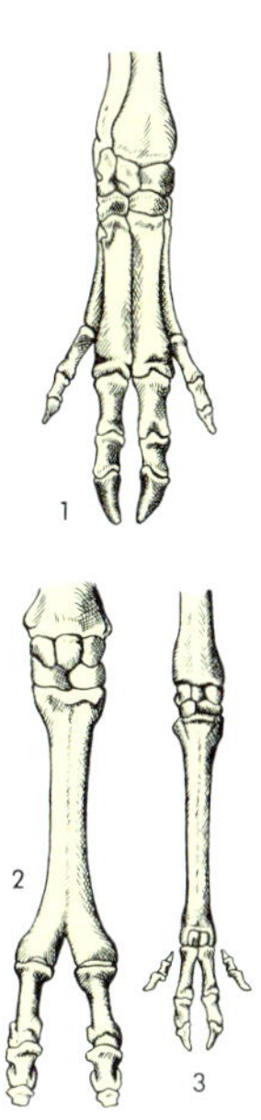

Paarhufer: Vorderfußknochen von Schwein (1), Kamel (2) und Hirsch (3)

Juho Kusti Paasikivi

Präs., führte 1920 die Friedensverhandlungen mit Sowjetrussland, 1940 mit der UdSSR (zur Beendigung des »Winterkriegs«). Nach Ausbruch des »Fortsetzungskriegs« (1941) mit der UdSSR leitete er 1944 die Waffenstillstandsverhandlungen auf finn. Seite. 1944–46 war er MinPräs., 1946–56 Staatspräsident (→ Finnland).

Pabianice [-ja'nitsɛ], Stadt in der Wwschaft Łodz, Polen, baulich mit Łodz verwachsen, 76 000 Ew.; Textil-, Textilmaschinenbau-, Möbelherstellung, pharmazeut. Industrie.

Pabst, G. W. (Georg Wilhelm), österr. Filmregisseur, * Raudnitz (Böhmen) 27. 8. 1885, † Wien 29. 5. 1967; begann als Schauspieler und Regisseur am Dt. Theater in New York, später in Wien; beeinflusste maßgeblich die Entwicklung des dt. Films; z. T. kritisch-realist. Filme: »Die freudlose Gasse« (1925), »Die Büchse der Pandora« (1928), »Westfront 1918« (1930), »Die Dreigroschenoper« (1931), »Kameradschaft« (1931), »Der Prozeß« (1948), »Der letzte Akt« (1955) u. a.

G. W. Pabst: Szene aus dem 1928 gedrehten Film »Die Büchse der Pandora« mit den Hauptdarstellern Louise Brooks und Fritz Kortner

Pace [peɪs, engl.] *die,* im Sport Renntempo.

Pacemaker ['peɪsmeɪkə, engl.] *der,* der → Herzschrittmacher.

Pacem in terris [lat. »Frieden auf Erden«], Enzyklika Papst Johannes' XXIII. vom 11. 4. 1963 über die kath. Friedenslehre mit konkreten Forderungen für die Gegenwart.

Pacer ['peɪsə, engl.] (Passgänger) *der, Pferdesport:* Pferd, das die Beine einer Körperseite gleichzeitig setzt. Wegen der schaukelnden Bewegungen v. a. in der Dressur unerwünscht.

G. W. Pabst

Pacheco [pa'tʃeko], Francisco, eigtl. F. Pérez, span. Maler, Kunstschriftsteller und Dichter, getauft Sanlúcar de Barrameda 3. 11. 1564, † Sevilla 1654; malte im Stil der italienisch beeinflussten Manieristen religiöse Bilder und Porträts; bed. kunsttheoret. Schriften.

Pachelbel [auch 'pax-], Johann, Organist und Komponist, getauft Nürnberg 1. 9. 1653, † ebd. 3. 3. 1706; bed. Orgelmeister der Generation vor J. S. Bach. Wertvoll sind bes. seine Choralbearbeitungen; er schrieb ferner Toccaten, Fugen, Chaconnen, Kantaten, Motetten, sechs Triosonaten und Messen.

Pacher, Michael, Bildschnitzer und Maler, * Bruneck (?) um 1435, † Salzburg 1498. Maßgebend für seine Entwicklung war neben der Südtiroler Überlieferung die Malerei A. Mantegnas, dessen tiefenräuml. Gestaltungsprinzipien er übernahm. Seine Flügelaltäre gehören zu den bedeutendsten Kunstwerken der Spätgotik. Sein Hauptwerk ist der vollständig erhaltene Hochaltar von St. Wolfgang im Salzkammergut (um 1475–81), in dem sich Malerei und Plastik zu einem Gesamtkunstwerk vereinen. Von dem Marienkrönungsaltar der Pfarrkirche in Gries bei Bozen (1471–75) sind nur der geschnitzte Mittelschrein und die Fragmente von zwei Flügeln erhalten. Der Kirchenväteraltar aus dem Augustinerchorherrenstift Neustift bei Brixen (um 1480–83; München, Alte Pinakothek) ist P.s einziges nur gemaltes Werk, doch verdeutlicht es seine Doppelbegabung.

Pachomius (P. der Ältere), ägypt. Mönch, * Sne (heute Isna, Oberägypten) um 287, † Pbou (bei Nag Hammadi) 14. 5. 347; gründete um 320 ein Kloster in Tabennesi (am Nil), dessen Regel für lange Zeit die Grundlage des zönobit. Mönchtums (→ Zönobitentum) war; Heiliger, Tag: 14. 5.

Pacht [lat. pactum »Vertrag«], entgeltl. gegenseitiger Vertrag, durch den sich der Verpächter verpflichtet, dem Pächter den Gebrauch des verpachteten Gegenstandes und den Genuss der → Früchte zu gewähren, der Pächter hingegen, den vereinbarten P.-Zins zu zahlen (§§ 581 ff. BGB). Auf die P. finden die meisten Vorschriften über die Miete, von der sie sich im Wesentlichen durch das Fruchtziehungsrecht unterscheidet, entsprechende Anwendung. Verpachtet werden können Sachen (z. B. Grundstücke), Rechte (z. B. Jagd- und Fischereirechte) und Unternehmen. Für die Erhaltung des mitverpachteten Inventars hat der Pächter zu sorgen; bei der P. landwirtsch. Grundstücke hat er auch die gewöhnl. Ausbesserungen vorzunehmen. Eine Haftung des Verpächters für lohnenden Ertrag besteht nicht. Der P.-Zins ist i. d. R. nach Ablauf des P.-Jahres zu entrichten. Die Kündigung ist, wenn nichts anderes vereinbart, nur für den Schluss des P.-Jahres mit halbjähriger Kündigungsfrist zulässig; Verweigerung der Unter-P. oder Tod des Pächters sind kein besonderer Kündigungsgrund. P.-Schutz besteht für Kleingärten (hinsichtlich der Höhe des P.-Zinses und der Kündigung, auch in den neuen Bundesländern); Besonderheiten gelten für die → Landpacht. Für die Unternehmens-P. enthält das Aktien-Ges. besondere Vorschriften für verbundene Unternehmen (§§ 292 ff.).

In *Österreich* ist die P. in den §§ 1090 ff. ABGB unter dem Titel **Bestandvertrag** geregelt; im Wesentlichen entsprechen diese Regelungen denen des BGB. In der *Schweiz* ist der P.-Vertrag in den ab 1. 7. 1990 geltenden revidierten Art. 275–304 OR geregelt; für die P. von Wohn- und Geschäftsräumen sind dabei weitgehend die Schutzbestimmungen des Mietrechts maßgebend. Für P.-Verträge über landwirtsch. Gewerbe oder über Grundstücke zur landwirtsch. Nutzung gilt das Bundes-Ges. vom 4. 10. 1985 über die landwirtsch. Pacht.

Pachtgebiet, *Völkerrecht:* Gebiet eines Staates, das dieser durch Vertrag langfristig einem anderen Staat überlässt, bes. zur Nutzung von Häfen und zur Anlegung von Stützpunkten. Das P. bleibt Staatsgebiet des verpachtenden Staates, doch wird dem pachtenden Staat die Gebietshoheit eingeräumt.

Pacht-Leih-System, das → Lend-lease-System.

Pachuca [pa'tʃuka] (amtlich P. de Soto), Hauptstadt des Staates Hidalgo, Mexiko, am Rand der Sierra Madre Oriental, 2 430 m ü. M., 174 000 Ew.; Univ.; alte Bergbaustadt mit ergiebigen Silberminen, Silberschmelzen. – P. wurde um 1530 gegründet; zahlreiche Bauten im Kolonialstil, Kirche San Francisco (16. Jh).

Pacino [pæ'tʃɪnəʊ], Al[fred], amerikan. Filmschauspieler, *New York 25. 4. 1940; internat. bekannt durch sein temperamentvoll-aggressives Spiel in Filmen wie »Serpico« (1973), »Der Pate« (1974), »Hundstage« (1975), »Sea of Love« (1989), »Der Pate III« (1991), »Frankie und Johnny« (1991), »Glengarry Glen Ross« (1992), »City Hall« (1995) und »Looking for Richard« (1996; auch Regie).

Pacioli [pa'tʃɔːli], Luca, italien. Mathematiker, *Sansepolcro um 1445, †um 1515; bekannt v. a. durch die erste geschlossene Darstellung der doppelten Buchführung.

Pack|eis, zusammen- und übereinander geschobene Eisschollen, → Meereis.

Packlage, Unterbau der Straßenbefestigung aus Hartgestein, das mit Schotter und Sand ausgefüllt (verzwickt) und gewalzt wird. Bei modernen Schütt-P. wird Schotter eingerüttelt.

Packung, 1) *Medizin:* das Umhüllen des ganzen Körpers **(Ganz-P.)** oder eines Körperteils **(Umschlag, Wickel)** mit einem meist feuchtkalten Leintuch und einem darüber liegenden Wolltuch; in bestimmten Fällen kann ein Umschlag auch heiß angelegt werden. Anwendung z. B. als Wadenwickel bei Fieberzuständen.

2) *Technik:* Berührungsdichtung (→ Dichtung).

Pacta sunt servanda [lat. »Verträge müssen gehalten werden«], aus dem röm. Recht übernommener, noch heute gültiger Grundsatz der Vertragstreue.

Michael Pacher: Der heilige Augustinus und der heilige Gregor, Teil des Kirchenväteraltars aus dem Augustinerchorherrenstift Neustift (um 1480–83; München, Alte Pinakothek)

Pädagogik [grch. »Erziehungskunst«] *die,* philosophisch orientierter Theoriezweig, der sich mit Bildung, Erziehung und Unterricht und den sie tragenden Grundvorstellungen einer Gesellschaft oder gesellschaftl. Gruppen auseinander setzt. Dabei werden Sinn und Maß, Begründung und Rechtfertigung, Möglichkeiten, Ziele und Grenzen von Entwürfen und Normen zur Führung und Begleitung ins Erwachsenwerden reflektiert. Zugleich ist P. auch eine empir. Forschungsdisziplin und wird unter diesem Aspekt als **Erziehungswiss.** bezeichnet. Nach den Schwerpunkten der Überlegungen und Forschungen über erzieher. Handeln in gegebenem Umfeld lassen sich versch. Disziplinen unterscheiden. Die Schul-P. ist die Berufswiss. des Lehrers. Ihr Gegenstand sind allg. Didaktik und Methodik (heute auch Unterrichtsforschung gen.). – Berufs- und Wirtschafts-P. dient in Theorie und Praxis der Vorbereitung auf eine berufl. Tätigkeit. Ferner bestehen aufgaben- und bereichsbezogene Einzelgebiete, z. B. Sexual- oder Medien-P. Die → Sozialpädagogik hat die familien- und schulergänzende Erziehung und Bildung zur Aufgabe. Mit der Vorschulerziehung i. w. S. befasst sich die Früh-P. Sie beschäftigt sich mit der Bildsamkeit des Kindes und der Schaffung eines günstigen Rahmens für die Entfaltung seiner Fähigkeiten. I. w. S. erstreckt sich die P. auch auf Erwach-

Al Pacino

sene; sie erarbeitet eine empirisch fundierte Theorie des Lehrens und Lernens in der zweiten Bildungsphase sowie in der berufl. und allg. Fort- und Weiterbildung (→Erwachsenenbildung). Die Freizeit-P. als erziehungswiss. Teildisziplin erforscht Lernprozesse in Bezug auf das Freizeitverhalten.

Die →Sonderpädagogik (auch Heil-P.) ist die Theorie und Praxis der Erziehung, Unterrichtung und Sozialhilfe bei behinderten Menschen.

Geschichte: Erste Ansätze einer selbstständigen pädagog. Fachdisziplin gab es im 17. und 18. Jh. im Rahmen christlich-theolog. und kosmolog. Grundannahmen in Form didaktisch-method. Fragestellungen (v. a. J. A. Comenius). Während der Aufklärung (ab 1700) verlagerte sich der Schwerpunkt von der Unterrichtslehre zur eigentl. Erziehungsfrage (J. Locke, J.-J. Rousseau). Unter deren Eindruck entstand in der 2. Hälfte des 18. Jh. im Philanthropismus eine wirksame pädagog. Reformbewegung, die für eine vernünftig-natürl. Erziehung der Kinder eintrat. Die klassisch-idealist. Epoche entwickelte eine differenzierte Lehre von der allseitig gebildeten Persönlichkeit, wobei der Mensch u. a. in der Begegnung mit der klass. grch. Kultur Individualität entwickeln sollte (u. a. bei J. H. Pestalozzi, J. G. Herder und W. von Humboldt). Die Ansätze Pestalozzis wurden für die Kleinkind- und Volksschulerziehung v. a. von A. Diesterweg, F. Fröbel und J. F. Herbart weitergeführt, der das zu dieser Zeit wirksamste System einer wiss.-methodisch begründeten P. schuf (Herbartianismus). Dessen Konzeption, Ethik und Psychologie zu Grundwiss. der P. zu machen, hat zu Beginn des 20. Jh. dazu geführt, dass sich die wiss. P. in eine spekulativ verfahrende normative, d. h. von einem Normen- oder Wertesystem ausgehende P. (v. a. E. Kerschensteiner, E. Spranger) und eine psychologisch begründete, experimentell oder deskriptiv (phänomenologisch) verfahrende empir. P. spaltete. Eine Ergänzung bildete die geisteswiss. (hermeneut.) P.; sie wurde entscheidend mitgetragen durch die sich von 1900 an in Dtl. u. a. Ländern ausbreitende →Reformpädagogik.

Ignacy Paderewski

📖 *P., Erziehungswiss. u. Systemtheorie, hg. v.* J. Oelkers *u. a. Weinheim 1987. – Einführung in die histor. P., bearb. v.* G. Böhme *u.* H.-E. Tenorth. *Darmstadt 1990. – P. Handbuch für Studium u. Praxis, hg. v.* L. Roth. *Neuausg. München 1994. – Pädagog. Grundbegriffe, hg. v.* D. Lenzen, *2 Bde. Reinbek 12.–14. Tsd. 1994–96. – Pädagog. Erkenntnis. Grundlagen pädagog. Theoriebildung, hg. v.* H.-W. Leonhard *u. a. Weinheim u. a. 1995. –* Benner, D.: *Allgemeine P. Eine systematisch-problemgeschichtl. Einführung in die Grundstruktur pädagog. Denkens u. Handelns. Weinheim u. a. ³1996.*

pädagogische Hochschulen, Abk. **PH,** Hochschulart zur Ausbildung von Grund-, Haupt-, z. T. auch Real- und Sonderschullehrern, nur noch in Bad.-Württ. und Thüringen (PH Erfurt); in den übrigen Ländern sind die betreffenden Studiengänge in Gesamthochschulen oder Univ. eingegliedert, nicht selten durch Erweiterung der ehem. PH zur wiss. Hochschule.

pädagogische Psychologie, Teilgebiet der Psychologie und Pädagogik, die Unterrichts- und Erziehungsprozesse v. a. unter den Gesichtspunkten der Sozialisation (z. B. Eltern-Kind- oder Lehrer-Schüler-Beziehung), der geistigen und motor. Entwicklung und ihrer Förderung sowie der Lernkontrolle (diagnost. Verfahren) untersucht.

pädagogische Soziologie, Teilgebiet der Soziologie, das sich v. a. mit den sozialen Prozessen im konkreten Erziehungs- und Bildungsvorgang, den sozialen Rahmenbedingungen des Lernens, der Bewertung und Kontrolle von Bildungszielen sowie den Wechselbeziehungen von Bildungssystemen und Gesellschaftsstrukturen befasst.

Pädagogium [grch.] *das,* bis ins 19. Jh. Institut an Univ. zur allg. Vorbereitung auf ein Studium, auch Bez. für eine höhere Schule, die gleichzeitig Lehrerbildung vermittelte.

Padang, Hafenstadt an der W-Küste von Sumatra, Indonesien, 477 300 Ew.; Univ., landwirtsch. Forschungsinst.; Zementwerk; Ausfuhr von Kaffee, Kopra, Kautschuk, Zimt und Kohle.

Paddel [engl.], *Kanusport:* Schaft mit einem **(Einblatt-P.)** oder zwei bis zu 90° gegeneinander versetzten Blättern **(Zweiblatt-P.)** am Ende bzw. an beiden Enden, mit dem Kanus (Kajaks, Kanadier) fortbewegt werden. Im Kanadier benutzt man Stechpaddel.

Päderastie [grch.] *die* (Knabenliebe), Homosexualität zw. einem erwachsenen Mann und einem männl. Kind oder Jugendlichen.

Paderborn, 1) Kreis im RegBez. Detmold, NRW, 1 245 km², (1996) 281 400 Einwohner.

2) Kreisstadt von 1) in NRW, am W-Fuß des Eggegebirges, an den Paderquellen, 135 400 Ew.; Erzbischofssitz mit Theolog. Fakultät und Abteilung der Kath. Fachhochschule NRW, Gesamthochschule, Fachschulen, Museen, Bibliotheken, Archive; Kammerspiele; Maschinenbau, Bahnausbesserungswerk, Metallverarbeitung, chem., Kunststoff-, Nahrungsmittel-, Teppich-, Möbelind., Betriebe für Computertechnik, Elektrotechnik, Druckereien und Papierverarbeitung, Zement- und Kalkwerke. – Nach schweren Zerstörungen (1945) und anschließendem Wiederaufbau besitzt P. noch eine Reihe bed. Bauten: Dom (bes. 13. Jh.; im Domkreuzgang u. a. das »Hasenfenster«, Wahrzeichen P.; reicher Domschatz), roman. Gaukirche St. Ulrich (Ende 12. Jh.; Barockfassade), Kloster Abdinghof (11. Jh.), Franziskaner- und Jesuitenkirche (17. Jh.), Rathaus (1613–20 im Stil der Weserrenais-

Paderborn 2): Das 1613–20 im Stil der Weserrenaissance erbaute Rathaus wird heute teilweise als Naturkundemuseum genutzt

sance); Wasserschloss der Fürstbischöfe (16. Jh.) im Stadtteil Schloss Neuhaus. – 777 erstmals erwähnt, 1295 als Mitgl. der Hanse bezeugt; kam 1802–07, endgültig 1817 an Preußen. 1975 Zusammenschluss mit Schloss Neuhaus und fünf weiteren Gemeinden. Ausgrabungen förderten die Reste einer karolingisch-otton. Kaiserpfalz zutage.

3) Erzbistum, ehem. Fürstbistum; um 806 gegr., gehörte zur Kirchenprov. Mainz. Nach der Säkularisation 1802/03 fiel es an Preußen. Das 1821 neu errichtete und Köln unterstellte Bistum wurde 1929/30 zum Erzbistum erhoben.

Paderewski, Ignacy Jan, poln. Pianist, Komponist und Politiker, *Kuryłówka (Podolien) 18. 11. 1860, †New York 29. 6. 1941; Klaviervirtuose; wirkte auch als Propagandist des poln. Nationalgedankens; 1914 wurde er Vizepräses des poln. Hilfskomitees in der Schweiz, für das er seit 1915 in den USA warb; war 1919 Min.Präs. und Außenmin., 1920/21 Vertreter beim Völkerbund, 1940/41 Vors. des poln. Exilparlaments. P.s Kompositionen sind stilistisch von F. Chopin und P. Tschaikowsky geprägt; er schrieb die Oper »Manru« (1901), eine Sinfonie, Klavierwerke und Lieder.

Pädiatrie [grch.] *die,* die →Kinderheilkunde.

Padilla [paˈðiʎa], Juan de, span. Volksführer, *Toledo 1490 (?), †Villalar (bei Tordesillas) 24. 4. 1521; militär. Führer der aufständ. kastil. Städte (»Comuneros«) gegen König Karl I. (→Karl). Nach seiner Niederlage bei Villalar (1521) wurde er gefangen genommen und hingerichtet.

Padischah [pers. »Großherr«], pers. Fürstentitel, wurde v. a. von osman. Sultanen und ind. Großmoguln geführt.

Pädogenese [grch.], Fortpflanzungsform, bei der sich bereits die Jugendform durch unbefruchtete Eier vermehrt (z. B. einige Gallmücken).

Pädophilie [grch.] *die,* sexuelle oder erot. Neigung Erwachsener zu Kindern oder Jugendlichen beiderlei Geschlechts.

Padouk [paˈdaʊk] *das* (Padauk, Padu), das Holz des →Flügelfruchtbaums, hartes, schweres Konstruktionsholz; für Parkett, Furniere.

Paderborn 2) Stadtwappen

Padua (italien. Padova), **1)** Prov. in Venetien, Italien, 2141 km², (1991) 833300 Einwohner.

2) Hauptstadt von 1), 213300 Ew.; Univ. (gegr. 1222), Kunstakademie, wiss. Inst., Observatorium, ältester botan. Garten Europas (1545, UNESCO-Welterbe), Museum mit Pinakothek. Im Schnittpunkt der Verkehrswege der nordöstl. Poebene gelegen, hat P. wachsende Bedeutung im Handel (internat. Messen); Maschinen-, Fahrzeugbau, Leder-, Schuh-, chem., Nahrungsmittelind. – Die vom Fluss Bacchiglione im N und W begrenzte Altstadt wurde um 1200 ummauert; große Teile der Ringmauer sind erhalten. Basilica di Sant'Antonio (»Il Santo«, 13. Jh., mit Grab des hl. Antonius, bed. Wallfahrtskirche), vor der Kirche an der Piazza del Santo Donatellos Reiterstandbild des Gattamelata, im SW des Platzes die Scuola del Santo (15. und 16. Jh., u. a. Fresken von Tizian) und das Oratorio de San Giorgio (zw. 1378 und 1384); Dom (16. Jh.), daneben das Baptisterium (1260, im 14. Jh. erneuert); Kirche der Eremitani (13. Jh., mit Fresken von A. Mantegna; 1944 stark zerstört), Cappella degli Scrovegni (Arenakapelle, 14. Jh., Fresken von Giotto); der Palazzo della Ragione (Neubau nach 1306, mehrfach wiederhergestellt) war der größte weltl. Bau des MA.; zahlr. prachtvolle Bauten der Renaissance. – P., das röm. **Patavium,** Geburtsort des Livius, wurde 49 v. Chr. röm. Municipium; Grafschaft unter Otto I., 1164

Padua 2) Stadtwappen

Padua 2): Die auf das 1. Drittel des 13. Jh. zurückgehende Basilica di Sant'Antonio, genannt »Il Santo«, mit der Grabstätte des heiligen Antonius ist ein bedeutendes Wallfahrtsziel

Stadtrepublik, 1337–1405 Herrschaft der Carrara, 1406–1797 zu Venedig.

Paektusan [pæk-] (chines. Changbai Shan), Gebirgszug an der chinesisch-korean. Grenze, im gleichnamigen Stratovulkan 2750 m ü. M. (mit 384 m tiefem, 9,2 km² großem Kratersee); Quellgebiet von Yalu und Tumen.

Pagan

Die Bauformen beruhen v.a. auf indischen Vorbildern. Pagoden und Tempel aus kompaktem Mauerwerk sind außen vielfach mit Stuckdekor oder auch z. T. glasierten Terrakottareliefs erzählenden Inhalts verziert. Die Shwezigonpagode (Ende 11. Jahrhundert) enthält Reliquien des Buddha, die aus Sri Lanka stammen sollen. Der Thatbyinnyutempel (Mitte 12. Jahrhundert), eine Kombination von Kloster und Tempel, überragt an Höhe alle anderen Tempel. Der Nandatempel, um 1100 erbaut, ist noch heute eine Kultstätte. Er besteht aus einem 60 × 60 m großen Zentralbau und sechs sich nach oben verjüngenden Terrassen, einem Shikhara (Turm) sowie einem schlanken Stupa (Gesamthöhe 55 m). In den vier Nischen des Mittelpfeilers steht je eine 10 m hohe Buddhafigur.

Ferdinando Paer (Ausschnitt eines Schabkunstblatts, 1809)

Paemel ['pa:məl], Monika van, belg. Schriftstellerin, *Poesele (Ostflandern) 4. 5. 1945. In ihren Romanen und Erzählungen (u. a. »Verfluchte Väter«, 1985) gehen Erzählung und Reflexion ineinander über. In »Der erste Stein« (1992) stellt sie die feminist. Problematik vor dem Hintergrund der Weltgeschichte und der Geschichte des jüd. Volkes dar.

Paer ['pa:ɛr], Ferdinando, italien. Komponist, *Parma 1. 6. 1771, †Paris 3. 5. 1839; ebd. seit 1832 Dirigent der Königl. Kammermusik; schrieb etwa 50 italien. und frz. Opern des heiteren, ernsten und halbernsten Genres, darunter »Camilla« (1799).

Palesiello, italien. Komponist, → Paisiello.

Paestum ['pɛ-, 'pɛ:-], grch. Kolonie an der südl. Küste des Golfs von Salerno, heute Ruinenstätte, 35 km südöstlich von Salerno. Das grch. **Poseidonia** wurde wohl in der 1. Hälfte des 7. Jh. v. Chr. von Sybaris aus gegründet, gegen 390 v. Chr. von den samnit. Lukanern erobert und in **Paistos** umbenannt. Die Römer nannten die Stadt P. und gaben ihr 273 v. Chr. den Status einer Kolonie latin. Rechts. Im 9. Jh. wurde die Stadt durch die Sarazenen, im 11. Jh. durch die Normannen verwüstet. Die gesamte Bev. floh in das Landesinnere. Erst im 18. Jh. wurde P. wieder entdeckt. Erhalten sind Stadtmauern und -tore und v. a. drei dor. Tempel: die Basilika (um 540 v. Chr.), der Poseidontempel (um 450 v. Chr.), beide der Hera geweiht, und der Athenetempel (um 500 v. Chr., früher nach Ceres genannt). Aus dem 6. Jh. v. Chr. stammen die Baureste des Heiligtums der Hera an der Mündung des Silaris (Foce del Sele); der ältere kleinere Bau (um 540) ist mit 33 Originalmetopen im Museum rekonstruiert.

Paestum: Der Poseidontempel in klassischer dorischer Säulenordnung wurde um 450 v. Chr. aus Muschelkalkstein erbaut

📖 Krauss, F.: *P., die grch. Tempel.* Berlin ⁵1984.

Pag (italien. Pago), Adriainsel vor der Küste Norddalmatiens, Kroatien, 285 km², bis 348 m ü. M., 8 000 Ew., Hauptorte sind Pag und Novalja; Wein-, Olivenbau, Schafzucht mit Käseerzeugung, Fischerei, Meersalzgewinnung; Fremdenverkehr; Brücke zum Festland; Fährverkehr.

pag., Abk. für → **Pagina.**

Pagalu (bis 1973 Annobón), vulkan. Insel im Golf von Guinea, Äquatorialguinea, 17 km², bis 750 m ü. M.; etwa 2 000 Ew., Hauptort ist San Antonio de Palé.

Pagan (Bagan), Ort in Birma, Prov. Mandalay, am linken Ufer des Irawadi. – Bed. histor. Stätte: der Legende nach im 2. Jh. n. Chr. gegr., seit 1044 Hptst. des ersten birman. Reiches, 1287 von den Mongolen zerstört. Von den ehem. rd. 5 000 Pagoden (Stupas) und Tempeln sind etwa 1 000 z. T. erhalten. Erdbeben richteten 1975 und 1980 schwere Schäden an (Rettungsprogramm der UNESCO).

Paganini, Niccolò, italien. Violinvirtuose und Komponist, *Genua 27. 10. 1782, †Nizza 27. 5. 1840; feierte als »Teufelsgeiger« Triumphe in ganz Europa. Von seinen Kompositionen sind bes. bekannt: die Violinkonzerte, die 24 Capricen für Violine solo, die Sonaten für Violine und Gitarre.

Page ['pa:ʒə, frz.] *der,* **1)** Edelknabe, junger Adliger im Dienst am Fürstenhof.

2) *Hotelgewerbe:* livrierter Hoteldiener.

Pager ['peɪdʒə, engl.] *der, Telekommunikation:* Funkruf-Empfangsgerät, das einen eintreffenden Ruf durch akust. und opt. (auf einem Flüssigkristalldisplay) Signale anzeigt. Alphanumer. P. können außer Ziffern auch Texte übermitteln, die zusätzlich in einen Speicher abgelegt werden und zeitlich versetzt abgerufen werden können.

Paget-Krankheit ['pædʒɪt-; nach dem brit. Chirurgen Sir James Paget, *1814, †1899], **1)** (Osteodystrophia deformans, Ostitis deformans) schleichend beginnende, vorwiegend nach dem 40. Lebensjahr bes. bei Männern auftretende Knochenkrankheit ungeklärter Ursache; gekennzeichnet v.a. durch Verdickung und Verkrümmung einzelner Röhrenknochen und Neigung zu spontan auftretenden Knochenbrüchen. Die Behandlung erfolgt medikamentös mit Calcitonin und Vitamin D.

2) (Paget-Krebs) im Bereich der Brustwarze und des Warzenvorhofs auftretende Form von Brustkrebs mit ekzemähnl. Aussehen.

Niccolò Paganini: Bleistiftzeichnung von Jean Auguste Dominique Ingres aus dem Jahr 1819

Pagina [lat.] *die,* Abk. **p., pag.,** *Buchherstellung:* Buchseite.

Pagnol [paˈɲɔl], Marcel, frz. Schriftsteller, *Aubagne bei Marseille 28. 2. 1895, †Paris 18. 4. 1974; erzielte große Erfolge mit den Lustspielen »Das große ABC« (1928), »Marius« (1929), »Fanny« (1931) und »César« (1931), später mit seinen Filmen. P.s poet. Realismus war bestimmend für das frz. Filmschaffen der 1930er-Jahre (»Angèle«, 1934; »Die Frau des Bäckers«, 1938). Hier wie in seinen Romanen (»Die Wasser der Hügel«, 2 Bde., 1963) und Erinnerungen (2 Bde., 1957/58, dt. u.d.T. »Marcel. Eine Kindheit in der Provence«) machte er die Atmosphäre seiner südfrz. Heimat lebendig.

📖 BENS, J.: *P. Paris 1994.*

Pagode [dravidisch, zu Sanskrit bhagavat »heilig«] *die,* **1)** europ. Bez. für die turmartigen Gebäude der buddhist. Baukunst in China, Korea, Japan und Hinterindien. Die P. ist ein buddhist. Reliquiar wie der ind. →Stupa, jedoch in ihrer architekton. Gestalt nur begrenzt von ind. Vorbildern abzuleiten. Die chines. P. ist ein auf quadrat., polygonalem, auch rundem Grundriss aus Stein, Backstein, Holz, auch Eisen oder Bronze errichteter Turm von 7 bis 13 Stockwerken, alle mit eigenem Vordach. Bekannt wurde v.a. die mit glasierten Tonreliefs verkleidete »Porzellan-P.« in Nanking (1412–31, 84 m hoch, 1853 zerstört). Mit der Übernahme des Buddhismus im 6. Jh. kam die P. nach Korea und nach Japan. In Japan kennt man nur die hölzerne P. mit meist quadrat. Grundriss um einen Mittelpfeiler, anfangs drei-, in der Heianzeit auch fünfstöckig: Murōji (824), Präfektur Nara; Daigoji (951) in Kyōto.

2) kleine Porzellanfigur, die dem Lohan Pu-tai (»Dickbauchbuddha«; mit nickendem Kopf und bewegl. Händen) nachgebildet ist. Sie wurde im 17. und 18. Jh. in europ. Manufakturen hergestellt.

Pago Pago [ˈpɑ:gəʊ -], Hauptort und Hafen von Amerikanisch-Samoa, auf Tutuila, 3 100 Ew.; Fischkonservenfabriken; internat. Flughafen.

Pahlewi [pax-] (Pahlawi, Pählawi), die 1925–79 in Iran herrschende Dynastie (→Iran, Geschichte).

Päijänne, lang gestreckter, buchtenreicher See in S-Finnland, 1 090 km², rd. 150 km lang, 23 km breit, bis 93 m tief; am S-Ufer liegt Lahti, am N-Ufer Jyväskylä.

Paik, Nam June, korean. Multimediakünstler, *Seoul 20. 7. 1932; studierte u.a. in Tokio, München und Freiburg; 1958–63 Mitarbeit in K. Stockhausens Studio für elektron. Musik in Köln; Anfang der 1960er-Jahre Mitbegründer der Fluxusbewegung (→Fluxus). P. setzt sich mit techn. Medien auseinander und entwickelte eine spezif. Videokunst. Er komponierte u.a. »Opera sextronique« (1967), »Videoprint« (1978) und »VIDEA« (1980). BILD S. 342

Paillette [paˈjɛtə, frz.] *die,* Applikation aus aufgenähten glitzernden Metall- oder Kunststoffplättchen.

Paine [peɪn] (Payne), Thomas, amerikan. Publizist und Politiker, *Thetford (Norfolk, England) 29. 1. 1737, †New York 8. 6. 1809; ging 1774 nach Amerika, wo er sich in Flugschriften (»Common sense«, 1776) für die Unabhängigkeit der amerikan. Kolonien einsetzte. Nach Europa zurückgekehrt, verteidigte er in »Die Rechte des Menschen« (1791/92, 2 Bde.) im Interesse einer rationa-

Marcel Pagnol

Thomas Paine (Ausschnitt eines Ölgemäldes von George Romney, um 1791)

Niccolò Paganini

Paganini riss das Publikum auf seinen Konzertreisen durch Europa zu Begeisterungsstürmen hin. Er beherrschte nicht nur eine ganz ungewöhnliche Spieltechnik, sondern wusste sie auch meisterhaft zu präsentieren. Seine Mosé-Fantasie komponierte er z.B. so, dass man sie auf einer Saite spielen kann. Im Konzert pflegte er sie zunächst ganz normal auf allen vier Saiten zu spielen. Dann zerriss er mit einem Fingernagel eine Saite nach der anderen. Für die Zuhörer sah das aus, als handele es sich um ungewöhnliche Missgeschicke. Schließlich triumphierte Paganini, indem er das Stück auf einer einzigen Saite zu Ende spielte.

Nam June Paik: »Mond, Erde, Sonne«, Videoinstallation (1990; Aachen, Suermont-Ludwig-Museum)

listisch-naturrechtl. Staatslehre die Frz. Revolution. 1792 frz. Staatsbürger und Abgeordneter für den Nationalkonvent. Als Girondist 1793 inhaftiert, 1794 entlassen, 1802 Rückkehr nach Amerika.

Paul Painlevé

Painlevé [pɛ̃l've], Paul, frz. Mathematiker und Politiker, * Paris 5. 12. 1863, † ebd. 29. 10. 1933; arbeitete über Differenzialgleichungen und ellipt. Funktionen, legte mathemat. Grundlagen für den Flugzeugbau. Er war 1917 und 1925–29 Kriegsminister (Heeresreform), 1917 und 1925 MinPräs. (Ausgleich mit Dtl.), später Luftfahrtmin. (1930/31, 1932/33).

Paionios, grch. Bildhauer des 5. Jh. v. Chr. aus Mende auf Chalkidike; erhalten ist das in Olympia gefundene Marmorstandbild der Nike, ein Weihegeschenk der Messenier und Naupaktier als Dank für ihren Sieg über die Spartaner (um 420 v. Chr.) nach Olympia.

Pair [pɛ:r; frz., zu lat. par »gleich«] *der,* in Frankreich der Angehörige eines politisch bevorrechtigten Kreises innerhalb des Hochadels. Die P.-Würde ging aus der Tätigkeit der königl. Vasallen als Urteilsfinder im königl. Lehnshof hervor. In Frankreich gab es seit Ende des 12. Jh. sechs geistl. und sechs weltl. P. Die Verf. von 1791 beseitigte die Pairien, Ludwig XVIII. führte sie wieder ein; 1814–48 bildeten sie die **P.-Kammer** (Erste Kammer). Über die P. in England → Peer.

Paisa *die,* kleine Währungseinheit in Indien, Nepal und Pakistan; → Währung, ÜBERSICHT.

Giovanni Paisiello (Ausschnitt eines zeitgenössischen Kupferstichs)

Paisiello (Paesiello), Giovanni, italien. Komponist, * Tarent 9. 5. 1740, † Neapel 5. 6. 1816; neben D. Cimarosa und N. Piccinni Vertreter der italien. Opera buffa. Er schrieb etwa 90 Opern, darunter »Der Barbier von Sevilla« (1782), ferner u. a. Messen, Oratorien, Kantaten, Kammermusik.

Paisley ['peɪzlɪ], Stadt in Schottland, westlich von Glasgow; 83 400 Ew.; techn. FH; Nahrungs- und Genussmittelind., Metall verarbeitende, chem. Ind., Schiffbau. – Ehem. Abteikirche (14. und 15. Jh.).

Paiute, nordamerikan. Indianerstämme aus der Sprachgruppe der Shoshone, etwa 6 000 leben in Reservationen, bes. in Utah, Nevada, Kalifornien und Oregon.

Paket [frz.] (Postpaket), Versendungsart der Dt. Post AG im Frachtdienst für Gegenstände bis zum Höchstgewicht von 20 kg und bis zum Wert von 100 000 DM.

Pakistan (amtlich Urdu: Islami Jumhuriya-e Pakistan, dt. Islam. Rep. P.), Staat in S-Asien, grenzt im SW an Iran, im W, NW und N an Afghanistan und China, im O und SO an Indien, im S an das Arab. Meer. Die Zugehörigkeit von Jammu and Kashmir ist zw. P. und Indien umstritten.

Staat und Recht: Nach der Verf. von 1973 ist P. eine föderative Rep. mit Mehrparteiensystem. Staatsoberhaupt und oberster Inhaber der Exekutivgewalt ist der von beiden Kammern des Parlaments auf fünf Jahre gewählte Präs.; er muss Muslim sein. Das Kabinett unter Vorsitz des Premiermin. ist der Nationalversammlung verantwortlich. Die Legislative liegt beim Zweikammerparlament, bestehend aus Senat (87 Mitgl., für sechs Jahre durch die Provinzparlamente gewählt) und Nationalversammlung (217 für fünf Jahre direkt gewählte Abg.; zehn Mandate sind für Nichtmuslime und 20 für Frauen reserviert). Parteien: Pakistan. Moslemliga (PML), Pakistan. Volkspartei (PPP), Nat. Flüchtlingsbewegung (MQM; auch Mohajir-Partei), Awami Nationalpartei (ANP), Jamaat-i-Islami (JI, fundamentalistisch), Nationale Volkspartei (NPP, Abspaltung der PPP).

Landesnatur: P. hat im N Anteil am Hindukusch (Tirich Mir, 7 690 m ü. M.), im Gebiet von Kaschmir am Himalaja (Nanga Parbat, 8 126 m ü. M.) und am Karakorum (K2, 8 610 m ü. M.), im W an den Grenzgebirgen gegen Afghanistan und Iran. Im O hat P. Anteil an der wüstenhaften Thar. Mehr als ein Drittel des Landes nimmt die Senkungszone des Industieflandes ein. Die Stromaufschüttungsebene des Indus und die Stromfächer seiner großen Nebenflüsse im zu P. gehörenden Teil des Pandschab bilden den eigentl. Lebensraum des Landes. Das Klima ist subtropisch-kontinental und steht, v. a. im O, unter Monsuneinfluss. Die jährl. Niederschläge sind gering; Regenfeldbau ist nur am Himalajarand möglich. Mit Ausnahme der Gebirgswälder wird P. überwiegend von Steppen oder wüstenhaften Landstrichen geprägt.

Bevölkerung: Die vier Hauptbevölkerungsgruppen, die sich jeweils in versch. Stämme und Untergruppen untergliedern, sind die Sindhi, Be-

Pakistan

Fläche: 796 095 km²
Einwohner: (1995) 140,497 Mio.
Hauptstadt: Islamabad
Verwaltungsgliederung: vier Prov., die Bundes-Hptst. und die bundesstaatlich verwalteten Stammesgebiete
Amtssprache: Urdu (in der Prov. Sind auch Sindhi)
Nationalfeiertage: 23. 3. und 14. 8.
Währung: 1 Pakistanische Rupie (pR) = 100 Paisa (Ps)
Zeitzone: MEZ +4 Std.

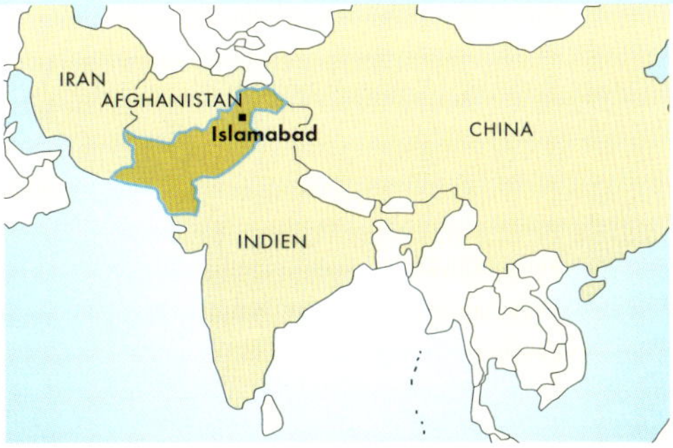

lutschen, Pandschabi und Pathanen, die vorwiegend verwandte indoarische Sprachen (→indische Sprachen) sprechen. In den Prov. Sind und Punjab, d.h. in den Bewässerungsgebieten des Tieflands, leben rd. 80% der Gesamtbevölkerung. Besondere Probleme sind die hohe Geburtenrate, die starke Abwanderung von Akademikern und Facharbeitern in die Erdölländer Vorderasiens sowie die als Flüchtlinge ins Land gekommenen rd. 600 000 aus Bangladesh stammenden Bihari. Dazu kamen – als Folge des Afghanistankrieges – noch etwa 3 Mio. Flüchtlinge, meist Pathanen. Karatschi, Lahore und Faisalabad sind Millionenstädte. – Das staatl. Bildungssystem ist wenig entwickelt (65% Analphabeten), die fünfjährige Primarschule ist kostenfrei. Es gibt 22 Univ. und Colleges, u.a. in Lahore (1882 gegr.; TU 1961 gegr.), Hyderabad, Peshawar, Karatschi, Islamabad. – Der Islam ist Staatsreligion (97% der Bev. sind Muslime).

Wirtschaft, Verkehr: Wichtigster Zweig ist die Landwirtschaft, die 26% des Bruttoinlandproduktes erbringt. Die geringen Niederschläge erfordern die Anlage verzweigter Bewässerungssysteme (in der Indusebene das größte künstl. Bewässerungssystem der Erde) bzw. den Bau von Tiefbrunnen. Hauptanbauprodukte sind Weizen (rd. 60% der Anbaufläche), Baumwolle (Hauptdevisenquelle), Reis und Zuckerrohr. In Belutschistan und den nordwestl. Grenzgebieten werden von den Nomaden Rinder, Schafe, Ziegen und Kamele gehalten. Der größte Teil des Holzeinschlags dient der Brennholzversorgung. Binnen- und Küstenfischerei sind für die Eiweißversorgung der Bev. wesentlich, doch noch ungenügend entwickelt. P. ist arm an Bodenschätzen, abgesehen von reichen Erdgasfeldern in Belutschistan und im Pandschab sowie kleineren Erdölvorkommen auf dem Potwar Plateau; außerdem Abbau von Stein- und Braunkohle, Marmor, Gips, Steinsalz und Ocker. Uran-, Kupfer- und Eisenerze sind nachgewiesen. Der Erdölbedarf kann nur durch umfangreiche Importe gedeckt werden. Erdölraffinerien stehen bei Karatschi und Rawalpindi. Von entscheidender Bedeutung für die Energieversorgung ist die Anlage von Wasserkraftwerken in Verbindung mit den großen Bewässerungsstaudämmen im Indus und seinen Nebenflüssen. 1972 wurde in Karatschi ein Kernkraftwerk in Betrieb genommen. In der verarbeitenden Ind. herrschen Handwerks- und Kleinbetriebe vor, größere Werke gibt es nur im Bereich der Textil-, Schuh-, Metall-, chem. und Nahrungsmittelind.; Stahlwerk bei Karatschi; Baumwollentkörnung und -handel sind verstaatlicht. – Hauptverkehrsträger ist die Eisenbahn. Das Streckennetz ist 8163 km lang. Von 179 752 km Straßen sind 91 985 km Allwetterstraßen. Seit 1978 stellt die rd. 800 km lange Karakorumstraße eine Verbindung mit Sinkiang (China) her. Größter Seehafen ist Karatschi. Internat. Flughäfen gibt es in Karatschi, Lahore, Islamabad, Quetta und Peshawar.

Geschichte: P. wurde am 15. 8. 1947 aus den vorwiegend muslim. Gebieten Britisch-Indiens als neuer Staat und brit. Dominion gegründet, womit die brit. Kolonialmacht den seit 1940 erhobenen Forderungen der Muslim-Liga nach einem eigenen Muslimstaat entsprach. Dabei entstanden die beiden weit auseinander liegenden, durch das Territorium der Ind. Union getrennten Landesteile West- und Ost-P. Millionen Muslime flüchteten von Indien nach P.; ebenso verließen viele Hindus P. Erster Generalgouverneur wurde M. A. Jinnah. Der Streit mit Indien um Kaschmir führte zum Ausbruch des 1. Kaschmirkonflikts (1947), der mit der Aufteilung Kaschmirs zw. Indien und P. endete. In den 1950er-Jahren kam es zu heftigen Kontroversen zw. West-P. und dem wirtschaftlich und politisch benachteiligten Ost-P., das die Autonomie und Loslösung von der westpakistan. Zentralverwaltung forderte. Am 23. 3. 1956 trat die erste pakistan. Verf. in Kraft; P. wurde »Islam. Rep.«, deren erster Präs. Iskander Mirza. 1958 übernahm General M. Ayub Khan als MinPräs., Staatschef und Verteidigungsmin. die Macht. Gestützt auf die Armee, begann er mit Reformmaßnahmen (z.B. Landreform in West-P., Einführung einer sog. ge-

Staatswappen

PAK

Internationales Kfz-Kennzeichen

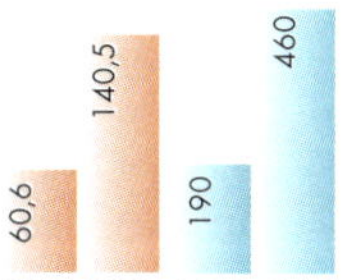

Bevölkerung (in Mio.) Bruttosozialprodukt je Ew. (in US-$)

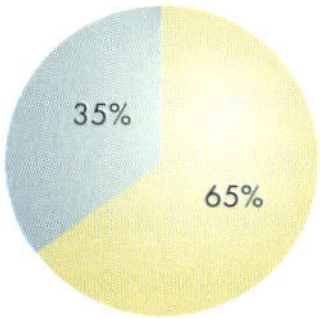

Bevölkerungsverteilung 1995

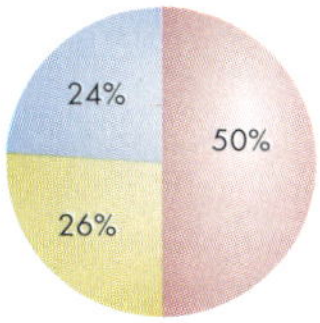

Bruttoinlandsprodukt 1995

Mohammed Zia ul-Haq

Benazir Bhutto

Nawaz Sharif

lenkten Demokratie durch die »basic democracies«). Die 1962 verkündete zweite Verf. stärkte die Stellung des Präs. und berücksichtigte mehr die Belange von Ost-P. Ein im Sept. 1965 ausgebrochener militär. Konflikt mit Indien um Kaschmir wurde im Jan. 1966 mit dem Abkommen von Taschkent beendet. Der Druck der Opposition und die Forderung nach Wahlen und Wiederherstellung echter parlamentar. Einrichtungen führten 1969 zum Rücktritt Ayub Khans. Die Wahlen zur Nationalversammlung 1970 gewann in West-P. die PPP, in Ost-P. die Awami-Liga. Die Auseinandersetzungen um die Forderungen der Awami-Liga nach weitgehender Autonomie für Ost-P. kulminierten dort in schweren Unruhen, dem Einschreiten von Truppen der Zentralreg. und der Unabhängigkeitserklärung Ost-P.s als →Bangladesh am 26. 3. 1971. Im Dez. 1971 wurde Z. A. Bhutto (PPP) neuer Staatspräs. (ab 1973 Min.-Präs.); er leitete Reformmaßnahmen ein (u. a. Landreform, Nationalisierung der Schlüsselindustrien) und betrieb eine zunehmend autoritäre Reg.politik. 1974/75 kam es zu Unruhen in Belutschistan und der North-West Frontier Province. 1977 übernahm das Militär unter General M. Zia ul-Haq nach einem Putsch die Macht; Bhutto wurde 1979 hingerichtet. Den sowjet. Einmarsch in Afghanistan 1979 verurteilte P. scharf. Ende 1985 wurde das seit 1977 bestehende Kriegsrecht aufgehoben und die Verf. von 1973 wieder eingeführt. Ebenso wurden wieder polit. Parteien zugelassen. Im Dez. 1985 vereinbarten Indien und P., dass keine der beiden Seiten militär. Schläge gegen Kernenergieanlagen des anderen führen werde. Dennoch blieb das Verhältnis wegen des ungelösten Kaschmirproblems gespannt. An der Grenze zu Afghanistan kam es aufgrund des afghan. Bürgerkrieges immer wieder zu Übergriffen des afghan. wie auch des pakistan. Militärs. Nach dem Tod Zia ul-Haqs im Aug. 1988 übernahm der Präs. des Senats, Ghulam Ishaq Khan, das Amt des Staatspräs. Nach dem Wahlsieg der PPP im Nov. 1988 wurde Benazir Bhutto als erste Frau MinPräs. eines islam. Staates (im Aug. 1990 unter dem Vorwurf von Korruption und Nepotismus vom Staatspräs. ihres Amtes enthoben). Aus den Parlamentswahlen im Okt. 1990 ging das Parteienbündnis Islam. Demokrat. Allianz (IDA: Bündnis von Pakistan Muslim Liga, PML, JI und NPP) als Sieger hervor; ihr Vors. M. Nawaz Sharif (PML) wurde MinPräs. Seine Reg. leitete u. a. eine Reprivatisierung großer Ind.unternehmen ein. Im Mai 1991 billigte die Nationalversammlung einen Gesetzentwurf zur Einführung der Scharia. Ein zw. Staatspräs. Ishaq Khan und MinPräs. Nawaz Sharif ausgetragener Machtkampf endete nach Vermittlung durch die Armee mit dem Rücktritt beider im Juli 1993. Benazir Bhutto, nach dem Wahlsieg ihrer Partei, der PPP, im Okt. 1993 erneut zur MinPräs. gewählt, von der Opposition unter Nawaz Sharif auf das Schärfste bekämpft, konnte weder die Staatsverschuldung mindern noch die ethn. Unruhen (bes. in Karatschi) dämpfen. Unter dem Vorwurf der Korruption und der Misswirtschaft wurde sie im Nov. 1996 von Staatspräs. S. F. A. Khan Leghari (seit Nov. 1993 im Amt) erneut vorzeitig abgesetzt. In völliger Umkehrung der Machtverhältnisse gewann die PML bei den Neuwahlen vom 3. 2. 1997 die absolute Mehrheit; neuer MinPräs. wurde Ende Febr. Nawaz Sharif. Neuer Staatspräs. (seit 1. 1. 1998) ist nach dem Rücktritt Legharis der ehem. Richter Mohammad Rafik.

Außenpolitisch versuchte P. das Kaschmirproblem aus den bilateralen indisch-pakistan. Beziehungen zu lösen und zu einem internat. Problem zu erheben. Neben Rüstungsanstrengungen auf konventionellem Gebiet entwickelte P. als nukleares Schwellenland sein nukleares Rüstungsprogramm weiter, was zu Spannungen mit den USA

Pakistan: Die Landschaft in Swat, einem Gebiet im Norden des Landes westlich des Indus, umfasst eine fruchtbare Schwemmlandebene und schwer zugängliches Gebirgsland des Hindukusch (links); Träger durchqueren den Indus im Karakorum

und Indien führte. Ein pakistan. Truppenkontingent nahm in Somalia an einer UN-Mission teil. Mit den Nachbarstaaten, einschließlich jener der früheren asiat. Sowjetrep., bemüht sich P. um wirtschaftl. Zusammenarbeit. Im Mai 1997 erkannte P. das Taliban-Regime in Afghanistan an.

📖 *P. Das Land u. seine Menschen, hg. v.* M. U. Malik *u.* A. Schimmel. *Tübingen u. a. 1976.* – Newman, K. J.: *P. unter Ayub Khan, Bhutto u. Zia-ul-Haq. München u. a. 1986.* – Buschmann, K. H.: *P. Reiseführer mit Landeskunde. Buchschlag ³1988.* – Malik, S. J.: *Islamisierung in P. 1977–84. Stuttgart 1989.*

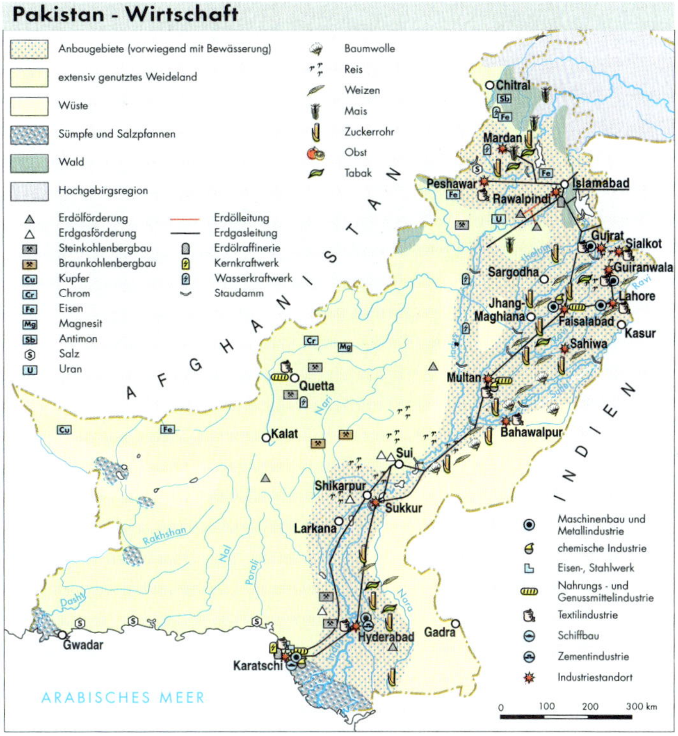

Pakistan International Airlines [pa:kıs'ta:n (pækıs'tæn) ıntə'næʃnl 'eəlaınz], Abk. **PIA,** pakistan. Luftverkehrsgesellschaft.

Pakistan International Airlines

Pakt [lat.] *der,* Vertrag, bes. der völkerrechtl. Vertrag.

Pakula [pə'kju:lə], Alan Jay, amerikan. Filmregisseur und -produzent, *New York 7. 4. 1928; drehte »Klute« (1970) und die Politthriller »Zeuge einer Verschwörung« (1973) und »Die Unbestechlichen« (1976), ferner »Sophies Entscheidung« (1982), »Aus Mangel an Beweisen« (1990).

PAL [Abk. für engl. **p**hase **al**ternating **l**ine »die Phase wechselnde Zeile«], Farbfernsehsystem, das von W. Bruch in 1950er-Jahren als Verbesserung des amerikan. NTSC-Systems entwickelt wurde (→Farbfernsehen); in der Bundesrep. Dtl. seit 1967 eingeführt. Bei PAL werden im Übertragungsweg entstehende störende Einflüsse kompensiert, die Farbfehler bei der Wiedergabe verursachen würden. Hierzu wird ein mit den Farbsignalen amplitudenmodulierter Farbträger in Sender und Empfänger von Zeile zu Zeile umgepolt. Da sich die Fehler von Zeile zu Zeile dadurch in entgegengesetzter Richtung auswirken, lassen sie sich durch Mittelung aufheben.

Pala (Impala, Schwarzfersenantilope, Aepyceros melampus), afrikan. Art der Horntiere mit weit geschwungenem Gehörn.

Paläanthropologie (Paläoanthropologie), die Wissenschaft von fossilen Menschenartigen und Menschen.

Palacio Valdés [pa'laθio βal'des], Armando, span. Schriftsteller, *Entralgo (Prov. Oviedo) 4. 10. 1853, †Madrid 3. 2. 1938; war erfolgreich mit Romanen, die sich durch humorvolle Schilderungen von Charakteren und durch farbige Sittenbilder auszeichnen: »Die Andalusierin« (2 Bde., 1889); »Kapitän Ribots Freude« (1899).

Palacký ['palatski:], František, tschech. Historiker und Politiker, *Hodslavice (Nordmähr. Bez.) 14. 6. 1798, †Prag 26. 5. 1876; leitete 1848 den Slawenkongress in Prag, gehörte seit 1861 als Führer der Alttschechen dem Herrenhaus des österr. Reichsrates und dem böhm. Landtag an. Sein Hauptwerk (»Gesch. von Böhmen«, 5 Bde., 1836–67) beeinflusste stark das tschech. Nationalbewusstsein.

Palade [pə'leıd], George Emil, amerikan. Biochemiker rumän. Herkunft, *Jassy 19. 11. 1912; seit 1946 in den USA. P. gelang die Aufklärung der Feinstruktur der Mitochondrien und des endoplasmat. Retikulums; er entdeckte dabei die heute als Ribosomen bezeichneten P.-Körner; erhielt 1974 mit A. Claude und C. de Duve den Nobelpreis für Physiologie oder Medizin.

George E. Palade

Paladin [frz.-italien., aus lat. palatinus »zum röm. Berg Palatin (und damit zum kaiserl. Palast) gehörig«] *der,* in der Dichtung des MA. Bez. für jeden der zwölf Helden um Karl d. Gr., z. B. Roland, Olivier, Erzbischof Turpin.

Paladino, Mimmo, italien. Maler, *Paduli (Prov. Benevento) 18. 12. 1948; einer der bedeutendsten Vertreter der Transavanguardia. Bild S. 346

Palagonit *der,* wasserhaltiges vulkan. Glas, entstanden durch die rasche Erstarrung basalt. Lava in Wasser oder Eis.

Palaioimerologiten [zu grch. palaiós »alt« und iméra »Tag«], Sammelname für versch. Gruppen, die sich wegen der Einführung des gregorian. Kalenders in Griechenland 1923 von der grch.-orth. Kirche trennten und sich als »wahre orth. Christen« bezeichnen; sind theologisch konservativ.

Mimmo Paladino: »Ohne Titel (Tondo)« (1985; Privatbesitz)

Kostis Palamas

Palaiologen, letzte Herrscherfamilie des →Byzantinischen Reiches (1259–1453).

Palais [paˈlɛː, frz.] *das,* repräsentatives, schlossartiges Gebäude unterschiedl. Bestimmung; z.T. gleichbedeutend mit Palast.

Palamas, Kostis, neugrch. Schriftsteller, *Patras 8. 1. 1859, †Athen 27. 2. 1943; Jurist; beeinflusste die Entwicklung der neugrch. Literatur nach der Einführung der Volkssprache als Literatursprache. In seinem Werk (Lyrik, Prosa, Drama, Kritik) bemühte er sich, die für die Griechen seiner Zeit wesentl. Probleme zu erfassen und eine Verbindung zu den Literaturströmungen und der Philosophie W-Europas herzustellen.

Palamedes, *grch. Mythos:* der wegen vieler Erfindungen (Buchstaben, Waage, Brettspiel) gerühmte Sohn des Nauplios. Er wurde durch Odysseus des Verrats verdächtigt und von den Griechen vor Troja gesteinigt.

Palana, Hauptort des autonomen Kreises der Korjaken, Russ. Föderation, an der W-Küste von Kamtschatka, rd. 2700 Ew.; Fischereihafen, Fischkonservenfabrik.

paläo... [grch. palaiós »alt«], alt..., ur...

Paläobiologie, Wiss. vom Leben der Organismen in der erdgeschichtlichen Vergangenheit. Forschungsgebiete: Morphologie, Umweltbeziehungen **(Paläökologie)** und Ursachen des Aussterbens. Das Vergleichen der Skelette fossiler und heutiger Pflanzen- und Tierformen gestattet Rückschlüsse auf die Lebensweise; Fährten, Fraßbilder, Exkremente, krankhafte Veränderungen an Hartteilen **(Paläopathologie)** liefern wichtige Belege. Auch die Lichteinwirkung auf fossile Lebewesen wird untersucht **(Paläophotobiologie).**

📖 ZIEGLER, B.: *Einführung in die P., 2 Bde. Stuttgart* [1–3]*1980–83.* – VOGEL, K.: *Lebensweise u. Umwelt fossiler Tiere. Heidelberg 1984.*

Paläogeographie, Zweig der Geologie zur Erforschung der geograph. Verhältnisse der geolog. Vergangenheit; ehem. Verteilung von Land und Meer, Verlauf der einstigen Gebirge, Klimaverhältnisse, Ausdehnung der Vergletscherung, der Verbreitung von Vulkanen, der Gestalt der Flusssysteme u.a.

Paläographie [grch.] *die,* Lehre von der Entwicklung der Schrift; erforscht als wesentl. Bestandteil der Handschriftenkunde die alten Schriftformen, v.a. des Altertums und des MA., und bestimmt Ursprungsort und Alter einer Schrift und beseitigt durch missverstandene Schrift entstandene Irrtümer **(Emendation).** Im 19. Jh. wurde die P. zur selbstständigen histor. Hilfswissenschaft.

Paläoklimatologie, Lehre von der Klimageschichte der Erde. Organ. Reste, Bodenarten, Sedimentbildung, Verwitterungsvorgänge und Oberflächenformen geben Hinweise auf das Klima einzelner geolog. Zeiten, ferner Vereisungsspuren, Kohle-, Salz- und Riffbildungen.

Paläolithikum [grch.] *das,* die →Altsteinzeit.

Paläologen, byzantin. Dynastie, →Palaiologen.

Paläomagnetismus, vom Erdmagnetfeld bewirkte Ausrichtung ferromagnet. Minerale bei der Kristallisation aus der Schmelze oder bei Akkumulation von Sedimentmaterial. Die Untersuchung dieses remanenten Gesteinsmagnetismus erlaubt die Bestimmung des erdmagnet. Feldes und seiner Richtung zur Zeit der Bildung der betreffenden Gesteine. Da sich die magnet. Erdpole im Lauf der Erdgesch. verlagert haben, dient die **Paläomagnetik** (Bestimmung des P.) als Hilfsmittel der stratigraph. Diagnose und als Stütze der Plattentektonik.

📖 ANGENHEISTER, G. *u.* SOFFEL, H.: *Gesteinsmagnetismus u. P. Berlin 1972.*

Paläontologie [grch.] *die,* Wiss. von den fossilen, d.h. versteinerten Tier- und Pflanzenresten (Petrefakten). Mit den pflanzl. Resten beschäftigt sich die **Paläobotanik,** mit den tier. die **Paläozoologie,** mit den menschl. die **Paläanthropologie.** Die P. bestimmt den Bau und die Zugehörigkeit der Fossilien, verfolgt deren geolog. Auftreten, bes. für die Bewertung als →Leitfossilien bestimmter Formationen (**Biostratigraphie,** wichtigstes Hilfsmittel der histor. Geologie). Mit der Einbettung der Lebewesen in das werdende Gestein **(Biostratonomie)** und dem Vorgang des »Versteinerns« **(Fossilisation)** beschäftigt sich die **allg. P.** Die der botan. und zoolog. Systematik zugewendete P. ist bedeutsam für die Klärung der Stammesentwicklung (→Phylogenese). Die P. der Kleinlebewesen **(Mikropaläontologie)** hilft bes. beim Untersuchen nutzbarer Lagerstätten, z.B. der Erdölvorkommen.

📖 Erben, H. K.: *Die Entwicklung der Lebewesen. Neuausg. München 1988.* – Lehmann, U. *u.* Hillmer, G.: *Wirbellose Tiere der Vorzeit. Stuttgart* [3]*1991.*

Paläophytikum [zu grch. phytón »Pflanze«] *das,* Altzeit der Entwicklung der Pflanzenwelt vom Silur bis Unterperm; charakteristisch sind die Farnpflanzen.

Paläosibirier (Altsibirier, Altasiaten), Gruppe sprachlich isolierter Völker in NO-Sibirien (Jukagiren, Tschuktschen, Korjaken, Itelmen), am unteren Amur und auf Sachalin (Giljaken oder Niwchen) sowie am mittleren Jenissei (Keten); sprachliche, rass. und kulturelle Beziehungen zu den Eskimo und den nordamerikan. Indianern; traditionelle Lebensformen sind Jagd und Flussfischerei, Hochseejagd auf Meeressäuger sowie Rentiernomadismus.

paläosibirische Sprachen (paläoasiat. Sprachen), Sammelbez. für isolierte Sprachen und Sprachgruppen v. a. in Sibirien. 1. Ketisch (Jenissei-Ostjakisch) am Mittellauf des Jenissei, eine Tonsprache; dazu gehören die erloschenen Sprachen Kottisch, Arinisch, Asanisch; 2. Jukagirisch (Odulisch) an Ober- und Mittellauf der Kolyma; 3. tschuktschisch-korjak. Gruppe: in NO-Sibirien die Schriftsprache Tschuktschisch (Luorawetlanisch), auf der Halbinsel Kamtschatka Kamtschadalisch (Itelmenisch) und im N Korjakisch (Nymylanisch); 4. Giljakisch (Niwchisch) am Unterlauf des Amur und auf Sachalin; 5. Ainu (Sprache der →Ainu) auf Sachalin und in N-Japan.

Paläozän [grch.] *das,* unterste Abteilung des →Tertiär.

Paläozoikum [zu grch. zōon »Lebewesen«] *das* (Erdaltertum), Zeitalter (Ära) der Erdgeschichte, das die Systeme (Perioden) Kambrium, Ordovizium, Silur, Devon, Karbon und Perm umfasst. Vom Proterozoikum durch Fossilreichtum unterschieden, sind im P. schon alle Stämme der Tierwelt in großer Formenfülle entwickelt. In der Pflanzenwelt herrschen bis ins Rotliegende Gefäßkryptogamen vor, die dann von der mesozoischen Gymnospermenflora abgelöst werden. In das P. fallen die kaledon. und varisk. Gebirgsbildung; lebhafter Vulkanismus kennzeichnet manche Abschnitte; es bildeten sich große Steinkohlenvorkommen und, bes. im Perm, ausgedehnte Vereisungen. (→geologische Systeme)

Paläozoologie [grch.], die Wissenschaft von den fossilen Tieren.

Palas [mhd. »Palast«] *der,* Herrenhaus, in Pfalzen und auf mittelalterl. Burgen das zentrale Wohngebäude.

Palast, allg. Bez. für einen prachtvollen fürstl. oder herrschaftl. Wohnsitz oder ein weitläufiges Stadthaus; z. T. gleichbedeutend mit Palais.

Palästina [»Land der Philister«] (arab. Filastin), histor. Landschaft in Vorderasien; in der jüd. Tradition das →Gelobte Land, in der christl. das **Heilige Land;** heute Bez. für das Gebiet zw. dem Mittelmeer im W und dem Jordangraben bis zum Toten Meer im O, zw. dem Libanongebirge im N bis zum N-Saum des Negev im S. Kernraum sind die Gebiete nördlich der Linie Gaza-Beer Sheva-Totes Meer mit den drei histor. Landschaften Judäa, Samaria und Galiläa. Größter Fluss ist der Jordan. Hauptseen: das Tote Meer und der See Genezareth. P. hat Mittelmeerklima mit reichl. Winterniederschlägen im Gebirge (oft Schnee), geringeren an der Küste und spärl. im südl. Jordantal. Die Sommer sind warm, die Winter an der Küste frostfrei. P. hat viele dem Christentum, Judentum und Islam heilige Stätten.

Palästinafrage

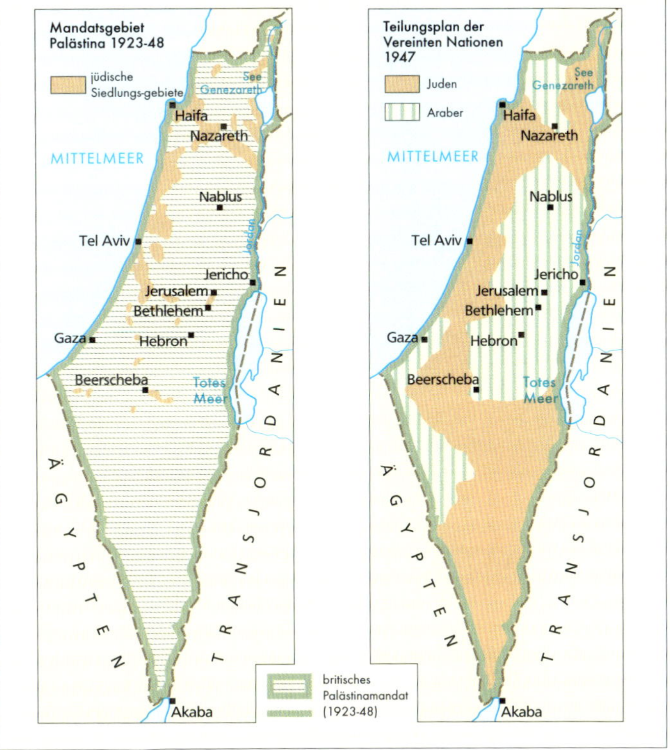

Geschichte: P. ist als Bestandteil des →Fruchtbaren Halbmonds eng mit der Vorgeschichte dieser Region verbunden (→Vorderasien). Nach dem blutigen Aufstand 132–135 unter Führung von Bar Kochba wurde der röm. Prov.name Iudaea (→Judäa) in Syria Palaestina (unter Kaiser Diokletian geteilt) geändert. Nach 395 gehörte P. zum Oström. (Byzantin.) Reich. Der Aufstieg des Christentums im 4. Jh. und dessen Interesse am Hl. Land verschoben die Mehrheitsverhältnisse im Land, gefördert durch rechtl. Einschränkungen für die Juden (nach 425/426 Aufhebung des Patriarchats). Die arab. Eroberung (ab 634) versetzte auch die Christen in den Status einer begrenzt geduldeten Minderheit neben den Juden. Ab 878 gehörte P. (mit Unterbrechungen) zu Ägypten. 1099 eroberten die Kreuzfahrer Jerusalem und bildeten das christl. Königreich Jerusalem (bis 1291). 1516 fiel P. an die osman. Türken; 1831–40 besetzte Mehmed Ali von Ägypten P. Unter der Toleranz und Dynamik des aufstrebenden Osman. Reiches nach 1517 wuchs auch die jüd. Bevölkerung in P. sprunghaft an. Anfang des 18. Jh. folgten neue Zuwanderungen aus osteuropäisch-chassid., im 19. Jh. auch aus anderen orth. Kreisen. Ab 1882 begann die P.-Besiedlung durch osteurop. Juden; der →Zionismus verursachte mit seiner Forderung (seit 1897), eine »öffentlich-rechtlich gesicherte Heimstätte in P.« für das jüd. Volk zu schaffen, ab 1905 eine verstärkte Zuwanderung (v. a. aus Osteuropa).

Die Balfour-Deklaration vom 2. 11. 1917 (→Balfour) leitete nach der Eroberung durch die Briten 1917/18 eine intensive zionist. Aufbauphase ein, während der sich bereits Widerstand unter der arab. Bev. bemerkbar machte. Großbritannien erhielt 1920/22 das Völkerbundsmandat für P. und trennte das Ostjordanland als Emirat **Transjordanien** ab. Es kam zu wachsenden Konflikten zw. Juden und Arabern, die einen unabhängigen arab. Staat P. forderten. Sie mündeten in einen arab. P.-Aufstand (1936–39) und führten bes. in den 1940er-Jahren auch zu Auseinandersetzungen zw. Juden und britischer Verwaltung (→Israel, Geschichte). Schließlich brachte Großbritannien die **Palästinafrage** vor die UN, deren Vollversammlung am 29. 11. 1947 die Zweiteilung P.s in einen jüd. und einen arab. Staat empfahl. Diese Empfehlung – von den Arabern abgelehnt – führte mit Erlöschen des brit. Mandats und Abzug der brit. Truppen zur Ausrufung des Staates Israel am 14. 5. 1948. In der Folge des 1. Israelisch-Arab. Kriegs (»P.-Krieg«, 1948/49; →Nahostkonflikt) fiel das für den arab. palästinens. Staat vorgesehene Gebiet an mehrere Krieg führende Mächte; Ost-P. wurde 1950 Jordanien angegliedert (→Westjordanland); der Gazastreifen kam unter ägypt. Treuhandverwaltung. Im 3. Israelisch-Arab. Krieg (»Sechstagekrieg«) 1967 besetzte Israel die Halbinsel Sinai, den Gazastreifen, das Westjordanland und die Golanhöhen. 1974 wurde die 1964 gegr. →Palästinensische Befreiungsorganisation (PLO) als alleinige Vertreterin der Palästinenser anerkannt. Trotz Abschluss des ägyptisch-israel. Friedensvertrags vom März 1979 blieb das Gebiet eine der brisantesten Krisenregionen. Anfang Dez. 1987 brach in den israelisch besetzten Gebieten die →Intifada aus. Seit Mitte Dez.

Palästina: Jasir Arafat wird am 12. Februar 1996 in Gaza-Stadt zum Präsidenten (»Rais«) des Exekutivrates des »Palästinenserrates« vereidigt; neben Arafat steht der damalige stellvertretende Vorsitzende des Palästinensischen Nationalrates Riad al-Zaanun

1987 gewann die radikale, sich am islam. Fundamentalismus (Muslim-Bruderschaft) orientierende Islam. Widerstandsbewegung »Hamas« zunehmend an Bedeutung; sie strebt die Errichtung eines islam. Staates in ganz P. (und darüber hinaus in ganz Arabien) an und lehnt – entgegen der PLO – Friedensverhandlungen mit Israel ab. Nachdem Jordanien im Juli 1988 seine rechtl. und administrativen Bindungen zum Westjordanland abgebrochen und es faktisch an die PLO abgetreten hatte, rief diese im Nov. 1988 einen unabhängigen Staat P. aus (1989 Ernennung von J. Arafat zum provisor. Staatsoberhaupt). Diplomat. Bemühungen v. a. der USA führten ab Okt. 1991 erstmals seit 1947 zu direkten Gesprächen zw. Israel, arab. Staaten und Palästinensern **(Nahostfriedenskonferenz).**

Nach der gegenseitigen Anerkennung Israels und der PLO (9./10. 1993) und der Grundsatzerklärung über eine Teilautonomie der Palästinenser im Gazastreifen und in der Stadt Jericho (**Gaza-Jericho-Abkommen**, 13. 9. 1993) legten beide Seiten die Bereiche fest (Zoll, Steuern, Ind., Landwirtschaft und Tourismus), die den zukünftigen Autonomiegebieten übertragen werden sollten. Das **Abkommen über die palästinensische Teilautonomie** (4. 5. 1994) sowie das **Interimsabkommen** (auch **Taba-Abkommen,** 24. 9. 1995) bestimmten Umfang und Zahl der einzelnen autonomen Teilgebiete, die Kompetenzen und die Organisationsstruktur der Autonomiegebiete. Die israel. Militär- und Zivilverw. in den Autonomiegebieten wurde abgebaut und die israel. Besatzung zurückgezogen. Die Kompetenzen für Polizei, Verw., Rechtsprechung und – in bestimmten Fällen – die Gesetzgebung wurde den Organen der Autonomiebehörde übertragen.

Im Rahmen des Taba-Abkommens wählten die Palästinenser am 20. 1. 1996 einen »Palästinenserrat« (PR) und den Präs. (»Rais«) des Exekutivrates des PR (J. Arafat). Mit 88,1 % der Stimmen stellt Al-→Fatah im Palästinenserrat die weitaus meisten Abgeordneten. Im April 1996 strich der Palästinensische Nationalrat den Passus über den bewaffneten Kampf gegen Israel aus der PLO-Charta. Der Aufbau staatl. Strukturen wird jedoch stark beeinträchtigt durch die wirtsch. und soziale Unterentwicklung, durch den Bau weiterer jüd. Siedlungen in arab. Gebieten; er wird verschärft durch die Aktivitäten terrorist. Gruppen und israel. Antiterrormaßnahmen (bes. die Sperrung der Autonomiegebiete zu Israel nach terrorist. Anschlägen).

🕮 *Studies in the economic and social history of Palestine in the 19th and 20th centuries, hg. v.* R. Owen. *London 1982.* – Smith, P. A.: *Palestine and the Palestinians 1876–1983. London 1984.* – *Die P.-Frage 1917–1948. Histor. Ursprünge u. internat. Dimensionen eines Nationenkonfliktes, hg. v.* H. Mejcher. *Paderborn u. a. [2]1993.* – Jaroš, K.: *Kanaan, Israel, P. Ein Gang durch die Geschichte des Heiligen Landes. Mainz [2]1994.* – Wolffsohn, M.: *Wem gehört das Heilige Land? Die Wurzeln des Streits zw. Juden und Arabern. Neuausgabe München 1997.*

Palästinenser, Eigenbez. der arab. Bewohner des früheren brit. Mandatsgebiets →Palästina; vorwiegend Muslime, aber auch Christen. Die über 5 Mio. P. leben in Israel (um 800 000), in den Autonomiegebieten und in den von Israel besetzten Gebieten (rd. 2 Mio.) sowie in Jordanien, das als bisher einziger arab. Staat 1949 die Staatsangehörigkeit gewährte (etwa 1,6 Mio.). Über 2 Mio. leben als wenig integrierte Flüchtlinge in Lagern in Ägypten, Libanon und Syrien.

Palästinensische Befreiungsorganisation
Flagge

Palästinensische Befreiungsorganisation, Abk. **PLO** [von engl. **P**alestine **L**iberation **O**rganization], am 28. 5. 1964 gegr. polit. und militär. Dachverband der für einen unabhängigen arab. Staat Palästina kämpfenden arab. Befreiungsbewegungen, seit 1969 von J. Arafat geführt, umfasst die meisten palästinens. Guerillaorganisationen (Fedajin). Den Kern bildet seit 1967 (Beitritt zur PLO) die 1958 gegr. Al-Fatah; 1974 spalteten sich radikale Untergruppen ab: Volksfront für die Befreiung Palästinas, Abk. PFLP (gegr. 1967); Fatah-Revolutionsrat (»Abu-Nidal-Gruppe«), Abk. FRC. Im Okt. 1974 wurde die PLO von allen arab. Staaten als einzige rechtmäßige Vertreterin des palästinens. Volkes anerkannt und im Nov. 1974 zum UN-Sicherheitsrat zugelassen. Seit 1976 ist sie Vollmitgl. der Arab. Liga. Die Präambel der PLO-Charta von 1964 verpflichtete ihre Mitgl. zum bewaffneten Kampf gegen Israel (Verzicht April 1996) und legte den Anspruch der Palästinenser auf das gesamte frühere →Palästina fest. Nach der Niederlage im Juni 1982 (5. Israelisch-Arab. Krieg) verlegte die PLO ihre Stützpunkte aus Beirut in acht arab. Länder. Die Parteinahme für Saddam Husain im 2. Golfkrieg 1991 führte (Ausbleiben finanzieller Zuwendungen v. a. Saudi-Arabiens) zur Krise der PLO und zur (nicht unumstrittenen) allmähl. Annäherung an Israel. Auf der **Nahostfriedenskonferenz** (seit Okt. 1991) kam es ab Aug./Sept. 1993 zw. Israel und der PLO zur gegenseitigen Anerkennung und am 13. 9. 1993 in Washington zur Annahme eines Rahmenplanes zur langfristigen Verwirklichung des Selbstbestimmungsrechtes der Palästinenser (»Gaza-Jericho-Abkommen«). (→Palästina)

🕮 Schreiber, F.: *Aufstand der Palästinenser – die Intifada. Fakten u. Hintergründe. Opladen 1990.* – Shehada, H.: *Die PLO u. der Friedensprozeß. Von der Entstehung der PLO bis zu den Autonomie-Abkommen mit Israel. Trier 1996.*

Palästra [grch.] *die,* im antiken Griechenland Übungs- und Wettkampfstätte der Ringer.

Palatal [lat.] *der,* Vordergaumenlaut (→Laut).

Palatin *der* (lat. Palatium), einer der sieben Hügel Roms, mit Resten der ältesten röm. Ansiedlung; seit Augustus war der P. Residenz der röm. Kaiser. Der lat. Name wurde bald zur allg. Bez. für »Palast«; die Form »Palatinus (mons)« entstand zur Zeit der Renaissance.

Palatin [lat.] *der,* **1)** im MA. der Pfalzgraf.

2) in Ungarn bis 1848 der Stellvertreter des Königs.

Palatina [lat. »die Pfälzische«] (Bibliotheca Palatina) *die,* bed. Teilbestand der Vatikan. Bibliothek aus der Bibliothek in Heidelberg; kam 1623 nach Rom, ein Teil gelangte 1815/16 zurück nach Heidelberg.

Palatum [lat.] *das,* der →Gaumen.

Palau (Belau, amtlich palauisch Belu'u era Belau, engl. Republic of Palau oder Republic of Belau), aus den Palauinseln bestehender Staat im W des Pazif. Ozeans.

Staat und Recht: Nach der Verf. von 1981 ist P. eine parlamentar. Rep. mit Präsidialsystem. Präs. und Vize-Präs. werden für vier Jahre direkt gewählt. Das Parlament, der Nationalkongress, setzt sich aus 14 Senatoren und 16 Abg. zusammen; Parteien: Koalition für eine offene, ehrl. und gerechte Reg., Ta Belau Partei, Nationalist. Partei Palau.

Landesnatur: Die Palauinseln bilden die westlichste Gruppe der Karolinen. Die rd. 350 Inseln

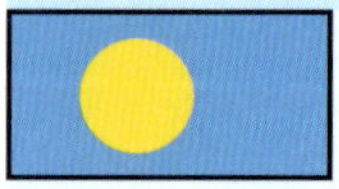

Palau

Fläche: 487 km² (nach anderen Angaben 508 km²)
Einwohner: (1995) 17 000
Hauptstadt: Koror
Amtssprachen: Palauisch und Englisch
Nationalfeiertage: 1./2. 10.
Währung: US-Dollar
Zeitzone: MEZ + 8 Std.

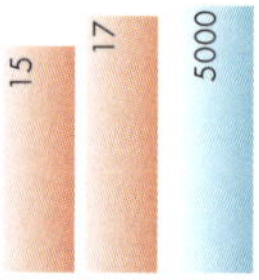

1990 1995 1992
Bevölkerung (in Mio.) Bruttosozialprodukt je Ew. (in US-$)

Aldo Palazzeschi

(davon elf bewohnt; Hauptinsel ist Babelthuap) liegen fast alle innerhalb eines in N–S-Richtung über 110 km langen Barriereriffs, das eine Lagune von 1267 km² Fläche umschließt. Sie sind teils vulkan. Ursprungs, teils Koralleninseln. Sie haben trop. Klima; an den Küsten ist Mangrove verbreitet, im Innern Grasland oder Regenwald.

Bevölkerung: Die Bev. besteht v.a. aus Mikronesiern (83 %), die im 1. Jt. v. Chr. von W her einwanderten. Zw. den beiden Weltkriegen lebten etwa 30 000 Japaner auf den Inseln, nach 1945 wanderten Filipinos (heute 10 %) und Chinesen (1 %) ein. Es gibt eine achtjährige Schulpflicht. 41 % der Bev. sind Katholiken, 25 % Protestanten.

Wirtschaft, Verkehr: Auch nach der Entlassung in die Unabhängigkeit bestehen weiterhin enge wirtsch. Beziehungen zu den USA. Landwirtschaft (wichtige Anbauprodukte sind Kokosnüsse, Maniok, Bananen und Süßkartoffeln) und Fischerei dienen der Selbstversorgung. An ausländ. Fangflotten wurden Fischereilizenzen vergeben. Der Tourismus ist eine der wichtigsten Devisenquellen, obwohl Verkehrsinfrastruktur und Übernachtungsmöglichkeiten noch nicht dem internat. Standard entsprechen. – Die meisten Straßen befinden sich auf Koror; insgesamt ist das Straßennetz in einem schlechten Zustand. Der einzige Hafen befindet sich auf der Insel Malakil. Auf Babelthuap liegt der internat. Flughafen.

Geschichte: Die Palauinseln wurden 1543 von dem span. Seefahrer R. López de Villalobos entdeckt; bis Ende des 19. Jh. in span. Besitz, 1899–1919 dt. Kolonie und 1919–45 japan. Völkerbundsmandat. 1947 wurde die Inselgruppe Teil des amerikan. »Treuhandterritoriums der Pazif. Inseln«; 1981 erhielt sie als »Republik Palau« im Rahmen der US-Treuhandverw. innere Autonomie. Zum 1. 10. 1994 wurden die Inseln unabhängig.

Palauinseln, westlichste Inselgruppe der Karolinen, bilden den Staat → Palau.

Palaver [letztlich zu lat. parabola »Gleichnis, Parabel«] *das,* langes Hinundhergerede; das im 18. Jh. für die Verhandlungen zw. Weißen und Afrikanern von Portugiesen geprägte portugies. Wort »palavra« gelangte über engl. »palaver« ins Deutsche; von den Afrikanern in der Bedeutung »Versammlung« übernommen (auf denen traditionell Rede und Gegenrede üblich sind).

Palawan, gebirgige Insel der Philippinen, bis 2054 m ü. M., bildet mit den Calamianinseln die Prov. P., 14 896 km², (1985) 439 000 Ew.; Reis-, Kokospalmenanbau, Fischerei. Hafen und Hptst. ist Puerto Princesa.

Palazzeschi [-'tseski], Aldo, eigtl. A. Giurlani, italien. Schriftsteller, * Florenz 2. 2. 1885, † Rom 17. 8. 1974; begann als Anhänger des Futurismus mit Gedichten; in seinen späteren Novellen und psychologisch fundierten Romanen nutzte er ironisch-satir. Mittel (»Die Schwestern Materassi«, 1934; »Die Brüder Cuccoli«, 1948), auch die Technik des Nouveau Roman (»Der Doge«, 1967).

Palazzo [italien.] *der,* italien. Bez. für Palast.

Pale, Stadt in Bosnien und Herzegowina, 20 km östlich von Sarajevo. – Im Bürgerkrieg politisch-militär. Zentrum der bosnisch-serb. Nationalisten.

Palembang, Provinzhauptstadt in S-Sumatra, Indonesien, bed. Hafenstadt am Musi; 1,084 Mio. Ew.; Univ., Handelsakademie; Endpunkt von Erdöl- und Erdgasleitungen; Erdölraffinerien, petrochem., Textilind., Schiff- und Maschinenbau, Eisengießereien; Ausfuhr von Erdöl, Gummi, Kaffee, Tee; Flughafen. – P. wurde im 7. Jh. Hptst. des indones. Großreiches Srivijaya; 1617 Gründung einer niederländ. Handelsniederlassung; 1811–14 und 1818–21 britisch besetzt.

Palencia [pa'lenθia], **1)** Prov. in Spanien, in der Autonomen Region Castilla y León (Kastilien), 8052 km², (1991) 185 500 Einwohner.

2) Hauptstadt von 1), am Carriòn, 77 500 Ew.; Textil-, Automobil-, Nahrungsmittelind. – Altstadt mit spätgot. Kathedrale (1321–1516).

Palenque [pa'leŋke], Ruinenstadt der klass. Mayakultur im mexikan. Staat Chiapas, seit 400 v. Chr. besiedelt, Blütezeit 600–750 n. Chr. Mittelpunkt der Anlage ist ein Palastkomplex mit viereckigem, dreigeschossigem Turm; der »Inschriftentempel« enthält eine Krypta mit dem Sarkophag eines Mayaherrschers (7. Jh.). P. wurde von der UNESCO zum Weltkulturerbe erklärt.

Palermo, 1) Prov. in Sizilien, Italien, 4992 km², (1995) 1,241 Mio. Einwohner.

2) Hauptstadt der autonomen Region Sizilien und Hptst. von 1), an der N-Küste der Insel am Fuß des Monte Pellegrino, 691800 Ew.; wirtsch. und kultureller Mittelpunkt Siziliens; Erzbischofssitz; Univ. (gegr. 1805), wiss. Institute, Lehrer-, Musik-, Kunstakademie, Bibliotheken, Observatorium, Museen. Textil-, Zement-, Lebensmittelind., Werften, Kabelwerk; internat. Messe; bed. Fremdenverkehr. Naturhafen mit lebhaftem Handels- und Passagierverkehr, Flughafen. – P. ist reich an Bauten aus der Normannen- und Stauferzeit sowie aus dem Barock. Dom (im 12. Jh. von den Normannen erbaut; mit den Sarkophagen Rogers II., Heinrichs VI., Friedrichs II. u. a.), Palazzo Reale (11. Jh., mit prachtvollen Mosaiken in der Cappella Palatina); Teatro Massimo (19. Jh.); Univ.bauten (1970 von V. Gregotti). Außerhalb der Altstadt die Lustschlösser La Zisa (1154 ff.) und La Cuba (1180). – P., das antike **Panormus,** wurde von den Phönikern gegründet und 254 v. Chr. von den Römern erobert. 535 n. Chr. nahm es Belisar für Byzanz in Besitz. 831 eroberten die Sarazenen die Stadt und machten sie 948 zur Hptst. Siziliens. 1072 nahmen die Normannen die Stadt ein; unter dem Staufer Friedrich II. erlebte sie eine hohe Blüte. 1282 war P. der Schauplatz der blutigen Sizilian. Vesper. In der Folgezeit teilte P. das Schicksal → Siziliens. Bild S. 352

Palermo, Blinky, eigtl. Peter Heisterkamp, Maler und Objektkünstler, * Leipzig 2. 6. 1943, † auf der Malediveninsel Kurumba 17. 2. 1977; Schüler von J. Beuys. Seine Objektkunst ebenso wie seine auf absolute Flächenwerte reduzierte Malerei vermitteln zw. Minimalart und Conceptart.

Palestrina, Stadt in der Prov. Rom, Mittelitalien, 13400 Ew.; östlich von Rom, die auf das antike **Praeneste** (90 v. Chr. Municipium) zurückgeht; archäolog. Museum, Tempelruinen (Tempio della Fortuna), Neubau im 2. Jh. v. Chr., die bedeutendste Schöpfung der hellenist. Architektur in Italien).

Palestrina, Giovanni Pierluigi da, eigtl. G. Pierluigi, italien. Komponist, * Palestrina um 1525, † Rom 2. 2. 1594; ebd. 1555–60 Kapellmeister an der Laterankirche, 1561–66 an Santa Maria Maggiore, 1567–71 bei Kardinal Ippolito II. d'Este und ab 1571 an der Peterskirche. P. repräsentiert, zus. mit O. di → Lasso, den Höhepunkt und Abschluss der abendländ. Musik des 15. und 16. Jh. Er verband die kunstvolle kontrapunkt. Vielstimmigkeit der Niederländer mit dem Klangsinn der Italiener. Der **P.-Stil** wurde durch das Konzil von Trient als offizielles Vorbild der kath. Kirchenmusik anerkannt. – P. schrieb über 100 Messen, darunter die sechsstimmige »Missa Papae Marcelli« (um 1562), zahlr. Motetten, Hymnen, Offertorien, Lamentationen und Madrigale.

Palenque: Der verschachtelte Palastkomplex mit dem viereckigen, dreigeschossigen Turm ist Mittelpunkt der Maya-Ruinenstadt

Palermo 2)
Stadtwappen

Giovanni Pierluigi da Palestrina
(Ausschnitt eines Kupferstichs, um 1800)

📖 Fellerer, K. G.: *Der Palestrinastil u. seine Bedeutung in der vokalen Kirchenmusik des 18. Jh.* Augsburg 1929, Wiesbaden Nachdr. 1972. – Schmitz, E.: *G. P. da P. Neuausg. Leipzig 1954.* – Fellerer, K. G.: *P.-Studien. Baden-Baden 1982.*

Palette [frz.] *die,* **1)** *Kunst:* ovale oder rechteckige Tafel mit Daumenloch, auf der der Maler die Farben in fester Ordnung platziert und für den Malvorgang mischt.

2) *Transportwesen:* Hub-, Stapel- und Transportplatte aus Holz, Stahl oder Kunststoff zum Zusammenfassen von Einzelstücken zu Ladungseinheiten (Eisenbahn, Lastwagen usw.). Verbreitet sind genormte **Euro-P. (Pool-P.)** aus Holz (800 × 1200 mm) und **Chemie-P.** (1000 × 1200 mm). Die **Pool-Flach-P.** besitzt eine Tragfähigkeit von 1 t; sie ist aufgrund vertragl. Vereinbarungen zw. allen dem P.-Pool angeschlossenen Partnern innerhalb Europas austauschbar.

Palenque

Erich von Däniken identifizierte den jungen Mann auf der Grabplatte der Inschriften von Palenque als prähistorischen Astronauten. Dank der Entzifferung der Mayainschriften wissen wir es besser, denn dort steht: »Hier ruht Pakal, der bedeutendste Herrscher in der Geschichte dieses Stadtstaates, geboren am 21. März 603, gestorben am 26. August 680. Schon im Alter von 13 Jahren bestieg er den Thron und in den 64 Jahren seiner Regentschaft wurde seine Stadt zur führenden Macht im Westen des Mayagebietes.« Viele der erhaltenen Inschriften beschäftigen sich mit Pakals Abkunft. Sie legen nahe, dass dynastische Geschichtsschreibung auch bei den Maya nicht immer mit den historischen Tatsachen einherging.

Palermo 2): Im Dom von Palermo befindet sich der aus dem 13. Jh. stammende Porphyrsarkophag des Stauferkaisers Friedrich II.

Pali *das,* die Sprache des buddhist. Kanons und einer Anzahl daran anschließender Texte; als Literatursprache repräsentiert sie die älteste Stufe des Mittelindischen (Prakrit), die ihre Blütezeit bis zum 12. Jh. hatte – mit Ausläufern bis zur Gegenwart in Sri Lanka, Birma und Thailand.

Peter Palitzsch

Pali-Kanon *der,* heilige Schriften des Buddhismus, → Tipitaka.

Palimpsest [grch. »wieder abgekratzt«] *der* oder *das,* alte Handschrift, auf der, um das kostbare Schreibmaterial (Papyrus, Pergament) wieder verwenden zu können, die ursprüngl. Schrift beseitigt und durch eine jüngere ersetzt ist (bes. im Mittelalter).

palin... [grch.], wieder...; zurück...

Palindrom [grch. »das Zurücklaufende«] *das,* sinnvolle Buchstaben- oder Wortfolge, die vor- und rückwärts gelesen denselben oder einen anderen Sinn ergibt, z.B. Otto, Reliefpfeiler, Neger, Gras; die Liebe ist Sieger – rege ist sie bei Leid.

Palingenese [grch.] (Palingenesis) *die,* **1)** *Biologie:* Wiederholung stammesgeschichtlich älterer Formen in der Keimesentwicklung (→ biogenetische Grundregel).

2) *Geologie:* Wiederaufschmelzung von Gesteinen und Neubildung eines Magmas.

3) *Religionswiss.:* Wiedergeburt.

Palisade [frz.] *die,* früher bei Befestigungen eine dichte Reihe zugespitzter, 3–4 m langer Holzpfähle, die als Hindernis in die Erde gerammt wurden.

Palisander [indian.] *der,* violettbraunes, dunkelstreifiges, sehr dichtes, schweres Holz der Gattung Dalbergie; verwendet als Möbel-, Furnier- und Drechslerholz.

Palissy [pali'si], Bernard, frz. Keramiker, * Agen um 1510, † Paris 1590; wurde berühmt durch seine mit naturalist. Nachbildungen oder Naturabgüssen von Reptilien, Insekten, Pflanzen u.a. belegten Teller, Gefäße und Schalen, die bis ins 17. Jh. nachgeahmt wurden.

Palitzsch [-tʃ], Peter, Theaterregisseur und -leiter, * Deutmannsdorf (Schlesien) 11. 9. 1918; Schüler B. Brechts, wirkte in Berlin, Stuttgart, Frankfurt am Main; seit 1980 Gastregisseur an versch. Bühnen; 1992–95 Leitungsmitglied des Berliner Ensembles; auch Opernregie.

Palkstraße ['pɔ:k-], der nördl. Teil der Meerenge zw. Ceylon (Sri Lanka) und SO-Indien.

Palla [lat.] *die,* viereckiger Überwurf, den Römerinnen im 2. und 1. Jh. v. Chr. einfach oder doppelt gelegt als Mantel trugen.

Palladio, Andrea, eigtl. A. di Pietro, italien. Baumeister und Architekturtheoretiker, * Padua (?) 30. 11. 1508, † Vicenza 19. 8. 1580; studierte die Baukunst der Antike in Rom und war seit etwa 1540 in Vicenza und Umgebung und ab 1560 in Venedig und in Veneto tätig. Seine auf Vitruv und der Vermessung röm. Bauten fußenden Lehrbücher boten bis Ende des 18. Jh. die genaueste Kenntnis antiker Bauregeln (»Le antichità di Roma«, 1554; »Die vier Bücher zur Architektur«, 1570). P. schuf, den Stil der Hochrenaissance fortentwickelnd, Bauten von strenger Klarheit und vollendeter Harmonie, rhythmisch bewegt durch Säulen und Pilaster, die meist durch mehrere Geschosse laufen (Kolossalordnung). Der auf P. zurückgehende Stil **(Palladianismus)** wurde bes. in Holland und Frankreich angenommen und gelangte zur Vorherrschaft in England. Durch seine Bauten und Schriften wurde P. der maßgebende Lehrmeister des europ. → Klassizismus. – Bauten in Vicenza: »Basilika« (Stadthaus, 1548–1617), Palazzo Chiericati (1551 ff.); bei Vicenza: Villa Rotonda (1566/67 ff., vollendet von Scamozzi); in Venedig:

Andrea Palladio: Der ab 1551 erbaute Palazzo Chiericati in Vicenza zeichnet sich durch die außen um den Baukern herumgelegten Loggien und die offenen Flanken der Fassade aus

Kloster und Kirche S. Giorgio Maggiore (1566–80), Kirche Il Redentore (1577–92).

📖 BOUCHER, B.: *P. Der Architekt in seiner Zeit. A. d. Engl. München 1994. – Architekten – A. P., red. v.* D. HEZEL. *Stuttgart* ⁴*1997.*

Palladium [lat.] *das* (grch. Palladion), urspr. hölzernes Kultbild der bewaffneten Pallas Athene mit Helm, Schild und Lanze; es verlieh seinem Besitzer Schutz und verbürgte den Bestand einer Stadt.

Palladium [engl., nach dem Planetoiden Pallas] *das,* chem. Symbol **Pd,** ein Element aus der achten Nebengruppe des →Periodensystems der chemischen Elemente; Ordnungszahl 46, relative Atommasse 106,42, Dichte 12,02 g/cm^3, Schmelzpunkt 1552 °C, Siedepunkt 2930 °C. P. ist ein silberhelles, hartes, zähes und dehnbares Edelmetall aus der Gruppe der →Platinmetalle. Es wird von verdünnten Mineralsäuren bei Zimmertemperatur kaum angegriffen, löst sich jedoch in Königswasser und rauchender Salpetersäure. Seine wichtigste Eigenschaft ist sein großes Absorptionsvermögen für Wasserstoff; fein verteiltes P. (»P.-Schwamm«) kann das 850fache und P. in kolloidaler Lösung das 3000fache Volumen an Wasserstoff aufnehmen. In dieser Form ist der Wasserstoff bes. reaktionsfähig und lässt sich für viele Reduktionszwecke verwenden; fein verteiltes P. dient daher auch als Hydrierungskatalysator. Erhitztes P. ist für Wasserstoff selektiv durchlässig und kann zu dessen Reinigung benutzt werden. P. kommt mit Platin u. a. Platinmetallen vor. Es wird für elektr. Kontakte, in Legierungen in der Dental- und Schmuckind. sowie für chemisch-techn. Geräteteile verwendet.

Pallas [grch.], **1)** *Astronomie:* ein →Planetoid.

2) *grch. Mythos:* Beiname der Athene.

Pallasch [ungar.] *der,* aus dem Orient stammende lange, schwere Hieb- und Stichwaffe; bis zum 1. Weltkrieg die Hiebwaffe der Kürassiere (»Kürassierdegen«).

Pallenberg, Max, österr. Schauspieler, *Wien 18. 12. 1877, †(Flugzeugabsturz) Karlsbad 26. 6. 1934; seit 1904 als Charakterkomiker in Wien, München, Berlin; ⚭ mit der österr. Sängerin und Schauspielerin Fritzi Massary (*1882, †1969).

Max Pallenberg

palliativ [zu lat. pallium »Mantel«], *Medizin:* nur die Krankheitserscheinungen mildernd, ohne ihre Ursachen zu beheben.

Pallium [lat.] *das,* **1)** *kath. Kirche:* besticktes Schmuckband, das ringförmig auf den Schultern aufliegt; erzbischöfl. und päpstl. Amtszeichen; ähnlich dem →Omophorion in den orth. Kirchen.

2) im antiken Rom ein von Männern getragener rechteckiger Mantelumhang; von den Christen übernommen, erscheint es auf bildl. Darstellungen als Gewand Christi und der Apostel.

Palm, 1) Johann Philipp, Buchhändler, *Schorndorf 18. 11. 1768, †(erschossen) Braunau am Inn 26. 8. 1806; verlegte in Nürnberg die anonyme antifrz. Flugschrift »Dtl. in seiner tiefen Erniedrigung«; auf Anweisung Napoleons I. zum Tod verurteilt.

2) Siegfried, Violoncellist, *Barmen (heute zu Wuppertal) 25. 4. 1927; bed. Interpret zeitgenöss. Musik; 1976–81 Generalintendant der Dt. Oper Berlin, 1981–88 Präs. der Internat. Gesellschaft für Neue Musik.

Palma de Mallorca: Die Kathedrale La Seu geht bis auf das Jahr 1230 zurück und wurde erst um 1600 fertig gestellt; im Vordergrund ist der Fischereihafen zu erkennen

Palma, 1) →La Palma.

2) →Palma de Mallorca.

Palma, 1) Iacopo, gen. P. il Vecchio [»der Alte«], italien. Maler, *Serina bei Bergamo um 1480, †Venedig 30. 7. 1528, Großonkel von 2); entwickelte sich unter dem Einfluss von Giorgione und Tizian zu einem Hauptmeister der venezian. Hochrenaissance. Seine Werke sind durch ausgewogene Komposition und fein abgestimmte satte Farbigkeit gekennzeichnet.

2) Iacopo, gen. P. il Giovane [»der Junge«], italien. Maler, *Venedig 1544, †ebd. 1628, Großneffe von 1); beeinflusst von Michelangelo, Tizian und Tintoretto, gelangte er zu einem eklekt., prunkvollen Manierismus (Deckenfresko im Dogenpalast von Venedig).

Palma de Mallorca [- ðe maˈʎɔrka] (Palma, amtlich Ciutat de Mallorca), Hauptstadt Mallorcas und der span. Autonomen Region Balearen, 320700 Ew.; Haupthafen und Seebad an der SW-Küste der Insel Mallorca, in der Bucht von P. de M.; Bischofssitz; Univ., Priesterseminar, Konser-

Palma de Mallorca
Stadtwappen

Olof Palme

Lilli Palmer

Henry John Temple, 3. Viscount Palmerston
(Ausschnitt eines zeitgenössischen Stahlstichs)

vatorium, Museen, Theater, Bibliothek, botan. Garten; Lederind., Weberei, Stickerei, Kunstgewerbe (bes. Gold-, Silberarbeiten); Fremdenverkehr; internat. Flughafen. – Die Innenstadt, mit maurisch geprägtem Altstadtkern, wird beherrscht von der Kathedrale La Seu (1230 begonnen, um 1600 fertig gestellt); Castell de L'Almudaina (ehem. Palast der mallorquin. Könige, mit Nationalmuseum); arab. Bäder (10. Jh.); ehem. Handelsbörse (1426–1451; heute Museum); Bischofspalast (16. Jh.); Rathaus (16./17. Jh.); Klosterkirche San Francisco (1281–1317); frühgot. Kirche Santa Eulària (1230–16. Jh.; 1808 restauriert); Barockkirche Montision (1571–1683); zahlr. Adelspaläste (bes. 16.–18. Jh.). Im W liegen das Pueblo Español sowie das Castell de Bellver (1300–09; heute Histor. Stadtmuseum). – P. ist eine röm. Gründung des 2. Jh. v. Chr.; 798–1229 unter arab. Herrschaft; nach der Eroberung durch Jakob I. von Aragonien bestand 1262–1348/49 das Königreich Mallorca.

Palmarosaöl, äther. Öl aus dem Kraut einiger Zitronellgrasarten; verwendet in der Seifenparfümierung und zur Herstellung von Geraniol.

Palmarum [lat.], der →Palmsonntag.

Palm Beach ['pɑ:m 'bi:tʃ], Stadt in Florida, USA, 11 200 Ew.; luxuriöser Winterbadeort; Straßenverbindung zum Winterbadeort West P. B., Eisenbahnverbindung zum internat. Flughafen von Miami.

Palme, Olof, schwed. Politiker, *Stockholm 30. 1. 1927, †(ermordet) ebd. 28. 2. 1986; Jurist, 1963–69 mehrfach Min., ab 1969 Vors. der Sozialdemokrat. Partei Schwedens, 1969–76 und seit 1982 Min.Präs.; leitete 1980–82 die international zusammengesetzte »Unabhängige Kommission für Abrüstung und Sicherheitsfragen« (sog. **P.-Kommission**).

Palmen [lat.] (Arecaceae, Palmae), Familie einkeimblättriger Holzgewächse vorwiegend der Tropen Südostasiens, Südamerikas und Afrikas. Nach der Gestalt ihrer bis 20 m langen Blätter unterscheidet man **Fieder-P.** (z. B. Dattel-P.) und **Fächer-P.** (z. B. Zwerg-P.). Die Blütenstände sind gipfel- oder seitenständig, die Blüten meist eingeschlechtig, doch treten auch Zwitterblüten auf. Die Frucht ist eine Beere (z. B. Dattel) oder eine Steinfrucht (z. B. Kokosnuss). Wichtige Kulturpflanzen sind Dattel-, Kokos-, Öl-, Hanf- und Sago-P. Im europ. Mittelmeergebiet beheimatet ist die →Zwergpalme.

Palmendieb, Art der →Einsiedlerkrebse.

Palmenkerne (Palmkerne), die Samen der →Ölpalme, die 40–52% Fett enthalten. Das aus ihnen gepresste **Palmkernöl** dient zur Herstellung von Speisefetten und Kernseifen.

Palmen|orden, die →Fruchtbringende Gesellschaft.

Palmenroller (Paradoxurinae), Unterfamilie der Schleichkatzen in S-Asien und W-Afrika, katzengroß, marderähnlich; nachtaktive Baumtiere, die zusammengerollt in Baumhöhlen und auf Ästen schlafen; Allesfresser.

Palmer, Lilli, eigtl. Maria Lilli Peiser, Bühnen- und Filmschauspielerin, *Posen 24. 5. 1914, †Los Angeles (Calif.) 28. 1. 1986; 1933 Emigration, lebte zuletzt in der Schweiz (schweizer. Staatsbürgerin); spielte u. a. in den Filmen »Teufel in Seide« (1955), »Lotte in Weimar« (1975); schrieb »Dicke Lilli – gutes Kind« (1974).

Palmerarchipel ['pɑ:mə-], vergletscherte Inselgruppe vor der W-Küste der Antarkt. Halbinsel, bis 2 761 m ü. M. – 1821 von dem amerikan. Walfängerkapitän N. Palmer entdeckt; 1897–99 von einer belg. Expedition erforscht; gehört zum British Antarctic Territory.

Palmerston ['pɑ:məstən], Henry John Temple, 3. Viscount P. (seit 1802), brit. Politiker, *Broadlands (Hampshire) 20. 10. 1784, †Brocket Hall (Hertfordshire) 18. 10. 1865; zunächst Tory, dann Whig; 1809–28 Kriegsminister. Als Außenmin. (1830–34, 1835–41, 1846–51) und Premiermin. (1855–58, 1859–65) förderte er im Rahmen der brit. Interessen die nat. und liberalen Bewegungen in Europa (u. a. Sicherung der Unabhängigkeit Belgiens 1830/31) und setzte sich für die Bewahrung des Mächtegleichgewichts ein; er festigte die brit. Kolonialmacht (u. a. seit 1861 Eroberung Nigerias). Seine Innenpolitik (1852–55 Innenmin.) war konservativ.

Palmerston North ['pɑ:məstən 'nɔ:θ], Stadt auf der Nordinsel von Neuseeland, 71 000 Ew.; Univ.; Zentrum eines bed. Landwirtschaftsgebiets; Textilind., Fahrzeug- und Maschinenbau; Flugplatz; Luftwaffenstützpunkt.

Palmette [frz.] *die,* **1)** *Kunst:* fächerförmiges Blattornament, oft in friesartiger Reihung verwendet; seit dem 7. Jh. v. Chr. in der grch., dann in der röm. Kunst, wieder aufgegriffen in der Renaissance und im Klassizismus.

2) *Obstbau:* Spalierbaumform, an Wänden oder frei stehendem Gerüst gezogen.

Palmfarne (Cycadales), Ordnung der Fiederblättrigen Nacktsamer mit trop. und subtrop. zweihäusigen, immergrünen Holzpflanzen. P. sind kleine Schopfbäume mit säulenförmigen Markrindenstämmen sowie gefiederten großen Wedelblättern.

Palmira, Stadt in Kolumbien, im mittleren Caucatal, 1010 m ü. M., 214 400 Ew.; bed. landwirtsch. Hochschule und Forschungsstation für trop. Landwirtschaft; Tabak- und Zuckerfabriken.

Palmitinsäure (Hexadecansäure), gesättigte Fettsäure, $CH_3-(CH_2)_{14}-COOH$, als Glycerinester in fast allen pflanzl. und tier. Fetten, als Myricylester im Bienenwachs und als Cetylester im Walrat vorkommend. P. wird durch Verseifung von Fetten gewonnen und zu Seifen, Metallseifen, Fettalkoholen und Fettaminen verarbeitet. Die Salze und Ester der P. sind die **Palmitate.**

Palmyra: Der Tetrapylon, eine dreitorige, triumphbogenartige Toranlage, und die Reste der Großen Kolonnade mit den 9,5 m hohen korinthischen Säulen stammen aus dem 3. Jh. n. Chr.

Palmkohl, 1) *Botanik:* (Italienischer Kohl) bis 2 m hohe, als Zierpflanze kultivierte Varietät des Gemüsekohls.

2) *Küche:* als Gemüse verwendete Blattspitzen versch. Kohlarten.

Palmlili|e (Yucca), Gattung der Agavengewächse in den südl. USA und in Mittelamerika. Die Arten **Yucca filamentosa** und die bis zu 2,5 m hohe **Yucca gloriosa** sind häufige Zierpflanzen.

Palmnicken, Fischerdorf im Gebiet Kaliningrad, Russland, →Jantarny.

Palm|öl (Palmfett), aus dem Fruchtfleisch der Ölpalme gewonnenes Öl, besteht u. a. aus den Glyceriden der Palmitin- und der Ölsäure; es riecht nach Veilchen; Verwendung zur Herstellung von Seifen, Kerzen, Speisefett, in Pharmazie und Kosmetik.

Palmsonntag (in den evang. Kirchen auch Palmarum), im Kirchenjahr der Sonntag vor Ostern und Beginn der Karwoche; ben. nach der Palmenprozession (mit am **Palmstock** getragenen, geweihten [Palmen-]Zweigen) als Nachvollzug des Einzugs Jesu in Jerusalem (Mt. 21,1–11); in den evang. Kirchen vielfach Konfirmationstag.

Palmwein (Toddy), alkohol. Getränk aus dem Saft zuckerhaltiger Teile versch. Palmenarten.

Palmyra (arab. Tudmur, Tadmur), Oasenstadt im N der Syr. Wüste, Syrien, 18 000 Ew.; Handwerk, Fremdenverkehr; in der Umgebung Phosphatlagerstätten. – Alte Handelsstadt (aramäisch **Tadmor**) zw. Damaskus und dem mittleren Euphrat, in der Landschaft Palmyrene. Hier gründete der Stadtfürst Odaenathus um 260 n. Chr. das **Palmyren. Reich,** das bis nach Kleinasien und Ägypten reichte; nach kurzer Blüte wurde es mit P. von Aurelian 273 zerstört. – Gewaltige Ruinen aus röm. Zeit (UNESCO-Weltkulturerbe). P. wurde von einer über 1 km langen Prachtstraße (Große Kolonnade, 220 n. Chr.) von 11 m Breite durchquert, an den 9,5 m hohen Säulen waren auf Konsolen Statuen der Persönlichkeiten der Stadt angebracht; an ihr sind u. a. das Theater, das Nabuheiligtum, gegenüber Thermen (Ende des 2. Jh. n. Chr.) gelegen, an der einzigen Knickung des Verlaufs ist ein großer Durchgangsbogen (Tetrapylon) errichtet.

📖 BOUNNI, A. *u.* AL-AS'AD, K.: *P. Geschichte, Denkmäler, Museen. A. d. Frz. Damaskus 1984. – P. Geschichte, Kunst u. Kultur der syrischen Oasenstadt, hg. v.* E. M. RUPRECHTSBERGER, *Ausst.-Kat. Stadtmuseum. Linz 1987.*

Palmlilie: Yucca gloriosa (Höhe bis zu 2,5 m)

Palmyrapalme, eine Fächerpalme, →Borassus.

Palolowurm [polynes.] (Eunice viridis), bis 40 cm langer, grüner Ringelwurm v. a. an Korallenriffen Polynesiens, dessen Hinterende, das Eier und Samen enthält, sich ablöst und sich selbstständig im Meer bewegt. Dieses »Schwärmen« erfolgt im Oktober oder November.

Palpation [lat.] *die, Medizin:* Untersuchung durch Abtasten von dicht unter der Körperoberfläche liegenden Organen.

Palpen [lat.] (Taster), v. a. dem Tasten dienende Anhänge am Kopf versch. wirbelloser Tiere.

Gret Palucca

Palucca, Gret, Tänzerin und Tanzpädagogin, *München 8. 1. 1902, †Dresden 22. 3. 1993; Schülerin von M. Wigman, Meisterin des Ausdruckstanzes; gründete 1925 die bis heute bestehende P.-Schule Dresden, wo sie Leiterin der Abteilung Neuer Künstler. Tanz wurde.

Paludan-Müller, Frederik, dän. Schriftsteller, *Kerteminde (Fünen) 7. 2. 1809, †Kopenhagen 28. 12. 1876. Sein Werk steht zw. Romantik und Realismus; mit dem Epos »Adam Homo« (1841–48), einem der bed. Werke der dän. Literatur, oft als »dän. Faust« bezeichnet, schuf er ein iron. Zeitbild.

Palmyra

Plinius der Ältere erwähnt in seiner Naturgeschichte (5,88), von der drei Bücher der Geographie und Ethnographie gewidmet sind, auch Palmyra, dessen Stellung als semitisch-arabisches Wüstenzentrum zwischen östlichem und westlichem Kulturkreis er treffend charakterisiert:

»Palmyra, die ihrer Lage, den Reichtümern des Bodens und seinen angenehmen Wassern nach berühmte Stadt, schließt, überall von weiten Sandflächen umgeben, Äcker ein … Abgesondert durch das Schicksal liegt sie zwischen den wichtigsten zwei Herrschaftsbereichen, jenem der Römer und jenem der Parther …«

Palynologie [grch.] *die,* Teilgebiet der Botanik, das sich mit Pollen und Sporen beschäftigt.

Pamir [türk. »kalte Steppenweide«] *der* auch *das,* Hochgebirge in Zentralasien (auch »Dach der

Pamplona
Stadtwappen

Welt« gen.), Knoten großer Gebirgssysteme: Tienschan, Alaigebirge, Transalai, Kunlun Shan, Karakorum und Hindukusch. Das innere Hochland ist in breite Becken (Pamire) aufgelöst, die tief mit Schutt gefüllt sind (Talsohlen 3 500–4 000 m ü. M.). Der innere und östl. P. ist eine Hochgebirgswüste mit sehr trockenem Höhenklima. Insgesamt sind 10 000 km² vergletschert. In den großen Randtälern leben nomad. Volksstämme (Tadschiken, Kirgisen); Wanderviehzucht auf kargen Hochweiden. P. gehört zum größten Teil zu Tadschikistan, der O zu China, der S zu Afghanistan und der N zu Kirgistan.

Pampashasen:
Die Maras leben in kleinen Gruppen im Gras- und Buschgelände und erreichen eine Körperlänge von bis zu 75 cm

Pampa [Ketschua »Ebene«] *die* (Pampas), ebene Großlandschaft in Südamerika, v. a. in Argentinien, erstreckt sich etwa von 30° bis 39° s. Br., vom unteren Paraná bis zum Rande der Anden; urspr. baum- und strauchlose Grasebene, heute wirtsch. Kernlandschaft Argentiniens (Weizen, Mais; Rinder-, im S und W Schafzucht).

Pampasgras (Cortaderia selloana), bis 3 m hohe, zweihäusige Süßgrasart S-Brasiliens und Argentiniens; weibl. Pflanzen mit langen, silberweißen Blütenrispen an bis 3 m langen Halmen; Gartenzierpflanze.

Pampashasen (Maras), Unterfamilie der Meerschweinchen; bis zu 75 cm lange hasenartige Nagetiere der Steppen Argentiniens mit langen, dünnen Beinen und langen Ohren.

Pampas|indianer, Indianer in Argentinien, bes. die zu den →Araukanern gehörenden Pehuenche und Moluche, die nach Übernahme des Pferdes von den Europäern die Pampas bevölkerten; 1878–85 von der argentin. Armee fast ausgerottet.

Pampasstrauß, →Nandus.

Pampelmuse [frz.] *die* (Citrus maxima), in SO-Asien beheimatete Art der Gattung Citrus; 5–10 m hoher Baum, dessen Früchte **(Pampelmusen, Pomelos)** einen Durchmesser bis zu 25 cm und ein Gewicht bis zu 6 kg erreichen. (→Grapefruit)

Pamphlet [engl.-frz.] *das,* Form publizist. Angriffsliteratur, auf polit., gesellschaftl. oder literar. Ereignisse bezogene Polemik; v. a. persönlich attackierend, weniger sachbezogen argumentierend.

Pamphyli|en, antiker Name einer Landschaft im südl. Kleinasien, die fruchtbare Küstenebene zw. Antalya und Alanya, Türkei.

Pampine Sierren, lang gestreckte Schollengebirge im NW Argentiniens zw. den Anden und dem Brasilian. Bergland; größte der P. S. ist die **Sierra de Córdoba** (bis 2 883 m ü. M.).

Pamplona (bask. Iruñea), Hauptstadt der Autonomen Region Navarra, in N-Spanien, im südwestl. Pyrenäenvorland, 183 500 Ew.; Erzbischofssitz; zwei Univ., Musik-, Kunstschule, Archiv, Bibliotheken, Museen; Textil-, Kali-, Nahrungsmittelu. a. Industrie. Berühmt ist die im Juli stattfindende »Fiesta de San Fermin« mit Stierkämpfen. – P. wurde von Pompeius 70 v. Chr. als **Pompaelo** gegründet. Im 5. Jh. westgotisch, später arabisch, wurde es Anfang des 10. Jh. Hptst. des Königreichs Navarra, mit dem es 1512 an Kastilien fiel. Pilgerstation des Jakobsweges; mittelalterl. Altstadt, got. Kathedrale, Paläste an der Plaza del Castillo.

Pamukkale, Kalksinterterrassen bei →Hierapolis.

Pan [poln.] *der,* Herr.

Pan, 1) *Astronomie:* ein Mond.

2) *grch. Mythos:* grch. Hirtengott, Sohn des Hermes und einer Nymphe, Begleiter des Dionysos. Er ist menschengestaltig, aber fellbedeckt, hat Bockshörner und -füße. Er stellt lüstern den Nymphen nach (aus Furcht vor ihm ließ sich die Nymphe Syrinx in Schilfrohr verwandeln, woraus P. die →Panflöte anfertigte) und ist Urheber plötzl., unerklärl. (pan.) Schreckens, der Panik. Von den Römern dem Faun gleichgesetzt.

Pan 2):
Bronzestatuette aus Lusoi, Arkadien (um 440 v. Chr.; Berlin, Altes Museum)

Panama

Fläche: 78 678 km²
Einwohner: (1995) 2,631 Mio.
Hauptstadt: Panama
Verwaltungsgliederung: 9 Provinzen und ein besonderes Territorium
Amtssprache: Spanisch
Nationalfeiertag: 3. 11.
Währung: 1 Balboa (B/.) = 100 Centésimos (c, cts)
Zeitzone: MEZ −7 Std.

pan... [grch.], ganz..., all...

Pan African Congress [pæn ˈæfrɪkən ˈkɔŋgrəs], Abk. **PAC,** Panafrikan. Kongress, polit. Bewegung in Südafrika, spaltete sich unter R. M. Sobukwe 1959 vom →African National Congress ab und vertritt einen militanten schwarzafrikan. Nationalismus. 1960–90 war er verboten. 1994 sprach er sich für einen Gewaltverzicht aus, erreichte aber bei den Wahlen im selben Jahr nur 1,25% der Stimmen.

panafrikanische Bewegung (Panafrikanismus), seit etwa 1900 (1. Panafrikan. Konferenz in London) kulturelle und polit. Bestrebungen, Gemeinsamkeiten zw. allen Menschen schwarzer Hautfarbe hervorzuheben, diese Menschen politisch zu organisieren und gegen ihre Diskriminierung zu protestieren. Zentralfigur wurde nach dem 1. Weltkrieg W. E. B. Du Bois, der auch Kongresse organisierte. Nach dem 2. Weltkrieg trug die All-African People's Conference zur Intensivierung des afrikan. Befreiungskampfes bei. 1961 Spaltung in die Brazzaville- und die Casablancastaaten; 1963 Einigung durch Gründung der OAU.

📖 AJALA, A.: *Pan-Africanism. London 1973. – Organisation der Afrikanischen Einheit (OAU). Resolutionen u. Erklärungen 1963–1981, hg. v.* H. STOEBER. *A. d. Engl. Berlin (Ost) 1983.*

Panaitios (latinisiert Panaetius), grch. Philosoph aus Rhodos, * um 185 v. Chr., † um 109 v. Chr.; Vertreter der mittleren →Stoa; wirkte im Kreis um Scipio Africanus Minor und beeinflusste Cicero; Leiter der stoischen Schule in Athen.

Panaji [ˈpænædʒɪ] (früher Panjim), Hafen und Hptst. des ind. Bundesstaates Goa, am Arab. Meer, 43 000 Ew.; kath. Erzbischofssitz, Univ.; Düngemittelindustrie.

Panama (span. Panamá, amtlich República de Panamá), Staat in Zentralamerika, zw. Pazifik und Karib. Meer, grenzt im W an Costa Rica, im O an Kolumbien.

Staat und Recht: Nach der Verf. von 1983 und 1994 ist P. eine präsidiale Republik; Staatsoberhaupt und oberster Inhaber der Exekutive (Reg.chef) ist der auf fünf Jahre direkt gewählte Präsident. Er ernennt und entlässt das Kabinett. Die Legislative liegt bei der Nationalversammlung (72 Abg., auf fünf Jahre gewählt). Einflussreichste Parteien sind die Christdemokrat. Partei (PDC), Nationalistisch Liberal-Republikan. Bewegung (MOLIRENA), Revolutionäre Demokrat. Partei (PRD) sowie die Arnulfist. Partei (PA).

Landesnatur: P. umfasst die gebirgige (im Vulkan Chiriquí 3 475 m hoch), meist mit trop. Wäldern bedeckte Landbrücke zw. Kolumbien und Costa Rica, die an der schmalsten Stelle 55 km breit ist, einschließl. der Perleninseln u. a. vorgelagerten Inseln. Auf der pazif. Seite ist ein breiteres Tiefland (Darién) ausgebildet. P. hat trop. Klima mit hohen Niederschlägen.

Bevölkerung: Die Bevölkerung besteht vorwiegend aus Mestizen (rd. 64%, in den westl. Prov. Chiriquí, Veraguas, Herrera und Coclé rd. 90%), in den dichter besiedelten pazifischen Küstengebieten leben bes. Schwarze und Mulatten (14%, in den Prov. Bocas del Toro, Colón und Darién jeweils um 50%), daneben Weiße (10%, in den Prov. Panamá, Colón, Los Santos und Chiriquí um 15%), Indianer (8%, Guaymí und →Cuna sind die größten Gruppen) und Asiaten (4%). – Allg. Schulpflicht besteht vom 7. bis 16. Lebensjahr, der Unterricht ist unentgeltlich. Es gibt eine Staatsuniv. (gegr. 1935), eine kath. Univ. (gegr. 1965) und eine TU in Panama. – Die überwiegende Mehrheit der Bev. ist kath. (84%), Minderheiten gehören prot. Kirchen, dem Islam, der Bahai-Religion sowie traditionellen Stammesreligionen an.

Wirtschaft, Verkehr: In der Wirtschaftsstruktur P. dominiert der exportorientierte Handels- und Dienstleistungssektor. Die Einnahmen aus dem Kanalverkehr, dem Betrieb der 1982 fertig gestellten Transisthmuspipeline von Puerto Armuelles, dem Fremdenverkehr und dem Geschäft mit der →Billigflagge (die meisten Handelsschiffe unter panamaischer Flagge gehören ausländ. Reedereien) sind die wichtigsten Devisenquellen des

Staatswappen

PA
Internationales Kfz-Kennzeichen

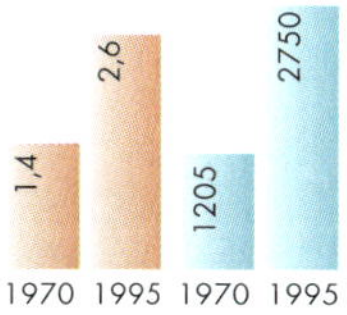

Bevölkerung (in Mio.)
Bruttosozialprodukt je Ew. (in US-$)

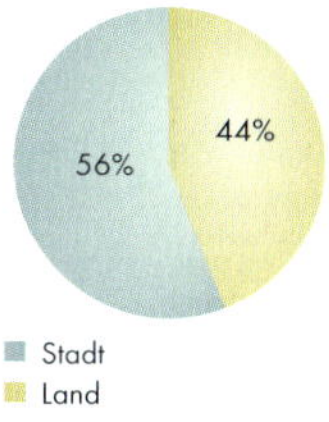

Bevölkerungsverteilung 1995

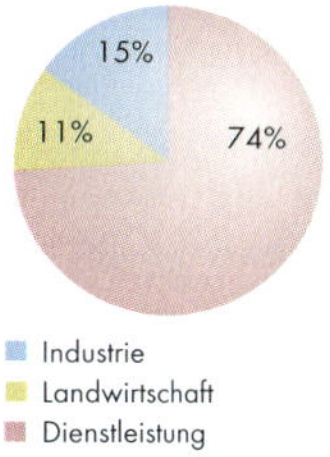

Bruttoinlandsprodukt 1995

Landes und tragen zum Ausgleich des traditionellen Außenhandelsdefizits bei. P. entwickelte sich zu einem internat. Bank- und Finanzzentrum.

Die wichtigsten landwirtsch. Gebiete liegen westlich der Kanalzone im pazif. Bereich. Angebaut werden für den Inlandsbedarf Reis, Mais, Maniok, Bataten und Bohnen, für den Auslandsmarkt bestimmt sind v.a. Bananen, aber auch Kaffee, Kakao und Zuckerrohr. Viehzucht wird v.a. in den Savannen und Höhengebieten der pazif. Prov. betrieben. Ohne geregelte Forstwirtschaft werden die artenreichen trop. Laubwälder (rd. 50% der Staatsfläche) genutzt. Hauptfanggebiet für die Fischerei ist der Pazifik. An Bodenschätzen sind Kupfererze nachgewiesen; abgebaut wird Kalk für die Zementind.; in Salinen wird Salz gewonnen. Die Ind. ist hauptsächlich auf die Produktion von Konsumgütern für den Inlandsbedarf ausgerichtet. Wichtig sind die Nahrungs- und Getränkeind., außerdem Leichtind. und zwei Zementfabriken. Fast die Hälfte aller Betriebe konzentriert sich auf die Prov. Panama. Die 1948 gegr. Freizone von Colón ist der größte Waren- und Kapitalumschlagsplatz von Lateinamerika. – Eine hohe verkehrspolit. Bed. hat der →Panamakanal. Die Gesamtlänge des Eisenbahnnetzes beträgt 578 km. Das Straßennetz ist rd. 10 100 km lang. Wichtigste Strecken sind die Schnellstraße Panama (Stadt)–Colón und die Carretera Interamericana (→Panamerican Highway), von der 550 km fertig gestellt sind (mit Betondecke und Brücke über den Panamakanal); die Verbindung zur kolumbian. Grenze wird angestrebt. Die wichtigsten Häfen sind Cristóbal und Balboa. Der internat. Flughafen liegt 27 km nordöstlich der Hauptstadt.

Panama: Mestizenhütte im tropischen Feuchtwald des Tieflandes bei David, der Hauptstadt der westlichen Provinz Chiriquí

Manuel A. Noriega Morena

Ernesto Pérez Balladares

Geschichte: Die atlant. Küste wurde 1502 von Spaniern, J. de la Cosa und R. de Bastidas, entdeckt. 1510 gründeten die Spanier bei Veraguas ihre ersten Siedlungen auf dem amerikan. Festland. 1513 durchquerte V. Núñez de Balboa die Landenge und erreichte als erster Europäer am 29. 9. den Pazifik. Von hier aus eroberte F. Pizarro Peru. P. wurde wichtigste Zwischenstation und Warenumschlagplatz zw. Europa und Peru: Der Weg von und zu den südamerikan. Silberminen führte bis Mitte des 18. Jh. über den Isthmus von Panama. 1739 wurde P. Teil des Vizekönigreichs Neugranada. 1821 erklärte das Land seine Unabhängigkeit von der span. Verwaltung und schloss sich Großkolumbien an. Versuche, einen eigenen Staat zu bilden, schlugen fehl. Erst unter dem Schutz der USA, die die Kontrolle über den geplanten Panamakanal anstrebten, trennte sich P. 1903 von Kolumbien. Die Verf. von 1904 berechtigte die USA zu Interventionen in ihrem Interesse. Seit den 1930er-Jahren strebte P. nach größerer Unabhängigkeit (1936 und 1954 Revision des Kanalvertrages, Erhöhung der Zahlungen an P.). Erst 1960 erkannten die USA den Staat P. nominell als souverän an. Nach dem Sturz von Arnulfo Arias (Präs. 1940/41 und 1949–51) kurz nach seiner 3. Wahl 1968 übernahm eine Militärjunta die Reg.; die eigentl. Macht lag, auch nach der Ernennung von Demetrio Basilio Lakas Bahas zum Präs., bei General Omar Torrijos Herrera. 1977 wurde ein neuer Kanalvertrag unterzeichnet, der die volle Souveränität P.s im Jahr 2000 zum Ziel hat. 1983–88 erzwang die Nationalgarde unter Oberbefehl von General M. Noriega Morena mehrfach einen Wechsel im Amt des Präsidenten. Unruhen führten 1987/88 zur Verhängung des Ausnahmezustandes. Die USA stellten ihre Finanzhilfe ein, warfen Noriega u.a. Drogenhandel vor und forderten seine Auslieferung. Wahlen im Mai 1989 gewann zwar der Kandidat der Oppositionspartei, Guillermo Endara, doch annullierte Noriega das Ergebnis und ernannte eine provisor. Regierung. Nach Unruhen und einem Putschversuch gegen Noriega intervenierten am 20. 12. 1989 amerikan. Truppen; Noriega stellte sich, wurde in die USA gebracht und im Juli 1992 zu 40 Jahren Gefängnis verurteilt. Von 1989 bis 1994 war G. Endara (PA) Präsident. Er erreichte das Ende der außenpolit. Isolierung P.s und einen gewissen wirtsch. Aufschwung, doch gelang es ihm nicht, auch die unteren Bev.schichten an diesem zu beteiligen. Die Unzufriedenheit mit seiner Regierung kam auch darin zum Ausdruck, dass eine Änderung der Verf., die u.a. die Abschaffung der Armee vorsah, durch ein Referendum im Nov. 1992 abgelehnt wurde. Im Mai 1994 wählte die Bev. Ernesto Pérez Balladares (PRD), den Kandidaten der »Alianza Pueblo Unido«, zum Präs. (Amtsantritt: 1. 9. 1994). Am 14. 10. 1994 billigte das Parlament den Verf.artikel, der die »Autoridad del Canal de P.« konstituiert, die im Jahre 2000 die Aufsicht über den Panamakanal übernehmen soll.

📖 SCHUBERT, A.: *P. Geschichte eines Landes u. eines Kanals. Berlin 1978.* – SANDNER, G.: *Zentral-*

amerika u. der ferne karib. Westen. Konjunkturen, Krisen u. Konflikte 1503–1984. Stuttgart 1985.

Panama (span. Ciudad de Panamá), Hauptstadt und wichtigster Hafen (Balboa) der Rep. P., nahe der pazif. Einfahrt in den Panamakanal, 450 700 Ew.; Erzbischofssitz; Kulturzentrum mit zwei Univ., TU, Seefahrtschule, Tropenforschungsinstitut, Museen; Nahrungsmittel-, Holz-, Textil-, Metallind., Herstellung von Kosmetika und Arzneimitteln; Flughafen. – Kathedrale (1796 geweiht), Kirche San José, Präsidentenpalast im maur. Stil (1673, renoviert 1921). Die Altstadt und der Salón Bolívar wurden zum UNESCO-Welterbe erklärt. – P. wurde 1519 von den Spaniern gegr., seit 1903 Hauptstadt.

Panamabindung, *Textiltechnik:* Abart der Leinwandbindung, bei der mehrere Kett- und Schussfäden gleich binden. Gewebe in P. werden als **Panama** bezeichnet und sind durch Würfelmuster gekennzeichnet.

Panamahut, leichter Herrenstrohhut, aus Blättern der Panamapalme (→Kolbenpalme) geflochten; im 2. Viertel des 19. Jh. aufgekommen.

Panamakanal, künstlicher Schifffahrtsweg in Zentralamerika, zw. Atlantik (Karib. Meer) und Pazifik, verläuft 81,6 km lang durch den Isthmus von Panama; Sohlenbreite 90–300 m. Von N kommend, führt die Baggerrinne auf Meeresniveau bis zum Gatundamm, wo mithilfe von drei Schleusenkammern der Aufstieg zum künstlich gestauten Gatunsee (26 m ü. M.) erfolgt. Der im Bereich der kontinentalen Wasserscheide (93 m ü. M.) eingeschnittene, 13 km lange Gaillard Cut führt bis zur Schleuse von Pedro Miguel, die den Abstieg bis zur Doppelschleuse von Miraflores einleitet. Im Rahmen des Ausbaus von 1962–71 wurde der Gaillard Cut von 91,4 m auf 152,4 m verbreitert und von

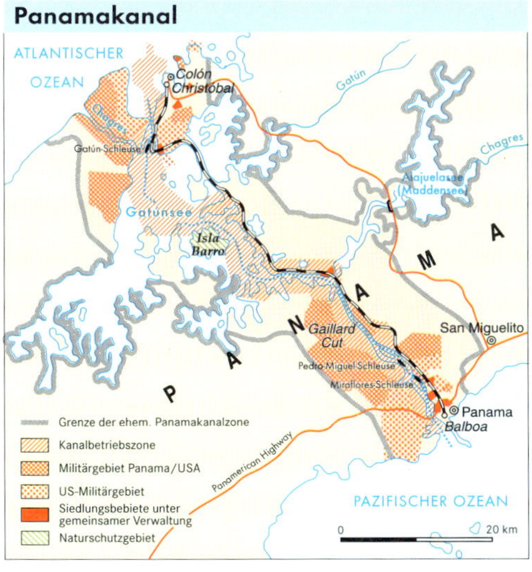

Panamarenko: »Deltaflugzeug« (1975; Gent, Museum van Hedendaagse Kunst)

12,8 m auf 14,3 m vertieft. Im Mittel benötigt ein Schiff zur Querung der Landenge 14–16 Std., davon 8 Std. für den eigentl. Schleusenkanal. Da für über 60 % der Welthandelsflotte (Schiffe über 12 m Tiefgang) der P. nicht mehr passierbar ist, wird seit langem die Errichtung eines neuen Kanals erwogen. – Panama erhielt 1979 die uneingeschränkte Verfügungsgewalt über 1076 km² der früheren **P.-Zone** (1432 km², davon 712 km² Wasserfläche; darunter auch über die Häfen Balboa und Cristóbal); Sitz der Kanalbehörde ist Balboa Heights.

Geschichte: Mit dem Plan zum Bau des P. begannen Auseinandersetzungen um die Nutzung. 1850 einigten sich die USA und Großbritannien über die Neutralisierung des Kanalgebiets im Kriegsfall (Clayton-Bulwer-Vertrag). Eine frz. Gesellschaft unter Führung von F. de Lesseps erhielt von Kolumbien die Konzession und begann 1879–81 mit dem Bau, doch musste die Gesellschaft 1889 den Bankrott ansagen; dies führte in Frankreich zum Panamaskandal (1892–94), denn viele Politiker wurden der Bestechung beschuldigt. 1901 sicherten sich die USA das Recht auf den Bau; sie veranlassten 1903 die Loslösung des Territoriums von Kolumbien und die Bildung eines Freistaats Panama, der ihnen die Kanalzone abtrat. Unter Leitung des amerikan. Ingenieurs George W. Goethals wurde der Bau 1906 begonnen und am 15. 8. 1914 eröffnet. 1977 unterzeichneten Panama und die USA zwei Verträge, die 1979 in modifizierter Form in Kraft traten: Bis zum 31. 12. 1999 werden Kanal und Kanalzone von Panama und den USA gemeinsam, danach von Panama allein verwaltet.

📖 *Panama. Probleme des Kanals u. die polit. Entwicklung, hg. v.* M. MINKNER. *Königswinter 1988.* – LA FEBER, W.: *The Panama Canal. The crisis in historical perspective. Neuausg. New York 1989.*

Panamarenko, eigtl. Henry van Herwegen, belg. Objektkünstler, *Antwerpen 5. 2. 1940; fertigt Automobile, Flugmaschinen u. a. techn. Apparate, deren Funktionalität er infrage stellt; auch Objekte, in denen er sich mit dem Magnetismus auseinander setzt.

Panamerican Highway [pænəˈmerɪkən ˈhaɪweɪ, engl.] (span. Carretera Panamericana, in Zentralamerika und Mexiko auch Carretera Interamericana), durchgehendes transkontinentales Straßensystem Amerikas, insgesamt 72 000 km lang, größtenteils befestigt. I. w. S. beginnt der P. H. in Fairbanks (Alaska) und schließt die Alaskastraße und Strecken des Interstate and Defense Highway Systems der USA ein. Der P. H. i. e. S. führt von der Grenze Mexikos nach S bis Puerto Montt (Chile). Der Hauptstrang verläuft an der W-Seite des Doppelkontinents; zw. Panama und Kolumbien besteht noch eine Lücke von 80 km.

panamerikanische Konferenzen, die von Vertretern der amerikan. Staaten abgehaltenen Zusammenkünfte mit dem Ziel polit. und wirtsch. interamerikanischer Zusammenarbeit. 1889 wurde auf Initiative der USA der 1. panamerikan. Kongress nach Washington (D. C.) einberufen; 1890 entstand die Internat. Union Amerikan. Republiken (seit 1910 Panamerikan. Union) mit Büro in Washington (D. C.). Die Konferenz in Bogotá (1948) führte zur Gründung der Organization of American States (→ OAS).

panarabische Bewegung (Panarabismus), mit dem Panislamismus sich überschneidende polit. Sammlungsbewegung zur Einigung aller arab. Staaten auf der Grundlage von Gemeinsamkeiten in Kultur, Sprache und Religion. Sie entstand etwa 1880, führte u. a. zur Gründung der Arab. Liga 1945. Auch die gemeinsame Frontstellung gegenüber Israel im → Nahostkonflikt konnte bis heute aufgrund der unterschiedl. Einzelinteressen der arab. Staaten die bestehenden polit. Konflikte zw. ihnen nicht lösen; weiterer Grund für Spannungen war das Erstarken des islam. Fundamentalismus seit dem Ende der 1970er-Jahre.

📖 Tibi, B.: *Vom Gottesreich zum Nationalstaat. Islam u. panarab. Nationalismus. Frankfurt am Main* *²1991.*

Pandas
1963 wurde im Pekinger Zoo der erste Große Panda in Gefangenschaft geboren. Der Große Panda ist das Wappentier des World Wide Fund for Nature. Obwohl er streng geschützt ist, schätzt man den heutigen Bestand nur noch auf etwa 1 000 Tiere.

Pandas (von links): Kleiner Panda (Körperlänge bis zu 65 cm) und Großer Panda (Körperlänge etwa 1,5 m)

Panaritium [lat.] *das,* die → Fingerentzündung.

panaschieren [frz. panacher, eigtl. »buntstreifig machen«], bei der Verhältniswahl die Befugnis des Wählers, Kandidaten aus versch. Wahlvorschlägen (Listen) zu wählen; in Dtl. gesetzlich nur in einigen Bundesländern (bes. in Bad.-Württ.) bei den Kommunalwahlen vorgesehen.

Panaschierung: Bei dieser Variante des Efeus wird der Blattfarbstoff nur entlang den Blattrippen ausgebildet

Panaschierung *die* (Buntblättrigkeit), weiße oder gelbl. Fleckung des Laubs infolge Chlorophyllmangels.

Panathenäen *Pl.,* das im antiken Athen seit Peisistratos alle vier Jahre im Hochsommer gefeierte Hauptfest der Göttin Athene, mit Prozession, Opfermahl und Wettkämpfen.

Panax [lat.-grch.], Araliengewächsgattung, zu der u. a. → Ginseng gehört.

Panay, Insel der Philippinen, 11 515 km², etwa 2 Mio. Ew.; gebirgiges Inneres, in den schmalen Küstenebenen Reis-, Tabak-, Zuckerrohranbau; Wein- und Gemüsekulturen; Haupthafen: Iloilo.

Pancatantra [pantʃa-, Sanskrit] *das* (Pantschatantra), die bekannteste altind. Sammlung von Fabeln, Erzählungen und Sprüchen, die einprägsam die wichtigsten Regeln der Staatskunst und Weltklugheit lehrt; älteste Fassung um 500 n. Chr.

Pančevo [ˈpaːntʃɛvɔ] (dt. Pantschowa, ungar. Pancsova), Stadt in der Wojwodina, Jugoslawien, an der Donau, 72 700 Ew.; Handelszentrum und bed. Ind.standort mit Erdölraffinerie, chem., Glas-, Flugzeug-, Nahrungsmittelind., Baumwollweberei; Donauhafen. – 1153 erstmals erwähnt.

Pancho Villa [ˈpantʃo ˈbija, span.], → Villa, Francisco.

Pandas, Name zweier mit den Bären verwandter Arten. Der vorwiegend rostrote **Kleine P. (Katzenbär,** Ailurus fulgens), Körperlänge bis 65 cm, lebt in den Berg- und Bambuswäldern des Himalaja. Er ist vorwiegend dämmerungs- und nachtaktiv und ernährt sich v. a. von Bambusschösslingen, Früchten und Wurzeln. Der **Große P. (Bambusbär, Riesen-P.,** Ailuropoda melanoleuca), Körperlänge etwa 1,5 m, mit schwarzweißer Fellzeichnung, lebt in Zentralchina in Bambusdickichten und ernährt sich ausschließlich von Bambus. Er wurde erst 1869 entdeckt.

Pandekten [grch. »alles enthaltend«] *Pl.* (Digesten), Bestandteil des → Corpus Iuris Civilis.

Pandektistik *die,* auf den Pandekten aufbauende Rechtswiss. des 19. Jh.; Vertreter v. a. F. C. von Savigny, G. F. Puchta.

Pandemie [grch.] *die,* Form der → Epidemie.

Pandit [Sanskrit »gelehrt«, »weise«], Titel brahman. Gelehrter.

Pandora [grch. »Allgebende«], **1)** *Astronomie:* ein Mond des Planeten Saturn.

2) *grch. Mythos:* urspr. wahrscheinlich eine Erdgöttin; nach Hesiod die verführer. Frau, die Zeus von Hephaistos aus Erde formen ließ, um den Feuerraub des → Prometheus für die Menschen zu rächen. Zeus gab ihr ein Gefäß, die **Büchse der P.,** in der alle Übel eingeschlossen waren, und schickte sie zu Epimetheus. Als P. die Büchse öffnete, entwichen die Übel und verbreiteten sich über die Erde. Nur die Hoffnung, die auf dem Grund lag, blieb darin.

Pandora [grch.-italien.] *die,* im 16. und 17. Jh. in England beliebtes Zupfinstrument in Basslage, der → Cister verwandt.

Pandschab [panˈdʒa:p, ˈpandʒa:p, Hindi] *das* oder *der,* (engl. Punjab; Fünfstromland), Landschaft (Stromebene) im NW Vorderindiens, gebildet aus dem Stromfächer der fünf linksseitigen Zuflüsse des Indus: Jhelum, Chenab, Ravi, Beas und Sutlej. Politisch gehört der W-Teil zu Pakistan (Prov. Punjab), der O-Teil zu Indien (Bundesstaaten Punjab und Haryana). Durch ein Netz von Kanälen und Stauwerken wurde das steppenhafte Land zu einem der bedeutendsten Bewässerungsgebiete der Erde umgestaltet und ist das beste Weizen- und Baumwollgebiet Vorderindiens. – Das P. ist die älteste ind. Kulturlandschaft, deren Geschichte mit der → Harappakultur beginnt. Die Arier und nach ihnen zahlr. andere Eroberer drangen über dieses Gebiet nach Indien ein. 1206 geriet das Land unter muslim. Herrschaft (Sultanat von Delhi) und kam 1526 zum Mogulreich. Im 18. Jh. entstand hier das Reich der → Sikhs; 1849 von den Briten erobert (Prov. Britisch-Indiens). Bei der Teilung 1947 fiel der größere Teil mit der Hptst. Lahore an Pakistan, das übrige Gebiet an Indien.

Pandschabi *das,* zu den indoar. Sprachen gehörende Sprache in N-Indien und Pakistan, offizielle Sprache des ind. Bundesstaates Punjab. P. wird von den Sikhs in Gurmukhischrift (→ indische Schriften), von Muslimen in einer Variante der arab. Schrift geschrieben.

Panduren [ungar.], im 17./18. Jh. eine in Südungarn aufgestellte Truppe der österr. Armee, die im Kleinkrieg in S-Ungarn eingesetzt war; gehörte 1741–56 zum Freikorps des Franz Freiherr von der Trenck, später zur regulären Armee.

Paneel [niederländ.] *das,* vertieftes Feld in einer Holztäfelung oder gesamte Täfelung; Holztafel (als Bildträger).

Panegyrikus [grch.] *der,* eigtl. ein Vortrag, der in einer (religiösen) Festversammlung der alten Griechen, der **Panegyris,** gehalten wurde, dann allg. Lobrede.

Panel [ˈpænl, engl.] *das,* **1)** urspr. im angloamerikan. Prozessrecht die Namensliste der zu ladenden Mitgl. eines Geschworenengerichts, dann auch diese Gruppe selbst.

2) *Marktforschung, empir. Sozialforschung:* wiederholte Befragung eines bestimmten Personenkreises über einen längeren Zeitraum zur Analyse von Marktveränderungen (z. B. Kaufverhalten, Marktanteile, Preis) bzw. sozialen Veränderungen (Einstellungs-, Verhaltenswandel), wofür sich die Methode des P. als zeitl. Längsschnittuntersuchung bes. eignet. Probleme des P. sind die hohe Verweigerungs- und Ausfallrate und der »P.-Effekt« (Bewusstseins- und Verhaltensänderungen aufgrund der Befragung).

panem et circenses [lat. »Brot und Zirkusspiele«], Zitat aus Juvenals Satiren 10,81, nach dem das röm. Volk in der Kaiserzeit Ernährung und Vergnügen ohne Arbeit verlangt habe.

Pan|entheismus [grch.] *der,* die »All-in-Gott-Lehre«, eigene Religion (z. B. die der Sikhs) oder philosoph. Lehre, die zwar das göttl. Wesen aller ird. Erscheinungen hervorhebt, im Ggs. zum → Pantheismus jedoch Gott mehr sein lässt als die Welt.

Paneth, Friedrich Adolf, österr. Chemiker, * Wien 31. 8. 1887, † Mainz 17. 9. 1958; seit 1953 Direktor des Max-Planck-Instituts für Chemie in Mainz. P. arbeitete v. a. über radioaktive Zerfallsreihen und Altersbestimmungen (bes. von Meteoriten) und leistete wesentl. Beiträge zur Chemie radioaktiv markierter Moleküle (v. a. in Zusammenarbeit mit G. K. von Hevesy). Er entwickelte ein Verfahren zur Trennung von Helium und Neon sowie zur quantitativen Bestimmung kleinster Edelgasmengen.

Fjodor Panfjorow

Pan|europa-Bewegung, 1923 von R. Graf von Coudenhove-Kalergi begründete Bewegung mit dem Ziel des Zusammenschlusses der europ. Staaten (→ europäische Einigungsbewegung). Präs. der **Paneuropa-Union** wurde 1973 Otto von Habsburg-Lothringen.

Panfjorow, Fjodor Iwanowitsch, russ. Schriftsteller, * Pawlowka (Gouv. Simbirsk) 2. 10. 1896, † Moskau 10. 9. 1960. Sein Roman »Bruski« (4 Bde., 1928–37) galt zunächst als Vorbild eines Kollektivierungsromans und des sozialist. Realismus, später von M. Gorki kritisiert.

Panflöte

Panflöte [nach dem grch. Gott Pan] (Panpfeife, Syrinx), Hirtenflöte der Antike aus mehreren verschieden langen Längsflöten (aus Rohr oder Bambus); weltweit verbreitet.

Pangermanismus *der,* im 19. Jh. gebildetes Schlagwort, das urspr. ein angebl. gemeinsames Stammesbewusstsein aller Völker german. Abkunft, später v.a. die Bestrebungen, alle Deutsch sprechenden Völker in einem Staat zu vereinigen, bezeichnete.

Bernhard Pankok: Vitrine und Leuchter (1899; München, Stadtmuseum)

Pangoline [malaiisch], die →Schuppentiere.

Pangwe, afrikan. Volk, →Fang.

Panier [von frz. bannière »Heerfahne«] *das,* →Banner.

Emmeline Pankhurst

Panik [nach dem grch. Gott Pan] *die,* angstvolle Erregung, die bei plötzlich hereinbrechender tatsächl. oder vermeintl. Gefahr bei einzelnen oder einer Gruppe von Menschen (oder Tieren) auftritt. Charakteristisch sind unkontrollierte Fluchtreaktionen.

Panislamismus *der* (panislamische Bewegung), abendländ. Bez. für das Streben der islam. Welt, ihre polit. Zersplitterung zu überwinden. Nach der Abschaffung des Kalifats 1924 verlor der P. gegenüber den nat. Strömungen in islam. Staaten an polit. Bedeutung (→Islam). Nach den Bemühungen Pakistans um die Bildung eines Blocks islam. Staaten verstärkte sich der panislam. Gedanke v.a. in Indonesien, Iran, einer Reihe schwarzafrikan. Staaten und der Türkei. Seit den 1970er-Jahren gewann die Islam. Konferenz Bedeutung.

Otto Pankok (Selbstporträt, Holzschnitt; 1948)

Panjepferd, Sammelbez. für einen in O-Europa verbreiteten mittelgroßen Pferdetyp.

Panjim [pæn'ʒiːm], früherer Name der ind. Stadt →Panaji.

Pankhurst ['pæŋkhəːst], Emmeline, geb. Goulden, brit. Frauenrechtlerin, *Manchester 4. 7. 1858, †London 14. 6. 1928; gründete 1903 die »Women's Social and Political Union«, die bis 1914 die radikalste Organisation der Frauenwahlrechtsbewegung war (Suffragetten).

Pankok, 1) Bernhard, Architekt, Maler und Grafiker, *Münster 16. 5. 1872, †Baierbrunn (Kr. München) 5. 4. 1943; tätig in München und Stuttgart, wo er die Kunstgewerbeschule leitete; war beteiligt an der Gründung des Dt. Künstlerbundes (1903) und des Dt. Werkbundes (1907). P. malte Landschaften und hervorragende Portraits. Mit seinen Entwürfen für Innendekorationen, das Kunsthandwerk und Buchschmuck leistete er wichtige Beiträge zum Jugendstil.

2) Otto, Maler, Grafiker, Bildhauer, *Saarn (heute zu Mülheim a.d. Ruhr) 6. 6. 1893, †Wesel 20. 10. 1966; widmete sich bes. sozialkrit. Themen unter Verwendung expressionist. Formmittel. Den Schwerpunkt seines Werkes bilden Holzschnittfolgen; zu seinen wichtigsten bildhauer. Arbeiten gehört das »Gelsenkirchener Mahnmal« (1940–49).

Pankow [-ko], Stadtbezirk in Berlin.

Pankration [grch. »Allkampf«] *das,* in der altgrch. Athletik eine Mischung aus Faust- und Ringkampf.

pankratisches System, opt. System mit stetig veränderl. Brennweite bei fester Bildebene und konstantem Öffnungsverhältnis. P. S. enthalten axial verschiebbare Linsengruppen, auch **Zoom-** oder **Varioobjektiv** genannt.

Pankratius (Pankraz), röm. Märtyrer; Eisheiliger, Tag: 12. 5.

Pankreas [grch.] *das,* die →Bauchspeicheldrüse.

Pankreatitis [grch.] *die,* Entzündung der →Bauchspeicheldrüse.

Panleukopenie *die* (Katzenstaupe, Katzentyphus, Katzenpest), hoch ansteckende, oft tödlich endende Infektionskrankheit der Katzen (und Marder); Erreger ist ein DNS-haltiges Parvovirus, das in allen Sekreten und Exkreten erkrankter Katzen enthalten ist und vielfältig übertragen werden kann. Kennzeichen sind Mattigkeit, Appetitlosigkeit, Erbrechen, hohes Fieber, später Durchfälle, Kachexie, Exsikkose mit ständigen (vergebl.) Versuchen zu trinken. Die Behandlung ist nur symptomatisch möglich, einer Infektion kann jedoch durch Impfung vorgebeugt werden.

Panlogismus [grch.] *der,* philosoph. Lehre, nach der die Vernunft (Logos) als das eigentlich Wirkliche und die Welt als deren Materialisierung angesehen wird; vertreten z.B. im Idealismus G. W. F. Hegels (»alles Wirkliche ist vernünftig«).

Panmunjom [-dʒʌm] (P'anmunjŏn), kleiner Ort in Nord-Korea, 38° n. Br. in der entmilitarisierten Zone zw. Nord- und Süd-Korea. Der Waffenstillstandsvertrag von P. (1953) beendete den →Koreakrieg.

Pannonilen (lat. Pannonia), röm. Provinz zw. Ostalpen, Donau und Save; nach den illyr., z.T. keltisierten **Pannoniern** benannt (von Tiberius 12–9 v.Chr. unterworfen); gehörte zunächst zur Prov. Illyricum; nach Niederschlagung des illyr. Aufstandes 6–9 n.Chr. setzte eine rasche Romanisierung durch Veteranensiedlungen ein. Im 2. Jh. wurde P. in die Prov. Pannonia superior und Pannonia inferior geteilt; gegen 400 n.Chr. besetzten german. und hunn. Stämme das Land.

Pannwitz, Rudolf, Kulturphilosoph, Schriftsteller und Pädagoge, *Crossen (heute Krosno Odrzańskie) 27. 5. 1881, †Ciona (heute zu Carona, Kt. Tessin) 23. 3. 1969; gründete 1904 mit O. zur Linde die Literaturztschr. »Charon«. P. erstrebte eine Gesamterneuerung des europ. Menschen, eine Synthese von Kultur und Natur.

Panofsky [-ki], **1)** Erwin, amerikan. Kunsthistoriker dt. Herkunft, *Hannover 30. 3. 1892, †Princeton (N.J.) 14. 3. 1968, Vater von 2); war 1926–33 Prof. in Hamburg, ab 1935 in Princeton; grundlegende Arbeiten zur Formengeschichte, Kunsttheorie, Ikonographie und über A. Dürer; u.a. »Die dt. Plastik des 11. bis 13. Jh.« (2 Tle., 1924), »Studien zur Ikonologie« (1939).

2) Wolfgang, amerikan. Physiker, *Berlin 24. 4. 1919, Sohn von 1); Prof. in Berkeley und an der Stanford University, 1962–84 Leiter des →SLAC; bed. Arbeiten zur Kern- und Hochenergiephysik; u.a. entdeckten er und seine Mitarbeiter das neutrale Pi-Meson.

Panoptikum [grch.] *das,* Sammlung von Wachsfiguren; Schau von Kuriositäten.

Panorama [grch.] *das,* Rundsicht, Ausblick; auch illusionist. Schaubild in der Form eines perspektivisch-plastisch wirkenden Rundbildes, das auf einen Rundhorizont gemalt ist, vor dem plast. Gegenstände aufgestellt sein können.

Panowa, Wera Fjodorowna, russ. Schriftstellerin, *Rostow am Don 20. 3. 1905, †Leningrad (heute Sankt Petersburg) 3. 3. 1973. Ihr Roman »Jahreszeiten« (1953) gilt als ein Hauptwerk der »Tauwetterperiode« (Entstalinisierung).

Panplegie [grch.] *die,* Lähmung der Körpermuskulatur.

Panpsychismus [grch.-lat.] *der, Philosophie:* Allbeseelungslehre, die Annahme, dass die gesamte, auch die unbelebte Natur beseelt sei (Paracelsus, A. Conway, G.W. Leibniz).

Pansen [lat.] *der,* Magen der →Wiederkäuer.

Panslawismus *der,* Bez. für das Streben nach einem polit. und kulturellen Zusammenschluss aller Slawen. Als Terminus zunächst für die slaw. Sprachverwandtschaft eingeführt (»allslawisch«), verliehen die Westslawen dem P. in den 1830er-Jahren polit. Stoßkraft. Gleichzeitig entwickelte Michail Petrowitsch Pogodin (*1800, †1875) Vorstellungen einer Einigung der slaw. Völker unter Führung Russlands. Dessen repressive Haltung gegenüber Polen (insbesondere nach dem poln. Aufstand von 1863) und die russ. Niederlage im Krimkrieg begünstigten jedoch den →Austroslawismus, der bereits auf dem Prager Slawenkongress 1848 in Erscheinung getreten war. In Russland, dessen Vormachtstreben v.a. den slaw. Völkern im Osman. Reich galt, wies der P. imperiale Züge auf und wandelte sich zum Panrussismus. Der auf dem Prager Slawenkongress 1908 formulierte Neoslawismus (Neo-P.) strebte eine Allianz von Russland und Österreich-Ungarn an. Im 1. Weltkrieg v.a. bei Tschechen und Serben wirksam, lebte der P. in gewissem Sinne in der Solidarität gegen Hitler im 2. Weltkrieg wieder auf.

📖 KOHN, H.: *Die Slawen u. der Westen. A.d. Amerikan. Wien 1956.* – PICHT, U.: *M. P. Pogodin u. die slav. Frage. Stuttgart 1969.*

Pansophie [grch.] *die,* auf Universalwissen abzielende philosophisch-religiöse Bewegung bes. des 16. bis 18. Jh., die neuplaton., auch alchimist. Gedanken fortführte (Paracelsus, Rosenkreuzer, J.A. →Comenius); wirkte auf die Freimaurer.

Panspermielehre (Kosmozoenhypothese), die urspr. von S.A. Arrhenius aufgestellte Theorie von der Entstehung ird. Lebens durch Keime aus dem Weltall.

Pantaleon, Märtyrer in Nikomedien, †um 305; nach der Legende Leibarzt Kaiser Maximians; Heiliger; Schutzpatron der Ärzte und Hebammen; einer der 14 →Nothelfer, Tag: 27. 7.

Pantaleoni, Maffeo, italien. Nationalökonom und Politiker, *Frascati 2. 7. 1857, †Mailand 29. 10. 1924; Vertreter der Grenznutzenschule. P. begründete mit V. →Pareto die mathemat. Richtung der italien. Volkswirtschaftslehre.

Pantalone [italien.] *der,* kom. Charaktermaske der Commedia dell'Arte; seit 1565 nachweisbar als alter, spitzbärtiger Venezianer mit langen, nach ihm benannten roten Hosen; Typ des geschäftigen Bürgers und geizigen Vaters.

Pantalons [pãta'lɔ̃s, frz.] *Pl.,* knapp knöchellange röhrenförmige Männerhose, wohl der Arbeitskleidung der Schiffsleute entlehnt; in Distanzierung von höf. Kniehosen in der Frz. Revolution Gesinnungstracht der Jakobiner (→Sansculotten). Seit Beginn des 19. Jh. setzten sich lange Hosen allg. in der bürgerl. Männerkleidung durch.

Pantanal [portugies. »Sumpf«] *das,* Niederung in W-Brasilien (Mato Grosso und Mato Grosso do Sul), 90–100 m ü.M., zw. dem Brasilian. Bergland und dem Paraguay, etwa 100 000 km²; ein von vielen mäandierenden Dammflüssen aufgeschüttetes Binnendelta mit zahlr. Süßwasserseen (Umlaufseen, Dammuferseen), im S auch Salzwasserseen. Am Paraguay erstreckt sich eine 20–40 km breite

Rudolf Pannwitz

Wolfgang Panofsky

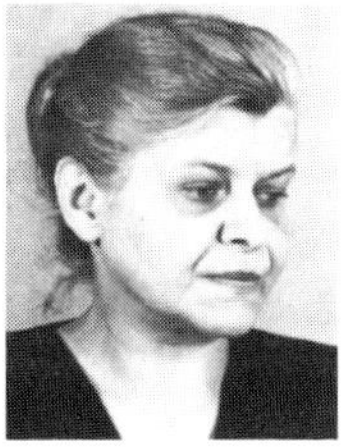

Wera Panowa

Pantanal: Die mit Algen und Schwimmgräsern bedeckten Wasserflächen der Umlaufseen werden am Ufersaum durch Verbiss des Weideviehs freigehalten

gehölzlose Überschwemmungsniederung, die während der Hochwasserzeit (Mai bis Sept.) völlig unter Wasser steht, mit schwimmenden Grasteppichen, in den trockenen Monaten ein vorzügl. Mastweidegebiet. Nach O schließt eine von sommergrünen Feuchtwaldinseln und Dammuferwäldern durchsetzte Überschwemmungssavanne an. Nördlich von Corumbá wurde zur Erhaltung der ursprüngl. Tier- und Pflanzenwelt ein Nationalpark (138 000 ha) eingerichtet.

panta rhei [grch. »alles fließt«], ein Heraklit zugeschriebenes Wort, das seine Lehre, wonach es kein unveränderliches, bleibendes Sein gebe, zusammenfasst. (→ Parmenides)

Pantelleria, vulkan. Insel in der Straße von Sizilien, zur Prov. Trapani, Italien, 83 km², 7 900 Ew.; bis 836 m ü. M.; Ausfuhr von Wein, Trauben, Feigen, Gemüse; Fischfang und Fremdenverkehr; Hauptort ist Pantelleria.

Pantheismus [grch. »Allgottlehre«], religionsphilosoph. Lehre, in der Gott und die Welt (die schöpfer. Natur) identisch sind; in reinster Form bei G. Bruno und Spinoza (»Deus sive natura«); älteste und verbreitetste Form des Gottesglaubens. In der neueren Metaphysik weisen z. B. das System F. W. J. Schellings mit der Gleichsetzung von Geist und Natur, das panlogisch-evolutionist. System G. W. F. Hegels, nach dem sich Gott durch den dialekt. Prozess der Welt selbst verwirklicht, sowie die vitalist. Philosophie H. Bergsons pantheist. Züge auf.

📖 Schulz, Walter: *Der Gott der neuzeitl. Metaphysik. Pfullingen* [8]*1991.*

Pantheon [grch.] *das,* die Gesamtheit der in einer polytheist. Religion verehrten Gottheiten; auch ein allen Göttern geweihtes Heiligtum. Das P. in Rom, ein zylindr. Backsteinbau mit Giebelvorhalle, zw. 118 und 125/128 n. Chr. errichtet, ist der größte Rundtempel und Kuppelbau der Antike. Der Innenraum wird von einer halbkugelförmigen Kuppel mit Kassettendecke (kreisrunde Lichtöffnung im Scheitel, Durchmesser 9 m) überwölbt; die Wände sind durch Nischen, in denen die Götterbilder standen, und Säulen gegliedert.

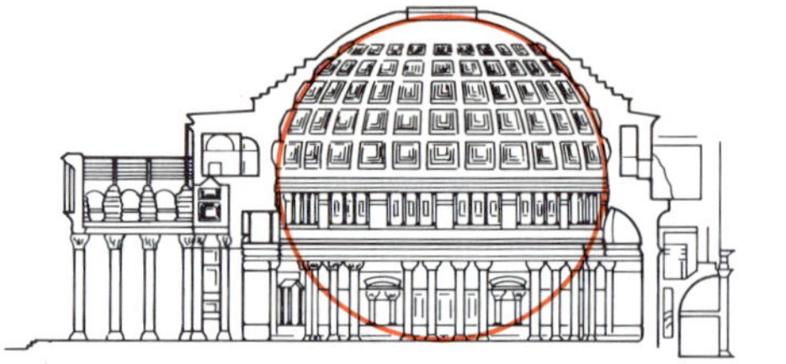

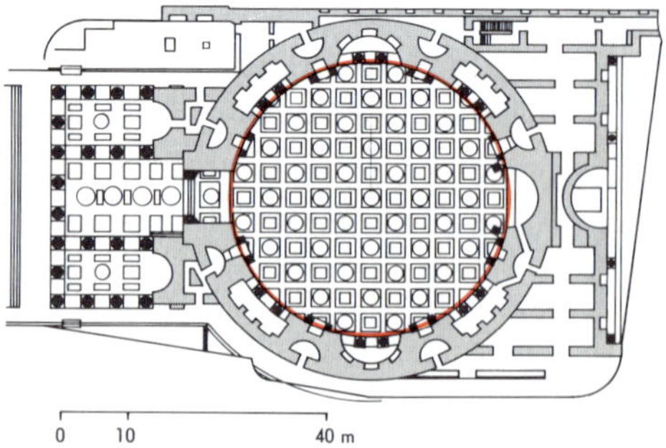

Pantheon: Die halbkugelförmige Kuppel des zwischen 118 und 128 erbauten Pantheons in Rom hat einen Durchmesser von 43,2 m (links), daneben Längsschnitt (oben) und Grundriss des Pantheons in Rom

Durchmesser und Höhe des Raums sind gleich: 43,2 m. 609 wurde das P. zu einer christl. Kirche, Santa Maria ad Martyres, geweiht; Begräbnisstätte u.a. von Raffael, B. Peruzzi und von Mitgl. des italien. Königshauses.

Panthéon [pãte'ɔ̃, frz.] *das,* nationale Gedächtnis- und Begräbnisstätte bed. Franzosen in Paris; urspr. als Abteikirche Sainte-Geneviève von J. G. Soufflot u.a. 1764–90 als Zentralbau auf dem Grundriss eines grch. Kreuzes errichtet; wurde zum Vorbild für zahlr. Bauten, u.a. für das Kapitol in Washington (D. C.).

Panther [grch.] *der,* Raubtier, der →Leopard.

Pantherpilz (Amanita pantherina), Art der Wulstlinge mit braunem Hut, weißen Hüllflocken und weißen Blättern; Stiel mit ungeriefter Manschette und glattrandiger Knolle; dem Perlpilz ähnlich, sehr giftig; im Laub- und Nadelwald.

Pantoffelblume (Calceolaria), artenreiche Gattung vorwiegend südamerikan. Rachenblütler mit sehr unterschiedlich gefärbten Blüten, deren Unterlippe pantoffelartig gestaltet ist; als Zimmerpflanze kultiviert.

Pantoffeltierchen (Paramecium), Gattung gestreckt ovaler bis pantoffelförmiger →Wimpertierchen mit mehreren weitgehend kosmopolit. Arten, die v.a. in stark eutrophierten Gewässern heimisch sind. BILD Wimpertierchen

Pantograph [grch.] *der* (Storchschnabel), einfaches, relativ ungenaues Zeichengerät zum maßstabgerechten Vergrößern oder Verkleinern einer mit einem Fahrstift nachgefahrenen Figur. Der einfachste P. besteht aus vier Stäben, die zu einem Gelenkparallelogramm zusammengefügt sind.

Pantokrator [grch.] *der,* Allherrscher; Begriff zur Beschreibung der Allmacht und Universalität Gottes; von den grch. Kirchenvätern auf Christus übertragen; als thronender und herrschender Christus Motiv v.a. in der byzantin. Kunst.

Pantomime [von grch. pantómimos »alles nachahmend«] *die,* darstellende Kunst, bei der Handlung und/oder Charaktere ohne Gebrauch der Sprache ausschließlich durch Mimik (Mienenspiel), Gestik bzw. Gebärden sowie tänzer. Bewegung ausgedrückt werden. Die P. ist als selbstständige Kunstform bereits 400 v.Chr. in Griechenland nachweisbar. Zu Chor- und Instrumentalbegleitung agierte – meist solistisch – ein Schauspieler mit Maske. In Rom war die P. von etwa 20 v.Chr. bis 500 n.Chr. eine beliebte Kunstgattung. Danach überlebte sie als Bestandteil von Vorführungen der Fahrenden sowie von volkstüml. Theaterformen. Ein zweiter Entwicklungsstrang war die Verwendung von musikbegleiteter P. im Renaissancetheater (Trionfi, Intermedien). In England und Frankreich entwickelte sich eine eigenständige, oft sozialkrit. Form der P., meist mit Harlekin bzw. Pierrot im Mittelpunkt. Elemente der Harlekin-P. überlebten in Zirkus und Varietee, ferner im Stummfilm (C. Chaplin) und Musikfilm. Die moderne, von M. Marceau und S. Molcho geprägte P. entwickelte eine Systematik der körperl. Ausdrucksmöglichkeiten und eine Technik des reinen Gebärdenspiels.

Pantomime: Fotomontage mit verschiedenen von Samy Molcho dargestellten pantomimischen Figuren

Pantothensäure, ein →Vitamin des Vitamin-B-Komplexes.

Pantry ['pæntrɪ, engl.] *die,* Speisekammer, Anrichte, Bordküche (auf Schiffen, in Flugzeugen).

Pantschatantra, →Pancatantra.

Pantschen-Lama (Panchen Lama) [von tibet. Pan-chen rin-po-che »Juwel der Gelehrten«], neben dem Dalai-Lama der höchste geistl. Würdenträger des →Lamaismus; wird wie dieser immer wieder inkarniert. Der von der chines. Reg. favorisierte P.-L. Tschökyi Gyaltshan (*1938, inthronisiert 1949) war Mitgl. des Nat. Volkskongresses der VR China; er starb 1989. Seine Reinkarnation Gedhun Tschökyi Nyima wurde im Mai 1995 vom Dalai-Lama anerkannt, jedoch von der chines. Reg. an unbekanntem Ort gefangen gesetzt.

Panzer [aus lat. pantex »Wanst«], **1)** *Waffensystem:* gepanzertes geländegängiges militär. Fahrzeug, dessen Aufbau, Bewaffnung und Ausstattung sowie Fahrleistung, Geschwindigkeit, Beweglichkeit u.a. dem jeweiligen Einsatzzweck entsprechen. Nach ihrem Gefechtsgewicht werden leichte (bis 20 t), mittlere und schwere (ab 40 t) P. unterschieden, nach ihren Hauptaufgaben schwer gepanzerte **Kampf-P.** (mit bis zu 5 Mann Besatzung), meist Vollkettenfahrzeuge mit einer im Drehturm untergebrachten P.-Kanone als Hauptwaffe; leicht gepanzerte **Schützen-P.** zur Durchführung der Kampfaufgaben der P.-Grenadiere mit leichten Maschinenwaffen, auch mit P.-Abwehrlenkraketen, meist Halbkettenfahrzeuge; **Jagd-P.**, heute mit Raketenabwehrsystem; leichte

Pantherpilz

Pantoffelblume: wildwachsende Art

Panzer 1) der Bundeswehr (von links): Schützenpanzer Marder 1 A 3, das Fahrzeug der 9 Mann starken Panzergrenadiergruppe beim Überqueren einer Panzerbrücke und der Kampfpanzer Leopard 2 in der neuesten Version A 5

Flugabwehr-P. mit Fla-Kanonen oder Fla-Raketen; lufttransportfähige **Luftlande-P.** zur Unterstützung der Luftlandetruppen, mit P.-Abwehrraketensystem; manövrierfähige **Späh-P.** (meist Rad-, seltener Kettenfahrzeuge) für Aufklärungszwecke. Zu den **Pionier-P.** gehören i.w.S. Berge- und Brückenlege-P. sowie i.e.S. die mit Spezialausrüstungen versehenen Pionierpanzer. **Minenräum-P.** sind modifizierte Kampf-P. mit Zusatzausstattung, **Minenverlege-P.** neuartige Waffensysteme, bei denen auf einem Kettenfahrgestell ein Minenwurfsystem installiert ist. **Transport-P.** sind Vielzweckfahrzeuge, meist nur mit einem MG bewaffnet. Sie dienen dem Transport von Menschen und Material, können aber auch als ABC-Abwehr-, Feuerleit- oder Radar-P. Verwendung finden. **P.-Mörser** sind modifizierte Transport- oder Schützen-P., deren Hauptwaffe der Mörser (Granatwerfer) ist. – Als Antrieb werden Diesel-, Otto- und Mehrstoffmotoren verwendet, daneben auch Gasturbinen. Die Übertragung der Antriebsleistung und die Lenkung erfolgt bei Räderfahrgestellen mit Allradantrieb. Bei Kettenfahrzeugen wird die Antriebsleistung auf zwei zahnradähnl. Triebräder (meist hinten) und von diesen auf die endlosen Gliederketten übertragen. Die Lenkung erfolgt durch vorübergehendes Stillsetzen einer Laufkette oder durch unterschiedl. Laufgeschwindigkeit beider Ketten. Um die Beobachtung aus dem geschlossenen Fahrzeug heraus zu gewährleisten, verfügt der P. über Sehschlitze, Periskope, Fernrohre und Winkelspiegel sowie über Nachtsichtgeräte. Für den Feuerkampf stehen rechnergestützte Feuerleitanlagen zur Verfügung. Moderne Kampf-P. besitzen kreiselgesteuerte Waffenstabilisierungseinrichtungen. – Unter der Tarnbez. »Tanks« wurden P. erstmals in der Sommeschlacht (1916) von den Briten eingesetzt.

📖 *Kraftfahrzeuge u. P. der Reichswehr, Wehrmacht u. Bundeswehr. Katalog der dt. Militärfahrzeuge von 1900 bis heute. Stuttgart* [14]*1992. – Leichte Jagdpanzer. Entwicklung – Fertigung – Einsatz, bearb. v.* W. SPIELBERGER *u.a. Stuttgart 1992. – Schwere Jagdpanzer. Entwicklung – Fertigung – Einsatz, bearb. v.* W. SPIELBERGER, *u.a. Stuttgart 1993.*

2) *Waffenwesen:* Schutzbekleidung gegen feindl. Waffeneinwirkung (→Rüstung).

3) *Zoologie:* ein bes. hartes, starres Außenskelett mancher Tiere, v.a. zahlr. Käfer, höherer Krebse und Schildkröten.

Panzer|abwehr, *Militärwesen:* Gesamtheit der Maßnahmen zur Abwehr gegner. Panzer. Zur P. werden heute v.a. Kampfpanzer und P.-Raketensysteme verwendet. P.-Rohre (darunter die »Panzerfäuste«) werden zur unmittelbaren Selbstverteidigung von allen Soldaten eingesetzt. Passive P.-Kampfmittel sind P.-Minen (→Panzer).

Panzer|abwehrraketensystem, Abk. **PARS,** in der Bundeswehr übl. Sammelbez. für versch. Waffensysteme, mit denen raketengetriebene Flugkörper zur Panzerabwehr verschossen werden. Verfeuert werden Panzerabwehrlenkraketen von tragbaren Lafetten, von Fahrzeugen (v.a. Jagd- und Schützenpanzern) und Hubschraubern aus. Die gegenwärtig überwiegend verwendeten P. werden meist über Draht (selten über Funk) gesteuert und arbeiten nach dem Zieldeckungsverfahren mit halbautomat. Lenkung über Infrarotortung (in der Bundeswehr z.B. Milan, TOW, HOT). In der Entwicklung befinden sich P. mit gegen Außeneinflüsse unempfindl. Laserlenkung und vollautomat. Zielverfolgung.

Panzer|abwehrrohr, Gattungsbez. für rückstoßfreie leichte Infanteriewaffen, mit denen raketen- oder mittels Treibladungen getriebene, im Flug jedoch nicht mehr steuerbare Geschosse verfeuert werden; Schussweite bis 400 m. P. deutscher Fertigung werden traditionell als **Panzerfaust** bezeichnet.

Panzer|artillerie, →Artillerie.

Panzer|aufklärungstruppe, in der Bundeswehr zu den Kampftruppen gehörende Truppengattung; liefert durch takt. Späh- und Radaraufklärung Informationen über die Feindlage.

Panzer|echsen, die → Krokodile.

Panzerfaust, → Panzerabwehrrohr.

Panzerfische (Placodermi), Klasse ausgestorbener Fische mit starkem Außenskelett aus Hautknochenplatten und knorpeligem Innenskelett, die während des Paläozoikums lebten. Zu den P. gehören die Ordnungen **Arthrodira** (bekannteste Gattungen: Coccosteus, Dinichthys), **Rhenanida** (rochenartig, mit großen Brustflossen, z.B. Gattung Gemuendina), **Antiarchi** (Gattung Bothriolepis) und **Ptyctodontida.**

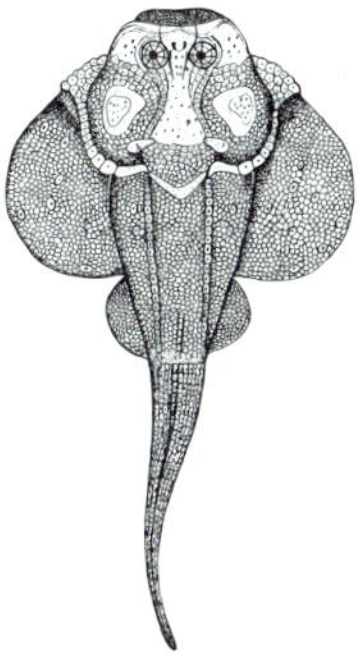

Panzerfische: Art der Gattung Gemuendina aus dem Unterdevon des Hunsrücks (Länge etwa 25 cm)

Panzerglas, ein schuss-, druck- und schlagfestes Sicherheitsverbundglas, das aus drei oder mehr Glasscheiben besteht, die durch Zwischenschichten aus Kunststoff (z.B. Polyacrylester) unlösbar miteinander verbunden sind.

Panzergrenadier, in der Bundeswehr unterster Dienstgrad in der Panzergrenadiertruppe.

Panzergrenadiertruppe, in der Bundeswehr zu den gepanzerten Kampftruppen gehörende Infanterietruppengattung, in anderen Armeen als »mechanisierte Infanterie« oder »motorisierte Schützen« bezeichnet. Aufgabe der P. ist v.a. der Kampf gegen feindl. Infanteriekräfte und Kampfpanzer. Die P. wirkt häufig unmittelbar mit der Panzertruppe zusammen.

Panzerherz, entzündlich bedingte Kalkeinlagerungen in das Herzbeutelgewebe; führt zu verringerter Herzleistung (Herzinsuffizienz).

Panzerjäger, in der Bundeswehr unterer Dienstgrad in der Panzerjägertruppe.

Panzerjägertruppe, in der Bundeswehr zu den Kampftruppen gehörende Truppengattung, die mittels Panzerabwehrlenkraketen feindl. gepanzerte Kräfte bekämpft, bevor diese angreifen.

Panzerkrebse (Reptantia), Unterordnung der Zehnfußkrebse, mit meist kräftig gepanzerten, Meer oder Süßwasser bewohnenden Arten, z.B. Hummer, Flusskrebse, Langusten sowie die Familie der Bärenkrebse.

Panzerlurche (Stegocephalia), ausgestorbene Lurche mit Hautknochen; lebten vom Oberen Devon bis zum Trias.

Panzerschrank, → Tresor.

Panzertruppe, zu den gepanzerten Kampftruppen gehörende Truppengattung, deren Aufgabe der Kampf gegen feindliche Panzerkräfte ist. Ausgestattet mit Kampfpanzern ist die P. zu schnellen, weiträumigen Bewegungen in allen Gefechtsarten befähigt und wirkt meist mit den Panzergrenadieren zusammen.

Panzerwangen (Scorpaeniformes), Ordnung der Knochenfische mit verknöchertem Kopf, oft mit Stacheln bewehrt. Zu den P. gehören z.B. die Drachenköpfe, Groppen, Knurrhähne.

Panzini, Alfredo, italien. Schriftsteller, *Senigallia 31. 12. 1863, †Rom 10. 4. 1939. Seine stilistisch ausgefeilte Prosa gibt eigenwillige, humorvolle und iron. Darstellungen der Alltagswelt, so der Roman »Sokrates und Xanthippe« (1914); veröffentlichte auch Novellen und Kinderbücher.

Paolini, Giulio, italien. Künstler, *Genua 5. 11. 1940; Vertreter der Arte povera; Zeichnungen, Collagen, Installationen mit kunsttheoret. Dimension.

Paolo Veronese, eigtl. P. Caliari, gen. Veronese, italien. Maler, *Verona 1528, †Venedig 19. 4. 1588; dort seit 1553 tätig, entwickelte er eine Malerei, in der sich kühne Verkürzungen mit klarer Gestaltung in leuchtendem Farbklang verbinden. Die Lebensfreude und Prachtentfaltung Venedigs im 16. Jh. spiegelt sich in seinen religiösen und mytholog. Gemälden, v.a. in den Darstellungen bibl. Gastmähler. Zu seinen Hauptwerken gehören die Decken-, Wand- und Altarbilder in San Sebastiano in Venedig (1555 ff.), die Fresken in der Villa Barbaro bei Vicenza (nach 1561), Deckenmalereien im Dogenpalast in Venedig und v.a. die Wand- und Deckenbilder in der Sala del Collegio (1575–85). BILD Perseus

Eduardo Paolozzi: »Wittgenstein im Casino«, bemaltes Aluminium (1963/64; Privatbesitz)

Paolozzi, Sir (seit 1989) Eduardo Luigi, brit. Bildhauer und Grafiker italien. Herkunft, *Edinburgh 7. 3. 1924; lehrte 1977–81 in Köln, 1981–89 in München; schuf, neben einem vom Prinzip der Montage bestimmten umfangreichen bildhauer. Werk, Collagen, Zeichnungen, Druckgrafik sowie zahlr. Porträts.

Päoni|e [grch. paiōnía, eigtl. »die Heilende«] *die,* die Gattung → Pfingstrose.

Paoting, chines. Stadt, → Baoding.

Paotou, chines. Stadt, → Baotou.

Papa [lat., von grch. páppas »Vater«], urspr. Anrede für Bischöfe und Äbte; in der lat. Kirche seit dem 11. Jh. Titel des Bischofs von Rom (→ Papst); in

Papageien:
1 Arakakadu,
2 Blauwangenlori

der Ostkirche **(Papas, Pappas)** seit dem 3. Jh. für den orth. und kopt. Patriarchen von Alexandria.

Papadopulos, Georgios, grch. Offizier und Politiker, *Eleochorion (Peloponnes) 5. 5. 1919; führend am Militärputsch vom 21. 4. 1967 beteiligt, schlug als Min.Präs. (1967–73) einen diktator. Kurs ein. 1973 schaffte er die Monarchie ab und war bis zu seinem Sturz (Ende 1973) Staatspräs.; 1974 inhaftiert, 1975 zum Tod verurteilt, jedoch später zu lebenslanger Haftstrafe begnadigt.

Georgios Papadopulos

Papageiblume, →Strelitzie.

Papageien [arab.-frz.] (Psittacidae), Familie etwa 0,1–1 m langer Vögel mit mehr als 300 Arten, bes. in wärmeren Gebieten der Neuen und Alten Welt (Ausnahme: Europa) und in Australien; Körper häufig bunt befiedert; mit am Nasenbein bewegl., hakigem Oberschnabel, der (ebenso wie der Greiffuß) auch zum Klettern dient. Nach dem Verhalten und der Entwicklung des Gehirns gehören P. zu den höchstentwickelten Vögeln. Ihr Stimmorgan befähigt sie zu außerordentlich modulationsfähigen Lautäußerungen, die bei einigen Arten zum Nachsprechen von Sätzen führen können. Zu den P. gehören die Loris (z. B. Blauwangenlori), die Kakadus (z. B. Arakakadu) und die Echten Papageien (z. B. Gelbkopfamazone). Viele Arten sind sehr selten geworden, einige wurden bereits ausgerottet. Zahlr. Arten lassen sich auch in Gefangenschaft züchten, u. a. Wellensittich und Nymphensittich.

📖 Low, R.: *Das P.-Buch. A. d. Engl. Stuttgart* [2]*1989.* – Grahl, W. de: *P. Lebensweise, Arten, Zucht. Stuttgart* [9]*1990.*

Papageienkrankheit, →Ornithose.

Papageifische (Scaridae), Familie der Barschartigen Fische, v. a. in trop. Meeren; mit schnabelartig verwachsenen Kiefer- und breiten Schlundzähnen.

Papageitaucher, Art der →Alken.

Papagos, Alexandros, grch. Marschall (1949) und Politiker, *Athen 9. 12. 1883, †ebd. 4. 10. 1955; bis 1951 wiederholt Oberbefehlshaber des Heeres, unterwarf 1949 im Bürgerkrieg die kommunist. Aufständischen in N-Griechenland. 1952–55 war er Ministerpräsident.

Andreas Papandreu

Papain *das,* aus dem Milchsaft unreifer Früchte des Melonenbaums (Papayas) gewonnenes Enzymgemisch; wird für Fleischzartmacher u. a. Enzympräparate verwendet.

Papalismus [zu kirchenlat. papa »Bischof (von Rom)«] *der* (Papalsystem), die zentralist. Verfassung der kath. Kirche; Ggs.: →Episkopalismus und →Konziliarismus.

Georgios Papandreu

Papandreu, 1) Andreas, grch. Politiker, *auf Chios 5. 2. 1919, †Athen 23. 6. 1996, Sohn von 2); 1940–60 im Exil (USA); 1964–65 Min., nach Errichtung der Militärdiktatur (1967) in Haft, danach im Exil (Schweden, Kanada), Gründer (1974) und seither Vors. der »Panhellen. Sozialist. Union« (PASOK); 1981–89 und ab 1993 Ministerpräsident.

2) Georgios, grch. Politiker, *Kalenzi (Achaia) 13. 2. 1888, †Athen 1. 11. 1968, Vater von 1); gründete 1933 (bis dahin Liberaler) die Demokrat. (ab 1935: Sozialdemokrat.) Partei. Im 2. Weltkrieg war er in der Widerstandsbewegung aktiv; 1942–44 in italien. Haft. Von April 1944 bis Jan. 1945 stand er als MinPräs. an der Spitze der Regierung (bis Okt. 1944 der Exilregierung). 1961 gründete P. die Zentrumsunion. 1963 und 1964/65 war er erneut Min.-Präs.; ab 1967 unter Hausarrest.

Papanicolaou-Abstrich [-ˈlaːʊ-; nach dem grch. Anatomen und Pathologen George Nicholas Papanicolaou, *1883, †1962], Verfahren der →Zytodiagnostik.

Papantla de Olarte, Stadt im Staat Veracruz, Mexiko, in der Golfküstenebene, 35 000 Ew.; Zentrum eines Agrargebiets (Vanille); Fremdenverkehr; jährl. Volkstanzfest. In der Nähe bedeutende Ruinen aus vorkolumb. Zeit (→El Tajín).

Papatzonis, Takis, neugrch. Lyriker, *Eva (Messenien) 30. 1. 1895, †Athen 26. 7. 1976; schrieb moderne Lyrik mit religiöser Prägung und philosoph. Gedankengut.

Papau [indian.] *der* (Asimina), Gattung der Annonengewächse, kleine Bäume und Sträucher im atlant. Nordamerika. Der **Dreilappige P.** (Asimina triloba) mit großen braunen Blüten und gelben, essbaren Früchten ist in Europa Parkstrauch.

Papaver [lat.], die Pflanzengattung →Mohn.

Papaverin [lat.] *das,* Alkaloid des Opiums mit der Summenformel $C_{20}H_{21}NO_4$; P. wirkt direkt erschlaffend auf die glatte Muskulatur. Es wird v. a. bei Krämpfen des Magen-Darm-Kanals, der Gallen- und Harnwege, der Bronchien und bei peripheren Durchblutungsstörungen angewendet.

Papaya [span. aus karib.] *die,* →Melonenbaum.

Pape, Heinrich Eduard von, Jurist, *Brilon 13. 9. 1816, †Berlin 11. 9. 1888; war 1879–88 Präs. der Kommission zur Ausarbeitung eines BGB, beteiligt an Arbeiten zum HGB, zur ZPO und StPO.

Papeete [frz.], Hauptstadt von Frz.-Polynesien, auf der Insel Tahiti, 78 800 Ew.; kath. Erzbischofssitz; Handelszentrum, Konsumgüterind.; Fremdenverkehr; Hafen, Flottenstützpunkt, internat. Flughafen.

Papel [lat.] *die,* festes kleines Hautknötchen.

Papen, Franz von, Politiker, *Werl 29. 10. 1879, †Obersasbach (heute zu Sasbach, Ortenaukreis) 2. 5. 1969; 1918 Stabschef der türk. 4. Armee in Palästina, 1920–28 und 1930–32 MdL in Preußen. P. war vom 1. 6. bis zum 17. 11. 1932 Reichskanzler, seit Juli 1932 auch Reichskommissar für Preußen. Er ebnete der Reg. Hitler den Weg und wurde am 30. 1. 1933 Vizekanzler (bis Juli 1934) sowie erneut

Papier (von links): Die Langsiebpapiermaschine dient der Herstellung von einlagigem Papier; die Rundsiebpapiermaschine wird vor allem zur Karton- und Pappenherstellung verwendet

Reichskommissar für Preußen (bis April 1933). Er bereitete als Gesandter (ab Juli 1934, ab 1936 Botschafter) in Wien den »Anschluss« Österreichs an das Dt. Reich vor. 1939–44 war er Botschafter in der Türkei. Im Nürnberger Prozess gegen die »Hauptkriegsverbrecher« wurde P. freigesprochen, aber im Spruchkammerverfahren zu acht Jahren Arbeitslager verurteilt; 1949 entlassen.

Franz von Papen

Papenburg, Stadt im Landkreis Emsland, Ndsachs., östlich der Ems, mit dieser durch einen Kanal verbunden, 33 700 Ew.; Fehnmuseum; Werften (Bau von Kreuzfahrtschiffen und Tankern), Holzverarbeitung, Gardinenwerk; Blumenzucht; Hafen. – 1379 erwähnt, entstand seit 1638 als größte dt. Fehnkolonie; 1860 Stadtrecht.

Paperback [ˈpeɪpəbæk, engl.] *das,* kartoniertes Buch, i. d. R. mit Klebebindung (am Rücken des Broschurblocks angeklebtem Umschlag); im Ggs. zum Taschenbuch in »normalem« Buchformat.

Paphlagoni|en, histor. Gebiet im nördl. Anatolien (Kleinasien); stand seit dem 6. Jh. v. Chr. unter lyd., später unter pers. und makedon. Herrschaft. Im 1. Jh. v. Chr. wurde P. römisch.

Paphos, Name zweier antiker Städte auf Zypern: das alte P. **(Palaipaphos)** mit einem Tempel der Aphrodite (UNESCO-Weltkulturerbe); 15 km nordwestlich davon das neue P. **(Neapaphos),** in röm. Zeit Hptst. der Insel.

Papias, Bischof von Hierapolis (Phrygien), *Phrygien um 65, †nach 130. Sein nur fragmentarisch erhaltenes Werk »Darstellung von Aussprüchen des Herrn« (130) enthält aus mündl. Überlieferung Nachrichten über Jesus und seine Jünger (»Papiasfragmente«).

Papier [von lat. papyrum, grch. pápyros »Papyrus(staude)«], flächiger Werkstoff, der zu 60 bis 95 % aus mechanisch oder chemisch aufgeschlossenen Fasern meist pflanzl. Herkunft besteht, die in einer wässrigen Suspension miteinander verbunden sind und unter Zusatz von Hilfsstoffen durch Entwässerung auf einem Sieb zur Blattform verfestigt werden. P. mit einer flächenbezogenen Masse ab etwa 150 g/m² werden als Karton, über 600 g/m² als → Pappe bezeichnet. P. wird nach versch. Kriterien eingeteilt: nach Art der verwendeten Faserstoffe in **holzfreies** (zellstoffhaltiges), **holzhaltiges P.** (holzschliffhaltiges P.) und **Recycling-P.** (aus Altpapier); nach der Oberflächenbeschaffenheit in maschinenglattes, einseitigglattes, satiniertes und gestrichenes P.; nach Verwendungszweck in **graphisches P.** (Druck-P.), **Verpackungs-P., Hygiene-P.** (z. B. Toiletten-P., P.-Taschentücher); **technisches** und **Spezial-P.** (z. B. Reaktionsdurchschreibepapiere, Kaffeefilter).

Papier

Um 105 n. Chr. erfand der Eunuche Cai Lun ein Verfahren der Papierherstellung, das noch im 19. Jahrhundert in China eingesetzt wurde. Er hatte die Idee, verschiedene Fasern zu verflechten, um einen besonderen Filz zu erhalten; vor allem Bambus diente ihm dafür als Ausgangsmaterial, daneben aber noch weitere Pflanzen.

Zunächst wurden die verschiedenen Pflanzenfasern gewaschen und in Kalklauge gelegt, danach zerstampft und zu einer Paste verarbeitet. Schließlich wurde diese verstrichen und auf einem Sieb abgetropft; die so gewonnenen Blätter wurden noch getrocknet und gepresst.

Diese Technik der Papierherstellung galt als großes Geheimnis. Im Jahre 751 war es jedoch darum geschehen, als die Araber chinesische Soldaten in ihre Gewalt brachten, die das Verfahren kannten. Diese mussten dann in Samarkand Papier herstellen, von wo aus die Papierherstellung mit der islamischen Eroberung auch Europa erreichte. Die erste deutsche Papiermühle entstand 1389 in Nürnberg.

P. besteht grundsätzlich aus Fasern, Hilfsstoffen und Wasser. Neben pflanzl. Fasern aus → Zellstoff, Holzstoff (→ Holzschliff) und → Hadern (z. B. Baumwolle, Leinen-, Hanffasern) verwendet man

Papierblume: Xeranthemum annuum (Höhe 60–100 cm)

seltener tier., mineral. oder synthet. Fasern. Daneben stellt Altpapier als Sekundärfaserstoff mengenmäßig die wichtigste Faserstoffquelle für die P.-Herstellung dar. Hilfsstoffe natürl. und synthet. Herkunft steigern die Produktivität bei der Erzeugung und Verarbeitung sowie die Qualität.

In der **Stoffaufbereitung** werden die Faserstoffe in Wasser bei niedriger Stoffdichte (5 % = 5 kg trockener Stoff in 100 l Wasser) in einem »Pulper« (Stofflöser) durch rotierende Laufräder suspendiert; im nachfolgenden »Entstipper« werden die noch verbleibenden Faserzusammenballungen (»Stippen«) zerlegt. Anschließend wird die Fasersuspension einer mehrstufigen Reinigung unterzogen und in Mahlgeräten (früher Holländer, heute Refiner) mechanisch so behandelt, dass die einzelnen Fasern gekürzt und fibrilliert (in feine Strukturen zerlegt) werden, wobei ihre Flexibilität und spezif. Oberfläche zunimmt. Durch Zumischung versch. Hilfsstoffe in gelöster und ungelöster Form werden die späteren P.-Eigenschaften zusätzlich beeinflusst. Die eigentl. P.-Bildung erfolgt in der **P.-Maschine,** einer aus zahlreichen Einzelelementen zusammengesetzten Fertigungsstraße. Man unterscheidet zw. Langsiebpapiermaschinen für einlagiges P., Rundsiebpapiermaschinen, kombinierten Kartonmaschinen für mehrlagige Produkte und Glättzylindermaschinen (Selbstabnahmemaschinen) für Hygienepapier.

Papier: Produktion von Papier und Pappe ausgewählter Länder (in 1 000 t)

Land	Papier und Pappe			davon Zeitungspapier		
	1987	1990	1995	1987	1990	1995
USA	62 332	71 965	89 288	5 300	6 001	7 002
Japan	19 869	28 088	28 527[1)]	2 669	3 479	3 098
China	11 777	17 057	26 903[1)]	366	-	768
Kanada	6 378	16 466	18 691	9 660	9 068	9 251
Deutschland[2)]	11 183	12 999	14 233[1)]	925	1 233	1 771
Finnland	6 383	8 967	10 942	1 628	1 430	1 425
Schweden	5 836	8 419	9 169	1 975	2 273	2 345
Frankreich	5 282	7 049	8 619	291	422	890
Italien	4 640	5 587	6 802	242	233	183
Großbritannien	3 688	4 824	5 829[1)]	496	696	769[1)]
Russland[3)]	8 466	10 718	4 070	1 554	1 780	1 457
Welt	212 837	239 050	269 386[1)]	30 315	32 751	33 844[1)]

[1)] 1994. – [2)] 1987 und 1990 einschließlich DDR. – [3)] 1987 und 1990 ehem. Sowjetunion

Als Vorläufer des P. gilt ein aus Rindenbast hergestellter Beschreibstoff (Tapa), zu dem auch der von den Griechen und Römern verwendete →Papyrus zählt. Das P. aus Textilabfällen (Hadern) wurde in China erfunden (um 105 n. Chr.). In Europa begann die Fertigung von P. zunächst in Italien (Fabriano, 1276). 1390 nahm in Nürnberg die erste P.-Mühle Dtl.s ihre Arbeit auf. Die im MA. üblichen Stampfwerke zur Halbstoffherstellung wurden 1640 in den Niederlanden durch Mahlwerke ersetzt. 1798/99 erfand der Franzose J. N. Louis Robert (um 1800) die P.-Maschine und 1844 der Sachse Friedrich Gottlob Keller (* 1816, † 1895) den Holzschliff.

📖 Tenzer, H.-J.: *Leitfaden der Papierverarbeitungstechnik. Leipzig 1988.* – Wolf, H.-J.: *Geschichte des graph. Verfahrens. P., Satz, Druck, Farbe, Photographie, Soziales. Ein Beitrag zur Geschichte der Technik. Dornstadt 1990.* – Sandermann, W.: *Die Kulturgeschichte des P. Berlin u. a. ²1992.*

Papierblume (Spreublume, Xeranthemum), zu den →Immortellen gehörende Gattung der Korbblütler mit sechs Arten (z. B. Xeranthemum annuum) im Mittelmeergebiet und Vorderasien; Blütenköpfchen mit mehrreihigen trockenhäutigen Hüllblättern.

Papierboot (Papiernautilus, Argonauta argo), zu den →Kraken gehörender Kopffüßer; Weibchen mit papierdünner, spiralig gebauter Brutschale, Männchen zwerghaft klein.

Papierchromatographie, chromatograph. Trennverfahren (→Chromatographie) für Substanzmengen im Mikrogrammbereich, wobei ein spezielles Filtrierpapier die stationäre Phase, ein Fließmittel (Lösungsmittel) die mobile Phase darstellt; neben der eindimensionalen P. (aufsteigende, absteigende, horizontale P.) gestattet die zweidimensionale P. (zweimaliger Durchlauf der Substanz bei Drehung des Chromatogramms um 90°) die Trennung komplexerer Gemische. Die P. ist heute weitgehend durch die →Dünnschichtchromatographie ersetzt.

Papiergeld, aus Papier hergestellte Geldwertzeichen; i. d. R. als →Banknote gesetzl. Zahlungsmittel.

Papiergewicht, *Sport:* Gewichtsklasse im Ringen, bis 48 kg.

Papierkonservierung, das Haltbarmachen alter Schriftstücke, Zeichnungen, Bücher, Grafiken u. a. durch Behandeln und Stabilisieren mit neutralisierenden gasförmigen oder flüssigen Substanzen. Eine anschließende ultraviolette Bestrahlung mit Ozoneinwirkung tötet Mikroorganismen ab.

Papiernautilus, *Zoologie:* Kopffüßer, →Papierboot.

Papierwährung, das heute übl. Währungssystem, bei dem das gesetzl. Zahlungsmittel mit Ausnahme der Scheidemünzen aus Banknoten (Papiergeld) besteht.

Papilionaceae [lat.], die →Schmetterlingsblütler.

Papilionidae [lat.], die →Ritterfalter.

Papillarlinien [lat.] (Hautleisten), feine, leistenartige Riffelungen auf den Innenflächen der Finger und Zehen sowie der Hand- und Fußflächen, die häufig Leistenfiguren (Muster) bilden. In den P. ist der Tastsinn lokalisiert. Sie sind bis in alle

Einzelheiten während des ganzen Lebens unveränderlich und werden als individualtyp. Merkmal im polizeil. Erkennungsdienst zur Personenidentifizierung (»Fingerabdruck«) genutzt (→Daktyloskopie).

Papille [lat.] *die, Anatomie:* warzen- oder zapfenartige Erhebung der Haut oder Schleimhäute (z. B. Zungen-P.) bzw. Einmündungsstelle von Gängen (z. B. Gallengang).

Papillom [lat.] *das,* meist gutartige, zottige, von Epithel bedeckte Geschwulst aus gefäßführendem Bindegewebe.

Gottfried Heinrich Graf zu Pappenheim: zeitgenössischer Kupferstich

Papin [paˈpɛ̃], Denis, frz. Naturforscher, * Chitenay (bei Blois) 22. 8. 1647, † (verschollen) nach 1712 in England; Hugenotte, stand 1687–1707 in hess. Diensten. P. erfand (1679/80) den Dampfkochtopf **(papinscher Topf)** mit Sicherheitsventil, baute eine Zentrifugalpumpe (1689), eine Versuchsdampfmaschine (1690) und eine Dampfpumpe (1698); sein dampfgetriebenes Schaufelradboot (1707) wurde von Bootsleuten zerstört.

Papini, Giovanni, italien. Schriftsteller, * Florenz 9. 1. 1881, † ebd. 8. 7. 1956; beeinflusste das italien. Geistesleben, u. a. durch seine Zeitschriften (Mitarbeiter und Hg. von »La Voce«, »Lacerba«, »Rinascita« [1950 ff. u. d. T. »Rinascimento«]), in denen die literar. Erneuerung diskutiert wurde; schrieb Essays, Biographien und autobiograph. Texte, u. a. »Ein fertiger Mensch« (1912), »Dante« (1933), »Weltgericht« (hg. 1957).

Papinianus, Aemilius, einer der bedeutendsten röm. Rechtslehrer, * um 150, wurde 212 auf Befehl Kaiser Caracallas ermordet. Sein Werk ist in den Pandekten (→Corpus Iuris Civilis) bruchstückhaft überliefert.

Pappatacifieber [-ˈtaːtʃi-; italien. pappataci »Mücke«], das →Dreitagefieber.

Pappe, flächiger, im Wesentlichen aus Fasern vorwiegend pflanzl. Herkunft durch Entwässern einer Fasersuspension auf einer Papier- (bzw. P.-) Maschine gebildeter Werkstoff von über 600 g/m² flächenbezogener Masse, im Unterschied zu →Papier und Karton. Die Einteilung der P. erfolgt nach Rohstoffen (P. aus Holzschliff, Altpapier u. a.), nach Herstellung (Hand-, Maschinen-P.) oder Eigenschaften (Hart-P., z. B. Pressspan; Weich-P., z. B. Dach-P.). Well-P. besteht aus glatten und gewellten Papierbahnen, die miteinander verklebt sind.

Pappel (Populus), Gattung der Weidengewächse in Europa, Asien, N-Afrika und Nordamerika; sommergrüne, raschwüchsige, meist sehr hohe Bäume von forstwirtsch. Bedeutung; einheimisch sind u. a. **Silber-P. (Weiß-P.,** Populus alba), bis 30 m hoch, Blätter unterseits dicht filzig behaart; **Espe (Zitter-P., Aspe,** Populus tremula), bis 25 m hoch; **Schwarz-P.** (Populus nigra) mit schwärzlich rissiger Borke; **Grau-P.** (Populus canescens), Kreuzung zw. Silber-P. und Espe; **Pyramiden-P.,** eine Varietät der Schwarzpappel.

Pappel: fruchtender Zweig einer Schwarzpappel mit geschlossenen und geöffneten Kapseln

Pappelblattkäfer (Melasoma populi), 10–12 mm lange Art der Blattkäfer mit gelbroten Flügeldecken. Larven und Käfer fressen Pappelblätter.

Pappelbock, Bez. für zwei Arten der Bockkäfer, deren Larven in Pappeln leben: **Großer P.** (Saperda carcharias), 20–30 mm lang und gelblich behaart; **Kleiner P.** (Saperda populnea), 9–15 mm lang, Flügeldecken mit 4–5 hellen Flecken.

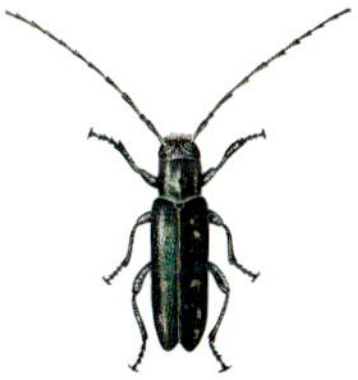

Pappelbock: Kleiner Pappelbock (Länge 9–15 mm)

Pappenheim, fränkisch-schwäbisches Reichsministerialengeschlecht; seit 1193 erbl. Inhaber des Marschallamtes. Die reichsunmittelbare Grafschaft P. kam 1806 an Bayern. – Bed. Vertreter: **P.,** Gottfried Heinrich Graf zu (seit 1628), kaiserl. Reitergeneral des Dreißigjährigen Krieges, * Treuchtlingen 29. 5. 1594, † Leipzig 17. 11. 1632; trat 1623 in kaiserl. Dienste; in der Schlacht bei Lützen tödlich verwundet. Er und seine **Pappenheimer Kürassiere** waren als Draufgänger gefürchtet, als ritterl. Gegner geachtet.

Pappmaché [-maˈʃe; frz., eigtl. »zerfetztes Papier«] *das* (Papiermaché), formbare, breiige Masse,

Pappenheim

»Daran erkenn ich meine Pappenheimer«

Die Redewendung »seine Pappenheimer kennen« hat die Bedeutung »wissen, woran man mit bestimmten Leuten ist, ihre Eigenheiten, besonders ihre Schwächen kennen«. Sie geht auf das Lob zurück, das Wallenstein in Schillers Drama (Wallensteins Tod, 3. Aufzug, 15. Auftritt) den Männern des Kürassierregiments des Grafen von Pappenheim ausspricht. Sie hatten ihm die Treue bewahrt, während sich andere Regimenter auf kaiserlichen Befehl bereits von Wallenstein als einem Landesverräter abgewendet hatten. Die »Pappenheimer« wollen von Wallenstein selbst hören, was er vorhat:
»Kein fremder Mund soll
zwischen uns sich schieben,
Den guten Feldherrn und
die guten Truppen.«
Wallenstein antwortet darauf:
»Daran erkenn ich meine Pappenheimer.«

die durch Auflösen von Altpapier oder Zellstoff in Wasser unter Zusatz von z. B. Leimlösung, Stärke, Gips, Kreide, Schwerspat oder Ton hergestellt wird. P. kann jede beliebige Form annehmen, dann bemalt und schließlich lackiert werden. Es findet Verwendung u. a. für Spielzeug, kunstgewerbl. Gegenstände und Theaterdekorationen.

Pappus [grch.] *der, Botanik:* die →Federkrone.

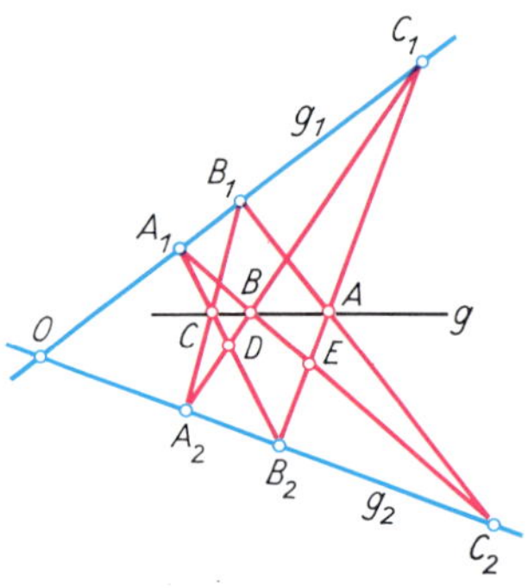

Pappus von Alexandria: Satz des Pappus

Pappus von Alexandria, grch. Mathematiker um 320 n. Chr.; überlieferte in seinem Sammelwerk die mathemat. Kenntnisse des Altertums, daneben wertvolle Beiträge zur projektiven Geometrie, z. B. den **Satz des Pappus:** Auf zwei sich schneidenden Geraden g_1 und g_2 seien je drei vom Schnittpunkt O versch. Punkte festgelegt: A_1, B_1, C_1 und A_2, B_2, C_2. Die kreuzweisen Verbindungsstrecken schneiden einander in drei Punkten A, B, C. Diese drei Punkte liegen auf einer Geraden g (Verallgemeinerung →pascalscher Satz).

Paprika [serb.] (Capsicum) *der,* Gattung der Nachtschattengewächse in Mittel- und Südamerika; formenreiche Kräuter, Halbsträucher oder

Paprika: Capsicum annuum

Sträucher mit kleinen Blüten und leuchtend gefärbten, meist scharf schmeckenden, vielsamigen Beerenfrüchten. Die heute in Nordamerika und Europa angebauten Kultursorten mit weißen, gelben, roten oder violetten Früchten **(P.-Schoten)** stammen vermutlich sämtlich von der einjährigen Art Capsicum annuum ab. Sie sind reich an Vitamin C und P sowie an Carotin und werden vielseitig verwendet: unausgereifte (großfrüchtige Sorten als **Gemüse-P.;** kleinfrüchtige Sorten als **Peperoni**) und ausgereifte als **Cayennepfeffer, Chilipfeffer** zur Bereitung von Gewürzen.

Papst [lat. papa »Vater«], das Oberhaupt der →katholischen Kirche mit den amtl. Titeln »Bischof von Rom, Stellvertreter Jesu Christi, Nachfolger des Apostelfürsten, Oberhaupt der universalen Kirche, Patriarch des Abendlandes, Primas von Italien, Erzbischof und Metropolit der röm. Kirchenprovinz, Souverän des Staates der Vatikanstadt«; Ehrentitel und Anrede »Heiliger Vater«; Selbstbez. oft »Servus Servorum Dei« (»Diener der Diener Gottes«; erstmals im 6. Jh.); andere Bez. zur Kennzeichnung seiner Stellung innerhalb der kirchl. Hierarchie »Summus Pontifex« (seit dem 13. Jh.) und »Pontifex Maximus« (seit dem 14. Jh.). Kirchenrechtlich ist der P. Träger der obersten Leitungsvollmacht und (seit 1870) unfehlbare Lehrautorität in Glaubensfragen (→Unfehlbarkeit) innerhalb der kath. Kirche. Völkerrechtlich ist er ein Souverän eigenen Rechts mit allen sich daraus ergebenden Befugnissen (v. a. dem aktiven und passiven Gesandtschaftsrecht, der diplomat. Immunität und dem Recht zur Einrichtung eigener staatl. [Verwaltungs-]Behörden). – Nach kath. Verständnis steht er in der direkten und ununterbrochenen Nachfolge des Apostels Petrus und beansprucht unter ausdrückl. Berufung auf Mt. 16, 18 f. auch nach dem 2. Vatikan. Konzil höchste apostol. Amtsgewalt **(Petrusamt).** Die Kirchen der anderen christl. Konfessionen, die allenfalls einen Ehrenprimat des P. anzuerkennen gewillt sind, sehen in diesem päpstl. Anspruch ein großes Hindernis, das einer Wiedervereinigung der Kirchen im Wege steht. Zur Anrede des P. →Papa; Bestellung zum P. →Papstwahl. Ob der P. seinen Nachfolger bindend bestimmen könne (Designation), ist strittig. Der neu gewählte P. nimmt einen eigenen P.-Namen an. – Als **Gegen-P.** wird derjenige bezeichnet, der eine P.-Wahl annimmt, obwohl bereits ein P. nach kanon. Recht gewählt ist (oft nicht zu entscheiden).

📖 OHLIG, K.-H.: *Braucht die Kirche einen P.? Düsseldorf 1973.* – KELLY, J. N. D.: *Reclams Lexikon der Päpste. A. d. Engl. Stuttgart 1988.* – SCHATZ, K.: *Der päpstl. Primat. Würzburg 1990.*

Papstkatalog, Verzeichnis der röm. Bischöfe in chronolog. Reihenfolge, z. B. Papstbuch (Liber pontificalis).

Papstkrone, die →Tiara.

Päpstliche Bibelkommission, Kommission kath. Bibelwissenschaftler versch. Nationen und Richtungen zur Förderung der kath. Bibelwiss. und zur Unterstützung des kirchl. Lehramts.

Päpste

Ungewisse oder umstrittene Daten sind mit Fragezeichen versehen. Die Namen der im Annuario Pontificio als Gegenpäpste genannten Päpste sind eingerückt. Ordnungszahlen sind eingeklammert, wenn die Zählung der als rechtmäßig geltenden Päpste die so gekennzeichneten nicht berücksichtigte. Sterbejahre sind nicht angegeben, wenn sie mit dem letzten Regierungsjahr übereinstimmen oder unbekannt sind.

Petrus	†64/67(?)
Linus	67-76(?)
Anaklet I.	76-88(?)
Klemens I.	90/92-101(?)
Evaristus	97-105(?)
Alexander I.	105-115(?)
Sixtus I.	115-125(?)
Telesphorus	125-136(?)
Hyginus	136-140(?)
Pius I.	140-154/155(?)
Anicetus	154/155-166(?)
Soter	166-174(?)
Eleutherus	174-189(?)
Viktor I.	189-198(?)
Zephyrinus	199-217(?)
Kalixt I.	217-222
Hippolyt	217-235
Urban I.	222-230
Pontianus	230-235
Anteros	235-236
Fabianus	236-250
Cornelius	251-253
Novatian	251-258(?)
Lucius I.	253-254
Stephan I.	254-257
Sixtus II.	257-258
Dionysius	259/260-267/268(?)
Felix I.	268/269-273/274(?)
Eutychianus	274/275-282(?)
Cajus	282/283-296
Marcellinus	296-304
Marcellus I.	307-308(?)
Eusebius	309/310
Miltiades	311-314(?)
Silvester I.	314-335
Markus	336
Julius I.	337-352
Liberius	352-366
Felix (II.)	355-365
Damasus I.	366-384
Ursinus	366-367
Siricius	384-399
Anastasius I.	399-401
Innozenz I.	402-417
Zosimus	417-418
Bonifatius I.	418-422
Eulalius (†423)	418-419
Cölestin I.	422-432
Sixtus III.	432-440
Leo I.	440-461
Hilarus	461-468
Simplicius	468-483
Felix II.	483-492
Gelasius I.	492-496
Anastasius II.	496-498
Symmachus	498-514
Laurentius	498-506
Hormisdas	514-523
Johannes I.	523-526
Felix III.	526-530
Bonifatius II.	530-532
Dioskur	530
Johannes II.	533-535
Agapet I.	535-536
Silverius	536-537
Vigilius	537-555
Pelagius I.	556-561
Johannes III.	561-574
Benedikt I.	575-579
Pelagius II.	579-590
Gregor I.	590-604
Sabinianus	604-606
Bonifatius III.	607
Bonifatius IV.	608-615
Deusdedit (Adeodatus I.)	615-618
Bonifatius V.	619-625
Honorius I.	625-638
Severinus	640
Johannes IV.	640-642
Theodor I.	642-649
Martin I. (†655)	649-653
Eugen I.	654-657
Vitalian	657-672
Adeodatus II.	672-676
Donus	676-678
Agatho	678-681
Leo II.	682-683
Benedikt II.	684-685
Johannes V.	685-686
Konon	686-687
Theodor	687
Paschalis (†692?)	687
Sergius I.	687-701
Johannes VI.	701-705
Johannes VII.	705-707
Sisinnius	708
Konstantin I.	708-715
Gregor II.	715-731
Gregor III.	731-741
Zacharias	741-752
Stephan (II.)	752
Stephan II.	752-757
Paul I.	757-767
Konstantin II.	767-768
Philippus	768
Stephan III.	768-772
Hadrian I.	772-795
Leo III.	795-816
Stephan IV.	816-817
Paschalis I.	817-824
Eugen II.	824-827
Valentin	827
Gregor IV.	827-844
Johannes (VIII.)	844
Sergius II.	844-847
Leo IV.	847-855
Benedikt III.	855-858
Anastasius (III.) (†879)	855
Nikolaus I.	858-867
Hadrian II.	867-872
Johannes VIII.	872-882
Marinus I.	882-884
Hadrian III.	884-885
Stephan V.	885-891
Formosus	891-896
Bonifatius VI.	896
Stephan VI.	896-897
Romanus	897
Theodor II.	897
Johannes IX.	898-900
Benedikt IV.	900-903
Leo V. (†904)	903
Christophorus	903-904
Sergius III.	904-911
Anastasius III.	911-913
Lando	913-914
Johannes X.	914-928
Leo VI.	928
Stephan VII.	928-931
Johannes XI.	931-935/36
Leo VII.	936-939
Stephan VIII.	939-942
Marinus II.	942-946
Agapet II.	946-955
Johannes XII.	955-964
Leo VIII.	963-965
Benedikt V. (†966)	964
Johannes XIII.	965-972
Benedikt VI.	973-974
Bonifatius VII.	974, 984-985
Benedikt VII.	974-983
Johannes XIV.	983-984
Johannes XV.	985-996
Gregor V.	996-999
Johannes XVI. (†1001)	997-998
Silvester II.	999-1003
Johannes XVII.	1003
Johannes XVIII.	1003-1009
Sergius IV.	1009-1012
Benedikt VIII.	1012-1024
Gregor (VI.)	1012
Johannes XIX.	1024-1032
Benedikt IX. (†1055/56)	1032-1045, 1047-1048
Silvester III.	1045-1046
Gregor VI. (†1047)	1045-1046
Klemens II.	1046-1047
Damasus II.	1048
Leo IX.	1049-1054
Viktor II.	1055-1057
Stephan IX.	1057-1058
Benedikt X.	1058-1059
Nikolaus II.	1058-1061
Alexander II.	1061-1073
Honorius (II.) (†1072?)	1061-1064
Gregor VII.	1073-1085
Klemens (III.)	1080-1100
Viktor III.	1086-1087
Urban II.	1088-1099
Paschalis II.	1099-1118
Theoderich (†1102)	1100
Albert	1101
Silvester (IV.)	1105-1111
Gelasius II.	1118-1119
Gregor (VIII.) (†1137)	1118-1121
Kalixt II.	1119-1124
Honorius II.	1124-1130
Cölestin (II.) (†vor 1127)	1124
Innozenz II.	1130-1143
Anaklet II.	1130-1138
Viktor (IV.)	1138
Cölestin II.	1143-1144
Lucius II.	1144-1145
Eugen III.	1145-1153
Anastasius IV.	1153-1154
Hadrian IV.	1154-1159
Alexander III.	1159-1181
Viktor (IV.)	1159-1164
Paschalis (III.)	1164-1168
Kalixt (III.)	1168-1178
Innozenz (III.)	1179-1180
Lucius III.	1181-1185
Urban III.	1185-1187
Gregor VIII.	1187
Klemens III.	1187-1191
Cölestin III.	1191-1198
Innozenz III.	1198-1216
Honorius III.	1216-1227
Gregor IX.	1227-1241
Cölestin IV.	1241
Innozenz IV.	1243-1254
Alexander IV.	1254-1261
Urban IV.	1261-1264
Klemens IV.	1265-1268
Gregor X.	1271-1276
Innozenz V.	1276
Hadrian V.	1276
Johannes XXI.	1276-1277
Nikolaus III.	1277-1280
Martin IV.	1281-1285
Honorius IV.	1285-1287
Nikolaus IV.	1288-1292
Cölestin V. (†1296)	1294
Bonifatius VIII.	1294-1303
Benedikt XI.	1303-1304
Klemens V.	1305-1314
Johannes XXII.	1316-1334
Nikolaus (V.) (†1333)	1328-1330
Benedikt XII.	1334-1342
Klemens VI.	1342-1352
Innozenz VI.	1352-1362
Urban V.	1362-1370
Gregor XI.	1370-1378
Urban VI.	1378-1389
Klemens (VII.)	1378-1394
Bonifatius IX.	1389-1404
Benedikt (XIII.)	1394-1423
Innozenz VII.	1404-1406
Gregor XII. (†1417)	1406-1415
Alexander V.	1409-1410
Johannes (XXIII.) (†1419)	1410-1415
Martin V.	1417-1431
Klemens (VIII.) (†1446)	1423-1429
Benedikt (XIV.)	1425-1430
Eugen IV.	1431-1447
Felix V. (†1451)	1439/40-1449
Nikolaus V.	1447-1455
Kalixt III.	1455-1458
Pius II.	1458-1464
Paul II.	1464-1471
Sixtus IV.	1471-1484
Innozenz VIII.	1484-1492
Alexander VI.	1492-1503
Pius III.	1503
Julius II.	1503-1513
Leo X.	1513-1521
Hadrian VI.	1522-1523
Klemens VII.	1523-1534
Paul III.	1534-1549

Päpste (Fortsetzung)

Julius III.	1550–1555	Leo XI.	1605	Klemens XI.	1700–1721	Gregor XVI.	1831–1846
Marcellus II.	1555	Paul V.	1605–1621	Innozenz XIII.	1721–1724	Pius IX.	1846–1878
Paul IV.	1555–1559	Gregor XV.	1621–1623	Benedikt XIII.	1724–1730	Leo XIII.	1878–1903
Pius IV.	1559–1565	Urban VIII.	1623–1644	Klemens XII.	1730–1740	Pius X.	1903–1914
Pius V.	1566–1572	Innozenz X.	1644–1655	Benedikt XIV.	1740–1758	Benedikt XV.	1914–1922
Gregor XIII.	1572–1585	Alexander VII.	1655–1667	Klemens XIII.	1758–1769	Pius XI.	1922–1939
Sixtus V.	1585–1590	Klemens IX.	1667–1669	Klemens XIV.	1769–1774	Pius XII.	1939–1958
Urban VII.	1590	Klemens X.	1670–1676	Pius VI.	1775–1799	Johannes XXIII.	1958–1963
Gregor XIV.	1590–1591	Innozenz XI.	1676–1689	Pius VII.	1800–1823	Paul VI.	1963–1978
Innozenz IX.	1591	Alexander VIII.	1689–1691	Leo XII.	1823–1829	Johannes Paul I.	1978
Klemens VIII.	1592–1605	Innozenz XII.	1691–1700	Pius VIII.	1829–1830	Johannes Paul II.	seit 1978

päpstliches Wappen: Wappen Papst Johannes Pauls II.

päpstliche Hochschulen, päpstl. kirchl. Hochschulen unterschiedl. Ranges, v.a. in Rom, darunter die → Gregoriana.

päpstlicher Segen, der vom Papst gespendete → apostolische Segen.

Päpstlicher Stuhl, → Apostolischer Stuhl.

päpstliches Wappen, der mit den päpstl. Insignien (zwei Schlüssel, Tiara) verbundene persönl. Wappenschild des Papstes.

Papsttum, Amt und Institution des Oberhauptes der kath. Kirche (→ Papst).

Geschichte: Der Aufenthalt des Apostels Petrus, der unter den Jüngern Jesu in der Urgemeinde eine besondere Stellung einnahm, in Rom und sein (historisch nicht nachweisbarer) Märtyrertod ließen seit dem 2. Jh. die Tradition entstehen, im Bischof von Rom den Nachfolger des Petrus zu erblicken und ihm innerhalb der Gesamtkirche eine besondere Bedeutung zuschreiben. Diese Überlieferung sowie die Bedeutung Roms als Hptst. des Röm. Reiches verschafften der röm. Kirche Ansehen und führten im 3. Jh. seitens des Bischofs von Rom zur Beanspruchung eines (Ehren-)Vorranges unter den Bischöfen des Reiches, der im 4. Jh. als Jurisdiktionsprimat über die Gesamtkirche geltend gemacht wurde, jedoch nur in der lat. Kirche durchgesetzt werden konnte. Während der Zeit der Völkerwanderung (5./6. Jh.) wuchs neben der geistl. auch die polit. Autorität des P., die mit Leo I. einen ersten Höhepunkt erreichte. Für die Gestaltung der Beziehungen zw. Kirche und Staat wurde die von → Gelasius I. formulierte Lehre von den zwei Gewalten (→ Zweischwerterlehre) richtungweisend; für die Grundlegung des späteren Reichskirchensystems war die Taufe des Frankenkönigs → Chlodwig I. (wohl 498) von entscheidender Bedeutung. Die Einführung der zentralen Verwaltung des päpstl. Grundbesitzes (gen. Patrimonium Petri) durch Gregor I., das Entstehen des → Kirchenstaates sowie das Bündnis mit dem Fränk. Reich (800 Kaiserkrönung Karls d. Gr. durch Leo III. in Rom) und später mit dem Hl. Röm. Reich bildeten die ökonom. Basis, begründeten den polit. Anspruch und leiteten die im MA. überragende machtpolit. Stellung des P. ein. Die Geschichte des mittelalterl. P. ist einerseits geprägt durch den Kampf zw. dem röm. (dt.) Königtum und dem P. (→ Investiturstreit), der während des Pontifikats Gregors VII. seine schärfste Zuspitzung erfuhr (1076 Bannung Heinrichs IV.), andererseits durch die zunehmende Entfremdung von der Ostkirche (Absetzung der Patriarchen → Photios und → Michael Kerullarios), die 1054 zum Morgenländ. → Schisma führte. Das 12. und 13. Jh. sind gekennzeichnet durch schwere Konflikte mit den Staufern Friedrich I. und Friedrich II. Unter Innozenz III. erreichte das P. den Höhepunkt seiner weltl. Macht, dem jedoch im Ergebnis der Auseinandersetzungen mit den stauf. Kaisern eine weitgehende Abhängigkeit vom frz. Königtum folgte. Dem »Exil« von Avignon (1309–76) folgte das Abendländ. Schisma. Das 14. und 15. Jh. standen im Zeichen zahlr. innerkirchl. Reformbestrebungen (→ Reformkonzilien), die jedoch nicht zur Überwindung der Krise des P. (»Verweltlichung«) führten. Erst das in Abgrenzung zu den Positionen der → Reformation durchgeführte Konzil von Trient (→ Tridentinum) hatte eine innere Erneuerung des P. zur Folge. Als Förderer der Künste spielte das P. v.a. in der Zeit der Renaissance eine bedeutende Rolle, bes. das Pontifikat Julius' II. (Neugestaltung der Peterskirche). Im 17. und 18. Jh. Ausbau der röm. Kurie zum Verwaltungsorgan der Gesamtkirche im Sinne eines päpstl. Zentralismus und Absolutismus. Die Auseinandersetzungen des ausgehenden 18. und des 19. Jh. hatten vonseiten des P. drei Zielrichtungen: politisch gegen den Liberalismus; kirchenpolitisch gegen versch. nationalkirchliche Bestrebungen (→ Josephinismus, → Gallikanismus); theologisch gegen den → Modernismus. Das Jahr 1870 stand im Zeichen des 1. Vatikan. Konzils und des Verlustes des Kirchenstaates. Im 20. Jh. sind v.a. die Bildung des souveränen Staates der Vatikanstadt (1929; → Lateranverträge) und die Einberufung des 2. Vatikan. Konzils (→ Vatikanische Konzile) durch Johannes XXIII. hervorzuheben. Das Konzil leitete eine grundlegende Reform der kath. Kirche (→ Aggiornamento), ihre (vorsichtige) »Öffnung« zur Welt, den ökumen. Dialog (→ Ökumenismus) und das Gespräch mit den

Papua-Neuguinea

Fläche: 462 840 km²
Einwohner: (1995) 4,302 Mio.
Hauptstadt: Port Moresby
Verwaltungsgliederung: 19 Provinzen und ein Hauptstadtdistrikt
Amtssprachen: Englisch, daneben Neumelanesisch und Hiri Motu (beides Pidginsprachen)
Nationalfeiertag: 16. 9.
Währung: 1 Kina (K) = 100 Toea (t)
Zeitzone: MEZ +9 Std.

Weltreligionen ein. An Geist und Positionen des 2. Vatikan. Konzils haben seither alle Nachfolger Johannes' XXIII. festgehalten, wenn auch versch. Seiten (auch innerhalb der kath. Kirche) in der Betonung der päpstl. Autorität und des röm. Zentralismus unter dem Pontifikat von Johannes Paul II. eine Gefährdung des bereits Erreichten sehen.

📖 Haller, J.: *Das P. Idee u. Wirklichkeit, 5 Bde. Neuausg. Reinbek 1965.* – Klausnitzer, W.: *Das Papstamt im Disput zwischen Lutheranern u. Katholiken. Innsbruck 1987.* – Schimmelpfennig, B.: *Das P. Von der Antike bis zur Renaissance. Darmstadt ⁴1996.* – Denzler, G.: *Das P. Geschichte u. Gegenwart. München 1997.*

Papstwahl, Modus der Bestellung zum Papst. Wahlberechtigt sind alle Kardinäle, die das 80. Lebensjahr noch nicht vollendet haben; wählbar ist jeder männl. kath. Christ. Die Wahl erfolgt im →Konklave; gewählt ist, wer wenigstens zwei Drittel plus eine der Stimmen erhält.

Papua, Sammelbez. für die Ureinwohner Neuguineas, des Bismarckarchipels, der Salomoninseln und benachbarter Inseln, die sich v.a. sprachlich, z.T. kulturell von den verwandten Melanesiern unterscheiden; etwa 4,6 Mio. Menschen. Die P. betreiben im Tiefland Brandrodungswanderfeldbau, im Hochland auch Gartenbau; Jagd und Fischfang spielen ebenfalls eine Rolle. Die meist isolierten Siedlungen bestehen an der Küste und im angrenzenden Hinterland aus Dörfern oder Weilern, im Hochland auch aus Einzelhöfen.

Papua-Neuguinea: Blick über den tropischen Regenwald im südlichen Hochland der Insel Neuguinea

Papua, ehem. austral. Territorium im SO von Neuguinea, jetzt der größte Teil von →Papua-Neuguinea.

Papua-Neuguinea [-gi'nea] (amtl. engl. Papua New Guinea, Pidgin English: Papua Niugini), Staat im westl. Pazifik, Ozeanien, umfasst den Ostteil der Insel Neuguinea, den Bismarckarchipel, den Louisiadearchipel, die D'Entrecasteauxinseln, die nördl. Salomoninseln Buka und Bougainville sowie zahlr. kleine Inseln und Atolle.

Staatswappen

Staat und Recht: Nach der Verf. von 1975 (1991 geändert) ist P.-N. eine parlamentar. Monarchie im Commonwealth. Staatsoberhaupt ist der brit. Monarch, vertreten durch einen Generalgouverneur. An der Spitze der Reg. steht der vom Parlament gewählte Premierminister. Die Legislative liegt beim Abg.haus (109 auf 5 Jahre gewählte Abg.). Einflussreichste Parteien: Pangu Pati (PP), People's Democratic Movement (PDM), People's Action Party (PAP), People's Progress Party (PPP), Melanesian Alliance (MA).

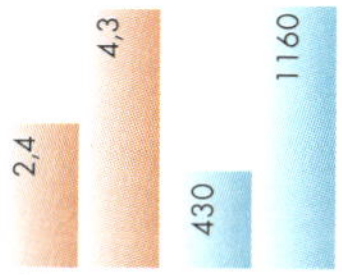

Landesnatur: Das Zentralgebirge, das die Insel Neuguinea von W nach O durchzieht, besitzt ausgedehnte Hochländer. Es erreicht im Mount Wilhelm im Bismarckgebirge 4 508 m ü. M. Im SW erstreckt sich ein bis 450 km breites Küstentiefland. Das nördl. Tiefland liegt zw. dem Zentralgebirge und dem Küstengebirge. Die Inseln sind meist vulkan. Ursprungs. Es herrscht trop. Regenklima (in der zentralen Gebirgsregion über 6 000 mm Jahresniederschlag). Trop. Regenwald, Sumpfwälder, Savannen und Grasländer bedecken das Land.

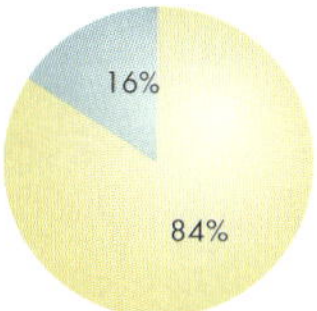

Bevölkerungsverteilung 1995

Bevölkerung: Die Mehrheit der Bev. besteht aus Papua, die sich in über 700 Sprachgruppen gliedern (→Papuasprachen) und zu etwa 85% im unwegsamen Bergland Neuguineas leben. Sie stehen teilweise auf neolith. Kulturstufe. In Küstennähe und auf den Inseln leben v.a. Melanesier, ferner Minderheiten von Mikronesiern, Polynesiern, Europäern u.a. – Es besteht keine allg. Schulpflicht;

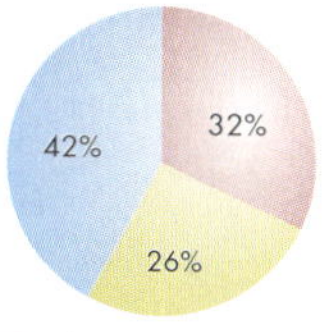

Bruttoinlandsprodukt 1995

in Port Moresby gibt es eine staatl. Univ., in Lae eine TU (beide gegr. 1965). Die Analphabetenquote beträgt 27,8 %. – Mehr als 90 % der Bev. sind Christen, ferner gibt es Anhänger traditioneller Stammesreligionen.

Wirtschaft, Verkehr: Hauptzweige der Wirtschaft sind Bergbau und Landwirtschaft, von Letzterer leben rd. 85 % der Bevölkerung. In Kleinbetrieben (vielfach noch in Wanderfeldbau mit Brandrodung) und Plantagenwirtschaften Anbau v. a. von Bananen, Kokos- und Ölpalmen, Bataten, Zuckerrohr, Taro, Jamswurzel, Kaffee, Kakao, Kautschuk, Tee; Schweine- und Geflügelhaltung. Wälder bedecken 70 % der Landesfläche; Holzeinschlag wird für den Eigenbedarf und Export betrieben; Küstenfischerei für den Eigenbedarf. Durch die Vergabe von Fanglizenzen an Ausländer für die Hochseefischerei werden weitere Einnahmen erzielt. Große Bedeutung hat der Abbau von Kupfer und Gold (auf Bougainville, Lihir und Porgera sowie bei Ok Tedi auf Neuguinea), ferner von Silber; Vorkommen von Chrom, Nickel, Kobalt, Blei, Zink, Bauxit und Erdöl werden erst z. T. genutzt. Die Ind. konzentriert sich auf die Verarbeitung landwirtsch. Güter; außerdem Zementwerke, Schiffbau. Exportgüter sind Kupfererz, Gold, Kaffee, Kakao, Kopra, Palmöl; Haupthandelspartner Japan, Dtl. und Australien. – Es gibt keine Eisenbahn; Hauptverkehrsträger sind Flugzeuge und Schiffe; das Straßennetz umfasst 21 433 km Straßen (nur z. T. befestigt); Tiefwasserhäfen sind Port Moresby, Rabaul und Madang; internat. Flughafen in Port Moresby.

Geschichte: Der aus dem ehem. austral. Territorium Papua und dem Treuhandgebiet → Neuguinea gebildete Staat erhielt am 16. 9. 1975 seine Unabhängigkeit. Die innenpolit. Entwicklung war in den folgenden Jahrzehnten im Wesentlichen bestimmt vom demokrat. Wechsel der Regierungen. Die führenden Parteien stellten u. a. mit M. Somare (Pangu Pati), J. Chan (PPP) und P. Wingati (PDM) den MinPräs. 1988/89 brach auf Bougainville ein Aufstand aus, der die Unabhängigkeit P.-N.s zum Ziel hatte. Getragen von der Bougainville Revolutionary Army (BRA) dauert er, trotz der Waffenstillstände von 1991 und 1994, an (1996 Großoffensive der Reg.truppen). Der Bougainville-Konflikt führte zu Spannungen mit dem Nachbarstaat Salomoninseln.

Als Mitgl. der »Gruppe Melanes. Speerspitze« (P.-N., Vanuatu und Salomonen) tritt P.-N. für die Bewahrung der melanes. kulturellen Traditionen ein und fordert von Frankreich die Unabhängigkeit Neukaledoniens. 1991 schloss es ein Sicherheitsabkommen mit dem Australischen Bund. Auf einem Treffen des »Südpazifikforums« (SPF) in Madang (P.-N.) kritisierten die Teilnehmer die Kernwaffenversuche Frankreichs (1995/96) auf das Schärfste.

📖 LÖFFLER, E.: *Geomorphology of Papua New Guinea. Canberra 1977.* – LÖFFLER, E.: *Papua New Guinea. Richmond 1979.* – WESEMANN, H.: *P.-N. Köln 1985.* – RATH, G.: *P.-N. Ein südpazif. Entwicklungsland auf dem Weg in das Jahr 2000. Hamburg 1989.*

Papuasprachen, Gruppe von etwa 700 Sprachen, die im größten Teil der Insel Neuguinea von den Papua, auf einigen benachbarten Inseln sowie im Zentrum und in Randgebieten des melanes. Raumes gesprochen werden. Sie zählen nicht zu den austrones. Sprachen.

Papyrus [lat.] *der* (grch. Papyros), Beschreibstoff in Rollen-, Blatt- und Buchform. Das entrindete Stängelmark der → Papyrusstaude wurde in dünnste Streifen geschnitten, dann kreuzweise geklebt und getrocknet. P. gelangte von Ägypten aus in die ganze antike Kulturwelt. Zum Schreiben diente ein schräg gekappter Binsenhalm, seit dem 3. Jh. v. Chr. der Rohrhalm mit gespaltener Spitze (Kalamos). Die Schrift wurde mit Lösungen von Kohlenschwärze (Ruß), auch mit Zinnober (rot), später mit Sepia- und Metalltinten ausgeführt. P. lässt sich in Ägypten für den Beginn des 3. Jt. v. Chr. nachweisen, doch ist die P.-Rolle als Beschreibstoff schon im 4. Jt zu finden. Nach Griechenland kam die P.-Rolle wohl im 6. Jh. v. Chr. Seit dem 2. Jh. n. Chr. wurde der P. allmählich durch das Pergament verdrängt. – In Ägypten haben sich beschriftete P.-Blätter **(P.-Texte)** in Bodenschichten erhalten, die vom Grundwasser unerreicht blieben. Die ältesten und besterhaltenen sind die hieroglyph. Rollen, darunter der 40 m lange **Große P. Harris,** ein Taten- und Rechenschaftsbericht Ramses' III. Jenseitsdarstellungen finden sich in den »Totenbuch« gen. religiösen Textsammlungen (BILD Buchmalerei). Aus der ägypt. Spätzeit ist u. a. das Werk des Mani in kopt. Übersetzung überliefert sowie z. T. noch unveröffentlichte gnost. Texte (→ Nag Hammadi). Weitaus bedeutender und zahlreicher als alle anderen P.-Gruppen (u.a. koptische, aramäische, phönikische, kanaanäische, hebräische, arabische P.) sind die **grch. P.,** die seit Alexander d. Gr. für Jahrhunderte die wichtigsten Zeugen antiken Lebens (Urkunden) und antiken wie christlichen Schrifttums (→Bibel) sind.

📖 Schubart, W.: *Einführung in die Papyruskunde. Berlin 1918, Nachdr. Zürich u.a. 1980.* – Schubart, W.: *Das Buch bei den Griechen u. Römern. Heidelberg ³1962. – Repertorium der griech. christl. Papyri, hg. v.* K. Aland. *Berlin 1976.* – Bischoff, B.: *Paläographie des röm. Altertums u. des abendländ. Mittelalters. Berlin ²1986.*

Papyruskunde (Papyrologie), histor. Hilfswiss. der Altertumskunde.

Papyrusstaude

Papyrusstaude (Papierstaude, Cyperus papyrus), vom trop. Afrika bis Sizilien verbreitete Art der Gattung Zypergras. Die P. wurde seit dem Altertum kultiviert und zur Herstellung von Flößen, Matten und v.a. von →Papyrus verwendet.

Para, Währungseinheit in Jugoslawien; 1 Jugoslaw. Neuer Dinar (N.Din) = 100 P. (p).

Pará, 1) *der* (Rio P.), südl. Mündungsarm des Amazonas, rd. 320 km lang, bis 65 km breit; bildet mit dem Tocantins eine trichterförmige Mündungsbucht.

2) Staat im N von →Brasilien. Der Hauptteil P.s gehört der mit Urwald bedeckten Schwemmlandebene des Amazonas an. Im N erstrecken sich die Ausläufer des Berglandes von Guayana, der S hat Anteil an der Abdachung des Brasilianischen Berglandes.

para... [grch.], vor Vokalen und h meist verkürzt zu **par...,** Präfix mit den Bedeutungen 1) neben..., bei...; 2) nebeneinander, miteinander; nahe stehend, ähnlich; 3) über – hinaus; 4) (von der Norm) abweichend, fehlerhaft; 5) Abk. **p-,** in der chem. Nomenklatur Vorsilbe zur Kennzeichnung der 1,4-Stellung von zwei Substituenten bei aromat. Verbindungen (z.B. 1,4- oder p-Dichlorbenzol).

Parabase [grch.] *die,* in der att. Komödie eine aus Gesang und Rezitation gemischte (meist politisch-satir.) Chorpartie aus sieben Teilen.

Parabel [grch.] *die,* **1)** *Literatur:* Form der Gleichniserzählung, bes. in der Lehrdichtung; zudem künstler. Gestaltungsprinzip; in der dramatisch-theatral. Darstellung eine besondere Form des Dramas.

2) *Mathematik:* ein →Kegelschnitt, dessen Punkte (z.B. P) von einem festen Punkt F (Brennpunkt) und einer festen Geraden l (Leitlinie) den gleichen Abstand haben: $PF = PL$ für alle $L \in l$. Das Lot vom Brennpunkt auf die Leitlinie schneidet die P. im Scheitel und liefert die Symmetrieachse der Parabel. Die von dem Brennpunkt zu einzelnen Punkten der P. gezogenen Geraden werden Brennstrahlen genannt. Die Scheitelgleichung der P. im kartes. Koordinatensystem lautet $y^2 = 2px$ mit einem Parameter p. (→Wurf)

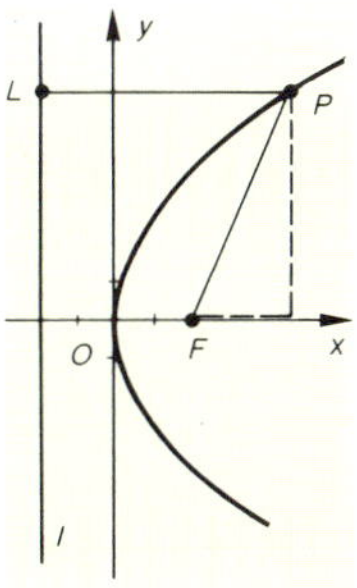

Parabel 2)

Paraboloid [grch.] *das, Mathematik:* gekrümmte Fläche ohne Mittelpunkt mit der Gleichung in Normalform $z = x^2/a^2 + y^2/b^2$. Durch Drehung einer →Parabel um die Symmetrieachse entsteht das **Rotations-P.,** ein spezielles **ellipt. P.** mit $a = b$. Man unterscheidet ellipt. von **hyperbol. P.** danach, ob ihre Schnittkurven mit einer bestimmten Schar paralleler Ebenen Ellipsen (im Sonderfall des Rotations-P. Kreise) oder Hyperbeln sind.

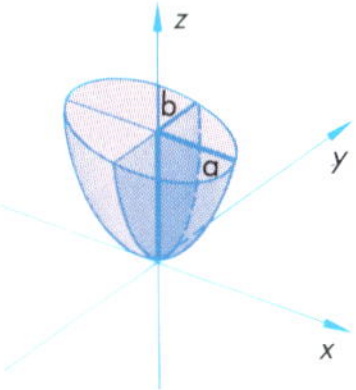

Paraboloid: elliptisches Paraboloid

Parabolspiegel, ein Hohlspiegel in der Form eines Rotationsparaboloids zur Bündelung von Strahlen in seinem Brennpunkt oder zur Erzeugung paralleler Strahlen bzw. ebener Wellen; Anwendung v.a. in astronom. Spiegelteleskopen oder Scheinwerfern.

Paracas, Halbinsel im S Perus, 18 km südlich des Hafens Pisco. – Die nach der Halbinsel ben. P.-Kultur (seit etwa 800 v.Chr.) brachte bes. dünnwandige Tongefäße hervor, die nach dem Brennen bemalt wurden; auch hoch entwickelte Textiltechnik; Schachtgräber. Zu Beginn unserer Zeitrechnung allmähl. Übergang in die Kultur der →Nazca.

Paracelsus, Philippus Theophrastus, eigtl. Philipp Aureolus Theophrast Bombast von Hohenheim, Arzt, Naturforscher und Philosoph, * Einsiedeln 11. 11.(?) 1493, † Salzburg 24. 9. 1541; Wegbereiter der neuzeitl. Medizin; wandte sich schärfstens gegen die bis dahin gültigen medizin. Autoritäten mit Ausnahme von Hippokrates; zog die meiste Zeit seines Lebens als Wander- oder Wundarzt durch Europa. P. hielt seine Vorlesungen in dt. Sprache, in der auch vorwiegend seine medizin. Werke abgefasst sind. Diese galten hauptsächlich der Syphilis und deren Therapie, den Berufskrankheiten der Berg- und Hüttenarbeiter, der Chirurgie und Wundbehandlung sowie einer allg. Lehre von den Krankheitsursachen. P.

Philippus Theophrastus Paracelsus: Ausschnitt eines zeitgenössischen Gemäldes (Paris, Louvre)

führte zahlr. chem. Substanzen in den Arzneimittelschatz ein. Außerdem verfasste er theolog., religionsphilosoph. und sozialpolit. Schriften.

🕮 Surya, G. W.: *P. richtig gesehen. Bietigheim* [3]*1980.* – Allgeier, K.: *P. München 1984.* – Kaiser, E.: *P. Reinbek 40.–42. Tsd. 1993.* – Schipperges, H.: *P. – heute. Frankfurt am Main 1994.*

Paracelsusmedaille, Auszeichnung, die jährlich vom Dt. Ärztetag an bes. verdiente Ärzte verliehen wird (seit 1952).

Paradiesvögel: Königsparadiesvogel (Größe 15 cm)

Parade [frz.] *die,* **1)** *Dressurreiten:* Reiterhilfe zum Wechsel des Tempos (halbe P.) oder zum Stand (ganze P.).

2) *öffentliche Repräsentation:* Vorbeimarsch militär. Verbände, Aufmarsch.

3) *Sport:* Abwehr, z.B. eines gegner. Schlags, Stichs oder Hiebs (Fechten, Boxen), Balls (durch den Torwart), Schachzugs (bes. bei Schachgebot).

Paradies [grch. aus altpers.] *das,* **1)** *Baukunst:* Vorhof frühchristl. Basiliken, in dem der Reinigungsbrunnen stand, gleichbedeutend mit dem →Atrium. Später wurde der Name auch auf die Vorhallen der Kirchen übertragen, die für Büßer, kirchl. Verkündigungen, als Prozessionsstation, teilweise auch als Begräbnisstätte dienten und mit Asylrecht belegt waren.

2) *Religionswiss.:* in vielen Religionen verbreitete, inhaltlich unterschiedl. Vorstellung von einer Stätte (bzw. einem Zustand) der Ruhe, des Glücks, des Friedens und des Heils am Anfang und am Ende aller Zeiten; auch Insel (Gefilde) der Seligen, →goldenes Zeitalter, →Himmel, →Nirvana, →Schlaraffenland; im A.T. der Garten Eden.

Paradies|apfel, Wildapfelform auf der Balkanhalbinsel.

Paradiesvogel (lat. Apus), Sternbild des Südhimmels.

Paradiesvögel (Paradisaeidae), Familie etwa staren- bis rabengroßer Singvögel in trop. Regenwäldern Neuguineas, NO-Australiens und der Molukken; Männchen meist prächtig bunt befiedert, oft mit verlängerten Schmuckfedern. Zu den P. gehören u.a. der **Königsparadiesvogel** (Cicinnurus regius), 15 cm lang, und der **Große Paradiesvogel** (**Göttervogel,** Paradisaea apoda), bis 45 cm lang.

Paradiesvogelblume, →Strelitzie.

Paradieswitwe, *Zoologie:* Art der →Witwen.

Paradigma [grch.] *das,* **1)** *allg.:* Beispiel, Muster.

2) *Sprachwiss.:* 1) Gesamtheit der Formen der Flexion eines Wortes, bes. als Muster für die Flexion anderer Wörter (Deklinations- oder Konjugationsmuster); 2) (syntakt. P.), Anzahl von sprachl. Einheiten, zw. denen in einem Kontext zu wählen ist (z.B. »Er steht *hier*« und nicht etwa »*dort*«); Ggs. Syntagma.

3) *Wissenschaftstheorie:* ein von T. S. Kuhn eingeführter Begriff, der die Gesamtheit aller eine wiss. Disziplin in einem Zeitabschnitt beherrschenden Grundauffassungen (z.B. Raum-, Zeitvorstellungen, methodolog. Regeln) bezeichnet und somit festlegt, was als wiss. befriedigende Lösung angesehen werden kann. Nach einer These Kuhns lassen sich in der Wiss.geschichte wiss. Revolutionen im Sinne von **Paradigmenwechseln** definieren, wie z.B. die Übergänge von der aristotel. zur klass. und von dieser zur relativist. Mechanik.

Paradoxie [grch.] *die,* Aussage, die einen Widerspruch im Sinne der formalen Logik enthält; i.w.S. das →Paradoxon. Der Begriff P. wurde v.a. in der Mathematikgesch. in Zusammenhang mit dem Unendlichen und Problemen der Mengenlehre verwendet.

Paradoxon [grch.] *das,* **1)** *allg.:* scheinbar widersinnige, in sich widersprüchl. und der allg. Erfahrung zuwiderlaufende Aussage, die jedoch eine andere, höhere oder spezif. Wahrheit spiegelt.

2) *Physik:* in scheinbarem Widerspruch zu physikal. Gesetzen stehendes Phänomen, z.B. das **hydrostat. P.** (→Hydrostatik), das →hydrodynamische Paradoxon, das →Zwillingsparadoxon, das →olberssche Paradoxon. – Ein echter, nicht aufzulösender Widerspruch heißt **Antinomie.**

Paradschanow, Sergei, georg. Filmregisseur armen. Herkunft, * Tiflis 18. 3. 1924, † Jerewan 20. 7. 1990; Opfer dogmat. Kulturpolitik (u.a. 15 Jahre in Haft); drehte poetisch-myth. Filme, gleichnishaft und reich an Farbsymbolik, u.a. »Schatten vergessener Ahnen« (1964), »Die Granatapfelblüte« (1969), »Kerib, der Spielmann« (1988).

Paraguay

Fläche: 406 752 km²
Einwohner: (1995) 4,96 Mio.
Hauptstadt: Asunción
Verwaltungsgliederung: 17 Departamentos und die Hauptstadt
Amtssprache: Spanisch
Nationalfeiertage: 14. und 15. 5.
Währung: 1 Guaraní (₲, G) = 100 Céntimos (cts)
Zeitzone: MEZ – 5 Std.

Paraffine [zu lat. parum »zu wenig« und affinis »teilnehmend an etwas«], i. w. S. die →Alkane; i. e. S. bei Raumtemperatur feste, wachsartige Gemische von überwiegend unverzweigten Alkanen **(Normal-P.)** mit 18–32 Kohlenstoffatomen. P. werden meist durch Entölung und Raffination aus dem bei der Entparaffinierung von Erdölfraktionen anfallenden →Gatsch gewonnen. Unter 50 °C schmelzende P. werden als **Weich-P.,** über 50 °C schmelzende als **Hart-P.** bezeichnet. Sie dienen zur Herstellung von Kerzen, Lebensmittelverpackungen u. a. Gemische von flüssigen P. bilden das **Paraffinöl,** das als feines Schmieröl (→Weißöl), z. T. auch medizinisch zur Herstellung von Salben sowie als Darmgleitmittel **(Paraffinum liquidum)** dient.

Parafiski (Hilfsfiski, intermediäre Finanzgewalten), Institutionen zw. dem öffentl. und dem privaten Bereich, die an der Erfüllung öffentl. Aufgaben mitwirken. Die P. verfügen über organisator. Selbstverw. und finanziell weitgehende Autonomie mit kollektiver Finanzierung, z. B. über Zwangsabgaben (Pflichtbeiträge zur gesetzl. Sozialversicherung u. a.), oder weitgehend autonom verwalteten staatl. Zuschüssen. Als P. gelten u. a. die gesetzl. Kranken-, Unfall-, Renten- und Arbeitslosenversicherung, Ind.- und Handelskammern sowie Landwirtschaftskammern, Kirchen und Religionsgemeinschaften, Arbeitgeberverbände und Gewerkschaften sowie die öffentlich-rechtl. Rundfunkanstalten.

Paraganglilen, Nebenorgane des vegetativen Nervensystems, die nicht der Erregungsleitung dienen, sondern endokrine Funktion besitzen, z. B. das Nebennierenmark.

Paragenese [grch.] *die,* auf bestimmte Bildungsbedingungen zurückzuführende Mineralgemeinschaft in Gesteinen oder auf Lagerstätten.

Paragesteine, →Orthogesteine.

Paragliding [-glaɪdɪŋ, engl.] (Gleitsegeln, Gleitschirmfliegen), Sportart mit speziellen Fallschirmen, die den Paraglider bei günstigen Windverhältnissen von Bergkuppen sanft ins Tal tragen; gesteuert und gebremst wird mit zwei Steuerleinen, der Start erfolgt durch Abwärtslaufen des Sportlers, damit sich der Schirm mit Wind füllt.

Paragraph [grch. »Randzeichen«] *der,* kleiner nummerierter Abschnitt in einem Schriftwerk (wiss. Werk, Handbuch, Gesetzbuch), bes. Einzelvorschrift eines Gesetzes, einer VO, bezeichnet durch das P.-Zeichen: §, *Pl.* §§.

Paraguay [ˈparagvaɪ, paraguˈaːi; indian. »Papageienfluss«] *der,* Fluss in Südamerika, rechter und größter Nebenfluss des Paraná, 2 500 km lang; entspringt im brasilian. Bundesstaat Mato Grosso, durchfließt vielfach sumpfiges Schwemmland (Pantanal) und mündet oberhalb von Corrientes. Er wird bis Corumbá mit größeren Schiffen befahren.

Paraguay [ˈparagvaɪ, paraguˈaːi] (amtlich República del P.), Binnenstaat in Südamerika, grenzt im NW und N an Bolivien, im O an Brasilien, im S und W an Argentinien.

Staat und Recht: Nach der Verf. vom 18. 6. 1992 ist P. eine präsidiale Rep. Staatsoberhaupt und oberster Inhaber der Exekutive (Reg.chef) ist der direkt gewählte Präs. (Wiederwahl nicht möglich). Er ist Oberbefehlshaber der Streitkräfte und ernennt die Mitgl. des Kabinetts. Die Legislative liegt beim Zweikammerparlament (Congreso), bestehend aus Senat (45 Mitgl.) und Abg.haus (80 Abg.); die Legislaturperiode beträgt fünf Jahre. Einflussreichste Parteien: National-Republikan. Vereinigung (ANR, auch Colorado Partei gen.), Authent. Liberal-Radikale Partei (PLRA).

Landesnatur: P. besitzt überwiegend Flachlandcharakter. Es wird vom Fluss Paraguay in zwei Großeinheiten geteilt. Östlich des Stromes erstreckt sich ein subtrop. Tafel- und Bergland, reich an Niederschlägen, mit immergrünen Wäldern. Es bricht in einer Stufe zur fruchtbaren, weniger feuchten Paraná-Paraguay-Senke ab, in deren südl. Teil sich weite Sumpf- und Überschwemmungsgebiete erstrecken. Im W breitet sich die eintönige, trocken-heiße Aufschüttungsebene des Gran

Staatswappen

PY

Internationales Kfz-Kennzeichen

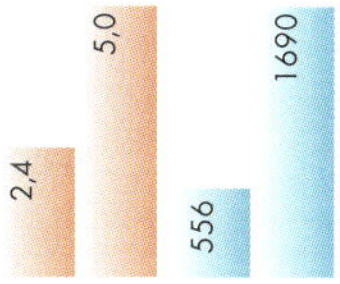

Bevölkerung (in Mio.)
Bruttosozialprodukt je Ew. (in US-$)

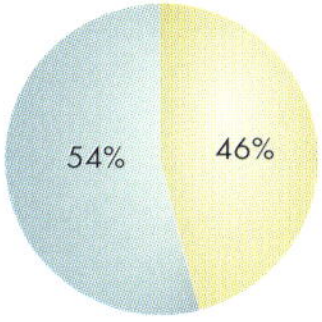

Stadt
Land
Bevölkerungsverteilung 1995

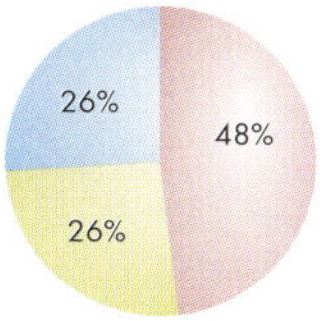

Industrie
Landwirtschaft
Dienstleistung
Bruttoinlandsprodukt 1995

Paraguay: Die Paraná-Paraguay-Senke dient in der Trockenzeit als Weidegebiet, während sie in der Hauptregenzeit weitgehend unter Wasser steht

Chaco aus; sie ist überwiegend mit Savannen, Quebrachowäldern und Dornbuschformationen bedeckt.

Carlos Antonio López (zeitgenössische Lithographie)

Bevölkerung: Rd. 95% der Ew. sind Mestizen, etwa 2% Indianer (Guaraní), die übrigen Europäer und Asiaten. Hauptlebensraum ist die Ostregion; rd. drei Viertel der Bev. leben im Gebiet um die Hptst. Asunción. In der dünn besiedelten Westregion leben nur 3% der Gesamtbev., v.a. Indianer und Mennoniten (meist dt. oder schweizer. Herkunft). – Die allg. Schulpflicht (7.–14. Lebensjahr) kann nicht überall durchgesetzt werden. P. hat eine staatl. (gegr. 1890) und eine kath. Univ. (gegr. 1960) in Asunción sowie weitere Hochschulen. – 96% der Bev. sind Katholiken, 2% Protestanten.

Wirtschaft, Verkehr: Wichtigster Wirtschaftszweig ist die Landwirtschaft, bei der die Viehwirtschaft (v.a. extensive Rinderhaltung in den Savannengebieten) führend ist; Anbau der Grundnahrungsmittel Mais, Maniok und Bataten sowie der Exportprodukte Baumwolle, Sojabohnen, Erdnüsse v.a. in der Ostregion. Vorherrschend sind kleinbäuerl. Betriebe, die sich mit Unterstützung der kath. Kirche in Kooperativen zusammengeschlossen haben. Als Folge der Agrarreform wurden zw. 1963 und 1969 auf rd. 1,2 Mio. ha Staatsländereien 24000 Familien angesiedelt. Großbetriebe bewirtschaften aber nach wie vor 80% der landwirtsch. Nutzfläche. Forstwirtschaftlich genutzt werden etwa 25% der Waldfläche; auch Gewinnung von Tannin, äther. Ölen u.a. Erschließungsarbeiten am Paraná haben zu großflächiger unkontrollierter Abholzung geführt. Nachgewiesene Eisen-, Mangan- und Kupfererze werden noch kaum ausgebeutet. In Zusammenarbeit mit Brasilien wurde 1991 das Großkraftwerk Itaipú (12600 MW) am Paraná fertig gestellt. Die Ind. verarbeitet in erster Linie landwirtsch. Erzeugnisse und Holz. Daneben bestehen Glasfabriken, Textilind., eine Erdölraffinerie und ein Zementwerk. – Wichtigste Verkehrsträger für den Außenhandel sind die Flüsse Paraguay und Paraná; bedeutendster Binnenhafen ist Asunción. P. hat Freihafenrechte in Buenos Aires, Santos, Paranaguá und Antofagasta. Einzige wichtige Eisenbahnstrecke ist die staatl. Verbindung von Asunción nach Encarnación (441 km). Von 23606 km Straßen sind rd. 10% asphaltiert; P. hat 705 km Anteil an der Carretera Panamericana. Neben dem internat. Flughafen in Asunción ist ein zweiter bei Ciudad del Este im Bau.

Geschichte: Das 1537 von Spanien gegr. Asunción wurde Kolonisationsmittelpunkt des oberen La-Plata-Gebietes. 1609 errichteten die Jesuiten bei den Guaraní-Indianern Missionsstationen (Reduktionen), aus denen am Mittellauf des Uruguay und Paraná der **Jesuitenstaat** entstand. Obwohl ohne geschlossenes Territorium, brachten es die Reduktionen durch Anpassung an die Sitten der Guaraní und einen hohen Organisationsgrad zu wirtsch. Wohlstand. Nachdem 1767 die Jesuiten vertrieben worden waren, wurden die Reduktionen unter Zivilverw. gestellt und verfielen allmählich. 1811 erklärte sich P. unabhängig und bildete unter dem Diktator J. Francia (1814–40) einen wirtsch. und politisch isolierten Freistaat. Unter Francias Nachfolger C. A. López öffnete sich das Land wieder ausländ. Einfluss und Kapital. Sein Sohn und Nachfolger F. S. López suchte im Krieg gegen Argentinien, Brasilien und Uruguay das Land aus der Umklammerung durch diese Länder zu befreien und einen Zugang zum Meer zu gewinnen. Doch P. wurde wirtsch. völlig vernichtet (nur ein Fünftel der Bev. überlebte); es konnte sich erst im 20. Jh. wieder erholen. Im 1. Weltkrieg blieb P. neutral. Nach dem Chacokrieg gegen →Bolivien (1932–35) erhielt P. im Friedensvertrag von Buenos Aires (21. 7. 1938) den größten Teil des umstrittenen Chaco zugesprochen. In der Folge des Krieges wurden die Militärs zur beherrschenden Macht; einflussreichste Partei war die National-Republikan. Vereinigung (ANR). Die Verflechtung zw. diesen beiden Kräften wurde immer enger, bis 1954 General A. Stroessner nach einem Putsch als Armee-Oberbefehlshaber und ANR-Parteichef das Präs.amt übernahm. 34 Jahre lang übte er die Reg.gewalt diktatorisch aus, formal alle fünf Jahre durch Wahlen bestätigt. Am 3. 2. 1989 wurde er durch einen blutigen Putsch gestürzt, Präs. wurde General A. Rodríguez (ANR). Dieser leitete einen Demokratisierungsprozess ein: Am 1. 12. 1991 wurde eine verfassunggebende Nationalversammlung gewählt; die neue Verf., die 1992 in Kraft trat, beschnitt die Rechte der Militärs deutlich. Am 10. 5. 1993 fanden unter internat. Beobachtung Präsidentschafts- und Parlamentswahlen statt; da sich die Opposition nicht auf einen gemeinsamen Kandidaten geeinigt hatte, wurde der Vertreter der ANR, Juan Carlos Wasmosy, zum Präs. gewählt. Die Präsidentschaftswahlen von 1998 gewann der Kandidat der ANR Raúl Cubas. In der Legislative erlangten die oppositionellen Parteien die Mehrheit. Die ungleiche Landverteilung führte im Frühjahr 1994 zu Unruhen der Landarbeiter und Bauern. Im April 1996 scheiterte ein Militärputsch.

📖 Wilhelmy, H. *u.* Rohmeder, W.: *Die La-Plata-Länder. Braunschweig u. a. 1963. – P., hg. v.* T. Heydenreich *u.* J. Schneider. *München 1984.* – Zoomers, E. B.: *Rural development and survival strategies in Central P. Amsterdam 1988.*

paraguayische Literatur ['paragvaɪ-, paragu'a:i-], →lateinamerikanische Literaturen.

Parahelium, →Orthohelium.

Paraíba, 1) *der,* (Rio P.), Fluss in SO-Brasilien, 1100 km lang, entspringt im Staat São Paulo in der Serra do Mar, durchfließt den Staat Rio de Janeiro, mündet unterhalb von Campos in den Atlantik.

2) Staat im NO von →Brasilien. Der größte Teil P. gehört der nordöstl. Abdachung des Brasilian. Berglands an. Das Dürregebiet des W ist durch Bewässerungsanlagen für Viehzucht und Baumwollanbau nutzbar gemacht worden. An der O-Abdachung und im Küstentiefland werden Baumwolle, Zuckerrohr, Tabak, Kaffee angebaut.

Paraklet [grch. »Helfer«] *der,* in den Abschiedsreden Jesu im Johannesevangelium (Joh. 14–16) der »Geist der Wahrheit«, der der Gemeinde nach Jesu Tod beistehen, sie trösten, lehren und leiten wird.

Par|aldehyd (Paraacetaldehyd), trimeres, zykl. Polymerisationsprodukt von Acetaldehyd (chemisch das 2,4,6-Trimethyl-1,3,5-trioxan); unangenehm riechende, farblose, in Wasser nur wenig lösl. Flüssigkeit, die durch Einwirkung katalyt. Mengen von Mineralsäuren gebildet wird. P. dient als Lösungsmittel für Öle, Wachse, Gummi und ist Zwischenprodukt für organ. Chemikalien.

Paralinguistik, Teilgebiet der Linguistik, das diejenigen Signale im Kommunikationsprozess erforscht, die die sprachl. Äußerungen begleiten (z. B. Gestik, Mimik, Sprechtempo, -intensität).

Paralipomena [grch. »Beiseitegelassenes«], **1)** *allg.:* Ergänzungen, Nachträge, Textvarianten u. a., die für die Veröffentlichung eines literar. Werkes (zunächst) nicht berücksichtigt wurden; wichtig für textkrit. Untersuchungen.

2) *Bibelwiss.:* die Bücher der →Chronik.

Parallaxe [grch. »Vertauschung«] *die,* allg. der Winkel zw. den Verbindungsgeraden zu einem Punkt (Objekt) von zwei versch. Beobachtungsorten aus, deren geradlinige Verbindung, die Basis, bekannt ist. Die P. ist als scheinbare Verschiebung des Objekts **(parallakt. Verschiebung)** beobachtbar. Sie dient in der Astronomie zur Bestimmung der Entfernung eines (der Erde nahen) Gestirns. Die **tägl. P.** beruht auf der Erdrotation. Dabei ist die **Höhen-P.** der Winkel, unter dem vom Gestirn aus der zum Beobachtungspunkt zeigende Erdhalbmesser erscheint. Steht das Gestirn im Zenit,

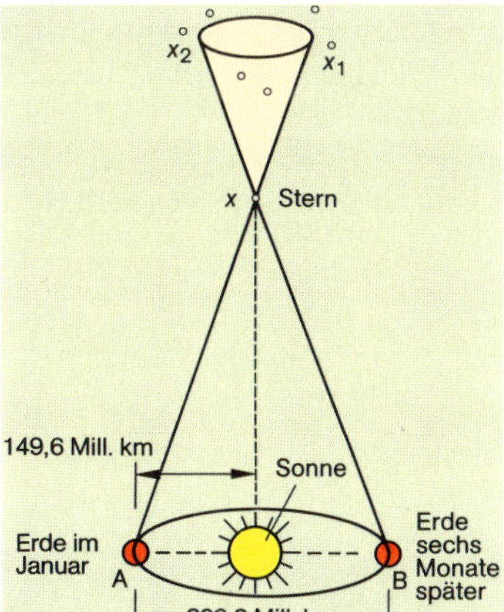

Parallaxe: Die schematische Darstellung der jährlichen Parallaxe zeigt die scheinbare Verschiebung des Ortes *x* eines Sterns zu x_1 und x_2 bei verschiedenen Stellungen A und B des Beobachters

so ist sie gleich null, steht es im Horizont, so hat sie ihren größten Wert **(Horizontal-P.).** Die **Fixstern-P.,** der Winkel, unter dem von einem Fixstern aus der Erdbahnhalbmesser um die Sonne erscheint, dient zur Bestimmung der Entfernung

Paraguay: Alfredo Stroessner

Paraguay: Juan Carlos Wasmosy

der Fixsterne. Diese – auf der Bewegung der Erde um die Sonne beruhende – **jährl. P.** beträgt für den der Erde nächsten Stern Proxima Centauri 0,765'', was einer Entfernung von 4,3 Lichtjahren entspricht. Bei P. unter 0,01'' wendet man indirekte Methoden (z.B. trigonometr., photometr.) der Entfernungsbestimmung an. Die **säkulare P.** beruht auf der Bewegung des Sonnensystems relativ zu den benachbarten Sternen. – Bei fotograf. Kameras (außer bei einäugigen Spiegelreflexkameras) ist die P. die Abweichung zw. Bildausschnitt im Sucher und auf dem Film, wenn die Sucherachse nicht mit der opt. Achse des Objektivs übereinstimmt.

Parallaxensekunde, → Parsec.

parallel [grch.], **1)** *allg.:* nebeneinander verlaufend, in gleichem Abstand, gleichartig, vergleichbar, gleichzeitig.

2) *Datenverarbeitung:* gleichzeitig und unabhängig voneinander ablaufende Arbeitsprozesse, → Parallelbetrieb.

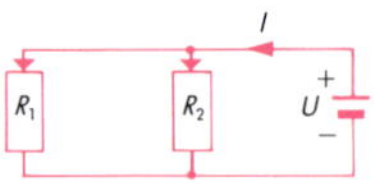

Parallelschaltung zweier Widerstände R_1 und R_2, U Spannung und I Stromstärke

3) *Geometrie:* Zwei in einer Ebene liegende Geraden heißen p. **(Parallelen),** wenn sie keinen gemeinsamen Schnittpunkt haben. Analog sind zwei Ebenen im dreidimensionalen Raum p., wenn sie keine Gerade gemeinsam haben.

Parallelbetrieb, 1) *Datenverarbeitung:* → Parallelverarbeitung, → Multiprogramming.

2) *Elektrotechnik:* Zusammenarbeit parallel geschalteter elektr. Maschinen oder Geräte bei Wechselstrom. Weiträumiger P. von Energieverteilungsnetzen ist üblich, um bei Störungen in einem der Netze die Stromversorgung so weit wie möglich aufrechtzuerhalten.

Parallelen, 1) *Geometrie:* → parallel.

2) *Musik:* die auf- oder absteigende Bewegung zweier oder mehrerer Stimmen in gleicher Richtung und in gleichen Intervallen, auch Parallelbewegung genannt.

Parallelen|axiom, → euklidische Geometrie.

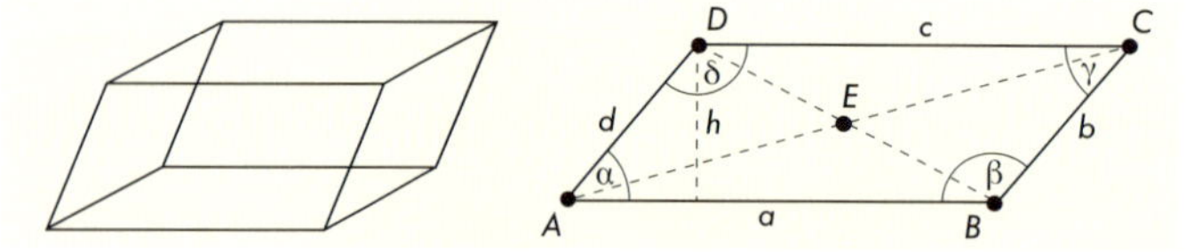

Parallelepiped (links) und **Parallelogramm**

Parallel|epiped [grch.] *das* (Parallelepipedon, Parallelflach, Spat), ein geometr. Körper im dreidimensionalen Raum, dessen Oberfläche von sechs Parallelogrammen gebildet wird, von denen je zwei kongruent sind und in parallelen Ebenen liegen. Spezielle Formen sind der Quader und der Würfel.

Parallelismus [grch.] *der,* **1)** *Psychologie:* (psychophysischer P.) → psychophysisches Problem.

2) *Rhetorik:* als rhetor. Figur gleich oder sehr ähnlich gebaute, aufeinander folgende und sich in ihrem Sinn bestärkende Sätze oder Verse (z.B. Psalm 115, 5–6: »Sie haben Augen und sehen nicht, sie haben Ohren und hören nicht«); als literarisches Kompositionselement die Wiederholung gleichrangiger Teile im Aufbau der Fabel eines Werkes (z.B. Wiederholung von Aufgaben im Märchen).

Parallelkreis, *Geographie, Geophysik:* der Breitenkreis, → Breite.

Parallelogramm [grch.] *das,* ein Viereck, bei dem je zwei sich gegenüberliegende Seiten parallel und gleich lang sind; die Gegenwinkel eines P. sind gleich groß ($\alpha = \gamma$, $\beta = \delta$) und ergänzen sich zu 180°. Die Diagonalen halbieren einander, das P. ist punktsymmetrisch zum Diagonalenschnittpunkt (E). Der Flächeninhalt F ist das Produkt aus der Länge einer beliebigen Seite (z.B. a) und der zugehörigen Höhe h.

Parallelrechner, Computer, bei denen im Ggs. zu herkömml. Rechnern voneinander unabhängige Teilaufgaben einer komplexen Aufgabe nicht nacheinander von einem Prozessor, sondern → parallel von einer Vielzahl von Mikroprozessoren bzw. → Transputern abgearbeitet werden. Die mit P. erreichbare Steigerung der Rechengeschwindigkeit ist bes. im Bereich der Bildverarbeitung und für Simulationsverfahren erforderlich.

Parallelschaltung, Grundschaltung, bei der jeweils die Ein- und Ausgänge der Schaltungselemente verbunden sind. Bei zwei Widerständen addieren sich die Leitwerte zu einem Gesamtleitwert, bei zwei magnet. nicht gekoppelten induktiven Elementen addieren sich die reziproken Induktivitäten zu einem reziproken Wert der Gesamtinduktivität, bei zwei Kondensatoren addieren sich die Kapazitäten. Ggs.: → Reihenschaltung.

Parallelverarbeitung, *Datenverarbeitung:* die gleichzeitige Bearbeitung eines Programms durch mehrere Prozessoren. Die P. setzt voraus, dass in sich abgeschlossene Aufgaben definiert werden können, die den einzelnen Prozessoren zur Bearbeitung übertragen werden.

Parallelwährung, Währungssystem, in dem zwei Edelmetalle (meist Gold und Silber) frei ausprägbar sind und als gesetzl. Zahlungsmittel gelten. Zw. den Metallen besteht im Ggs. zur Doppelwährung kein festes Wertverhältnis.

Paralogismus [grch.] *der,* Trugschluss, Fehlschluss.

Paralympics [pærəˈlɪmpɪks, engl.], Spiele behinderter Leistungssportler jeweils etwa 14 Tage nach den Olymp. Spielen am gleichen Ort; als Olymp. Spiele der Behinderten finden sie in den Sommersportarten seit 1960, in den Wintersportarten seit 1976 und unter der Bez. P. seit 1988 statt.

Sie gehen auf die von dem brit. Sportmediziner L. Guttmann 1948 initiierten Wettkämpfe zurück, die 1960–72 als Weltspiele der Gelähmten stattfanden. Veranstalter ist das International P. Commitee (IPC) mit Sitz in Bonn (seit 1. 1. 1998).

Paralyse [grch.] *die,* vollständige Lähmung durch Schädigung motor. Nervenbahnen; führt bei längerem Bestehen zu Muskelschwund. Die **progressive P.** ist ein Spätstadium der Syphilis, das durch allmählich fortschreitende Zerstörung der Großhirnrinde sowie körperl. und geistigen Verfall gekennzeichnet ist.

Paralysis agitans, die →Parkinson-Krankheit.

paramagnetische Kernresonanz, →Kernspinresonanz.

Paramagnetismus, Eigenschaft bestimmter Stoffe, in einem äußeren Magnetfeld eine in Feldrichtung zeigende Magnetisierung aufzuweisen. Der P. beruht auf dem Vorhandensein permanenter magnet. Momente infolge nicht abgesättigter Spin- und Bahndrehimpulse in unvollständig besetzten Elektronenschalen der Atome. Diese magnet. Momente sind wegen der Wärmebewegung ungeordnet; im Magnetfeld stellen sie sich jedoch entgegen der Wärmebewegung bevorzugt in Feldrichtung ein. Die Magnetisierung und damit auch die magnet. Suszeptibilität sind im Allg. temperaturabhängig (→Curie-Gesetz). Typ. paramagnetische Stoffe sind z. B. Chrom und Aluminium.

Paramaribo, Hauptstadt von Surinam, oberhalb der Mündung des Suriname, 192 000 Ew.; Univ., landwirtsch. Forschungsanstalt; Holzverarbeitung, Textil-, Metallind., Werft; Hafen, internat. Flughafen.

Paramente [mlat.], die →liturgischen Gewänder sowie die der Ausstattung des gottesdienstl. Raums dienenden Tücher.

Parameter [grch.] *der,* **1)** *Datenverarbeitung:* Bez. für Platzhalter in einer Programmeinheit, die erst bei der konkreten Verwendung (Aufruf) der Programmeinheit festgelegt werden. **Formale P.** stehen in der Programmeinheit, **aktuelle P.** im Aufruf der Programmeinheit.

2) *Mathematik:* eine neben den eigentl. Variablen (z. B. den Ortskoordinaten) einer Gleichung, Funktion o. Ä. auftretende Hilfsvariable, deren Wert festgehalten oder systematisch verändert wird, um das Verhalten der entsprechenden Funktion o. Ä. zu untersuchen; tritt z. B. als Hilfsvariable bei Kegelschnitten auf.

3) *Musik:* v. a. im Zusammenhang mit Neuer Musik gebräuchl. Bez. für die einzelnen Dimensionen des musikal. Wahrnehmungsbereichs. Man unterscheidet primäre P. wie Tonhöhe, Lautstärke, Tondauer und Klangfarbe und sekundäre P. wie Artikulation, Klangdichte, Gruppencharakteristik. In der →seriellen Musik werden die musikal. P. isoliert betrachtet und nach Reihen (→Zwölftontechnik) geordnet.

4) *Physik:* Bez. für solche Variable, die bei dem gerade vorliegenden Prozess konstant gehalten werden, von Versuch zu Versuch aber verändert werden können.

Paralympics: Einzug des deutschen Teams bei der Eröffnung der Paralympics in Nagano im März 1998

Parametritis [grch.] *die,* Entzündung des Beckenbindegewebes (Parametrium) zw. Gebärmutter und Beckenwand. Ursache ist das Einwandern von Bakterien (bes. Staphylokokken und Streptokokken), meist über die Lymphbahnen. Die Behandlung erfolgt mit Antibiotika.

paramilitärisch, 1) vormilitärisch, z. B. die Ausbildung vor dem eigentl. Militärdienst.

2) halbmilitärisch; bezeichnet nicht zu den eigentl. Streitkräften eines Landes gehörende, mit militär. Gerät ausgestattete besondere Polizeitruppen (Grenzpolizei, Küstenwacht), in manchen Staaten bestehende Zivilschutztruppen, »Volksmilizen«, ferner militärähnl. »Kampfformationen« extremist. Parteien.

Paramnesie [grch.] *die,* Form der Gedächtnisstörung, bei der die Erinnerung durch Illusion oder Halluzination verfälscht ist.

Páramo [span.] *der,* Vegetationsformation feuchter Tropengebirge, durch steif büschelige Gräser, Rosetten- und Polsterpflanzen sowie durch Wollkerzengewächse geprägt.

Paraná, 1) *der,* Strom in Südamerika, 3 700 km lang, entsteht aus den Quellflüssen Rio Paranaíba und Rio Grande in SO-Brasilien, die sich unter 20° s. Br. zum P. vereinigen, nimmt den Paraguay auf und mündet in Argentinien mit einem bis 70 km breiten Delta in den Río de la Plata; bis Santa Fe von Seeschiffen befahrbar; Wasserkraftwerk Itaipú (12 600 MW; Endausbau 14 000 MW).

2) Staat im S von →Brasilien. P. gehört zum größten Teil dem südbrasilian. Hochland an; im O

Viehzucht und Holzwirtschaft, im N Kaffee- (wichtigste Kaffeezone Brasiliens), Soja- und Weizenanbau.

3) Hptst. der Provinz Entre Ríos in Argentinien, am Fluss P., mit dem gegenüberliegenden Santa Fe durch Fähren und einen Tunnel verbunden; 206 800 Ew.; Erzbischofssitz; Univ., Museen; Verarbeitung landwirtsch. Produkte; Hafen, Flugplatz. – 1853–62 war P. Hptst. von Argentinien.

Parandowski, Jan, poln. Schriftsteller, *Lemberg 11. 5. 1895, †Warschau 26. 9. 1978; seit 1933 Präs. des poln. PEN-Clubs; Erzählungen, Romane, bes. zur Antike (»Der olymp. Diskus«, 1933).

Paranoia [grch. »Wahnsinn«, zu pará »neben« und noũs »Verstand«] *die,* Wahnkrankheit, wobei die formalen Denkprozesse und das Affektleben außerhalb des meist systematisierten Wahnsystems (Eifersuchts-, Verfolgungs- oder Beziehungswahn) weitgehend erhalten sind; auch Bez. für paranoide Verlaufsform der Schizophrenie (Paraphrenie).

Paranuss:
Zweig mit Blüten und aufgeschnittene Frucht

Paranuss [nach dem brasilian. Staat Pará], der schwärzl. dreikantige Samen des im nördl. Südamerika heim. **P.-Baumes (Brasilnussbaum,** Bertholletia excelsa). Die P. **(Brasilnüsse, Brasilkastanien)** sind wohlschmeckend und nahrhaft.

Paraphasie [grch.] *die,* →Sprachstörung, bei der es zur Vertauschung von Wörtern, Silben oder Lauten kommt.

Paraphierung [grch.-frz.] *die,* bei diplomat. Verhandlungen die vorläufige Unterzeichnung eines Vertrages durch die Unterhändler, indem sie zum Zeichen der Verbindlichkeit des Textes die Anfangsbuchstaben ihrer Namen **(Paraphe)** unter das Dokument setzen; die P. begründet noch keine Rechtsverbindlichkeit des Ausgehandelten.

Paraphrase [grch.], **1)** *Musik:* frei ausschmückende Bearbeitung von Musikstücken, Fantasie über ein Tonstück.

2) *Sprachwiss.:* Umschreibung eines sprachl. Ausdrucks mit anderen Wörtern oder Ausdrücken; auch freie, sinngemäße Übertragung in eine andere Sprache (im Unterschied zur →Metaphrase).

Paraproteine, entartete Eiweißkörper im Blut (unwirksame Antikörperglobuline), die sich bei bestimmten Blutkrankheiten (z. B. Plasmozytom, lymphat. Leukämie) bilden.

Parapsychologie, die (umstrittene) wiss. Lehre von den okkulten Erscheinungen, d. h. von außersinnl. Wahrnehmungen (Telepathie, Hellsehen, Präkognition, Prophetie) und von physikalisch unerklärbaren seel. Wirkungen auf physikal. oder biolog. Vorgänge (Psychokinese, Telekinese); die P. fasst diese heute als »Psi-Phänomene« zusammen. Quellen der Forschung sind statist. Versuche mit beliebigen Versuchspersonen im Labor, Sammlung und Analyse spontaner Erlebnisse (Ahnungen, Wahrträume, Visionen, Erscheinungen, Spuk usw.) und qualitative Versuche mit bes. begabten Sensitiven (Medien).

📖 *Psi, was verbirgt sich dahinter?, hg. v.* E. BAUER *u.* W. VON LUCADOU. *Freiburg im Breisgau u. a. 1984.* – LUCADOU, W. VON: *Psyche u. Chaos. Neue Ergebnisse der Psychokinese-Forschung. Freiburg im Breisgau 1989.* – RÝZL, M.: *P. Tatsachen u. Ausblicke. A. d. Amerikan. Genf u. a.* [8]*1992.*

Parasiten [grch.-lat.] (Schmarotzer), Bakterien-, Pflanzen- oder Tierarten, die ihre Nahrung anderen Lebewesen (Wirten) entnehmen und sich vorübergehend oder dauernd an oder in deren Körper aufhalten. Man unterscheidet **Ekto-P.,** die auf der Körperoberfläche des Wirts leben, und **Endo-P.,** die im Innern des Wirts leben (z. B. Eingeweidewürmer). – Meist ist ein Parasit ganz spezifisch an ein bestimmtes Wirtstier oder eine Wirtspflanze gebunden. Es gibt aber auch P., deren vollständige Entwicklung nur durch einen oder mehrere Wirtswechsel möglich ist, z. B. bei den Bandwürmern. Die Erhaltung der Art wird durch eine große Eizahl (z. B. Spulwurm: rd. 50 Mio.), durch vegetativ sich vermehrende Larvenstadien (z. B. Hundebandwurm) oder Zwittrigkeit (z. B. Bandwürmer) gesichert. Bei Pflanzen unterteilt man die P. (Phyto-P.) in Halb- und Voll-P.; die **Halb-P. (Halbschmarotzer;** z. B. Mistel) haben voll ausgebildete grüne Blätter und sind zu eigener Photosynthese befähigt. Die **Voll-P. (Vollschmarotzer,** z. B. Kleeseide) haben kein Chlorophyll und meist vereinfachte Vegetationsorgane.

Parasolpilz, ein Speisepilz, →Schirmlinge.

Parästhesie [grch.] *die,* Missempfindung, anomale Körperempfindung, z. B. Taubsein der Haut, Einschlafen der Glieder.

Parasympathikus [grch.-lat.] (parasympathisches Nervensystem), Teil des vegetativen Nervensystems, Gegenspieler des →Sympathikus. Zum P. gehören vier vom Hirnstamm ausgehende Gehirnnerven (Augenmuskelnerv, Gesichtsnerv, Zungen-Schlund-Nerv, Eingeweidenerv), von denen der Eingeweidenerv der wichtigste ist, sowie die Rückenmarknerven der Kreuzbeinregion. Überträgersubstanz an den Nervenenden des P. ist das Acetylcholin. Der P. wirkt hemmend auf die Atmung, verlangsamt die Herztätigkeit, setzt den Blutdruck herab, regt die Peristaltik und Sekretion des Verdauungssystems an, fördert die Glykogensynthese in der Leber, steigert die Durchblutung der Geschlechtsorgane und innerviert den Ziliarmuskel sowie den Irismuskel.

Parataxe [grch.], *Sprachwiss.:* Beiordnung von Sätzen in einer Verbindung mehrerer Hauptsätze (ÜBERSICHT Syntax).

Parathion [grch.] *das,* Insektizid und Akarizid, eine organ. Phosphorverbindung, die unter der

Bez. **E 605** vertrieben wird; wirksam gegen viele Insekten, für Warmblüter sehr giftig.

Parat|hormon [grch.], Peptidhormon der Nebenschilddrüse mit regulator. Funktion im Calcium- und Phosphatstoffwechsel.

Paratyphus [grch.], durch Schmierinfektion und infizierte Lebensmittel übertragene typhusähnl. meldepflichtige Infektionskrankheit; Erreger sind Stäbchenbakterien (Salmonella paratyphi A, B oder C). Kennzeichen sind Durchfall, Fieber, Benommenheit.

Paravent [para'vã, italien.-frz.] *der* oder *das,* Wandschirm, Ofenschirm; → spanische Wand.

par avion [-a'vjɔ̃; frz. »mit (dem) Flugzeug«], durch Luftpost (Vermerk auf Postsendungen).

paraxiales Gebiet, *Optik:* der Strahlenraum in Nähe der opt. Achse eines abbildenden opt. Systems, in dem von Abbildungsfehlern abgesehen werden kann.

Parazentese [grch.] *die,* Einschnitt in das Trommelfell; ermöglicht Sekretabfluss bei eitriger Mittelohrentzündung.

Parchim, 1) Landkreis in Meckl.-Vorp., 2233 km^2, (1996) 108300 Einwohner.

2) Kreisstadt von 1) in Meckl.-Vorp., im Tal der Elde, 20900 Ew.; Baustoff-, Hydraulik-, Motoren-, Metallformwerk, Konserven- und Fleischwarenfabrik. – Backsteinhallenkirchen St. Marien (13.–16. Jh.) und St. Georgen (13.–15. Jh.), Rathaus mit Treppengiebel (14. Jh.), Fachwerkhäuser (16. und 17. Jh.). – P. entstand in der Nähe der gleichnamigen Burg; 1225 Stadtrecht.

Parcours [par'ku:r, frz.] *der,* **1)** *Motorsport:* vielseitige Rennstrecke für Geschicklichkeitswettbewerbe mit Slalomstrecken, Kreisen, Wenden, Garageneinfahrten, Parkplätzen und Strecken zum Spurfahren.

2) *Pferdesport:* festgelegte Hindernissstrecke für Sprungprüfungen im Turnier.

Pardubice [-tsɛ] (dt. Pardubitz), Stadt im Ostböhm. Gebiet, Tschech. Rep., an der Mündung der Chrudimka in die Elbe, 94400 Ew.; Hochschule für chem. Technologie, Ostböhm. Museum, Kunstgalerie, Theater; chem., pharmazeut., Lebensmittelind., Erdölraffinerie; Pferderennbahn. – Bartholomäuskirche (16. Jh.), Schloss (auf got. Fundamenten, im 16. Jh. im Renaissancestil umgebaut), Grünes Tor (ehem. Stadttor, 16. Jh.). – P. erhielt 1340 Stadtrecht.

Paré [pa're], Ambroise, frz. Chirurg, * Bourg-Hersent bei Laval um 1510, † Paris 20. 12. 1590; Leibchirurg Karls IX. und Oberwundarzt am Hôtel-Dieu (Paris); verbesserte die Schusswundenbehandlung und Amputationstechnik wesentlich.

Par|enchym [grch.] *das,* **1)** *Anatomie:* Gesamtheit aller für ein Organ spezif. Zellen. Das P. ist eingebettet in bzw. umgeben von Bindegewebe.

2) *Botanik:* pflanzl. Grundgewebe, das meist aus kugeligen Zellen besteht.

Parentalgeneration [zu lat. parentalis »elterlich«], *Genetik:* Eltern- oder Ausgangsgeneration einer Kreuzung.

Parentel [spätlat. parentela »Verwandtschaft«] *die,* Gesamtheit der von einem gemeinschaftl. Stammvater Abstammenden.

parenteral [grch.], unter Umgehung des Magen-Darm-Kanals zugeführt; betrifft v. a. Arzneimittel, die injiziert werden.

Parenthese [grch.] *die,* den Gedankenablauf eines Satzes unterbrechender Einschub, auch die zur Kennzeichnung dienenden Satzzeichen (Gedankenstriche, Kommata oder Klammern).

Parese [grch.] *die,* unvollständige → Lähmung.

Vilfredo Pareto

Pareto, Vilfredo, italien. Volkswirtschaftler und Soziologe, * Paris 15. 7. 1848, † Céligny (Kt. Genf) 19. 8. 1923; Ingenieur, 1870–90 (zuletzt als Generaldirektor) in der Eisenindustrie tätig, 1893–1911 Prof. für polit. Ökonomie in Lausanne als Nachfolger von L. Walras und Mitbegründer der Lausanner Schule (→ Grenznutzenschule). P. suchte durch Anwendung mathemat. Methoden eine exakte Wirtschafts- und Sozialtheorie zu entwickeln. Seine Arbeiten zur Preis- und Gleichgewichtstheorie sowie seine Theorie der Wahlakte begründeten die ordinale Nutzenkonzeption (→ Nutzen). Auf P.s Analysen fußt die moderne Wohlfahrtsökonomik (→ Pareto-Optimum) und eine Theorie der personellen Einkommensverteilung (P.-Verteilung). Die auf P. zurückgehende Theorie »vom Kreislauf der Eliten« fand Eingang in Vorstellungen des Faschismus.

Parchim 2)
Stadtwappen

Pareto-Optimum [nach V. Pareto], Begriff der Wohlfahrtsökonomik für einen Zustand, bei dem Produktion und Einkommensverteilung nicht verändert werden können, ohne dass bei der Umverteilung ein Wirtschaftssubjekt seinen Nutzen auf Kosten eines anderen erhöht.

par exprès [-ɛks'prɛ, frz.], durch Eilboten (Vermerk auf Postsendungen; → Eilzustellung)

Parfait [par'fɛ, frz.] *das,* 1) pastetenartiges Feinkosterzeugnis, z. B. Gänseleber-P.; 2) halbgefrorenes Speiseeis.

Ambroise Paré
(zeitgenössischer Kupferstich)

Parforcejagd [par'fɔrs-, frz.], Hetzjagd, bei der die Jagdgesellschaft zu Pferd einer auf das Wild angesetzten Hundemeute folgt, die vom »Piqueur« geführt wird; in Dtl. seit 1936 verboten.

Parfüm [frz., zu parfumer »durchduften«] (Parfum) *das,* Bez. für die aus natürl. oder synthet. Riechstoffen unter Zusatz von Haftmitteln (Fixateuren) und Lösungsmitteln (meist reinem Äthanol) hergestellten Duftkompositionen. Für die P.-Herstellung wählt man die Riechstoffe entweder so aus, dass Gerüche entstehen, die natürl. Vorbildern gleichen, oder man stellt sie nach bestimmten Rezepturen so zusammen, dass sich Fantasiegerüche ergeben (Mode-P.). Als Fixateure, die v.a. die Verdunstung der Riechstoffe herabsetzen, werden Extrakte wohlriechender Harze (u.a. von Benzoeharz oder Olibanum) und anderer pflanzl.

Parfüm

Die meisten Parfüms stammen von Pflanzen, obwohl es auch einige wenige tierischen Ursprungs gibt. Die Geruchsstoffe können sich entweder in der ganzen Pflanze ausbilden, wie beim Lavendel, oder nur in bestimmten Teilen, beispielsweise die Blüte der Rose oder das Holz des Sandelbaums.

Womöglich machte der Mensch vor vielen Jahrtausenden beim Verbrennen bestimmter Hölzer seine ersten Erfahrungen mit Wohlgerüchen, die sich neben beißendem Rauch ebenfalls schwer und aromatisch entfaltet haben mögen. Jedenfalls verwendete er in der Antike Räucherwerk wie Sandelholz, Weihrauch und Myrrhe. Die Ägypter und Griechen kannten aber auch schon echte Parfüms. Beispielsweise stellten sie Salböle her, indem sie wohlriechende Blüten in Öl legten. Von den Arabern lernte das Abendland später die Kunst des Destillierens. Nun legte man Blüten in Wasser und Alkohol ein, destillierte später die Mischung und erhielt ätherische, also leicht flüchtige Öle.

Produkte (z.B. Iriswurzel) verwendet, daneben auch tier. Fixateure wie Ambra und Moschus sowie synthet. Produkte wie Exalton und Zibeton.

📖 FAURE, P.: *Magie der Düfte. Eine Kulturgeschichte der Wohlgerüche. Von den Pharaonen zu den Römern. A.d. Frz. Neuausg. München 1993.*

pari [italien.], *Bank- und Börsenwesen:* zum Nennwert.

Paria [von tamil. paṛaiyar »Trommelschläger«] *der,* Name einer niedrigen Kaste in Tamil Nadu, der in Unkenntnis des ind. Kastensystems auf alle kastenlosen Inder übertragen wurde. Die P., auch »Unberührbare« genannt, da ihr körperl. Kontakt Kastenhindus befleckt, leben als Außenseiter in der Gesellschaft der Hindus. Sie gehen oft als »unrein« geltenden Berufen nach. Trotz sozialer und wirtschaftl. Integrationsbemühungen (z.B. durch M. K. Gandhi) werden sie v.a. auf Dörfern noch heute diskriminiert. – Von M. Weber in übertragenem Sinne in die Soziologie eingeführt.

Paris

Nach wem ist der Friedhof Père-Lachaise benannt?

*Nach dem Jesuiten und Beichtvater Ludwigs XIV. François d'Aix La Chaise (*1624, †1709). Der bekam vom Sonnenkönig ein prächtiges Landgut außerhalb der Stadtmauern von Paris geschenkt, auf dessen Gelände 1804, im Krönungsjahr Napoleons I., der Pariser Ostfriedhof eröffnet wurde. An die außerstädtischen Begräbnisplätze gewöhnten sich die Pariser aber nur langsam. 1817 wurden, zur Hebung des Ansehens der Nekropole, unter anderem die restlichen Gebeine von Heloise und Abälard (die immerhin schon etwa 650 Jahre tot waren) in einer eigens errichteten Grabkapelle untergebracht. Das scheint gut eingeschlagen zu haben, denn schon drei Jahre später erschien der erste Friedhofführer. Heute kann man den Friedhof mit ca. 70 000 Grabstellen kaum noch als abgelegen betrachten.*

Paria, bergige Halbinsel in NW-Venezuela, umschließt mit der Insel Trinidad den **Golf von Paria.**

Paricutín, Vulkan in Mexiko, in der Cordillera Neovolcánica, 2575 m ü.M., wurde als erster Vulkan bei seiner Bildungstätigkeit (1943–52) genau beobachtet.

Paridae [lat.], die →Meisen.

pari|etal [lat.], *Anatomie:* 1) wandständig, zur Wand eines Organs oder Gefäßes gehörend; 2) zum Scheitelbein gehörend.

Parini, Giuseppe, italien. Dichter, *Bosisio (heute Bosisio-Parini, Prov. Lecco) 23. 5. 1729, †Mailand 15. 8. 1799; bed. italien. Vertreter des Klassizismus und der Aufklärung, beschrieb in satir. Versen das müßige Leben des Adels (4 Tle., 1763–1801, zusammengefasst u.d.T. »Der Tag«).

Paris [frz. pa'ri], Hauptstadt und größte Stadt Frankreichs, innerhalb des Dép. »Ville de P.« (gegliedert in 20 Arrondissements), 105 km², (1990) 2,15 Mio. Einwohner. Das innere Stadtgebiet wird im Wesentlichen umschlossen vom Ring der äußeren Boulevards, an die sich die Vorstädte (Faubourgs) anschließen. P. liegt beiderseits der Seine, im Pariser Becken, das von z.T. steil abfallenden Plateaus (150–200 m ü.M.) umgeben ist, deren große Wälder (Saint-Germain, Marly, Rambouillet, Fontainebleau u.a.) als Erholungsgebiete dienen.

P. hat sich zu einem Zentrum des Landes entwickelt, in dem stärker als in irgendeiner anderen europ. Hptst. Bevölkerungsballung, polit. und Verwaltungsfunktionen, geistige, kulturelle und wirtsch. Aktivitäten konzentriert sind. Neben den obersten Staatsbehörden haben viele internat. Organisationen hier ihren Sitz (UNESCO, OECD u.a.); P. ist ferner Sitz eines kath. Erzbischofs, eines Erzbischofs der russisch-orth. Kirchen in Europa, der Vereinigung der Prot. Kirchen Frankreichs, des Zentralrates der Juden für Frankreich und Algerien. – Ranghöchste wiss. Einrichtung Frankreichs ist das →Institut de France (mit der Académie française), die bedeutendste Bibliothek die Bibliothèque Nationale (Pflichtexemplare seit 1537; BILD Perrault). P. ist Sitz der ältesten frz. Univ., der →Sorbonne, und zahlr. anderer Hochschulen, Forschungsinstitute und des →Collège de France. Von den Kunstmuseen sind als wichtigste zu nennen: Louvre (BILD Louvre), Musée d'Orsay, Musée National d'Art moderne (im Centre Pompidou), Musée Cluny, ferner bed. Spezialsammlungen (u.a. zu P. Picasso, A. Rodin, E. Delacroix, H. de Balzac,

V. Hugo). Histor. Museen sind u.a. das Musée Carnavalet (zur Stadtgeschichte), das Musée de la Monnaie, das Musée de l'Armée (Hôtel des Invalides). P. hat mehr als 60 Theater, am berühmtesten die →Comédie-Française und die Opéra Garnier (Bild Garnier, Charles). 1990 wurde die Bastille-Oper eingeweiht.

Wirtschaft und *Verkehr:* P. ist die Wirtschaftsmetropole des Landes. Von größter Bedeutung ist der Dienstleistungsbereich; auf den Raum P. entfällt ein Viertel der im tertiären Sektor Frankreichs Beschäftigten. Im europ. Bank- und Börsenwesen hat P. eine führende Stellung. Auch in der Ind. ist der Raum P. führend: Bes. stark vertreten sind Metall-, Auto-, Luftfahrt- und elektrotechn. Ind., Baubetriebe und chem. Ind. Eine Sonderstellung nehmen die »Articles de Paris« ein (Parfümerie, Bijouterie, Bekleidung u.a.), die Weltgeltung erlangt haben. P. ist Modezentrum und Mittelpunkt der frz. Filmindustrie. Der Energieversorgung dienen neben eigenen Großkraftwerken, die an das frz. Verbundnetz angeschlossen sind, u.a. zahlr. Erdöl-, Erdgas-, Industriegas- und Fertigproduktleitungen aus Groningen, Lacq, Lothringen und Le Havre. Ein bed. Wirtschaftsfaktor ist auch der Fremdenverkehr. P. ist Hauptknotenpunkt des frz. Eisenbahnnetzes (sechs internat. Bahnhöfe) und größter Binnenhafen des Landes. Die Untergrundbahn (Métro) verfügt über ein Netz von über 200 km, das durch ein neues Schnellbahnsystem erweitert wird. Internat. Flughäfen sind Charles de Gaulle bei Roissy-en-France, Orly und Le Bourget.

Stadtbild: Das Stadtbild ist im Lauf der Zeit mehrfach einschneidend verändert worden, zuletzt unter Napoleon III. durch Baron →Haussmann. Das histor. Zentrum liegt auf der Île de la Cité, dem Ausgangspunkt der Besiedlung: Kathedrale →Notre-Dame de Paris (Baubeginn 1163, vollendet in der 1. Hälfte des 13. Jh.), Justizpalast (alter Königspalast, vielfach umgebaut), mit der Sainte-Chapelle (geweiht 1248) und der Conciergerie (14. Jh.). Die Seineufer sind durch mehr als 30 Brücken miteinander verbunden (die älteste: Pont Neuf, 1578 begonnen), die Quais mit ihren histor. Bauten zw. Pont de Sully und Pont d'Iéna wurden von der UNESCO zum Weltkulturerbe erklärt. Nordöstlich der Île de la Cité (Rive droite, »Rechtes Ufer«) entstand aus einer mittelalterl. Festung seit dem 16. Jh. der →Louvre, Ausgangspunkt der Hauptachse der Stadt, die heute über Tuileriengarten, Place de la Concorde (1755–75; seit 1836 mit dem Obelisken von Luxor, 13. Jh. v. Chr., in der Mitte), Champs-Elysées, Place Charles de Gaulle (früher Place de l'Étoile) mit dem →Arc de Triomphe (1806–36; Bild ebd.) bis zur neuen Bürostadt La Défense (mit Hochhaus La Grande Arche, 1989) reicht. Vom Arc de Triomphe gehen sternförmig die Avenuen aus, die von den Großen Boulevards gekreuzt werden. Zu den berühmten Vierteln (Quartiers) des »Rechten Ufers« gehören die Vorstadt Saint-Honoré mit der Madeleine-Kirche (1764–1842), das Quartier du Palais-Royal (1633–36, mehrfach umgebaut), das Quartier de l'Opéra (erbaut von C. Garnier, eingeweiht 1875) mit der Place Vendôme (1699 ff.), der Marais mit den Stadtpalästen des Adels und der Place des Vosges (ältester Platz von P., 1605–12), das Viertel der ehem. Markthallen (auf einem Teil des ehem. Markthallengebiets enstand 1972–87 ein bis zu 20 m in die Erde reichendes Einkaufs- und Kulturzentrum, das Forum des Halles), u.a. mit dem →Centre National d'Art et de Culture Georges Pompidou (vollendet 1977) und das Künstlerviertel →Montmartre, in dem die Basilika Sacré-Cœur liegt (19. Jh.). Die ältesten Viertel südlich der Seine (Rive gauche, »Linkes Ufer«) sind die Vorstadt Saint-Germain-des-Prés um die gleichnamige Kirche (990–1021) und das Quartier Latin mit den Universitätsbauten (Sorbonne) und dem →Panthéon (1764–90). Die Paläste der Vorstadt Saint-Germain beherbergen heute die Nationalversammlung (Palais Bourbon, 1722–1807), Ministerien, Botschaften und Museen. Weiterhin befinden sich auf dem »Linken Ufer« der Eiffelturm (→Eiffel), der Invalidendom (1677–1706; Grabstätte Napoleons I.; Bild französische Kunst), das Luxemburg-Palais mit dem Garten (1615–25) und das Künstlerviertel →Montparnasse, das vom Turm Montparnasse (209 m, vollendet 1973) überragt wird. Ein neues Stadtviertel entstand seit 1986 im NO mit dem Ausstellungsgelände La Villette (Stahlkugel »La Géode«). Innerhalb der Stadt und am Rand befinden sich große Parkanlagen

Paris
Stadtwappen

Paris - Stadtentwicklung

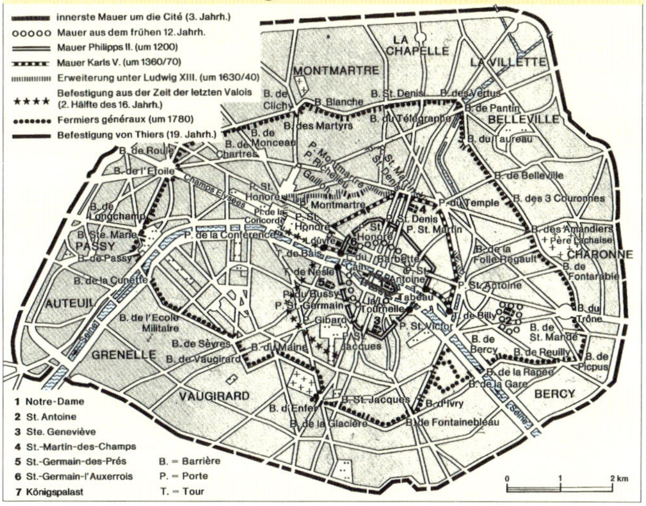

1

2

3

4

| **1** Luftaufnahme des historischen Zentrums der französischen Hauptstadt, der Seineinsel Île de la Cité zwischen Pont Neuf (16. Jh.), der ältesten der über 30 Seinebrücken, und der anschließenden Insel Île St. Louis; im Hintergrund rechts ist die doppeltürmige Westfassade der berühmten gotischen Kathedrale Notre-Dame aus dem 13. Jh. zu erkennen, über den vorderen Teil der Insel erstreckt sich der mehrfach umgebaute, auf einen alten Königspalast zurückgehende Justizpalast mit der links dahinter liegenden Conciergerie (14. Jh.) und der aus dem 13. Jh. stammenden Sainte-Chapelle rechts daneben | **2** Das 1989 als Pendant zum Arc de Triomphe erbaute über 100 m hohe Gebäude La Grande Arche liegt in der neuen Bürostadt La Défense | **3** Ansicht der legendären (inzwischen abgerissenen) Markthallen aus den 1850er-Jahren auf einer zeitgenössischen Kreidelithographie | **4** Die zu Beginn des 17. Jh. im Stadtteil Marais gestaltete Place des Vosges gehört heute zu den besten Adressen in Paris

(→Bois de Boulogne, Monceau) und berühmte Friedhöfe (Père-Lachaise, Montparnasse, Montmartre).

Die Umgebung von P. ist reich an Naturschönheiten, geschichtl. Erinnerungen, Baudenkmälern sowie an Kunstschätzen: →Versailles, →Saint-Denis, →Sèvres, →Maisons-Laffitte, →Saint-Germain-en-Laye, →Meudon.

Geschichte: Das gall. Oppidum **Lutetia Parisiorum** auf der Île de la Cité, seit 52 v. Chr. römisch, wurde 486 vom Frankenkönig Chlodwig erobert und 508 Hptst. des Fränk. Reiches. Unter den Karolingern wieder zum Grafensitz abgesunken, wurde die Stadt mit den Kapetingern Ende des 10. Jh. Mittelpunkt des frz. Reiches, im 12.–14. Jh. wuchs sie rasch. 1420–36 war P. in engl. Hand. 1572 war P. Schauplatz der →Bartholomäusnacht. Im 17./18. Jh. war P. der geistige Mittelpunkt Europas, mit dem Sturm auf die →Bastille 1789 Ausgangspunkt der Frz. Revolution. Der Zentralismus der Ersten Rep. und des Kaiserreichs festigte die Stellung der Stadt. 1841–45 wurde P. stark befestigt, während des Zweiten Kaiserreichs schuf Baron Haussmann die großen Achsen, die das Stadtbild bestimmen. Im Jan. 1871 wurde P. von den dt. Truppen eingeschlossen; kurz darauf brach

5

6

| **5** Die Basilika Sacré-Cœur wurde im 19. Jh. in Reminiszenz an romanisch-byzantinische Baukunst auf dem Montmartre errichtet | **6** Nachtansicht der 1755–75 ausgebauten Place de la Concorde mit dem 1836 aufgestellten altägyptischen Obelisken aus Luxor, der dem französischen König Karl X. im Jahr 1829 von dem ägyptischen Statthalter Mehmed Ali als Geschenk vermacht worden war, im Hintergrund ist der gut 300 m hohe Eiffelturm zu sehen

der Aufstand der Pariser Kommune aus. Die Befestigungen wurden nach 1918 eingeebnet.

📖 LAVEDAN, P.: *Histoire de P. Paris* [3]*1977.* – KIMPEL, D.: *P. Führer durch die Stadtbaugeschichte. München 1982.* – BUSSMANN, K.: *P. u. die Ile de France. Köln* [8]*1987.* – MARTIN, H.: *Moderne Architektur P.: 1900–90. A. d. Frz. Hamburg u. a. 1988.* – LAVEDAN, P.: *Histoire de l'urbanisme à P. Paris* [2]*1993.* – *P. Aus dem Frz. Karlsruhe* [3]*1997.*

Paris, *grch. Mythos:* Sohn des trojan. Königs Priamos und der Hekabe (Hekuba), entschied einen durch →Eris entfesselten Streit der Göttinnen Hera, Athene und Aphrodite um den Preis der Schönheit zugunsten der Aphrodite **(P.-Urteil),** die ihm die schönste Frau, →Helena, versprach. Er entführte Helena und gab dadurch den Anlass zum →Trojanischen Krieg. Die nachhomer. Dichtung erzählt, dass P. den Achilles durch einen Pfeilschuss tötete und selbst durch Philoktet fiel.

Paris [pa'ris], Gaston, frz. Romanist, *Avenay-Val-d'Or (bei Reims) 9. 8. 1839, †Cannes 5. 3. 1903; seit 1872 Prof. am Collège de France in Paris; begründete die roman. Philologie als wiss. Disziplin.

Gaston Paris (Ausschnitt eines zeitgenössischen Stahlstichs)

Parise, Goffredo, italien. Schriftsteller, *Vicenza 8. 12. 1929, †Treviso 31. 8. 1986; schrieb satir. Romane, u. a. »Der schöne Priester« (1954), und Kurzgeschichten (»Sillabario n. 1«, 1972; »Sillabario n. 2«, 1982; zus. dt. u. d. T. »Fibel der Gefühle«).

Pariser Becken (Seinebecken), geolog. Mulde in N-Frankreich, deren Mittelpunkt etwa Paris bildet, zwischen Armorikan. Massiv (Bretagne), Zentralmassiv und Rhein. Schiefergebirge; aufgebaut aus schüsselförmig ineinander liegenden Trias-, Jura-, Kreide- und Tertiärschichten. Der Wechsel von härteren und weicheren Schichten hat ringförmig verlaufende Schichtstufen herausgebildet, die nach außen zu steil abfallen (Côtes), nach innen sich sanft abdachen.

Pariser Bluthochzeit, →Bartholomäusnacht.

Pariser Club (Pariser Klub), 1956 entstandenes informelles Forum westl. Ind.staaten zur Klärung von Zahlungsschwierigkeiten hoch verschuldeter Entwicklungsländer und in zunehmendem Maße auch osteurop. Staaten. Teilnehmer sind v. a. Gläubigerländer und Vertreter der Weltbank, des Internat. Währungsfonds u. a. internat. Organisationen. I. d. R. wird zur Wiederherstellung der Kreditwürdigkeit der Schuldnerländer beschlossen: Konsolidierung der Kredite durch neue Darlehen mit geänderten Konditionen, Änderung des Tilgungsplans, Umwandlung öffentl. Darlehen in rückzahlungsfreie Zuschüsse, Umwandlung öffentlich garantierter privater Kredite in öffentl. Darlehen.

Pariser Frieden, Bez. für mehrere in Paris unterzeichnete Friedensverträge, u. a.: **1) Pariser Frieden vom 10. 2. 1763** zw. Großbritannien und Portugal einerseits sowie Frankreich und Spanien andererseits zur Beendigung des Siebenjährigen Krieges: Frankreich trat Kanada, Louisiana westlich des Mississippi, einige Inseln der Kleinen Antillen und das Mündungsgebiet des Senegal an Großbritannien ab und erhielt von diesem die Inseln Saint-Pierre und Miquelon; Spanien trat Florida und die 1762 erworbenen Gebiete westlich des Mississippi an Großbritannien ab, erhielt aber den westl. Teil Louisianas.

2) Pariser Frieden vom 3. 9. 1783 zw. den USA und Großbritannien zur Beendigung des Unabhängigkeitskrieges: Anerkennung der 13 Vereinigten Staaten von Amerika durch Großbritannien.

3) **Pariser Frieden vom 30. 5. 1814** und **vom 20. 11. 1815** zw. Großbritannien, Österreich, Preußen und Russland (Quadrupelallianz von Chaumont) einerseits und Frankreich andererseits zur Beendigung der Befreiungskriege: im Vertrag von 1814 wurde Frankreich auf die Grenzen vom 1. 1. 1792 beschränkt, im Vertrag von 1815 erhielt es nur die Zusicherung für die Grenzen des Jahres 1790.

4) **Pariser Frieden vom 30. 3. 1856** zur Beendigung des →Krimkrieges, abgeschlossen zw. dem Osman. Reich, Großbritannien, Frankreich und Sardinien sowie Russland zuzüglich der nicht am Krieg beteiligten Staaten Preußen und Österreich.

5) **Pariser Frieden vom 10. 12. 1898** zw. den USA und Spanien zur Beendigung des Spanisch-Amerikan. Krieges: Spanien trat Kuba, Puerto Rico, Guam und (gegen Zahlung von 20 Mio. $) die Philippinen an die USA ab.

6) fünf **Pariser Vorortverträge** zw. der Entente und den Mittelmächten (1919/20), beendeten den 1. Weltkrieg: der →Versailler Vertrag, die Verträge von →Saint-Germain-en-Laye, →Trianon, →Neuilly-sur-Seine und →Sèvres.

7) fünf **Pariser Friedensverträge,** abgeschlossen am 10. 2. 1947 zw. den Alliierten des 2. Weltkriegs einerseits sowie Bulgarien, Finnland, Italien, Rumänien und Ungarn andererseits.

Pariser Kommune, →Kommune.

Pariser Konferenzen, Bez. für versch. Konferenzen, die in Paris stattfanden: 1) **Ententekonferenz** (24.–29. 1. 1921): legte die vom Dt. Reich zu leistenden →Reparationen fest.

2) **Sachverständigenkonferenz** (11. 2. bis 7. 6. 1929): die Vertreter Belgiens, Frankreichs, Großbritanniens, Italiens und Japans einerseits und Dtl.s andererseits beschlossen die Ablösung des Dawesplanes durch den Youngplan.

3) **Außenministerkonferenzen** (25. 4. bis 12. 7. 1946 und 23. 5. bis 20. 6. 1949): die Außenmin. Frankreichs, Großbritanniens, der UdSSR und der USA erzielten keine Einigung über die Deutschlandfrage; der Gegensatz zw. der UdSSR und den Westmächten verschärfte sich weiter.

4) **Sechsmächtekonferenz** (20. 6. 1950 bis 18. 4. 1951): die Außenmin. der Benelux-Staaten, der Bundesrep. Dtl., Frankreichs und Italiens beschlossen die Errichtung der Europ. Gemeinschaft für Kohle und Stahl.

5) **Sechsmächtekonferenz** (27.–30. 12. 1951): die Außenmin. Belgiens, der Bundesrep. Dtl., Frankreichs, Italiens, Luxemburgs und der Niederlande stimmten der Bildung einer Europ. Verteidigungsgemeinschaft zu; Unterzeichnung am 27. 5. 1952.

6) **Außenministerkonferenzen** (19. bis 23. 10. 1954): beschlossen wurden die →Pariser Verträge.

7) **Vietnamkonferenz** (zusammengetreten am 13. 5. 1968): Vertreter der USA und der Rep. (Süd-)Vietnam einerseits sowie der Demokrat. Rep. (Nord-)Vietnam und der provisor. Revolutionsreg. Süd-Vietnams andererseits verhandelten über die Beendigung des Vietnamkrieges; die Teilnehmer billigten am 23. 11. 1973 offiziell den in amerikanisch-nordvietnames. Geheimgesprächen ausgehandelten Waffenstillstandsvertrag.

Pariser Seerechtsdeklaration, am 16. 4. 1856 unterzeichnete völkerrechtl. Grundsätze des Seekriegsrechts: Abschaffung der Kaperei (→Kaper), Aufstellung von Regeln für eine →Blockade, Schutz der neutralen Schifffahrt im Krieg. (→Prise)

Pariser Verbandsübereinkunft, Abk. **PVÜ,** (Pariser Übereinkunft, Pariser Union), 1883 in Paris abgeschlossene **Internat. Konvention zum Schutz des gewerbl. Eigentums,** mehrfach revidiert (zuletzt in Stockholm 1967). Der PVÜ gehören die meisten Staaten der Welt (auch Dtl., Österreich, Schweiz) an. Die Angehörigen der Verbandsländer genießen Rechtsschutz für Patente, Gebrauchs- und Geschmacksmuster, Marken, Handelsnamen, Herkunfts- und Ursprungsangaben sowie gegen unlauteren Wettbewerb. – Sonderabkommen von Mitgl.staaten der PVÜ sind u. a. das **Madrider Markenabkommen** (1891), das Rechtsschutz von Fabrik- und Handelsmarken in allen Vertragsstaaten entsprechend dem jeweiligen nat. Recht gewährt; das **Madrider Herkunftsabkommen** (1891), das der Unterdrückung falscher Herkunftsangaben auf Waren dient. Heute wird die PVÜ auf einzelnen Gebieten von neueren europ. Abkommen überlagert (→Patent).

Pariser Verträge, am 23. 10. 1954 in Paris unterzeichnetes und am 5. 5. 1955 in Kraft getretenes Vertragswerk, das zum Gewinn der Souveränität für die Bundesrep. Dtl. und zu ihrer Einbeziehung in das westeurop.-amerikan. Bündnissystem führte. Vorausgegangen waren die Bonner Verträge von 1952 (→Deutschlandvertrag), die nach dem Scheitern der →Europäischen Verteidigungsgemeinschaft nicht verwirklicht worden waren. Die P. V. beruhen auf der Londoner Neunmächtekonferenz (28. 9.–3. 10. 1954) zw. Belgien, der Bundesrep. Dtl., Frankreich, Großbritannien, Italien, Kanada, Luxemburg, den Niederlanden und den USA. Sie bestehen aus dem Protokoll über die Beendigung des Besatzungsregimes, dem Vertrag über den Aufenthalt ausländ. Streitkräfte in der Bundesrep. Dtl., dem Protokoll über den Beitritt der Bundesrep. Dtl. und Italiens zum geänderten und ergänzten →Brüsseler Vertrag vom 17. 3. 1948 und damit zur →Westeuropäischen Union, dem Protokoll über den Beitritt der Bundesrep. Dtl. zur →NATO und dem Abkommen über das Statut der Saar zw. Frankreich und der Bundesrep. Dtl. (→Saarland). Die P. V. bildeten bis zum Inkrafttreten des →Zwei-plus-vier-Vertrages (15. 3. 1991) die völkerrechtl. Grundlage der Bundesrep. Dtl. in ihren äußeren Beziehungen.

Pariser Vorortverträge, → Pariser Frieden.

Parität [lat., zu par »gleich«] *die,* **1)** *allg.:* (zahlenmäßige) Gleichheit, Gleichstellung. Die parität. Besetzung eines Gremiums erfolgt unter gleichmäßiger Berücksichtigung versch. Gruppen; parität. → Mitbestimmung.

2) *Geldwesen:* als **Währungs-P. (direkte P.)** das von den Währungsbehörden in einem System fester Wechselkurse festgelegte Austauschverhältnis zwischen inländischer Währung und einem anderen Wertträger wie dem Sonderziehungsrecht **(SZR-P.),** dem Gold **(Gold-P.)** oder einer anderen Währungseinheit (z.B. US-Dollar; **Dollar-P.**). Die **Kurs-P. (indirekte P.)** ist das Wertverhältnis zweier Währungen aufgrund von Angebot und Nachfrage an Devisenbörsen. (→ Kaufkraftparität)

3) *Physik:* eine Quantenzahl zur Kennzeichnung des Verhaltens von physikal. Zuständen oder Elementarteilchen gegenüber räuml. Spiegelungen, häufig am Koordinatenursprungspunkt, die die Werte +1 **(gerade** bzw. **positive P.)** oder −1 **(ungerade** bzw. **negative P.)** annehmen kann. Die frühere Annahme, dass bei Wechselwirkungen zw. Elementarteilchen grundsätzlich die P. erhalten bleibe **(Erhaltung der P.),** d.h., dass zu jedem Gegenstand auch sein Spiegelbild in der Natur realisierbar sein solle, wurde 1956 durch T. D. Lee und C. N. Yang (Nobelpreis für Physik 1957) entkräftet. Sie entdeckten die **Nichterhaltung der P. (P.-Verletzung)** bei schwachen Wechselwirkungen (Mesonenzerfälle, Betazerfall), die auf den Eigenschaften der dabei stets auftretenden → Neutrinos beruht. Daraus folgt, dass Neutrino und Antineutrino nicht ident. Teilchen sind (→ CPT-Theorem).

Paritätischer Wohlfahrtsverband, → Deutscher Paritätischer Wohlfahrtsverband e.V.

Park [engl.-frz., von mlat. parricus »Gehege«] *der,* urspr. Tiergehege (Wild-P.), dann weiträumiger Garten, bes. der frei angelegte Landschaftsgarten (→ Gartenkunst), auch unter Naturschutz stehendes Gebiet (Nationalpark).

Park [pɑːk], Mungo, schott. Arzt und Afrikareisender, * Fowlshiels (bei Selkirk, Scottish Borders) 10. 9. 1771, † (ertrunken im Niger) Jan. 1806; reiste 1795–97 von der Mündung des Gambia zum Niger und erkannte, dass dieser nicht mit dem Gambia oder Senegal zusammenhängt. Auf seiner 2. Reise (1805/06) befuhr er von Bamako aus den Niger flussabwärts bis zu den Stromschnellen von Bussa (heute Kainji-Stausee).

Park-and-ride [pɑːk ənd ˈraɪd, engl.], Organisationsprinzip im Großstadtverkehr zur Entlastung der Innenstädte; Kraftfahrer stellen ihre Autos auf Parkplätzen am Stadtrand ab und fahren kostenlos mit öffentl. Verkehrsmitteln ins Zentrum.

Parkbahn, *Raumfahrt:* Umlaufbahn eines Raumflugkörpers um die Erde oder einen anderen Himmelskörper, von der aus der Flugkörper zu seinem eigentl. Ziel gestartet wird.

Charlie Parker (um 1950)

Parken, das vorübergehende Abstellen eines Fahrzeugs; jedes länger als drei Minuten dauernde Halten (§ 12 Abs. 2 StVO). Das P. ist u.a. verboten vor und hinter Kreuzungen bis zu 5 m von den Schnittpunkten der Fahrbahnkanten, bis zu je 15 m vor und hinter Haltestellenschildern, vor Grundstücksein- und -ausfahrten, auf Fußgängerüberwegen und schmalen Fahrbahnen. Den Vorrang an einer **Parklücke** gebührt dem Autofahrer, der diese zuerst und unmittelbar (gleiche Straßenseite) erreicht (§ 12 Abs. 5 StVO). Kurz-P. ist mit Parkscheibe und Parkuhr möglich.

Parker [ˈpɑːkə], **1)** Charlie, eigtl. Charles Christopher P., gen. Yardbird, amerikan. Jazzmusiker (Altsaxophonist, Komponist), * Kansas City (Mo.) 29. 8. 1920, † New York 12. 3. 1955; der wichtigste Wegbereiter des Bebop, wirkte stilbildend auf die gesamte Entwicklung des Modernjazz.

2) Dorothy, amerikan. Schriftstellerin, * West End (N.J.) 22. 8. 1893, † New York 7. 6. 1967; Theater- und Literaturkritikerin, Kriegskorrespondentin im Span. Bürgerkrieg, Drehbuchautorin; verfasste Gedichte und Kurzgeschichten.

Parkes-Prozess [ˈpɑːks-; nach dem brit. Metallurgen Alexander Parkes, * 1813, † 1890] (Parkes-Verfahren), wichtiges Verfahren zur Anreicherung und Abtrennung von Silber aus silberhaltigem Werkblei (→ Blei). Durch Zugabe von Zink zur Bleischmelze scheidet sich ein silberhaltiger Zinkschaum ab **(Reichschaum;** mit 3–8 % Silber), aus dem man durch Abdestillieren von Zink das **Reichblei** (mit 8–12 % Silber) erhält.

Mungo Park (Ausschnitt aus einem Punktierstich, um 1800)

Dorothy Parker

Parkett [frz.] *das,* **1)** *Börsenwesen:* der Börsensaal, in dem der Handel stattfindet; auch Bez. für den amtl. Handel, zurückgehend auf die dafür übliche Bez. an der Pariser Börse (parquet) im Unterschied zur →Kulisse.

2) *Hausbau:* Fußbodenbelag aus Holz (meist Eiche, Buche, Kiefer) in Form von Stäben, Riemen, Tafeln, Platten oder Mosaiklamellen. P. kann mit Fußbodenlack versiegelt werden.

Parkett 2): verschiedene Verlegemuster

3) *Theater:* im Parterre gelegener vorderer Teil des Zuschauerraums.

Parkettierung, *Mathematik:* lückenlose und überlappungsfreie Überdeckung der Ebene mithilfe zueinander kongruenter, zusammenhängender Teilstücke. Eine P. mit regelmäßigen *n*-Ecken ist nur für $n = 3$, 4, 6 möglich. – Interessant sind auch P. mit zwei oder mehr verschiedenen Grundfiguren. Quasiperiodische P. erlauben auch eine fünfzählige Symmetrie.

Parkhurst ['pɑ:khə:st], Helen, amerikan. Pädagogin, *Durand (Wis.) 7. 3. 1887, †New Milford (Conn.) 1. 6. 1973; entwickelte nach Erfahrungen als Lehrerin einer einklassigen Landschule, dem Studium bei M. Montessori und als Leiterin einer eigenen Schule (1916–42) 1920 einen Reformplan für eine höhere Schule in Dalton (Mass.), den →Daltonplan.

Parkinson ['pɑ:kınsn], Cyril Northcote, brit. Historiker und Publizist, *Barnard Castle (Cty. Durham) 30. 7. 1909, †Canterbury 9. 3. 1993; 1950–58 Prof. in Singapur; wurde v.a. bekannt durch seine ironisierenden »Regeln« **(parkinsonsche Gesetze)** über die eigendynam. Entwicklung bürokrat. Verwaltung in Behörden und Unternehmen zu aufgeblähten Apparaten, die sich zunehmend mit sich selbst beschäftigen, ineffizient arbeiten und an ihrer eigenen Kompliziertheit zusammenzubrechen drohen.

Werke: P.s Gesetz u.a. Untersuchungen über die Verwaltung (1957); P.'s law, or the pursuit of progress (1958); Das Mañana-Gesetz (1970).

Parkinson-Krankheit [nach dem brit. Arzt James Parkinson, *1755, †1824] (Schüttellähmung, Paralysis agitans, idiopathisches bzw. primäres Parkinson-Syndrom), Degeneration von Stammhirnbezirken mit den Anzeichen des →Parkinson-Syndroms. Die P.-K. ist eine häufige neurolog. Erkrankung des fortgeschrittenen Lebensalters; sie tritt gewöhnlich im 5. und 6. Lebensjahrzehnt, meist bei Männern, in Erscheinung und verläuft langsam fortschreitend. Zu den Ursachen gehören möglicherweise Wechselbeziehungen zwischen genet. und (tox.) Umweltfaktoren. Die Behandlung erfolgt medikamentös durch Substitution von Dopamin mit Levodopa; Krankengymnastik v.a. zur Besserung der Bewegungsvorgänge.

📖 THÜMLER, R.: *Die P.-K. Informationen u. Ratschläge. Neuausg. München u.a. 1996.*

Parkinson-Syndrom [nach dem brit. Arzt James Parkinson, *1755, †1824] (symptomatisches bzw. sekundäres P.-S., früher Parkinsonismus), zusammenfassende Bez. für Krankheitsbilder versch. Ursache (z.B. bei Zerebralsklerose, nach epidem. Gehirnentzündung, Kohlenmonoxid-, Mangan- oder Methylalkoholvergiftung, Behandlung mit Neuroleptika), bei denen eine Schädigung der Substantia nigra des Stammhirns im Vordergrund steht. Symptome sind starke Verlangsamung der Willkür- und Ausdrucksbewegungen (»Maskengesicht«), gebeugte Haltung, leise und monotone Sprache, kleinschrittiger, z.T. schlurfender Gang, Tremor (Zittern der Hände und Finger); außerdem auch Stimmungslabilität und Melancholie.

Parlament [zu frz. parler »sprechen«] *das,* Volksvertretung, die aus einer oder zwei Kammern bestehen kann. Beim Einkammersystem beruht die Mitgliedschaft i.d.R. auf Wahl; beim Zweikammersystem kann die Zugehörigkeit zur Ersten Kammer außer durch Wahl durch Erblichkeit, Ernennung, Amtsstellung oder Mitgliedschaft in berufsständ. Organisationen begründet werden, während die Mitgliedschaft in der Zweiten Kammer sich i.d.R. aus Wahlen ergibt. Zentrale Kompetenzen des P. sind die Gesetzgebungskompetenz, die Haushaltsautonomie und die Kontrolle von Regierung und Verwaltung. Hat das P. entscheidenden Einfluss auf die Reg.bildung, so entsteht das Reg.system des →Parlamentarismus. – Das P. der Bundesrep. Dtl. ist der →Bundestag. Die Volksvertretungen der Länder heißen Landtag, Abgeordnetenhaus (Berlin) oder Bürgerschaft (Bremen, Hamburg). Der →Bundesrat ist kein P., sondern ein Vertretungsorgan der Länder. – In *Ös-*

Das älteste noch existierende **Parlament** *ist das »Althing« in Island. Es wurde im Jahr 930 gegründet, als verschiedene Wikingerfürsten bei einer Freiluftveranstaltung zusammentrafen, um ihre Differenzen zu diskutieren. Von da an bestand das Althing bis ins 16. Jahrhundert als gesetzgebende Versammlung, wurde dann zum Gerichtshof und ist heute das isländische Parlament.*

terreich und der *Schweiz* heißt das aus zwei Kammern (Österreich: Nationalrat und Bundesrat, Schweiz: Nationalrat und Ständerat) bestehende P. Bundesversammlung.

Geschichte: Bereits im 13. Jh. wurde der große Rat der engl. Könige als »Parliament« bezeichnet. Doch erst Mitte des 19. Jh. entwickelte sich aus diesem histor. Begriff eine generelle Bez. für alle repräsentativen, i. d. R. gewählten Körperschaften, während bis dahin die histor. Namen (Reichstag, Cortes, Landstände) verwendet wurden. Deutsche P. gab es in Süd-Dtl. (seit 1815) und in Preußen (seit 1848); eine dt. Nationalrepräsentation verwirklichte sich erstmals in der Frankfurter Nationalversammlung (1848). Mit dem auf dem allg., gleichen Wahlrecht beruhenden Reichstag des Dt. Reiches von 1871 wurde ein nat. P. geschaffen, das allerdings auf Gesetzgebung und Budgetrecht beschränkt blieb. Erst die Parlamentarisierung der Reichsregierung 1918 und die Weimarer Reichsverfassung gaben ihm Einfluss auf die Regierungsbildung.

📖 Patzelt, W. J.: *Abgeordnete u. Repräsentation. Amtsverständnis u. Wahlkreisarbeit. Passau 1993.* – Demmler, W.: *Der Abgeordnete im P. der Fraktionen. Berlin 1994.* – *Das Deutsche P., hg. v.* R. Süssmuth. *Stuttgart u. a. ³1995.*

Parlamentär [frz.] *der,* im Kriegsvölkerrecht Unterhändler zw. Krieg führenden Parteien, kenntlich an einer weißen Flagge (der Missbrauch der P.-Flagge gilt als Kriegsverbrechen). Der P. ist nach dem Völkerrecht unverletzlich.

Parlamentarische Kontrollkommission, eine vom Bundestag aus dem Kreis seiner Mitgl. gewählte Kommission, die mindestens einmal im Vierteljahr zusammentritt (Nachrichtendienstekontroll-Ges. vom 11. 4. 1978). Sie kontrolliert die Bundesreg. hinsichtlich der Tätigkeit des Bundesamtes für Verfassungssschutz, des Militär. Abschirmdienstes und des Bundesnachrichtendienstes.

parlamentarische Monarchie, Form der →Monarchie.

Parlamentarischer Rat, von den elf Landtagen der westl. Besatzungszonen Dtl.s 1948 gewählte Versammlung von 65 Abg., die am 1. 9. 1948 in Bonn zur Beratung und Formulierung des →Grundgesetzes zusammentrat; Präsident war K. Adenauer. Bild deutsche Geschichte

Parlamentarismus *der,* i. w. S. Bez. für alle Reg.formen, in denen das Parlament als gewählte Repräsentation des Volkes (oder der Nation) die Gesetzgebungs- und Budgethoheit besitzt und zur Kontrolle der Reg. das Interpellations- und Enqueterecht (→Anfrage, →Untersuchungsausschuss) wahrnimmt. In dieser Sicht umfasst der Begriff P. auch das Präsidialsystem. I. e. S. bezeichnet P. das **parlamentar. Regierungssystem,** in dem das Parlament des Weiteren die Zuständigkeit besitzt, den Reg.chef zu wählen und dessen Kabinett zu bestätigen. Im Ggs. zum Präsidialsystem ist die Reg. vom Vertrauen des Parlaments abhängig. Spricht das Parlament der Reg. das Misstrauen aus (Misstrauensvotum), muss sie zurücktreten, bei einem konstruktiven Misstrauensvotum jedoch nur dann, wenn das Parlament zugleich einen neuen Reg.chef wählt. Die Reg. kann eine Gesetzesvorlage mit der Vertrauensfrage verbinden. Erhält sie bei der Verabschiedung dieses Gesetzes keine Mehrheit, muss sie zurücktreten oder durch Vorschlag an das Staatsoberhaupt Neuwahlen veranlassen.

Die im Zusammenhang mit der Entstehung des modernen Parteiwesens stehende Aufgliederung der Parlamente in Fraktionen stellt das Prinzip der Gewaltenteilung, bes. zw. Exekutive und Legislative, durch die enge Verschränkung von Parlamentsmehrheit und Reg. infrage, weil die Fraktion der Reg.partei nicht nur die Reg. stellt, sondern auch deren Politik parlamentarisch absichert. Da die Parlamentsminderheit nicht mit der Reg. verschränkt ist, kommt ihr als Opposition im parlamentar. Reg.system eine »systemtragende« Rolle zu; sie hat im Wesentlichen anstelle des Gesamtparlaments die Kontrolle der Regierung übernommen.

📖 Kluxen, K.: *Geschichte u. Problematik des P. Frankfurt am Main ²1990.* – Zeh, W.: *P. Histor. Wurzeln – moderne Entfaltung. Heidelberg ⁵1991.*

Parlamentsausschüsse, aus Abgeordneten zusammengesetzte Organe der Volksvertretung. Die Ausschüsse des Bundestages sind z. T. im GG zwingend (Ausschuss für auswärtige Angelegenheiten, Art. 45a GG) oder fakultativ (Untersuchungsausschüsse, Art. 44 GG), zu einem größeren Teil nur in der Geschäftsordnung vorgesehen. Die wesentl. Sacharbeit des Bundestages, bes. die Gesetzesberatung, wird in den Ausschüssen geleistet. Die Zahl der Mitgl. bestimmt das Parlament, die Zusammensetzung regelt sich nach dem Stärkeverhältnis der Fraktionen, diese benennen die Mitglieder.

parlando [italien.], *Musik:* Vortragsweise des Textes in gleichen Notenwerten bei leichter Tongebung, dem schnellen Sprechen ähnlich, bes. in der italien. Opera buffa des 18. und 19. Jahrhunderts.

Parler, weit verzweigte Architekten- und Bildhauerfamilie des 14. Jh.; der Name entstand aus der Berufsbezeichnung »Parlier« (Stellvertreter eines Bauhüttenmeisters). – Bedeutende Vertreter:

1) Heinrich, Baumeister, * um 1300, Vater von 3), Großvater von 2); war in Köln als Parlier beim Dombau tätig, ab etwa 1330 vermutlich am Bau des Langhauses der Heiligkreuzkirche in Schwäbisch Gmünd. 1351 begann er dort den Bau des Hallen-

Peter Parler: Ansicht der Prager Karlsbrücke mit dem Altstädter Brückenturm (1357) von Südwesten, Radierung des deutschen Kupferstechers Carl August Richter aus dem 19. Jahrhundert; **Heinrich Parler:** Die etwa 1,70 m große Figur des Heiligen Wenzel im Prager Sankt-Veits-Dom schuf der Künstler im Jahre 1373

chors, eine der großartigsten Leistungen der dt. Spätgotik und Vorbild für eine Reihe weiterer Bauten.

2) Heinrich, gen. H. von Gmünd, Baumeister und Bildhauer des späten 14. Jh., Enkel von 1); schuf die Figur des »Hl. Wenzel« im Dom zu Prag (1373). Vermutlich war er auch in Brünn (Chorbau von St. Jakob, Pieta in St. Thomas, 1385) und Köln (Petersportal des Doms) tätig. Er ist vielleicht identisch mit einem am Bau des Mailänder Doms beteiligten Baumeister gleichen Namens.

Peter Parler: Selbstporträt am Triforium des Sankt-Veits-Doms in Prag

3) Peter, Baumeister und Bildhauer, *Schwäbisch Gmünd 1330 oder 1333, †Prag 13. 7. 1399, Sohn von 1); wurde 1353 oder 1356 von Kaiser Karl IV. nach Prag berufen, um den Dombau fortzuführen. Der 1385 geweihte Chor zeigt neben typ. Merkmalen der P.-Architektur neue Bauformen (Parallelrippengewölbe des Chors, Netz- und Sterngewölbe der Sakristei und der Wenzelskapelle, erstes Fischblasenmaßwerk der dt. Spätgotik). Neuartig in Idee und Ausführung ist auch das umfassende bauplast. Programm, u. a. im Chorumgang die sechs Grabmäler der Přemysliden (als eigenhändig gesichert das Grabmal Ottokars I., 1377), die 21 Porträtbüsten am Triforium, darunter die des Künstlers selbst (1375–85). Weitere Werke sind die Karlsbrücke und der Altstädter Brückenturm in Prag (1357), der Chorumgang von St. Bartholomäus in Kolín (1360–78), der Chor der Allerheiligenkirche auf dem Hradschin in Prag (1370 ff.). Weitere BILDER deutsche Geschichte, Kutná Hora, Phönix

Parma 2) Stadtwappen

Pạrma, 1) Provinz in der Region Emilia-Romagna, Italien, 3 449 km², (1995) 391 500 Einwohner.

2) Hauptstadt von 1), am N-Fuß des Apennin, 168 000 Ew.; Univ. (1065 gegr.), Konservatorium, Museen, Galerien; Maschinenbau, Schuh-, Textil-, pharmazeut. Ind., Musikinstrumentenbau, Herstellung von Parmaschinken und Parmesankäse. – Roman. Dom (12./13. Jh.; Relief der Kreuzabnahme und Bischofskathedra von B. Antelami; Kuppelfresko von Correggio) mit frei stehendem Campanile (1284–94), roman. Baptisterium (begonnen 1196, Bau und Skulpturen von Antelami); San Giovanni Evangelista (1498–1510, Barockfassade, Kuppelfresken u. a. von Correggio), Madonna della Steccata (1521–39, Deckenfresko im Chor von Parmigianino); Palazzo della Pilotta (um 1583 begonnen; enthält die Galleria Nazionale mit Sammlungen von Werken Correggios u. a.), Teatro Farnese (1618/19; lange das größte Theater Europas). – P., eine etrusk. Siedlung, wurde 183 v. Chr. röm. Kolonie. Im MA. häufig zw. Guelfen und Ghibellinen umkämpft, kam es 1322 nominell an den Kirchenstaat, stand jedoch meist unter mailänd. und frz. (1500–12, 1515–21) Herrschaft; 1545–1860 Hptst. des Herzogtums P. und Piacenza.

Parma und Piacenza [-pia'tʃɛntsa], ehem. italien. Herzogtum, bestand 1545–1860 (1748–1848 mit dem Herzogtum Guastalla verbunden). Es war bis 1731 im Besitz der Farnese, dann bis 1803 der span. Bourbonen, danach frz. (seit 1808 als Dép. Taro) und 1815–47 im Besitz der früheren frz. Kaiserin Marie Louise, dann wieder der Bourbonen.

Parmẹnides (P. von Elea), grch. Philosoph, *um 515 (um 540?) v. Chr., †um 445 (um 470?) v. Chr.; neben Zenon der wichtigste Vertreter der eleat. Philosophie. Sein Lehrgedicht »Über die Natur« schildert, wie der Dichter von der Göttin Dike über die Wahrheit des einen Seins belehrt wird. Alles Einzelseiende in seiner Vielfalt und Veränderung ist für P. nur »trügerischer Schein«, allein das unveränderl. Sein ist wirklich; dieses ist erkennbar durch Denken.

Parmesan (Parmesankäse) [nach der Stadt Parma] *der,* würziger, halbfetter, bes. zum Reiben geeigneter italien. Käse.

Parmigianino [parmidʒaˈniːno], eigtl. Girolamo Francesco Mazzola, italien. Maler und Radierer, *Parma 11. 1. 1503, †Casalmaggiore 28. 8. 1540; gelangte, beeinflusst von Correggio, zu einem spannungserfüllten manierist. Stil. Seine Porträts und Gemälde v.a. religiöser Thematik sind gekennzeichnet durch eine beweglich-sensible Linienführung und extrem überlängte Figurenbildung von raffinierter Eleganz und Farbgebung. – *Werke:* Selbstbildnis aus dem Konvexspiegel, auf eine Kugelkalotte aus Holz gemalt (um 1523/24, Wien, Kunsthistor. Museum); Der bogenschnitzende Amor (um 1533/34, ebd.); Antea (Porträt, 1535–37, Neapel, Múseo e Gallerie Nazionali di Capodimonte).

Parnaíba, Rio [rriu̯ -] *der,* Fluss in NO-Brasilien, 1700 km lang, von der Mündung in den Atlantik etwa 670 km weit schiffbar.

Parnass *der* (grch. Parnassos), Kalkgebirge in der Landschaft Phokis, Mittelgriechenland, bis 2457 m ü.M.; Bauxitvorkommen; am S-Fuß liegt Delphi. Der P. galt im Altertum als Sitz des Apoll und der Musen; daher Sinnbild der Dichtkunst.

Parmigianino: »Madonna mit dem langen Hals« (1534–40; Florenz, Uffizien)

Parnassiens [parnaˈsjɛ̃], frz. Dichtergruppe der 2. Hälfte des 19. Jh., ben. nach der Anthologie »Le parnasse contemporain« (3 Tle., 1866–76). Die P. pflegten, orientiert am Konzept des →L'art pour l'art, eine unpersönl., gegenstandsbezogene Lyrik von großer Formstrenge. Bed. Vertreter: u.a. C. Leconte de Lisle, J. M. de Heredia, F. Coppée.

Parmenides

Zur Vermittlung der Lehre des Parmenides vom Sein mit den Zeugnissen der Sinneswahrnehmung nahm Empedokles vier »Wurzeln« oder Elemente an – nämlich Wasser, Feuer, Erde, Luft –, die unentstanden und unvergänglich sind, sodass alles, was in der Welt als Werden und Vergehen angesehen wird, sich als bloße Mischung und Trennung der vier Elemente erweist, ein sich unendlich wiederholender Vorgang, der durch die beiden entgegengesetzten Kräfte Liebe und Streit gesteuert wird. Parmenides' Lehre von den vier Elementen war in der Naturspekulation bis ins 18. Jahrhundert hinein von Bedeutung.

Parnon *der,* Gebirge in Griechenland, in der südöstl. Peloponnes (Lakonien); höchste Erhebung ist der Malevos (1935 m ü.M.).

Pärnu (dt. Pernau), Hafenstadt, Seebad und Kurort in Estland, an der Rigaer Bucht, 52 000 Ew.; Fischkonserven-, Holz- und Leinenindustrie, Maschinenbau.

Parodie [grch. »Nebengesang«] *die,* **1)** *Literatur:* Werk, das in satir., krit. oder polem. Absicht ein anderes, als bekannt vorausgesetztes Werk unter Beibehaltung kennzeichnender Formmittel, aber mit gegenteiliger Intention nachahmt. Aus der entstehenden Diskrepanz zw. Form und Aussageanspruch resultiert der kom. Effekt.

2) *Musik:* seit dem 15. Jh. gebrauchte Bez. für die Verwendung einer bestehenden Komposition in einem neuen Zusammenhang. Das P.-Verfahren konnte sich in der Veränderung von Stimmenzahl, Satzstruktur, Rhythmik, Melodik und Harmonik oder Umtextierung zeigen. Eine große Rolle spielte es im Schaffen J. S. Bachs. Der P. entspricht beim Lied die →Kontrafaktur.

Parodontitis [grch.] *die,* vorwiegend im Bereich der Wurzelspitze oder im Bereich des Zahnfleischsaums lokalisierte oder von dort ausgehende akute oder chron. Entzündung des Zahnhalteapparats (Parodontium); mit Ablagerung von Zahnstein, Bildung eitriger Zahnfleischtaschen und Lockerung der Zähne.

Parodontium [grch.] *das* (Zahnhalteapparat), der den Zahn im Kiefer befestigende Halteapparat (Zahnalveole, Wurzelhaut, Zahnzement).

Parodontopathien [grch.], Sammelbegriff für alle Erkrankungen des Zahnhalteapparats.

Parodontose [grch.] (Paradentose) *die,* weitgehend entzündungsfreier Schwund des Zahnhalteapparats. Zahnfleisch und Kieferknochen werden langsam fortschreitend oder schubweise abgebaut, sodass der Zahn allmählich aus seinem Zahnfach herauszuwachsen scheint. Trotz weit reichenden Zahnbettschwunds können die Zähne noch lange fest im Kiefer verankert sein. Bei fortschreitender Erkrankung treten schließlich Zahnlockerung, Zahnwanderung und später Zahnverlust ein.

Parole [frz. »Wort«] *die,* **1)** *allg.:* Leitspruch, Wahlspruch (politisch) Gleichgesinnter; (militär.) Kennwort, Losung.

2) [pa'rɔl] *Sprachwiss.:* von F. de Saussure geschaffene Bez. für die konkrete sprachl. Äußerung, den Sprechakt, im Unterschied zur →Langue.

Paroli [italien.-frz.] *das,* Verdoppelung des ersten Einsatzes beim Pharaospiel; heute noch in der Wendung **Paroli bieten,** Widerstand entgegensetzen.

Paronomasie [grch.] *die,* die Wiederholung desselben Wortstamms in anderer syntakt. Funktion, z.B. »Wer sich auf den verlässt, der ist verlassen« (ÜBERSICHT Redefiguren).

Paros, Insel der Kykladen, Griechenland, 195 km², 7900 Ew., bis 747 m ü.M.; Fremdenverkehr. Nahe des Hauptorts P. (2700 Ew.) liegen die Brüche des reinweißen **parischen Marmors**.

Parotis [grch.] *die,* →Ohrspeicheldrüse.

Parotitis epidemica, der →Mumps.

Paroxysmus [grch.] *der,* **1)** *Geologie:* gesteigerte vulkan. oder tekton. Aktivität.

2) *Medizin:* Anfall, hochgradige Steigerung von Krankheitserscheinungen.

Paros: Blick auf den gleichnamigen Hauptort der Kykladeninsel

Parry Islands ['pærɪ 'aɪləndz; nach dem brit. Polarforscher Sir William Parry, *1790, †1855], Inselgruppe im Kanadisch-Arkt. Archipel, heute unbesiedelt; Hauptinseln: Devon, Cornwallis, Bathurst, Melville und Prince Patrick.

Parsec [Kw. aus **par**allax **sec**ond, Parallaxensekunde] *das,* Einheitenzeichen **pc,** Längeneinheit in der Astronomie: 1 pc = 3,0856776 · 10^{16} m. Das P. ist jene Entfernung, von der aus die →astronomische Einheit (AE) unter einem Winkel (→Parallaxe) von einer Bogensekunde (1'') erscheint: 1 pc ≈ 206265 AE ≈ 3,263 Lichtjahre.

Parseier Spitze, Gipfel der Lechtaler Alpen, Tirol, Österreich, mit 3038 m ü.M. die höchste Erhebung der Nördl. Kalkalpen.

Parsen [pers. »Perser«] (Parsi), die Anhänger des →Parsismus; sie wanderten nach der islam. Eroberung Persiens (642) nach Indien aus, wo sie bis heute geschlossene Gemeinschaften bilden (v.a. im Raum Bombay). Ihre Zahl, etwa 100000 in Indien und 10000 in Iran (v.a. Teheran), ist im Abnehmen begriffen.

Parseta [par'sɛnta], Fluss in Polen, →Persante.

Parseval, August von, Ingenieur und Luftschiffkonstrukteur, *Frankenthal (Pfalz) 5. 2. 1861, †Berlin 22. 2. 1942; konstruierte 1897 mit Hans Bartsch von Sigsfeld (*1861, †1902) den Drachenballon (→Fesselballon) und baute 1902–06 das erste der nach ihm benannten unstarren **P.-Luftschiffe** (Prallluftschiffe, →Luftschiff), dem bis zum Ende des 1. Weltkriegs 27 weitere folgten.

Parsifal, →Parzival.

Parsismus *der,* von →Zarathustra gestiftete Religion. Das →Awesta, die hl. Schrift des P., ist durch einen ethisch orientierten Dualismus gekennzeichnet. Dem Schöpfergott →Ahura Masda (nach ihm auch die Bez. **Mazdaismus** für den älteren P.) als Garant der rechten (guten) Ordnung steht →Ahriman als Verkörperung des durch Lüge und Zerstörung gekennzeichneten bösen Prinzips, dem Unheil und Tod entspringen, gegenüber. Der Kampf beider bestimmt das kosm. Geschehen, die Geschichte und die individuelle Existenz der Menschen. Der Mensch hat zw. beiden zu entscheiden. Er ist befähigt, das Böse zu überwinden und in Übereinstimmung mit der rechten Ordnung zu leben. Zarathustras Forderung, Gutes zu denken, zu reden und zu tun, bestimmt die daraus folgende Ethik des P. Im Kultus kommen v.a. dem hl. Feuer als Symbol Ahura Masdas und den rituellen Reinigungsvorschriften zum Schutz vor Befleckung durch Ahrimans Dämonen zentrale Bedeutung zu. Die Bestattung Verstorbener erfolgt als Luftbestattung auf den als »Türme des Schweigens« bekannten →Dakhmas. Heute ist zum klass. Lehrsystem die Erwartung eines endzeitlichen Retters (»Saoshyant«) hinzugetreten, der 3000 Jahre nach Zarathustra zum Jüngsten Gericht erscheinen wird. Seine Blütezeit erlebte der P. in Persien während der Herrschaft der Sassaniden (224–642). Als **Zoroastrismus** (nach der gräzisierten Namensform seines Stifters) war er in dieser Zeit pers. Staatsreligion.

📖 WIDENGREN, G.: *Die Religionen Irans. Stuttgart 1965.*

Parsons ['pa:snz], **1)** Sir Charles Algernon, brit. Ingenieur, * London 13. 6. 1854, † auf einer Reise zu den Westind. Inseln 11. 2. 1931; Erfinder der mehrstufigen Überdruck-Dampfturbine **(P.-Turbine,** 1884 gebaut); sie entwickelte sich seit 1900 zu einer bedeutenden Großkraftmaschine für den Kraftwerks- und Schiffsbetrieb.

2) Talcott, amerikan. Soziologe, * Colorado Springs (Col.) 13. 12. 1902, † München 8. 5. 1979; Prof. an der Harvard University (1944–79); Begründer und Hauptvertreter der → strukturell-funktionalen Theorie. Außerdem entwickelte P. eine voluntarist. Theorie des Handelns und schrieb einflussreiche Arbeiten zur Sozialisation und Persönlichkeitsentwicklung.

Pars pro toto [lat. »ein Teil für das Ganze«] *das,* Redefigur, die einen Teilbegriff anstelle des Gesamtbegriffs setzt, z. B. Kopf für Mensch.

Part [von lat. pars »Anteil«, »Teil«] *der,* **1)** *Musik:* der für ein Instrument oder eine Singstimme vorgesehene, separat geschriebene oder gedruckte Teil einer Komposition.

2) *Seehandelsrecht:* (Schiffspart) Miteigentumsanteil eines Mitreeders an Schiff und Zubehör. Eine **Partenreederei** ist eine gemeinschaftlich betriebene Reederei mehrerer Personen mit einem ihnen gemeinsam gehörenden Schiff.

3) *Theater:* Rolle in einem Stück.

Pärt, Arvo, estn. Komponist, * Paide 11. 9. 1935; emigrierte 1980 nach Wien, lebte ab 1982 in Berlin; bezog anfangs serielle Techniken in sein Schaffen ein und wendete sich dann in Auseinandersetzung mit der Musik des MA. einem formenstrengen, einfachen Stil zu; schrieb u. a. drei Sinfonien (1964, 1966, 1971), Kammermusik, Orgel- und Vokalwerke, darunter »Berliner Messe« (1991, für Chor oder Solisten, Streicher und Orgel), »Litany« (1994, für Chor und Orchester).

Partei [frz., zu lat. pars »Teil«] *die,* **1)** *Politik:* i. w. S. organisierte Gruppe von Gleichgesinnten; i. e. S. (polit. P.) permanent organisierter Zusammenschluss von Bürgern mit gemeinsamen sozialen Interessen und polit. Vorstellungen über die Gestaltung der staatl., gesellschaftl. und wirtsch. Ordnung mit dem Ziel der Übernahme, der Behauptung bzw. der Kontrolle der Herrschaft im Staat. Politische P. gibt es bereits seit der Antike, das moderne P.-Wesen entwickelte sich jedoch erst mit der Durchsetzung des Parlamentarismus. Die ersten P. in den USA und in Europa waren (bei eingeschränktem Wahlrecht) bürgerl. Honoratioren- oder **Repräsentations-(Patronage-)P.,** die den Charakter reiner Wähler-P. hatten. Seit dem letzten Drittel des 19. Jh. entstanden mit fortschreitender Erweiterung des Kreises der Wahlberechtigten **Massen-P.** mit bürokrat. P.-Organisationen auf kommunaler, regionaler und nationaler Ebene. Diese entwickelten sich nach dem 1. Weltkrieg zu demokrat. oder totalitären **Integrations-P.,** die nicht nur einen großen Teil ihrer Anhängerschaft als Mitgl. mobilisierten (Mitglieder-P.), sondern auch deren private Lebensbereiche erheblich (im Falle totalitärer P. vollständig) zu bestimmen suchten (Weltanschauungs-P.). Seit dem 2. Weltkrieg besteht in den westl. Staaten eine starke Tendenz zur Herausbildung von **Volks-P.,** die mit einem parteiinternen wirtsch. und sozialen Interessenausgleich und einer deutl. Entideologisierung einherging. In letzter Zeit gewinnen die sich auf regionale oder kommunale Bereiche beschränkenden **Rathaus-P.** (z. B. Freie Wählervereinigungen) zunehmend an Bedeutung. – Bereits im Vormärz bildeten sich die wichtigsten parteipolit. Richtungen von Konservatismus, Liberalismus und Sozialismus aus, die sich in und nach den europ. Revolutionen von 1848/49 endgültig als P. der Rechten, der Mitte bzw. des Zentrums und der Linken formierten. Die Entwicklung der Arbeiterbewegung führte zur Bildung proletar. Arbeiter-P. (Klassen-P.). Aus religiös-konfessionellem Gegensatz und aus dem Widerspruch zw. modern-liberalem Staat und Kirche entstanden Religions- und konfessionelle Parteien. In multinat. Staaten formierten sich P. nach ethn., sprachl. oder regionalen Kriterien.

Organisation: Mit Ausnahme der P. in den USA, die eine förml. Mitgliedschaft nicht kennen **(offene P.),** sind P. heute geschlossene Verbände mit förml. Beitritt, regelmäßigen Aktivitäten, Mitgliedsbeiträgen, oft auch P.-Steuer für Mandatsträger **(geschlossene P.).** Sie verpflichten ihre Mitgl. oft auf ein P.-Programm. Kleinste (Basis-)Organisationsformen können Komitees, Ortsvereine,

August von Parseval: Das erste Parseval-Luftschiff landet 1909 in München

Talcott Parsons

Arvo Pärt

Zellen (bei kommunist. P.) und Milizen (bei faschist. P.) sein. Die Basisorganisationen sind überregional zusammengefasst, deren wichtigstes Organ der P.-Tag ist und deren Geschäfte von einem P.-Vorstand geführt werden. Die Struktur der P.-Organisation ist jeweils in einer Satzung vorgeschrieben. Je nach der Anzahl der in einem Staat aktiven und einflussreichen P. unterscheidet man zw. Einparteien-, Zweiparteien- und Mehrparteiensystem. Die staatsrechtl. Stellung der P. ist in Dtl. durch das GG geregelt; Art. 21 GG bestimmt in Verbindung mit dem P.-Gesetz i.d.F.v. 3. 3. 1989, dass die P. bei der »polit. Willensbildung des Volkes« mitwirken, ihre Gründung frei ist, ihre innere Ordnung demokrat. Grundsätzen entsprechen muss, eine evtl. Verfassungswidrigkeit nur das Bundesverfassungsgericht feststellen kann und über ihre Finanzierung gemäß dem P.-Gesetz öffentlich Rechenschaft abgelegt werden muss.

📖 NOHLEN, D.: *Wahlrecht u. P.-System. Opladen* ^{2}*1990.* – FENSKE, H.: *Deutsche P.-Geschichte von den Anfängen bis zur Gegenwart. Paderborn u.a. 1994.* – ALEMANN, U. VON: *Parteien. Reinbek 1995.*

2) *Recht:* im materiellen Recht die jeweiligen Partner eines Vertrages (Vertrags-P.); im Verfahrensrecht die Person, die vor Gericht für sich Rechtsschutz verlangt (z.B. Kläger) oder gegen die der Rechtsschutz begehrt wird (z.B. Beklagter).

Parteibetrieb, Form des Zivilprozesses, die den Parteien Beginn und Durchführung des Prozesses überlässt; Ggs. Offizialbetrieb (Amtsbetrieb). Die ZPO regelt ein Mischsystem; das Ingangsetzen wird durch die Parteien, das Inganghalten durch das Gericht betrieben.

Partei des Demokratischen Sozialismus

Partei des Demokratischen Sozialismus, Abk. **PDS,** polit. Partei, hervorgegangen im Dez. 1989 aus der →Sozialistischen Einheitspartei Deutschlands (SED). Vors. war von Dez. 1989 bis Jan. 1993 G. Gysi, seitdem L. Bisky (*1941). Die PDS sucht sich im gesamtdt. Parteienspektrum als linke Oppositionspartei mit besonderem Blick auf die Probleme der früheren DDR darzustellen. – Bei den Wahlen zur DDR-Volkskammer am 18. 3. 1990 errang sie 16,32% der Stimmen (66 Mandate). Nach der Wiedervereinigung Dtl.s erreichte sie bei der Bundestagswahl am 2. 12. 1990 2,4% (Wahlgebiet Ost 11,1%) der Zweitstimmen (17 Abg.), bei der Bundestagswahl vom 16. 10. 1994 4,4% (30 Abg.) und bei der Bundestagswahl vom 27. 9. 1998 5,1% (35 Abg.). In Meckl.-Vorp. stellt sie seit Herbst 1998 zus. mit der SPD die Landesregierung.

Parteienfinanzierung, die Deckung der laufenden Kosten der Arbeit polit. Parteien und ihrer Wahlkampfkosten aus Beiträgen von Mitgl. und Mandatsträgern, Einnahmen, die eine Partei z.B. aus ihrem Vermögen und Veröffentlichungen erzielt, Spenden und staatl. Zuschüssen. In Dtl. müssen die Parteien über die Herkunft und die Verwendung ihrer Mittel öffentlich Rechenschaft ablegen. In einem Urteil vom April 1992 stellte das Bundesverfassungsgericht entgegen seiner vorherigen Rechtsprechung fest, dass der Staat verfassungsrechtlich nicht gehindert ist, die Parteien für ihre allgemeinen Aufgaben aus Haushaltsmitteln zu subventionieren. Es legte aber die Obergrenze für den Anteil der staatl. Finanzierung an den Etats dieser Parteien mit 50% ihrer Gesamteinnahmen (relative Obergrenze) fest. Das Parteiengesetz i.d.F.v. 31. 1. 1994 trägt dem Urteil Rechnung. Es begrenzt zudem den Gesamtumfang der staatl. P. auf eine bestimmte Summe (absolute Obergrenze, zurzeit 230 Mio. DM).

📖 ARNIM, H. H. VON: *Die Partei, der Abgeordnete u. das Geld. Mainz 1991.*

Parteienprivileg, → Parteiverbot.

Parteifähigkeit, die Fähigkeit, in einem Gerichtsverfahren Partei zu sein. Parteifähig ist, wer rechtsfähig ist, also alle natürl. und jurist. Personen, ferner die OHG, die KG, der Arbeitgeberverband und die Gewerkschaft sowie polit. Parteien. Der nicht rechtsfähige Verein ist im Zivilprozess nur passiv parteifähig, er kann nur verklagt werden, nicht aber selbst klagen (§ 50 ZPO).

Parteiprozess, Rechtsstreit, in dem die Partei sich selbst vertreten kann, also nicht dem →Anwaltszwang unterliegt; Ggs.: Anwaltsprozess.

Parteispendenaffäre, seit Mitte der 1970er-Jahre von der Steuerfahndung (im Raum Bonn), später von der Staatsanwaltschaft in NRW angegriffene Praxis der Parteien, Spenden aus dem Bereich der Wirtschaft u.a. über gemeinnützige Organisationen an sich selbst weiterzuleiten. Mit dem Prozess (Aug. 1985 bis Febr. 1987) gegen den Flick-Manager E.v. Brauchitsch und die früheren Wirtschaftsmin. H. Friderichs und O. Graf Lambsdorff (beide FDP) erfuhr die P. einen Höhepunkt.

Parteiverbot, mit der gerichtl. Feststellung der Verfassungswidrigkeit einer polit. Partei verbundenes Verbot dieser Partei. Verfassungswidrig sind Parteien, die nach ihren Zielen oder nach dem Verhalten ihrer Anhänger darauf ausgehen, die freiheitlich demokrat. Grundordnung zu beeinträchtigen oder zu beseitigen oder den Bestand der Bundesrep. Dtl. zu gefährden (Art. 21 Abs. 2 GG). Die Feststellung der Verfassungswidrigkeit und der Ausspruch des P. ist nur dem Bundesverfassungsger. vorbehalten (»Parteienprivileg«); notwendig für das Verfahren ist ein Antrag des Bundestages, des Bundesrates oder der Bundesregierung.

Parteivernehmung, als Beweismittel im Zivilprozess die Vernehmung einer Partei ähnlich einem Zeugen; nur zulässig, wenn ein Beweis noch nicht vollständig erbracht ist oder andere Beweismittel nicht zur Verfügung stehen. Das Gericht kann die Beeidigung (stets nur einer Partei) anordnen (§§ 445 ff. ZPO). – In *Österreich* ist die P. in den §§ 371 ff. ZPO geregelt. In der *Schweiz* kennen einzelne kantonale Zivilprozessordnungen die P. (auch »Parteieinvernahme«).

Parteiverrat (Prävarikation), pflichtwidriges Beraten beider Parteien in derselben Rechtssache durch denselben Anwalt oder Rechtsbeistand, bei Vorsatz strafbar (§ 356 StGB).

Pạrtenreederei, *Seehandelsrecht:* → Part.

Partẹns, Val P., bündnerromanischer Name des → Prättigaus.

Parthenocịssus [grch.-lat.], Pflanzengattung, → Jungfernrebe.

Parthenogenẹse [grch.] *die, Zoologie:* die → Jungfernzeugung.

Pạrthenon [grch. »Jungfrauengemach«] *der,* Marmortempel der Athene Parthenos auf der Akropolis von Athen, 447–432 v. Chr. von Perikles durch Iktinos und von Kimon durch Kallikrates unter Aufsicht des Phidias errichtet, im 6. Jh. n. Chr. in eine christl. Kirche, später in eine Moschee umgewandelt, 1687 bei der venezian. Beschießung durch Explosion stark beschädigt; die Restaurierungsarbeiten begannen 1834 (erneut 1986). Der P. ist ein dor. Peripteros (30,9 m breit und rd. 69,5 m lang mit 8 × 17 Säulen von 10,43 m Höhe). Im Kultraum, der Cella, stand das Goldelfenbein-Standbild der Athene Parthenos von Phidias. Ein Fries mit Reliefdarstellungen aus dem Festzug der Panathenäen lief rings um die Cella. Auf den 92 Metopen über dem Architrav des Säulenumgangs sind Kämpfe der Götter und Giganten (O), der Lapithen und Kentauren (S), die Schlacht von Marathon (W), früher als Kampf der Athener mit den Amazonen gedeutet, und der Kampf um Troja (N) dargestellt; die Giebelgruppen zeigen im O die Geburt der Athene, im W den Streit zw. Poseidon und Athene um Attika. Der Hauptteil des Skulpturenschmucks gelangte 1803–12 nach London (→ Elgin Marbles). Weiteres BILD Athen

Parthenon: Ansicht von Nordwesten; der Marmortempel der Athene Parthenos auf der Akropolis wurde 447–432 v. Chr. unter dem athenischen Staatsmann Perikles erbaut

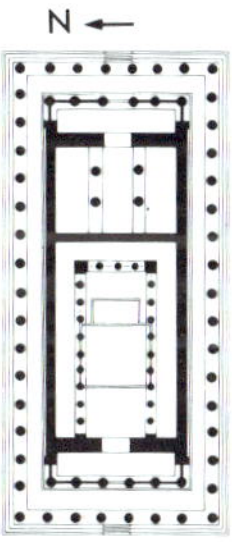

Parthenon: Grundriss

parthische Kunst: Fresko »Das Opfer des Konon« aus dem Tempel der Palmyrenischen Götter in Dura-Europos, Höhe 3,80 m (vermutlich 2. Jh. n. Chr.; Damaskus, Nationalmuseum)

Pạrther (altpers. Parthawa), urspr. iranischer Stamm südöstlich des Kasp. Meeres (W-Khorasan), um 555 v. Chr. vom Perserkönig Kyros II. unterworfen und zur Satrapie **Parthien** erklärt. In die seleukid. Prov. **Parthia** drangen um 250 v. Chr. die ebenfalls iran. (halb-)nomad. Parner ein und nahmen den Namen P. an. Unter Arsakes I. (Begründer der Arsakiden-Dynastie) schufen sie das **P.-Reich** (Hptst. Nisa, später Ktesiphon), das, vom Euphrat bis zum Indus reichend, bes. durch die Beherrschung der O-W-Handelswege Bedeutung hatte. Im 1. Jh. v. Chr. wurden die P. eine ständige Bedrohung für die Römer **(P.-Kriege).** Im 3. Jh. wurden sie von den → Sassaniden unterworfen.

🕮 SCHIPPMANN, K.: *Grundzüge der parth. Geschichte. Darmstadt 1980.*

pạrthische Kunst, die Kunst der Parther unter der Arsakiden-Dynastie (247 v. Chr.–224 n. Chr.). Die p. K. weist v. a. seit dem 1. Jh. v. Chr. bestimmte einheitl. Züge auf, die sich weit über das Kerngebiet (Iran) hinaus auch im ehem. babylonisch-assyr. Reichsgebiet beobachten lassen. In der Architektur geht die Entwicklung vom antiken Stützenbau (Säulenbauten in Persepolis) zur Massenbauweise mit Lehmziegeln oder Schalenmauerwerk und zur Monumentalisierung der Wölbetechnik

parthische Kunst: Gewandschnalle aus den Fürstengräbern der alten Stadt Armasi bei Mzcheta in Georgien (Tiflis, Museum)

(Tonnengewölbe, Kuppeln). Der Iwan, die zum Hof geöffnete, auf der Rückseite geschlossene tonnengewölbte Halle, erstmals in parth. Palastanlagen (Nisa, Damgan, Assur, Uruk, Hatra) gebaut, wurde später von der islam. Kunst im Moscheenbau übernommen. Stadtanlagen wurden rund oder polygonal gebaut (Ktesiphon, Merv, Hatra).

Plastik und Malerei lösten sich seit dem 1. Jh. v. Chr. von achaimenid. und hellenist. Vorbildern durch Bevorzugung der Frontalansicht in starrer Haltung, der Blick der großen Augen auf den Betrachter gerichtet. Häufig ist eine Opferszene, zuerst belegt auf dem Fresko der Konon in Dura-Europos. Könige und Götter wurden als Reiter in der Steppentracht (Ärmelrock, lange Hose) der nordostiran. Stämme dargestellt. Jagdszenen und Reiterbilder sind neue Motive. Die Kleinkunst zeigt schöne Goldschmiedearbeiten: Trinkschalen, Gürtelbeschläge, Schmuck mit Zellenschmelz und Halbedelsteinen, aus Elfenbein geschnitzte Trinkhörner. Die Keramik ist häufig grün glasiert.

📖 Brentjes, B.: *Steppenreiter u. Handelsherren. Die Kunst der Partherzeit ... Leipzig 1990.*

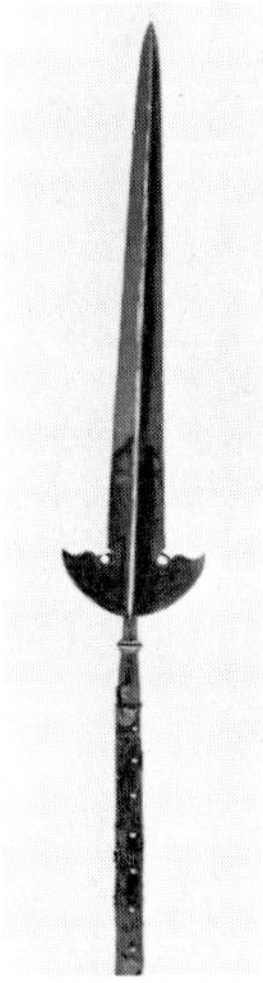
Partisane

Partialbruch (Teilbruch), ein Bruch, dessen Nenner sich nicht in ein Produkt zerlegen lässt. Die Zerlegung einer gebrochen rationalen Funktion in einfachere Teilbrüche **(P.-Zerlegung)** ist für die Integration solcher Funktionen bedeutsam.

Partialdruck, in einem Gemisch von Gasen oder Dämpfen der von einer Komponente des Gemisches ausgeübte Teildruck. Bei idealen Gasen verhalten sich die P. der einzelnen Komponenten so, als ob jede Komponente der Mischung den Raum allein ausfüllen würde. Die Summe der P. ist gleich dem Druck des Gemisches (daltonsches Gesetz).

Partialtöne, *Musik:* die Teiltöne, → Obertöne.

Partie [frz.] *die,* **1)** *allg.:* Teil, Abschnitt, Ausschnitt.

2) *Betriebswirtschaft:* bestimmte, qualitativ homogene Menge an Werkstoffen, an denen in einem entsprechenden Produktionsverfahren (P.-Fertigung) eine homogene Menge an Endprodukten erzeugt wird.

3) *Handel:* größerer Warenposten; auch zu normalen Preisen unverkäufl. Ware (Partieware).

4) *Musik:* die Gesangsrolle in Oper und Operette.

5) *Sport* und *Spiel:* Durchgang, Runde (Tennis, Schach, Billard, Bridge).

Partikel [lat.] *die,* **1)** *allg.:* Teilchen, Stückchen.

2) *Physik:* das → Teilchen.

3) *Sprachwissenschaften:* nicht flektierbares Wort (Präposition, Konjunktion, Adverb).

Partikularismus [lat.] *der,* meist abwertend verwendeter polit. Begriff, bezeichnet Bestrebungen zur Durchsetzung polit., wirtsch. und/oder kultureller Sonderinteressen eines Teilgebietes im Sinne staatsrechtlicher Eigenständigkeit. Im Extremfall erwachsen aus dem P. Bemühungen zur Lösung aus der bestehenden Gemeinschaft (→ Separatismus). Die Grenzen des P. zum → Föderalismus (innerhalb eines Bundesstaates) und zum → Regionalismus (innerhalb eines Einheitsstaates) sind fließend.

Partikularrecht, das nur in einem Teil einer rechtl. Gebietseinheit geltende Recht, bes. das Landesrecht.

Partikulier [lat.] *der, Binnenschifffahrt:* Schiffseigner, der im Ggs. zum Reeder sein Schiff meist selbst führt und i. d. R. nicht mehr als drei Schiffe besitzt.

Partisan [frz.-italien.] *der,* Freischärler, Widerstandskämpfer. P. bilden Gruppen oder Verbände von Freiwilligen aus den Bewohnern eines besetzten Gebietes, um außerhalb der Streitkräfte den Kampf gegen den eingedrungenen Kriegsgegner zu führen. Das ältere Völkerrecht ließ sie als »Irreguläre« schutzlos, die Haager Landkriegsordnung vom 18. 10. 1907 erstreckte ihren Schutz auf »Freiwilligenkorps« nur, sofern sie einen verantwortl. Führer haben, ein bestimmtes ständig benutztes und aus der Ferne erkennbares Abzeichen tragen, die Waffen offen führen und die Gesetze und Bräuche des Krieges achten. Unter denselben Voraussetzungen sind die P. durch das Genfer Abkommen zur Verbesserung des Loses der Verwundeten und Kranken der Streitkräfte im Felde und durch das Genfer Abkommen über die Behandlung der Kriegsgefangenen (beide vom 12. 8. 1949) als »legale Kombattanten« geschützt. → Guerilla

Partisane [frz.-italien.] *die,* zum Stoß dienende Stangenwaffe mit blattförmiger Klinge und seitl. Nebenspitzen; kam im 15. Jh. auf.

Partita [italien., zu partire »teilen«] *die, Musik:* vom 16.–18. Jh. Bez. für den einzelnen Teil einer Reihe von Variationen; seit dem 17. Jh. auch allgemein ein Instrumentalstück oder eine suitenart. Folge von Sätzen.

Partitur [italien.] *die,* die Aufzeichnung sämtl. Stimmen eines Musikstücks in Notenschrift auf übereinander liegenden Liniensystemen, sodass die gleichzeitig erklingenden Noten untereinander stehen. Für die Reihenfolge der Instrumente hat sich seit der Wiener Klassik die Anordnung herausgebildet (von oben nach unten): Holzbläser (Flöten, Oboen, Klarinetten, Fagotte), Blechbläser (Hörner, Trompeten, Posaunen, Tuba), Pauken u. a. Schlagzeug (hier auch Harfe, Klavier, Celesta, Xylophon u. a.), Streicher (Violinen, Viola, Violoncello, Kontrabass). Chor- und Solostimmen stehen über dem Bass, konzertierende Instrumente über der 1. Violine. Die **Klavier-P.** ist ein Klavierauszug, der die Stimmen in P.-Form enthält.

Partizip [lat.] *das* (Partizipium), Mittelwort (ÜBERSICHT Verb).

Partizipationsschein, Abk. **PS,** Wertpapier, das Vermögensrechte (Anspruch auf Anteil am Gewinn und Liquidationserlös), nicht aber Mitgliedschaftsrechte (z. B. Stimmrecht) an einer AG verbrieft. P. werden in der Schweiz seit 1963 ausgegeben und sind dem dt. Genussschein ähnlich.

Partnach *die,* rechter Nebenfluss der Loisach in den oberbayer. Alpen, entspringt 1500 m ü. M. an der Zugspitze, durchfließt die enge **P.-Klamm,** mündet bei Garmisch-Partenkirchen.

Partnerschaftsgesellschaft, seit dem 1. 7. 1995 rechtlich möglicher Zusammenschluss mehrerer natürl. Personen zur Ausübung eines freien Berufs in Form einer Gesellschaft des privaten Rechts. Grundlage ist das P.-Gesetz vom 25. 7. 1994. Die P. erlaubt es Angehörigen freier Berufe, sich wie gewerblich Tätige zu organisieren und sich in einer registerfähigen personengesellschaftsrechtl. Form zusammenzuschließen. Der P.-Vertrag bedarf der Schriftform; die P. wird in Partnerschaftsregister beim Amtsgericht eingetragen.

Partnerstadt, → Städtepartnerschaft.

parts per ... ['pɑ:ts pə:; engl. »Teile je ...«], Angabe in Einheiten für Konzentrationsangaben (→ pp-Einheiten), z. B. parts per million, Abk. ppm.

Partytomaten ['parti-], die → Cocktailtomaten.

Parusie [grch. »Anwesenheit«, »Ankunft«] *die,* das Hervortreten der verborgenen Gottheit; Christi Erscheinen (»Wiederkunft«) am Jüngsten Tag zur Abhaltung des Endgerichts; Beginn der endgültigen Gottesherrschaft.

Parvoviren [zu lat. parvus »klein«], Familie weltweit verbreiteter sehr kleiner, hüllenloser DNS-Viren; für Mensch, Hund, Katze und Schwein pathogene Arten (z. B. die fieberhafte, mit Erbrechen und Durchfällen einhergehende

Partitur: Anfang der 8. Sinfonie in F-Dur (1812) von Ludwig van Beethoven

Katzen- sowie Hundeparvovirose). Die Gattung Dependovirus (auch als **adeno-assoziierte Viren,** Abk. **AAV,** oder defekte P. bezeichnet) ist bei ihrer Vermehrung auf die Anwesenheit eines Helfervirus angewiesen.

Pasargadai: Die Grabanlage mit dem Giebeldachhaus auf mehrstufigem Unterbau wurde bisher als Grabmal des Königs Kyros II. gedeutet, nach neueren Erkenntnissen scheint sie aber bereits von einem seiner Vorgänger angelegt worden zu sein

Parzelle [frz.] *die,* abgegrenztes Grundstück, Flurstück.

Parzen [lat. »die das Kind zur Welt bringen«], urspr. drei röm. Geburtsgöttinnen (Nona, Decuma, Morta); später den grch. →Moiren gleichgesetzt.

Parzival [-f-], (Parsival, Parsifal), Held des bedeutendsten und bestüberlieferten höfischen Romans, den Wolfram von Eschenbach um 1200–10 in 24810 Reimpaarversen schuf. Als Hauptquelle wurde der unvollendete Versroman »Perceval« (1181–88) von Chrétien de Troyes nachgewiesen. P. lebt nach dem Tod seines Vaters Gahmuret mit der Mutter Herzeloyde in einer einsamen bäuerl. Waldsiedlung, erhält eine ritterl. Erziehung durch seinen Onkel Gurnemanz, wird in die Artusrunde aufgenommen und schließlich König der Gralsburg, nachdem er in versch. Entwicklungsstufen die moral. Qualität zu diesem Amt erlangt hat. – Bühnenweihfestspiel »Parsifal« von R. Wagner, 1882. (→Artus)

Pas [pa; frz. »Schritt«] *der, Ballett:* Tanzschritt; **P. de deux,** Tanz zu zweit, die geschlossene Solo-Tanznummer für eine Ballerina und ihren Partner.

PAS, Abk. für **p**ara-**A**mino**s**alicylsäure (→Aminosalicylsäure).

Pa s (Pa · s), Einheitenzeichen für →Pascalsekunde.

Pasadena [pæsəˈdi:nə], Stadt in Kalifornien, USA, Wohnvorort von Los Angeles; 134800 Ew.; technolog. Institut (gegr. 1891), Forschungszentrum für Weltraumfahrt; Museen, Gemäldegalerien; Bau von elektron. Geräten, Präzisionsinstrumenten sowie Luftfahrt- und Raketenzubehör. Nördlich von P. der Mount Wilson mit Observatorium.

Pasargadai (Pasargadae), Ruinenstätte der Residenz des Achaimenidenkönigs Kyros II. (559–529 v. Chr.) nördlich von Schiras in S-Iran. In einer weiten, wüstenhaften Hochebene (1900 m ü. M.) liegen die Ruinen von zwei Palastanlagen, einer Zitadelle, zwei Grabbauten und einem hl. Bezirk mit Feuertempel und -altären.

Pascal, Blaise, frz. Mathematiker, Physiker und Religionsphilosoph, *Clermont-Ferrand 19. 6. 1623, †Paris 19. 8. 1662; baute die Kombinationslehre und die Wahrscheinlichkeitsrechung aus, entdeckte die Eigenschaften der Zykloide, erörterte das →pascalsche Dreieck, arbeitete an der Konstruktion einer Rechenmaschine, wies die Abnahme des Luftdrucks mit der Höhe durch Messungen mit dem Barometer nach und entdeckte das Gesetz der kommunizierenden Röhren. Im Kloster Port Royal wandte er sich nach einem myst. Erweckungserlebnis dem →Jansenismus zu (niedergelegt im »Mémorial«, 1654); seine »Lettres à un Provincial« (1656/57) sind ein scharfer Angriff gegen die Gesetzesmoral der Jesuiten. Eine Schrift zur Verteidigung des Christentums konnte er wegen seiner Krankheit nicht mehr vollenden (veröffentlicht u. d. T. »Pensées«, 1670).

Obwohl selbst Naturwissenschaftler, war P. im Religiösen der große Gegenspieler des naturwiss. Rationalismus und Optimismus; der Verstand könne nur zusammen mit einer »Logik des Herzens« funktionieren. Die Logik soll die genaue Grenze angeben, wo der Glaube beginnt, und die vom Glauben erzwungenen Widersprüche so exakt wie möglich formulieren. P. begründet seine Glaubensbeweise in Anlehnung an die geometr. Axiomatik und an die Wahrscheinlichkeitsrechnung. So kommt die Vernunft zur Einsicht ihrer Unzulänglichkeit und zu dem Entschluss, im Absurden und im log. Widerspruch das Zeichen der

Blaise Pascal

Logik des Herzens

Pascal gelangt in seinen 1669 veröffentlichten »Gedanken von Pascal über die Religion und einige andere Gegenstände«, gefunden nach seinem Tod unter seinen Aufzeichnungen (deutsch 1701 unter diesem Titel) zu der Erkenntnis, dass die Vernunft dem Menschen bewiesen habe, dass der Glaube an Gott notwendig sei. Das durch den Glauben erlangte Wissen von der Existenz Gottes muss aber durch die aus dem Gefühl kommende Liebe zu Gott gestützt werden, denn das Herz hat seine Gründe, die die Vernunft nicht kennt. Dieses Paradoxon wird dann als »Logik des Herzens« bezeichnet.

höchsten Wahrheit zu erkennen. – Wirkungsgeschichtlich reicht der Einfluss P.s über S. Kierkegaard, F. Nietzsche und die frz. Existenzialisten bis in die Gegenwart.

📖 LOEFFEL, H.: *B. P. 1623–1662. Basel u. a. 1987.* – BÉGUIN, A.: *B. P. Aus dem Frz. Reinbek 1992.*

Blaise Pascal: Ausschnitt aus einem zeitgenössischen Gemälde (Versailles, Schloss), darunter Autogramm

Pascal [nach B. Pascal] *das,* Einheitenzeichen **Pa,** abgeleitete SI-Einheit des Druckes; 1 Pa = 1 N/m² = 10^{-5} bar.

PASCAL [nach B. Pascal], höhere imperative →Programmiersprache, eine Weiterentwicklung von ALGOL 60, 1968–72 von dem Schweizer N. Wirth formuliert. P. stellt Ausdrucksmittel für die strukturierte Programmierung zur Verfügung und findet durch leichte Erlernbarkeit sowie die Entwicklung effizienter Übersetzer in vielen Anwendungsbereichen immer stärkere Verbreitung, v. a. auch auf Personalcomputern.

pascalscher Satz [nach B. Pascal], Satz der projektiven Geometrie: Verlängert man die Seiten eines einem regulären Kegelschnitt einbeschriebenen Sechsecks, so liegen die Schnittpunkte je zweier Gegenseiten auf einer Geraden, der **pascalschen Geraden.** Der p. S. ist die Dualform des →brianchonschen Satzes.

pascalsches Dreieck, ein von B. Pascal in Form eines gleichschenkligen Dreiecks aufgestelltes Zahlenschema, wobei jede Zahl die Summe der beiden ihr am nächsten stehenden Zahlen der vorausgehenden Reihe ist. Die Zahlen der $(n+1)$ten Reihe sind die →Binomialkoeffizienten von $(a+b)^n$.

pascalsches Gesetz [nach B. Pascal], das Grundgesetz der →Hydrostatik.

Pascalsekunde [nach B. Pascal], Einheitenzeichen **Pa s, Pa · s,** SI-Einheit der dynam. →Viskosität, 1 Pa s = 1 N s/m².

Pasch [frz.] *der,* beim Würfelspiel ein Wurf mit gleicher Augenzahl auf jedem Würfel; auch Dominostein mit gleicher Punktzahl auf beiden Seiten.

Pascha [türk.] *der,* im Osman. Reich Titel der obersten Offiziere und Beamten. In der Türkei wurde der Titel 1934, in Ägypten 1953 abgeschafft.

Paschalis, Päpste:

1) P. I. (817–24), †Rom 11. 2. 824; erhielt von Ludwig I., dem Frommen, den Besitz des Kirchenstaates und die Freiheit der Papstwahl bestätigt (817, »Pactum Ludovicianum«); krönte 823 Lothar I. zum Kaiser; Heiliger, Tag: 11. 2.

2) P. II. (1099–1118), *Bieda di Galeata (bei Ravenna), †Rom 21. 1. 1118; beendete den →Investiturstreit in England und Frankreich, unterstützte den Aufstand Heinrichs V. gegen seinen Vater. Sein Vorschlag einer radikalen Lösung des Investiturstreits im Reich (Investiturverzicht Heinrichs) scheiterte.

Paschen, Friedrich, Physiker, *Schwerin 22. 1. 1865, †Potsdam 25. 2. 1947; Prof. in Tübingen und Bonn, 1924–33 Präs. der Physikalisch-Techn. Reichsanstalt und Prof. an der Univ. Berlin; wandte die balmersche Formel auf die infraroten Linien des Wasserstoffspektrums an **(P.-Serie),** entdeckte, mit Ernst Back (*1881, †1959), den in starken Magnetfeldern auftretenden **P.-Back-Effekt** für die Aufspaltung der Linien eines Atomspektrums.

Paschtu (Paschto) *das,* ostiran. Sprache, von den Paschtunen in Afghanistan, dem Pandschab und in NO-Belutschistan gesprochen; seit 1936 Amtssprache Afghanistans.

Paschtunen (in Pakistan Pathanen, früher auch Afghanen), staatstragendes Volk Afghanistans, z. T. im heutigen Pakistan, rd. 23 Mio Angehörige; sprechen Paschtu; meist sunnit. Muslime. Außerhalb der großen Städte wird die paschtun. Gesellschaft noch weitgehend durch das Stammeswesen mit seinem strengen Ehrenkodex geprägt.

```
                1
              1   1
            1   2   1
          1   3   3   1
        1   4   6   4   1
      1   5  10  10   5   1
    .   .   .   .   .   .   .   .
```

pascalsches Dreieck

Pascoais [paʃˈku̯aiʃ] (Teixeira de P.), eigtl. Joaquim Pereira Teixeira de Vasconcelos, portugies. Dichter, *Gatão (Prov. Porto) 2. 11. 1877, †ebd. 14. 12. 1952; schrieb Lyrik, Dramen, Biographien (»Paulus, der Dichter Gottes«, 1934), Romane und Essays im Sinne eines mystisch-pantheist. Sehnsuchtskults, der seine Werte aus der portugies. Vergangenheit bezieht (»Saudosismo«).

Pasadena Stadtwappen

Giovanni Pascoli

Pascoli, Giovanni, italien. Dichter, *San Mauro di Romagna (heute San Mauro Pascoli, Prov. Forlì-Cesena) 31. 12. 1855, †Bologna 6. 4. 1912; ab 1905 Prof. für italien. Literatur in Bologna. P. erneuerte die italien. Lyrik: In einfacher, am klass. Latein geschulter Sprache besingt er – meist in melanchol. Stimmung – die Natur und die Welt des Kindes (u.a. »Myricae«, 1892; »Primi poemetti«, 1897; »Canti di Castelvecchio«, 1903; »Le canzoni di re Enzio«, 1908; zweisprachige Auswahl: »Die letzte Fahrt. L'ultimo viaggio«, 1989). Übersetzungen von Homer; Dantekommentar.

Pas de Calais [padka'lɛ], frz. Name der Straße von →Dover.

Pas-de-Calais [padka'lɛ], Département in N-Frankreich, an der Kanalküste, 6671 km², (1995) 1,435 Mio. Ew.; Hptst. ist Arras.

Pasewalk
Stadtwappen

Pasewalk, Kreisstadt des Landkreises Uecker-Randow in Meckl.-Vorp., am rechten Ufer der Uecker, 13700 Ew.; Futtermittelwerk, Eisengießerei, Nahrungsmittel- und Baustoffindustrie. – Schachbrettartige Stadtanlage mit z.T. mittelalterl. Befestigung; Hallenkirchen St. Marien (14. Jh.) und St. Nikolai (13. und 16. Jh.). – Um 1050 erwähnt; um 1250 (Magdeburger) Stadtrecht.

Nicola Pašić

Pašić ['paʃitɕ], Nikola, serb. Politiker, *Zaječar 31. 12. 1845, †Belgrad 10. 12. 1926; leitete 1891/92 und mit kurzen Unterbrechungen 1904–18 als MinPräs. die Politik Serbiens in enger Anlehnung an Russland mit dem Ziel der Vereinigung der Serben mit den Südslawen Österreich-Ungarns. Als jugoslaw. MinPräs. (1921–26) förderte er den großserb. Zentralismus gegenüber den Kroaten und Slowenen.

Pasigraphie [grch. »Allgemeinschrift«] *die,* →Ideographie.

Pasing, seit 1938 Stadtteil von München.

Pasiphae, 1) *Astonomie:* ein Mond des Planeten →Jupiter.

2) *grch. Mythos:* Tochter des Helios, Gemahlin des Minos (Mutter der Ariadne und der Phädra); entbrannte in leidenschaftl. Liebe zu einem Stier und gebar den Minotaurus.

Pasłęka [pa'sṷɛŋka], Fluss in Polen, →Passarge.

Pasmore ['pɑːsmɔː], Victor, brit. Maler und Grafiker, *Warlingham (Cty. Surrey) 3. 12. 1908; anfangs gegenständl. Darstellungen, später neben konstruktivist. Kompositionen, die sich der Objektdimension nähern, auch zweidimensionale Arbeiten mit großen klaren und pointierten Formen auf hellem Grund.

Pier Paolo Pasolini

Paso, Fernando del, mexikan. Schriftsteller, *Mexiko 1. 4. 1935; Autor fantastisch-surrealist. Romanwerke von universalgeschichtl. Dimensionen, u.a. »José Trigo« (1966), »Palinurus von Mexiko« (1977), »Nachrichten aus dem Imperium« (1987).

Paso doble [span. »Doppelschritt«] *der,* lateinamerikan. Gesellschaftstanz im $^2/_4$- oder $^3/_4$-Takt; nach 1945 Turniertanz.

Victor Pasmore: »Binnensee« (1950; London, Tate Gallery)

Pasolini, Pier Paolo, italien. Schriftsteller, Filmregisseur und -schauspieler, *Bologna 5. 3. 1922, †(ermordet) Ostia 1. 11. 1975. Seine kompromisslose Haltung und die hohe Gestaltungskunst bei schonungsloser Offenheit machen P. zu einer zentralen Gestalt der italien. Literatur und des internat. Films der Nachkriegszeit. Er schrieb Lyrik, z.T. in friaul. Sprache (u.a. »Poesie a Casarsa«, 1942; »Gramsci's Asche«, 1957), neorealist. Romane (»Vita violenta«, 1959; »Der Traum von einer Sache«, 1962), kulturkrit. Essays (»Freibeuterschriften«, 1975), Tagebücher und Theaterstücke (»Pylades«, 1968; »Affabulazione oder Der Königsmord«, 1971). Als Drehbuchautor arbeitete P. u.a. für F. Fellini. Seine eigenen, ab 1961 entstandenen Filme stehen zunächst in der neorealist. Tradition (»Mamma Roma«, 1962), die späteren sind metaphys. Parabeln aus archaischen oder surrealen Welten: »Das 1. Evangelium Matthäus« (1964), »König Ödipus« (1967), »Teorema« (1968), »Medea« (1969), »Decamerone« (1970), »Die 120 Tage von Sodom« (1975).

📖 ZIGAINA, G.: *P. u. der Tod. A. d. Italien. München u. a. 1989.* – NALDINI, N.: *P. P. P. Eine Biographie. A. d. Italien. Berlin 1991.* – SCHWEITZER, O.: *P. P. P. mit Selbstzeugnissen u. Bilddokumenten. Reinbek 1991.*

Paspel (frz. Passepoil) *die,* schmales Band mit angewebtem Wulstrand; dient zur Einfassung und Verzierung von Geweberändern und als Vorstoß z.B. an Kanten, Kragen und Taschen.

PA-Sprengstoffe, →Ammonite.

Pasquill [italien.] *das,* anonyme oder pseudonyme, gegen eine bestimmte Persönlichkeit gerichtete Schmähschrift. Die Bez. geht auf einen bildhauer. Torso zurück, der nach einem schmähsüchtigen Mann namens Pasquino benannt und

1501 vor dem Palazzo Braschi in Rom aufgestellt wurde. Dichter, Professoren und Studenten pflegten an dieser Statue scharfe satir. Epigramme (Pasquinate) anzuheften.

Pass [von lat. passus »Schritt«] *der,* **1)** *Baukunst:* got. Maßwerkfigur, gebildet aus Kreisbögen gleichen Durchmessers; nach deren Zahl unterscheidet man u.a. Dreipass, Vierpass.

2) *Geographie:* von der Natur vorgezeichnete begeh- oder befahrbare, meist schmale Einsattelung an einer Wasserscheide, v.a. im Hochgebirge; zur **Passhöhe** führen die **Passstraßen** als Zugangswege. Ein schmaler steilwandiger P. heißt **Engpass.**

3) *Recht:* Urkunde zur Legitimation im internat. Verkehr, die auch im Inland als Ausweis (→Personalausweis) gilt. Der Passinhaber genießt den konsular. Schutz des passausstellenden Staates. In fast allen Staaten besteht für den Grenzübertritt und den Aufenthalt von Ausländern eine Passpflicht, häufig ergänzt durch einen Sichtvermerkzwang (Visum, →Sichtvermerk). Ausnahmen von der Passpflicht sind im Einzelfall aus humanitären Gründen möglich. Ferner genügt in weiten Teilen (v.a. West-)Europas und im Verhältnis zu den OECD-Staaten die Vorlage des Personalausweises (Weiteres zu Personenkontrollen: →Schengener Abkommen).

In Dtl. unterliegt das Passwesen der ausschl. Gesetzgebung des Bundes (Art. 73 Ziff. 3 GG), die Ausführung obliegt den Ländern. Maßgebend ist das Pass-Ges. vom 19. 4. 1986 mit ergänzenden Vorschriften. Der P. darf nur Deutschen im Sinne des Art. 116 Abs. 1 GG ausgestellt werden. Seit 1. 1. 1988 wird ein maschinenlesbarer, angeblich fälschungssicherer P. nach europ. Muster (Europ. Reisepass) als gebührenpflichtiges nat. Dokument ausgegeben. Für Eil- und Notfälle ist der vorläufige P. vorgesehen; amtl. P. sind der Dienst-, Ministerial- und Diplomatenpass. Als **Passersatz** sind u.a. zugelassen: Personalausweis, Kinderausweis (für Kinder und Jugendliche unter 16 Jahren), Seefahrtbücher, Ausweise für Binnenschiffer, Lizenzen und Besatzungsausweise für Fluglinienpersonal. Die Gültigkeit des Reisepasses beträgt 10 Jahre für Personen ab dem 26. Lebensjahr; eine Verlängerung ist unzulässig. Der P. kann aus bestimmten Gründen (z.B. zum Schutz innerer oder äußerer Belange der Bundesrep. Dtl.) versagt oder entzogen werden. P. und Personalausweis der DDR waren bis 31. 12. 1995 gültig. – In *Österreich* ist das Passwesen im Pass-Ges. 1992 bundeseinheitlich ähnlich wie in Dtl. geregelt; die gewöhnl. Gültigkeitsdauer für P. beträgt zehn Jahre. In der *Schweiz* gilt die Pass-VO vom 17. 7. 1959. Seit dem 1. 4. 1985 wird ein neu gestalteter fälschungssicherer P. ausgegeben; der bisherige verlor zum 1. 1. 1991 seine Gültigkeit.

4) *Zoologie:* (Passgang) eine Gangart der Vierfüßer (z.B. beim Kamel, seltener beim Pferd), bei der die rechten oder linken Beinpaare gleichzeitig gesetzt werden; führt zu schaukelnder Bewegung; im Pferdesport (Dressur) unerwünscht.

Passacaglia [-'kalja, italien.] *die,* zwei- bis viertakt. Satzmodell span. Ursprungs in langsamen $^3/_4$-Takt, das in Italien im 17. Jh. als Vor-, Zwischen- und Nachspiel in Arien und Tänzen, auch in der Bühnenmusik, verwendet wird. Daneben erscheint im 17./18. Jh. die P. als Variationskomposition über einer ständig wiederholten vier- oder achttaktigen Bassmelodie (Basso ostinato), die vorherrschend wird. Bes. bekannt ist die Orgel-P. von J. S. Bach.

Passage [pa'sa:ʒə, frz.] *die,* **1)** *allg.:* 1) Durchgang, Durchfahrt; 2) Textabschnitt.

2) *Architektur:* Ladenstraße, die durch einen Häuserkomplex führt.

3) *Musik:* schnelle auf- oder absteigende Tonfolge in solist. Instrumental- oder Vokalmusik, sowohl als Tonleiter-P. wie als Akkordpassage.

4) *Reitsport:* Figur der hohen Schule, Trab in höchster Versammlung (Schwungtrab).

Passageinstrument [pa'sa:ʒə-], →Durchgangsinstrument.

Passage 2): Mädlerpassage in Leipzig

Passah [hebr.] *das* (Pessach, Pascha), jüd. Fest zur Erinnerung an den Auszug der Israeliten aus Ägypten (Exodus; 2. Mose 12); eines der drei jüd. Hauptfeste (neben dem Laubhütten- und dem Wochenfest). Das P.-Fest beginnt am Abend des ersten Frühlingsvollmonds (14. Nissan) und dauert

Passau 2) am Zusammenfluss von Inn (vorn), Donau (Mitte) und Ilz; auf der Landzunge zwischen Inn und Donau liegt die Altstadt mit dem 1668-78 erbauten barocken Dom am Ufer des Inns, über der Donau die mittelalterliche, im 16.-18. Jh. barock ausgebaute Feste Oberhaus und auf der Landspitze zwischen Donau und Ilz die auf das 14. Jh. zurückgehende Feste Niederhaus

in Israel sieben, in der Diaspora acht Tage. Charakteristisch ist der Verzehr bestimmter Speisen mit symbol. Bedeutung (z.B. Bitterkräuter, →Mazza). Das Bratenstück erinnert an das **P.-Lamm,** das bis zur Tempelzerstörung (70 n.Chr.) zu P. im Jerusalemer Tempel geopfert wurde.

📖 SCHMITT, RAINER: *Exodus u. Passa, ihr Zusammenhang im A. T. Freiburg im Breisgau u. a.* [2]*1982.*

Passarge *die* (poln. Pasłęka), Fluss in Polen, entspringt bei Hohenstein, mündet ins Frische Haff; 169 km lang.

Passarge, Siegfried, Geograph, *Königsberg (Pr) 26. 2. 1867, †Bremen 26. 7. 1958; Prof. in Breslau (1905) und Hamburg (seit 1908); bereiste v.a. Afrika und Südamerika; zahlr. Beiträge zur Geomorphologie und Landschaftskunde.

Passarowitz, Stadt in Serbien, →Požarevac.

Passate [niederländ.], sehr beständige bodennahe Winde, die auf beiden Erdhalbkugeln vom subtrop. Hochdruckgürtel zur äquatorialen Tiefdruckrinne gerichtet sind; infolge der Bodenreibung und Erddrehung auf der Nordhalbkugel wehen sie als **Nordost-P.,** auf der Südhalbkugel als **Südostpassate.**

Passau, 1) Landkreis im RegBez. Niederbayern, Bayern, 1530 km², (1996) 183200 Einwohner.

Passau 2)
Stadtwappen

2) kreisfreie Stadt und Verw.sitz von 1), am Zusammenfluss von Donau, Inn und Ilz, 50800 Ew.; Univ.; zahlr. Museen; Zahnradfabrik, Druckereien, elektrotechn., Bekleidungsind., Orgelbau, Glockengießerei, Brauereien; Ausgangspunkt der Personenschifffahrt auf der Donau; dt.-österr. Grenzstadt. – Auf der Landzunge zw. Donau und Inn liegt die Altstadt, rechts am Inn die Innstadt (mit der Wallfahrtskirche Mariahilf, 1627), an Donau und Ilz die ehem. Fischer- und Schoppersiedlung (Schiffbauer) Ilzstadt. In der Altstadt befindet sich der Dom St. Stephan (Krypta 1261, spätgot. Chor, sonst 1668–78) mit einer der größten Kirchenorgeln (1924–28), südlich die alte bischöfl. Residenz (14. Jh., 1662–80 erneuert), östlich die Neue Residenz (1771 vollendet). Weitere Bauwerke: Severinskirche (im 5. Jh. gegr., flach gedecktes Langhaus 9. Jh., Chor um 1476), Heiligengeistspital (1345) mit Kirche (1442), Salvatorkirche (1479), St. Paul (1678), Marian. Votivkirche (1619) u.a. Kirchen; Rathaus (Kernbau 1393, Binnenhöfe und Laubengänge 16./17. Jh.). Links der Donau Schloss Freudenhain (Ende 18. Jh.), über der Stadt die ehem. Feste Oberhaus (1219 begonnen, im 14./15. Jh. und 16.–18. Jh. ausgebaut), auf der Landspitze zw. Donau und Ilz die ehem. Feste Niederhaus (wohl seit dem 14. Jh.). – Im 1. Jh. v. Chr. kelt. Siedlung **(Boiodorum),** im 1. Jh. n. Chr. röm. Kastell **(Boiotro);** namengebend wurde das Mitte des 2. Jh. für die 9. Bataverkohorte errichtete Lager **Batavis.** Im 7. Jh. bayer. Herzogshof; im 8. Jh. karoling. Königshof, seit 739 Bischofssitz; 999–1803 bischöfl. (seit 1217 fürstbischöfl.) Herrschaft; 1255 Stadtrecht.

3) Bistum und ehem. Hochstift. 739 Bestätigung des Bistums durch Bonifatius; seit 798 Suffraganbistum von Salzburg; seit 1612 Entwicklung zu einem Zentrum der Gegenreformation; unter Kaiser Joseph II. Abtrennung des österr. Teils des Bistums (sechs Siebentel seines Territoriums); seit 1728 exemtes Bistum; 1803 Säkularisation; 1817/21 Bildung der neuen Diözese P. als Suffraganbistum von München-Freising.

Passauer Vertrag, zw. Kurfürst Moritz von Sachsen und dem Röm. König Ferdinand I. geschlossener Vertrag, am 15. 8. 1552 von Kaiser Karl V. bestätigt; setzte die seit 1547 (→ Schmalkaldischer Krieg) gefangen gehaltenen Fürsten Johann Friedrich I. von Sachsen und Philipp den Großmütigen von Hessen wieder in Freiheit, hob das Augsburger Interim (1548) auf und bereitete den Augsburger Religionsfrieden (1555) vor.

Passeiertal (italien. Val Passiria), linkes Seitental der Etsch in Südtirol, 34 km lang, von der Passer durchflossen, die, vom Timmelsjoch kommend, bei Meran mündet; Hauptort ist Sankt Leonhard (693 m ü. M.; 3 000 Ew.), Fremdenverkehr.

Passepartout [paspar'tu:, frz.] *das* oder *der,* meist unter Glas liegende Papier- oder Kartonumrahmung für eine Zeichnung, Grafik, Fotografie.

Passepied [pas'pje, frz.] *der,* alter frz. Rundtanz in raschem 3/4- oder 3/8-Takt, vom 16. bis 18. Jh. beliebter Hof- und Gesellschaftstanz; auch in die Suite übernommen.

Passgang, *Zoologie:* Gangart der Vierfüßer, → Pass.

Passiergewicht, gesetzl. Mindestgewicht umlaufender Münzen; auch (16./17.–19. Jh.) Gewichtsstück zur Prüfung von Münzgewichten.

Passierscheinabkommen, vier Abkommen, zw. 1963 und 1966 von Vertretern des Senats von Berlin (West) und der DDR unterzeichnet. Danach konnten die Bewohner von Berlin (West) zu bestimmten Zeiten (z. B. Ostern, Weihnachten) Verwandte in Berlin (Ost) besuchen.

Passiflora [lat.], die Gattung → Passionsblume.

Passion [lat.] *die,* **1)** *allg.:* starke, leidenschaftl. Neigung, Liebhaberei.

2) *bildende Kunst:* Darstellungen aus der Leidensgeschichte Christi in Malerei und Plastik, seit frühchristl. Zeit v. a. als Zyklus (Türreliefs von Santa Sabina in Rom, Glasmalereien in der Kathedrale von Chartres, Lettnerreliefs im Naumburger Dom, Fresken Giottos in der Arenakapelle in Padua, graf. Folgen von M. Schongauer und A. Dürer).

3) *christl. Religion:* das Leiden und Sterben Jesu Christi (P.-Geschichte).

4) *Musik:* In der Liturgie der Karwoche wird die Leidensgeschichte Christi nach den vier Evangelisten feierlich vorgelesen oder gesungen. Frühe Beispiele für eine musikal. Ausgestaltung einzelner Textpartien gibt es aus dem 15. Jh. Im 16./17. Jh. bildete sich ein Typus mit geteilter Vortragsweise in einstimmige chorale Rezitation (Evangelist) und mehrstimmigen Choralsatz (übrige Partien) heraus, der wegen der kontrastierenden Stimmen- und Rollenzuweisung **responsoriale P.** genannt wird (z. B. O. di Lasso, J. Walter, H. Schütz). Ein zweiter Typus mit durchgängig mehrstimmiger, motett. Satzweise **(durchkomponierte P.)** begegnet u. a. bei J. a Burck, C. de Rore, L. Lechner und C. Demantius. Im Zuge der Entwicklung des Generalbassstils entstand im 17. Jh. die **orator. P.** für Einzelsänger (Evangelist, Christus usw.), Chor und Orchester; sie bringt außer dem Bibeltext lyr. und lehrhafte Betrachtungen in Rezitativ- und Arienform für die Einzelsänger sowie selbstständige Instrumentalstücke. Orator. P. wurden u. a. vertont von G. F. Händel, G. P. Telemann, R. Keiser, G. Böhm, J. P. Krieger. Höhepunkte bilden die beiden P. von J. S. Bach (»Johannes-P.«, 1724; »Matthäus-P.«, 1729). Daneben gibt es zwei weitere P.-Typen, die sich von den vorgenannten P. durch eigens gedichtete Texte unterscheiden: die **P.-Kantate** (z. B. »Der Tod Jesu«, Dichtung von K. W. Ramler, Musik K. H. Graun, 1755) und das **P.-Oratorium** (z. B. »Der für die Sünde der Welt gemarterte und sterbende Jesus«, Dichtung von B. H. Brockes, 1712, jeweils vertont von R. Keiser, G. F. Händel, G. P. Telemann, J. Mattheson). P.-Oratorien wurden auch von A. Caldara, A. Scarlatti, N. Jommelli, G. Paisiello und J. A. Hasse geschaffen. Im 20. Jh. wurde im Zuge der Wiederentdeckung der klass. Vokalpolyphonie auf die A-cappella-Formen der responsorialen und der durchkomponierten P. (H. Distler, J. Ahrens, E. Pepping, K. Thomas) zurückgegriffen. Zum anderen entstanden P., die sich an den Mitteln der Neuen Musik orientieren und sich nicht mehr den oben genannten P.-Typen zuordnen lassen (K. Penderecki, M. Kagel).

Passional *das,* um 1300 entstandenes, 110 000 Reimverse umfassendes Sammelwerk in drei Büchern, von denen das erste wunderbare Ereignisse aus dem Leben Jesu sowie Marienlegenden, das zweite Leben, Werk und Wunder der Apostel und Johannes des Täufers sowie eine Erzählung über den Erzengel Michael, das dritte v. a. 75 Heiligenviten nach der Ordnung des Kirchenkalenders enthält.

passionato [italien.] (appassionato), musikal. Vortragsbezeichnung: leidenschaftlich.

Passionsblume (Passiflora), Gattung der zweikeimblättrigen Familie P.-Gewächse; meist kletternde Halbsträucher oder Stauden, v. a. im trop. Amerika. Die bis 25 cm großen Früchte (Grenadillen, Granadillen) sind bei einigen amerikan. Arten essbar (→ Maracuja). P. sind beliebte Zimmerpflanzen, z. B. die **Blaue P.** (Passiflora violacea).

Passionsblume: Zuchtform der Blauen Passionsblume (Durchmesser der Blüte bis 9 cm)

Passionsspiele, geistl. Schauspiele, die das Leiden und Sterben Christi darstellen; urspr. Erweiterungen der → Osterspiele. (→ Oberammergau)

Passionszeit, seit dem 9. Jh. gebräuchl. Bez. für den Abschnitt des Kirchenjahres, der dem Gedächtnis der → Passion Jesu Christi gewidmet ist; in der kath. Kirche bis 1969 die beiden letzten Wochen der 40-tägigen Fastenzeit; in den evang. Kirchen die Zeit vom Sonntag Invocavit bis Karsams-

Pastell (von oben): Odilon Redon, »Anemonenstrauß« (um 1910; Paris, Musée du Petit Palais); Horst Janssen, Blatt aus der Folge »Paranoia« (1982)

tag; in den orth. Kirchen die 40-tägige Fastenzeit mit einer vier Sonntage umfassenden Vorfastenzeit.

passiv [auch -'si:f; lat.], untätig, keine Initiative ergreifend; leidend, hinnehmend; willensträge.

Passiv (Passivum) *das, Sprachwiss.:* Leideform, verbale Kategorie, bei der das grammat. Subjekt nicht Träger der Handlung, sondern von ihr betroffen ist; Ggs.: →Aktivum. (ÜBERSICHT Verb)

Passiva (Passiven), Vermögensteile eines Unternehmens, die auf der **Passivseite** (Habenseite) der →Bilanz ausgewiesen werden: Eigenkapital, Rückstellungen, Verbindlichkeiten; Ggs.: →Aktiva.

passiver Widerstand, →gewaltfreier Widerstand.

Frédéric Passy

Passivgeschäfte, Bankgeschäfte, die sich als Verbindlichkeiten auf der Passivseite der Bankbilanz niederschlagen (u.a. Sicht-, Termin-, Spareinlagen, langfristige Darlehen, Emission von Sparbriefen und Schuldverschreibungen); Ggs.: →Aktivgeschäfte.

Passivierung, 1) *Betriebswirtschaftslehre:* kontenmäßiges Erfassen von Positionen auf der Passivseite der Bilanz; die passivierten Werte heißen Passiva.

2) *Chemie:* natürl. Bildung oder künstl. Erzeugung eines elektrochem. Zustandes von Metalloberflächen, wodurch die Metalle chem. Widerstandsfähigkeit **(Passivität)** gewinnen und vor Korrosion geschützt sind. Dieser Zustand beruht z.B. auf der Bildung einer porenfreien dünnen Oxiddeckschicht bei Aluminium, Nickel oder Chrom, die das darunter liegende Metall schützt. P. wird erreicht durch anod. Oxidation der Oberfläche **(anodischer Korrosionsschutz)** oder chem. Stoffe wie Chromate, Nitrite oder Hydrazin in Gegenwart von Sauerstoff **(Passivatoren).** Bestimmte Metalle und Legierungen (z.B. »nicht rostender Stahl«) werden an der Luft spontan passiv.

Passivlegitimation, *Prozessrecht:* →Sachlegitimation.

Passung, *Technik:* die Beziehung zw. gepaarten Teilen (z.B. Welle und Lager), die durch den Maßunterschied bestimmt wird und eine bestimmte Funktion sowie die Austauschbarkeit sicherstellt. Nach der Art der Passflächen unterscheidet man **Rund-, Flach-** und **Kegelpassung.** Der Herstellungsspielraum für das Maß des fertigen Werkstückes wird im ISO-Toleranzsystem als Toleranzfeldgröße durch eine Ziffer gekennzeichnet. Man unterscheidet je nach Toleranzfeldgröße und -lage **Spiel-P.** (nach dem Paaren ist Spiel vorhanden), **Press-P.** (nach dem Paaren besteht eine Pressung zw. den Teilen) und **Übergangs-P.** (es kann Spiel oder Pressung vorhanden sein).

Passus [lat.] *der,* **1)** *allg.:* Abschnitt, Stelle eines Textes.

2) altröm. *Längeneinheit,* entsprach 1,48 m.

Passy [pa'si], Frédéric, frz. Volkswirtschaftler und Politiker, * Paris 20. 5. 1822, † Neuilly-sur-Seine 12. 6. 1912; Mitbegründer der Internat. Friedensliga (1867) und der Interparlamentar. Union (1888), 1881–89 liberaldemokrat. Abgeordneter; erhielt 1901 mit H. →Dunant den Friedensnobelpreis.

Paste [zu italien.-mlat. pasta »Teig«, »Brei«] *die,* **1)** *allg.:* streichbare Masse.

2) *Pharmazie:* teigige, streichfähige Salbenzubereitung zur äußerl. Anwendung auf der Haut.

Pastell [italien.] *das,* ein mit Pastellfarben gemaltes Bild. Die **Pastellfarben** werden aus Farbpaste in Stiftform gepresst. Sie haften nur leicht auf der Oberfläche und können zu feinsten Übergängen »vertrieben« werden; durch Besprühen mit Fixativ werden die Farben wischfest gemacht. Die zarten, duftigen Farben des P. entsprachen bes. dem Geschmack des 18. Jh., in dem Rosalba Carriera das Bildnis-P. zur Vollendung entwickelte und bed. Nachfolger in M. Q. de La Tour, J.-B. Perronneau und J.-E. Liotard fand. In neuerer Zeit malten und zeichneten mit P.-Farben bes. É. Manet, O. Redon, E. Degas, H. de Toulouse-Lautrec, M. Liebermann und H. Janssen.

📖 HANDELL, A. *u.* TRAINOR, L.: *Pastellmalerei. A. d. Amerikan. Wiesbaden u. a. 1985.*

Pasternạk, Boris Leonidowitsch, russ. Schriftsteller, *Moskau 10. 2. 1890, †Peredelkino (bei Moskau) 30. 5. 1960; Sohn des Malers Leonid P. (*1862, †1945); studierte in Moskau und Marburg; in seiner Lyrik und in Verserzählungen Meister einer bildreichen, musikal. Sprache (Lyriksammlung: »Meine Schwester, das Leben«, 1922; »Die zweite Geburt«, 1932; »Wenn es aufklart«, 1956/59; Prosa: »Lüwers Kindheit«, 1924); fand weltweite Beachtung durch seinen Roman »Doktor Schiwago« (zuerst in italien. Übersetzung 1957; verfilmt; Abdruck in »Nowy Mir« 1988), der wegen seiner nicht systemkonformen Auffassung der Revolution und seiner religiösen Aussage in der UdSSR nicht erscheinen durfte. Autobiographisch ist »Menschen und Standorte« (1957 entstanden, 1967 veröffentlicht). P. war auch ein hervorragender Übersetzer (Shakespeare, Goethe, Kleist, Rilke). Den Nobelpreis 1958 musste er ablehnen (1989 postum an seinen Sohn J. Pasternak überreicht).

📖 *Erinnerungen an B. P., hg. v.* F. THUN. *A. d. Russ. Berlin 1994.*

Louis Pasteur (1894), darunter Autogramm

Pastẹrze *die,* größter Gletscher der Ostalpen, in den Hohen Tauern, Österreich, am Fuß des Großglockners, 20 km² Eisfläche, 9 km lang.

Boris Pasternak (1958)

Pastẹte [lat.] *die, Gastronomie:* 1) feine, kalte, schnittfähige Fleisch- oder Fischspeise; 2) als warmes Gericht eine mit Ragout gefüllte (Blätterteig)hülle mit Deckelteil; 3) Konfiserieware in der Art von Pralinen.

Pasteur [pas'tœ:r], Louis, frz. Chemiker und Mikrobiologe, *Dole 27. 12. 1822, †Villeneuve-l'Étang (heute Marnes-la-Coquette, bei Sèvres) 28. 9. 1895; gründete 1888 das →Institut Pasteur. P. entdeckte an den Salzen der Weinsäure die opt. Isomerie und schuf die Grundlagen für die Stereochemie und Polarimetrie. Ab 1854 beschäftigte er sich mit der alkohol. Gärung und entdeckte, dass sie stets von Mikroorganismen hervorgerufen wird und dass Erhitzen zur Abtötung von Mikroorganismen führt (→Pasteurisieren). Auch bei Tierkrankheiten sowie bei Sepsis und eitrigen Erkrankungen erkannte P. Mikroorganismen als Ursache und entwickelte ab 1881 Impfstoffe gegen Geflügelcholera, Schweinerotlauf und Milzbrand. Aus dem Rückenmark tollwütiger Tiere gewann P. einen Impfstoff gegen Tollwut, den er 1885 erstmals erfolgreich erprobte.

Pasteurisieren [pastør-; nach L. Pasteur], Haltbarmachen von Lebensmitteln, bes. Getränken (z. B. Milch, Obstsäfte, Bier), mittels Wärmebehandlung. Durch Kurzzeiterhitzen auf Temperaturen unter 100 °C werden die lebensmitteleigenen und mikrobiellen Enzyme inaktiviert und die vegetativen Zellen der meisten Bakterien abgetötet; im Gegensatz zum Sterilisieren bleiben jedoch die Bakteriensporen keimfähig. Pasteurisierte Lebensmittel sind daher nur beschränkt haltbar.

Pasticcio [pas'tittʃo; italien. »Pastete«, »Mischmasch«] *das,* **1)** *Kunstgeschichte:* im 17. Jh. aufgekommene Bez. für ein Bild oder eine Skulptur, in denen die Manier oder einzelne Motive anderer Künstler, oft in betrüger. Absicht, nachgeahmt sind.

2) *Musik:* aus Teilen verschiedener Opern eines oder mehrerer Komponisten zusammengestelltes

Pastinak: Gemeiner Pastinak (Höhe 30–100 cm)

»neues« Werk; auch Musikstück, zu dem mehrere Komponisten Sätze lieferten.

Pastinak [lat.] *der* (Pastinaca), Gattung der Doldengewächse mit 14 Arten in Europa und W-Asien. In Dtl. kommt nur der formenreiche **Gemeine P.** (Pastinaca sativa) vor.

Pastis [frz.] *der,* Kräuteraperitif mit dominierendem Anteil von Anisöl; wird meist mit Wasser (oder Eis) verdünnt.

Pasto (San Juan de P.), Hauptstadt des Dep. Nariño, Kolumbien, 2525 m ü.M., am Fuß des Vulkans Galeras (4276 m ü.M.), 310700 Ew.; Univ.; Konsumgüterindustrie.

Pastor [auch pas'to:r; lat. »Hirt«] *der,* bes. in Nord-Dtl. übliche Bez. für kath. und evang. Pfarrer; auch als Anrede.

Pastor, Ludwig Freiherr von Campersfelden (seit 1916), Historiker, *Aachen 31. 1. 1854, †Innsbruck 30. 9. 1928; ab 1886/87 ebd. Prof., 1901 Direktor des Österr. Histor. Inst. in Rom, 1920 österr. Gesandter beim Vatikan. Sein Hauptwerk ist die »Gesch. der Päpste seit dem Ausgang des MA., 1477–1799« (16 Bde., 1886–1933, ab Bd. 13 hg.).

Pastoralbriefe, seit dem 18. Jh. Sammelbez. für drei an die Paulusschüler Timotheus und Titus gerichtete Briefe im N. T. (1./2. Tim., Tit.). Die P. sind von der paulin. Theologie geprägt; die Verfasserschaft des Paulus wird jedoch in der heutigen Forschung fast einhellig ausgeschlossen.

Pasyryk: Leichnam eines skythischen Fürsten (3. Jh. v. Chr.); der Konservierungszustand des in einem Baumsarg liegenden Toten ist auf nach und nach in die Grabkammer eingedrungenes und später gefrorenes Wasser zurückzuführen

Pastorale [italien. »Hirtenstück«] *das* auch *die,* eine vom Schäferspiel des Sprechtheaters ausgehende Operngattung, v.a. im 17. und 18. Jh. In der Instrumentalmusik finden sich Pastoralsätze mit charakterist. 6/8-Takt und Imitation von Schalmeienmelodik, u.a. bei J. S. Bach, G. Frascobaldi, G. Torelli, F. Manfredini. Davon ist auch die weihnachtl. Pastoralmesse geprägt (F. Durante, M. Haydn, K. Kreutzer). Dem Bereich der Programmmusik stehen Pastoralsinfonien der Zeit um 1800 nahe (u.a. auch L. van Beethovens 6. Sinfonie F-Dur op. 68, Uraufführung 1808 in Wien).

Pastoralsynode, *kath. Kirche:* die aus Bischöfen, anderen Klerikern und Laien zusammengesetzte Gesamtsynode eines Landes.

Pastoraltheologie, innerhalb der kath. Theologie Bez. für die →praktische Theologie; in der evang. Theologie die Berufstheorie zum Pfarrerberuf.

Pastorelle [frz. »Schäferlied«] *die* (Pastourelle), lyr. Form der europ. Literatur des Mittelalters. Thema ist die Werbung eines Ritters um die Gunst einer Schäferin; die Blütezeit der altprovenzal., altfrz. und mhd. P. lag im 13. Jahrhundert.

pastos [italien.], **1)** *allg.:* dickflüssig, teigartig.
2) *Malerei:* dick aufgetragen (von Ölfarben).

Pasyryk, Trockental im östl. Altai, Russland. Im P. wurden 1929 und 1947–49 fünf größere und neun kleinere Kurgane (Grabhügel) ausgegraben, in denen das Bodeneis die einbalsamierten Toten, skyth. Häuptlinge des 5.–3. Jh. v. Chr., konserviert hatte; diese waren in ihren Festgewändern, mit kostbarem Hausrat sowie mit ihren Reit- und Zugpferden bestattet worden.

Patagonien, der südlichste Teil Südamerikas, südlich des Río Colorado, umfasst die beiden Großlandschaften West- und Ost-P. Der Feuerlandarchipel wird oft ebenfalls zu P. gezählt. **West-P.** umfasst die Patagon. Kordillere, also die stark vergletscherten, bis 4058 m hohen Anden südlich des 38. Breitengrades, mitsamt den vorgelagerten Halbinseln und Inseln und ist weitgehend chilenisches Staatsgebiet. **Ost-P.,** das eigentl. P. (etwa 650000 km^2), umfasst das der Patagon. Kordillere östlich vorgelagerte Tafel- sowie Schichtstufenland, das außer einem kleinen Gebiet an der Magellanstraße zu Argentinien gehört. Im Regenschatten der Anden gelegen, ist es trocken und weist nur niedrige Sträucher, Büschelgräser und im S Polsterpflanzen auf. – Die O-Küste wurde 1520 von F. de Magalhães entdeckt. Die Besiedlung setzte nach 1883 ein; eingeführt wurde Schafzucht, zunächst zur Erzeugung von Wolle, später auch von Fett und Fleisch. Gefrierfleischfabriken in den Hafenstädten exportieren direkt. Neben Steinkohlenabbau in El Turbio bed. Erdöl- und Erdgasfelder um Comodoro Rivadavia und Plaza Huincul.

Patan (Lalitpur), Stadt in Nepal, südlich von Kathmandu, 48600 Ew.; Holzind., Baumwollverarbeitung. – Königspalast aus dem 17. Jh., zahlreiche buddhist. und hinduist. Tempel.

Patarener *die,* Bez. der →Katharer in Italien.

Patchwork ['pætʃwə:k; engl. »Flickwerk«] *das,* Aneinanderfügen von Textil- und Lederflicken versch. Farben, Formen und Muster in harmon. Buntheit zu Haustextilien und Kleidung.

Pate [mhd. pade, zu lat. pater »Vater«], in den christl. Kirchen der Zeuge oder die Zeugin **(Patin)** bei der Taufe (ggf. auch bei der Firmung); urspr. der Bürge der erwachsenen Taufbewerber (Katechumenen; →Katechese); mit dem Aufkommen der Kindertaufe (Ende 2. Jh.) außerdem der mündige Vertreter des noch unmündigen Täuflings, der für diesen das Glaubensbekenntnis ablegt. Der P. übernimmt im Verständnis der christl. Kirchen neben den Eltern Mitverantwortung für die christl. Erziehung des **Patenkindes.** Das Recht zum Patenamt kann Kirchenmitgl. im Rahmen der →Kirchenzucht (zeitweilig) entzogen werden.

Patella [lat. »Schüssel«] *die,* die Kniescheibe (→Kniegelenk).

Patellarsehnenreflex, der →Kniesehnenreflex.

Patene [lat.-grch.] *die,* liturg. Gerät (flache Schale) zur Aufnahme der Hostien bei der Abendmahls- oder Eucharistiefeier.

Patent [mlat. (littera patens) »landesherrlicher offener Brief«] *das,* 1) Urkunde über eine öffentl. Rechtshandlung, durch die einem Privaten ein Recht verliehen wird (z. B. Jagd-P.), früher auch die Bestallungsurkunde (z. B. Offizierspatent).

2) Das dem Erfinder oder seinem Rechtsnachfolger vom Staat für sein Gebiet erteilte, zeitlich begrenzte Monopol für die wirtsch. Nutzung einer Erfindung (z. T. anders bei →Arbeitnehmererfindungen). Das P.-Recht ist geregelt im P.-Gesetz i. d. F. v. 16. 12. 1980. Patentfähig sind nur techn. Erfindungen (keine wiss. Theorien, mathemat. Methoden, Pläne und Verfahren für gedankl. Tätigkeiten, Heilverfahren u. Ä.), die neu sind (d. h. den Stand der Technik überschreiten), auf einer erfinder. Tätigkeit beruhen und die eine gewerbl. Verwertung gestatten; liegen diese Voraussetzungen nicht vor, kommt eine Anmeldung als →Gebrauchsmuster infrage. Haben mehrere eine Erfindung unabhängig voneinander gemacht, so steht das Recht auf das P. dem zu, der die Erfindung zuerst beim →Patentamt angemeldet hat. – P. werden auf schriftl. Antrag und nach Überweisung einer Anmeldungsgebühr vom P.-Amt nach Überprüfung von Form und Inhalt (wenn die Schutzfähigkeit festgestellt wird) erteilt und im P.-Blatt veröffentlicht. Die Schutzdauer beträgt 20 Jahre; danach kann ergänzender Schutz nach § 16a P.-Gesetz gewährt werden. – Dem P.-Inhaber steht das alleinige Recht zu, den patentierten Gegenstand gewerbsmäßig herzustellen, anzubieten, in Verkehr zu bringen oder zu gebrauchen. Das P. kann auf einen anderen übertragen (P.-Veräußerung) oder zur Benutzung (Lizenzerteilung) überlassen werden; auch ist es vererblich. Bei Vorliegen eines öffentl. Interesses u. a. Voraussetzungen muss das P.-Amt die Lizenz auch gegen den Willen des P.-Inhabers erteilen (Zwangslizenz). Die Verletzung eines P. kann zivil- und strafrechtlich verfolgt werden. Das Erstreckungs-Ges. vom 23. 4. 1992 bestimmt, dass sich die am 1. 5. 1992 in den alten Bundesländern bestehenden P. und P.-Anmeldungen auf die neuen Bundesländer erstrecken. Die gleiche Regelung besteht für die neuen Bundesländer mit Auswirkung auf die alten.

In *Österreich* ist das P.-Recht durch das P.-Gesetz 1970 (mehrmals novelliert) geregelt. Die Anmeldung erfolgt beim P.-Amt in Wien. Oberste Rechtsmittelstelle ist der P.- und Markensenat. In der *Schweiz* entspricht das materielle P.-Recht im Wesentlichen dem dt. Recht (Ges. vom 25. 6. 1954), verfahrensrechtlich bestehen jedoch Unterschiede. Für P.-Anmeldungen ist das Bundesamt für geistiges Eigentum Bern (P.-Amt) zuständig. – Einen Weltpatentschutz gibt es noch nicht, jedoch wichtige zwischenstaatl. Vereinbarungen, insbesondere die →Pariser Verbandsübereinkunft und das Europ. P.-Übereinkommen vom 5. 10. 1973. Aufgrund des Letzteren arbeitet das **Europäische P.-Amt** in München (Zweigstelle in Den Haag) seit 1. 6. 1978. Ein von diesem Amt erteiltes europ. P. gibt in jedem Vertragsstaat dieselben Rechte wie ein nationales P. (→Gemeinschaftspatent)

📖 Reichel, H.-R.: *Gebrauchsmuster- u. Patentrecht – praxisnah. Ehningen ²1992.*

Patentamt (Deutsches P.), dem Bundesjustizministerium unterstellte Behörde in München, 1949 als Nachfolgerin des Reichs-P. errichtet. Das P. ist im gesamten Bundesgebiet zuständig für die Erteilung von Patenten, für Einsprüche dagegen, für die Eintragung und Löschung von Marken, Gebrauchs- und Geschmacksmustern. Seit 1978 gibt es das Europ. P. (→Patent).

Patentanwalt, Berater und Vertreter auf dem Gebiet des Patent-, Gebrauchsmuster- und Markenwesens; freier Beruf, dessen Zulassungsvoraussetzungen (abgeschlossenes techn. oder naturwiss. Studium, jurist. Prüfung, techn. Praxis, Vorbereitungszeit) in der P.-Ordnung vom 7. 9. 1966 sowie in der Ausbildungs- und Prüfungsordnung vom 8. 12. 1977 geregelt sind. Ergänzend gilt EG-Recht.

Patentgericht (Bundespatentgericht), Bundesgericht für die Entscheidung über Beschwerden gegen Beschlüsse des Patentamtes sowie über Klagen auf Erklärung der Nichtigkeit oder Zurücknahme von Patenten und auf Erteilung von Zwangslizenzen (entsprechende Zuständigkeit für Gebrauchsmuster und Marken). Sitz: München; Rechtsmittelinstanz: Bundesgerichtshof.

Patentieren, *Metallurgie:* Wärmebehandlungsverfahren für Stahldraht oder Stahlband. Das Gut wird auf 850–1100 °C erhitzt und danach z. B. in einem Blei- oder Salzbad von 400 bis 550 °C abgekühlt, um ein für die Kaltverformung (Ziehen, Kaltwalzen) günstiges Gefüge zu erhalten.

Walter Horatio Pater

Paternoster-erbse: paarig gefiedertes Blatt und geöffnete Hülse mit Samen

Patentstreitsachen, Zivilprozesse, die auf Ansprüchen aus Rechtsverhältnissen beruhen, die im Patent-Ges. geregelt sind (z. B. aus Patentverletzungen, Lizenzvertrag); zuständig sind Spezialkammern (i. d. R.) bestimmter Landgerichte.

Pater [lat. »Vater«] *der,* Titel und Anrede eines kath. Ordensgeistlichen.

Pater ['peɪtə], Walter Horatio, engl. Schriftsteller, *Shadwell (heute zu London) 4. 8. 1839, †Oxford 30. 7. 1894; Prof. ebd., vertrat in formvollendeter Prosa eine ästhet. Weltanschauung, schrieb den philosoph. Bildungsroman »Marius der Epikureer« (2 Bde., 1885), ferner »Imaginäre Porträts« (1887).

Pater familias [lat. »Vater der Familie«] *der, röm. Recht:* das Familienoberhaupt, →Patria potestas.

Paternoster [lat. »Vater unser«], **1)** *christl. Religion: das,* das →Vaterunser.

2) *Technik: der,* ein →Aufzug.

Paternostererbse (Abrus precatorius), in den Tropen verbreiteter Schmetterlingsblütler, Kletterstrauch mit (durch das Toxin Abrin) sehr giftigen rotschwarzen Samen, die zu Schmuck und Rosenkränzen verarbeitet werden.

path... [grch.] (patho...), leiden..., krankheit...

Pathanen, →Paschtunen.

Pathé [pa'te:], Charles, frz. Filmindustrieller, *Chevry-Cossigny (Dép. Seine-et-Marne) 26. 12. 1863, †Monte Carlo 25. 12. 1957; gilt mit der 1896 zus. mit seinem Bruder Émile P. (*1860, †1937) geschaffenen Gesellschaft Pathé Frères als Begründer der frz. Filmindustrie.

Pathelin [pa'tlɛ̃; frz. »Schmeichler«, »Schwindler«] (Patelin), Hauptfigur der anonymen, um 1465 verfassten Farce »Maistre Pierre P.«; Held ist ein betrüger. Advokat, der zum Schluss selbst betrogen wird; oft nachgedichtet (in Dtl. von J. Reuchlin und Hans Sachs).

Joachim Patinir: »Taufe Christi« (um 1515; Wien, Kunsthistorisches Museum)

Pathétique [pate'tik, frz.] *die,* Titel musikal. Kompositionen: 1) **Grande sonate pathétique,** Klaviersonate in c-Moll op. 13 von L. van Beethoven. 2) **Symphonie pathétique,** sechste Sinfonie in h-Moll op. 74 von P. Tschaikowsky.

Pathet Lao, 1944 entstandene, kommunistisch orientierte Guerillabewegung in →Laos.

Pathfinder ['pɑ:θfaɪndə; engl. »Wegbereiter«, »Bahnbrecher«], Name einer amerikan. Raumsonde zur Erforschung des Mars. P. war am 4. 12. 1996 gestartet und erreichte den Mars planmäßig am 4. 7. 1997. Mithilfe des von der Erde über die Mutterstation ferngelenkten Rovers →Sojourner begann zwei Tage nach der Landung die erste mobile Erkundung einer fremden Planetenoberfläche. Zur Bestimmung der Zusammensetzung des Marsbodens diente dabei ein auf dem Rover montiertes Röntgenspektrometer. Aufgabe der P.-Mission war v. a. auch die Suche nach Lebensspuren.

Pathogenese, die Gesamtheit der an der Entstehung und Entwicklung einer Krankheit beteiligten Faktoren.

Pathologie [grch.] *die,* Gebiet der Medizin, das sich mit der Erforschung von Ursachen, Entstehungsweise und Verlaufsformen von Krankheiten und den durch sie hervorgerufenen organ. Veränderungen (patholog. Anatomie, Histo-P.) und funktionellen Auswirkungen (Pathophysiologie) beschäftigt. Als Bereich der ärztl. Weiterbildung (mit dem Teilgebiet der Neuro-P.) wird die P. vom **Pathologen** (Arzt für P.) ausgeübt.

Pathos [grch.] *das,* Feierlichkeit, Leidenschaftlichkeit, in der »Poetik« des Aristoteles Hauptelement des Tragischen, wesentl. Voraussetzung für die Katharsis.

Patience [pasi'ɑ̃s, frz.] *die,* Kartengeduldsspiel mit zahlr. Varianten, meist von einer Person gespielt (mit einem Kartenspiel von 52 Blatt).

Patina [italien., eigtl. »Firnis«] *die,* allg. eine durch Einwirkung von Chemikalien oder Bestandteilen der Luft entstehende Schicht auf Metallen; i. e. S. die helle, graugrüne, seidig glänzende, durch Einwirkung der Atmosphäre entstehende Schicht auf Kupfer und seinen Legierungen. **Natürl. P.** bestand früher vorwiegend aus bas. Kupfercarbonaten (gebildet mit dem Kohlendioxid der Luft), heute aus bas. Kupfersulfaten (gebildet mit dem Schwefeldioxid der Luft). **Künstl. P.** wird mit Ammoniumsalzen, Essigsäure, feuchtem Kohlendioxid oder Pflanzensäften erzeugt (häufig bei Kopien oder Fälschungen von Kunstwerken). Bei **imitierter P.** wird eine Grünfärbung durch Auftragen lösl. Kupfersalze hervorgebracht. Die Untersuchung der P. kann Aufschluss über Alter und Echtheit antiker Bronzen geben.

Patinir (Patenier), Joachim, niederländ. Maler, *Dinant oder Bouvignes-sur-Meuse (heute zu Dinant) um 1485, †Antwerpen vor dem 5. 10. 1524; leitete mit seinen fantast. Landschaften, den allegor. »Weltlandschaften«, mit bibl. Szenen die fläm. Landschaftsmalerei ein.

Patio [span.] *der,* Innenhof eines Hauses, zu dem sich die Wohnräume hin öffnen; häufig mit Boden- und Wandfliesen (Azulejos), Springbrunnen und Bepflanzung ausgestattet. Der P. ist ein Überrest maur. Baugewohnheiten und breitete sich mit der spanisch-portugies. Kolonisation vom Mittelmeergebiet bis nach Lateinamerika aus.

Patisserie [frz.] *die,* feines Kleingebäck.

Patmos, Insel des Dodekanes, Griechenland, 34 km^2, 2500 Ew.; nach altkirchl. Überlieferung Verbannungsort des Evangelisten Johannes, der hier seine »Geheime Offenbarung« (→Apokalypse des Johannes) geschrieben haben soll; Kloster des hl. Johannes (gegr. 1088 mit bed. Bibliothek).

Patna, Hauptstadt des Bundesstaates Bihar, Indien, am Ganges, 917 000 Ew.; Univ., bed. oriental. Bibliothek, Museum; Glas-, Textil-, Metall-, Teppich- u.a. Ind., Getreidehandel. – Als **Pataliputra** im 5. Jh. v. Chr. gegr.; 4.–2. Jh. v. Chr. Hptst. der Mauryadynastie, im 4. Jh. n. Chr. Hptst. der Guptadynastie; 1541 neu gegründet.

Patois [pato'a, frz.] *das,* Mundart, Provinzidiom, das auf die engere (meist) ländl. Lebenswelt beschränkt ist; die Bez. hat oft einen verächtlichen Beiklang.

Paton ['peɪtn], Alan, südafrikan. Schriftsteller, *Pietermaritzburg 11. 1. 1903, †Hillcrest (bei Durban) 12. 4. 1988; schrieb u.a. die Romane »Denn sie sollen getröstet werden« (1948), »Aber das Wort sagte ich nicht« (1953) und die Erzählungen »Und deinen Nächsten wie dich selbst« (1961).

Patras, Hauptstadt der Region Westgriechenland und des VerwBez. Achaia, auf der Peloponnes, am Golf von P., 142 000 Ew.; orth. Erzbischofssitz, Univ.; Konservenfabriken, Weinkellereien, Textil-, Papier-, Reifen-, Zementind.; Fährverbindung mit Ancona (Italien); wichtiger Ausfuhrhafen (Wein, Korinthen, Oliven, Olivenöl).

Patria Potestas [lat.], im röm. Recht die vom Familienoberhaupt (Pater Familias) ausgehende väterl. Gewalt über seine ehel. und adoptierten Kinder sowie deren legitime Abkömmlinge.

Patriarch [grch., eigtl. »Sippenoberhaupt«] *der,* **1)** *A. T.:* Bez. für die »Erzväter« (Stammväter) des Volkes Israel: Abraham, Isaak, Jakob (und dessen Söhne).

2) *christl. Altertum:* seit dem 5./6. Jh. Titel der Bischöfe von Rom, Alexandria, Antiochia, Konstantinopel und Jerusalem als den Oberhäuptern jeweils eines Verbandes von Kirchenprovinzen **(Patriarchat).**

Patras: Blick über die Stadt auf den Golf von Patras mit der Küste Mittelgriechenlands im Hintergrund

3) *Judentum:* (hebr. Nassi, grch. Ethnarch) zw. 70 und 425 n. Chr. Titel des polit. und religiösen (Vors. des Synedrions) Oberhauptes der Juden in Palästina und im Röm. Reich.

4) *lat. Kirche:* Ehrentitel des Papstes **(P. des Abendlandes)** sowie für einige Bischöfe (Venedig, Lissabon, Jerusalem).

5) *Ostkirche:* Titel der Ersthierarchen der altoriental. Kirchen und der eigenständigen orth. Kirchen von Russland, Serbien, Bulgarien, Rumänien sowie der altkirchl. Patriarchate.

Patriarchat [grch. »Vaterherrschaft«] *das,* **1)** Amt und Amtsbereich eines Patriarchen.

2) Sozialstruktur, in der der Vater oder Älteste in einer Verwandtengruppe die Vorherrschaft innehat; i.w.S. Vorrangstellung des Mannes in Gesellschaft, Politik, Wirtschaft, Kultur, Kirche; Ggs.: Matriarchat.

Patricius [lat.], **1)** im alten Rom der →Patrizier, seit Konstantin d. Gr. ein Ehrentitel (»Vater des Staates«).

2) im frühen MA. der Titel des Schutzherrn von Rom, den der Exarch von Ravenna als Vertreter des byzantin. Kaisers führte. Papst Stephan II. (III.) verlieh den Titel »P. Romanorum« 754 dem Frankenkönig Pippin III.

Patrick ['pætrɪk] (Patricius), Missionar, »Apostel Irlands«, *in Britannien um 385, †in Nordirland 461; Organisator der →iroschottischen Kirche; Heiliger, Tag: 17. 3.

patrilineare Abstammung, die Zuordnung der Nachkommen zur Verwandtschaftsgruppe des Vaters; Ggs.: matrilineare Abstammung.

Patrimonialgerichtsbarkeit, früher die mit dem Besitz meist eines Ritterguts (Patrimonium) verbundene niedere Gerichtsbarkeit über die Hintersassen, wurde i.d.R. durch einen auf Vorschlag des Gutsherrn vom Staat bestellten Gerichtshalter (Justiziar) ausgeübt; 1877 in Dtl. endgültig abgeschafft.

Patrimonium [lat.] *das, röm. Recht:* väterl. Erbgut, Vermögen; »P. Caesaris« war das kaiserl. Privatvermögen.

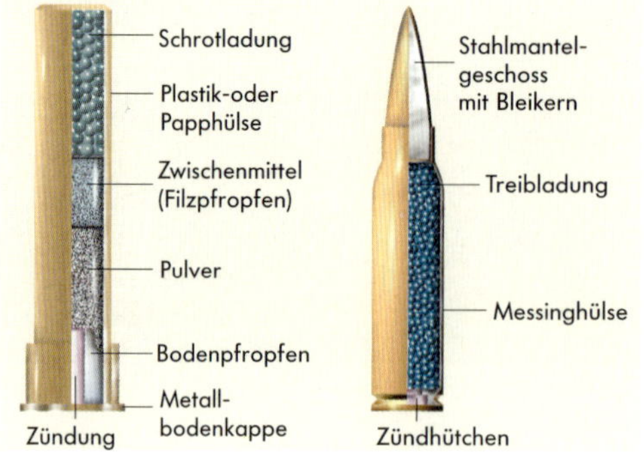

Patrone 3): Schnittzeichnung einer Schrotpatrone (links) und einer Gewehrpatrone

Patrimonium Petri [kirchenlat. »(Grund-)Besitz des Petrus«] *das,* der Grundbesitz der Kirche von Rom. (→Kirchenstaat)

Patriot ['pætrɪət, engl.] *die, Waffentechnik:* bodengestütztes Flugabwehrsystem amerikan. Herkunft; geeignet zur Kampfführung gegen Luftziele in praktisch allen Höhen und begrenzt zur Abwehr ballist. Raketen; Reichweite 80 km.

Patriotische Front, →Simbabwe (Geschichte).

Patriotismus *der,* Vaterlandsliebe, die Verehrung, Hingabe und gefühlsmäßige Bindung an Werk, Traditionen und die Gemeinschaft des eigenen Volkes bzw. der Nation. Der P. äußert sich u. a. in der Wertschätzung von Symbolen und historisch bedeutsamen Ereignissen sowie dem Respekt vor Institutionen und Personen, die der staatl. Integration dienen, verbunden mit Dienst- und Opferbereitschaft; er ist somit mehr an der staatl. Tradition orientiert als der →Nationalismus, in den er münden kann.

Patristik [zu lat. pater »Vater«] *die* (früher Patrologie), theolog. Disziplin, deren Gegenstand Lehre und Schriften der frühchristl. Theologen (Kirchenväter und -schriftsteller) sind.

Patrize [nach Matrize gebildet, zu lat. pater »Vater«] *die, Münz-* und *Drucktechnik:* Stempel mit positivem Bild, der in der Münztechnik durch Reduktion nach dem Modell angefertigt wird. Nach dem Härten wird die P. in ungehärteten Stahl eingesenkt und so die Matrize (Prägestempel) hergestellt. In der buchbinder. Deckenfertigung ist die P. die Abformung von der Matrize. Zw. Matrize und P. erhält dann die Buchdecke unter Druck eine Blind- oder Farbprägung.

Patrizi|er [lat.], **1)** im alten Rom die Mitglieder des Geburtsadels **(Patriziat)** als Nachkommen der Geschlechter- und Sippenhäupter, im Unterschied zu den Plebejern, den Angehörigen der Plebs.

2) im spätmittelalterl. und neuzeitl. Europa die Mitgl. städt. Oberschichten (Kaufleute, Ministerialen, zugezogener Landadel); aus ihrer Mitte ergänzte sich zunächst der Rat. Ihre Herrschaft wurde in den Zunftkämpfen des 14. Jh. und durch die Ausbildung fürstl. Territorialstaaten erschüttert.

Patroklos, bei Homer Waffengefährte des Achill; im Trojan. Krieg von Hektor getötet.

Patron [lat.] *der,* **1)** *altröm. Recht:* der Schutzherr im Verhältnis zu den Klienten, die ihm Dankbarkeit und polit. Folgschaft schuldeten.

2) *kath. Kirche:* (Schutz-P.) der →Schutzheilige.

Patronat [lat. »Schutzherrschaft«] *das,* **1)** im antiken Rom urspr. das Verhältnis des Grundherrn zu seinen Hintersassen, später das des Freilassers zum Freigelassenen, des Anwalts zum Klienten, des einflussreichen Römers (z. B. Senator, ehem. Magistrat) zu Provinzen und Gemeinden, deren Interessen er politisch und gerichtlich vertrat.

2) *kath. Kirche:* das schützende Verhältnis eines Heiligen zu der Person oder dem Sachbereich, für die man ihn als Patron anruft. (→Schutzheiliger)

3) *kirchl. Rechtsgeschichte:* (P.-Recht) Rechtsbeziehung zw. kath. oder evang. Kirche und dem Stifter einer Kirche oder eines Benefiziums bzw. dessen Rechtsnachfolger (Kirchenpatron). Dessen Recht, Vorschläge für die Besetzung eines kirchl. Amtes machen zu dürfen, beruhte auf dem mittelalterl. Eigenkirchenwesen (→Eigenkirche) und konnte deshalb auch von Laien **(Laien-P.)** wahrgenommen werden. Zu den Pflichten gehörte v. a. die Übernahme der Baulast. Die früheren P. sind heute sowohl in der kath. als auch in der evang. Kirche fast überall aufgehoben worden.

Patrone [frz. aus lat.] *die,* **1)** *allg.:* kleiner, in ein Gerät oder einen Apparat einsetzbarer, meist zylindr. Behälter (für Tinte, Kleinbildfilm u. a.).

2) *Textiltechnik:* Musterzeichnung auf kariertem Papier **(P.-Papier)** für die Herstellung von Geweben, nach der u. a. die vorgesehene →Bindung festgelegt wird.

3) *Waffentechnik:* bei Feuerwaffen urspr. die aus Papier, Leinwand oder wollenem Zeug, seit Mitte des 19. Jh. aus Metall gefertigte Hülle für die Treibladung; heute die im Ggs. zur »getrennten Munition« zu einem Stück vereinigte, Geschoss, Treibladung, Zündhütchen und Metallhülse umfassende Munition (»P.-Munition«) der Faustfeuer-, Handfeuer- und Maschinenwaffen, z. T. auch der Geschütze. Spezielle P. ohne Geschoss sind die **Platz-P.** (nur Knallsatz), **Gas-P.** (Tränengas) und **Leucht-P.** (Treib- und Leuchtsatz) zu Übungs-, Selbstverteidigungs- und Signalzwecken. Bei **Schrot-P.** besteht die Hülse aus Pappe oder Kunststoff, der Hülsenboden aus Metall. Großkalibrige Faustfeuer-, Handfeuer- und Maschinenwaffen werden mit **Zentralfeuer-P.** geladen, bei denen die Treibladung durch Auftreffen des Schlagbolzens auf das Zündhütchen, das in der Mitte des Bodens angeordnet ist, gezündet wird. Für kleinkalibrige Jagd- und Sportwaffen werden überwiegend **Randfeuer-P.** verwendet, bei denen die Zündmasse in den Hülsenboden eingegossen ist und durch Aufschlag auf den verbreiterten Rand gezündet wird.

Patronymikon [grch.] *das,* Personenname, der vom Namen eines Vorfahren, meist des Vaters, abgeleitet ist, z. B. *Friedrichsen, Friedrichs* (aus Friedrichs Sohn), im Schottischen *MacAdam* (Sohn des Adam). Seltener ist das →Metronymikon.

Patrouille [paˈtrʊljə, aus frz.] *die,* Spähtrupp, Streife (Militär, Polizei).

Patrozinium [lat.] *das,* **1)** *kath. Kirche:* die Schutzherrschaft eines Heiligen **(Patron)** über die ihm geweihte Kirche. Ihm zu Ehren wird jährlich das **Patronatsfest** gefeiert.

2) *röm. Rechtsgeschichte:* die von den Großgrundbesitzern gegen den Widerstand der kaiserl. Zentralgewalt wahrgenommene Schutzfunktion für einzelne Bürger und Ortschaften.

Patscherkofel, Aussichts- und Skiberg südlich von Innsbruck, Tirol, Österreich, 2247 m ü. M.; Seilbahn von Igls; Landschaftsschutzgebiet mit Alpengarten.

Patschuliöl [aus Hindustani], äußerst intensiv riechendes Öl aus den fermentierten Blättern des südasiat. Lippenblütlers Pogostemon cablin; zur Parfümherstellung verwendet.

Pat und Patachon: Stummfilmszene (1926)

Patt [frz.] *das,* **1)** *Politik:* unentschiedener Ausgang u. a. bei Wahlen und Abstimmungen.

2) *Schach:* eine Stellung, in der die am Zug befindl. Partei nicht im Schach steht, aber keinen Zug mehr tun kann, ohne in ein Schachgebot zu geraten. Die Partie endet unentschieden.

Patternpainting: Die amerikanische Künstlerin Miriam Shapiro schuf 1982 das Gemälde »Invitation« (Privatbesitz)

Pattaya, Badeort in Thailand, am Golf von Thailand, rd. 120 km südöstlich von Bangkok; 56 000 Ew.; eines der größten Tourismuszentren SO-Asiens.

Pattensen, Stadt im Landkreis Hannover, Ndsachs., an der Leine, 13 000 Ew.; Zweigmagazin des Niedersächs. Hauptstaatsarchivs, Schloss Marienburg (1858–67); Stahl-, Maschinen-, Fahrzeugbau.

Pattern [ˈpætən; engl. »Muster«] *das,* **1)** *Jazz:* Variationsform, bei der die Melodie bei jeder Wiederholung verändert, das rhythm. Schema jedoch beibehalten wird.

2) *Verhaltens-* und *Sozialwissenschaft:* vielseitig verwendeter Begriff, z. B. für ein bestimmtes ritualisiertes oder institutionalisiertes Verhaltensmuster oder ein aus bestimmten, meist wiederkehrenden Elementen zusammengefügtes Ablaufschema (u. a. Testvorlagen).

3) *Sprachwissenschaft:* ein Strukturmodell für einen Satz, nach dem eine unbegrenzte Anzahl gleich strukturierter Sätze mit unterschiedlichen lexikal. Elementen gebildet werden kann, z. B. Artikel + Adjektiv + Substantiv + Verb.

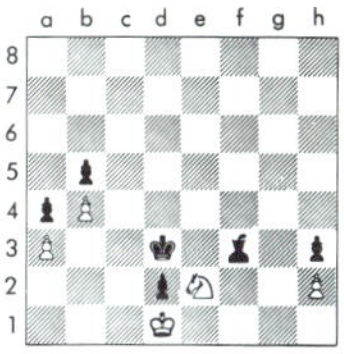

Patt 2): Weiß am Zug ist patt

Patternpainting [ˈpætənpeɪntɪŋ] *das,* Richtung der zeitgenöss. Malerei mit Schwerpunkt um 1980 in den USA, die großformatig-dekorative Ornamente zu farbenfrohen Kompositionen vereinigt (Decorative Art); beeinflusst v. a. von H. Matisse, R. Dufy und A. Derain, vom Jugendstil und außereurop. Volkskunst (Asien, Südamerika).

George S. Patton

Patton [pætn], George Smith, amerikan. General, *San Gabriel (Calif.) 11. 11. 1885, †(nach Autounfall bei Mannheim) Heidelberg 21. 12. 1945; bed. Panzerstratege, nahm im 2. Weltkrieg zunächst an den Kämpfen in N-Afrika teil, landete 1943 mit der 7. US-Armee auf Sizilien, befehligte 1944/45 die 3. US-Armee in Frankreich und S-Deutschland.

Pat und Patachon [-ʃɔn], dän. Komikerpaar: Carl Schenström, *Kopenhagen 13. 11. 1881, †ebd.

Pau
Stadtwappen

10. 4. 1942, und Harald Madsen, *Silkeborg 20. 11. 1890, †Usserød (heute zu Hørsholm) 13. 7. 1949; in Europa durch zahlreiche Stummfilme als Vorläufer von »Dick und Doof« bekannt.

Pau [po:], Hptst. des Dép. Pyrénées-Atlantiques, SW-Frankreich, im Pyrenäenvorland, 83 900 Ew.; Univ., Fallschirmspringerschule; Textil-, Leder- und Metallind., Fremdenverkehr; das Schloss (12.–16. Jh.) ist heute Nationalmuseum (Gobelins und Möbel). – P. wurde 1460 Hptst. der Grafschaft Béarn, 1512 des Königreichs Navarra.

Pauke: moderne Pedalpauke

Pauke (Kesselpauke, italien. Timpano), Schlaginstrument, bestehend aus einem halbkugelförmigen Resonanzkörper (Kessel) aus Kupferblech oder Kunststoff mit darüber gespannter Membran (Fell) aus gegerbtem Kalbfell oder Kunststoff, die mit Schlegeln angeschlagen wird. Das Fell kann mithilfe von Spannschrauben am Felldruckreifen versch. straff angespannt und dadurch in versch. Tonhöhen gestimmt werden. Die im 19. Jh. erfundene **Maschinen-P. (Kurbel-, Pedal-** und **Drehkessel-P.)** lässt sich auch während des Spiels umstimmen und dadurch streckenweise melodisch einsetzen. Im Unterschied zur Trommel hat die P. eine feste Tonhöhe, die im Umfang von etwa einer Sexte verändert werden kann. Gebaut werden versch. Größen mit einem Felldurchmesser von 20 bis 80 cm. Gewöhnlich wird die P. paarweise (im Quart- bzw. Quintabstand gestimmt) eingesetzt, in Sinfonie- und Opernorchester der neueren Zeit drei-, vier- und mehrfach. Die P. ist oriental. Herkunft; sie gewann seit dem 17. Jh. zunehmende Bedeutung für die europ. Orchestermusik.

Paukenhöhle, Teil des Mittelohrs (→Ohr).

Paul, Herrscher:

Griechenland: **1) P. I.,** König (1947–64), *Athen 14. 12. 1901, †Tatoi (bei Athen) 6. 3. 1964; dritter Sohn König Konstantins I., ∞ seit 1938 mit Friederike Luise von Braunschweig-Lüneburg, lebte 1924–35 und 1941–46 im Exil, folgte König Georg II. 1947 auf den Thron.

Russland: **2) P. I.** (russ. Pawel I. Petrowitsch), Kaiser (1796–1801), *Sankt Petersburg 1. 10. 1754, †ebd. 24. 3. 1801; Sohn Katharinas II., die ihn von allen Staatsgeschäften fern gehalten hatte. Nach seiner Thronbesteigung stellte er sich in scharfen Gegensatz zur Politik seiner Mutter. P. ordnete die Thronfolge neu (1797 Einführung der Primogenitur). Als Verehrer christl. Rittertums wurde er 1798 Großmeister des Malteserordens und schloss sich nach der frz. Besetzung Maltas 1798 der 2. Koalition gegen Frankreich an (bis 1799), trat aber 1800 auf die Seite Napoléon Bonapartes. Er gliederte 1801 Georgien dem Russ. Reich an. P., dessen despotisches Auftreten ihn verhasst machte, wurde bei einer Offiziersverschwörung ermordet.

Paul, Päpste: **1) P. III.** (1534–49), früher Alessandro Farnese, *Canino (Prov. Viterbo) Febr. 1468, †Rom 10. 11. 1549; leitete innerkirchl. Reformen ein, unterstützte die neuen Orden (1540 Anerkennung der Jesuiten) und ordnete die Inquisition neu (1542 Schaffung des Heiligen Officiums). P. förderte die Kunst in besonderer Weise; er übertrug Michelangelo den Weiterbau der Peterskirche. Seinem natürl. Sohn verlieh er das Herzogtum Parma und Piacenza (→Farnese).

2) P. IV. (1555–59), früher Gian Pietro Carafa, *Sant' Angelo a Scala (bei Arellino) 28. 6. 1476, †Rom 18. 8. 1559; Mitbegründer (1524) und erster Oberer der →Theatiner; verfolgte seine Ziele, Kirchenreform und Abwehr des Protestantismus, mit kompromissloser Härte; veröffentlichte 1559 den ersten Index der verbotenen Bücher.

Paul III. mit Kardinal Alessandro d. J. Farnese und Herzog Ottavio Farnese, Gemälde von Tizian (undatiert; Neapel, Museo e Gallerie Nazionali di Capodimonte)

3) P. V. (1605–21), früher Camillo Borghese, *Rom 17. 9. 1552, †ebd. 28. 1. 1621; beförderte innerkirchlich die kath. Reform und die Weltmission; hielt am Herrschaftsanspruch des mittelalterl. Papsttums fest. In sein Pontifikat fallen der erste Prozess gegen G. Galilei (1616) und die Vollendung der Peterskirche.

4) P. VI. (1963–78), früher Giovanni Battista Montini, *Concesio (bei Brescia) 26. 9. 1897, †Castel Gandolfo 6. 8. 1978; 1922–54 Tätigkeit im Päpstl. Staatssekretariat; seit 1954 Erzbischof von Mailand; seit 1958 Kardinal; unter seinem Pontifikat Weiterführung und Abschluss des 2. Vatikan. Konzils (Einrichtung der →Bischofssynode; Liturgiereform; Revision des Kirchenrechts); legte innerhalb der durch das Konzil ausgelösten ökumen. Bestrebungen den Schwerpunkt auf den Dialog mit der orth. Kirche (1964 und 1967 Begegnungen mit dem Ökumen. Patriarchen →Athenagoras I.); erstrebte im Rahmen der von ihm initiierten »vatikan. Ostpolitik« eine Verbesserung der Beziehungen zu den sozialist. Staaten Ost- und Südosteuropas (1974 umstrittene Amtsenthebung Kardinal →Mindszentys); 1976 Suspendierung von Erzbischof →Lefebvre. Wichtige Verlautbarungen waren die Enzykliken →Populorum progressio (1967) und →Humanae vitae (1968).

Paul, 1) Bruno, Architekt, Designer und Grafiker, *Seifhennersdorf (bei Zittau) 19. 1. 1874, †Berlin 17. 8. 1968; arbeitete zunächst als Zeichner für den »Simplicissimus« (zahlr. Karikaturen) und die »Jugend«. Als Designer (Möbel, Innenausstattungen) orientierte er sich an Jugendstil und Art déco. Mit seinen architektonischen Entwürfen (Villen, Zweckbauten) der 1920er-Jahre näherte er sich dem Internationalen Stil; entwarf auch Plakate.

2) Hermann, Germanist, *Salbke (heute zu Magdeburg) 7. 8. 1846, †München 29. 12. 1921; Prof. in Freiburg i. Br. und München, gehörte mit W. Braune und E. Sievers zu den Führern der →Junggrammatiker; Begründer der »Altdt. Textbibliothek«, Hg. von »Grundriss der german. Philologie« (2 Bde., 1891–93), »Dt. Wb.« (1897), »Dt. Grammatik« (5 Bde., 1916–20).

3) Jean, Schriftsteller, →Jean Paul.

4) Wolfgang, Physiker, *Lorenzkirch (bei Strehla) 10. 8. 1913, †Bonn 7. 12. 1993; ab 1950 Prof. in Göttingen, 1952–80 Direktor des Physikal. Inst. der Univ. Bonn; erhielt für die Entwicklung des Ionenkäfigs **(Paul-Falle),** der viele Arbeiten im Bereich der atomaren Präzisionsspektroskopie erst möglich gemacht hatte, mit H.-G. Dehmelt und N. F. Ramsey den Nobelpreis für Physik 1989.

Paul-Ehrlich-Institut (Bundesamt für Sera und Impfstoffe), 1896 in Berlin mit P. Ehrlich als erstem Leiter gegr., seit 1972 selbstständige Bundesbehörde in Frankfurt am Main; dient der staatl. Prüfung von immunbiolog. Produkten (Heilseren, Impfstoffe u. a.) und Arzneimitteln.

Paulhan [po'lã], Jean, frz. Schriftsteller, *Nîmes 2. 12. 1884, †Boissise-la-Bertrand (Dép. Seine-et-Marne) 10. 10. 1968; war 1925–40 Chefredakteur der »Nouvelle Revue Française« (N. R. F.), Mitgründer der ab 1941 illegal erschienenen Widerstandszeitschrift »Les Lettres Françaises«. P. schrieb Essays zu sprachkrit. Fragen sowie Erzählungen.

Bruno Paul: Vignette aus dem ersten Jahrgang der Zeitschrift »Simplicissimus« (1896/97)

Pauli, 1) Fritz Eduard, schweizer. Maler und Grafiker, *Bern 7. 5. 1891, †Cavigliano (Kt. Tessin) 10. 9. 1968; entwickelte, von Symbolismus und Expressionismus ausgehend, seinen eigenen Stil. Im Mittelpunkt seines Werkes steht der bedrohte, verfolgte, nach Erlösung strebende Mensch.

2) Wolfgang, schweizer.-amerikan. Physiker österr. Herkunft, *Wien 25. 4. 1900, †Zürich 15. 12. 1958; Prof. in Zürich, arbeitete über Relativitäts- und Quantentheorie und stellte 1924 das nach ihm benannte Ausschließungsprinzip auf (→Pauli-Prinzip); erhielt 1945 den Nobelpreis für Physik.

Paulick, Richard, Architekt, *Roßlau (Elbe) 7. 11. 1903, †Berlin (Ost) 4. 3. 1979; Schüler von H. Poelzig und 1927–30 bei W. Gropius tätig. Nach seiner Emigrationszeit in China (1933–49) beeinflusste er maßgeblich den Wiederaufbau der Städte in der DDR. – Fertighaus aus Stahl in Dessau-Törten (1925–26, mit G. Muche); Wiederaufbau der Dt. Staatsoper Berlin (1951–55); Wohnsiedlungen in Hoyerswerda (1957 ff.) und Halle-Neustadt (1964 ff.).

Paulikianer (Paulizianer, Paulicianer), Ende des 7. Jh. wahrscheinlich in Armenien entstandene, den Manichäern (→Manichäismus) verwandte, wohl noch von den Marcioniten (→Marcion) beeinflusste dualistisch-gnost. Gemeinschaft. Die P. lehnten das A. T. und Teile des N. T. ab, ebenso die Sakramente, die kirchl. Ämter, die Kreuzes- und Bilderverehrung und die Ehe. Die Christologie war gnostisch geprägt. Vorübergehend zu großer polit. Macht erstarkt, wurden die P. im 9. Jh. von den oström. Kaisern verfolgt und nach ihrer endgültigen Niederlage (872) nach Thrakien verbannt,

Papst Paul VI.

Wolfgang Paul

Wolfgang Pauli

wo möglicherweise unter ihrem Einfluss die →Bogomilen entstanden.

Linus C. Pauling

Pauling ['pɔ:lɪŋ], Linus Carl, amerikan. Chemiker, *Portland (Oreg.) 28. 2. 1901, †Big Sur (Calif.) 19. 8. 1994; Prof. in Pasadena, San Diego, seit 1969 an der Stanford University in Palo Alto. P. führte den Begriff der Elektronegativität ein und trat durch quantenmechan. Arbeiten über die chem. Bindung hervor. Für die Entdeckung der α-Helix-Struktur vieler Proteine mithilfe der Röntgenstrukturanalyse erhielt er 1954 den Nobelpreis für Chemie. 1962 erhielt er den Friedensnobelpreis für seine Arbeit in der internat. Friedensbewegung.

Paulinzella, ehem. Benediktinerabtei in der Gemeinde Rottenbach, Kr. Saalfeld-Rudolstadt, Thür., im nördl. Thüringer Wald. – Zu der Abtei gehörte die dreischiffige Säulenbasilika nach Hirsauer Vorbild (1124 geweiht, seit dem 17. Jh. Ruine).

Pauli-Prinzip [nach W. Pauli] (paulisches Ausschließungsprinzip), Prinzip der Elementarteilchenphysik, dem alle Elementarteilchen mit halbzahligem Spin (Fermionen) gehorchen. Danach kann in Fermionen-Systemen jeder durch einen Satz von Quantenzahlen charakterisierte Zustand nur durch ein Teilchen besetzt werden. Das P.-P. erklärt die Gesetzmäßigkeiten des Atombaus, weil niemals zwei oder mehr Elektronen eines Atoms für alle ihre vier Quantenzahlen übereinstimmende Werte haben können. Hierauf beruht der Schalenbau der Elektronenhülle der Atome und damit auch das Periodensystem der Elemente. Für →Bosonen gilt das P.-P. nicht.

Paulownie: Blauglockenbaum (Höhe 12–30 m)

Paulowni|e *die* (Paulownia), Gattung der Rachenblütler, in den Tropen und Subtropen heim. Holzgewächse. Der **Blauglockenbaum** (Paulownia tomentosa) mit blassvioletten bis purpurblauen Blüten in bis 30 cm langen Rispen wird in wärmeren Gebieten Europas kultiviert.

Paulskirche, ehem. evang. Kirche in Frankfurt am Main; 1848/49 Tagungsort der →Frankfurter Nationalversammlung. Der Zentralbau wurde 1789 begonnen (1829–33 vollendet); nach 1945 Wiederaufbau als Versammlungsraum. Für die Wandelhalle schuf J. Grützke 1987–90 das Rundbild »Zug der Volksvertreter«.

Paulus

Paulus stellt oft, besonders im Galaterbrief und Römerbrief, Gesetz und Evangelium als zwei unterschiedliche Heilswege gegenüber. Auf dem Weg des Gesetzes versucht sich der Mensch selbst zu retten, indem er möglichst viele gute und gerechte Werke tut. Dieser Weg führt nach Paulus aber gerade nicht zum Heil. Heil und Erlösung von Sünde und Tod bringt nur der Glaube an das Evangelium, an die Frohe Botschaft von Jesus Christus. Wer daran glaubt, dass Jesus uns durch seinen Tod und seine Auferstehung ein für alle mal Rettung erwirkt hat, ist schon gerettet.

Paulskirche in Frankfurt am Main

Paulus (jüd. Name Saul), christl. Missionar (»Apostel der Heiden«) und Theologe, *Tarsus Anfang des 1. Jh., †(Martyrium?) Rom 60 oder 62 (?); Verfasser der ältesten Schriften des N.T. Quellen für seine Biographie sind v.a. seine darin enthaltenen Briefe an die christl. Gemeinden in Rom, Korinth, Galatien, Philippi, Thessalonike und an Philemon (→Paulusbriefe) sowie bedingt die nach seinem Tod mit bestimmten theolog. Intentionen entstandene →Apostelgeschichte.

P. entstammte einer streng jüd. Familie, besaß das röm. Bürgerrecht, war hellenistisch gebildet und verfügte über eine pharisäisch-theolog. Ausbildung. Von Beruf war er Zeltmacher. Um 30 erlebte er vor Damaskus eine Christusvision (»Damaskuserlebnis«; Apg. 9,3–9), die er als seine persönl. Berufung zum Apostel auffasste. In der Folge begründete er die »Heidenmission« (→Heidenchristen) in Antiochia. Seine Missionstätigkeit nach dem →Apostelkonzil (nach der Apg. drei Missionsreisen) legte den Grund für die christl. Mission im Röm. Reich. Nach Gemeindegründungen in Kleinasien (Galatien) gründete er in Philippi, Thessalonike und Korinth die ersten christl. Gemeinden Europas. Jüd. Anfeindungen führten nach der Rückkehr von der dritten Missionsreise 57/58 in Jerusalem zur Verhaftung. Als röm. Bürger appellierte er an den Kaiser. Er wurde nach Rom überstellt, wo er vermutlich unter Nero den Märtyrertod fand. – Schon früh wurde P. als Heiliger verehrt; Tage: 29. 6. (zus. mit Petrus) und 25. 1. (»Pauli Bekehrung«). Zeugnis seines theolog. Denkens ist v.a. der →Römerbrief. – In der bildenden Kunst oft zus. mit Petrus dargestellt, v.a. im Kreis der Apostel; schon früh in einem eigenen physiognom. Typus: längl. Gesicht, fast kahler Kopf, langer Bart; Attribute: Buch und Schwert.

📖 Eichholz, G.: *Die Theologie des P. im Umriß. Neukirchen-Vluyn [7]1991.* – Becker, J.: *P. Der Apostel der Völker. Tübingen [2]1992.*

Paulus, Friedrich, Generalfeldmarschall (1943), *Breitenau (heute zu Guxhagen, Schwalm-Eder-Kr.) 23. 9. 1890, †Dresden 1. 2. 1957; im 2. Weltkrieg seit 1942 Oberbefehlshaber der 6. Armee, mit der er im Raum Stalingrad von sowjet. Streitkräften eingeschlossen wurde. Er kapitulierte entgegen den Befehlen Hitlers am 31. 1. 1943 mit der Süd-Gruppe seiner Armee. In sowjet. Kriegsgefangenschaft (bis 1953) schloss er sich 1944 dem »Bund Dt. Offiziere« an. 1946 sagte er als Zeuge der sowjet. Anklage im Nürnberger Kriegsverbrecherprozess aus.

Paulusbriefe, im N.T. von →Paulus verfasste oder ihm zugeschriebene Briefe: Röm., 1./2. Kor., Gal., Eph., Phil., Kol., 1./2. Thess., 1./2. Tim., Titus, Philem.; mit Sicherheit von Paulus: 1. Thess., Gal., 1. Kor., Phil., Philem., 2. Kor. und Röm. (in der Reihenfolge ihrer Abfassungszeit 50–56).

Paulus Diaconus, langobard. Geschichtsschreiber, *Friaul um 720, †Montecassino nach 787; am Königshof in Pavia erzogen, wurde um 774 Mönch in Montecassino. Seit 782 schrieb er am Hofe Karls d. Gr. die Geschichte der Bischöfe von Metz, ein Vorbild späterer Bistumsgeschichten. Sein Hauptwerk ist die »Historia Langobardorum«, die eine Darstellung der Geschichte seines Volkes mit der Überlieferung zahlreicher langobard. Sagen verbindet.

Pauly, August, klass. Philologe, *Benningen am Neckar (Kr. Ludwigsburg) 9. 5. 1796, †Stuttgart 2. 5. 1845; begründete »Pauly's Real-Encyclopädie der class. Altertumswissenschaft« (1837 ff.).

Paumgartner, Bernhard, österr. Dirigent, Komponist und Musikforscher, *Wien 14. 11. 1887, †Salzburg 27. 7. 1971; war 1917–38 und 1945–53 Direktor, 1953–59 Präs. des Salzburger Mozarteums; Mitgründer der Salzburger Festspiele (seit 1960 Präs.), auch Herausgeber älterer Musik und Verfasser von Musikerbiographien.

Paumotu|inseln, frz. Inselgruppe im Pazif. Ozean, →Tuamotuinseln.

Pauperismus [lat.] *der,* Begriff des 19. Jh. für die vorindustrielle Form der Massenarmut.

Pausanias, 1) spartan. Feldherr und Staatsmann, †Sparta 467/466 v. Chr.; befehligte in der Schlacht bei Platää 479 v. Chr. die verbündeten Griechen (→Perserkriege). Nach der Einnahme von Byzanz führte er dort ein tyrann. Regiment. 469 v. Chr. (?) schließlich vertrieben, kehrte er nach Sparta zurück und wiegelte die Heloten auf. Er floh vor den Euphoren in den Tempel der Athene, wo er eingemauert wurde und verhungerte. – Biographie von Cornelius Nepos.

2) grch. Schriftsteller aus Kleinasien, schrieb zw. 160 und 180 n. Chr. einen Reisebericht über Griechenland (»Periegesis tes Hellados«), eine wichtige Quelle für die Gesch., Kunstgesch., Archäologie und bes. Religionsgesch. Griechenlands.

Pauschale [nlat. Bildung zu dt. Bauschsumme] *die,* Geldbetrag, durch den eine Leistung, die sich aus versch. Einzelposten zusammensetzt, ohne Spezifizierung abgegolten wird.

Pauschbesteuerung (Pauschalbesteuerung), vereinfachte Form der Festlegung der Steuerschuld, bei der von der exakten Ermittlung der Besteuerungsgrundlage abgesehen und stattdessen

Friedrich Paulus

Bernhard Paumgartner

Reisen des Paulus

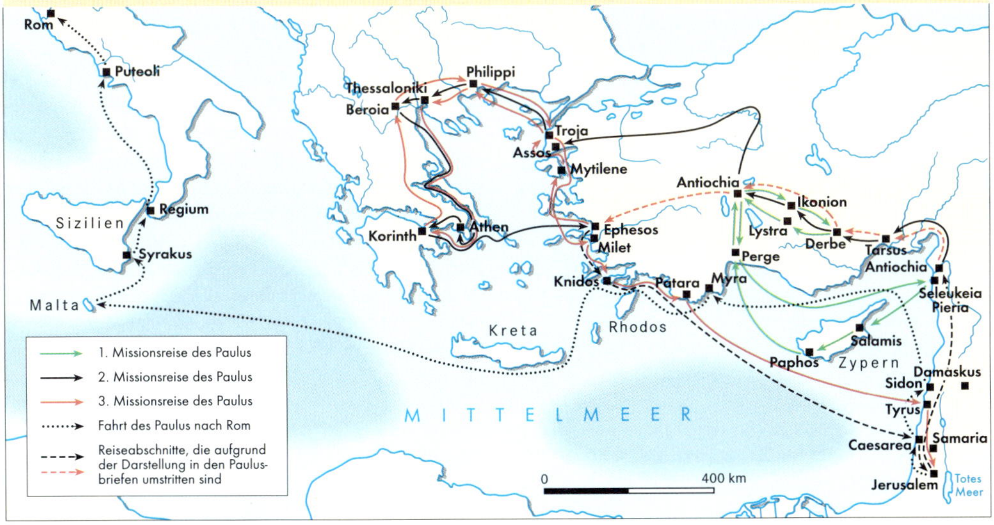

Cesare Pavese

ein pauschaler Steuerbetrag bzw. -satz festgelegt wird; Anwendung u.a. bei der Einkommen- und Körperschaftsteuer sowie der Lohnsteuer (z.B. für verbilligt abgegebene betriebl. Mahlzeiten).

Pauschbetrag, *Steuerrecht:* Betrag, um den sich die Steuerbemessungsgrundlage mindert ohne Einzelnachweis der tatsächl. Aufwendungen. Gesetzl. P. sind u.a. vorgesehen für außergewöhnl. Belastungen (P. für Körperbehinderte), Sonderausgaben (Vorsorge-P.) und Werbungskosten (Arbeitnehmer-P., P. für Journalisten und Musiker). Bei entsprechendem Nachweis kann der Steuerpflichtige höhere Aufwendungen steuerlich geltend machen. Weiterhin gibt es die Pauschalierung der Lohnsteuer mit ermäßigten Steuersätzen (z.B. bei kurzfristig Beschäftigten).

Pause [grch.] *Musik:* das Aussetzen einer, mehrerer oder aller Stimmen (→Generalpause) für einen zeitlich begrenzten Abschnitt; wird durch besondere Zeichen in der Notenschrift angegeben.

Pause [Herkunft unsicher], Durchzeichnung; →Lichtpause.

Pausewang, Gudrun, Schriftstellerin, *Wichstadtl (heute Mladkov, Ostböhm. Gebiet) 3. 3. 1928; lebte lange in Lateinamerika; schrieb Romane für Kinder und Jugendliche, u.a. »Plaza Fortuna« (1966), »Die Entführung der Doña Agata« (1971), »Die Wolke« (1987), »Die Rotwengel-Saga« (1993), »Der Glücksbringer« (1995).

Paustowski, Konstantin Georgijewitsch, russ. Schriftsteller, *Moskau 31. 5. 1892, †ebd. 14. 7. 1968; stellte anfangs in romant., zum Exotischen neigenden Romanen und Erzählungen das Leben auf See und in Hafenstädten, später mit zunehmend realist. Stilmitteln aktuelle Probleme des sowjet. Lebens dar, u.a. »Segen der Wälder« (R., 1949); Autobiographie (6 Bde., 1946–64).

Luciano Pavarotti

Pavane [span. »Pfauentanz«] *die,* aus Italien stammender, würdevoll geschrittener Hof- und Gesellschaftstanz des 16. und 17. Jh., meist in geradem Takt, ohne Auftakt. In der Instrumentalmusik bildete die P. den Einleitungssatz der dt. Tanzsuiten kurz nach 1600.

Pavarotti, Luciano, italien. Sänger (Tenor), *Modena 12. 10. 1935; gehört zu den führenden Interpreten seines Fachs und ist, bes. mit Partien aus italien. Opern, gefeierter Gast an den bed. Opernhäusern der Welt; auch Konzertsänger und (seit 1988) Opernregisseur.

Ante Pavelić

Pavelić [-litç], Ante, kroat. Politiker, *Bradina (Herzegowina) 14. 7. 1889, †Madrid 28. 12. 1959; emigrierte 1929 nach Italien; gründete und leitete von dort aus, an den Ideen des italien. Faschismus orientiert, die →Ustascha, wurde 1941 (mit dt. und italien. Unterstützung) Staatschef des »Unabhängigen Staates Kroatien«; musste 1945 fliehen, bildete 1949 in Argentinien eine Ustascha-Exilregierung; ging 1957 nach Spanien.

Pavese, Cesare, italien. Schriftsteller, *Santo Stefano Belbo (Prov. Cuneo) 9. 9. 1908, †(Selbstmord) Turin 27. 8. 1950; als Antifaschist 1935/36 nach S-Italien verbannt, übersetzte u.a. J. Joyce und W. Faulkner. Seine neorealist. (kurzen) Romane und Erzählungen, die meist in seiner piemontes. Heimat spielen, schildern menschl. Versagen und Vereinsamung (u.a. »Der schöne Sommer«, R.-Trilogie, 1949; »Junger Mond «, R., 1950); auch die Gedichte und Tagebücher (»Das Handwerk des Lebens«, 1950) zeigen tiefe Resignation.

📖 LENZEN, V.: *C. P. Tödlichkeit in Dasein u. Dichtung. Ein Porträt. München u. a. 1989.*

Pause: A Zeichen für ganze bis Vierundsechzigstel-Pausen, B Zeichen für einen ganzen Takt (a), 2 bis 9 Takte (b–i) sowie 10 Takte und mehr (k)

Pavia, 1) Provinz in der Lombardei, Italien, 2965 km², (1995) 493300 Einwohner.

2) Hptst. von 1), Italien, vor der Mündung des Tessin in den Po, 75400 Ew.; Bischofssitz; Univ. (gegr. 1361), PH, Priesterseminar; Herstellung von Näh- und Landmaschinen, Haushaltsgeräten, Fernsehapparaten, Schuh-, Bekleidungs-, Chemiefaserind., Gießereien; durch einen Kanal mit Mailand verbunden. – Geschlechtertürme (v.a. 12. Jh.), Kastell der Visconti (1360–65); Dom (begonnen 15. Jh., ein Hauptwerk der lombard. Renaissance), Basilika San Michele (1155 geweiht); Broletto (ältestes lombard. Rathaus, urspr. 11. Jh., Umbauten im 13. und 16. Jh.). – P. war eine der Residenzen Theoderichs und 572–774 die Hptst. des Langobardenreichs, dann des karoling. Italien, bis es 1359 von den Visconti unterworfen und später dem Herzogtum Mailand einverleibt wurde. – In der **Schlacht bei P.** (24. 2. 1525) erlitt Franz I. von Frankreich eine Niederlage durch Kaiser Karl V. – 8 km nördlich von P. liegt das ehemalige Kartäuserkloster (heute Zisterzienserabtei); die im Kern got. Kirche (1396–1473) hat eine Frührenaissancefassade (1491–1549) mit polychromer Mamorinkrustation.

Paviane [niederländ., aus altfrz. babouin, von baboue »Maul«] (Papio), zu den Meerkatzenartigen gehörende Gattung 50–115 cm langer afrikan. Hundsaffen mit kräftigem Gebiss, starken Überaugenwülsten und lebhaft gefärbten, stark entwickelten Gesäßschwielen; leben herdenweise in Savannen und Steppen; u.a. der **Mantelpavian** (Papio hamadryas), Männchen mit grauer Mantelmähne (BILD Affen), und der zentralafrikan. **Anubispavian** (Papio anubis).

Pavillon ['paviljɔ̃, frz.] *der,* kleiner, meist frei stehender Baukörper, v.a. im Barock; als Gartengebäude errichtet oder einem Hauptbau (Schloss) zugeordnet. Als Teil eines Schlosses (Eck-, Mittel-P.) zeichnet er sich durch eine vom Hauptbau abgesetzte Dachform aus.

Pavo [lat.] (Pfau), ein Sternbild am Südhimmel.

Pawlodar, Hptst. des Gebiets P. im N Kasachstans, am Irtysch, 342 500 Ew.; Ind.hochschule; Traktorenbau, Aluminiumwerk, Erdölverarbeitung, Nahrungsmittelind.; bed. Flusshafen.

Pawlow, Iwan Petrowitsch, russ. Physiologe, *Rjasan 14. 9. 1849, †Leningrad (heute Sankt Petersburg) 27. 2. 1936. Sein Hauptinteresse galt der Physiologie der Verdauung, speziell der nervalen Steuerung der dabei beteiligten inneren Sekretion. P. erhielt dafür 1904 den Nobelpreis für Physiologie oder Medizin. Die Beschäftigung auch mit der »höheren Nerventätigkeit« führte ihn zur Unterscheidung zw. unbedingtem und bedingtem Reflex sowie zur Erforschung des Lernens durch Konditionierung. P. meinte dabei auf die übl. psychologischen Begriffe verzichten zu können und versuchte, alle psych. Vorgänge (auch Denken, Sprechen) auf der Grundlage physiolog. Prozesse zu erklären. Der **Pawlowismus** bestimmte für lange Zeit nicht nur die russ. Psychologie, sondern bildete auch die Grundlage der reflexolog. bzw. mechanistisch orientierten Psychologie, speziell des frühen →Behaviorismus, sowie der Lernforschung.

📖 ASRATJAN, Ė. A.: *I. P. P. Aus dem Russ. Leipzig ³1986.*

Pawlowa, Anna Pawlowna, russ. Tänzerin, *Sankt Petersburg 12. 2. 1881, †Den Haag 23. 1. 1931; bis 1909 Primaballerina am Marientheater in Sankt Petersburg, 1909–11 Solistin in S. Diaghilews »Ballets Russes«; danach eigenes Ensemble. Ihr berühmtester Solotanz war das 1907 von M. Fokin für sie choreographierte Drei-Minuten-Ballett »Der sterbende Schwan« (Musik von C. Saint-Saëns).

Pawlowsk (1918–44 Sluzk), Stadt in Russland, südlich von Sankt Petersburg, 21 000 Ew.; Bau von Kleinbussen. – Auf einer Anhöhe in einem 600 ha großen Park das klassizist. Schloss, die ehem. Sommerresidenz der russ. Kaiserfamilie (1782–86 erbaut, nach Brand 1803/04 wiederhergestellt; heute Museum); Gartengestaltung nach engl. Vorbild.

Pax [lat.] *die,* röm. Göttin, Personifikation des Friedens; ihr wurde in Rom unter Augustus die →Ara Pacis Augustae errichtet.

Pavia 2): Frührenaissancefassade (1491–1549) des ehemaligen Kartäuserklosters (1396–1473) mit polychromer Mamorinkrustation

Pax Christi [lat. »Friede Christi«], kath. internat. Friedensbewegung, 1944 in Frankreich entstanden, seit 1951 in einem Internat. Sekretariat (Sitz: Antwerpen) und nat. Sektionen organisiert.

Pavia 2) Stadtwappen

Pax Romana [lat. »röm. Friede«], die durch Rechtsnormen und eth. Grundrechte gesicherte Friedensordnung des Röm. Reiches bes. im 1. Jh. des Prinzipats; auch **Pax Augusta** (»Kaiserfrieden«) genannt.

Payer, Julius Ritter von, österr. Polarforscher, *Schönau (heute zu Teplice) 1. 9. 1842, †Bled (Slowenien) 30. 8. 1915; führte 1872–74 die österr.-ungar. Nordpolarexpedition, die das Franz-Josef-Land entdeckte. Nach ihm ist die **P.-Spitze** (2 000 m ü. M.) in O-Grönland benannt.

Iwan Petrowitsch Pawlow

Payerne [pa'jɛrn], Bezirkshauptstadt im Kt. Waadt, Schweiz, 7 300 Ew.; Zigarrenfabrik, Fleischwarenherstellung. – Urspr. römisch; 962 begründete Adelheid, Gemahlin Ottos I., durch Schenkung die Benediktinerabtei (1538 aufgehoben; roman. Abteikirche des 11./12. Jahrhunderts).

Paysandú, Hptst. des Dep. P., Uruguay, 75 000 Ew.; Flusshafen am Uruguay; Fleischverarbeitung u.a. Industrie.

Pays de la Loire [pɛidla'lwa:r], Region in W-Frankreich, umfasst die Dép. Loire-Atlantique, Maine-et-Loire, Mayenne, Sarthe und Vendée, 32 082 km², (1995) 3,135 Mio. Ew.; Hptst. ist Nantes.

Anna Pawlowna Pawlowa

Pay-TV ['peɪti:'vi:, engl.], besonderes Fernsehprogramm, das i. Allg. monatlich zu bezahlen ist, um die codiert ausgestrahlten Sendungen mithilfe eines Decoders empfangen zu können. Eine Sonderform des P. ist das **Münzfernsehen,** bei dem jede Sendung bezahlt werden muss, z.B. in Hotels.

Paz [pas], Octavio, mexikan. Schriftsteller, *Mixcoac (heute zu Mexiko-Stadt) 31. 3. 1914,

Octavio Paz

† Mexiko-Stadt 19. 4. 1998; war 1945–68 im diplomat. Dienst; gilt als einer der bedeutendsten Lyriker (dt. Auswahl 1971 u. d. T. »Freiheit, die sich selbst erfindet«; »In mir der Baum«, 1987; »Die andere Stimme«, 1990) und Essayisten der Gegenwart (»Das Labyrinth der Einsamkeit«, 1950; »Die andere Zeit der Dichtung«, 1974; »Hombres en su siglo ...«, 1984). Seine visionären, surrealistisch beeinflussten Gedichte, seine Prosatexte und Publizistik zeigen auch seine Kritik an jeder geistigen oder phys. Unterdrückung; Gründer (1976) und Hg. der Ztschr. »Vuelta«. Er erhielt 1984 den Friedenspreis des Dt. Buchhandels, 1990 den Nobelpreis für Literatur.

📖 Ruy Sánchez, A.: *O. P. Leben u. Werk. Eine Einführung. A. d. Span. Frankfurt am Main 1991.*

Paz Estenssoro ['pas-], Victor, bolivian. Politiker, * Tarija 2. 10. 1907; Jurist, gründete 1940 den Movimiento Nacionalista Revolucionario (MNR), 1952–56 Staatspräs., verstaatlichte die Zinnminen und führte eine Agrarreform durch. 1960–64 (durch Putsch gestürzt) und 1985–90 war er wieder Staatspräsident.

Pazifischer Ozean: Reliefkarte des Meeresbodens von Tanguy de Rémur (Quelle: Guides Bleus, Hachette)

Pazifik *der,* → Pazifischer Ozean.

pazifische Inseln (engl. Pacific Islands), die Inselwelt des Pazif. Ozeans, → Ozeanien.

Pazifischer Krieg (Salpeterkrieg), → Chile, Geschichte.

Pazifischer Ozean (Pazifik, Stiller Ozean, Großer Ozean), größtes der drei Weltmeere, zw. Asien und Australien im W und Amerika im O, mit zahlr. Inseln und Inselketten; 166,2 Mio. km², einschl. der Nebenmeere 181,3 Mio. km² (35% der Gesamt- und nahezu 50% der Wasserfläche der Erde); größte Erstreckung von N nach S nahezu 15 000 km, von O nach W über 20 000 km; mittlere Tiefe 4 280 m, im Marianengraben bis 10 924 m **(Witjastiefe).** Die größten **Nebenmeere** sind das Australasiat. Mittelmeer und die Philippinensee sowie die Randmeere Bering-, Ochotsk., Japan., Ostchines. Meer und Gelbes Meer, Korallen- und Tasmansee, Golf von Kalifornien und Golf von Alaska. Die mittlere Wassertemperatur beträgt im Bereich des therm. Äquators 29 °C, im Beringmeer 1 °C und im Bereich von 60° südl. Breite 5 °C. Der Salzgehalt liegt zw. 36,9‰ am südl. bzw. 35,9‰ am nördl. Wendekreis und 29–33‰ im Ochotsk. Meer. Nahezu die gesamte Umrandung des P. ist eine Kette tätiger bzw. jüngst erloschener Vulkane. Häufig sind Erd- und Seebeben, bes. im Bereich der Tiefseegräben am Ostrand vieler Inselketten. Untermeer. Rücken und quer dazu verlaufende Schwellen gliedern den P. in submarine Großbecken (Philippinen-, Marianen-, Nord-, Mittel-, Ostpazif. Becken); den Rücken und Schwellen sowie dem Beckengrund sitzen zahlr. Vulkane auf. Insgesamt liegen im P. etwa 10 000 Inseln (Sachalin, Japan., Neuseeländ. Inseln, Taiwan u. a.) mit einer Landfläche von 3,6 Mio. km². Die Grundbedeckung besteht aus rotem Tiefseeton und Globigerinenschlamm, in der Nähe von Vulkanen aus Vulkanschlick, im polaren Bereich aus Diatomeenschlamm. Die Mischungsgebiete kalter und warmer Strömungen sind pflanzen- und fischreich. Wachsende Bedeutung haben Schiffs- und Luftverkehr sowie der Fremdenverkehr. Der Grund des P. O. ist reich an Manganknollen u. a. Naturschätzen.

📖 Nicholas, A.: *Die ozean. Rücken. A. d. Frz. Berlin u. a. 1995.* – Ott, J.: *Meereskunde. Stuttgart ²1996.*

Pazifismus [lat.] *der,* Grundhaltung und Bewegung, die aus eth. Gründen Gewaltanwendung sowie militär. Vorbereitung eines Krieges verwirft und kompromisslose Friedensbereitschaft fordert. Mittel gegen bewaffnete Okkupationen sollen → soziale Verteidigung u. a. Formen des → zivilen

Ungehorsams sein. Der radikale P. auf christl. Grundlage wurde von myst. Spiritualisten des 16. Jh. sowie von den Mennoniten und Quäkern vertreten. Der moderne P. hat sich im 19. Jh. in den **Friedensgesellschaften** entwickelt. Das Internat. Friedensbüro (Sitz: Bern, bis 1919 Genf) entstand 1891 als Zentrale sämtl. Friedensgesellschaften. Im 1. Weltkrieg äußerte sich der radikale P. auch literarisch (H. Barbusse), ferner praktisch in den Gruppen, die die Kriegsdienstverweigerung verfochten. Durch den Nationalsozialismus wurde der P. in Dtl. unterdrückt. Unter dem Eindruck des 2. Weltkriegs und der weltpolit. Spannungen, die er hinterließ, sowie angesichts der Entwicklung von Atomwaffen erhielt der P. neue, starke Impulse (→Ostermarschbewegung; →Kriegsdienstverweigerung). In Anbetracht der rüstungspolit. Entwicklung seit dem Ende der 1970er-Jahre v.a. im Spannungsfeld zw. NATO und Warschauer Pakt entwickelte sich die →Friedensbewegung. Auf den P. gehen viele Ansätze der →Friedensforschung zurück.

🕮 HOLL, K.: *P. in Deutschland. Frankfurt am Main 1988.* – WETTE, W.: *Militarismus u. P. Bremen 1991.*

Pázmány ['pa:zma:nj], Péter, ungar. kath. Theologe, *Großwardein (heute Oradea) 4. 10. 1570, †Preßburg 19. 3. 1637; entstammte einer kalvinist. Adelsfamilie; 1583 Übertritt zum Katholizismus, seit 1587 Jesuit; seit 1598 Prof. in Graz; seit 1616 Erzbischof von Gran, seit 1629 Kardinal; als Kirchenpolitiker, sprachgewaltiger Prediger und Schriftsteller führende Persönlichkeit der Gegenreformation in Ungarn; gründete u.a. die Univ. in Tyrnau (die spätere Budapester Universität).

Paznaun *das* (Paznauntal), Talschaft im westl. Tirol, Österreich, zw. Verwallgruppe im N und Silvretta- und Samnaungruppe im S, 35 km lang. Hauptorte sind Kappl (1256 m ü.M.), Ischgl (1376 m ü.M.) und Galtür (1584 m ü.M.); Fremdenverkehr (v.a. Wintersport).

Paz Zamora [pas s-], Jaime, bolivian. Politiker, *Cochabamba 15. 4. 1939; gründete 1971 den Movimiento de la Izquierda Revolucionaria (MIR). 1974 war er in Haft, danach im Exil; 1982–85 Vizepräs. und 1989–93 Staatspräsident.

Pb, chem. Symbol für →Blei.

pc, Einheitenzeichen für →Parsec.

PC, Abk. für 1) →**P**ersonal**c**omputer, 2) →**P**oly**c**arbonate.

PCB, Abk. für →**P**oly**c**hlor**b**iphenyle.

p. Chr. (n.), Abk. für **p**ost **Chr**istum (**n**atum).

PCM, Abk. für →**P**uls**c**ode**m**odulation.

PCP, Abk. für →**P**enta**c**hlor**p**henol.

Pd, chem. Symbol für →Palladium.

PDA [Abk. für engl. **p**ersonal **d**igital **a**ssistent], *Datenverarbeitung:* kleines, in der Hand gehaltenes elektron. Notizbuch mit Flachbildschirm, auf dem auch die Eingabe – mithilfe eines Stifts – erfolgt; besitzt u.a. Datenbank-, Terminverwalter-, Fax- und E-Mail-Funktionen; es ist kleiner und leichter als ein Notepad.

PD-Regler, →Regler.

PDS, 1) Abk. für italien. **P**artito **D**emocratico della **S**inistra (Demokrat. Partei der Linken), 1990 unter diesem Namen aus der Italien. KP hervorgegangene Partei.

2) Abk. für →**P**artei des **D**emokratischen **S**ozialismus.

Peace Corps ['pi:s kɔ:; engl. »Friedenskorps«] *das,* 1961 von Präs. J. F. Kennedy ins Leben gerufene amerikan. Organisation freiwilliger Entwicklungshelfer (Ärzte, Lehrer, Techniker); Vorbild für Entwicklungsdienste vieler Länder.

Peace River ['pi:s 'rɪvə; engl. »Friedensfluss«] *der,* Fluss in Kanada, 1923 km lang, entspringt mit zwei Quellflüssen in den Rocky Mountains (Williston Lake, 1660 km²); vereinigt sich nördlich des Athabascasees mit dem Slave River (Ausfluss des Athabascasees); Quellfluss des Mackenzie.

Peacock ['pi:kɔk], Thomas Love, engl. Schriftsteller, *Weymouth 18. 10. 1785, †Lower Halliford (Cty. Surrey) 23. 1. 1866; schrieb humorvolle satir. Romane um geistreiche Sonderlinge (»Nachtmahr-Abtei«, 1818, »The misfortunes of Elphin«, 1829).

Peak [pi:k, engl.] *der,* Bergspitze, -gipfel.

Peale [pi:l], amerikan. Malerfamilie. – Bedeutende Vertreter:

1) Charles Wilson, *Saint Paul's Parish (Md.) 15. 4. 1741, †Philadephia (Pa.) 22. 2. 1827, Vater von 3) und 4), Bruder von 2); studierte u.a. bei B. West in London (1767–69), beeinflusst von J. S. Copley. P. trat v.a. als Porträtist hervor (zahlreiche Bildnisse G. Washingtons). Er gründete ein Naturkundemuseum in Philadelphia, wo er 1805 zu den Mitbegründern der Pennsylvania Academy of Fine Arts gehörte.

2) James, *Chestertown (Md.) 1749, †Philadelphia (Pa.) 24. 5. 1831, Bruder von 1); war als Miniaturist zunächst von seinem Bruder, später auch von der klassizistischen frz. Porträtmalerei beeinflusst. Er malte auch Landschafts- und Historienbilder, in seiner Spätzeit v.a. Stillleben.

3) Raphaelle, *Annapolis (Md.) 17. 2. 1774, †Philadelphia (Pa.) 5. 3. 1825, Sohn von 1) und Bruder von 4); einer der ersten amerikan. Maler, die sich auf Stillleben spezialisierten. Er schuf auch Werke des Bildillusionismus, die Gemaltes als reale Gegenstände erscheinen lassen (»Nach dem Bade«, 1823; Kansas City, Mo., Nelson-Atkins Museum of Art) sowie Porträts. BILD S. 424

4) Rembrandt, *Bucks Cty. (Pa.) 22. 2. 1778, †Philadelphia (Pa.) 3. 10. 1860, Sohn von 1) und Bruder von 3); begabter Porträtist (Bildnisse

G. Washingtons), schuf auch Historienbilder. 1811 gründete er eine Bildergalerie in Philadelphia (ab 1812 Apollodorian Gallery of Paintings), 1814 eine weitere in Baltimore. 1825 wurde er Präsident der American Academy of Fine Arts in New York.

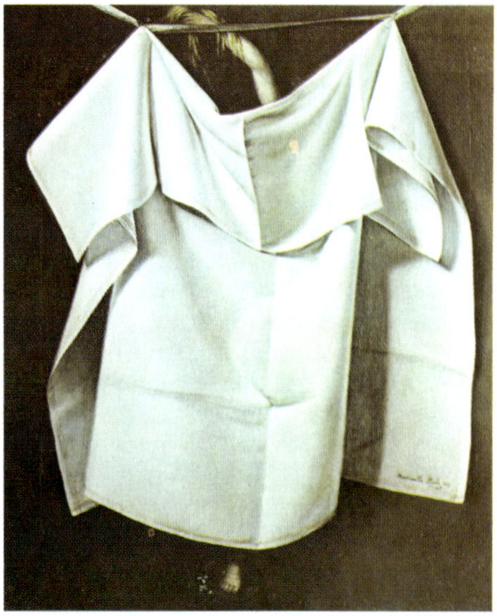

Raphaelle Peale: »Nach dem Bade« (1823; Kansas City, Mo., Nelson-Atkins Museum of Art)

Robert E. Peary

Gregory Peck

Peano, Giuseppe, italien. Mathematiker, *Cuneo 27. 8. 1858, †Turin 20. 4. 1932; bed. Beiträge zu den Grundlagen der Mathematik und zur mathemat. Logik. Sein **peanosches Axiomensystem** stellt die natürlichen Zahlen auf eine axiomatisch einwandfreie Basis und bildet die Grundlage der mathemat. →Induktion. P. schuf außerdem die →Welthilfssprache Interlingua.

PEARL [pə:l; Abk. für engl. **p**rocess and **e**xperiment **a**utomation **r**ealtime **l**anguage], →Programmiersprache für die Lösung von Aufgaben im Bereich der Automatisierung. PEARL ist als Echtzeitsprache geeignet für Anwendungen bei der Prozessdatenverarbeitung, Prozessautomation sowie für Ablauf- und Maschinensteuerungen.

Pearl Harbor ['pə:l 'hɑ:bə], Flottenstützpunkt der USA an der S-Küste der Hawaii-Insel Oahu, nordwestlich von Honolulu. – Am 7. 12. 1941 überfielen von Flugzeugträgern gestartete Einheiten der japan. Luftwaffe ohne vorherige Kriegserklärung P. H., konnten aber trotz der Zerstörung zahlr. Kriegsschiffe eine Ausschaltung der amerikan. Pazifikflotte nicht erreichen. Dieser Angriff führte zum Kriegseintritt der USA gegen die Achsenmächte.

Pears ['pɪəs], Sir (seit 1978) Peter, engl. Sänger (Tenor), *Farnham (Cty. Surrey) 22. 6. 1910, †Aldeburgh (Cty. Suffolk) 3. 4. 1986; wurde bekannt durch seine Interpretationen von Partien aus Werken B. Brittens, die für ihn geschrieben waren.

Pearson ['pɪəsn], Lester Bowles, kanad. Politiker, *Toronto 23. 4. 1897, †Rockcliffe Park (bei Ottawa) 27. 12. 1972; 1948–57 Außenmin., hatte maßgebl. Anteil an der Gründung der NATO; 1958–68 Vors. der Liberalen Partei, 1963–68 MinPräs. 1957 erhielt er für seine Bemühungen um die Beendigung der Sueskrise (1956) den Friedensnobelpreis.

Peary ['pɪərɪ], Robert Edwin, amerikan. Nordpolarforscher, *Cresson Springs (Pa.) 6. 5. 1856, †Washington (D. C.) 20. 2. 1920; stellte 1901 die Inselnatur Grönlands durch Umfahrung im N fest, erforschte 1905 Grinnell- und Grantland, erreichte am 6. 4. 1909 die unmittelbare Nähe des Nordpols.

Peć [pɛ:tɕ] (alban. Pejë), Stadt in der Prov. Kosovo (Serbien), Jugoslawien, 42100 Ew.; Leder-, Holzind., Kunstgewerbe. – Ehem. Patriarchenkloster, in den drei Kirchen (13./14. Jh.) bed. Fresken. – 1202 erstmals erwähnt, 1463–1913 türkisch.

Pech, schwarzer, zähflüssiger bis fester Rückstand der Teerdestillation, der vorwiegend aus polyzykl. Aromaten, heterozykl. Verbindungen und Phenolen besteht. P. wird meist nach der Herkunft benannt (z. B. Steinkohlenteer-P., Braunkohlenteer-P.) oder nach dem Erweichungspunkt: **Weich-P.** (Erweichungspunkt 40 °C), **Mittel-P.** (70 °C) und **Hart-P.** (85 °C). P. wird u. a. zur Herstellung von P.-Koks, P.-Lacken und Kohlenstofffasern sowie von Teerpappen und als Weichmacher für Kautschuk verwendet.

Pechblende, ein Mineral, →Uranpecherz.

Pechnase (Pecherker), kleiner, unten offener Vorbau an den oberen Stockwerken mittelalterl. Befestigungen, von dem man siedendes Pech u. a. auf den Angreifer hinabgoss.

Pearl Harbor: Die weiße Stahlbetonkonstruktion des 1962 errichteten »USS Arizona National Memorial« überspannt den Rumpf der USS Arizona, die beim Angriff am 7. 12. 1941 mit 1102 Soldaten an Bord gesunken ist

Pechnelke (Klebnelke, Lychnis viscaria), staudiges, europ.-asiat. Nelkengewächs mit klebrigen Stängelteilen unter den oberen Knoten und karminroten Blüten, auf kalkarmem Grasboden.

Pechstein, ein natürl., wasserhaltiges Gesteinsglas, das bei schneller Erstarrung von Ergussgesteinen entsteht; braun, rot, grün oder schwarz, pechartig glänzend.

Peć: Die über dem Grundriss eines griechischen Kreuzes erbaute Apostelkirche (rechts) ist der älteste, Anfang des 13. Jh. erbaute Teil des ehemaligen Patriarchenklosters westlich der Stadt, an ihrer Nordseite (im Bildvordergrund) wurde 1324–37 die Muttergotteskirche ausgebaut

Pẹchstein, Max, Maler und Grafiker, *Zwickau 31. 12. 1881, †Berlin (West) 29. 6. 1955; übersiedelte 1900 nach Dresden, ab 1906 Mitgl. der →Brücke. Ab 1908 lebte er meist in Berlin. 1914 reiste er zu den Palauinseln. Die Auseinandersetzung mit der Kunst der Inselbewohner prägte sein Werk nachhaltig. 1933 erhielt er Ausstellungsverbot. 1945 wurde er Prof. an der Berliner Akademie. In seinen graf. Arbeiten und Gemälden entwickelte er v.a. die dekorativen Möglichkeiten des dt. Expressionismus.

Pẹck, Gregory, amerikan. Filmschauspieler, *La Jolla (Calif.) 5. 4. 1916; variationsreicher Darsteller des amerikan. Films: u.a. »Ein Herz und eine Krone« (1953), »Moby Dick« (1956), »Weites Land« (1958), »Wer die Nachtigall stört« (1962), »Old Gringo« (1988), »Kap der Angst« (1991).

Peckinpah ['pekɪŋpɑ:], Sam, eigtl. David Samuel P., amerikan. Filmregisseur, *Fresno (Calif.) 21. 2. 1925, †Inglewood (Calif.) 28. 12. 1984. – *Filme:* u.a. »Sacramento« (1961); »Wer Gewalt sät ...« (1971); »Steiner« (1976).

Sam Peckinpah

Pécs [pe:tʃ] (dt. Fünfkirchen), Hptst. des Bez. Baranya, im südl. W-Ungarn, größte Stadt Transdanubiens, 172 200 Ew.; zwei Univ., techn. FH; Museen; elektrotechn., chem., Textil-, Lebensmittelind.; im Mecsekgebirge Bergbau auf Steinkohle und Uranerz; im Umland v.a. Obst-, Wein-, Gemüsebau. – Dom St. Peter (dreischiffige roman. Basilika mit vier Türmen und fünfschiffiger Krypta, mehrfach restauriert); ehem. Moschee (16. Jh.). – Als **Sopianis (Sopianae)** bed. Straßenknotenpunkt der röm. Kaiserzeit, unter Diokletian Hptst. der Provinz Valeria; 4. bis Mitte des 6. Jh. und seit 1009 Bischofssitz; im 9. Jh. einer der Hauptorte des Großmähr. Reiches, erstmals **Quinque Ecclesiae** (»Fünfkirchen«) genannt; gehörte seit Bildung des Königreichs Ungarn zu diesem; im MA. größte ungar. Stadt, von großer kultureller Bedeutung; 1541–1687 unter osman. Herrschaft; 1681 Ansiedlung von Deutschen, 1780 Erhebung zur königlich-ungar. Freistadt.

Peda̲l [zu lat. pedalis »zum Fuß gehörig«] *das,* mit dem Fuß zu betätigender Hebel **(Fußhebel)** oder Kurbel **(Tretkurbel)** zum Übertragen oder Auslösen von Bewegungen, z.B. Fahrrad-, Gaspedal. Bei Musikinstrumenten die mit den Füßen zu spielende Klaviatur (Orgel) sowie Fußhebel zur Tonbeeinflussung (Klavier, Harfe, Pauke).

Peddigrohr (spanisches Rohr), die bis 4 cm dicken Stängel bestimmter lianenartiger, kletternder Rotangpalmen; für Korbwaren verwendet.

Pe̲dersen, Charles J., amerikan. Chemiker norweg. Herkunft, *Pusan (Süd-Korea) 3. 10. 1904, †Salem (N. J.) 26. 10. 1989; stellte in den 60er-Jahren erstmals Kronenäther her und entdeckte, dass in die von den Molekülen gebildeten Hohlräume Fremdatome eingelagert werden können. P. wurde damit zum Begründer der »Wirt-Gast-Chemie«. 1987 erhielt er mit D. J. Cram und J.-M. P. Lehn für »die Entwicklung und Verwendung von Molekülen mit strukturspezif. Wechselwirkung hoher Selektivität« den Nobelpreis für Chemie.

Charles J. Pedersen

Pe̲di, zu den →Sotho zählendes Bantuvolk in der Nordprovinz, Rep. Südafrika. Die etwa 700 000 P. leben von Lohnarbeit, Ackerbau (Mais,

Max Pechstein: Stillleben (um 1913; Mannheim, Städtische Kunsthalle)

Robert Peel (Ausschnitt eines Gemäldes, 1838)

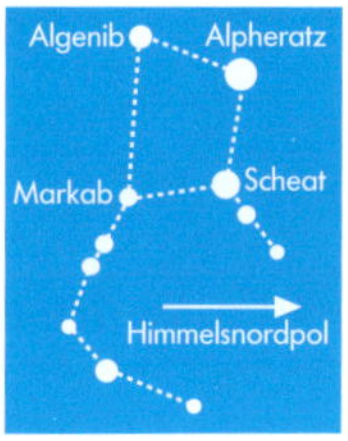

Pegasus 1)

Hirse) und Rinderhaltung; sie wohnen in Kegeldachhäusern.

Pedigree ['pedɪgri:, engl.] *der,* Stammbaum in der Pflanzen- und Tierzucht.

Pediküre [frz.] *die,* Fuß- und Nagelpflege.

Pedologie [grch.] *die,* die →Bodenkunde.

Pedosphäre [grch.] *die,* Teil der Biosphäre, die oberste, meist etwa 5 m tiefe Bodenschicht, die von Lebewesen besiedelt ist.

Pedro, span. und portugies. Fürsten, →Peter.

Peel [pi:l], Sir Robert, brit. Politiker, *bei Bury (Cty. Lancashire) 5. 2. 1788, †London 2. 7. 1850; 1822–27 und 1828–30 Innenmin., 1834/35 und 1841–46 Premiermin. P. war der eigentl. Begründer der späteren →Konservativen und Unionist. Partei. Er reformierte das Strafrecht und gründete die Londoner Polizei (die Bez. »Bobby« geht auf P.s Vornamen zurück). P. führte 1846 mit seinem Eintreten für die Abschaffung der Getreidezölle seinen Sturz als Premiermin. herbei.

Peele [pi:l], George, engl. Dramatiker, getauft London 25. 7. 1556, begraben ebd. 9. 11. 1596; schrieb lyr. Bühnenwerke: »The love of King David and Fair Bethsabe« (hg. 1589), »The old wives tale« (erschienen 1595).

Peeling ['pi:-, engl.] *das,* die →Schälkur.

Peene *die,* **1)** schiffbarer Küstenfluss in Meckl.-Vorp., mit dem Quellfluss **Kleine P.** 156 km lang. Unterhalb von Anklam erweitert sie sich zw. dem Festland und Usedom zum 46 km langen **P.-Strom** (westl. Zugang zum Stettiner Haff) und mündet bei Peenemünde in den Greifswalder Bodden; bis Anklam für Seeschiffe befahrbar.

2) der westl. Mündungsarm der →Oder zw. Festland und der Insel Usedom.

Peenemünde, Gemeinde im Landkreis Ostvorpommern, Meckl.-Vorp., im NW der Insel Usedom, 650 Ew.; war bis 1945 Forschungsstelle und Versuchsfeld für Raketenwaffen; nach 1945 Marinestützpunkt.

Peer ['pɪə; von frz. Pair] *der,* Angehöriger des brit. Hochadels mit Recht auf Sitz und Stimme im Oberhaus, führt den Titel Lord; besaß bis 1948 Anspruch auf einen eigenen Gerichtsstand bei schweren Verbrechen. Die P.-Würde **(Peerage)** ist erblich in direkter männl. Linie, ausnahmsweise in weibl. Linie (Peeress) und Nebenlinie; seit 1958 Ernennung auf Lebenszeit möglich.

Peergroups ['pɪəgru:ps, engl.], ein aus der amerikan. Jugendsoziologie stammender Begriff für spontan gebildete Spiel- und Freizeitgruppen von Kindern und Jugendlichen mit großer Bedeutung für die Sozialisation.

Peffekoven, Rolf, Finanzwissenschaftler, *Gummersbach 29. 6. 1938; seit 1970 Prof. u.a. in Bochum und Mainz (seit 1983); beschäftigt sich v.a. mit Fragen des Finanzausgleichs, der internat. Finanzbeziehungen, der Finanz- und Steuerpolitik; seit 1991 Mitgl. des Sachverständigenrats zur Begutachtung der gesamtwirtsch. Entwicklung.

Pegasus, 1) *Astronomie:* ein Sternbild des nördl. Himmels.

2) *grch. Mythos:* das geflügelte Ross, das aus dem Rumpf der von Perseus getöteten Medusa entsprang und von Bellerophon gezähmt wurde; als er auf P. zum Himmel hinaufreiten wollte, warf dieser ihn ab. – Durch den Hufschlag des P. entstand die Quelle Hippokrene, die dichter. Inspiration verleiht. Deshalb gilt P. als Symbol der Dichtkunst.

Pegau, Stadt im Landkreis Leipziger Land, Sachsen, an der Weißen Elster, 5200 Ew.; Schuh-, Metallwarenind., Filzfabrik. – P. entstand im Anschluss an ein 1091 von Wiprecht von Groitzsch gegründetes Kloster; 1190 wurde die Neustadt angelegt; Laurentiuskirche (vor 1189) mit Grabmal Wiprechts; Rathaus (1559).

Pegel *der,* **1)** *Messtechnik:* logarithmiertes Verhältnis zweier Energie- oder Feldgrößen gleicher Art, wovon die Nennergröße eine festgelegte Bezugsgröße ist, z. B. beim →Schalldruckpegel der Bezugsdruck $p_0 = 2 \cdot 10^{-5}$ Pa. Der **Nutz-P.** ist der P. eines übertragenen Signals. Der max. Nutz-P. an einem Messpunkt (unter Einhaltung bestimmter Verzerrungsbedingungen) ist der **Nenn-P.** Der Spannungs-P. an einem Messpunkt – wenn kein Nutz-P. vorhanden ist – wird **Stör-P.** genannt. Der Effektivwert des Stör-P., der mit einer inner-

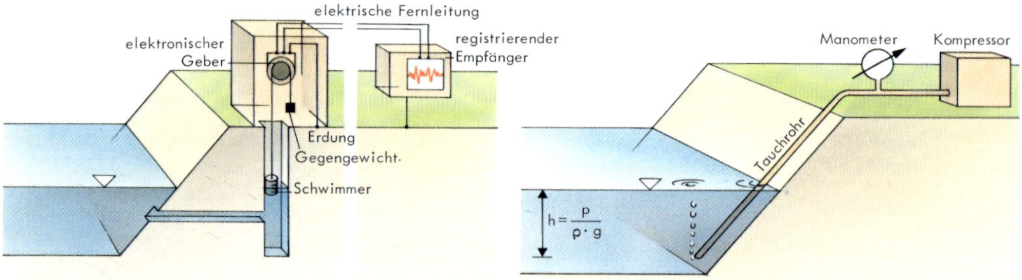

Pegel 2): elektrischer Fernpegel, bei dem ein elektronischer Geber wasserstandsabhängige Impulse sendet (links) und Druckluftpegel, bei dem ein Manometer den vom Kompressor im Tauchrohr gehaltenen Druck misst

halb des Übertragungsbereichs frequenzabhängigen Anzeige gemessen wird, ist der **Fremdpegel.**

2) *Wasserbau:* Messeinrichtung zur Bestimmung des Wasserstandes von Gewässern, Behältern und des Grundwasserstandes im Boden. Der P.-Nullpunkt liegt unter dem niedrigsten bekannten Wasserstand. **Latten-P.** sind senkrechte oder schräge Messlatten mit einer Teilung. **Schreib-P. (Limnographen)** zeichnen den P.-Stand laufend auf; es gibt mechan. **Schwimmer-P., Druckluft-P.** und **elektr. Fern-P.** (mit Fernübertragung der Aufzeichnungen eines Schwimmers). Die laufenden P.-Ablesungen bilden auch die Grundlagen für die Feststellung von abfließenden Wassermengen.

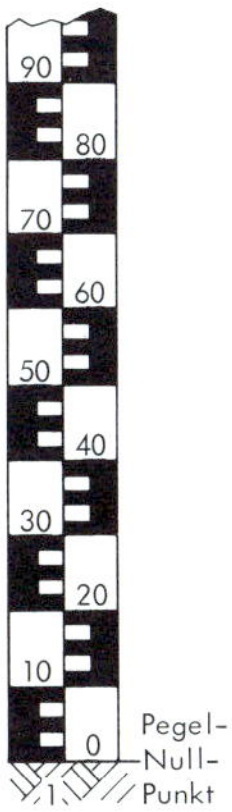

Pegel 2): Lattenpegel

Pegu: Die Kolossalstatue des liegenden Buddha wurde erst 1881 im Dschungel wieder entdeckt

Pegmatit [grch.] *der,* grob- bis riesenkörniges, meist relativ helles Ganggestein. P. kristallisieren aus Restschmelzen, die sich am Ende der Hauptkristallisation von Tiefengesteinen bilden und mit leicht flüchtigen Bestandteilen angereichert sind. Am häufigsten ist **Granit-P.,** der bes. Quarz, Kalifeldspat, Muskovit oder Lithiumglimmer, oft Turmalin, bisweilen Topas oder Beryll enthält; Träger wichtiger Mineral- und Erzlagerstätten.

Pegnitz, 1) *die,* Nebenfluss der Rednitz im nördl. Bayern (Franken), 85 km lang, entspringt in der Stadt P., versinkt beim Eintritt in die Fränk. Alb in Karströhren des Weißen Jura (320 m unterird. Lauf), mündet bei Fürth.

2) Stadt im Landkreis Bayreuth, Bayern, am O-Rand der Fränk. Schweiz, 14 400 Ew.; Pumpen- und Armaturenbau. – Erhielt 1355 Stadtrecht; die Eisenerzgewinnung wurde 1967 eingestellt.

Pegnitz|orden (Pegnesischer Blumenorden, Gekrönter Blumenorden), 1644 in Nürnberg von G. P. Harsdörffer und J. Klaj gegr., von Sigmund von Birken (*1626, †1681) und Magnus David Omeis (*1646, †1708) fortgeführte Sprachgesellschaft, bei der fast ausschl. virtuose Dichtung und ästhet. Theorie im Mittelpunkt standen. Der Kreis pflegte eine Dichtung von gesellig-anmutigem Charakter und betonte formale Virtuosität, bes. in Bezug auf Reim- und Klangspiele.

Pegu (Bago), Stadt in S-Birma, nördlich von Rangun, 150 400 Ew.; Nahrungsmittel-, Holz-, Textilind., Metallverarbeitung. – Buddhist. Wallfahrtsziel mit zahlr. Pagoden und einer 1881 im Dschungel wieder entdeckten Kolossalstatue des liegenden Buddhas. – 573 gegr., Hptst. des Mon-Reiches P., im 18. Jh. von Birmanen erobert.

Péguy [pe'gi], Charles Pierre, frz. Schriftsteller, *Orléans 7. 1. 1873, ⚔ bei Villeroy (Dép. Seine-et-Marne) 5. 9. 1914; Schüler H. Bergsons; gründete 1900 die bed. literarisch-polit. Zeitschrift »Cahiers de la quinzaine«; stand in der Dreyfusaffäre auf republikan. Seite, wandte sich um 1908 einem myst. Nationalismus zu; Vertreter des →Renouveau catholique. P. schrieb Versdichtungen (u. a. »Das Mysterium der Hoffnung«, 1911) und das lyr. Drama »Jeanne d'Arc« (1897).

Charles Péguy

Pehlewi ['pɛç-] *das,* mittelpers. Sprache aus der Zeit von 300 v. Chr. bis 950 n. Chr. (→iranische Sprachen). Sie diente als Amts- und Verkehrssprache des Sassanidenreichs und ist aus dieser Zeit bes. in Inschriften belegt. Aus nachsassanid. Zeit, bes. ab dem 9. Jh., stammt die zoroastr. Literatur der Parsen, darunter die theolog. Enzyklopädien des Parsismus, »Denkart« und »Bundahischn«, und »Zend«, der Kommentar des Awesta. Vom weiteren P.-Schrifttum ist ein Roman über den Begründer der Sassanidendynastie erhalten. Die **P.-Schrift** ging aus der aramäischen Verwaltungssprache und -schrift hervor; im 9. Jh. (Buch-P.) wurden die 22 aramäischen auf 14 oft mehrdeutige Buchstaben reduziert.

Pei [peɪ], Ieoh Ming, amerikan. Architekt chines. Herkunft, *Kanton 26. 4. 1917. Mit seinen Werken, geprägt durch strenge Geometrie, ein feinsinniges Formgefühl und eine offene Haltung gegenüber den techn. Möglichkeiten von Architektur, wirkte er weit über die USA hinaus. – *Bauten:* Kennedy International Airport in New York (1970); Ostgebäude der National Gallery of Art in Washington, D. C. (1978); Glaspyramide im Hof des Louvre in Paris (1989); Bank of China in Hongkong (1989); Museum für Moderne Kunst in Athen (1993 ff.); Rock-'n'-Roll-Hall of Fame and Museum in Cleveland, Ohio (1994). BILD S. 428, weiteres BILD Louvre

Gustav Peichl: Porträt Ludwig Erhards (1963)

Peichl, Gustav, österr. Architekt und Karikaturist, *Wien 18. 3. 1928; veröffentlichte ab 1958 Karikaturbände unter dem Pseudonym **Ironimus** (»Mein Österreich«, 1975; »Laßt Linien sprechen«, 1982). In seinen Bauten suchte er eine Synthese von Form und Funktion zu verwirklichen (u. a. Er-

Ieoh Ming Pei: Rock'-n'-Roll-Hall of Fame and Museum in Cleveland, Ohio (1994)

weiterungsbau des Städelschen Kunstinstituts in Frankfurt am Main (1989/90); Kunst- und Ausstellungshalle in Bonn (1989–92).

Peierls, Sir (seit 1968) Rudolf Ernst, brit. Physiker dt. Herkunft, * Berlin 5. 6. 1907; im 2. Weltkrieg maßgebend an der Entwicklung der Atombombe beteiligt; Arbeiten u. a. zur Anwendung der Quantenmechanik auf Probleme der Festkörperphysik und über den Aufbau der Materie.

Charles S. Peirce

Peies [hebr.], Schläfenlocken der orthodoxen Juden.

Peikiang, Fluss in China, → Bei Jiang.

Peilen [zu Pegel], **1)** *Messtechnik:* Feststellen des Flüssigkeitsstands in einem Tank mit einem Peilstab durch das Füllrohr oder durch ein Peilrohr.

2) *Navigation:* Richtungsbestimmung durch Winkelmessung zw. einer Bezugsrichtung und einem terrestr. Objekt oder einem Gestirn (Astronavigation) mit Peildiopter, Peilaufsatz auf Magnetkompass oder Kreiselkompass **(opt. P.).** Beim P. mit Kompass müssen die Werte mit der Fehlweisung für den anliegenden Kurs in rechtweisende Werte umgewandelt werden. Erst dann lassen sich zugehörige Standlinien in die Seekarte eintragen. In der Luftfahrt erfolgt **Funkpeilung,** bei der der Einfallswinkel einer elektromagnet. Welle an einem Peilort gegenüber einer Bezugsrichtung bestimmt wird. (→ Funknavigation)

Pekinese (Widerristhöhe 15–25 cm)

Peine, 1) Landkreis im RegBez. Braunschweig, Ndsachs., 534 km², (1996) 127 200 Einwohner.

2) Krst. von 1) in Ndsachs., am Mittellandkanal (Hafen), 49 200 Ew.; Stahlwerke; Erdölraffinerie, Süßwarenind., Brauerei, Mälzerei, Maschinen- und Gerätebau. – Um 1220 gegr.; gehörte 1260–1802/03 zum Hochstift Hildesheim.

peinlich, *Rechtsgeschichte:* Strafen an Leib und Leben betreffend. Die **peinliche Befragung** war im Inquisitionsprozess die Hauptvernehmung des Angeschuldigten, später auch die Befragung unter der Folter.

peinliche Gerichts|ordnung, die → Carolina.

Peintregraveur [pɛ̃trəgraˈvœːr, frz.] *der,* Malerradierer, der nach eigener Erfindung stechende oder radierende Künstler im Ggs. zum Reproduktionsstecher.

Peiping, 1928–49 Name von → Peking.

Peipus|see (estn. Peipsi järv, russ. Tschudskoje osero), See beiderseits der Grenze zw. Estland und Russland, etwa 2 670 km² groß, 125 km lang, bis 50 km breit und 14,6 m tief, durch den **Warmen See** (170 km²) mit dem **Pleskauer See (Pskower See;** 710 km²) verbunden und nach N durch die Narwa zum Finn. Meerbusen entwässernd; Fischfang. – In der Schlacht auf dem Eis des P. (5. 4. 1242) besiegte Alexander Newski den Dt. Orden.

Peirce [ˈpɪəs], Charles Sanders, amerikan. Philosoph und Mathematiker, * Cambridge (Mass.) 10. 9. 1839, † Milford (Pa.) 19. 4. 1914; als einer der Begründer des Pragmatismus von bedeutendem Einfluss auf die amerikan. Philosophie. P. entwickelte mit den Mitteln der Semiotik eine wissenschaftstheoret. konzipierte Philosophie, die auf mathemat. Modellen und log. Grundlagenforschung basiert und dabei die Transzendentalphilosophie I. Kants kritisch verarbeitet; zahlr. Beiträge zur modernen Mathematik.

Peisistratos, Tyrann von Athen, * um 600 v. Chr., † 528/527 v. Chr.; Vater von Hippias und Hipparch; gelangte wohl 539 an die Macht. P. ließ die Verfassung Solons bestehen, verbesserte jedoch darüber hinaus die wirtsch.-sozialen (u. a. Zerschlagung des Großgrundbesitzes, Subvention für Kleinbauern) und polit. Verhältnisse; Förderer von Wiss. und Kunst.

Peißenberg, 1) → Hoher Peißenberg.

2) Marktgemeinde im Landkreis Weilheim-Schongau, Oberbayern, 586 m ü. M., am O-Fuß des Hohen P., 11 700 Ew.; Bergbaumuseum; Herstellung von Fotoapparaten, Entstaubungsanlagen und Gasturbinen, Kleiderfabrik. – Romanische Kapelle St. Georg (12. Jh.). – Der Pechkohlenbergbau wurde 1971 eingestellt.

Peitschenhieb|syndrom, → Schleudertrauma.

Peitschenkaktus, die Gattung → Schlangenkaktus.

Peking

1

2

3

| **1** Der Platz des Himmlischen Friedens (Tian'anmen-Platz) wird im Westen von der Großen Halle des Volkes (links) flankiert, im Norden trennt ihn das Tor des Himmlischen Friedens (1651) von der ehemaligen Kaiserstadt | **2** Die »Halle der Höchsten Harmonie« (Taihedian; erbaut 1669, erneuert 1765) diente in der Kaiserzeit als Audienzhalle, heute ist sie Museum | **3** Die 36 m hohe Weiße Pagode (Baita) im Beihai-Park stammt aus dem Jahr 1657

Peitschenwurm (Trichuris trichiura), 3–5 cm langer Fadenwurm mit peitschenartig verjüngtem Vorderkörper; parasitiert im Dick- und Blinddarm des Menschen; v. a. in trop. Ländern.

pejorativ [lat.], *Sprachwiss.:* abwertend, eine negative Bedeutung besitzend.

Pekař ['pɛkarʒ], Josef, tschech. Historiker, * Malý Rohozec (bei Turnov, Nordböhm. Gebiet) 12. 4. 1870, † Prag 23. 1. 1937; seit 1905 Prof. in Prag, bekannte sich zur dt.-tschech. Kultursynthese; schrieb u. a. »Jan Žižka und seine Zeit« (4 Bde., 1927–33), »Wallenstein 1630–1634« (2 Bde., 1937).

Pekaris [karib.] (Nabelschweine, Tayassuidae), Familie der Paarhufer mit kurzem, spitzem Kopf, kurzem Rüssel und scharfem Gebiss; leben gesellig vom südl. Nord- bis zum mittleren Südamerika.

Pekesche *die,* taillierter Überrock der poln. Männertracht mit Knebelverschluss; seit dem frühen 19. Jh. Jacke der Verbindungsstudenten.

Pekinese *der* (Pekingese, Peking-Palasthund), chines. Zwerghunderasse; Widerristhöhe 15–25 cm, üppig und lang behaart, mit kurzer, abgestumpfter Schnauze, Hängeohren und über dem Rücken gebogener, buschig behaarter Rute.

Peking (chines. Beijing, 1928–49 Beiping, Peiping), Hauptstadt von China, im äußersten N der Großen Ebene; als regierungsunmittelbar verwaltetes Stadtgebiet (16 808 km^2) 11,3 Mio. Ew. (davon in der Stadt P. 5,8 Mio. Ew.); Sitz der obersten Verwaltungs-, Justiz- und Militärbehörden; geistiger Mittelpunkt Chinas; Akademien der Wiss., mehrere Univ., Hoch-, Fachschulen, Forschungsinstitute, Museen (u. a. das Palastmuseum), Bibliotheken, Planetarium, zoolog. und botan. Garten. Seit 1949 vollzieht sich eine starke industrielle Entwicklung: Porzellan-, Textil-, Maschinen-, Werkzeug-, Elektronik-, chem., petrochem., Eisen-, Stahl- u. a. Industrie. P. ist seit 1949 um ein Drittel seiner bisherigen Fläche gewachsen. Im NW entstand ein neues Hochschulviertel, im O ein neues Ind.viertel; Flusshafen Tong Xian (nördl. Endpunkt des Kaiserkanals), internationaler Flughafen, U-Bahn.

Stadtbild: Der Grundriss der alten Stadt ist ganz regelmäßig. Die von einer sechs Meter hohen Mauer mit elf mächtigen Toren umgebene, fast quadrat. **Innere** oder **Mandschustadt** im N enthält die ehem. Kaiserstadt, diese wieder die von einer roten Mauer eingeschlossene einstige **Verbotene** oder **Rote Stadt** mit dem ehem. Kaiserpalast (UNESCO-Weltkulturerbe), in ihm die größte Samml. chines. Kunst. In der Kaiserstadt befinden sich der künstl. Jingshan (früher Meishan, »Kohlehügel«, 50 m), künstl. Seen mit dem Winterpalast, zahlr. Tempel und Paläste, in der Inneren Stadt ehem. Prinzenpaläste, der große Konfuzius- (Kongmiao-) und der Lamatempel (Yonghe Gong), Pagoden und Hochschulen, im SO der Inneren Stadt das frühere Gesandtschaftsviertel, im S der Platz des Himml. Friedens (Tian'anmen-Platz), den im N das Tor des Himml. Friedens von der Kaiserstadt trennt. Die rechteckige, ebenfalls von einer Mauer umgebene **Äußere** oder **Chinesenstadt** im S enthält den Himmels- und den Ackerbautempel. Bed. moderne Bauten, u.a. das Hotel Xiangshan von I. M. Pei (1983), Japanisch-Chines. Jugendaustauschzentrum von Kurokawa Kishō (1986–89), P. Lufthansa Center (1988–91). – In der Umgebung von P. viele Tempel, Klöster, Paläste, Kaisergräber.

Geschichte: Die Stadt, deren Anfänge bis ins 12. Jh. v. Chr. zurückreichen, war etwa ab dem 10. Jh. n. Chr. unter wechselndem Namen Herrschaftssitz sowie Handels- und Verw.zentrum; 1215 von den Mongolen erobert, 1271–1368 Hptst. der mongol. Yuan-Dynastie als **Daidu** oder (mongol.) **Khanbalyk** (von dem 1275 eintreffenden Marco Polo als »Kambaluk« wiedergegeben); wurde 1421 unter dem Namen P. (»Nördl. Hptst.«, im Ggs. zu Nanking, der »Südl. Hptst.«) Sitz der Ming-, 1644 der Mandschukaiser und war seitdem (außer 1928–49) die Hptst. Chinas. 1937–45 von japan. Truppen besetzt; 1949 von der kommunistischen Volksbefreiungsarmee eingenommen und seitdem Hptst. der VR China.

📖 Hürlimann, M.: *P. u. seine Geschichte. Zürich 1976. – Die Paläste der Verbotenen Stadt, mit Beiträgen v.* Y. Zhuoyun *u. a. A. d. Chines. Hong Kong 1988. – Beijing. Kunst u. Kultur einer alten Hauptstadt, Text v.* Y. Chongnian. *A. d. Chines. Peking 1995.*

Pekinger Volkszeitung (chines. Renmin Ribao), Zentralorgan der KP Chinas, in dem alle offiziellen Verlautbarungen erscheinen.

Pekingkohl, → Chinakohl.

Pekingmensch (Chinamensch, Sinanthropus), aufgrund von Knochenfunden in Zhoukoudian bei Peking (seit 1927) beschriebene Gruppe des Homo erectus (→ Mensch) aus dem mittleren Pleistozän (Schädelvolumen etwa zw. 900 und 1100 cm^3).

Pekingloper, bekannteste Bühnenspielform Chinas, Anfang des 19. Jh. aus nord- und südchines. Sing- und Schauspieltechniken entstanden, mit nach Darstellungstypen klassifizierten Charakteren, sparsamen Requisiten, stilisierten Bewegungsabläufen mit festgelegten Bedeutungen; thematisch werden v. a. klass. chines. Stoffe bearbeitet. Nach 1949 wurde die P. von den Kommunisten für propagandist. Zwecke genutzt.

Pektine [grch.], in den Zellwänden höherer Pflanzen vorkommende, überwiegend aus Galakturonsäure aufgebaute Polysaccharide. P. dienen als Gelierungsmittel und Emulgatoren.

Pektorale [mlat., zu lat. pectus »Brust«] *das,* **1)** *Altertum:* kostbarer, verzierter Brustschmuck, im MA. auch Bruststück eines Harnischs.

2) *kath. Kirche:* → Brustkreuz hoher Geistlicher.

Pekuliarbewegung, a) die Relativbewegung eines kosm. Objekts (z. B. eines Sterns) gegenüber einer Gruppe gleichartiger Objekte (z. B. Nachbarsterne); b) die wahre Bewegung eines Sterns an der Himmelssphäre, d. h. derjenige Anteil an seiner scheinbaren Bewegung, der nicht durch die → Parallaxe bewirkt wird.

Pelagial [grch. »offene See«] *das,* Zone des freien Wassers im Meer und in Seen; Ggs. Benthal.

Pelagianismus *der,* die von Pelagius (* Britannien [?], † nach 418 [?]) u. a. gegen Augustinus vertretenen Anschauungen, wonach es eine Erbsünde nicht gibt, der Mensch kraft der Gnade Gottes eine natürl. Fähigkeit (einen freien Willen) zum Bösen wie zum Guten besitzt und durch eigene Bemü-

Pekingmensch

Aufgefunden hat die frühen Zeugnisse menschlicher Existenz der Forscher Davidson Black 1927 im Gebiet von Zhoukoudian, rund 60 km von Peking entfernt. Die Fossilien sind 500 000 Jahre alt und stammen von 40 verschiedenen Individuen. Diese frühen Menschen kannten das Feuer und wahrscheinlich auch die Kunst des Kochens; sie handelten mit Quarz und Feuersteinen.
Der Pekingmensch galt lange Zeit als Bindeglied zwischen dem Neandertaler und dem Javamenschen. Der »Sinanthropus pekinensis« gehört zur Art Homo erectus, die seit etwa 2 Millionen Jahren vor unserer Zeit in Ost- und Südostasien beheimatet war. Die Ausgrabungen in Zhoukoudian gingen weiter bis zur japanischen Invasion im Jahre 1941.
Diese Funde waren damals die ersten frühen menschlichen Zeugnisse in China, was ihre große Bedeutung für die Paläontologen ausmachte. In den Kriegswirren Ende 1941, als die für ihre Aufbewahrung zuständigen Marinesoldaten sich den Japanern ergeben mussten, sind die Kisten mit den Überresten verschollen.

hungen das Heil erlangen kann, wenn er durch die Gnade unterstützt wird. Der P. führte seit 411 zum **Pelagian. Streit,** an dessen Ende seine Verurteilung durch das Konzil von Ephesos (431) stand. In der abgemilderten Form des **Semi-P.** (Festhalten an der Erbsünde bei gleichzeitiger Betonung der menschl. Willensfreiheit) blieb der P., obwohl 529 verurteilt, noch lange wirksam.

Pelagische Inseln (italien. Isole Pelagie), vulkan. Inselgruppe südlich von Sizilien, Italien, 26 km², rd. 4500 Ew.; Fischfang (auch Schwämme), Obst-, Weinbau; auf der Hauptinsel Lampedusa Fremdenverkehr.

Pelargoni|e [grch.] *die* (Geranie, Pelargonium), Gattung der Storchschnabelgewächse mit rd. 250 Arten, v.a. in Südafrika; gärtnerisch wichtig sind u.a. **Edel-P.** (**Engl. P.;** mit roten, rosafarbenen oder weißen Blüten), die v.a. als Beet- und Balkonpflanzen dienenden **Efeu-P.** (mit verschiedenfarbigen Blüten) sowie die aus einer Kreuzung hervorgegangenen **Zonal-P.** (**Scharlach-P.;** mit verschiedenfarbigen, auch gefüllten Blütendolden).

Pelasger, Name eines in vorgrch. Zeit vielleicht im östl. Thessalien (Pelasgiotis) beheimateten Stammes, bereits von antiken Autoren auf die ganze vorindogerman. Bev. Griechenlands und auf die vorröm. Bev. Italiens übertragen.

Pelayo [-jo], span. Nationalheld, †Cangas de Onís (Asturien) 18. 9. 737; wahrscheinlich ein westgot. Adliger, der in den astur. Bergen den Widerstand gegen die Araber anführte und mit dem Sieg von Covadonga 718 oder 722 die →Reconquista einleitete. Er begründete das Königreich Asturien.

Pelé, eigtl. Edson Arantes do Nascimento, brasilian. Fußballspieler, *Três Corações (Minas Gerais) 21. 10. 1940; gewann mit der Nationalmannschaft Brasiliens drei Weltmeisterschaften (1958, 1962, 1970).

Pelée, Montagne [mɔ̃taɲpəˈle] (Mont Pelé), tätiger Vulkan auf der Insel Martinique, Kleine Antillen, 1397 m ü.M. Die Glutwolke des Ausbruchs von 1902 vernichtete die Stadt Saint-Pierre mit rd. 40000 Einwohnern.

Peleus, *grch. Mythos:* Sohn des Aiakos, Vater des Achill; nahm am Zug der Argonauten teil; jagte mit Meleagros und Atalante den Kalydon. Eber; wurde nach vielen Heldentaten unsterblich.

Pelikane [grch.] (Pelecanidae), Familie der Ruderfüßer, in allen Kontinenten; Vögel mit plumpem Körper (bis 1,8 m lang) und schwertförmigem, vorn hakigem Oberschnabel und ebenso langem Unterschnabel, zw. dessen Unterkieferästen die Kehlhaut einen großen, dehnbaren, fangnetzartigen Hautsack bildet. Die sich von Fischen ernährenden P. leben hauptsächlich in Kolonien in den Tropen und Subtropen. Der **Rosapelikan** (Pelecanus onocrotalus), nur zur Brutzeit rosafarben und **Krauskopfpelikan** (Pelecanus crispus) brüten auch in SO-Europa (v.a. im Donaudelta). Der **Braunpelikan** (Pelecanus occidentalis) Amerikas lebt von Meeresfischen, auf die er sich aus der Höhe herabstürzt. – Nach dem Volksglauben soll der Pelikan seine Jungen mit dem eigenen Blut ernähren; er galt daher als Sinnbild aufopfernder Mutterliebe und des Opfertodes Christi.

Pekingoper

Ihre Attraktivität verdankt die Pekingoper der Betonung akrobatischer Einlagen, vor allem in Kampf- und Tanzszenen, und der Farbenpracht ihrer äußeren Aufmachung. Dazu gehören nicht zuletzt die komplizierten Schminkmasken, die sich zwar in der Theaterkunst generell seit der Yuan-Zeit kontinuierlich herausbildeten – ursprünglich als Merkmal der sozialen Position der einzelnen Figuren, dann mehr und mehr als Hinweis auf deren moralischen Charakter –, in der Pekingoper aber einen ihrer dekorativen Höhepunkte fanden. Da diese Charakteristika vom Verstehen der Texte unabhängig sind, konnte die Pekingoper auch im Westen großen Anklang finden.

Pelion *der* (neugrch. Pilion), Gebirge an der O-Küste Thessaliens, Griechenland, auf der Halbinsel Magnisia, bis 1551 m ü.M., bewaldet.

Pelite [zu grch. pēlós »Ton«], feinkörnige Sedimentgesteine mit Korngrößen unter 0,02 mm.

Pelé

Pella, 1) Hptst. des alten Makedonien (ab 413 v.Chr.), nordwestlich von Saloniki, Griechenland; Blütezeit unter Philipp II. und Alexander d. Gr. – Ausgrabungen (seit 1957) legten bed. Baureste und Mosaiken aus hellenist. Zeit frei.

2) antike Stadt in Palästina, etwa 30 km südlich des Sees Genezareth. Ausgrabungen 1958, 1963 und 1967 legten u.a. Reste eines Amphitheaters und von Thermen frei.

Pellagra [italien.] *das,* chron., durch unzureichende Zufuhr von Niacin, einem Bestandteil des Vitamin-B-Komplexes, hervorgerufene Vitaminmangelkrankheit; tritt meist infolge einseitiger Ernährung auf, z.B. bei ausschl. Maisernährung. Symptome sind v.a. Hautentzündung und Pigmentierung der Haut an Stellen, die dem Sonnenlicht ausgesetzt sind, Durchfall und Störungen des Zentralnervensystems. Die Behandlung umfasst vollwertige Ernährung und Nicotinamidgaben.

Pelikane: Der Rosapelikan (Größe 140–180 cm) ist nur zur Brutzeit rosafarben

Pellegrini, Alfred Heinrich, schweizer. Maler, *Basel 10. 1. 1881, †ebd. 5. 8. 1958; Schüler von A. Hoelzel in Stuttgart, beeinflusst von F. Hodler, P. Gauguin und E. Munch; gestaltete Wandbilder, ferner Landschafts- und Figurenbilder, Porträts.

Pellets [ˈpelɪts; engl. »Kügelchen«], Sammelbez. für aus pulvrigen bis feinkörnigen Stoffen geformte, häufig kugel- oder walzenförmige Stücke.

Silvio Pellico (Kupferstich, um 1833)

In der Metallurgie werden z.B. feinkörnige Erze zu P. verarbeitet; auch pulvrige Kunststoffprodukte und wirkstoffhaltige Futtermischungen werden zu P. geformt. In der Kerntechnik versteht man unter P. Brennstofftabletten zur Füllung von Brennstoffhüllrohren.

Pellico, Silvio, italien. Dichter, *Saluzzo (Prov. Cuneo) 25. 6. 1789, †Turin 31. 1. 1854; 1818/19 Mit-Hg. der Zeitschrift »Il Conciliatore«, die die Einigung Italiens vorbereiten und die Romantik in Italien verbreiten sollte; war 1820–30 als Mitgl. der →Carboneria eingekerkert (die Haftzeit schilderte er in »Meine Gefängnisse«, 1832); schrieb u.a. die Tragödie »Francesca da Rimini« (1815).

Pellworm, eingedeichte Marschinsel im nordfries. Wattenmeer, Schlesw.-Holst., 37 km², 1100 Ew.; Viehwirtschaft; Fremdenverkehr (Nordseebad); Sonnenkraftwerk, Windkraftanlagen; bis zur Sturmflut von 1634 mit Nordstrand verbunden. – Roman. Alte Kirche (12. Jh.) mit spätgot. Schnitzaltar, Schnitgerorgel (1711); der Westturm ist seit seinem Einsturz 1611 eine eindrucksvolle Ruine.

Pellworm: Die Alte Kirche aus dem 12. Jh. mit der Ruine des aus dem 13. Jh. stammenden, 1611 eingestürzten Westturms

Peloide [grch.], durch biologisch-geologische Vorgänge entstandene Substanzen, z.B. Torfe, Schlämme, Erden mit hohem Wärmebindungsvermögen und großer Ionenaustauschfläche. P. werden medizinisch als wässrige Aufschwemmungen zu Bädern und Packungen verwendet, v.a. bei chron. rheumat. oder gynäkolog. Erkrankungen und Gelenkversteifungen nach Knochenbrüchen.

Pelopidas, theban. Heerführer, ⚔Kynoskephalai 364 v.Chr.; war an der Befreiung Thebens von den Spartanern beteiligt, entschied 371 die Schlacht bei Leuktra; Biographien von Plutarch und C. Nepos.

Peloponnes *der,* fachsprachl. *die* (grch. Peloponnesos), südl. Halbinsel Griechenlands, durch den Isthmus von Korinth (1881–93 Kanaldurchstich) mit Mittelgriechenland verbunden; umfasst als Region 15490 km², (1991) 606000 Ew.; Verw.sitz ist Tripolis. Die rauen und dünn besiedelten Gebirge (bis 2407 m ü.M., Schaf- und Ziegenweiden) stehen in schroffem Ggs. zu den fruchtbaren, dicht besiedelten Tallandschaften. BILD Griechenland

Peloponnesischer Krieg, 431–404 v.Chr. geführter Krieg zw. Athen (Att. Seebund) und Sparta (Peloponnes. Bund) um die Vorherrschaft in Griechenland. Die 1. Phase des Krieges begann mit dem Einfall des spartanischen Bundesheeres in Attika (431–421 v.Chr., sog. Archidam. Krieg nach dem König von Sparta, Archidamos II.); die athen. Seekriegsstrategie wurde durch den Ausbruch der Pest in Athen (430, 429 Tod des Perikles) nicht wirksam. Nach mehreren erbitterten Kämpfen fielen in der Schlacht vor Amphipolis 422 der spartan. Feldherr Brasidas und der athen. Stratege Kleon. 421 kam es durch den Athener Nikias zum Friedensschluss zw. beiden Krieg führenden Bünden, der Athens Machtstellung wahrte. Der athen. Überfall auf Melos (416) und das Scheitern der →Sizilischen Expedition (415–413) leiteten die 2. Phase (414–404; Dekeleischer Krieg) ein. Es kam zu Seeschlachten mit wechselndem Erfolg; 404 wurde Athen durch eine Seeblockade vonseiten des spartan. Flottenführers Lysander zur Kapitulation gezwungen. Sparta löste Athen als grch. Vormacht ab.

📖 LOTZE, D.: *Lysander u. der p. K. Berlin 1964.* – THUKYDIDES: *Der P. K., übertragen v.* A. HORNEFFER. *Neuausg. Essen 1993.*

Pelops, *grch. Mythos:* Sohn des →Tantalos, der ihn schlachtete und den Göttern als Speise vorsetzte, um ihre Allwissenheit zu prüfen; P. wurde von ihnen neu belebt. Seine Söhne waren Atreus und Thyestes. P. wurde ein mächtiger König in Südgriechenland, das nach ihm Peloponnes (»Insel des Pelops«) genannt wurde.

Pelota [span. »Ball«] *die,* Rückschlagspiel zw. Einzelspielern oder Mannschaften (bis je zehn Personen) mit löffelartigem Schläger (Chistera) auf einem 60×16 m großen Feld mit 18×9 m großer Mauer (Fronton), gegen die der rückprallende Ball von 6,5 cm Durchmesser nach einmaligem Aufspringen auf dem Boden vom Gegner zu schlagen ist; Punktwertung.

Pelotas, Stadt im Staat Rio Grande do Sul, Brasilien, 290700 Ew.; kath. und staatl. Univ., älteste landwirtsch. Hochschule Brasiliens (gegr. 1883); Mühlen, Schuh-, Textil- u.a. Ind., Lederverarbeitung, Schlachthäuser.

Peltier-Effekt [pɛl'tje-], nach dem frz. Uhrmacher und Physiker Jean Charles Athanase Peltier (*1785, †1845) benannter, 1834 entdeckter thermoelektr. Effekt, die Umkehrung des Seebeck-Effekts, der beim Fließen eines elektr. Stromes in einem Leiterkreis aus zwei versch. Metallen A und B auftritt. Dabei wird zusätzlich zur jouleschen Wärme eine Wärmemenge Q **(Peltier-Wärme)** an der Verbindungsstelle beider Metalle erzeugt oder aufgenommen; sie ist der Stromstärke I des von A nach B fließenden Stromes und der Zeit t proportional, $Q = P_{AB} \cdot I \cdot t$ ($P_{AB} = -P_{BA}$, **Peltier-Koeffizient**). Der bes. starke P.-E. von Halbleitern kann zum Bau von **Peltier-Elementen** genutzt werden, die insbesondere als Halbleiterkühlelemente zur Kühlung **(Peltier-Kühlung)** oder zur thermoelektr. Erwärmung **(Peltier-Heizung)** verwendet werden.

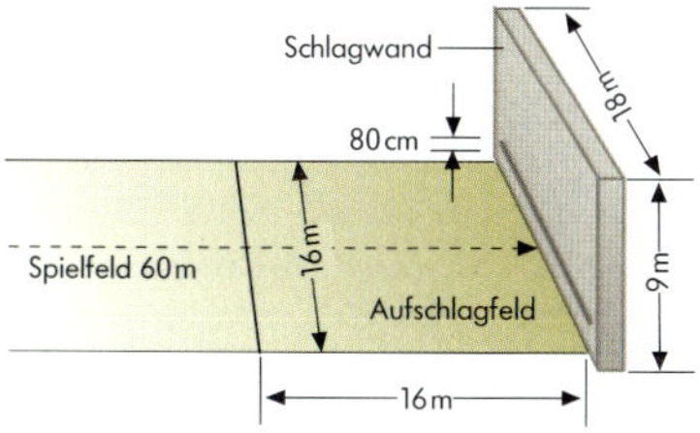

Pelota: Spielfeld

Pelton-Turbine ['peltn-] (Becherturbine), von dem amerikan. Ingenieur Lester Allan Pelton (*1829, †1908) 1880 erfundene Freistrahlturbine mit becherartigen Schaufeln (→Wasserturbine).

Pelusium, altägypt. Hafenstadt an der östlichsten Nilmündung. Durch seinen Sieg bei P. (525 v. Chr.) begründete Kambyses II. die Perserherrschaft über Ägypten.

Pelvoux [pel'vu] (Massif du P.), gletscherreiche Berggruppe der Dauphiné-Alpen in Frankreich; höchste Gipfel: Les Écrins (4102 m ü. M., Nationalpark), La Meije (3983 m ü. M.), Mont P. (3946 m ü. M.).

Pelz [aus lat.], das aus dem Fell eines Tieres vom Kürschner durch Zurichtung gewonnene Erzeugnis, das P.-Werk (Rauchwerk, Rauchware).

Pelzflatterer (Riesengleitflieger, Cynocephalidae), Familie katzengroßer, den Insektenfressern nahe stehender Baumsäugetiere SO-Asiens mit fast den ganzen Körper umgebender Flughaut **(Flatter-** oder **Flugmaki).**

Pelzkäfer, Art der →Speckkäfer.

Pelztiere, Säugetiere, die ihres Pelze liefernden Fells wegen gezüchtet oder gejagt werden; weltweit mehr als 100 Tierarten, einige sind von der Ausrottung bedroht und daher geschützt.

Pelztierzucht, Zucht und Haltung Edelpelze liefernder Raubtiere (Fuchs- und Marderarten) und Nagetiere (z. B. Nutria, Chinchilla) in Kleinbetrieben sowie v. a. in hierauf spezialisierten Pelztierfarmen. Wirtsch. entscheidend ist die Produktion bestimmter Farbmutationen (bei Nerzen z. B. gibt es zehn Hauptfarben, bei Füchsen sind acht Mutanten von vorrangiger Bedeutung). Neben dem Pelz wird z. T. auch das Fleisch genutzt (Nutria). Nerze und Füchse werden v. a. in den skandinav. Ländern, in Russland und Nordamerika gehalten; in Dtl. überwiegend Nerzzuchten.

Pemba, Koralleninsel vor der Küste Ostafrikas, mit Sansibar zu Tansania gehörend, 984 km², (1988) 265 000 Ew.; Hptst. ist Chake Chake; Ausfuhr von Gewürznelken und Kopra.

Pembroke [-brʊk] (walis. Penfro), Stadt in Wales, an einer Bucht des Milford Haven, 15 600 Ew.; Erdölraffinerie, Leichtindustrie; Fährverkehr mit Irland. – Ruinen einer um 1090 errichteten und im 12. und 13. Jh. erweiterten normann. Burg.

Pembrokeshire [-brʊkʃɪə], County im SW von Wales, 1590 km², (1995) 113 500 Ew., Verw.sitz ist Haverfordwest (15 km nördlich von Pembroke).

Pemmikan [indian.] *der,* haltbare Fleischzubereitung nordamerikan. Indianer; das Fleisch wurde getrocknet, zerklopft, mit Beeren und heißem Fett gemischt; heute als Konserve.

Pemphigus [grch.] *der,* →Blasenausschlag.

P. E. N. [Abk. für engl. **P**oets, **E**ssayists, **N**ovelists, »Dichter, Essayisten, Romanschriftsteller«] (PEN, PEN-Club), 1921 gegr. internat. Schriftstellervereinigung (Präs. seit 1990: Homero Aridjis), die für weltweite Verbreitung aller Literatur sowie für ungehinderten Gedankenaustausch auch in Krisen- und Kriegszeiten eintritt; die Mitgl. (durch Zuwahl aufgenommen) verpflichten sich zur Bekämpfung von Rassen-, Klassen- und Völkerhass und zum aktiven Eintreten für Pressefreiheit und Meinungsvielfalt. 1997 gab es 128 Zentren mit über 20 000 Mitgl. in über 75 Staaten. Sitz des Internat. P. E. N. ist London. Das dt. Zentrum, 1933 ausgeschlossen (ab 1934 bestand in London ein durch dt. Emigranten gebildeter »PEN-Klub dt. Autoren«), wurde 1949 als »Dt. P. E. N.-Zentrum« neu gegründet; 1951 spaltete es sich in ein »Dt. P. E. N.-Zentrum der Bundesrep.« (seit 1972 »P. E. N.-Zentrum Bundesrep. Dtl.« mit Sitz in Darmstadt; Präs.: E. Kästner, D. Sternberger, H. Böll, H. Kesten, W. Jens, M. Gregor-Dellin, C. Amery, G. Heidenreich, Ingrid Bacher, seit 1996 K. O. Conrady) und ein »Dt. P. E. N.-Zentrum Ost und West« (seit 1967 »P. E. N.-Zentrum Dt. Demokrat. Rep.«, Sitz in Berlin [Ost], ab 1990 »Dt. P. E. N.-Zentrum [Ost]«, Präs. seit 1991 D. Schlenstedt, seit 1998 B. K. Tragelehn); seit Nov. 1998 wieder ein gemeinsames dt. P. E. N.-Zentrum. Ein österr. PEN-Club wurde 1922 in Wien gegründet; seit 1973 gibt es einen »Gegen-PEN« junger Autoren, die »Grazer Autorenversammlung«. Schweizer. PEN-Clubs befinden sich in Basel, Genf und Winterthur. Ein Romani-PEN-Club wurde 1989 gegründet (Präs.: A. B. Bengsch). Seit 1989 gab es zahlr. Wieder- und

Neugründungen in den osteurop. Staaten; das erste sowjet., jetzt russ. P. E. N.-Zentrum wurde 1989 gegründet (Präs.: A. Bitow); seit 1992 gibt es ein alban. und ein palästinens. PEN-Zentrum.

📖 *PEN-Schriftstellerlexikon Bundesrepublik Deutschland, hg. v.* M. Gregor-Dellin *u. a. München 1982.*

Albrecht Penck

Peña [ˈpɛɲa, span.] *die,* Berggipfel, Fels.

Penalty [ˈpɔnəltɪ; engl. »Strafe«] *der, Sport:* Strafstoß, -schuss oder -wurf, wenn durch groben Regelverstoß ein sicheres Tor verhindert wurde (Fußball, Eishockey, Handball u. a.).

Penaten [lat.], die am häusl. Herd (die Laren und P. der Familie) und im Vestatempel Roms (die P. des Staates) verehrten röm. Gottheiten der Vorratskammer (penus).

Pence [pens, engl.], Plural von →Penny.

Penck, 1) Albrecht, Geograph, *Leipzig 25. 9. 1858, †Prag 7. 3. 1945; schrieb grundlegende Arbeiten zur Geomorphologie: »Morphologie der Erdoberfläche«, 2 Bde. (1894); »Die Alpen im Eiszeitalter«, 3 Bde. (mit E. Brückner, 1901–09).

2) A. R., eigtl. Ralf Winkler, Maler, Grafiker und Bildhauer, *Dresden 5. 10. 1939; Vertreter des Neoexpressionismus, übersiedelte 1980 in die Bundesrep. Dtl.; seit 1989 Prof. an der Kunstakademie in Düsseldorf. Er entwickelte für seine Aquarelle, Gouachen, Zeichnungen und großformatigen Bilder ein Zeichensystem, dessen Formensprache den Kürzeln prähistor. Felsbilder ähnelt, inhaltlich als »Signal« existenzieller Problematik gedeutet werden kann; er schuf auch Skulpturen.

Pencz [pɛnts], Georg, Maler und Grafiker, *Nürnberg um 1500, †Leipzig zw. 10. und 15. 10. 1550; 1532 Stadtmaler in Nürnberg (nachdem er 1525 wegen obrigkeitsfeindlicher Äußerungen der Stadt verwiesen worden war), 1550 Hofmaler des preuß. Herzogs Albrecht in Königsberg; gehört als Stecher zu den →Kleinmeistern. Seine mytholog. und religiösen Gemälde waren anfangs von A. Dürer, dann von italien. Vorbildern des Manierismus beeinflusst; meisterhafte Porträts.

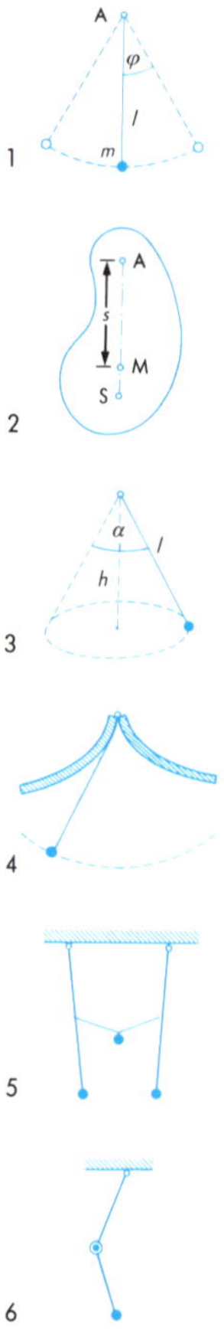

Pendel: 1 mathematisches Pendel, A Drehachse, φ Auslenkungswinkel, *l* Fadenlänge, *m* Pendelmasse; 2 physikalisches Pendel, A Drehachse, M Massenmittelpunkt, S Schwingungsmittelpunkt; 3 Kegelpendel, α Öffnungswinkel, *l* Fadenlänge, *h* Kegelhöhe; 4 Zykloidenpendel; 5 sympathische Pendel; 6 Doppelpendel

Pendel [lat.], ein um eine Achse **(ebenes P.)** oder um einen Punkt **(räuml. P.)** frei drehbarer Körper, der nach Auslenkung aus seiner Ruhelage unter dem Einfluss einer Kraft (meist der Schwerkraft) eine period. Schwingung ausführt. Ein idealisiertes P. ist das **mathemat. P.,** bei dem ein Massenpunkt der Masse m am freien Ende eines masselosen, undehnbaren Fadens der Länge l (bei Vernachlässigung der Lager- und Luftreibung) unter dem Einfluss der Fallbeschleunigung g steht; bei kleiner Auslenkung φ ist die Schwingungsdauer

A. R. Penck: Ohne Titel (1974; Privatbesitz)

$T = 2\pi\, l/g$ masseunabhängig. Ein P. mit $T = 2$ s wird als **Sekunden-P.** bezeichnet. Bewegt sich der Massenpunkt nicht auf einem Kreis, sondern auf einer Zykloide **(Zykloiden-P.),** ist die Schwingungsdauer von der Amplitude unabhängig. – Das ebene **physikal. P.** oder **physische P.,** ein reales P., ist ein um eine Achse A drehbarer (ausgedehnter) Körper. Der P.-Länge l des mathemat. P. entspricht die **reduzierte P.-Länge** $l_{red} = J/m \cdot s$, mit J als Trägheitsmoment des Körpers und s als Abstand der Achse vom Massenmittelpunkt des P.; seine Schwingungsdauer ist geringer als die eines mathemat. Pendels. Eine Sonderform des physikal. P. ist das **Ausgleichs-** oder **Minimal-P.,** dessen Schwingungsdauer von der P.-Länge und den sie beeinflussenden Größen, z. B. der Temperatur, nahezu unabhängig ist. – Beim **Kegel-P.** durchläuft ein Massenpunkt einen horizontalen Kreis, sodass der Aufhängefaden den Mantel eines Kegels erzeugt. Außer der Schwerkraft werden auch Feder- und Torsionskräfte zum Bau von P. ausgenutzt **(Feder-P., Dreh-P.).** Zw. zwei gleich langen P. mit gleicher Masse, die durch eine Feder oder einen belasteten Faden gekoppelt sind **(sympath. P.),** tritt Resonanz auf, da sie dieselbe Schwingungsdauer haben; die Schwingungsenergie wird abwechselnd von einem P. auf das andere übertragen. Ein Spezialfall der gekoppelten P. ist das **Doppel-P.,** mit dem man chaotisches Verhalten demonstrieren kann. (→foucaultscher Pendelversuch)

Pendel|uhr, 1) *Astronomie:* (lat. Horologium) Sternbild am Südhimmel.

2) *Technik:* Uhr, deren →Hemmung durch ein Pendel geregelt wird.

Pendentif [pãdãˈtif, frz.] *das, Baukunst:* Gewölbeteil in Form eines sphär. Dreiecks (Zwickel, Trompe), der von den Ecken eines quadratischen Grundrisses zum Kreisrund einer Kuppel überleitet.

Penderecki [-ˈrɛtski], Krzysztof, poln. Komponist und Dirigent, *Dębica (Wwschaft Tarnów) 23. 11. 1933; führender Vertreter der poln. Avantgarde; wurde 1958 Prof., 1972 Direktor an der Musikhochschule in Krakau, war daneben 1966–68 Dozent an der Folkwangschule in Essen. P. schuf experimentelle Orchesterwerke (u. a. »Emanationen«, 1959; »Fluorescences«, 1962), in denen er als Gestaltungsmittel vierteltönige Cluster, Klangfarben- und Farbgeräuschbänder, Glissando- und Vibratotechniken verwendet. Seit den 1970er-Jahren macht sich in seinen Werken eine Tendenz zur Neoromantik bemerkbar. Er komponierte ferner Opern (u. a. »Die Teufel von Loudun«, 1969; »Die schwarze Maske«, 1986; »Ubu Rex«, 1991), Vokalwerke (u. a. »Lukaspassion«, 1966; »Te Deum«, 1980; »Poln. Requiem«, 1984), Kammermusik.

Pendler, Personen, die regelmäßig (täglich, wöchentlich) eine größere Entfernung zw. ihrem Wohn- und Arbeitsort **(Berufs-P.)** bzw. Ausbildungsort **(Ausbildungs-P.)** zurücklegen. Mit der Industrialisierung kam es zur Trennung von Wohn- und Arbeitsort. Die wirtsch. Entwicklung mit zunehmender Arbeitsteilung, Konzentration der Arbeitsstätten in Ballungsräumen und Verbesserung der Verkehrsinfrastruktur führt zu einem Anstieg der **Pendelwanderung.** Diese Tendenz wird verstärkt durch steigende Anforderungen der Berufswelt an die räuml. Mobilität der Erwerbstätigen. Nachteil der Pendelwanderung ist u. a. der unproduktive Zeiteinsatz durch längere Wege.

Penedès, bedeutendstes Weinbaugebiet Kataloniens, südwestlich von Barcelona, Spanien; erstreckt sich von der Küste bis ins Hügelland des Hinterlandes. Zu 90 % mit Weißweinreben bestanden, deren Weine zu zwei Dritteln zu Schaumwein (Cava) verarbeitet werden.

Peneios *der* (neugrch. Pinios), Hauptfluss von Thessalien, Griechenland, 205 km lang; entspringt am Katarapass (1705 m ü. M.) im Pindos, durchfließt das Tempetal und mündet ins Ägäische Meer.

Penelope, *grch. Mythos:* Gattin des Odysseus, Mutter des Telemachos; blieb Odysseus während seiner zwanzigjährigen Abwesenheit treu. Die Freier, die sie bedrängten, hielt sie mit immer neuen Vorwänden hin. Endlich versprach sie ihre Hand dem, der im Wettschießen mit dem Bogen des Odysseus siegte. Aber nur der unerkannt heimgekehrte Odysseus vermochte den Bogen zu spannen und erschoss die Freier; danach gab er sich ihr zu erkennen.

Krzysztof Penderecki

Peneplain [ˈpiːnəpleɪn, engl.], *Geomorphologie:* die → Rumpffläche.

Penetration [lat.] *die,* 1) das Durchdringen, z. B. der Brust- oder Bauchwand bei Verletzungen, aber auch der Organgrenzen bei einem in die Nachbarschaft (z. B. Leber, Bauchspeicheldrüse) vordringenden Magengeschwür; 2) das Eindringen, bes. des Penis in die Scheide.

Pengpu, chines. Stadt, → Bengbu.

Penicillamin, durch Hydrolyse von Penicillin gewonnene (oder auch synthetisch hergestellte) Verbindung; wird medizinisch bei Schwermetallvergiftungen sowie chron. Gelenk- und Leberentzündungen angewendet.

Penicilline [lat.], von den Schimmelpilzen Penicillium notatum und Penicillium chrysogenum als

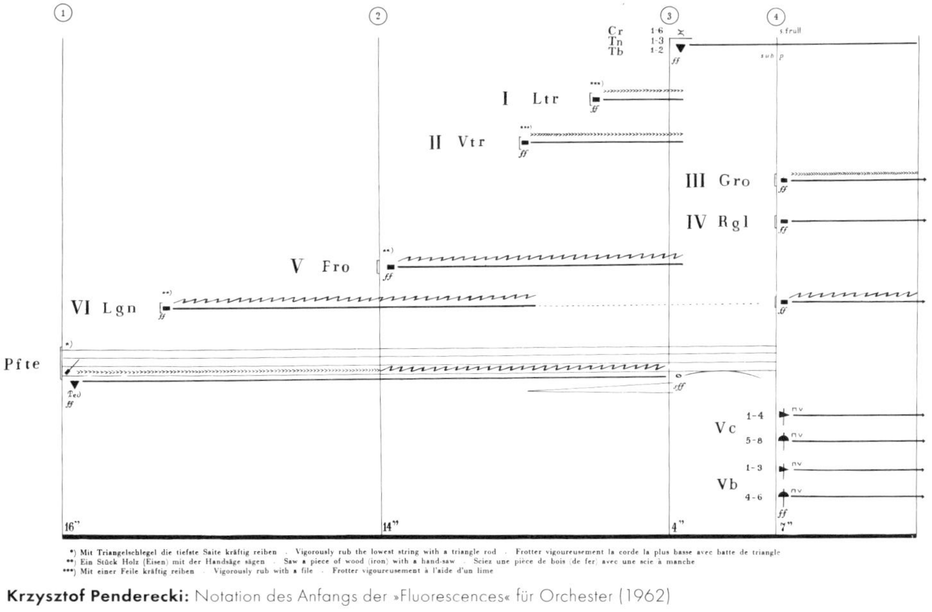

Krzysztof Penderecki: Notation des Anfangs der »Fluorescences« für Orchester (1962)

Peñiscola: Die von einer Stadtmauer aus der Maurenzeit umgebene Altstadt wird von einer im 13.–15. Jh. ausgebauten Schlossburg überragt

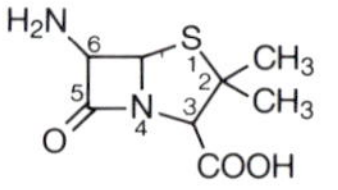

6-Amino-penicillansäure

Penicilline

Stoffwechselprodukte gebildete Antibiotika sowie ihre halbsynthet. Derivate. Das Grundgerüst aller P. ist die 6-Aminopenicillansäure, die bei dem klass. **Penicillin G** Phenylessigsäure an der Aminogruppe trägt. Die klass. P. werden rein biologisch aus Schimmelpilzen oder durch gesteuerte Biosynthese hergestellt. Die halbsynthet. P. werden durch Einführung versch. Gruppen in die 6-Aminopenicillansäure gewonnen. Ein großer Fortschritt wurde erzielt, als es gelang, magensaftresistente P., penicillinasefeste P., Depot-P. und P. mit einem breiten Wirkungsspektrum herzustellen. P. sind praktisch nicht toxisch, verursachen aber häufig Allergien. – Obwohl A. Fleming bereits 1928 beobachtete, dass Bakterienkulturen durch Schimmelpilze im Wachstum gehemmt werden, gelang es erst 1938 (durch E. B. Chain und H. W. Florey), das wirksame Stoffwechselprodukt daraus zu isolieren; ab 1940 Einführung in die Therapie von bakteriellen Infektionen.

Penig, Stadt im Landkr. Mittweida, Sachsen, an der Zwickauer Mulde, 7500 Ew.; Getriebe-, Emaillierwerk, Papier-, Textilind.; Stadtkirche (1515). – P. entstand um 1250; seit 1313 Stadt.

Penis [lat., eigtl. »Schwanz«] *der* (Rute, männliches Glied, Phallus), männl. Begattungsorgan bei vielen Tieren und beim Menschen; dient der Samenübertragung in den Körper des weibl. oder zwittrigen Geschlechtspartners, v.a. bei Bandwürmern auch in den eigenen (zwittrigen) Körper. – Bei den männl. Säugetieren (einschl. Mensch) entwickelt sich der P. (wie auch die Klitoris) aus dem Geschlechtshöcker und den Geschlechtsfalten. Der bei den Säugetieren in Länge und Form sehr unterschiedl. P. wird von der Harn-Samen-Röhre durchzogen. Die diese flankierenden Schwellkörper bewirken durch Blutfüllung die P.-Erektion. Zusätzlich kann zur permanenten Versteifung ein in den P. eingelagerter **P.-Knochen** ausgebildet sein (z.B. beim Hund). Das abgesetzte Vorderende des P. ist die **Eichel,** die von einer Hautfalte, der **Vorhaut,** ganz oder teilweise bedeckt sein kann. BILD Geschlechtsorgane

William Penn (zeitgenössischer Kupferstich)

Peñiscola [pe'ɲiskola], Stadt und Seebad in der Prov. Castellón, Spanien, an der Mittelmeerküste, 3100 Ew.. Die Altstadt liegt in maler. Halbinsellage auf einem Kalkfelsen, mit dem Festland durch eine sandige Landzunge verbunden; Fischerei- und Jachthafen; Fremdenverkehr. – Mächtige Schlossburg (13.–15. Jh., aus arab. Festung entstanden).

Penki, frühere lat. Schreibung von → Benxi.

Penn, 1) Arthur, amerikan. Theater- und Filmregisseur, * Philadelphia (Pa.) 27. 9. 1922; seit den frühen 60er-Jahren Vertreter des »New Hollywood«, dessen Filme als Neuerungsversuche zu verstehen sind, u.a. »Bonnie und Clyde« (1967), »Little Big Man« (1969), »Target – Zielscheibe« (1985).

2) Irving, amerikan. Fotograf, * Plainfield (N. J.) 16. 6. 1917; ab 1943 für die Zeitschrift »Vogue«, seit 1952 freiberuflich tätig; bed. Mode- und Porträtfotograf.

3) William, engl. Quäker, Gründer von Pennsylvania, * London 14. 10. 1644, † Ruscombe (bei Reading) 30. 7. 1718; erwarb 1681 als Zufluchtsstätte für verfolgte Quäker in Nordamerika ein großes Gebiet nördlich von Maryland (zu Ehren seines Vaters »Pennsylvania« gen.) und 1682 Delaware. Bei Aufenthalten in seiner Kolonie (1682–84 und 1699–1701) gab er ihr eine Verfassung (u.a. Garantie weitgehender Religionsfreiheit) und gründete Philadelphia (1682); er sicherte auch ein gutnachbarl. Verhältnis zu den Indianern. P. verfasste über 100 theolog. und polit. Schriften, u.a. »Ohne Kreuz keine Krone« (1669).

Penninische Alpen, alte Bez. für die → Walliser Alpen.

Penninisches Gebirge (engl. Pennines), Gebirgszug in N-England, im Cross Fell 893 m ü. M.; bildet die engl. Hauptwasserscheide. Das P. G. ist von Deckenmooren und Grasheiden bedeckt. An den Gebirgsrändern bed. Steinkohlenfelder; Erholungsgebiet mit zwei Nationalparks (Peak District, Yorkshire Dales National Park).

Pennsylvania [pensɪl'veɪnjə], Abk. **Pa.,** Bundesstaat im NO der USA, 117348 km², (1995) 12,07 Mio. Ew.; Hptst. ist Harrisburg. P. reicht von der atlant. Küstenebene über Piedmontplateau und Appalachen mit dem Großen Appalachental und dem Alleghenyplateau bis zum Eriesee; Hauptflüsse sind Delaware River, Susquehanna River und die Quellflüsse des Ohio; Wald bedeckt etwa 60% der Landesfläche. Angebaut werden Mais, Weizen, Kartoffeln, Obst, Gemüse; bed. Viehzucht. P. ist führend im Kohlenbergbau (Anthrazit) der USA; Gewinnung von Erdöl und Eisenerz; Zement-, Maschinen-, Elektrogeräte-, Metallwaren- und chem. Ind., Eisen- und Stahlerzeugung (an dritter Stelle in den USA). Wirtschaftl. Zentren sind Pittsburgh und Philadelphia. – Das Gebiet von P. überließ die engl. Krone 1681 W. Penn als Eigentümerkolonie. Die von ihm 1682 erlassene Verf. blieb bis 1776 in Kraft. Außer Quäkern wanderten v.a. Deutsche (→Pennsylvania Dutch; 1683 Gründung von Germantown) und irisch-schott. Gruppen ein. P. stand im Sezessionskrieg aufseiten der Nordstaaten.

Pennsylvania Flagge

Pennsylvania Dutch [pensɪlˈveɪnjə ˈdʌtʃ], angloamerikan. Name für die im 17. und 18. Jh. nach Pennsylvania eingewanderten Deutschen und ihre Nachkommen, die ihre Eigenart in Sprache (Pennsylvaniadeutsch) und Lebensweise z.T. bewahrt haben. Der Konservativismus und Zusammenhalt der häufig noch in geschlossenen Siedlungen lebenden P. D. sind darauf zurückzuführen, dass sie als geschlossene Gruppe (v.a. Mennoniten u.a. Täufer) ins Land kamen.

Pẹnny [ˈpenɪ], *Pl.* als Wertangabe **Pence,** als Stückzahl **Pennies,** Abk. **p,** kleine Währungseinheit und Münze in Großbritannien, Irland, Gibraltar und auf den Falklandinseln; nach der Umstellung der brit. Währung auf das Dezimalsystem (1971) 1 £ = 100 New Pence.

Pẹnsa, Hauptstadt des Gebiets P., Russland, an der Sura, im Gebiet der mittleren Wolga, 543 000 Ew.; Hochschulen, Theater, Museen, Gemäldegalerie, botan. Garten; Maschinen-, Geräte-, Fahrrad-, Mofabau, Arzneimittel-, Uhrenfabrik, Papier-, Bekleidungsindustrie. – 1663 gegründet, 1719 Provinzhauptstadt.

Pensacola [pensəˈkəʊlə], Stadt und Seehafen in Florida, USA, an der P. Bay, 64 000 Ew.; Stützpunkt der Marineluftwaffe; Luftfahrtschule; chem. Ind. und Holzverarbeitung. – P. entstand bei einem 1698 errichteten span. Fort; wurde 1763 Hauptstadt der brit. Kolonie West Florida.

Pensiọn [pã-, pɛn-, aus frz.] *die,* **1)** Haus mit Unterkunft und Verpflegung für Gäste.

2) *Beamtenrecht:* →Ruhegehalt; auch Bez. für die Betriebsrente in der betriebl. Altersversorgung.

Pensionạt [pã-, pɛn-] *das,* privates Internat für Mädchen.

Pensiọnsgeschäfte [pã-, pɛn-], Vereinbarungen, durch die ein Kreditinst. **(Pensionsgeber)** Vermögensgegenstände (z.B. Wechsel, Wertpapiere) gegen Zahlung eines im Voraus festgelegten Preises auf einen Dritten **(Pensionsnehmer)** überträgt. Der Pensionsgeber kann **(echte P.)** oder muss **(unechte P.)** sie zu einem bestimmten späteren Zeitpunkt zurückkaufen. Bis zum Rückkauf stehen dem Pensionsnehmer die Erträge zu. P. werden von Geschäftsbanken untereinander abgeschlossen. – Als Offenmarktgeschäfte mit Rückkaufsvereinbarung **(Wertpapier-P.)** sind P. ein Instrument der Dt. Bundesbank im Rahmen ihrer Offenmarktpolitik. Sie nimmt für kurze Frist festverzinsl. Wertpapiere gegen Zahlung eines Zinses **(Pensionssatz)** und der Zurverfügungstellung von Zentralbankgeld aus dem Markt. Über die Konditionen ihrer Wertpapier-P. steuert die Dt. Bundesbank die Liquidität. Der Pensionssatz gilt als dritter Leitzins neben Diskont- und Lombardsatz.

Pensiọnskasse [pã-, pɛn-], Einrichtung der betriebl. Altersversorgung, die dem Arbeitnehmer oder seinen Hinterbliebenen einen Rechtsanspruch auf Versorgungsleistungen gewährt. Die von Unternehmen gegründeten P. sind i.d.R. rechtlich selbstständige Versicherungsvereine auf Gegenseitigkeit, unterliegen der staatl. Versicherungsaufsicht und werden von Beiträgen der Unternehmen finanziert. Die Ausgestaltung einer P. unterliegt der Mitbestimmung des Betriebsrats.

Pensiọnsrückstellungen [pã-, pɛn-], Passivposten in der Bilanz eines Unternehmens im Rahmen der betriebl. Altersversorgung für künftige Zahlungen aufgrund von Ruhegeldzusagen an Beschäftigte (Anwartschaften) oder Pensionäre (laufende Pensionen).

Pensiọnssicherungsverein [pã-, pɛn-] (offiziell: Pensions-Sicherungs-Verein auf Gegenseitigkeit, Abk. PSVaG), nach dem Betriebsrentengesetz vom 19. 12. 1974 für den Fall fortbestehender Zahlungsunfähigkeit des Arbeitgebers begründeter Trägerverein zur Sicherung der →betrieblichen Altersversorgung.

Pensiọnsversicherung [pã-, pɛn-], in Österreich Bez. für die Rentenversicherung.

pent..., penta... [grch.], fünf...

Pentachlọrphenol, Abk. **PCP,** farb- und geruchloser, giftiger organ. Stoff, der u.a. bakterizid, algizid, fungizid und herbizid wirkt; wurde als Konservierungs- und Imprägnierungsmittel verwendet. PCP kann als starkes Zellgift Leber- und Nervenschäden hervorrufen und wurde deshalb 1989 in Dtl. verboten.

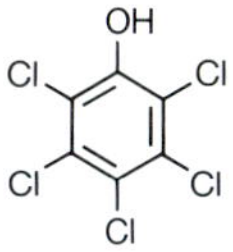

Pentachlorphenol

Pẹntagon [engl. ˈpentəgɔn] *das,* Bez. für den 1941/42 auf fünfeckigem Grundriss errichteten Gebäudekomplex des amerikan. Verteidigungsministeriums in Arlington (Va.); auch Bez. für das Verteidigungsministerium als Institution.

Pentagrạmm [grch.] *das,* regelmäßiges Sternfünfeck; entsteht durch die Diagonalen eines regelmäßigen Fünfecks. – Das P. galt schon in der Antike als mag. Zeichen (→Drudenfuß).

Pentạmeter [grch.] *der,* aus fünf Metren bestehender antiker Vers (ÜBERSICHT Metrik). Meist wird der P. in Verbindung mit dem Hexameter im →Distichon verwendet.

Pentạne, zu den →Alkanen zählende aliphatische Kohlenwasserstoffe mit der Summenformel C_5H_{12}, die in drei Strukturisomeren auftreten (n-Pentan, Isopentan, Neopentan). Die P. sind flüssige, farblose, leicht entzündl. Substanzen; sie sind in Erdgas und Erdöl sowie in den aus diesen gewonnenen niedrigsiedenden Produkten (z.B. Benzin) enthalten.

Pentanole (Amylalkohole), aliphat. Alkohole mit fünf C-Atomen, die zu 60–80% in Fuselölen enthalten sind; treten in acht Isomeren auf. P. und ihre Ester dienen als Lösungsmittel.

Pentapolis [grch. »Fünfstadt«] *die,* im Altertum Landschaftsname, z.B. für die Cyrenaica; im frühen MA. für Rimini, Pesaro, Fano, Senigallia und Ancona.

Arno A. Penzias

Pentateuch [grch. »Fünfrollenbuch«] *der,* Bez. der fünf Bücher Mose, des ersten und für das Judentum wichtigsten Teils der hebr. Bibel (→Thora) bzw. des alttestamentl. Kanons. Der P. ist das Ergebnis eines langen mündl. und schriftl. (9.–6. Jh. v.Chr.) Überlieferungsprozesses, wobei die Forschung von versch. Hauptquellen (dem jahwist. und elohist. Geschichtswerk [nach den Gottesnamen Jahwe bzw. Elohim] und der Priesterschrift) und versch. Stufen der Textredaktion ausgeht.

Pentathlon [grch.] *das,* der altgrch. Fünfkampf: Diskuswurf, Weitsprung, Speerwurf, Stadionlauf, Ringen.

Ernst Penzoldt

Pentatonik [grch.] *die,* fünfstufiges Tonsystem, urspr. eine Tonleiter ohne Halbtöne (**anhemiton. P.**), z.B. mit den Tönen c–d–e–g–a oder deren Transposition. Die halbtonlose P. bildet das Tonsystem klanglich orientierter Musik und kommt v.a. in der Musik der Südsee, Ostasiens und Afrikas, aber auch in einigen europ. Volks- und Kinderliedern als Restgut der urspr. pentatonischen Musik des nördl. Europa vor. Die jüngere **hemiton. P.** (Halbtöne enthaltend; z.B. absteigend e–c–h–a–f–e) beherrscht bes. die japan. Musik, in der es auch Mischformen aus beiden Arten gibt.

Pentelikon *das,* Berg in der grch. Landschaft Attika, 1109 m ü.M.; bekannt durch den weißen **pentelischen Marmor,** der u.a. für Bauten der Akropolis verwendet wurde.

Ernst Pepping

Pentene [grch.] (Amylene), C_5H_{10}, Alkene mit fünf Kohlenstoffatomen, Isomerengemische in Crackgasen.

Penthesilea, *grch. Mythos:* Königin der Amazonen; Tochter des Ares; sie kam im Trojan. Krieg den Troern zu Hilfe, wurde aber von Achill getötet. – Trauerspiel von H. von Kleist (1808).

Penthouse ['penthaʊs, engl.] *das,* exklusive Wohnung auf dem Flachdach eines (mehrstöckigen) Wohnhauses.

Pentlandit [nach dem ir. Forschungsreisenden Joseph Barclay Pentland, *1797, †1873] *der* (Eisennickelkies), ein bräunl. bis gelbes kub. Mineral der chem. Zusammensetzung $(Ni,Fe)_9S_8$; Begleitmineral von Magnetkies und wichtigstes Nickelerz.

Pentode [zu grch. pénte »fünf« und Elektrode] *die,* eine →Elektronenröhre mit fünf Elektroden (Kathode, Anode, drei Gitter).

Pentosen [grch.], $C_5H_{10}O_5$, einfache Zucker (Monosaccharide). Die wichtigsten P. sind die Ribose und Desoxyribose.

Pentosephosphat-Zyklus, bei Pflanzen und Tieren ablaufender Stoffwechselweg, bei dem Glucose vollständig zu Kohlendioxid und Wasserstoff (in Form von NADPH + H^+) abgebaut wird.

Pentyl..., Bez. der chem. Nomenklatur für die Kohlenwasserstoffgruppe $-C_5H_{11}$.

Penumbra [lat. »Halbschatten«] *die, Astronomie:* halbdunkler Saum, der den dunklen Kern eines Sonnenfleckens umgibt.

Penzberg, Stadt im Landkreis Weilheim-Schongau, Oberbayern, 15100 Ew.; Bergbau-, Stadtmuseum; Biochemiewerk, Metall- und Kunststoffverarbeitung, elektrotechn. Ind., Musikinstrumentenbau. – Seit 1919 Stadt; von 1796 bis 1966 wurde Pechkohle abgebaut.

Penzias, Arno Allen, amerikan. Physiker dt. Herkunft, *München 29. 4. 1933; erhielt mit R. W. Wilson zusammen den Nobelpreis für Physik 1978 für die Entdeckung der →kosmischen Hintergrundstrahlung.

Penzig, Stadt in Polen, →Pieńsk.

Penzoldt, Ernst, Schriftsteller und Bildhauer, *Erlangen 14. 6. 1892, †München 27. 1. 1955; schrieb fantasievolle, launig-liebenswürdige Romane (»Der arme Chatterton«, 1928; »Die Powenzbande«, 1930), Erzählungen (»Korporal Mombour«, 1941; »Squirrel«, 1954), Komödien, Essays (»Causerien«, 1949).

Peperoni [italien.], meist in Essig eingelegte kleine Früchte des →Paprika.

Pepita [span., nach einer span. Tänzerin der Biedermeierzeit] *der* oder *das,* Kleiderstoff aus Wolle, Baumwolle oder Viskose in Leinwand- oder Köperbindung mit kleinen Karos oder Hahnentrittmuster; auch Bez. für das Muster selbst.

Peplos [grch.] *der,* das aus einem ungenähten Wolltuch bestehende, ärmellose Frauengewand der Griechen; wurde umgelegt, auf den Schultern zusammengeheftet, oft in der Hüfte gegürtet.

Pepping, Ernst, Komponist, *Duisburg 12. 9. 1901, †Berlin (West) 1. 2. 1981; einer der bed. Komponisten evang. Kirchenmusik des 20. Jh.; schrieb neben Orchester- und Klavierwerken vor allem Orgelmusik und Vokalkompositionen, u.a. »Spandauer Chorbuch« (1934–41), »Die Weihnachtsgeschichte des Lukas« (1959).

PepsiCo (P. Inc.), amerikan. Getränkekonzern, Sitz: Purchase (N. Y.), gegr. 1903, seit 1965 jetziger Name; weltweit zweitgrößter Hersteller von Konzentraten für alkoholfreie Getränke (u.a. Pepsi-Cola); betreibt auch Schnellrestaurantketten

(Pizza Hut, Kentucky Fried Chicken) und Unternehmen der Nahrungsmittelindustrie.

Pepsin [grch. pépsis »Verdauung«] *das,* proteinspaltendes Enzym, das aus einer von der Magenschleimhaut abgegebenen inaktiven Vorstufe (Pepsinogen) im Magenlumen gebildet wird.

Peptidasen [grch.], Enzyme aus der Gruppe der Hydrolasen, die Peptidbindungen spalten; z. B. Pepsin, Trypsin.

Peptide [grch.], durch (Poly-)Kondensation von Aminosäuren, d. h. durch Reaktion der Aminogruppe einer Aminosäure mit der Carboxylgruppe einer anderen entstehende Verbindungen mit der charakterist. **Peptidbindung** –CO–NH–, die in der Natur weit verbreitet vorkommen. **Oligo-P.** (z. B. Di-, Tri-, Tetra-P. usw.) enthalten bis zu 10, **Poly-P.** bis 100 und **Proteine** über 100 Aminosäurereste. P. haben als Hormone, Antibiotika und Gifte physiolog. Bedeutung.

Peptone [grch.], durch künstl. enzymatische Spaltung von Proteinen bzw. proteinhaltigen Lebensmitteln (z. B. Casein, Gelatine, Fleisch) hergestellte Produkte, die als Bakteriennährböden und diätet. Nahrungsmittel verwendet werden.

Pepusch, John Christopher (Johann Christoph), engl. Komponist dt. Herkunft, *Berlin 1667, †London 20. 7. 1752; schrieb als Theaterkapellmeister (seit 1713) in London die Ouvertüre und den Generalbass für die Songs zu J. Gays Ballad-Opera »The Beggar's Opera« (»Die Bettleroper«, 1728), nach der 1928 die »Dreigroschenoper« von B. Brecht und K. Weill entstand.

per... [lat.], *Chemie:* Vorsilbe zur Kennzeichnung a) von Verbindungen mit einem Zentralatom sehr hoher oder höchster Oxidationszahl, z. B. Kaliumpermanganat, $KMnO_4$ (anorgan. Chemie); b) des Vorhandenseins der Atomgruppierung $-O_2-$ im Molekül, z. B. Bariumperoxid, BaO_2 (anorgan. und organ. Chemie); c) der gesättigten Form einer Grundverbindung, z. B. Perchloräthylen, C_2Cl_4, oder der vollständig hydrierten Form einer gesättigten Verbindung (organ. Chemie).

Per, Abk. für **Per**chloräthylen, das Tetrachloräthylen, →Chlorkohlenwasserstoffe.

Perak, Gliedstaat (Sultanat) von →Malaysia, im W der Malaiischen Halbinsel.

per aspera ad astra [lat. »auf rauen (Wegen) zu den Sternen«], röm. Sprichwort (wohl auf einen Vers Senecas d. J. zurückgehend): durch Nacht zum Licht, durch viele Mühen zum Erfolg.

Perche [pɛrʃ] *die,* Hügel- und Heckenlandschaft (Bocage) in der Normandie, Frankreich. Die früher bed. Pferdezucht **(Percherons)** wurde weitgehend durch Milchwirtschaft und Schweinezucht ersetzt.

Perchlor|äthylen, Abk. **Per,** das Tetrachloräthylen, →Chlorkohlenwasserstoffe.

Percht: Zwei Perchten mit Masken beim Perchtenlauf in Imst, Tirol

Percht *die* (Bercht, Perchta), myth. Gestalt im Volksglauben und Brauchtum der Mittwinterzeit; Anführerin einer Schar dämon. Wesen **(Perchten),** die bes. in der Nacht vor dem Dreikönigsfest (Epiphanias; **P.-Nacht**) umherzieht; bes. im Alpenraum noch heute im Brauchtum lebendig (**Perchtenlauf** in den Zwölf Nächten durch vermummte Gestalten mit Holzmasken); in anderen Landschaften mit »Frau Holle« gleichgesetzt.

Perchtoldsdorf, Marktgemeinde im Bezirk Mödling, Niederösterreich, südlich von Wien, am Fuß des Wienerwaldes, 14 100 Ew.; Museen; Herstellung messtechn. Geräte; Weinbau (Heurigenlokale). – Got. Pfarrkirche (14./15. Jh.); am Marktplatz got. und Renaissancebauten, Pestsäule (1713).

Percier [pɛr'sje], Charles, frz. Baumeister, *Paris 22. 8. 1764, †ebd. 5. 9. 1838; arbeitete mit P. F. L. →Fontaine, beide gelten als die führenden Architekten und Innenausstatter des →Empirestil.

Percy ['pəːsɪ], Thomas, anglikan. Bischof von Dromore (1782), *Bridgenorth (Cty. Shropshire) 13. 4. 1729, †Dromore (Irland) 30. 9. 1811; Hg. einer Sammlung alter engl. und schott. Volkslieder und Balladen (»Reliques of ancient English poetry«, 3 Bde., 1765), die auch auf die dt. Literatur wirkte (Herder, G. A. Bürger).

perdendosi [italien.], musikal. Vortragsbezeichnung: sich verlierend (äußerstes pianissimo); **perdendo,** leiser werdend.

Perdikkas, Feldherr und Berater Alexanders d. Gr., *um 365 v. Chr., †(ermordet) 321; nach Alexanders Tod (323 v. Chr.) Regent im asiat. Reichsteil; Verfechter der Reichseinheit.

Perec [pe'rɛk], Georges, frz. Schriftsteller, *Paris 7. 3. 1936, †ebd. 4. 3. 1982; schrieb sprachexperimentelle Lyrik und Prosa (u. a. »Die Dinge«, R., 1965; »Anton Voyls Fortgang«, R., 1969; »Das Leben. Gebrauchsanweisung«, R., 1978; »53 Tage«,

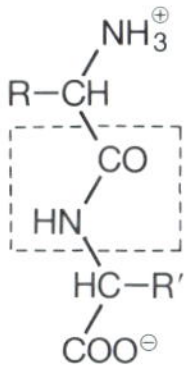

Peptide: Peptidbindung (umrandet) in einem Dipeptid (R, R′ Alkyl- oder Aryl-Reste)

John Christopher Pepusch (Ausschnitt eines zeitgenössischen Kupferstichs)

Georges Perec

R., hg. 1989); auch Dramatiker, Drehbuchautor und Übersetzer.

Shimon Peres

Peredwischniki [russ. »Wanderer«], Kurzbez. für die »Genossenschaft für Wanderausstellungen«, 1870 gegr. russ. Künstlergruppe, hervorgegangen aus dem Petersburger »Artel«, der Gemeinschaft der 14 Maler, die aus Protest gegen die überlebten Kunstauffassungen 1863 die Petersburger Akademie verlassen hatten. Die P. organisierten Wanderausstellungen, um ihre Kunst einem breiten Publikum zugänglich zu machen. Sie wandten sich in ihrer Mehrheit mit starkem sozialem Engagement der Genre-, Historien- und Landschaftsmalerei zu. Die P. wurden u.a. von dem Sammler P. Tretjakow und dem Kritiker W. Stassow unterstützt. Die Künstlervereinigung bestand bis 1923.

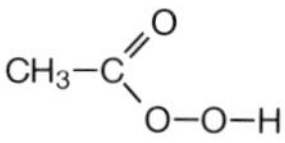

Peressigsäure

Peregrinus [lat. »Fremder«] *der, röm. Recht:* der Nichtrömer, für den das Ius civile (→Ius) grundsätzlich nicht galt und der in Rom keine polit. Rechte besaß.

Pereira, Hauptstadt des Dep. Risaralda, Kolumbien, am W-Hang der Zentralkordillere, 1476 m ü. M.; 341500 Ew.; TU; Kaffeeverarbeitung und Kaffeehandelszentrum, Lederindustrie.

Perekop, Land|enge von, Landverbindung in der Ukraine zw. dem Festland und der Halbinsel Krim; 30 km lang, 8 bis 23 km breit; Steppen- und Halbwüstenvegetation; Salzseen.

Père-Lachaise [pɛrlaˈʃɛːz, nach dem frz. Jesuiten F. de →La Chaise], Friedhof im NO von Paris, reich an Grabmälern berühmter Persönlichkeiten.

Ramón Pérez de Ayala

peremptorisch [lat.], *Recht:* ein Recht ausschließend. (→Einrede)

perennierend [lat.], **1)** *Botanik:* ausdauernd, überwinternd; mehrjährig (Stauden).

2) *Geographie:* das ganze Jahr Wasser führend (Flüsse und Quellen).

per Erscheinen, *Börsenwesen:* Handel mit Wertpapieren, die noch nicht lieferbar sind, z.B. bei neu emittierten Aktien der Handel vor der erstmaligen Kursnotierung.

Peres, Shimon, israel. Politiker, *Wotożyn (Weißrussland) 15. 8. 1923; seit 1934 in Palästina; hatte maßgebl. Anteil am Aufbau der israel. Armee; 1974–77 war er Verteidigungsmin., 1977–92 Vors. der Israel. Arbeitspartei, 1986–88 und 1992–95 Außenmin. sowie 1984–86 und 1995–96 MinPräs. Im Sept. 1993 unterzeichnete er das Gaza-Jericho-Abkommen. Für seine Verdienste um die Einleitung eines Friedensprozesses im Nahostkonflikt erhielt P. zusammen mit I. Rabin und J. M. Arafat 1994 den Friedensnobelpreis. Bei der ersten Direktwahl des MinPräs. unterlag er im Mai 1996 knapp dem Likud-Vorsitzenden B. Netanjahu.

Javier Pérez de Cuéllar

Pereskia *die,* Kakteengattung mit rd. 20 Arten im trop. Amerika; belaubte Bäume oder Sträucher.

Pereslawl-Salesski (bis zum 15. Jh. Perejaslawl), Stadt im Gebiet Jaroslawl, Russland, am Ufer des Pleschtschejewosees (50,8 km²), etwa 33000 Ew.; Baumwollverarbeitung, chem., Möbel-, Nahrungsmittelindustrie. – Ältestes Bauwerk der Stadt ist die Verklärungskathedrale (1152–57; Freskenfragmente der 2. Hälfte des 12. Jh.); aus dem 16. Jh. die Zeltdachkirche des Metropoliten Pjotr, die Kathedrale und die Mariä-Verkündigungskirche des Nikitaklosters sowie die Troizekathedrale des Troize-Danilow-Klosters. – 1152 von J. Dolgoruki als Festung gegr., war seit 1175 Hauptort des gleichnamigen Fürstentums und kam 1302 zum Großfürstentum Moskau; 1238, 1382 und 1408 von den Tataren zerstört.

Per|essigsäure (Peroxyessigsäure), in konzentrierter Form explosive Peroxycarbonsäure, eine stechend riechende Flüssigkeit, die z.B. durch Oxidation von Essigsäure mit Wasserstoffperoxid hergestellt wird. P. ist ein starkes Oxidationsmittel und wird zur Herstellung von Epoxiden sowie als Bleich- und Desinfektionsmittel verwendet.

Perestroika [russ. »Umgestaltung«] *die,* Schlagwort für die von M. S. Gorbatschow nach seinem Amtsantritt als Gen.-Sekr. der KPdSU (1985) eingeleiteten polit. und wirtsch. Reformen in der →Sowjetunion. Ursprünglich gerichtet auf eine gesellschaftl. Modernisierung bei Aufrechterhaltung der Führungsrolle der KPdSU (erst 1990 aufgegeben), geriet die von einer breiten öffentl. Diskussion (→Glasnost) begleitete P. seit dem Ende der 1980er-Jahre in eine tiefe Krise. Ihr endgültiges Scheitern, bedingt durch die sich zuspitzenden Wirtschaftsprobleme, durch Machtkämpfe (Höhepunkt der Putsch orthodox-kommunist. Kräfte vom Aug. 1991), aufbrechende Nationalitätenkonflikte und Unabhängigkeitsbestrebungen der Unionsrepubliken, führte schließlich zum Zerfall der Sowjetunion. Die mit einer allmähl. Abkehr vom Hegemonieanspruch der Sowjetunion im früheren Ostblock verbundene P. ermöglichte auch in diesen Ländern 1989–91 gesellschaftl. Umwälzungen.

📖 *P. in der UdSSR. Ansichten u. Konzeptionen der Gesellschaftswissenschaftler, bearb. v.* T. Rodionova. *A. d. Russ. Moskau 1990.*

Pérez de Ayala [ˈpereð ðe aˈjala], Ramón, span. Schriftsteller, *Oviedo 9. 8. 1881, †Madrid 5. 8. 1962; lebte 1936–54 im argentin. Exil. Seine Romane (u.a. »Belarmino und Apolonio«, 1921; »Tiger Juan«, 2 Tle., 1926) machten ihn zu einem der Hauptrepräsentanten der span. Literatur nach der Jahrhundertwende; Lyrik und Essays (»Las máscaras«, 2 Bde., 1917–19).

Pérez de Cuéllar [ˈperes ðe kuˈeʎar], Javier, peruan. Diplomat, *Lima 19. 1. 1920; Jurist, 1971–81 ständiger Vertreter seines Landes bei den UN, 1982–91 deren Generalsekretär.

Pérez de Hita ['perɛð ðe'ita], Ginés, span. Schriftsteller, *Mula (Prov. Murcia) um 1544, †nach 1619; nahm am Feldzug gegen die aufständ. Morisken (1568–71) teil; schrieb den geschichtl. Roman »Die Geschichte der Bürgerkriege von Granada« (2 Tle., 1595–1619), der ein farbiges Bild der maur. Kultur zeichnet.

Pérez Esquivel ['peres eski'βel], Adolfo Maria, argentin. Bildhauer, *Buenos Aires 26. 9. 1931; Prof. für bildende Kunst in La Plata, 1968 Mitbegründer der Organisation »Servicio Paz y Justicia« (Dienst für Frieden und Gerechtigkeit). Er setzt sich für gewaltlosen Widerstand gegen Menschenrechtsverletzungen in Argentinien sowie im übrigen Lateinamerika ein und erhielt dafür den Friedensnobelpreis 1980; 1977/78 inhaftiert; seit 1987 Präs. der »International League for the Rights and Liberation of Peoples«.

Pérez Galdós ['perɛð-], Benito, span. Schriftsteller, *Las Palmas 10. 5. 1843, †Madrid 4. 1. 1920. Sein umfangreiches Romanwerk, in dem er europ. Traditionen verarbeitete, gibt ein Panorama der span. Gesellschaft des 19. Jh. (46 histor. Romane u.d.T. »Episodios nacionales«, 1873–1912; zeitgenöss. Stoffe u.a. in »Doña Perfecta«, 1876; »Freund Manso«, 1882); auch erfolgreicher Theaterautor.

Perfekt [lat.] *das, Grammatik:* Zeitform, in der die Handlung vollendet ist (ÜBERSICHT Verb).

Perforation [lat. »Durchbohrung«] *die,* **1)** *allg.:* Lochreihe, z.B. beim Film zum Transportieren.

2) *Medizin:* Eröffnen eines Hohlorgans oder einer Körperhöhle durch Gewalteinwirkung oder Durchbruch eines Geschwürs (nach außen oder in eine Körperhöhle).

Perforator [lat.] *der,* schreibmaschinenartige Konstruktion (»Taster«) zum Stanzen von Lochkombinationen (Codes) in ein Lochband, mit dem Rechenanlagen, Setzmaschinen, Fernschreiber, Werkzeugmaschinen u.Ä. gesteuert werden. Die Lochbandsteuerung ist heute vielfach ersetzt durch Band- oder Diskettensteuerung (magnet. Speicherung der Befehle).

Performance [pə'fɔːməns, engl.] *die,* **1)** *Börsenwesen:* i.w.S. die Wertentwicklung einer Kapitalanlage (Wertpapierdepots), meist als jährl. oder – bei längerfristiger Betrachtung – durchschnittlicher jährl. Wertzuwachs in Prozent. Zum Vergleich werden i.d.R. Börsenindizes herangezogen (z.B. der →DAX), die die durchschnittl. Entwicklung eines Marktes widerspiegeln. I.e.S. bezeichnet P. die Entwicklung einzelner Wertpapiere (z.B. Aktien, Optionsscheine), Devisen oder Edelmetalle, bezogen auf einen vergleichbaren Marktdurchschnitt.

2) *Kunst:* eine aus den USA stammende Form der Aktionskunst, die in den 1970er-Jahren weitgehend an die Stelle von Fluxusveranstaltungen und Happenings trat. Im Ggs. zu diesen bleiben Künstler und Publikum getrennt. Die P. wird meist von einem einzelnen Künstler, aber auch von Gruppen vorgeführt. Häufig wird mit Mitteln des experimentellen Theaters und des modernen Balletts gearbeitet oder die P. in Theater- und auch in Konzertaufführungen integriert. Überschneidungen ergeben sich auch mit der Body-Art und der Prozesskunst. Bedeutsam ist die Verwendung reproduktiver Medien, v.a. Film und Video, die mitunter die Original-P. völlig ersetzen.

Performanz *die,* der aktuelle Sprachvorgang, die Sprachverwendung in einer konkreten Sprechsituation.

Pergament *das,* Beschreibstoff aus enthaarten, geglätteten, ungegerbten und unter Spannung getrockneten Tierhäuten (Schaf-, Ziegen-, Kalbfelle); durchscheinend oder lichtundurchlässig. P. wurde angeblich im 3. Jh. v. Chr. im Vorderen Orient erfunden und trat seit dem 4./5. Jh. als Schreibmaterial an die Stelle von Papyrus. Über Rom und Byzanz verbreitete sich die Technik der P.-Herstellung in ganz Europa. Hersteller und Benutzer waren zunächst v.a. die Klöster. P. bot den Vorteil, dass es beidseitig beschriftet und nach Tilgung der Schrift erneut verwendet werden konnte; die Feinheit seiner Oberfläche förderte zudem die Entwicklung der →Buchmalerei. Nach Erfindung des Papiers verlor das P. seit dem 15./16. Jh. an Bedeutung.

📖 *P. Geschichte, Struktur, Restaurierung, Herstellung, hg. v.* P. RÜCK. *Sigmaringen 1991.*

Pergamentpapier, mithilfe von Chemikalien (vor allem Schwefelsäure) fettdicht, nassfest und kochfest gemachtes Papier aus Zellstoff. **Pergamentersatz** (»Butterbrotpapier«) erhält dagegen seine Fettdichtigkeit durch eine besondere Mahlung der Zellstofffasern; es ist im Gegensatz zum echten P. nicht wasser- und kochfest.

Pergamon (Pergamos), antike Stadt im NW Kleinasiens, an der Stelle der heutigen Stadt Bergama, Türkei. P. war Hptst. des **Pergamen. Reiches,** das, um 280 v. Chr. von Philetairos gegr., unter König Eumenes II. (197–159 v. Chr.) eines der mächtigsten Reiche Kleinasiens war. Der letzte König, Attalos III. († 133 v. Chr.), vermachte es testamentarisch den Römern, die 129 v. Chr. die Prov. Asia einrichteten. – P. wurde durch die seit 1878 von C. Humann und A. Conze, später von W. Dörpfeld und T. Wiegand und 1957–68 von E. Boehringer geleiteten Ausgrabungen freigelegt. Die aus einer Bergfeste entstandene Stadt reichte in der Königszeit bis zum Fuß des Berges. Über dem Markt der Oberstadt (obere Agora) erhob sich der Zeusaltar (→Pergamonaltar). Oberhalb davon lag der dor. Athenetempel (1. Hälfte des 3. Jh. v. Chr.), das Hauptheiligtum der Stadt, dessen Be-

Adolfo Pérez Esquivel

Benito Pérez Galdós

Pergamon: Das Theater im Westhang des Burgbergs mit etwa 10 000 Plätzen wurde im 2. Jh. n. Chr. erbaut

zirk Attalos I. mit Bildwerken schmückte (durch kaiserzeitl. Kopien bekannt: der sterbende Gallier, Rom, Kapitolin. Museum u.a.). Eumenes II. umgab ihn mit einer Säulenhalle; hier befanden sich die berühmte Bibliothek (die im 1. Jh. n.Chr. 200 000 Schriftrollen besaß) und die Kunstsammlung. Durch Ausgrabungen weiterer Stadtteile wurden Tempel, der Königspalast, das Theater (10 000 Plätze, 2. Jh. n.Chr.), Kasernen u.a. freigelegt, auch die röm. Stadt in der Ebene mit der »Roten Halle«, einem mächtigen Ziegelbau (später byzantin. Kirche). Außerhalb von P. lag, durch eine hl. Straße mit überdachten Säulenhallen mit der Stadt verbunden, das wohl im 5. Jh. v.Chr. gegr. Asklepiosheiligtum (Asklepieion), im 2. Jh. n.Chr. Wirkungsstätte des Arztes Galen.

📖 Radt, W.: *P. Geschichte u. Bauten, Funde u. Erforschung einer antiken Metropole. Köln 1988.*

Pergamon|altar, der in Pergamon von Eumenes II. 164–156 v.Chr. errichtete, dem Zeus und der Athena geweihte Monumentalaltar. Den annähernd quadrat. Unterbau (36,44×34,20 m) mit einer etwa 20 m breiten Treppe zum Oberbau schmückt ein 120 m langer, 2,30 m hoher Figurenfries (Darstellung der Gigantomachie). Auf dem Sockel verläuft eine ion. Säulenhalle mit Altarhof. In seiner Dramatik zählt der Skulpturenfries zu den Hauptwerken hellenist. Kunst. Im Altarhof hatte der spätere Telephosfries (kurz vor Mitte des 2. Jh. v.Chr.) seinen Platz; er ist nicht von dem gleichen Pathos erfüllt und zeigt in einer auf die grch. Klassik rückgewandten Kunstgesinnung das Leben des myth. Gründers von Pergamon. Friese und einige Architekturteile des P. wurden nach Entdeckung und Ausgrabung (1878–86) durch C. Humann im Berliner Pergamonmuseum (heute Vorderasiatisches Museum) aufgestellt; die Rekonstruktion des Altars wurde seitdem in Teilen ergänzt.

📖 Müller, W.: *Der Pergamon-Altar. Leipzig ³1978.* – Schalles, H.-J.: *Der Pergamon-Altar zwischen Bewertung u. Verwertbarkeit. Frankfurt am Main 10.–11. Tsd. 1995.*

Pergola [italien.] *die,* Laubengang.

Pergolesi (Pergolese), Giovanni Battista, italien. Komponist, *Jesi 4. 1. 1710, begraben Pozzuoli 16. 3. 1736; ein Hauptmeister der Neapolitan. Schule. Seine Opera buffa »La serva padrona« (1733) war als Prototyp der kom. Oper Epoche machend. P.s Melodik fand in seinem letzten Werk, dem »Stabat Mater« für Sopran, Alt, Streicher und Orgel, ihre Vollendung.

Peri, Iacopo, italien. Komponist, *Rom 20. 8. 1561, †Florenz 12. 8. 1633; einer der Hauptvertreter der Florentiner Camerata, die die Monodie und das dramat. Rezitativ entwickelte und die Form der Oper schuf; mit der Oper »Dafne« (1598) komponierte er das erste Werk dieser Gattung.

peri... [grch.], um ... herum, umher, über ... hinaus.

Periastron [grch.] *das,* die Sternnähe (→Apsiden).

Peridot [frz.] *der,* Edelsteinvarietät des →Olivin.

Peridotit [frz.] *der,* ein ultrabas. Tiefengestein, das aus Olivin, Pyroxenen u.a. besteht. Es sind viele Varietäten bekannt, z.B. Dunit (gelbgrün bis grün, über 90 % Olivin).

Peridotitschale, Teil der unteren Erdkruste, →Erdinneres.

Perigäum [grch.] *das,* Erdnähe (→Apsiden).

Pergamonaltar: Rekonstruktion des dem Zeus und der Athena geweihten Monumentalaltars (164–156 v. Chr.), dessen erhaltene Teile nach Ausgrabungen (1878–86) unter der Leitung des deutschen Archäologen Carl Humann nach Berlin gebracht wurden (Berlin, Vorderasiatisches Museum)

periglazial, *Geomorphologie:* die Umgebung von Inlandeis und Gletschern betreffend. In ihrem Einflussbereich erstreckt sich das **Periglazialgebiet** mit seinem spezifischen Formenschatz (den **Periglazialerscheinungen**) wie Kryoturbation, Solifluktion, Blockmeere, Löss, Binnendünen.

Perigon [grch.] *das,* Blütenhülle mit gleich gestalteten Kronen- und Kelchblättern (→Blüte).

Périgord [peri'gɔːr] *das,* Landschaft im SW Frankreichs, am W-Rand des Zentralmassivs. Die teils bewaldeten, stark verkarsteten Kalkplateaus sind durch tiefe Täler zerschnitten; Anbau von Getreide, Tabak, Wein; Viehzucht; Walnussanpflanzungen; auch bekannt durch Trüffeln; Hauptort ist Périgueux. – Die Grafschaft P., als Grenzlandschaft in den Kriegen zw. Frankreich und England im MA. umkämpft, wurde von Heinrich IV. mit der frz. Krone vereint. Im P. liegen die meisten altsteinzeitl. Fundstätten Frankreichs.

Périgordien [perigɔr'djɛ̃; frz., von Périgord] *das,* Formengruppe der Altsteinzeit (→Châtelperronien, →Gravettien).

Perigraph [grch.] *der,* der →Diagraph.

Périgueux [peri'gø], Hauptstadt des Dép. Dordogne und Zentrum des Périgord, SW-Frankreich, an der Isle, 32 900 Ew.; Nahrungsmittel-, Metall-, Textil- u. a. Industrie. – Galloröm. Baureste, Kathedrale Saint-Front (Baubeginn um 1120, 1852–1901 Restaurierung), Kirche Saint-Étienne (11. bis 12. Jh.); in der unter Denkmalschutz stehenden Altstadt Bürgerhäuser des 15.–18. Jh. – P. war Hauptort der kelt. Petrucorii; Blütezeit unter röm. Herrschaft; im MA. Hptst. der Grafschaft Périgord, 1360–99 englisch, im 16. Jh. ein Stützpunkt der frz. Protestanten. BILD S. 444

Perihel [grch.] *das,* Sonnennähe (→Apsiden).

Periheldrehung, die sehr langsame Drehung der großen Achse der Planetenellipse in der Bahnebene um die Sonne, die überwiegend auf die Störung der jeweiligen Planetenbahn durch die anderen Planeten zurückzuführen ist; im 18. Jh. bei →Merkur entdeckt (43'' in 100 Jahren), auch bei Venus und Erde nachgewiesen und quantitativ durch die Relativitätstheorie erklärt.

Perikard [grch.] *das,* der Herzbeutel (→Herz).

Perikarditis *die,* →Herzbeutelentzündung.

Perikarp [grch.] *das,* die Fruchtwand (→Frucht).

Perikles, athen. Staatsmann, *Athen um 500, †ebd. (an der Pest) 429, ⚭ in 2. Ehe mit Aspasia; bedeutendster Redner seiner Zeit; Gegner der polit. Macht des Aeropags und Kimons, dessen Ankläger er 463 v. Chr. war. Seit 443 ständig Stratege, verlieh er der athen. Demokratie monarch. Charakter; leitete mit dem Kalliasfrieden (449/448) die Ausgestaltung des Attisch-Delischen Seebundes zum att. Seereich ein und ließ Beiträge der Bundesmitgl. zum Ausbau des seit 462/460 stark befestigten Athen (bes. der Akropolis) nutzen. Das **perikleische Zeitalter** war ein Höhepunkt klassischer grch. Kultur (Sophokles, Phidias, Anaxagoras, Herodot, Hippodamos, Protagoras); doch erschütterte eine stetige Opposition seine Stellung (Prozesse gegen Phidias, Anaxagoras, Aspasia). P., der den Peloponnes. Krieg als Mittel neuer innerer Stärkung begrüßt haben soll, wurde 430 abgesetzt. – Eine Biographie des P. verfasste Plutarch. INFO S. 444

🕮 KAGAN, D.: *P. Die Geburt der Demokratie. A. d. Amerikan. Stuttgart 1992.*

Perikope [grch.] *die,* Textabschnitt aus der Bibel; als Lese- (kath. Kirche) bzw. Lese- und Predigttext (evang. Kirche) für den Gottesdienst verbindlich vorgeschrieben.

Perilla (Schwarznessel), Lippenblütlergattung Asiens. Das schnell trocknende Samenöl der bes. in Japan angebauten weißblühenden **P. ocimoides** wird als Lacköl u. a. verwendet.

Giovanni Battista Pergolesi
(Ausschnitt eines Kupferstichs, um 1800)

Pergamon - archäologischer Lageplan

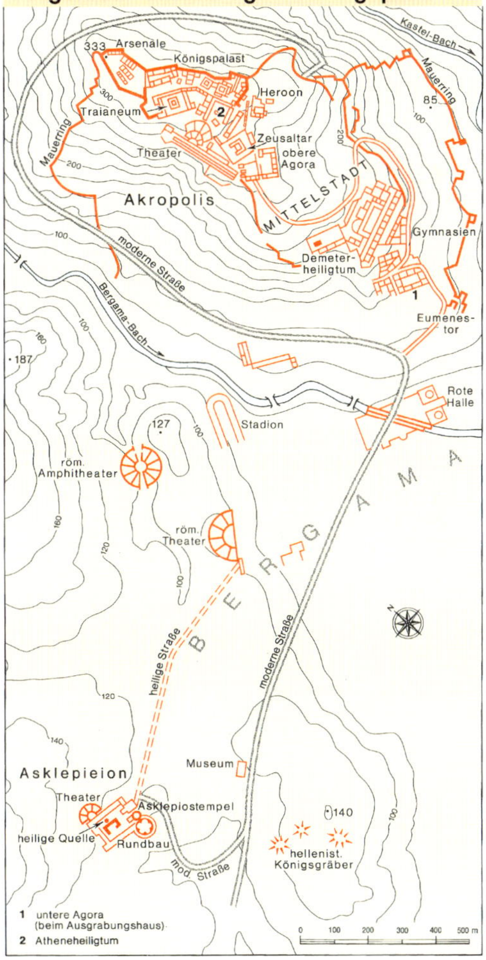

Périgueux: Die Kathedrale Saint-Front liegt im Stadtkern rechts der Isle; die fünf Kuppeln der zum großen Teil im 12. Jh. erbauten Kirche wurden während der Restaurierung in den Jahren 1852–1901 aufgesetzt

Perim (arab. Mejum oder Mehun), Insel in der Meerenge Bab el-Mandeb, an der S-Spitze Arabiens, Jemen, 13 km², rd. 300 Ew.; Fischfang. – 1799–1801 und 1851–1967 als Teil der Kronkolonie Aden unter brit. Herrschaft.

perinatal [grch.-lat.], den Zeitraum zw. dem Ende der 28. Schwangerschaftswoche und dem 7. Lebenstag des Neugeborenen betreffend.

Perinatalmedizin, interdisziplinäres Teilgebiet der Medizin, das sich mit dem Zustand des Fetus und Neugeborenen vor, während und nach der Geburt bis zum 7. Lebenstag des Neugeborenen befasst; beinhaltet sowohl Prophylaxe als auch Therapie von Erkrankungen des Kindes im Mutterleib und des Neugeborenen.

Periode [grch.] *die,* **1)** *allg.:* längerer oder kürzerer Zeitabschnitt, Zeitraum, der durch bestimmte Abläufe, Ereignisse oder Entwicklungen geprägt ist, die ihm Geschlossenheit verleihen; eine P. kann einmalig sein (z. B. Dürre-P., geschichtl. P., →Periodisierung) oder eine regelmäßig wiederkehrende Abfolge darstellen.

2) *Astronomie:* a) die Umlaufzeit von Gestirnen; b) das kleinste Zeitintervall, in dem sich die regelmäßige Wiederkehr gleicher Helligkeit bei →Veränderlichen wiederholt.

3) *Chemie:* →Periodensystem der chemischen Elemente.

4) *Mathematik:* a) regelmäßig wiederkehrende Ziffernfolge, auf die die Dezimalbruchentwicklung einer rationalen Zahl endet **(period. Dezimalzahl, period. Dezimalbruch);** z. B. hat die Dezimalzahl $0{,}673673673\ldots = 0{,}\overline{673}$ die P. 673; b) die ständige Wiederholung bestimmter Werte einer Funktion, wenn das Argument um einen festen Betrag a, die P., angewachsen ist: $f(x+a) = f(x)$ **(period. Funktion).**

5) *Medizin:* die →Menstruation.

6) *Musik:* in sich geschlossener, i. d. R. achttaktiger Abschnitt, der in einen Vorder- und einen ähnlich gebauten Nachsatz gegliedert ist.

7) *Physik:* die Wiederholung gleicher Zustände eines physikal. Systems in regelmäßigen Zeitabständen (→Periodendauer), z. B. bei Bewegungen, insbesondere bei Schwingungen.

Periodendauer (kurz Periode), Formelzeichen T, die Zeit, nach der sich ein regelmäßig wiederkehrender Vorgang (period. Vorgang) wiederholt, z. B. die bei einer harmon. Schwingung für eine volle Schwingung benötigte Zeit (Schwingungsdauer).

Perioden-Leuchtkraft-Beziehung, Beziehung zw. der Pulsationsperiode und der mittleren Leuchtkraft (oder absoluten Helligkeit) der →Cepheiden. Aus der beobachteten Periode und der scheinbaren Helligkeit kann die Entfernung von Sternsystemen (anhand darin enthaltener Cepheiden) bestimmt werden.

Periodensystem der chemischen Elemente, Abk. **PSE,** systematische, tabellar. Anordnung der chem. Elemente nach ihrem Atombau und ihren davon abhängigen periodisch sich wiederholenden chem. und physikal. Eigenschaften; 1869 von D. I. Mendelejew und L. Meyer unabhängig voneinander vorgeschlagen. Für einige Leerstellen sagte Mendelejew neue Elemente, z. B. Gallium, Germanium, Scandium, Technetium, Promethium, mit ihren Eigenschaften voraus, die später entdeckt oder durch Kernumwandlung künstlich hergestellt wurden. Anfängl. Unstimmigkeiten in der Reihenfolge wurden durch die spätere Erkenntnis beseitigt, dass nicht die Atommasse, sondern die Ordnungszahl die für die chem. Eigenschaften maßgebende Größe ist. Die Erklärung des PSE liefert die Quantentheorie, insbesondere die Anwendung des Pauli-Prinzips auf den Bau der Atom-

Perikles

Thukydides charakterisiert Perikles (2,65):

»Perikles besaß die Macht kraft seiner persönlichen Autorität und seines fachlichen Könnens, war unbestechlich und hielt daher die Menge bei aller Freiheit in Schach. Eher leitete er das Volk, als dass es ihn leitete. Denn er war nicht auf unrechtmäßigen Wegen zur Macht gekommen und brauchte daher auch nicht dem Volke nach dem Munde zu reden. Im Gegenteil: bei seiner Autorität konnte er in seinen Reden mit aller Schärfe sich ihm widersetzen. Wenn er also merkte, dass seine Mitbürger politisch im falschen Moment übermütig und verwegen sich alles zutrauten, so wusste er sie mit seinen Reden so einzuschüchtern, dass sie gleich das Schlimmste fürchteten. Fand er die Massen grundlos verzagt, richtete er ihren Mut wieder auf.«

Periodensystem der chemischen Elemente

Elementgruppen (Anzahl Valenzelektronen)

Übergangsmetalle: 3A–2B

1A	2A	3A	4A	5A	6A	7A	8	8	8	1B	2B	3B	4B	5B	6B	7B	0	
1 H Wasserstoff																	2 He Helium	1. Periode
3 Li Lithium	4 Be Beryllium											5 B Bor	6 C Kohlenstoff	7 N Stickstoff	8 O Sauerstoff	9 F Fluor	10 Ne Neon	2. Periode
11 Na Natrium	12 Mg Magnesium											13 Al Aluminium	14 Si Silicium	15 P Phosphor	16 S Schwefel	17 Cl Chlor	18 Ar Argon	3. Periode
19 K Kalium	20 Ca Calcium	21 Sc Scandium	22 Ti Titan	23 V Vanadium	24 Cr Chrom	25 Mn Mangan	26 Fe Eisen	27 Co Kobalt	28 Ni Nickel	29 Cu Kupfer	30 Zn Zink	31 Ga Gallium	32 Ge Germanium	33 As Arsen	34 Se Selen	35 Br Brom	36 Kr Krypton	4. Periode
37 Rb Rubidium	38 Sr Strontium	39 Y Yttrium	40 Zr Zirconium	41 Nb Niob	42 Mo Molybdän	43 Tc Technetium	44 Ru Ruthenium	45 Rh Rhodium	46 Pd Palladium	47 Ag Silber	48 Cd Cadmium	49 In Indium	50 Sn Zinn	51 Sb Antimon	52 Te Tellur	53 I Jod	54 Xe Xenon	5. Periode
55 Cs Cäsium	56 Ba Barium	57 La Lanthan	72 Hf Hafnium	73 Ta Tantal	74 W Wolfram	75 Re Rhenium	76 Os Osmium	77 Ir Iridium	78 Pt Platin	79 Au Gold	80 Hg Quecksilber	81 Tl Thallium	82 Pb Blei	83 Bi Wismut	84 Po Polonium	85 At Astat	86 Rn Radon	6. Periode
87 Fr Francium	88 Ra Radium	89 Ac Actinium	104 Rf Rutherfordium	105 Db Dubnium	106 Sg Seaborgium	107 Bh Bohrium	108 Hs Hassium	109 Mt Meitnerium	110	111	112							7. Periode

58 Ce Cer	59 Pr Praseodym	60 Nd Neodym	61 Pm Promethium	62 Sm Samarium	63 Eu Europium	64 Gd Gadolinium	65 Tb Terbium	66 Dy Dysprosium	67 Ho Holmium	68 Er Erbium	69 Tm Thulium	70 Yb Ytterbium	71 Lu Lutetium
90 Th Thorium	91 Pa Protactinium	92 U Uran	93 Np Neptunium	94 Pu Plutonium	95 Am Americium	96 Cm Curium	97 Bk Berkelium	98 Cf Californium	99 Es Einsteinium	100 Fm Fermium	101 Md Mendelevium	102 No Nobelium	103 Lr Lawrencium

Metall · Halbmetall · Nichtmetall · künstl. Element · Feststoff (20 °C) · Flüssigkeit (20 °C) · Gas (20 °C) · Radioaktiv

hülle. Danach unterscheiden sich die Atome der versch. Elemente durch die Anzahl der Hüllenelektronen, die sich in »Schalen« (→Schalenmodell) gruppieren; sie spiegelt sich v.a. in den Perioden des PSE wider. Es gibt versch. Darstellungsarten des PSE (Lang- und Kurzperiodensystem). In den waagrechten Zeilen, den **Perioden,** werden die Elemente nach steigender Ordnungszahl, in den senkrechten Spalten, den **Gruppen** oder **Elementfamilien,** nach ähnlichen chem. und physikal. Eigenschaften geordnet. Zu den **Hauptgruppen** (gekennzeichnet entsprechend der IUPAC-Regel als 1A, 2A, 3B bis 7B, 0; die älteren Bez. lauten Ia bis VIIa und 0) zählen die 44 Elemente, bei deren Atomen die äußersten Schalen mit Elektronen aufgefüllt werden. Diese Gruppen werden (nach obiger Reihenfolge) als Alkalimetalle (und Wasserstoff), Erdalkalimetalle, Borgruppe, Kohlenstoffgruppe, Stickstoffgruppe, Chalkogene, Halogene und Edelgase bezeichnet. Die Gruppennummer gibt dabei jeweils die Anzahl der vorhandenen Außenelektronen an. Die übrigen 65 Elemente gehören zu den **Nebengruppen** (gekennzeichnet als 3A bis 7A, 8, 1B, 2B; früher: Ib bis VIIb, VIII). Bei den meisten Atomen dieser Elemente erfolgt aus energet. Gründen vor dem weiteren Auffüllen der äußeren Elektronenschalen ein Besetzen der inneren Elektronenschalen (d- und f-Orbitale). Diejenigen Nebengruppenelemente, bei deren Atomen das neu hinzukommende Elektron ein d-Elektron ist, werden auch als **Übergangselemente** oder als **d-Elemente** bezeichnet.

📖 HARDT, H.-D.: *Die period. Eigenschaften der chem. Elemente. Stuttgart* ^{2}*1987.*

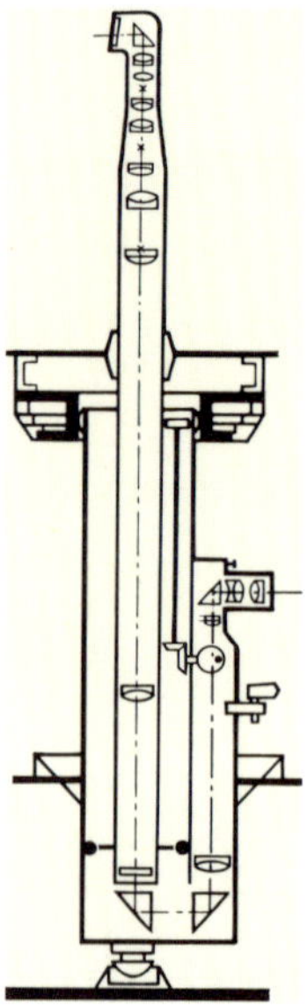

Periskop: U-Boot-Periskop mit veränderlicher periskopischer Länge; das Rohr in der Mitte mit dem Ausblickkopf kann einige Meter nach oben geschoben werden

Periodika [grch.], in regelmäßigen Zeitabständen erscheinendes Schrifttum (bes. Zeitschriften).

periodische Augen|entzündung, die →Mondblindheit.

Periodisierung [grch.] *die,* das Bemühen, den Gesamtverlauf der Geschichte in sinnvolle, in sich abgeschlossene Einheiten (→Epoche) zu gliedern. In ihrer Absicht, die bestimmenden Kräfte und Vorgänge einer Epoche zu erfassen, um das Verständnis geschichtl. Entwicklungen sowie des eigenen histor. Standortes zu fördern, ist P. immer Deutung und Ergebnis einer Geschichtstheorie. Dies und die aller P. zugrunde liegende Voraussetzung, dass die Geschichte als Ganzheit verfügbar sei, machen die histor. Bedingtheit eines jeden Versuchs von P. aus. Bis heute erhielt sich in der Geschichtswiss. das Dreiperiodenschema des Humanismus: Altertum, MA., Neuzeit. Frühe Versuche einer P. sind z.B. die Lehre von den vier Weltreichen, die Lebensalterslehre (Ablauf der Staatsentwicklung entsprechend den menschl. Altersstufen), im Zeichen christl. Geschichtsbetrachtung die Weltalterslehre (analog zu den sechs Schöpfungstagen), in der Moderne etwa die Kulturzyklentheorien und das Typenschema des Marxismus (nach ökonom. Gesellschaftsformationen).

Anthony Perkins

Periöken [grch.], im Altertum, bes. in Sparta, eine persönlich freie, aber politisch rechtlose Bevölkerungsschicht.

Periost [grch.] *das,* die Knochenhaut (→Knochen).

Periostitis [grch.] *die,* →Knochenhautentzündung.

Peripatos [grch.], im antiken Griechenland eine Wandelhalle, in der unterrichtet und philosophisch diskutiert wurde; danach Bez. für Aristoteles und seine Schüler **(Peripatetiker).**

Peripetie [grch.] *die,* Begriff aus der Tragödientheorie des Aristoteles (»Poetik«); der (meist plötzlich eintretende) Umschlag der dramat. Handlung, der Wendepunkt, von dem an die Handlung notwendig der Katastrophe zustrebt.

peripheres Nervensystem, Bez. für die Gesamtheit der Anteile des →Nervensystems, die als periphere Nerven und Ganglien sowohl mittels zuleitender (afferenter, sensor.) Nervenbahnen Erregung aus der Körperperipherie und den inneren Organen zum Zentralnervensystem übertragen als auch über efferente (motor.) Bahnen Muskeln und Drüsen versorgen.

Peripherie [grch.] *die,* **1)** *allg.:* Randzone.

2) *Geometrie:* die Randkurve (Umfangslinie) einer ebenen Fläche, z.B. des Kreises.

Peripheriegeräte, Bez. für alle Geräte, die über Datenkanäle an die →Zentraleinheit (CPU) eines Datenverarbeitungssystems angeschlossen sind. Man unterscheidet zw. **Nah-P.,** die ohne Einrichtungen der Datenfernübertragung (→Datenfernverarbeitung) angeschlossen werden (z.B. Drucker, Magnetplatten), und **Fern-P.,** die mit Einrichtungen der Datenfernübertragung angeschlossen werden (z.B. Bildschirmterminals). P. dienen zur Ein-/Ausgabe in das und aus dem Datenverarbeitungssystem und/oder zur Zwischenspeicherung von Daten und Programmen.

Periphrase [grch.] *die,* rhetor. Umschreibung, z.B. »der Allmächtige« für Gott (ÜBERSICHT Redefiguren).

Periplus [grch. »Umfahrt«] *der,* antike geograph. Literaturgattung; urspr. Küsten- und Hafenbeschreibung mit nautisch-techn. Angaben (Tiefe der Häfen, Landmarken). Einer der ältesten Periploi (4. Jh. v.Chr.) ist der des Skylax von Karyanda. Im MA. hießen solche Schifferhandbücher →Portolane.

Peripteros [grch.] *der,* grch. Tempel mit ringsum laufender einfacher Säulenreihe.

Periskop [grch.] *das* (Sehrohr), *Optik:* Bauform eines Fernrohrs mit ausfahrbarem senkrechtem Sehrohr veränderl. Länge, dessen Prismen- und Linsensystem die horizontale Visierlinie i. Allg. senkrecht ablenkt, den Strahlengang parallel versetzt und einen horizontalen Einblick am Okularende ermöglicht; Anwendung z. B. in U-Booten.

Peristaltik [grch.] *die,* bei Hohlorganen (Magen, Darm, Harnleiter) wellenförmig fortschreitende Zusammenziehung der glatten Muskulatur zum Vorwärtstreiben des Inhalts. Die gegenläufige Bewegung **(Anti-P.)** kann Entleerung (z. B. Erbrechen) bewirken.

Peristyl [lat.-grch.] *das,* ein mindestens auf drei Seiten von Säulen umgebener Innenhof, bes. der gartenartig ausgestaltete Säulenhof des grch. und röm. Hauses.

Peritonealdialyse [grch.], Blutreinigungsverfahren zur Dialysebehandlung, das das Bauchfell (Peritoneum) als Austauschmembran nutzt. Durch einen in die Bauchhöhle eingelegten Kunststoffschlauch (Katheter) wird sterile, auf Körpertemperatur angewärmte Dialyseflüssigkeit in den Bauchraum eingeleitet. Die aus dem Organismus zu entfernenden Giftstoffe treten aus den Blutkapillaren des Bauchfells in die Spülflüssigkeit über, die dann durch den gleichen Katheter entfernt wird. Im Ggs. zur künstl. Niere ist bei der P. kein spezieller Gefäßzugang erforderlich, und weil kein Heparin zugeführt werden muss, um die Blutgerinnung zu hemmen, besteht keine erhöhte Blutungsgefahr.

Peritoneum [grch.] *das,* das →Bauchfell.

Peritonitis *die,* →Bauchfellentzündung.

Perkeo, Klemens, aus Tirol gebürtiger Zwerg, seit etwa 1720 Hofnarr des Kurfürsten Karl Philipp von der Pfalz in Heidelberg.

Perkin ['pəːkɪn], Sir (seit 1906) William Henry, brit. Chemiker und Industrieller, *London 12. 3. 1838, †Sudbury (heute zu London) 14. 7. 1907; stellte 1856 den ersten synthet. organischen Farbstoff, das Mauvein (P.-Violett), her. P. begründete eine Anilinfarbenfabrik und entwickelte 1868 die **P.-Reaktion** zur Herstellung von ungesättigten organ. Säuren durch Kondensation von Aldehyden mit Natriumsalzen von Carbonsäuren unter dem Einfluss von Säureanhydriden.

Perkins ['pəːkɪnz], Anthony, amerikan. Schauspieler, *New York 4. 4. 1932, †Los Angeles 12. 9. 1992; Darsteller komplizierter, neurot. Charaktere in Filmen wie »Lieben Sie Brahms?« (1960), »Psycho« (1960; II, 1980; III, 1986), »Die dritte Dimension« (1962), »Der Prozeß« (1962), »Mord im Orientexpreß« (1974), »Napoleon und Josephine« (1988), »Schreie im Wald« (1992).

Perkunas [litauisch], baltischer Himmels- und Donnergott, wahrscheinlich dem slaw. **Perun** verwandt.

Perkussion [lat. »Schlagen«] *die, Medizin:* Untersuchung durch Abklopfen der Körperoberfläche. Der Klopfschallbefund erlaubt Rückschlüsse auf Grenzen und krankhafte Veränderungen innerer Organe, z. B. der Lunge.

Perkussion

*Erfunden hat diese Methode Leopold von Auenbrugger (*1722, †1809), der davon fasziniert war, wie exakt sein Vater durch Klopfen bestimmen konnte, wie viel Wein sich noch in einem Fass befand. Auenbrugger beklopfte daraufhin sieben Jahre lang seine Patienten, bevor er 1761 seine diagnostische Methode der »Perkussion« der Öffentlichkeit vorstellte.*

Perkussionsinstrumente, die →Schlaginstrumente.

Perkussionswaffen, Handfeuerwaffen mit Zündhütchenzündung (→Gewehr).

perkutan [lat.], *Medizin:* durch die unverletzte Haut hindurch; z. B. auf die Anwendung von Salben bezogen.

Martin L. Perl

Perl [pəːl], Martin Lewis, amerikan. Physiker, *New York 24. 6. 1927; Prof. an der Stanford University, wies mit seinen Mitarbeiten 1975 am →SLAC ein schweres Lepton, das Tauteilchen, nach. Dafür erhielt er 1995 zus. mit F. Reines den Nobelpreis für Physik.

Perlboote, Gattung der Kopffüßer, →Nautilus.

Perleberg
Stadtwappen

Perleberg, Kreisstadt des Landkreises Prignitz, Brandenburg, in der W-Prignitz, 14 700 Ew.; Fleischverarbeitung, Holzind., Saatzucht (für Zierpflanzen). – Spätgotische Pfarrkirche Sankt Jakob (14./15. Jh.), neugot. Rathaus (um 1850) mit mittelalterl. Gerichtslaube (15. Jh.) und Rolandsfigur (1546); Fachwerkhäuser (v. a. 17. Jh.). – P. entstand um 1150 und erhielt 1239 Stadtrecht.

Perlen [von lat. perna »Muschel«], meist erbsengroße, kugelige bis birnenförmige, harte Gebilde aus Perlmutter. P. sind krankhafte Erschei-

Perlen

Wie unterscheidet man echte von falschen Perlen?

Der Juwelendieb Arthur Barry verriet die einfachste Methode. Bei einem Einbruch im Jahre 1925 drang er in eine Suite im New Yorker Plaza-Hotel ein. Dort fand er neben anderen Preziosen auch fünf Perlenketten vor, von denen allerdings nur eine echt war. Barry prüfte sie, indem er die Perlen durch die Zähne zog. »Falsche Perlen sind glitschig, echte Perlen rau und uneben«, sagte er später. Künstliche Perlen bestehen meist aus pulverisierter, gepresster Perlmuttermasse. Sie besitzen Kerne aus Glas- oder Plastikkügelchen oder aus mit Fischsilberlack beschichtetem Alabaster. Entsprechend glatt ist – im Gegensatz zu naturgewachsenen Perlen – ihre Oberfläche.

Perlhühner (von links): Geierperlhuhn (Höhe etwa 70 cm) und Helmperlhuhn (Höhe 63 cm)

nungen bei vielen Schalenweichtieren, bes. bei der Fluss- und der Seeperlmuschel. Die Perlbildung geschieht durch zw. Schale und Mantel der Muschel eingelagerte, den Mantel einbuchtende Fremdkörper (z. B. Sandkörner), die zum Kern der P. werden; sie werden vom Mantelepithel umschlossen, das konzentr. Perlmutterschichten nach innen ausscheidet. **Natur-P.** werden v. a. aus Muscheln trop. und subtrop. Meere gewonnen. Fundgebiete von P., die durch P.-Taucher (P.-Fischer) aus oft mehr als 20 m Tiefe geholt werden, sind der Pers. Golf und die Küsten Sri Lankas **(Orient-P.)**, ferner Australien, die Südsee-Inseln, Venezuela, Mexiko, Panama u. a.; **Fluss-P.** oder **Süßwasser-P.** werden im Mississippi und Hudson, vereinzelt auch in mitteleurop. Flüssen gefunden. P. wachsen nur sehr langsam; erbsengroße Perlbildungen dauern oft 10–15 Jahre. **Zucht-P. (Kultur-P.)** entstehen durch künstl. Einbringen eines Perlkerns; deren Ernte kann schon nach 4 bis 10 Jahren erfolgen.

Itzhak Perlman

Perlen|inseln (span. Archipiélago de las Perlas), zu Panama gehörige Inselgruppe im Golf von Panama, rd. 400 km^2, rd. 2 900 Ew.; Perlenfischerei; Fremdenverkehr

Perlfluss (Kantonfluss, chines. Zhu Jiang, Chukiang), Flussgeflecht in der südchines. Prov. Guangdong, besteht aus den Mündungsarmen von Xi Jiang, Bei Jiang und Dong Jiang; der Hauptarm des P. mündet in einem 70 km langen und bis zu 30 km breiten Ästuar westlich von Hongkong ins Südchines. Meer.

Perlgras: Einblütiges Perlgras (Höhe 30–45 cm)

Perlgras (Melica), Gattung der Süßgräser in gemäßigten Gebieten der Nordhalbkugel, Südamerikas und Südafrikas; verbreitet in heim. Wäldern das **Nickende P. (Flohgras,** Melica nutans) mit nickenden, zweiblütigen und das **Einblütige P.** (Melica uniflora) mit aufrechten, einblütigen Ährchen.

Perlhühner (Numidinae), afrikan. Unterfamilie der Fasanartigen mit dicht weiß getüpfeltem Gefieder. Das 63 cm hohe **Helm-P.** (Numida meleagris) ist die Stammform des Hausperlhuhns und wird auch als Zier- und Hausgeflügel gehalten; die stattlichste Art ist das etwa 70 cm hohe **Geier-P.** (Acryllium vulturinum), dessen schwarz-blau-weiß gestreifte Halsfedern stark verlängert sind.

Perlit *der,* **1)** *Geologie:* (Perlstein) natürl., wasserhaltiges Gesteinsglas, z. B. des Rhyoliths u. a. Ergussgesteine, mit feinkugelig-schaliger Absonderung.

2) *Werkstoffkunde:* Eutektoid (d. h. → Eutektikum im Festkörperzustand) des instabilen Systems Eisen-Eisencarbid (Zementit, Fe_3C). P. entsteht beim Abkühlen kohlenstoffhaltigen Eisens bei 723 °C als Festkörperumwandlung durch Zerfall des oberhalb dieser Temperatur stabilen → Austenits in → Ferrit und Zementit.

Perlman ['pə:lmən], Itzhak, amerikan. Violinist israel. Herkunft, * Tel Aviv 31. 8. 1945; lebt seit 1958 in den USA; gefragter Interpret klass. und romant. Violinliteratur sowie von Werken der Neuen Musik (u. a. von A. Berg, B. Bartók, I. Strawinsky); spielt auch Jazz.

Perlmutter *die* oder *das* (Perlmutt), innerste Schicht der Schale mancher Muscheln und Schnecken; besteht aus planparallelen Aragonitplättchen und zeigt irisierende Farben.

Perlon [Kw.] *das,* Handelsbez. für mehrere zu den → Polyamiden zählende Chemiefasern, v. a. für die erste, aus ε-Caprolactam hergestellte Polyamidfaser (Perlon 6).

Perlpilz (Fleischchampignon, Perlwulstling, Amanita rubescens), 8–15 cm hoher Wulstling mit 6–15 cm großem Hut, der meist rotbraun bis fleischfarben ist und hellgraue bis rötlich graue, abwischbare Schuppen hat; gekocht (niemals roh!) guter Speisepilz.

Perlstab, *Baukunst:* der → Astragalos.

Perlstein, *Geologie:* der → Perlit.

Perlwein, Wein, der durch Zweitgärung im Tank gewonnene natürl. (z. B. der italien. Frizzante) oder durch Imprägnierung zugesetzte Kohlensäure enthält.

Perlzwiebel (Perllauch), perlenähnlich schimmernde Brutzwiebeln verschiedener Laucharten.

Perm [nach dem ehem. russ. Gouv.] (ältere Bez. Dyas), jüngstes System (Periode) des Paläozoikums, in Dtl. in →Rotliegendes und →Zechstein geteilt. (ÜBERSICHT geologische Systeme)

Perm (1940–57 Molotow), Gebiets-Hptst. in Russland, im westl. Uralvorland, unterhalb des Kamastausees an der Kama, 1,09 Mio. Ew.; Univ., mehrere Hochschulen, Kunstgalerie; Hafen und Flughafen; Maschinen-, Motorenbau, Flusswerft, Erdölraffinerie, chem., Holz-, Papier-, polygraph. Industrie. – P., 1723 mit dem Bau einer Kupferhütte gegründet, wurde 1796 Hptst. des gleichnamigen Gouvernements.

Permafrost, *Geographie:* →Dauerfrostboden.

Permalloy® ['pəːmələɪ, Kw.] *das,* Eisen-Nickel-Legierung mit 36–81 % Nickel von hoher magnet. →Suszeptibilität bei geringen Feldstärken und niedrigem Hysterese-Verlust (→Hysterese) für Radio-, elektr. und elektron. Ausrüstungen.

permanent [lat.], andauernd, ununterbrochen.

permanente Revolution, →Trotzkismus.

Permeabilität [lat.] *die,* **1)** *Biochemie* und *physikal. Chemie:* Durchlässigkeit von Scheidewänden (Membranen, Zellwände), aber auch von Folien, Blechen u. a. für bestimmte Moleküle, Atome oder Elementarteilchen.

2) *Geologie:* Durchlässigkeit des Bodens und der Gesteine für die in Poren und Klüften vorhandenen Flüssigkeiten und Gase.

3) *Physik:* Formelzeichen μ, in magnetisch isotropen Stoffen Proportionalitätsfaktor zw. der magnet. Induktion $\boldsymbol{B}$ und der magnet. Feldstärke $\boldsymbol{H}$, $\boldsymbol{B} = \mu \boldsymbol{H} = \mu_0 \mu_r \boldsymbol{H}$. Im Vakuum ist μ gleich der **magnet. Feldkonstante** μ_0 (ältere Bez. **Induktionskonstante, absolute P.** des Vakuums): $\mu_0 = 4\pi \cdot 10^{-7}\,\mathrm{V \cdot s/A \cdot m}$; die **P.-Zahl** μ_r ist somit für Vakuum gleich Eins. $\mu_r = \mu / \mu_0$ ist die P. eines Stoffes bezogen auf μ_0; daher wurde μ_r auch **relative P.** genannt. Bei diamagnet. und paramagnet. Substanzen ist die P. eine Materialkonstante, bei ferromagnet. Materialien hängt sie von der Feldstärke ab.

Permeke, Constant, belg. Maler, Zeichner und Bildhauer, *Antwerpen 31. 7. 1886, †Ostende 4. 1. 1952; bed. Vertreter des fläm. Expressionismus. Seine großformatigen Bilder stellen v. a. Bauern und Fischer dar, ferner Landschaften, Seestücke. Ab 1937 entstanden von afrikan. Plastik beeinflusste Skulpturen.

Permiler, Völkergruppe mit finnougr. Sprache an der W-Seite des Urals, die sich im 8.–10. Jh. in Syrjänen (→Komi) und Wotjaken (→Udmurten) teilte.

Permissible Level [pəˈmɪsəbl ˈlevl, engl.], die duldbare Menge von Rückständen aus Pflanzenschutzmitteln in und auf Nahrungsmitteln in mg/kg Körpergewicht unter Beachtung von ADI-Wert und Verzehrmenge, die bei tägl. Aufnahme kein Gesundheitsrisiko erwarten lässt.

Permitted Level [pəˈmɪtɪd ˈlevl, engl.], die tatsächlich geduldete Höchstmenge von Rückständen aus Pflanzenschutzmitteln. Oft sind bei guter landwirtschaftl. Praxis weniger Schadstoffe auszubringen, als es der →Permissible Level erlaubt. Der P. L. liegt weit unter dem →ADI-Wert; eine Überschreitung wirkt nicht in jedem Fall giftig.

Perlpilz (Hutdurchmesser 6–15 cm)

Permittivität [lat.] *die,* →Dielektrizitätskonstante.

Permokarbon *das,* zusammenfassende Bez. für die geolog. Systeme Karbon und Perm, deren Bildungen bes. auf der Südhalbkugel nur schwer zu trennen sind; gemeinsam sind ihnen v. a. ausgedehnte Vereisungen.

Permoser, Balthasar, Bildhauer, getauft Kammer (heute zu Traunstein) 13. 8. 1651, †Dresden 20. 2. 1732; ausgebildet in Salzburg und Wien, lebte lange in Italien und wurde 1689 Hofbildhauer in Dresden, wo er die Skulpturen des Zwingers schuf (vorrangig 1711–19; als Werke seiner Hand werden heute u. a. die mittleren Hermengruppen am Wallpavillon angesehen). Seine Kunst ist das wichtigste Verbindungsglied zw. der italien. und dt. Barockskulptur. Unter seinen zahlr. anderen Arbeiten ragen hervor: Jahreszeiten und mytholog. Figuren (Kleinbildwerke aus Elfenbein, Dresden, Grünes Gewölbe, und Braunschweig, Museum), die Apotheose des Prinzen Eugen (1718–21; Wien, Österr. Barockmuseum) und die monumentalen Gestalten der Kirchenväter Augustinus und Ambrosius (1725 für die ehem. kath. Hofkapelle in Dresden; jetzt Dresden, Kathedrale).

Balthasar Permoser: Hermengruppe am Wallpavillon des Dresdner Zwingers (1711–22)

📖 ASCHE, S.: *B. P. Leben u. Werk. Berlin 1978.*

Permutation [lat.] *die,* **1)** *Mathematik:* →Kombinatorik.

Constant Permeke: »Ostende, Boote bei Mondschein« (1923; Privatbesitz)

2) *Sprachwiss.:* die Umstellung von Satzgliedern innerhalb eines Satzes. Sie dient der Ermittlung von Konstituenten (→Konstituentenanalyse).

Permutite® [zu lat. permutare »vertauschen«], Handelsbez. für eine Gruppe von Ionenaustauschern auf Kunstharzbasis.

Pernambuco, 1) Staat im NO von →Brasilien; Hptst. und Ausfuhrhafen ist Recife; in der feuchtheißen Küstenebene Anbau von Zuckerrohr, Tomaten, Bananen, Baumwolle, Kaffee, Tabak, Kokospalmen. Im semiariden Binnenland (mehrjährige Dürren), das zum Brasilian. Bergland (Sertão, 3/4 des Staatsgebiets) gehört, wird bes. Viehzucht betrieben; Zucker- und Textilindustrie. – Ältestes portugies. Siedlungsgebiet in Brasilien (1534 Kapitanat), 1630–54 im Besitz der niederländ. Westind. Kompanie.

2) früherer Name von →Recife.

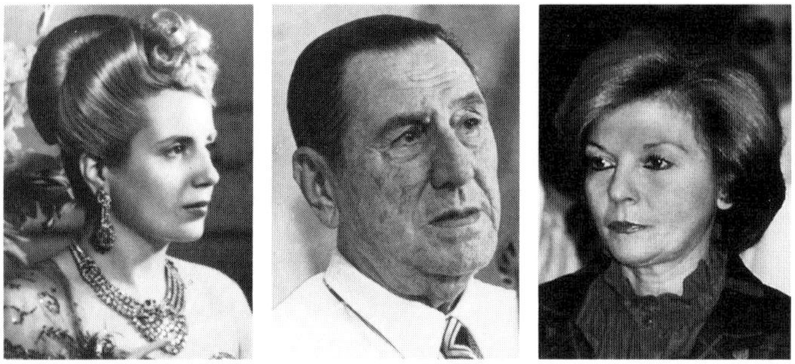

Perón: Evita, Juan und Isabel Perón

Pernambukholz (Fernambuk, Brasilholz), braungelbes bis dunkelrotes Holz der Hülsenfrüchtlerart Caesalpinia echinata (südöstl. Südamerika); Drechsler- und Ausstattungsholz.

Pernau, Stadt in Estland, →Pärnu.

perniziöse Anämie (Perniziosa, Biermer-Anämie), chron. →Anämie, bei der die Neubildung der roten Blutkörperchen durch Mangel an Vitamin B_{12} gestört ist (Reifungshemmung). Zum Vitaminmangel kommt es durch Fehlen einer im Magen gebildeten Substanz (»Instrinsic Factor«), die zur Aufnahme des mit der Nahrung zugeführten Vitamins erforderlich ist; in vielen Fällen ist die Ursache eine Autoimmunkrankheit. Die Symptome sind Abgeschlagenheit, Atemnot, fahlgelbe Hautfarbe, Brennen und lackartige Beschaffenheit der Zunge, Parästhesien, Muskelschwäche u.a. Im Blutbild finden sich vermehrt Megalozyten. Behandlung durch regelmäßige Einspritzung von Vitamin B_{12}.

Pernstein (tschech. Pernštejn), eine der bedeutendsten Burgen Mährens (13.–16. Jh.), nordwestlich von Brünn.

Perón, Juan Domingo, argentin. General und Politiker, *Lobos (Prov. Buenos Aires) 8. 10. 1895, †Buenos Aires 1. 7. 1974; Militärattaché, 1943 an einem Staatsstreich beteiligt, anschließend Min., 1944 auch Vizepräs.; gewann durch soziale Reformen die Unterstützung der unteren Schichten. 1945 durch Militärputsch gestürzt und gefangen gesetzt, wurde er nach Protesten der Gewerkschaften und der durch seine Frau Evita mobilisierten »Descamisados« (Hemdlose) freigelassen. Mit der Hilfe des »Partido Laborista« (→Peronisten) gewann er die Präsidentschaftswahlen 1946 und errichtete ein zunehmend diktator. Regime. 1955 wurde er durch das Militär gestürzt und verbannt, doch behielten seine Parteigänger erhebl. Einfluss. 1972 durfte er nach Argentinien zurückkehren. Im Sept. 1973 wurde er zum Präs. gewählt. – Anteil an seinem Aufstieg hatte seine erste Frau Evita (Maria Eva **Duarte,** *1919, †1952). Sie setzte sich für den Schutz der »Descamisados« und das Frauenwahlrecht ein und gründete ein soziales Hilfswerk. P.s zweite Frau Isabel (Maria Estela **Martínez,** *1931) wurde 1973 Vizepräs., nach P.s Tod Staatspräs.; 1976 durch einen Putsch gestürzt.

Peronisten, die Anhänger von J. D. Perón. 1945 schlossen sich die P., die sich v.a. unter den Mitgl. der Gewerkschaftsorganisation CGT fanden, zum »Partido Laborista« (Arbeiterpartei) zusammen. 1946–55 war dieser die maßgebl. Partei Argentiniens. Sein Ziel war die Integration der unteren Schichten in die Gesellschaft unter nationalist. Vorzeichen durch staatl. Sozialmaßnahmen. Nach dem Sturz Peróns 1955 bestanden die peronist. Gruppierungen weiter. Sie gründeten 1971 (nach der Aufhebung des Parteienverbots von 1966) die »Frente Justicialista de Liberación« (Gerechtigkeitspartei). Seit 1973 vertritt der »Partido Justicialista« die P. (→Argentinien, Geschichte)

per|oral [lat.] (per os), durch den Mund, über den Verdauungsweg (gegeben; von Arzneimitteln gesagt).

Perotinus (P. Magnus, Pérotin), frz. Komponist, *um 1165 (oder 1155/60), †um 1220 (oder 1200/05); Hauptmeister der Pariser Notre-Dame-Schule. Seine Organa sind erster Höhepunkt in der Entwicklung der mehrstimmigen Musik.

Perow, Wassili Grigorjewitsch, russ. Maler, *Tobolsk 2. oder 4. 1. 1834, †Kusminski (heute zu Moskau) 10. 6. 1882; gehörte zu den Begründern der →Peredwischniki; bed. sind v.a. seine sozialkrit. Genrebilder und seine Porträts (u.a. von F. M. Dostojewski).

Perowskit [nach dem russ. Politiker Graf Lew Alexejewitsch Perowski, *1792, †1856] *der,* rhomb. Mineral der chem. Zusammensetzung $CaTiO_3$, schwarz, auch durchscheinend; in Chloritschiefern, Basalten, abbauwürdig in Magnetitlagern.

Per|oxidasen, Enzyme, die Substrate unter Verwendung von Wasserstoffperoxid oxidieren.

Wassili Perow: Fjodor Michailowitsch Dostojewski (1872; Moskau, Tretjakow-Galerie)

Perl|oxide, Verbindungen des als Peroxogruppe, –O–O–, vorliegenden Sauerstoffs mit Wasserstoff oder Metallen (**anorganische P.**) oder mit organ. Resten (**organische P.**). Technisch wichtige anorgan. P. sind neben dem →Wasserstoffperoxid einige Metall-P. (z.B. Natriumperoxid, Na_2O_2), die leicht Sauerstoff abspalten und daher als Oxidations- und Bleichmittel verwendet werden.

Peroxo..., Bez. der chem. Nomenklatur, die in Verbindung mit dem Trivialnamen einer Säure die Substitution des Liganden –O– durch –O–O– anzeigt (z.B. Peroxodischwefelsäure, $H_2S_2O_8$).

Peroxy..., Bez. der chem. Nomenklatur, die das Vorliegen einer Peroxygruppe (Hydroperoxygruppe), –OOH, in organ. Verbindungen anzeigt (z.B. Peroxyessigsäure).

Peroxysomen [grch.], 0,5–1,5 µm große Zellorganellen in pflanzl. und tier. Zellen. P. und Glyoxisomen werden in der Elektronenmikroskopie zusammenfassend als Microbodies bezeichnet.

Perpendicular Style [pəːpənˈdɪkjʊlə ˈstaɪl, engl.], Spätstil der engl. Gotik von etwa 1350 bis etwa 1520, teilweise noch bis ins 17. Jh. nachweisbar. Er zeichnet sich durch Betonung der senkrechten Linie, gitterartiges Stabwerksystem der Fenster und ebensolche Gliederung der Wände aus. Bevorzugt wird das Fächergewölbe.

Perpendikel [lat. perpendiculum »Senkblei«] *das* oder *der,* Pendel, bes. einer Wand- oder Standuhr (Pendeluhr).

Perpetuum mobile [lat. »dauernd beweglich«] *das,* Maschine, die ohne Energiezufuhr von außen dauernd Arbeit verrichtet (**P. m. 1. Art**) oder aus der Wärmeenergie eines großen Wärmespeichers dauernd mechan. Energie erzeugt, ohne dass dabei in der übrigen Umgebung bleibende Veränderungen entstehen (**P. m. 2. Art**). Das P. m. 1. Art ist mit dem →Energiesatz, das P. m. 2. Art mit dem Entropiesatz (→Entropie) unverträglich. Seit I. Newton und G. W. Leibniz ist die Unmöglichkeit eines P. m. erwiesen.

Perpignan [pɛrpiˈɲã], Stadt in S-Frankreich, Hauptort des Roussillon und Verw.sitz des Dép. Pyrénées-Orientales, an der Têt, 108 000 Ew.; Univ. (1349–1792, wieder seit 1971); Museen; Sitz des Obersten Gerichts von Andorra; Handelszentrum für Wein, Obst, Frühgemüse; Metall-, Textil-, Lebensmittelind.; Fremdenverkehr; Flugplatz. – Kathedrale (14.–16. Jh.) u.a. Kirchen, Loge, ehem. Börse von 1397 und 1540, Zitadelle mit Palast der Könige von Mallorca (13.–16. Jh.). – P. war im 11./12. Jh. Hptst. der Grafschaft →Roussillon, kam 1172 zu Katalonien-Aragonien; 1276–1344 Hptst. des Königreichs Mallorca.

Perrault [pɛˈro], **1)** Charles, frz. Schriftsteller, *Paris 12. 1. 1628, †ebd. 16. 5. 1703, Bruder von 2); verfocht den Vorrang der modernen Schriftsteller vor den Autoren der Antike in seinem »Poème sur le siècle de Louis le grand« (»Querelle des anciens et des modernes«, 1687 ff., →französische Literatur). Durch seine Märchensammlung »Histoire, ou contes du temps passé...« (1697; dt. u.d.T. »Feenmärchen für die Jugend«) gelangte er zu Weltruhm.

2) Claude, frz. Baumeister, *Paris 25. 9. 1613, †ebd. 9. 10. 1688, Bruder von 1); schuf den Entwurf für die 1667 begonnene Ostfassade des Louvre, mit der er sich gegen G. L. Berninis Entwürfe durchsetzte. Deren klare und monumentale Gliederung ist vollendeter Ausdruck einer klass. Gesinnung.

Charles Perrault: Ausschnitt eines zeitgenössischen Kupferstichs

3) Dominique, frz. Architekt, *Clermont-Ferrand 1953. In der Tradition des architekton. Purismus stehend, beschäftigt sich P. mit grundlegenden geometr. Formen und versucht seine Bauten durch stadtplaner. Gestaltung in die Umgebung einzubetten. – *Bauten:* Techn. Hochschule

ESIEE, Marne-la-Vallée (1987); Berliet-Verw.gebäude, Paris (1989); Bibliothèque Nationale, Paris (1990–95).

Dominique Perrault: Die 1990–95 errichtete Bibliothèque Nationale mit ihren vier Magazintürmen liegt am linken Seineufer in Paris

Perret [pɛˈrɛ], Auguste, frz. Architekt, *Brüssel 25. 2. 1874, †Paris 4. 3. 1954; Pionier des Stahlbetonbaus: Wohnhaus Rue Franklin 25, Paris (1903), Kirche Notre Dame du Raincy (1922/23), Wiederaufbau von Le Havre (nach 1945) u. a.

Perrin [pɛˈrɛ̃], Jean-Baptiste, frz. Physiker und Chemiker, *Lille 30. 9. 1870, †New York 17. 4. 1942; wies 1895 die negative Ladung der Kathodenstrahlen nach; erhielt für seine Arbeiten über die diskontinuierl. Struktur der Materie, bes. die Entdeckung des Sedimentationsgleichgewichts, 1926 den Nobelpreis für Physik.

Perronneau [pɛrɔˈno], Jean-Baptiste, frz. Maler, *Paris 1715, †Amsterdam 20. 11. 1782; bedeutendster Pastellmaler des frz. Rokoko neben M. Quentin de La Tour; schuf v. a. Porträts.

Persante *die* (poln. Parsęta), Küstenfluss in Polen, in Hinterpommern, 127 km lang; entspringt bei Szczecinek (Neustettin), mündet bei Kołobrzeg (Kolberg) in die Ostsee.

Perse [pɛrs], Saint-John, frz. Schriftsteller, →Saint-John Perse.

Perseiden

Was sind Laurentiustränen?

So nennt der Volksmund die Sternschnuppen, die in den Nächten zwischen dem 10. (dem Tag des hl. Laurentius) und 14. August auffallend häufig vom Himmel fallen. Im Sommer durchquert die Erde auf ihrer Bahn um die Sonne den Meteorstrom der Perseiden (auch »Laurentiusschwarm«). Sie werden so genannt, weil die Sternschnuppen alle aus dem Sternbild Perseus im Nordosten zu stammen scheinen. Es sind Staubwolken, die der Komet Swift-Tuttle bei seinem Flug durch unser Planetensystem an der Sonne vorbei zurückgelassen hat.

per se [lat. »durch sich«], von selbst, selbstverständlich.

Perseiden (Laurentiusschwarm), einer der beständigsten und auffälligsten Meteorströme, der jährlich zw. dem 27. 7. und dem 17. 8. auftritt. Der Radiant liegt im Sternbild Perseus und verschiebt sich während der Aktivitätszeit deutlich.

Persenning [niederländ., von älter frz. préceinte »Umhüllung«] *die* (Presenning), wasserdicht imprägniertes Leinwandgewebe für Boots- und Autoverdecke, Planen und Zelte.

Persephone (lat. Proserpina), *grch. Mythos:* urspr. eine Göttin des Wachstums; Tochter des Zeus und der Demeter; von Hades in die Unterwelt entführt und zu seiner Gemahlin gemacht. Zeus gestattete ihr auf Bitten ihrer Mutter, zwei Drittel des Jahres in der Oberwelt zuzubringen. – Sie wurde bes. in Eleusis, Kyzikos, Unteritalien und Sizilien verehrt; in der Kunst als junge, ernste Frau mit Fackeln dargestellt.

Persepolis, altpers. Residenz, Sommerresidenz der Achaimenidenkönige, heute Ruinenstätte, etwa 80 km nordöstlich von Schiras (Iran), gegr. von Dareios I. (Hauptbauzeit 518 bis etwa 460 v. Chr.); 330 v. Chr. durch Alexander d. Gr. erobert und in Brand gesteckt. P. diente den Neujahrszeremonien der Herrscher. Auf einer künstl., festungsähnl. Terrasse befanden sich die Repräsentativbauten (Audienzhalle, Hundertsäulensaal, Schatzhaus). Erhalten sind zahlr. Reliefdarstellungen sowie Stier- und Vogelkapitelle und Keilschrifttexte in elam. Sprache. Die Ruinen von P. wurden von der UNESCO zum Weltkulturerbe erklärt. BILD S. 454

📖 WALSER, G.: *P. Tübingen 1980.*

Perser, Stammesgruppe der →Iranier. Die P. siedelten nordwestlich von Medien. Sie wanderten nach 690 v. Chr. südostwärts und besetzten die nach ihnen benannte Landschaft Parsa (grch. Persis, heute Fars).

Perserkriege, die Kriege zwischen Persern und Griechen 500–449/448 v. Chr. Sie wurden ausgelöst durch den vergebl. →Ionischen Aufstand gegen die Perserherrschaft. Die Verbindung der Ionier mit Athen veranlasste die Perser nach der Niederwerfung der Ionier zu einem Rachezug gegen Athen. 492 scheiterte ein pers. Flottenvorstoß am Athos. Ein 2. Heer wurde 490 v. Chr. nach der Landung an der O-Küste Attikas bei Marathon von den Athenern unter Miltiades geschlagen. 480 versuchte Xerxes, ganz Griechenland zu erobern. Die Mehrzahl der Griechen schloss sich unter Spartas Führung gegen ihn zusammen. Die grch. Stellung an den Thermopylen unter →Leonidas wurde verraten (von Ephialtes) und genommen. Xerxes zerstörte Athen, wurde aber seinerseits bei Salamis vernichtend geschlagen (480). 479 errangen die

Griechen den entscheidenden Sieg über das pers. Landheer bei Plataä und die pers. Flotte bei Mykale. Mit der Gründung des →Attisch-Delischen Seebundes (477) übernahm Athen die Führung der Griechen. Im Kalliasfrieden 449/448 zw. Athen (unter Perikles) und Persien erkannte dieses die Zugehörigkeit der kleinasiat. Griechenstädte zum Att. Seebund an, Athen überließ Persien die Städte auf Zypern.

📖 Ekschmitt, W.: *Der Aufstieg Athens. Die Zeit der Perser-Kriege. München 1978.*

Perseus, 1) *Astronomie:* Sternbild des nördl. Himmels mit dem Stern →Algol.

2) *grch. Mythos:* Sohn des Zeus und der Danae; tötete mithilfe von Athene und Hermes die Gorgo Medusa; gewann →Andromeda, die er aus der Gewalt eines Meeresungeheuers befreite. P. wurde Herrscher über Tiryns, von wo aus er u.a. Mykene gründete. – P. wurde oft dargestellt: mit dem Haupt der Medusa von B. Cellini, die Befreiung der Andromeda durch P. u.a. von Tizian, Paolo Veronese, P. P. Rubens und G. R. Donner.

Perseus, letzter König von Makedonien (179–168 v.Chr.), *um 212 v.Chr., †Alba Fucens (im Fuciner Becken) 165 oder 162 v.Chr.; wurde von den Römern bei Pydna 168 besiegt und starb in röm. Gefangenschaft.

Pershing ['pəːʃɪŋ; nach dem amerikan. General John Joseph Pershing, *1860, †1948] *die,* Bez. für zwei Typen amerikan. Mittelstrecken-Boden-Boden-Raketen mit zweistufigem Feststoff-Raketenantrieb und einem Gefechtskopf (i.d.R. nuklear); wurden gemäß INF-Vertrag (→INF) außer Dienst gestellt.

Perserkriege

Persianer *der,* Bez. der Felle der zw. dem 3. und 10. Tag nach der Geburt getöteten Lämmer des urspr. aus Persien und dem Gebiet um Buchara stammenden Karakulschafs. Die Locke ist gepresst und glänzend. Felle von natürl. Frühgeburten haben entweder keine Zeichnung (Galjak), eine schwache Zeichnung (Galjak-Moiré) oder ein ausgeprägtes Moiré mit flachbreiten Locken (Breitschwanz). Die Felle werden zu Mänteln u.a. verarbeitet.

Persilen, früherer Name von →Iran.

Persiflage [-'fla:ʒə, frz.] *die,* geistvolle (literar.) Verspottung.

Persipan *das,* marzipanähnl. Masse aus entbitterten Pfirsich-, Aprikosen-, auch Mandelkernen.

persische Kunst, Epoche der →iranischen Kunst unter der pers. Dynastie der →Achaimeniden; i.w.S. auch die Kunst in Iran unter den nachfolgenden Dynastien der Parther und Sassaniden, deren Bereich sich aber weit über Iran hinaus erstreckt (→parthische Kunst, →sassanidische Kunst), sowie die Kunst Persiens seit islam. Zeit (→islamische Kunst).

persische Literatur, die in neupers. Sprache geschriebene Literatur, Teil der iran. Literatur (mitunter auch Bez. für den Gesamtkomplex des Schrifttums der Perser seit dem Altertum). Vorläufer waren die altiran. Sakraltexte (→Awesta) und altpers. Königsinschriften der Achaimeniden aus dem 6.–4. Jh. v. Chr. teils historisch-chronistischen Inhalts, teils Bauurkunden; die Zeugnisse dieser altpers. Literatur finden sich auf Felswänden, an Bauwerken, auf Gold-, Silber-, Ton- und Steintafeln, Gefäßen und Schalen, Siegeln und Gewichten. Die mittelpers. Literatur ist nur zum kleinen Teil erhaltene Buchliteratur der Anhänger des Zoroastrismus aus sassanid. und nachsassanid. Zeit, aus der bes. die theolog. Enzyklopädien der zoroastr. Religion (z.B. »Denkart«, 9. Jh. n. Chr.) hervorragen.

Nach der Eroberung Irans durch die Araber Mitte des 7. Jh. war die mittelpers. Sprache des Sassanidenreiches aus dem höf. und religiösen Leben verdrängt und durch das Arabische als neue Hochsprache ersetzt worden. Die Literatur in neupers. Sprache entwickelte sich zunächst in enger Anlehnung an die arabische, wurde jedoch rasch selbstständig und ihrerseits zum Vorbild der Literaturen der ind. und türk. Muslime. Bedeutendste höf. Dichtung dieser Zeit war Firdausis ep. Darstellung der Geschichte Irans »Schah-Name« (entstanden etwa 975–1010). – Hauptformen der Poesie waren die von Rudaki geschaffene Kasside, zunächst lobpreisenden oder eleg., teils auch spött. Inhalts (sie wurde von Anwari zum Höhepunkt geführt), und das Ghasel, das Saadi und Hafis im 13. und 14. Jh. als Liebesgedicht zur höchsten Ausformung brachten. Bedeutendster Vertreter des myst. Lehrgedichts (Mesnewi) war Sanai, der erste pers. Mystiker; hervorragende Epiker waren Nisami und Djami, der

Persepolis: Zu den Repräsentativbauten der altpersischen Residenz (Hauptbauzeit 518 bis etwa 460 v. Chr.) zählten die Audienzhalle mit einigen noch stehenden Säulen (Mitte links), der direkt gegenüberliegende Hundertsäulensaal und das sich rechts daran anschließende ausgedehnte Schatzhaus

bedeutendste Dichter der Timuridenzeit. Nach dessen Tod kennzeichneten übertriebene Bildersprache und komplizierte Wortspiele den sog. indischen Stil, der den literar. Stil in Persien bis ins 19. Jh. bestimmte.

V.a. seit dem 12. Jh. finden sich Prosawerke unterhaltenden, didakt. und myth. Charakters (Staatshandbücher, Fürstenspiegel, philosoph. und myst. Abhandlungen, Erbauungsliteratur, Fabelsammlungen). Das 13. Jh. leitete eine glanzvolle Periode pers. Geschichtsschreibung ein; es folgte eine reiche biograph. Literatur (Briefe und Formularsammlungen). Wie in der Poesie verbreitete sich auch unter den Prosaschriftstellern seit dem 14. Jh. eine Vorliebe für überladenen Stil; erst im 19. Jh. ging man unter dem Einfluss aufklärer. Schriftsteller und des um 1900 einsetzenden Journalismus davon ab. Die moderne Kunstprosa unterliegt ebenfalls europ. Einfluss: Kurzgeschichten verfassten u.a. S. Hidajat und M. A. Djamalsadeh, der in seinen Novellen v.a. gesellschaftl. Missstände kritisiert, und Bozorg Alavi, der wie u.a. Sadegh Tschubak stark beachtete sozialkrit. Romane verfasste. Die islam. Revolution 1979 bewirkte eine Konzentration auf politisch-islam. Themen. Außerhalb Irans kam es im 20. Jh. zu einer Modernisierung und Verselbstständigung der p. L. in Afghanistan und Zentralasien (Tadschikistan).

📖 *Iranische Literaturgeschichte, Beiträge v.* J. Rypka *u.a. Dt. Ausg. erw. u. hg. v.* H. F. J. Junker. *A.d. Tschech. Leipzig 1959.* – Alavi, B.: *Geschichte u. Entwicklung der modernen p. L. Berlin (Ost) 1964.*

Persischer Golf (Arabischer Golf), flaches Nebenmeer des Ind. Ozeans, zw. Iran und der Arab. Halbinsel, durch die Straße von Hormus mit dem Golf von Oman (Ind. Ozean) verbunden; Anrainerstaaten sind Iran, Irak, Kuwait, Saudi-Arabien, Bahrain, Katar, die Vereinigten Arab. Emirate und Oman; im Mittel 25 m, maximal 170 m tief. Salzgehalt bis über 40‰, die Wassertemperatur kann bis 35,5 °C ansteigen. Dank günstiger geolog. Voraussetzungen befinden sich im Bereich des P. G. die derzeit bedeutendsten Erdöllagerstätten der Welt: 13 der insgesamt 15 Erdölfelder mit je mehr als 1,5 Mrd. t sicheren Reserven liegen hier.

persische Sprache, westiran. Sprache, als neupers. Sprache Amtssprache in Iran (Farsi) und (neben Paschtu) in Afghanistan (Dari). Die älteste Form der p. S. ist das keilschriftlich überlieferte Altpersische. Das Mittelpersische war unter den Sassaniden Amts- und Verkehrssprache. Als Kultursprache ist die (neu-)pers. Sprache nicht nur Trägerin der →persischen Literatur, sondern hat zu versch. Zeiten auch die Nachbarsprachen Türkisch und Urdu stark geprägt. (→iranische Sprachen)

Persistenz [lat.] *die,* **1)** *Chemie:* Bez. für die Beständigkeit organ. Stoffe in der Umwelt. Bei Pflanzenschutzmitteln bezeichnet P. die Verweildauer einer chem. Substanz oder ihres Abbauprodukts in einem Umweltbereich (z.B. Wasser, Boden, Luft; nach IUPAC).

2) *Medizin:* das Fortbestehen einer fetalen Entwicklungsstufe, eines physiolog. oder krankhaften Zustandes über längere Zeiträume.

Persischer Golf - Erdöl- und Erdgaswirtschaft

Persius, Aulus P. Flaccus, röm. Dichter, * Volaterrae (heute Volterra) 4. 12. 34, † Rom 24. 11. 62; verfasste Satiren im Geist der stoischen Moralphilosophie.

Person, 1) *allg.:* urspr. im Lateinischen (persona, von personare »hindurchtönen«) die Maske eines Schauspielers, dann der Schauspieler und die dargestellte Rolle, bald auch auf die Rolle übertragen, die jemand aufgrund seiner Eigenschaften, seines Ansehens und seiner Würde im Leben spielt. Der Begriff wurde Gegenstand philosoph. und theolog. Aussagen. Boetius definiert die P. als »unteilbare Substanz des vernünftigen Wesens«. Für die neuzeitl. Philosophie tritt die Frage der Identität der P. in den Vordergrund. So verstand Hume die P. als das ident. Bewusstsein eines Subjekts als Folge von »Wahrnehmungsbündeln«. Kant machte geltend, dass sich das Subjekt (die P.) erst über die Ausbildung von Handlungsmöglichkeiten und deren Aktualisierung konstituiert. Damit wird das Problem der Freiheit und Einheit bzw. der Identität einer P. systematisch zu einem handlungstheoret. Problem: Nicht die bloße Tatsache des (freien) handelnden Eingriffs in den Ablauf natürl. Prozesse macht die P. aus, sondern dessen Zielgerichtetheit und Freiheit von Fremdbestimmung.

2) *Recht:* jeder, dem die Rechtsordnung Rechte und Pflichten zuschreibt, d.h. natürl. Personen (Menschen) und →juristische Personen.

Persona grata [lat.] *die,* ein im Empfangsstaat erwünschter Vertreter; **Persona non grata, Persona ingrata,** eine als diplomat. Vertreter im Empfangsstaat unerwünschte Person.

Personal|ausweis, Urkunde zur Legitimation von Personen. Nach dem P.-Gesetz i.d.F.v. 21. 4. 1986 besteht Ausweispflicht für jeden Deutschen über 16 Jahre, soweit er der →Meldepflicht unterliegt. Zur Legitimation ist auch ein gültiger →Pass zulässig. Der P. wird in der Bundesrep. Dtl. seit dem 1. 4. 1987 als verschweißte Plastikkarte nach einheitl. Muster hergestellt und ist maschinenlesbar. Er enthält neben dem Lichtbild des Inhabers und einer Seriennummer bestimmte Angaben zur Person. P. werden für eine Gültigkeitsdauer von zehn Jahren (bei Personen unter 26 Jahren für fünf Jahre) ausgestellt und müssen nach Zeitablauf neu beantragt werden. P. der ehem. DDR hatten bis längstens 31. 12. 1995 Gültigkeit.

In *Österreich* besteht nach dem P.-Gesetz neben dem →Pass ein eigener P. In der *Schweiz* dienen außer dem Schweizer Pass die Identitätskarte und der →Heimatschein als Identitätsausweis.

Personalcomputer [-kɔmˈpjuːtər; engl.], Abk. **PC,** Datenverarbeitungssystem, das der Anwender i. Allg. als selbstständige Einheit (»Stand-alone-Anwendung«) privat oder berufl. verwendet. Wird der PC kommerziell eingesetzt, findet in zunehmendem Maße eine Vernetzung statt (z.B. →LAN); der Anwender partizipiert dann an den unterschiedl. Peripheriegeräten, Servern und Anwendungsprogrammen, die im Netz vorhanden sind. Es zeichnen sich zwei Entwicklungstendenzen ab: Der PC wird so einerseits zur »intelligenten« Arbeitsplatzstation ohne Disketten- und Magnetbandlaufwerke innerhalb eines Rechennetzes (→Netzcomputer) und andererseits zur Multimediastation (→Multimedia) mit großer Rechenkapazität.

Personalhoheit, die Hoheitsgewalt des Staates über seine Staatsangehörigen, d.h. die Befugnis, die Rechtsverhältnisse der Staatsangehörigen zu regeln und diese gegenüber anderen Staaten zu schützen; i.e.S. die Befugnis des Dienstherrn (bes. der Gemeinden), Bedienstete einzustellen, zu befördern und zu entlassen.

Personalismus [lat.] *der, Philosophie:* 1) ein gegen die pantheist. Gottesvorstellung gerichteter, von F. Schleiermacher geprägter Begriff für den Glauben an einen persönl. Gott; 2) als Reaktion auf naturwissenschaftlich-mechanist. Bestimmungen des Menschen zu begreifende philosoph. Richtung, die den Menschen als selbstbestimmtes Subjekt streng von seinen Objektivierungen abgrenzt und ihn vor Verdinglichung bewahrt wissen will.

Personalitätsprinzip, der Grundsatz, dass die rechtl. Verhältnisse einer Person sich nach dem Heimatrecht und nicht nach dem Recht des Aufenthaltsstaates richten. Im dt. internat. Privatrecht unterliegen die Regeln über die Rechts- und Geschäftsfähigkeit, das Familien- und Erbrecht weitgehend dem P. Das dt. Staatsangehörigkeitsrecht beruht im Grundsatz auch auf dem P. Im Strafrecht gilt seit 1. 1. 1975 im Wesentlichen das →Territorialitätsprinzip (§ 3 StGB).

Personalkosten, →Lohnkosten.

Personalleasing [-liːzɪŋ, engl.], Form der →Arbeitnehmerüberlassung.

Personalpronomen, →Pronomen.

Personalrat, →Personalvertretung.

Personal|union, im Ggs. zur Realunion nur durch ein gemeinsames Staatsoberhaupt hergestellte Staatenverbindung, die die staatl. Selbstständigkeit der verbundenen Staaten nicht berührt.

Personalvertretung, Bez. für die Organe, die die Interessen der im öffentl. Dienst Beschäftigten gegenüber den Dienststellenleitern vertreten. Nach dem Bundespersonalvertretungs-Ges. vom 15. 3. 1974, das zugleich Rahmen-Ges. für die entsprechenden gesetzl. Bestimmungen der Länder ist, sind P. (Personalrat, Jugend- und Auszubildendenvertretung, Personalversammlung) in den Verw. und Gerichten des Bundes sowie in den bundesunmittelbaren Körperschaften, Anstalten und Stiftungen des öffentl. Rechts zu bilden. Gesetzl. geregelt ist v.a. die P. durch den Personalrat, der in jeder Dienststelle mit mindestens fünf Beschäftigten für vier Jahre gewählt wird. Die Aufgaben des Personalrats entsprechen im Wesentlichen denen des →Betriebsrats. Die Mitgl. des Personalrats unterliegen einem besonderen Kündigungsschutz. Über personalvertretungsrechtl. Streitigkeiten entscheiden die Verw.gerichte. Auch in *Österreich* gibt es P. (Grundlage: Bundes-P.-Ges. 1967 und Länder-Ges.) mit dem **Dienststellenausschuss** als zentralem Organ.

Personalwesen (Personalwirtschaft), Sammelbez. für alle mitarbeiterbezogenen Institutionen und Maßnahmen mit dem Ziel, dem Unternehmen personelle Kapazität in Form dispositiver und objektbezogener menschl. Arbeitsleistung in der zur Erfüllung seiner Aufgaben erforderl. Quantität und Qualität zum richtigen Zeitpunkt und für die benötigte Dauer am jeweiligen Einsatzort bereitzustellen. Neben rechtl. und verwaltungstechn. Personalproblemen sind auch soziale Probleme zu lösen, die die Berücksichtigung und Wahrnehmung der Arbeitnehmerinteressen betreffen.

Hauptbereiche des P. sind die **Personalbedarfsermittlung** (Ermittlung des Arbeitskräftebedarfs hinsichtlich Qualifikation und Zeitpunkt), **Personalbeschaffung** (Beobachtung des Arbeitsmarktes, Personalwerbung, Personalauswahl), Personalentwicklung, der **Personaleinsatz** (eine der Eignung entsprechende Zuordnung zu einem Arbeitsplatz), die Personalführung, Arbeitsentgeltfindung, Personalfreistellung, Sozialpolitik (Sozialleistungen, Alters- und Hinterbliebenenfürsorge), Tarifpolitik (Vertretung in Arbeitgeberverbänden bei Tarifverhandlungen mit Gewerkschaften) und **Personalverwaltung** (Führen der Personalakten, Abwicklung von Lohn- und Gehaltsabrechnung, Erstellen von Personalstatistiken, Erledigung aller Formalitäten von der Einstellung bis zum Ausscheiden).

📖 JUNG, H.: *Personalwirtschaft. München u. a.* ²*1997.* – STOPP, U.: *Betriebl. Personalwirtschaft. Stuttgart* ²¹*1997.*

Personenbeförderung, →Personenverkehr.

Personengesellschaft, Gesellschaft, deren Rechtsgestalt durch die persönl. Haftung der Gesellschafter für die Gesellschaftsschulden gekennzeichnet ist (Ggs. Kapitalgesellschaft); allerdings sind auch hier teilweise Haftungsbeschränkungen zulässig. Die Mitgliedschaft ist im Prinzip nur mit Zustimmung der übrigen Gesellschafter übertragbar. Die P. ist nicht rechtsfähig. P. sind Gesellschaft des bürgerl. Rechts, OHG, KG.

Personenkennziffer, Abk. **PK,** einem Wehrpflichtigen bei der Musterung zugewiesene Kennnummer, bestehend aus dem sechsstelligen Geburtsdatum, dem Anfangsbuchstaben des Familiennamens und einer fünfstelligen Folgenummer des jeweiligen Kreiswehrersatzamtes.

Personenkonto, in der Buchführung das für jeden Kunden bzw. Lieferanten geführte Konto, auf dem alle mit dieser Person im Zusammenhang stehenden Geschäftsvorfälle erfasst werden; Ggs.: Sachkonto.

Personenkraftwagen, Abk. **Pkw, PKW,** →Kraftwagen.

Personenkult, polit. Schlagwort für die Überbewertung der Rolle der Persönlichkeit in Politik, Gesellschaft und Geschichte, gekennzeichnet durch exzessiven Führerkult und die Anhäufung unkontrollierbarer Macht in einer Hand.

Personenname, Eigenname, der eine Person bezeichnet; dazu gehören die Vornamen (Taufnamen) und die Familiennamen (Zunamen, Nachnamen).

Deutsche Vornamen: Die altdt. Namen sind i. d. R. Zusammensetzungen aus zwei Bestandteilen, die urspr. eine Sinneinheit darstellten, z. B. Adalberaht »von glänzender Abstammung«. Diese Sinneinheit des Gesamtnamens ging allerdings bald verloren; auch kam es schon früh zu (einsilbigen) Kurzformen. Eingliedrig gebildete Namen sind selten und waren urspr. meist Beinamen: Frank »der Franke«. In Dtl. herrschte bis ins 12. Jh. fast ausschließlich dieser Namentyp vor, der bis auf indogermanische Belege zurückzuverfolgen ist. Erst nach 1200 erhielten Namen aus dem lat., grch. und vorderasiat. Sprachbereich (bibl. Namen) ein Übergewicht, als es üblich wurde, jedes Kind auf einen Heiligen als Namenspatron zu taufen. Doppelnamen gewannen zuerst im 16. Jh. größere Bedeutung; sie boten die Möglichkeit, Namen der Großeltern oder der Taufpaten fortzuführen, ohne dass sie als Rufnamen erscheinen mussten. Gegenwärtig vollzieht sich eine internat. Verflechtung des Namensschatzes.

Familiennamen: Sie sind im Ggs. zu den Vornamen erblich. Urspr. genügte zur Kennzeichnung einer Person ein Name, der Rufname. Die gelegentlich dazugesetzten Beinamen waren die Grundlage für die Familiennamen, die dann auf vielfache Weise gebildet wurden. Der starke Bevölkerungszuwachs im MA. (bes. in den Städten) und die immer geringer werdende Zahl von gebräuchl. Vornamen waren u. a. Ursachen, die zur Festigung des Beinamens führten. Gefördert wurde dieser Prozess durch die Kontakte mit Oberitalien, wo schon seit dem 8. Jh. Familiennamen nachweisbar sind. Daher verbreiteten sich in Dtl. die Familiennamen zuerst im Süden. Ansätze finden sich im 12. Jh. (beim südwestdt. Adel schon seit dem 10./11. Jh.), allgemein durchgesetzt haben sie sich erst im 13. und 14. Jahrhundert.

Die Bedeutung der Familiennamen, heute manchmal schwer zu entschlüsseln, hängt mit der Art ihrer Entstehung zusammen. Die aus Vornamen gebildeten Familiennamen sind urspr. genealog. Angaben (→Patronymikon, →Metronymikon). Die Herkunftsnamen kennzeichnen den Menschen nach seiner örtl. Herkunft oder der seiner Vorfahren. Wohnstättennamen sind bes. nach dem Flurnamen gebildet (Berger, Bachmann). Die Berufsnamen entstanden in der mittelalterl. Stadt mit dem Aufkommen des Handwerks (Weber, Bäcker, Wagner), und diese Namensbildung wurde dann auch auf Personen, die ältere Berufe betrieben, angewandt (Bauer, Jäger Schmied). Manche Familiennamen gehen auf Übernamen zurück, mit denen ein Mensch charakterisiert oder verspottet wurde (z. B. Klein, Fröhlich). – In den Namen kommt die Sprachform der Landschaft zum Ausdruck, in der sie gebildet wurden. Bes. in den Berufsnamen spiegelt sich auch die Wortgeographie (Fleischer, Schlachter, Metzger, Metzler, Fleischhauer). Fremdsprachige Familiennamen im deutschsprachigen Raum sind v. a. slawische (im ostdt. Berührungsgebiet, durch Binnenwanderung vor dem 1. Weltkrieg im Ruhrgebiet und durch tschech. Einwanderung in O-Österreich) oder frz.

Namen (durch die Einwanderung der Hugenotten, z.B. Fontane, Savigny). In jüngster Zeit sind durch die Einbürgerung von ausländ. Arbeitnehmern u.a. auch italien., span., grch. und türk. Namen dazugekommen. – *Recht:* →Name.

📖 GOTTSCHALD, M.: *Dt. Namenkunde. Berlin u.a.* [5]*1982.* – SEIBICKE, W.: *Die P.n im Deutschen. Berlin u.a. 1982.*

Personenrufanlage, nachrichtentechn. Anlage zum Rufen bestimmter Personen, z.B. in Krankenhäusern, Bürogebäuden (nichtöffentl. P.) oder an beliebigen Orten innerhalb bestimmter Sendegebiete (öffentl. P., z.B. →Cityruf). **Drahtgebundene P.** arbeiten als Lichtruf- oder Lautsprecheranlagen, **drahtlose P.** mit tragbaren Empfängern im Taschenformat, die durch Selektivruf individuelle Rufsignale abgeben. (→Funkrufdienst, →Mobilfunk)

Personensorge, →elterliche Sorge.

Personenstand, das familienrechtl., auf Abstammung oder Rechtsakt beruhende Verhältnis einer Person zu einer anderen. Die Beurkundung des P. erfolgt in Dtl. seit 1876 in den **P.-Büchern** (Heirats-, Geburten-, Familien-, Sterbebuch); sie ist im P.-Gesetz i.d.F.v. 8.8.1957 geregelt. Die P.-Bücher beweisen bei ordnungsgemäßer Führung die in ihnen enthaltenen Angaben und bilden die Grundlage für die Ausstellung von **P.-Urkunden** (Geburts-, Heirats-, Sterbeurkunden u.a.). (→Familienbuch)

Personenstandsfälschung, die vorsätzliche Falschangabe oder Unterdrückung des Personenstandes eines anderen, bes. gegenüber dem Standesbeamten, sowie das Unterschieben eines Kindes (§169 StGB, mit Freiheitsstrafe bis zu zwei Jahren oder Geldstrafe geahndet).

Personensteuern (Personalsteuern, Subjektsteuern), Steuern, bei deren Bemessung die persönl. Verhältnisse des Steuerpflichtigen (z.B. Familienstand, Alter, Kinderzahl) berücksichtigt werden (z.B. Einkommensteuer, persönl. Vermögensteuer, Erbschaftsteuer). – Ggs.: Objektsteuer (→Ertragsteuern).

Personenverkehr, Beförderung von Personen mit öffentl. oder privaten Verkehrsmitteln. Ein wichtiger Teil des P. ist der **öffentl. Personennahverkehr (ÖPNV),** d.h. die auf eine bestimmte Entfernung (i.d.R. 50 km) beschränkte regelmäßige Beförderung von Personen durch spezielle Verkehrsunternehmen. Statistisch werden dem ÖPNV in Dtl. zugerechnet der Linienverkehr mit Straßenbahn, Stadtbahn, Hoch- und U-Bahn, Omnibus sowie der Eisenbahnverkehr, der dem Berufs- und Schülerverkehr, dem S-Bahnverkehr sowie dem übrigen Personenverkehr bis 50 km zuzurechnen ist. Im P. wurden in Dtl. 1995 im Eisenbahnverkehr 1656 Mio. Personen befördert und eine Leistung von 63,5 Mrd. Personenkilometern (Pkm) erbracht; im Straßenverkehr waren es 7877 Mio. Personen und 77,4 Mrd. Pkm, im Luftverkehr 92 Mio. Personen und 25,5 Mrd. Pkm.

Recht: Die entgeltl. oder geschäftsmäßige Beförderung mit Straßenbahnen und Kfz ist durch das Personenbeförderungs-Ges. i.d.F.v. 8.8.1990 geregelt. Sie ist genehmigungspflichtig. Die Genehmigung muss bei Sicherheit und Leistungsfähigkeit des Betriebs und Zuverlässigkeit des Antragstellers, nötigenfalls unter Bedingungen und Auflagen, erteilt werden. Für die Beförderung mit Eisenbahnen gilt die Eisenbahnverkehrsordnung, im Luftverkehr die Luftverkehrsordnung.

Personifikation [lat.] *die,* Verkörperung von Begriffen, Naturkräften oder -erscheinungen, Gegenständen oder auch des Göttlichen in menschl. Gestalt, als Person; Vermenschlichung.

persönliche Identifikationsnummer, Abk. **PIN,** nur dem Berechtigten bekannte vier- bis sechsstellige Geheimzahl, die dem Kunden vom Kreditinst. gemeinsam mit der ec-Karte (→Eurocheque) ausgehändigt wird und die der Absicherung von Bank und Kunden bei Bankgeschäften (z.B. Benutzung von Geldautomaten bzw. der →POS-Systeme) dient.

Persönlichkeit [lat.] *die,* die ausgeprägte Individualität eines Menschen; Mensch, der eine bes. überzeugende Identität besitzt; jemand, der eine besondere Rolle im öffentl. Leben spielt.

Persönlichkeitsforschung (Persönlichkeitspsychologie), Teilbereich der Psychologie, der nach dem 2. Weltkrieg unter angloamerikan. Einfluss entstand und die Forschungsziele der traditionellen →Charakterologie übernahm. Die P. geht jedoch v.a. durch die Einbeziehung sozialpsycholog. Aspekte und überwiegende Verwendung empir. Methoden über diese hinaus. Neben den nach tiefenpsychologischen Voraussetzungen konzipierten Untersuchungen stehen eher testpsychologisch orientierte Ansätze sowie die in Längsschnittbetrachtungen durchgeführte Lebenslaufforschung (R. Heiss, H. Thomae). Außerdem wurden v.a. feldtheoret. (K. Lewin) Modelle, die dem dynam. Charakter der in Entscheidungssituationen wirksamen Kräfte Rechnung tragen, und faktorenanalyt. (C. Spearman, J. P. Guilford, R. B. Cattell, H.J. Eysenck) Modelle der Persönlichkeit, die die Bedeutung durchgängiger Verhaltensweisen und spezif. Wesenszüge betonen, entworfen.

📖 WASZKEWITZ, B.: *Grundlagen u. Praxis der Persönlichkeitspsychologie. Eschborn 1987.* – FISSENI, H.-J.: *Persönlichkeitspsychologie. Göttingen* [2]*1991.*

Persönlichkeitsrecht, das aus Art. 2 in Verbindung mit Art. 1 GG abgeleitete allg. Recht des Einzelnen auf Achtung und Entfaltung seiner individuellen Persönlichkeit (Freiheit der Person) gegenüber dem Staat und im privaten Rechtsverkehr. Durch spezielle gesetzl. Regelungen geschützt sind das in den Schutzbereich des P. fallende Namensrecht (§12 BGB), das Recht am eigenen Bild (§22 Kunsturheber-Ges.), das Urheberrecht und personenbezogene Daten nach den Datenschutzgesetzen. Bei rechtswidriger und schuldhafter Verletzung des P. entstehen Ansprüche auf Unterlassung, Beseitigung und auf Schadensersatz. Das P. erlischt zwar mit dem Tod, doch ist ein postmortales P. im Sinne einer Totenfürsorge, bes. für den Ehrenschutz, anerkannt. – Das *österr.* Recht schützt das P. auf zivilrechtl. Grundlage durch §16 ABGB und spezialgesetzlich. Das *schweizer.* Recht nimmt einen Ausgleich zw. übermäßiger Selbstbindung des P. und seinem Schutz gegen Verletzungen vor (Art. 27 ff. ZGB). Das P. ist auf Bundesebene ungeschriebenes Grundrecht.

Perspektive [lat.] *die,* **1)** *allg.:* sich von einem bestimmten Standpunkt aus (individuelle oder gruppenspezif. Lebenssituation; wiss. Voraussetzungen) ergebende Betrachtungsweise, Blickwinkel; Zukunftsaussicht, -erwartung.

2) *darstellende Geometrie:* die zweidimensionale (ebene) bildliche Darstellung dreidimensionaler (räuml.) Objekte mithilfe einer Zentralprojektion **(Zentral-P.),** die dem Betrachter ein anschaul. (»naturgetreues«) Bild des Objekts vermitteln soll (→Projektion). Die Zentral-P. ist dem natürl. Sehprozess nachgebildet. Denkt man sich alle Punkte des darzustellenden, auf einer waagerechten Grundebene ruhenden Gegenstandes durch **Sehstrahlen (Projektionsstrahlen)** mit dem Auge des Betrachters bzw. einem sog. **Augenpunkt (Perspektivitätszentrum)** verbunden und schneidet die Projektionsstrahlen mit einer Ebene **(Bild-, Projektionsebene),** so ergibt die Schnittfigur ein ebenes Bild des Gegenstandes (Zentral-P.). Besondere Bedeutung kommt dem »unendlich fernen« Punkt (Fernpunkt) einer nicht durch den Augenpunkt verlaufenden Geraden zu. Sein Bildpunkt ist der **Fluchtpunkt** dieser Geraden. Er ergibt sich als Schnittpunkt des zur Geraden parallelen Sehstrahls mit der Bildebene. Parallele Geraden haben folglich denselben Fluchtpunkt. Das Zusammenlaufen der Bildgeraden paralleler Objektgeraden (z.B. aller zu einer Fahrbahn parallelen Geraden wie Gehwege, Dachfirste, Häusersimse) sowie das Kleinerwerden der Bilder mit zunehmendem Abstand der Gegenstände von der Bildebene **(perspektiv. Verkürzung)** sind das wesentl. Kennzeichen der P. In der Darstellung von Bauten spielen die waagerechten, zur Grundebene parallelen Ebenen (Höhenebenen) eine besondere Rolle; insbesondere schneidet die durch den Augenpunkt verlaufende Höhenebene die Bildebene im Horizont. Liegt der Horizont der Bildebene sehr tief, so spricht man von einer **Frosch-P.,** liegt er sehr hoch, von einer **Vogelperspektive.**

📖 Geisler, H.: *Das Konstruieren von P.n.* Berlin [6]1994.

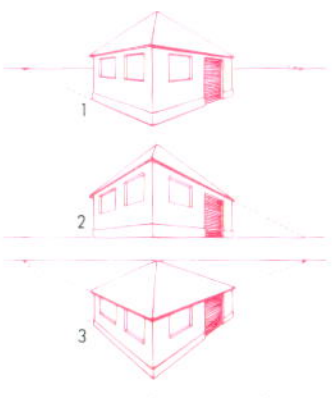

Perspektive 2) mit zwei Fluchtpunkten: 1 Zentral-, 2 Frosch-, 3 Vogelperspektive

3) *bildende Kunst:* Die Malerei der Spätantike gab Raumtiefe und Verkürzungen wieder, doch ohne bis ins Detail ausgeführte Perspektivkonstruktion. Im MA. wurde die Tiefenraumdarstellung in got. Zeit wiedergewonnen (Giotto u.a.). Als Entdecker der Zentral-P. in der Frührenaissance gilt F. Brunelleschi (um 1420), sie wurde von Masaccio zuerst angewandt, von L.B. Alberti theoretisch begründet (um 1435). Im Norden stellten J. van Eyck u.a. Innenräume perspektivisch dar, ohne jedoch zur Zentral-P. zu gelangen. Das Interesse der Renaissance an der P. ist ein Zeugnis für die erstrebte Rationalisierung des künstler. Schaffens, das dem wiss. ebenbürtig sein sollte. Leonardo da Vinci und A. Dürer haben sich in ihren Schriften am stärksten darum bemüht. Leonardo untersuchte auch als Erster die Ursachen der Nah- und Fernwirkung der Farbwerte und die Auflösung der Konturen, die zur **Luft-P.** und **Farb-P.** führten. In diesem Bereich traten die venezian. Malerei des 16.–18. Jh. und die niederländ. Landschaftsmalerei des 17. Jh. bes. hervor. Mit illusionist. Stilmitteln wurde in der barocken Deckenmalerei die zentralperspektiv. Sicht verändert. Im 19. Jh. wurde die perspektiv. Konstruktion zunehmend vom Gestaltungs- zum Hilfsmittel illusionist. Abbildung, bis die fotograf. Abbildung alle perspektiv. Anstrengungen erübrigte. Die moderne Malerei ersetzte i. Allg. perspektiv. Konstruktionen durch aperspektiv. Methoden und setzte alles Visuelle in Fläche um (Expressionismus, Fauvismus, Kubismus). Die Surrealisten stellten surreale oder Traumräume dar. Für die realist.

Perspektive 3): Die perspektivische Darstellung von Tintorettos »Abendmahl« weist einen Fluchtpunkt auf und betont die Horizontalparallelen (1592–94; Venedig, San Giorgio Maggiore)

Strömungen des 20. Jh. blieb die Zentral-P. weiterhin bedeutend.

📖 *P. als Mittel der Kunst, Beiträge v.* M. KAISER *u. a. Berlin 1986.*

Perspektivismus [lat.] *der,* die philosophisch-erkenntnistheoret. Lehre, dass die Wirklichkeit nur unter bestimmten Perspektiven, abhängig von Standpunkt oder Eigenschaften des Erkennenden, gegeben sein kann; u.a. von G. W. Leibniz, F. Nietzsche, J. Ortega y Gasset und J. von Uexküll vertreten. (→Relativismus)

Göran Persson

Persson, Göran, schwed. Politiker, *Vingåker (Södermanland) 20. 1. 1949; zunächst in der Kommunalpolitik tätig, Mitgl. der Sozialdemokrat. Arbeiterpartei (SDAP), 1989–91 Bildungsmin., seit 1994 Finanzmin.; seit 1996 Vors. seiner Partei und Ministerpräsident.

Persuasion [lat.] *die, Kommunikationswissenschaft:* die beiden Kommunikationseffekte des Überredens und Überzeugens; Ggs.: Dissuasion.

Perth [pɔːθ], **1)** Stadt in O-Schottland, Verw.sitz der Local Authority Perth and Kinross (5311 km², 130500 Ew.), an der Mündung des Tay, 40100 Ew.; Färbereien, Maschinenbau, Whiskybrennereien, Glas-, Textilind.; Viehmärkte; Hafen; Fremdenverkehr. – P., eine röm. Gründung (kelt. **Bertha,** röm. **Victoria**), wurde 1106 Stadt und war bis etwa 1452 Hptst. Schottlands.

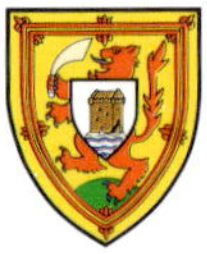
Perth 2)
Stadtwappen

2) Hpst. von Western Australia, oberhalb der Mündung des Swan River in den Ind. Ozean, 1,22 Mio. Ew. (Metropolitan Area); kath. und anglikan. Erzbischofssitz, zwei Univ., TH, astronom. Observatorium, Museen, Kunstgalerie (im ehem. Gefängnis von 1856); Handels-, Finanz- und wichtigstes Ind.zentrum des Bundesstaates; Endpunkt der transkontinentalen Eisenbahn von Sydney, Hafen in →Fremantle, internat. Flughafen. – Gegr. 1829.

Friedrich Christoph Perthes
(Ausschnitt einer Lithographie, 1824)

Perthes, 1) Friedrich Christoph, Buchhändler und Verleger, *Rudolstadt 21. 4. 1772, †Gotha 18. 5. 1843, Neffe von 2); gründete 1796 in Hamburg mit Johann Heinrich Besser (*1775, †1826) die erste reine Sortimentsbuchhandlung Dtl.s. 1822 schied er aus und gründete in Gotha einen Verlag. Er gehörte zu den Gründern des Börsenvereins des Dt. Buchhandels.

2) Johann Georg Justus, Verleger, *Rudolstadt 11. 9. 1749, †Gotha 1. 5. 1816, Onkel von 1); gründete 1785 in Gotha die Geograph. Verlagsanstalt Justus P. 1953 wurde das Gothaer Stammhaus enteignet und als Verlag Hermann Haack weitergeführt; 1992 Rückübereignung; Sitz der Justus Perthes Verlag GmbH ist heute Gotha.

Alessandro Pertini

Pertini, Alessandro (Sandro), italien. Politiker, *Stella (bei Savona) 25. 9. 1896, †Rom 24. 2. 1990; Mitgl. der Sozialist. Partei Italiens, 1968–76 Präs. der Abg.kammer; war 1978–85 Staatspräsident.

Perturbationen [lat.], *Astronomie:* die →Störungen.

Pertussis [lat.] *die,* →Keuchhusten.

Pertz, Georg Heinrich, Historiker, *Hannover 28. 3. 1795, †München 7. 10. 1876; leitete 1823–73 die →Monumenta Germaniae Historica, deren Aufbau und Grundsätze er festlegte.

Peru (amtlich span. República del Perú), Staat im W Südamerikas, grenzt im N an Ecuador und Kolumbien, im O an Brasilien, im SO an Bolivien, im S an Chile, im W an den Pazifik.

Staat und Recht: Nach der am 29. 12. 1993 verkündeten Verf. ist P. eine präsidiale Rep. Staatsoberhaupt und oberster Inhaber der Exekutive ist der mit weitgehenden Vollmachten ausgestattete Präs. (auf fünf Jahre direkt gewählt; eine Wiederwahl ist möglich). Die Legislative wird durch das Parlament (120 Abg., auf fünf Jahre gewählt) ausgeübt. Einflussreichste Parteien: Frente Democrático (FREDEMO), Cambio '90, Alianza Popular Revolucionaria Americana (APRA), Izquierda Unida (IU).

Peru: In den Tälern der trockenen Costa wird Bewässerungsfeldbau betrieben, im Hintergrund die Anden

Landesnatur: P. gliedert sich in drei Großlandschaften: die flache, 50–140 km breite Küstenzone am Pazifik **(Costa),** das von Hochbecken erfüllte Gebirgsland **(Sierra)** der Anden (höchster Berg: Huascarán, 6768 m ü. M.) und das östl., feuchtheiße, bes. im Amazonasbecken weithin unerschlossene Waldland (an den Gebirgsflanken **Montaña,** in der Ebene **Selva** gen.). Die wasserreichen Flüsse (Marañón, Ucayali u. a.) fließen in den Anden in schluchtartigen Tälern zum Amazonassystem; im SO, im zentralen Hochland (Altiplano), hat P. Anteil am Titicacasee. Das trop. Klima wird an der Küste von dem kühlen Humboldtstrom beeinflusst. Die Küstenebene ist wüstenhaft trocken,

Peru

Fläche: 1 285 216 km^2
Einwohner: (1995) 23,78 Mio.
Hauptstadt: Lima
Verwaltungsgliederung: 24 Departamentos und eine Provincia Constitucional
Amtssprache: Spanisch, Ketschua, Aymará
Nationalfeiertag: 28. 7.
Währung: 1 Neuer Sol (S/.) = 100 Céntimos
Zeitzone: MEZ –6 Std.

mit Kakteen und Dornensträuchern, unterbrochen von Flussoasen. Die Waldgrenze reicht in den Bergen bis 3500 m ü. M., Ackerbau ist bis 4000 m ü. M. möglich; die Schneegrenze liegt bei 5000 m ü. M.

Bevölkerung: Die Bev. besteht zu rd. 47 % aus Ketschua, 32 % Mestizen, 12 % Weißen, 5,4 % Aimara, 1,7 % anderen Indianern sowie Schwarzen, Mulatten und Ostasiaten. Etwa 50 % der Bev. leben in der Costa, 39 % in der Sierra, 10 % in der Selva (auf zwei Drittel der Gesamtfläche). Im Ballungsraum Lima (mit großen Slumgebieten) wohnen 27 % der Gesamtbevölkerung. Das jährl. Wachstum der Bev. betrug 1985–93 2,1 %. – Trotz Schulpflicht (7.–15. Lebensjahr) besucht etwa ein Viertel der Kinder keine Schule; die Analphabetenquote liegt bei 15 %. Von den 51 Univ. und Hochschulen ist die staatl. Univ. in Lima die älteste P.s und zugleich des amerikan. Festlands überhaupt (1551 gegr.). – Der Katholizismus ist Staatsreligion (96 % der Bevölkerung).

Wirtschaft, Verkehr: Trotz umfangreicher Rohstoffvorkommen und relativ günstiger Voraussetzungen für die Landwirtschaft befindet sich die peruan. Wirtschaft seit den 1970er-Jahren in einer Krise. Nach anfänglich hohem Wirtschaftswachstum Mitte der 1980er-Jahre führte dessen starkes Absinken seit 1988 zu großen Handelsbilanzdefiziten des ehem. Agrarlandes und steigender Inflation. Hauptdevisenträger des hochverschuldeten Staates ist der Bergbau (einschl. des Erdölsektors). Der seit 1970 staatlich kontrollierte Erzabbau (v. a. Kupfer, Blei, Silber) und die 1968 verstaatlichte Erdölförderung (große Erdölvorkommen im N des Amazonastieflandes; seit 1977 852 km lange Pipeline zur Küste) erbringen etwa die Hälfte der Exporterlöse. Weitere wichtige Bodenschätze sind Eisen-, Zinkerz, Gold, Wismut, Molybdän, Wolfram, Zinn und Quecksilber. An der Küste und auf den ihr vorgelagerten Inseln werden Salz und Guano gewonnen. Fischfang und -verarbeitung zählen zu den Hauptwirtschaftszweigen des Landes. Der nährstoffreiche Humboldtstrom vor der peruan. Küste bedingt den Fischreichtum der Gewässer. Die Fischereischutzzone wurde bereits 1969 auf 200 Seemeilen ausgedehnt. Infolge der Überfischung der Anchovisbestände ist die Bedeutung P. als Fischmehlexporteur zurückgegangen. Wichtigste Ind.zweige sind die Textil-, Nahrungsmittel-, Chemie- und Metallind. mit den Hauptstandorten Lima-Callao, Chimbote, Chiclayo und Trujillo. Die Agrarreform von 1969 begrenzte privaten Grundbesitz auf 150 ha an der Küste und 60 ha (bzw. 30–35 ha) im Hochland. In den Tälern der Costa werden Baumwolle, Zuckerrohr, Reis, Mais, Gemüse, Tabak und Wein angebaut; auf den Hochflächen der Anden Viehhaltung, in den Tälern v. a. Ackerbau, z. T. illegaler Kokaanbau auf 200 000 ha. Der Kokainumsatz übertrifft wertmäßig die legalen Exporteinkünfte. Außer Holz werden Naturkautschuk und Rohchinin gesammelt. – Die Eisenbahn (2121 km) führt mit Stichbahnen von den Pazifikhäfen in die Hochgebirgstäler. Von den Straßen (rd. 70 000 km) sind 7600 km asphaltiert, 13 500 km anderweitig befestigt; wichtigste sind die Carretera Panamericana (3400 km langes Teilstück entlang der Küste) und die 800 km lange Transandenstraße (Lima–Pucallpa). Die wichtigsten Handelshäfen am Pazifik sind Callao, Trujillo, Chimbote, Matarani und Ilo; Binnenschifffahrt auf dem Titicacasee und auf den Flüssen im Amazonasgebiet (über den Amazonas Zugang zum Atlantik); internat. Flughäfen in Lima, Iquitos, Cuzco und Arequipa.

Geschichte: Das heutige P. war das Kernland des Großreichs der → Inka. Dieses wurde 1532/33 von F. Pizarro unterworfen. Das span. Vizekönigreich P. umfasste fast das ganze span. Südamerika; im N wurde 1739 das Vizekönigreich Neugranada, im S 1776 das Vizekönigreich Río de la Plata abgetrennt. Durch seinen Silberreichtum war P. eine der wertvollsten Kolonien Spaniens. 1780–82 kam es im Hochland von P. zu einem für die spanisch-kreol. Herrschaft bedrohl. Aufstand unter J. G. Condorcanqui, der sich Inka Tupac Amaru II. nannte. Im Unabhängigkeitskampf Südamerikas (seit 1810) blieb P. zunächst eine Stütze der span.

Staatswappen

PE

Internationales Kfz-Kennzeichen

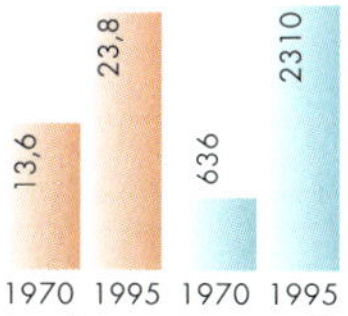

Bevölkerung (in Mio.) Bruttosozialprodukt je Ew. (in US-$)

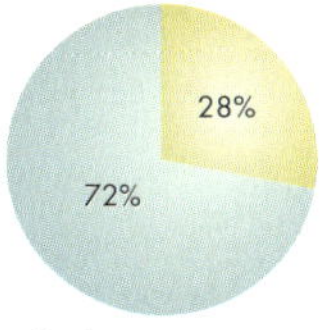

Bevölkerungsverteilung 1995

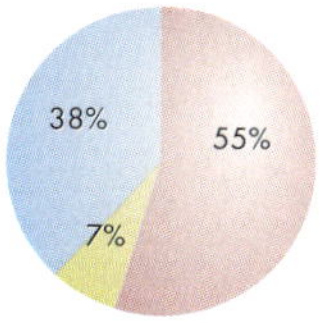

Bruttoinlandsprodukt 1995

Herrschaft; erst nach Einzug des argentin. Generals J. de San Martín in Lima wurde 1821 die Unabhängigkeit ausgerufen und durch die Siege S. de Bolívars und A. J. de Sucres gefestigt (1824). Nach langen blutigen Wirren erlebte das Land um die Mitte des 19. Jh. durch den Guano der Kūsteninseln und den Salpeter der Südprovinzen einen großen wirtsch. Aufschwung, der sein Ende mit dem Salpeterkrieg (seit 1879) fand; P. musste im Frieden von Ancón (1883) die Salpeterprovinzen Tarapacá, Arica und Tacna an Chile abtreten. Brit. und nordamerikan. Kapital hatte nun vorherrschenden Einfluss in P.; nur langsam erholte sich das Land. 1908–12 und 1919–30 regierte Präs. P. A. Leguía als Diktator. Ihm gelang es 1929, Tacna von Chile zurückzuerhalten. Nach seinem Sturz wurde die innenpolit. Lage labil. Die innenpolit. Gegensätze äußerten sich auch im Aufstieg der Partei →Alianza Popular Revolucionaria Americana (APRA). Wegen ihres sozialen Programms wurde sie scharf unterdrückt, ihre Führung ging in den Untergrund. 1940 brach ein bewaffneter Konflikt mit Ecuador um die Zugänge zum oberen Amazonas aus. Die Konferenz von Rio de Janeiro (1942) entschied den Streit zugunsten P.s. 1947 errichtete General M. A. Odría Amoretti (1950–56 Präs.) eine Militärdiktatur, die 1956 wieder einem verfassungsgemäßen Reg.system weichen musste. 1963 verhinderte das Militär die Amtsübernahme des zum Präs. gewählten Führers der APRA, Haya de la Torre. Die Nachwahlen gewann F. Belaúnde Terry; seine Reformbemühungen blieben allerdings in den Ansätzen stecken. 1968 wurde nach einem Putsch General G. J. Velasco Alvarado Präs. Er führte eine umfangreiche Strukturreform durch (u. a. Verstaatlichung eines Teils der Ind. und der ausländ. Banken); sein Nachfolger, der 1975 gleichfalls durch Putsch an die Macht gekommene F. Morales Bermúdez, machte viele dieser Maßnahmen rückgängig. 1980 fanden wieder Wahlen statt, die erneut Belaúnde Terry gewann. Seine Regierung und die folgende unter Präs. A. García Pérez (APRA) scheiterten am Terror der Guerilla, bes. des →Sendero Luminoso (SL), und des Militärs. Die Wahlen 1990 gewann A. Fujimori für das Wahlbündnis Cambio '90. Um sein hartes Sanierungsprogramm durchzusetzen, löste er im April 1992 das Parlament auf, setzte die Verf. außer Kraft und unterdrückte jede polit. Opposition. Zwar hatte er Erfolge im Kampf gegen den Terrorismus (Festnahme von A. Guzmán, dem Führer des SL), doch war P. außenpolitisch weitgehend isoliert. Aufgrund der neuen, von der verfassunggebenden Versammlung ausgearbeiteten, im Okt. 1993 durch Referendum bestätigten Verf. wurde Fujimori im April 1995 wieder gewählt; er setzte sich u. a. gegen den früheren UN-Gen.-Sekr. J. Pérez de Cuéllar durch. Die Besetzung der japan. Botschaft (ab 17. 12. 1996) durch die »Revolutionäre Bewegung Túpac Amaru« (span. Abk.: MRTA, benannt nach einem peruan. Revolutionär des 18. Jh.), wurde mit der Erstürmung der Botschaft Ende April 1997 durch peruan. Militäreinheiten beendet. Bes. im Zusammenhang mit der Terrorismusbekämpfung werden der peruan. Regierung Verstöße gegen Menschenrechte vorgeworfen.

Alberto Fujimori

Vor dem Hintergrund des langjährigen Grenzstreits mit Ecuador ratifizierte P. – nach einem militär. Konflikt zw. beiden Staaten im Jan. und Febr. 1995 – am 17. 2. 1995 in Brasília ein Friedensabkommen (»Vertrag von Itamaraty«), das u. a. eine entmilitarisierte Zone im umstrittenen Grenzgebiet vorsieht.

📖 Oertzen, E. von: *P. München 1988. – P. Materialien zur Landeskunde, hg. v.* R. Kornberger. *Frankfurt am Main ²1988.* – Stingl, M.: *Auf den Spuren der ältesten Reiche P.s. Leipzig ²1990.* – Uhlig, R.-D. *u.* Boewen, U.: *P. Reiseführer mit Landeskunde. Dreieich 1996.*

peruanische Literatur, →lateinamerikanische Literaturen.

Perubalsam, dickflüssiges Pflanzensekret des Schmetterlingsblütlers Myroxylon balsamum var. pereira; Wundheilmittel, bes. bei Ekzemen, Fixateur in der Parfümerie.

Perücke [frz.-italien.] *die,* künstl. Haartracht aus Menschen- oder Tierhaaren, pflanzl. oder synthet.

Peru – Wirtschaft

Fasern, dient als Ersatz für fehlendes Kopfhaar, als Mode- oder Amtstracht (Allonge-, Stutz-, Haarbeutel-, Zopfperücke).

Perugia [-dʒa], **1)** Provinz in Umbrien, Italien, 6334 km², (1995) 600300 Einwohner.

2) Hauptstadt von 1), auf einem Höhenrücken zw. dem Tibertal und dem Trasimen. See, 149800 Ew.; Erzbischofssitz, Univ. (1200 gegr.), Univ. für Ausländer (1925 gegr.), Akademie der schönen Künste; Musikschule, Priesterseminar; archäolog. Museum, Bibliotheken; Nahrungs- und Genussmittel-, Textil-, polygraph., Baustoff-, Metall verarbeitende, pharmazeut. Ind.; Töpferhandwerk; Fremdenverkehr. – Vom etruskischen Mauerring (4.–2. Jh. v. Chr.) sind große Teile erhalten. Bed. Bauten sind u. a. Dom San Lorenzo (1345–1490), Fontana Maggiore (1277/78, mit Statuen und Reliefs von N. und G. Pisano), Kirchen Sant' Angelo (5./6. Jh.), San Pietro (Kern um 1000), San Severo mit Fresko Raffaels (1505), San Domenico (1305 begonnen, im 17. Jh. erneuert) sowie der got. Palazzo Comunale (Ende 13./14. Jh.). – P., das antike **Perusia,** war ein Stadtstaat der Etrusker; 295 v. Chr. wurde es von Rom unterworfen; im »Perusin. Krieg« (41/40 v. Chr.) vom späteren Kaiser Augustus zerstört. 754 kam P. zum Kirchenstaat, behielt aber eine freistädt. Verfassung. 1540 kam es nach kurzer Adelsherrschaft im 15. Jh. wieder fest in päpstl. Hand, 1860 zum Königreich Italien.

Perugino [-'dʒi:no], eigtl. Pietro Vannucci, italien. Maler, *Città della Pieve um 1448, †Fontignano Febr. oder März 1523; der bedeutendste Maler Umbriens vor Raffael, dessen Lehrer er war. In seiner Kunst verbinden sich florentin. Monumentalität und Wirklichkeitstreue mit der milden Anmut der umbr. Schule. Seine Bilder sind einfach und klar komponiert, die Figuren rhythmisch bewegt. – *Werke:* Fresken in der Sixtin. Kapelle des Vatikans (seit 1480; Schlüsselübergabe an Petrus u. a.); Madonna mit Heiligen (1493; Florenz, Uffizien); Vision des hl. Bernhard (München, Alte Pinakothek).

Perutz, 1) Leo, österr. Schriftsteller, *Prag 2. 11. 1882, †Bad Ischl 24. 8. 1957; emigrierte 1938 nach Palästina; verfasste fantast. Romane (»Der Meister des jüngsten Tages«, 1923). Seit Mitte der 80er-Jahre ist eine Wiederentdeckung P.' festzustellen.

2) Max Ferdinand, brit. Chemiker österr. Herkunft, *Wien 19. 5. 1914; lebt seit 1936 in Großbritannien. P. arbeitete v. a. über den räuml. Aufbau von Proteinen und Nucleinsäuren (Tertiärstruktur) und klärte durch Röntgenstrukturanalyse die räuml. Struktur des Hämoglobins auf; hierfür erhielt er 1962 (mit J. C. Kendrew) den Nobelpreis für Chemie.

Perversion [lat. »Verdrehung«] *die,* ein (aus psychoanalyt. Sicht hauptsächlich entwicklungsbedingt verstandenes) Abweichen von Einstellungen und Verhaltensweisen, die als Norm angenommen werden, v. a. im sexuellen Bereich (z. B. Sadomasochismus, Sodomie).

Pervitin® [Kw.] *das* (Methamphetamin), →Weckamine.

Perwo|uralsk, Stadt im Gebiet Swerdlowsk, Russland, im Mittleren Ural, 143700 Ew.; Röhrenwalz-, Hüttenwerk (Chrom-Nickel-Legierungen), Maschinenbau, chem. Industrie.

Perzeption [lat.] *die, Philosophie, Psychologie:* Wahrnehmung (die nach Leibniz nicht bewusst ist, im Unterschied zur bewussten →Apperzeption); Reizwahrnehmung.

pesante [italien.], musikal. Vortragsbezeichnung: schwer, wuchtig.

Pesaro, Hptst. der Prov. Pesaro e Urbino in den Marken, Italien, an der Mündung der Foglia in die Adria, 87700 Ew.; Musikschule; Theater, Oper, Museen; keram., Nahrungsmittel-, Metallind., Motorrad- und Maschinenbau; Seebad. – Dom (um 1300) mit unvollendeter got. Backsteinfassade und weitere got. Kirchenbauten, Herzogspalast (15./16. Jh.), Stadtburg (1474–79). – P., das antike **Pisaurum,** wurde 184 v. Chr. als röm. Kolonie gegr., gehörte seit 754 zum Kirchenstaat. Herren der Stadt waren seit 1285 die Malatesta, seit 1445 die Sforza, seit 1512 die della Rovere. 1631–1860 gehörte P. wieder zum Kirchenstaat.

Pesaro e Urbino, Prov. in der Region Marken, Italien, 2893 km², (1995) 338400 Ew.; Hptst. ist Pesaro.

Pescadores (chines. P'eng-hu Lieh-tao), Inselgruppe in der Formosastraße, 63 vulkan., meist unbewohnte Inseln, 127 km², 99000 Ew.; Hauptort ist Makung. Die vier größten Inseln sind durch Straßenbrücken verbunden. – Die P. gehören seit 1949 zu Taiwan.

Pescara, 1) Prov. in der Region Abruzzen, Italien, 1225 km², (1995) 292100 Einwohner.

2) Hauptstadt von 1), an der Mündung des Flusses P. (145 km) in die Adria, 119200 Ew.; Wirtschaftshochschule; Seebad; Fischereihafen; Metall-, Textil-, Bekleidungs-, Nahrungsmittel-, Leder- u. a. Ind., Keramikherstellung; Fähre nach Split.

Pescara, Fernando (Ferrante) Francisco de Ávalos, Marchese di, Feldherr Kaiser Karls V., *Neapel 1490, †Mailand 3. 12. 1525; war beteiligt an den Schlachten bei Bicocca (1522) und Pavia (1525). Einer gegen Karl geplanten Verschwörung schloss er sich zum Schein an und entdeckte den Plan dem Kaiser. – Novelle von C. F. Meyer »Die Versuchung des P.« (1887).

Peschel, Oscar, Geograph, *Dresden 17. 3. 1826, †Leipzig 31. 8. 1875; wurde 1871 Prof. in Leipzig; einer der Wegbereiter der Geomorphologie.

Perugia 2)
Stadtwappen

Leo Perutz

Max Ferdinand Perutz

Werke: Neue Probleme der vergleichenden Erdkunde (1870); Phys. Erdkunde, 2 Bde. (1879–80, hg. v. G. Leipoldt).

Peschitta [»die Einfache«] *die,* seit dem 8. Jh. übliche Bez. für die syr. Bibelübersetzung.

Antoine Pesne: Karoline Henriette Christiane, Landgräfin von Hessen-Darmstadt, Ausschnitt eines Gemäldes (um 1750; Privatbesitz)

Peschmerga [kurdisch »die dem Tod Geweihten«], Eigenbez. der um die Unabhängigkeit ihres Volkes kämpfenden Kurden.

Peseta [span. »kleiner Peso«] *die,* Währungseinheit in Spanien; 1 P. (Pta) = 100 Céntimos (cts).

Peshawar [-ʃ-], Provinz-Hptst. in Pakistan, am Beginn der Straße über den Khaiberpass, 566 200 Ew.; Univ., Museen; Handelszentrum, Textil-, pharmazeut., Nahrungsmittelindustrie. – Als **Purushapura** wohl im 2. Jh. n. Chr. Residenz des Kushanaherrschers Kanishka. Der ind. Großmogul Akbar (1556–1605) benannte die Stadt in P. um. 1833 von den Sikhs, 1849 von den Briten erobert. Als Schnittpunkt alter Karawanenstraßen vor dem Khaiberpass war die Stadt immer von großer strateg. Bedeutung.

Pesne [pɛːn], Antoine, frz. Maler, *Paris 23. 5. 1683, †Berlin 5. 8. 1757; seit 1711 Hofmaler in Berlin. Er schuf Tafelbilder mit Genre- und Historienszenen sowie allegor. Wand- und Deckenbilder in den Schlössern Rheinsberg, Charlottenburg, Potsdam und v. a. Porträts von Mitgl. der königl. Familie und des preuß. Hofs. Weitere BILDER deutsche Geschichte, Kleidung

Peso [span. »Gewicht«] *der,* Währungseinheit in Chile, der Dominikan. Rep., Guinea-Bissau, Kolumbien, Kuba, Mexiko, den Philippinen (1 P. = 100 Centavos) sowie in Uruguay (1 P. = 100 Centésimos); urspr. Silbermünze in Spanien.

Pessar [lat.] *das* (Mutterring, Okklusivpessar), Ring aus Hartgummi, Metall, Porzellan oder Kunststoff zum Stützen der Gebärmutter und zur Empfängnisverhütung.

Pessimismus [aus lat. pessimum »das Schlechteste«] *der,* eine Einstellung oder Lebensanschauung, die geneigt ist, bei allem Geschehen das Übel überwiegen zu sehen und einen Weltsinn grundsätzlich in Frage zu stellen; verwandt dem Nihilismus. P. kann persönl. Einstellung sein, aber auch auf einer tiefer begründeten, einer Religion oder philosophisch-metaphys. Lehre entstammenden Welt- und Lebensanschauung beruhen; in der Philosophie v. a. bei A. Schopenhauer, E. von Hartmann, F. Nietzsche, O. Spengler (kulturgeschichtl. P.); Ggs.: Optimismus.

Pessoa, Fernando António Nogueira de Seabra, portugies. Lyriker, *Lissabon 13. 6. 1888, †ebd. 30. 11. 1935; wuchs in Südafrika auf; gilt als der bedeutendste Lyriker der neueren portugies. Literatur. Seine frühen Gedichte (z. T. in engl. Sprache) sind von den frz. Symbolisten und den engl. Romantikern beeinflusst. Seit 1914 erprobte er unter den vier Pseudonymen (»Heteronymen«) Alberto Caeiro, Álvaro de Campos, Ricardo Reis und Bernardo Soares, die er als selbstständige poet. Individuen verstand, unterschiedliche themat. und formale Möglichkeiten der Dichtung.

📖 *F. P. Dokumente zur Person u. ausgewählte Briefe, hg. v.* G. R. LIND. *Zürich 1988. – »Algebra der Geheimnisse«. Ein Lesebuch, Beiträge v.* G. R. LIND *u. a. Lizenzausg. Frankfurt am Main 1994.*

Pessôa Câmara [- 'kəmara], Hélder, brasilian. Theologe, → Câmara.

Pest [lat. pestis »Seuche«], schon im Verdachtsfall meldepflichtige, schwere, akute bakterielle Infektionskrankheit (Erreger: Yersinia pestis), die meist von Nagetieren (vorwiegend Ratten) und den auf ihnen schmarotzenden Flöhen auf den Menschen übertragen wird. Befallen werden die Lymphknoten, wobei eine sehr schmerzhafte, nekrotisierende Lymphgefäßentzündung und Lymphknotenschwellung, auch ein geschwüriger Zerfall der Lymphknoten im Anschluss an den infizierenden Flohstich **(Beulen-, Bubonen-, Drüsen-P.)** im Vordergrund stehen, oder (nach der seltenen

Pest

Boccaccio schildert in der Einleitung seines Decamerone das Wüten der Pest in Florenz 1348:

»Die Leute starben (...), und nur ganz wenigen wurden die mitleidigen Klagen und bitteren Tränen ihrer Verwandten zuteil. Stattdessen hörte man meist Gelächter, Witze und gesellige Kurzweil; auch die Frauen hatten es um ihrer Gesundheit willen gründlich gelernt daran teilzunehmen und weibliches Mitgefühl großenteils zurückzustellen. (...) Tag und Nacht verendeten zahlreiche Menschen auf offener Straße, und viele, die wenigstens in ihren Häusern umkamen, machten erst durch den Gestank ihrer verwesenden Körper die Nachbarn darauf aufmerksam, dass sie tot waren. (...) Für die große Menge Leichen, die täglich und fast stündlich bei jeder Kirche zusammengetragen wurden, reichte der geweihte Boden zur Beerdigung nicht aus, besonders wenn man nach altem Brauch jedem Toten einen eigenen Platz geben wollte. Deshalb hob man auf den Kirchhöfen, als alles belegt war, ganz große Gruben aus und warf die hinzukommenden Leichen zu Hunderten hinein.«

Tröpfcheninfektion von Mensch zu Mensch) die Lunge (**Lungen-P.,** die auch als Komplikation der Bubonen-P. vorkommt) und schließlich auf dem Blutweg der gesamte Organismus **(P.-Sepsis).** Die Allgemeinerscheinungen der P. sind hohes Fieber, Schüttelfrost, Kopfschmerzen, Erbrechen, Unruhe, Benommenheit, Herz- und Kreislaufversagen. Die Inkubationszeit beträgt zwei bis zehn Tage, bei Lungen-P. ein bis zwei Tage. Die Behandlung erfolgt v.a. mit Antibiotika (z.B. Tetracycline, Chloramphenicol) in hohen Dosen. Zur Vorbeugung dienen die (akute) P.-Schutzimpfung mit abgetöteten P.-Erregern und die Bekämpfung von Ratten und Flöhen.

Pest - schwarzer Tod

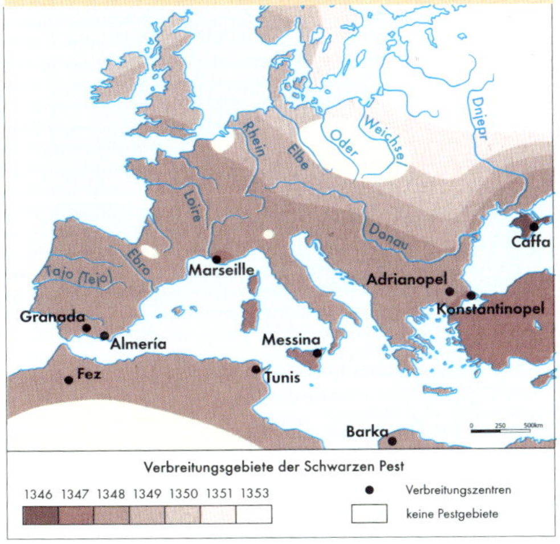

Geschichte: Der **schwarze Tod,** der Europa 1347–52 heimsuchte, forderte etwa 25 Mio. Opfer. Im 15.–18. Jh. folgten verschieden heftige Epidemien; 1890 bedrohte die P. noch einmal, von Innerasien aus, die Welt; als Seuche trat die Lungen-P. 1910/11 in der Mandschurei auf. Auf Malta kam es noch 1936 zu einer P.-Endemie mit 28 Erkrankungsfällen.

📖 BERGDOLT, K.: *Der Schwarze Tod in Europa. Die große P. u. das Ende des Mittelalters. München* ^{3}*1995.*

Pest [pɛʃt], Stadtteil von →Budapest.

Pestalozzi, Johann Heinrich, schweizer. Pädagoge und Sozialreformer, *Zürich 12. 1. 1746, †Brugg 17. 2. 1827; errichtete mit seiner Frau 1774 bei Birr im Aargau eine Erziehungsanstalt für arme Kinder, die bis 1779 bestand. Nach kürzeren pädagog. Engagements (1800 Schulgründung in Burgdorf, Zusammenarbeit mit P. E. Fellenberg) wirkte er 1804–25 im waadtländ. Yverdon-les-Bains. Von dort ging eine Bewegung zur Erneuerung der Erziehung aus, die europaweit wirkte. P. gilt als Schöpfer der modernen Volksschule. Die Erziehung suchte er auf die »Anschauung« als den inneren Sinn des Menschen für die Ordnung der Welt, auf »Liebe« und »Glauben« zu gründen. Er betonte die Einheit von geistiger, sittl. und körperlich-werktätiger Entwicklung (»Kopf, Herz, Hand«). Leitbild aller Erziehung war ihm die Familie.

Werke: Lienhard und Gertrud, 4 Tle. (1781–87); Freymüthige Nachforschungen über den Gang der Natur in der Entwickelung des Menschengeschlechts (1797); Wie Gertrud ihre Kinder lehrt (1801).

Ausgabe: Sämtl. Werke u. Briefe auf CD-ROM, bearb. v. L. FRIEDRICH u. S. SPRINGER. Zürich 1994.

📖 STADLER, P.: *P. Geschichtl. Biographie, 2 Bde. Zürich 1988–93.* – LIEDTKE, M.: *J. H. P. Reinbek* ^{13}*1995.* – REINERT, G.-B. *u. a.: J. H. P. Anthropolog. Denken u. Handeln. Ein pädagog. Konzept über die Zeiten. Donauwörth* ^{2}*1996.*

Pestalozzi-Fröbel-Verband e.V. (1873–1938 Dt. Fröbel-Verband), sozialpädagog. Fachverband, der sich mit Fragen familienergänzender Einrichtungen (Kindergarten, Hort u.Ä.) und Erzieherbildung befasst. Sitz: Berlin.

Pestizide [lat.], bes. im Umweltschutz gebräuchl. Bez. für die gegen tier. Schädlinge eingesetzten chem. Substanzen (Schädlingsbekämpfungsmittel wie Akarizide, Insektizide); auch Sammelbegriff für die chem. →Pflanzenschutzmittel.

Pestwurz (Petasites), hellgelb, weißlich oder rötlich blühende Korbblütlergattung mit oft sehr großen, dreieckigen bis rundl. Blättern, die erst nach der Blüte erscheinen. Bes. auf feuchten Standorten Mitteleuropas verbreitet ist die **Gemeine P.** (Petasites hybridus).

PET, 1) *Chemie:* Abk. für **P**oly**e**thylen**t**erephtalat, ein glasklarer, fester Kunststoff, der v.a. für Flaschen und Folien verwendet wird.

2) *Nuklearmedizin:* Abk. für →**P**ositronen**e**missions**t**omographie.

Peta, Vorsatzzeichen **P,** Vorsatz vor Einheiten für den Faktor 10^{15} (Billiarde); z.B. 1 Petameter = 1 Pm = 10^{15} m.

Petah Tiqwa [ˈpɛtax-], Stadt in Israel, östlich von Tel Aviv-Jaffa, 148 900 Ew.; Maschinen-, Textil-, elektron. Ind., Fahrzeugbau; ein Zentrum des israel. Orangenanbaus.

Pétain [peˈtɛ̃], Philippe, frz. Marschall (seit 1918) und Politiker, *Cauchy-à-la-Tour (Dép. Pas-de-Calais) 24. 4. 1856, †Port-Joinville (Insel Yeu) 23. 7. 1951; leitete 1916 die Verteidigung von Verdun, wurde 1917 Oberbefehlshaber. 1922–31 war er Generalinspekteur der Streitkräfte und Vizepräs. des Obersten Verteidigungsrats, 1934 Kriegsmin.; schloss als MinPräs. des Kabinetts Reynaud den Waffenstillstand mit Dtl. und Italien. In der Vichy-Reg. war er Chef des État Français (→Frankreich,

Fernando Pessoa
(zeitgenössische Zeichnung)

Johann Heinrich Pestalozzi
(Ausschnitt eines Gemäldes, 1811)

Philippe Pétain

Geschichte). P. versuchte mit Dtl. zusammenzuarbeiten. Nach seiner Internierung 1944 ging er im April 1945 in die Schweiz und stellte sich am 26. 4. dem frz. Obersten Gerichtshof. Am 5. 8. 1945 wurde P. zum Tode verurteilt, dann zu lebenslanger Haft begnadigt und später auf die Insel Yeu verbannt.

Peter I.,
Kaiser von Brasilien

Petaling Jaya [-dʒ-], New Town südwestlich von Kuala Lumpur, W-Malaysia, 208 000 Ew.; Technikum, Internat. Islam. Univ., Nationalarchiv; Metall-, chem. u.a. Industrie. – 1951 gegründet.

Petel, Georg, Bildhauer, *Weilheim i. OB um 1601/02 (?), †Augsburg vor dem 29. 1. 1634; studierte in München, Italien und Antwerpen, wo er Rubens kennen lernte, ab 1625 in Augsburg. Seine vom Manierismus beeinflusste Kunst fand durch die von Rubens empfangenen Anregungen den Weg zum Barock. P. schuf Holzskulpturen (Hl. Christophorus in St. Moritz; Augsburg, um 1630), Bronzebildwerke (Kreuzigungsgruppe, 1631/32; Regensburg, Niedermünster) und Elfenbeinarbeiten (Salzfass mit der schaumgeborenen Venus, 1628; Stockholm, Königl. Schloss).

Peter II.,
Kaiser von Brasilien

Peter, Herrscher:

Aragonien: **1) P. II.,** König (1196–1213), *1174, ⚔ Muret (Dép. Haute-Garonne) 13. 9. 1213; besiegte im Bund mit Kastilien die maur. Almohaden 1212 bei Las Navas de Tolosa. Als Bundesgenosse der Albigenser fiel er in der Schlacht bei Muret.

2) P. III., der Große, König (1276–85), *zw. 1238 und 1243, †Vilafranca del Penedès (Prov. Barcelona) 10. 11. 1285; Schwiegersohn des Staufers Manfred; unterstützte die Sizilian. Vesper (1282) und eroberte Sizilien im Kampf gegen Karl I. von Anjou.

Brasilien: **3) P. I.,** Kaiser (1822–31), *Lissabon 12. 10. 1798, †ebd. 24. 9. 1834, Sohn des portugies. Königs Johann VI., Vater von 4); wurde 1821 Prinzregent in Brasilien, rief am 7. 9. 1822 die Unabhängigkeit aus und wurde am 1. 12. 1822 zum Kaiser gekrönt. 1826 wurde er als Peter IV. König von Portugal, trat jedoch nach zwei Monaten zugunsten seiner Tochter Maria da Gloria zurück. In Brasilien immer unpopulärer, dankte P. 1831 ab und ging als »Herzog von Bragança« nach Frankreich. Von dort aus führte er mit brit. Hilfe eine krieger. Expedition zur Rückeroberung des portugies. Throns für seine Tochter gegen seinen jüngeren Bruder Miguel, der sich 1828 zum König hatte ausrufen lassen.

Peter I., der Große: Ausschnitt aus einem dem niederländischen Künstler Aert de Gelder zugeschriebenen Gemälde (um 1710; Amsterdam, Rijksmuseum)

4) P. II., Kaiser (1831–89), *Rio de Janeiro 2. 12. 1825, †Paris 5. 12. 1891, Sohn von 3); stand bis 1840 unter Vormundschaft. Unter ihm führte Brasilien erfolgreich Kriege gegen Argentinien (1851/52) und Paraguay (1865–70). Die Aufhebung der Sklaverei machte die Kaffeepflanzer zu seinen Gegnern und führte zum Sturz des Kaisertums.

Jugoslawien: **5) P. II. Karadjordjević,** König (1934–45), *Belgrad 6. 9. 1923, †Los Angeles (Calif.) 3. 11. 1970; folgte seinem 1934 ermordeten Vater Alexander I. (unter der Regentschaft seines Onkels Paul), übernahm nach dem Putsch vom 27. 3. 1941 selbst die Reg.; lebte seit April 1941 im Exil; 1945 abgesetzt.

Mainz: **6) P. von Aspelt,** Kurfürst und Erzbischof (1306–20), *Aspelt (bei Luxemburg) um 1240, †Mainz 5. 6. 1320; war 1296–1306 Bischof von Basel und Kanzler König Wenzels II. von Böhmen. Als Gegner der Habsburger unterstützte er als Reichskanzler die Wahl Heinrichs VII. (1308) und Ludwigs IV., des Bayern (1314).

Montenegro: **7) P. II. Petrović Njegoš,** → Njegoš.

Russland: **8) P. I., der Große** (Pjotr I. Alexejewitsch), Zar (1682–1725) und Kaiser (seit 1721), *Moskau 9. 6. 1672, †Sankt Petersburg 8. 2. 1725, Sohn des Zaren Alexei Michailowitsch, Großvater von 9); folgte 1682 seinem Bruder Fjodor III.; 1682–89 übte seine Halbschwester Sophia (Sofja)

Peter I., der Große

In seinem Bemühen, das Land zu modernisieren und überkommene Traditionen abzuschaffen, erließ Zar Peter der Große auch eine Bartverordnung. Altgläubige – sie hatten sich von der russisch-orthodoxen Staatskirche abgespalten –, die sich ihren langen Bart nicht schneiden ließen, hatten eine Bartsteuer von 50 Rubel zu entrichten. Das konnten sich z. B. Fischer aus dem Gebiet von Odessa nicht leisten. Sie zogen um des Bartes willen mit Weib und Kind, Sack und Pack übers Schwarze Meer ins Donaudelta. Ihre bärtigen Nachfahren leben dort heute noch.

für ihn und seinen debilen Halbbruder Iwan V. (* 1666, † 1696) die Regentschaft aus. P. war ⚭ in 1. Ehe (1689–98) mit Jewdokija Fjodorowna Lopuchina, in 2. Ehe (seit 1712) mit Marta Skawronskaja, der späteren Kaiserin Katharina I. Er eroberte 1696 mit einer neuen Kriegsflotte die türk. Festung Asow. 1697/98 reiste er inkognito ins Ausland (»Große Gesandtschaft«) und erlernte u. a. in Holland und England den Schiffbau. Nach seiner Rückkehr hielt er ein blutiges Strafgericht über die aufständ. Strelitzen und leitete weit reichende innere Reformen ein, die eine Öffnung des russ. Reichs nach W-Europa bezweckten: u. a. Einführung der westeurop. Etikette und Kleiderordnung, Neuorganisation des Heeres, 1699 Städtereform, 1708/19 Gouv.-Ordnung, 1711 Einrichtung des Regierenden Senats und 1717 der Kollegien, 1721 Ersetzung des Patriarchats durch den Heiligsten Regierenden Synod, 1722 Erlass der »Rangtabelle« zur Schaffung eines neuen Dienstadels. 1703 gründete P. die spätere Hptst. Sankt Petersburg. Im Nord. Krieg (1700–21) musste er 1700 bei Narwa eine schwere Niederlage gegen Schweden hinnehmen, erreichte aber in der Schlacht bei Poltawa (1709) einen entscheidenden Sieg; mit dem Frieden von Nystad (1721) wurde Russland anstelle Schwedens die überragende Macht an der Ostsee (u. a. Erwerb Livlands, Estlands, Ingermanlands und von Teilen Kareliens). P. geriet in einen tiefen Gegensatz zu seinem Sohn aus 1. Ehe, dem Zarewitsch Alexei Petrowitsch, den er nach dessen Flucht nach Russland zurückholen ließ und dem er den Prozess machte († 1718). An der Türkenfront erzwang der missglückte Feldzug von 1710/11 die Rückgabe von Asow, aber durch einen Feldzug gegen Persien (1722/23) gewann P. große Gebiete an der W- und S-Küste des Kasp. Meeres.

📖 Donnert, E.: *P. der Große. Wien u. a. 1989.* – Massie, R. K.: *P. der Große. Sein Leben u. seine Zeit. A. d. Amerikan. Frankfurt am Main 1992.*

9) P. II. (Pjotr II. Alexejewitsch), Kaiser (1727–30), * Sankt Petersburg 23. 10. 1715, † Moskau 29. 1. 1730, Enkel von 8); folgte Katharina I. auf den Thron; mit ihm erlosch die Dynastie Romanow im Mannesstamm. Ihm folgte → Anna Iwanowna.

10) P. III. (Pjotr III. Fjodorowitsch), Kaiser (1762), als Herzog von Holstein-Gottorp (seit 1739) Karl P. Ulrich, * Kiel 21. 2. 1728, † Ropscha (bei Sankt Petersburg) 17. 7. 1762; Sohn von Anna Petrowna, einer Tochter Peters d. Gr., und des Herzogs Karl Friedrich von Holstein-Gottorp; von Kaiserin Elisabeth Petrowna, seiner Tante, 1742 als Thronfolger nach Russland gerufen; seit 1745 ⚭ mit Sophie Friederike Auguste von Anhalt-Zerbst, der späteren Kaiserin Katharina II. Nach der Thronbesteigung schloss er sofort Frieden mit Friedrich II., d. Gr. Er wurde durch eine Verschwörung, an deren Spitze sich Katharina stellte, gestürzt und unter nie ganz geklärten Umständen ermordet.

Peter III., Kaiser von Russland (zeitgenössischer Kupferstich)

Peterborough ['pi:təbrə], Stadt in der Cty. Cambridgeshire, England, am Rande der Fens, 115 400 Ew.; Motoren- und Maschinenbau, Kunststoff- und Konservenindustrie; wurde 1967 zur New Town bestimmt. – P. entstand um eine gleichnamige Benediktinerabtei (gegr. 665). Die Kathedrale wurde 1118 als Abteikirche anstelle zerstörter Vorgängerbauten als roman. Querhausbasilika begonnen; in der 2. Hälfte des 12. Jh. entstand das Langhaus, das nach 1177 ein frühgot. Westquerhaus erhielt; die Westfassade wurde zu Beginn des 13. Jh. mit drei hoch aufragenden got. Loggien und seitl. Ecktürmen versehen.

Peterhead [pi:tə'hed], Hafenstadt in N-Schottland, an der Nordsee, 16 500 Ew.; Fisch verarbeitende Ind., Versorgungszentrum für Nordsee-Erdölfelder, Gasterminal.

Peterhof, bis 1944 Name der russischen Stadt → Petrodworez.

Peterborough: Die Westfassade der 1118–1238 im spätnormannischen Stil errichteten Kathedrale ist von Ecktürmen flankiert und durch drei hochgezogene Loggien markant gegliedert

Peter-I.-Insel, Insel im S-Pazifik, vor der Küste der W-Antarktis, 249 km^2, bis 1220 m ü. M., fast ganz mit Eis bedeckt. – 1821 von F. G. von Bellingshausen entdeckt, nach Peter d. Gr. benannt; seit 1929 norwegisch.

Petermann, August, Geograph und Kartograph, * Bleicherode 18. 4. 1822, † Gotha 25. 9. 1878; arbeitete dort seit 1854 in Justus Perthes' Geograph. Verlagsanstalt, bes. an Stielers Handatlas. Er regte mehrere Afrika- und die ersten dt. Polarexpeditionen an; gründete 1855 die nach ihm benannte Zeitschrift »Petermanns Geograph. Mitteilungen«.

August Petermann

Petermännchen, Bez. für zwei Knochenfischarten (20 und 45 cm lang) an europ. Küsten; besitzen eine giftige erste Rückenflosse.

Carl Peters

Nis Petersen
(zeitgenössische Kohlezeichnung)

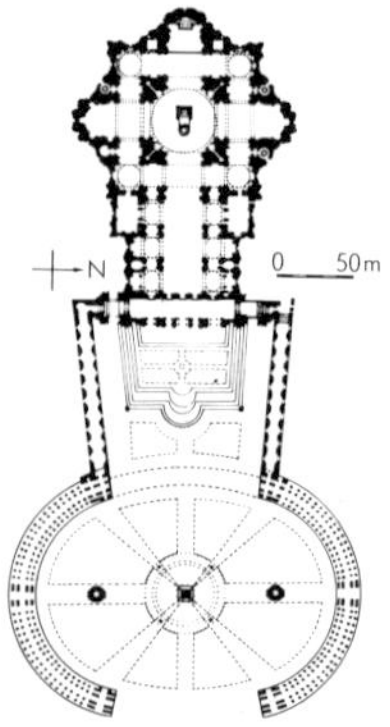

Peterskirche
und Petersplatz: Grundriss

Peters, Carl, Kolonialpolitiker, *Neuhaus (Elbe) (Kr. Lüneburg) 27. 9. 1856, †Woltorf (heute zu Peine) 10. 9. 1918; gründete 1884 die »Gesellschaft für dt. Kolonisation«, erwarb bei einer Expedition nach Ostafrika im selben Jahr durch Schutzverträge mit einheim. Häuptlingen das Kerngebiet des späteren Dt.-Ostafrika, dem 1885 ein kaiserl. Schutzbrief erteilt wurde; 1891–93 Reichskommissar für das Kilimandscharogebiet. Nach Vorwürfen wegen Willkür gegenüber Einheimischen wurde er 1897 aus dem Staatsdienst entlassen.

Peters, C. F., von Franz Anton Hoffmeister (*1754, †1812) und Ambrosius Kühnel (*1770, †1813) als »Bureau de Musique« 1800 in Leipzig gegründeter Musikverlag, der 1814 von Carl Friedrich Peters (*1779, †1827) gekauft wurde. Der Verlag erlangte durch die Veröffentlichung klass., romant. und moderner Musikwerke (**Edition P.,** gegr. 1867) große Bekanntheit. Nach der Enteignung des Verlags in Leipzig wurde er seit 1950 in Frankfurt am Main fortgeführt. Er umfasst heute auch die Musikverlage M. P. Belaieff (gegr. 1885), Schwann (1821) und C. F. Kahnt (1851) sowie Henry Litolff's Verlag (1828).

Petersberg, 1) Porphyrkuppe 13 km nördlich von Halle (Saale), 250 m ü. M., mit roman. Stiftskirche (1124 geweiht, 1565 zerstört, Wiederaufbau 1853–57); Fernsehturm, meteorolog. Station.

2) Basaltkuppe im Siebengebirge, 331 m ü. M., bei Königswinter. Das Hotel P. war 1946–51 Sitz der Alliierten Hochkommissare; hier wurde am 22. 11. 1949 das **Petersberger Abkommen** geschlossen (u. a. Gewährung von konsular. und Handelsbeziehungen für die Bundesrep. Dtl.; teilweiser Demontagestopp).

3) Gemeinde im Landkreis Fulda, Hessen, nordöstlich an Fulda anschließend, 14 200 Ew. – Die Kirche enthält in der Krypta (9. Jh.) karoling. Wandmalereien.

Petersburg, Stadt in Russland, →Sankt Petersburg.

Petersen, 1) Nis Johan, dän. Schriftsteller, *Vamdrup (Amt Vejle) 22. 1. 1897, †Laven (bei Silkeborg) 9. 3. 1943; schrieb Gedichte, Novellen, Romane und Aphorismen. Sein Hauptwerk, der Roman »Die Sandalenmachergasse«, 1931, beschreibt im Stil des Schelmenromans das alte Rom.

2) Peter, Pädagoge, *Großenwiehe (bei Flensburg) 26. 6. 1884, †Jena 21. 3. 1952; entwickelte und erprobte als Leiter der Jenaer Universitätsschule sein zehnjähriges Schulmodell (»Der Jena-Plan«, 3 Bde., 1930–34); ersetzte Stundenpläne durch freies Arbeiten nach Wochenarbeitsplänen mit Gruppenunterricht und Jahrgangsklassen durch »Stammgruppen« aus mehreren Jahrgängen, bezog Spiele und Feste ein, aktivierte Schüler (Patenschaften für jüngere) und Eltern (Schulgemeinde).

3) Wolfgang, Film- und Fernsehregisseur, *Emden 14. 3. 1941; drehte »Tatort«-Krimis (u. a. »Reifezeugnis«, 1976) und Fernsehfilme; verfilmte »Das Boot« (auch Drehbuch, 1981; TV-Fassung 1985), weiterhin »Die unendl. Geschichte« (auch Drehbuch; 1983/84), »Die zweite Chance« (1993), »Air Force One« (1997).

Petershagen, Stadt im Kr. Minden-Lübbecke, NRW, an der Weser, 26 400 Ew.; Ziegeleien, Möbel-, Bekleidungsindustrie. – Renaissanceschloss (um 1545). Kraftwerk im Ortsteil Lahde.

Petersilie [grch.] (Petroselinum crispum), Gattung der Doldenblütler mit vier Arten in Mitteleuropa und im Mittelmeergebiet; am bekanntesten ist die durch Kultur weit verbreitete, zwei- bis mehrjährige **Garten-P.** (Petroselinum crispum) mit rübenförmiger, schlanker Wurzel und dunkelgrünen, glänzenden, zwei- bis dreifach gefiederten Blättern. Seit dem Altertum Küchengewürz mit hohem Gehalt an Vitamin C; man unterscheidet **Blatt-** und **Wurzelpetersilie.**

Peterskirche (Petersdom, italien. San Pietro in Vaticano), die in der Vatikanstadt gelegene Grabkirche des Apostels Petrus, Hauptkirche des Papstes. Der älteste Bau, eine fünfschiffige Basilika, wurde unter Kaiser Konstantin um 324 begonnen. Er wurde auf einem vorwiegend heidnisch belegten Friedhof über einem Grab, das man als das Grab des Apostels Petrus ansah, angelegt. Der Grundstein zu der heutigen, unter Julius II. von Bramante begonnenen Kirche wurde 1505 gelegt. Bramantes Entwurf sah einen Zentralbau in Form eines grch. Kreuzes im Maßstab der Maxentiusbasilika mit einer Kuppel vor. Unter Raffael, B. Peruzzi und A. da Sangallo d. J. kam der Bau nur langsam voran. Michelangelo, seit 1546 Bauleiter, nahm den Plan des Zentralbaus wieder auf und entwarf nach dem Vorbild des Florentiner Doms eine Rippenkuppel, die G. della Porta und D. Fontana nach seinem Plan 1588–90 vollendeten. C. Maderno fügte die Fassade 1607–12, das dreischiffige Langhaus 1612–24 hinzu. Die P. gilt als der größte Kirchenbau der Erde (Länge mit Vorhalle 211,5 m, äußere Höhe bis zur Kreuzspitze 132,5 m, Kuppeldurchmesser 42 m). Über dem Papstaltar unter der Kuppel errichtete L. Bernini den Bronzebaldachin auf vier gewundenen Säulen (1624–33) sowie an der Apsiswand die Cathedra Sancti Petri (1657–66), einen monumentalen bronzenen Reliquienschrein für den hölzernen Petrusstuhl (4. Jh. n. Chr., Elfenbeinschmuck aus dem 9. Jh.). Zur weiteren Ausstattung gehören die Bronzefigur des thronenden Petrus (13. Jh.), die Pietà von Michelangelo (1498–1500) und Papstgräber in der Sakristei (1776–84 von C. Marchionni). – Vor der P. legte Bernini den **Petersplatz** an, ein um den 1586 von D. Fontana aufgerichteten Obelisken und zwei

Peterskirche (von links): Blick von den Kolonnaden über den Petersplatz mit dem 1586 errichteten Obelisken (links) auf die Hauptkirche des Papstes, deren Grundstein im Jahr 1505 gelegt wurde; der 1624–33 von Giovanni Lorenzo Bernini errichtete Bronzebaldachin über dem Papstaltar (im Hintergrund) gilt als Blickpunkt im Innern des Kirchenbaus

Brunnen geschlossenes Queroval aus vierfachen Kolonnaden, das durch schräg laufende Galerien mit der Fassade verbunden ist.

📖 DELL'ARCO, M. F.: *Petersdom u. Vatikan. Freiburg im Breisgau u. a. 1983.*

Peterson ['pi:təsn], Oscar, kanad. Jazzpianist, *Montreal 15. 8. 1925; ging 1949 in die USA. Bekannt für seine brillante Technik, tritt seit 1951 vorwiegend mit eigenem Trio auf.

Peterspfennig, urspr. die freiwillige Abgabe Englands (erstmals im 8. Jh.), seit dem 12. Jh. (bis zum 16. Jh.) auch anderer Länder an den Papst; heute die jährl. freiwillige Gabe der kath. Bistümer für die Weltkirche (i. d. R. die Kollekte am Fest »Peter und Paul«).

Peterstal-Griesbach, Bad, →Bad Peterstal-Griesbach.

Peter und Paul, in der kath. Kirche Fest der Apostel Petrus und Paulus am 29. Juni.

Petipa, Marius, frz. Tänzer und Choreograph, *Marseille 11. 3. 1818, †Gursuf (Krim) 14. 7. 1910; gilt als Begründer des klass. russischen Balletts. – *Choreographien:* Don Quixote (1869); Die Bajadere (1877); Dornröschen (1890); Schwanensee (1895, mit L. Iwanow); Raymonda (1898).

Petit [pə'ti], **1)** Alexis Thérèse, frz. Physiker, *Vesoul (Dép. Haute-Saône) 2. 10. 1791, †Paris 21. 6. 1820; untersuchte gemeinsam mit P. L. Dulong die Wärmeausdehnung fester Körper, bestimmte den Ausdehnungskoeffizienten des Quecksilbers und formulierte die →Dulong-Petit-Regel.

2) Roland, frz. Tänzer und Choreograph, *Villemomble (Dép. Seine-Saint-Denis) 13. 1. 1924; seit 1972 Ballettdirektor in Marseille; sucht das klass. Ballett mit dem modernen Ausdruckstanz zu verbinden. – *Choreographien:* Le jeune homme et la mort (1946); Carmen (1949); Cyrano de Bergerac (1959); Der blaue Engel (1985); Lulu-Suite (1993).

Petition [lat.] *die,* Bitte, Gesuch, bes. die Eingabe an Staatsoberhaupt, Volksvertretung oder Behörde. Das **Petitionsrecht,** urspr. ein Recht der Volksvertretung gegenüber dem Herrscher, ist im GG als Grundrecht verankert, das jedermann das Recht gibt, sich schriftlich mit Bitten oder Beschwerden an Behörden oder die Volksvertretung zu wenden. Der Adressat der P. hat sie entgegenzunehmen und zu beantworten, ohne dass er zu einer bestimmten Entscheidung verpflichtet wäre. In den Parlamenten sind hierfür P.-Ausschüsse eingerichtet. – In *Österreich* sind P. aufgrund von Art. 11 Staatsgrund-Ges., in der *Schweiz* von Art. 57 Bundes-Verf. zulässig.

Petition of Right [pɪ'tɪʃn ɔv 'raɪt; engl. »Bittschrift um Herstellung des Rechts«], 1628 vom engl. König Karl I. bewilligte Bittschrift des Parlaments zur Gewährung v. a. folgender Rechte: keine zusätzl. Besteuerungen ohne Zustimmung des Parlaments, keine Verhaftungen ohne Angabe des Grundes, Garantie eines ordentl. Gerichtsverfahrens. Die P. of R. galt in der Folge als Garantie der bürgerl. Freiheit; an ihrer Auslegung entzündete sich u. a. 1642 der engl. Bürgerkrieg. Sie wurde später durch die Habeas-Corpus-Akte (1679) und die Bill of Rights (1689) vervollständigt.

Petit Point [pəti'pwɛ̃; frz. »kleiner Punkt«] *das* auch *der,* Stickerei aus halben Kreuzstichen, die in Wolle oder Seide auf feinem →Canevas ausgeführt wird. Die traditionelle Technik gelangte im 19. Jh. in Wien zu neuer Blüte **(Wiener Arbeit).**

Petkow, Nikola Dimitrow, bulgar. Politiker, *Sofia 1889, †(hingerichtet) ebd. 23. 9. 1947; 1944/45 stellv. MinPräs., dann Führer der Opposi-

Oscar Peterson

Marius Petipa

Petit Point

tion gegen die Umwandlung Bulgariens in eine Volksdemokratie; in einem Schauprozess zum Tode verurteilt.

Petra: Das Felsengrab Ed-Der, das so genannte Kloster, mit Rundbau (Tholos) und Säulenstellung im Obergeschoss stammt aus dem frühen 2. Jh. n. Chr.

Petljụra, Simon Wassiljewitsch, ukrain. Politiker, *Poltawa 17. 5. 1879, †(ermordet) Paris 26. 5. 1926; 1905 Mitbegründer der Ukrain. Sozialdemokrat. Arbeiterpartei, seit 1919 Vors. des »Direktoriums der Ukrain. Nationalrepublik«, das den Ententemächten zugeneigt war. Sein Versuch, mit poln. Hilfe die im Dez. 1919 in die Ukraine eingedrungenen bolschewist. Truppen zurückzudrängen und die staatl. Unabhängigkeit wiederherzustellen, schlug nach Anfangserfolgen (Mai 1920 Einnahme Kiews) fehl.

Sándor Petőfi (Ausschnitt einer zeitgenössischen Lithographie)

Petőfi [ˈpɛtøːfi], Sándor, ungar. Dichter, *Kiskőrös (Bez. Bács-Kiskun) 1. 1. 1823, ⚔ bei Schäßburg 31. 7. 1849; war u. a. Schauspieler, Hauslehrer, Redakteur. 1844 erschien die erste Sammlung seiner Gedichte. P. verhalf der lebensnahen Sprache der Volksdichtung in der Literatur zum Durchbruch und leitete damit eine neue Stilepoche ein. Sein Märchenepos »Held János« (1845) bildet einen Höhepunkt der ungar. Literatur. Sein polit. Programm umfasste den Sturz der Habsburgermonarchie, die nat. Unabhängigkeit Ungarns und die Befreiung der Leibeigenen. P. fiel in einer der letzten Schlachten des ungar. Freiheitskrieges 1848/49 als Adjutant des poln. Generals J. Bem.

Pẹtőfi-Kreis, →ungarische Literatur.

Pẹtra, Ruinenstätte mit Felsnekropole im südl. Jordanien, Residenz der Nabatäerkönige bis zur Errichtung der röm. Provinz Arabia Petraea durch Trajan (106 n. Chr.), Handelsplatz im Karawanenverkehr von Südarabien nach Syrien. Nach der Eroberung durch die Araber (629/632) wurde die Stadt verlassen; 1812 von J. L. Burckhardt wieder entdeckt; Ausgrabungen seit 1929. Die kunstvollen Fassaden der in die Felshänge gearbeiteten mehrgeschossigen Grabanlagen (z. B. Ed-Der, das sog. Kloster, frühes 2. Jh. n. Chr.) zeigen eine eigenartige Mischung hellenistisch-röm. Tempel- und Fassadenarchitektur (UNESCO-Weltkulturerbe).

📖 *P. u. das Königreich der Nabatäer, hg. v.* M. Lindner. *München u. a. [5]1989.* – Weber, T.: *P. Antike Felsstadt zwischen arab. Tradition u. griech. Norm, hg. v.* R. Wenning. *Mainz 1997.*

PETRA, Abk. für **P**ositron-**E**lektron-**T**andem-**R**ingbeschleuniger-**A**nlage, →Deutsches Elektronen-Synchrotron.

Petrạrca, Francesco, italien. Dichter, Humanist und Philologe, *Arezzo 20. 7. 1304, †Arquà (heute Arquà Petrarca, Prov. Padua) 18. 7. 1374; Sohn eines aus Florenz verbannten Notars, studierte ab 1316 die Rechte in Montpellier, ab 1320 in Bologna; 1326 trat er in Avignon in den geistl. Stand; 1330–47 stand er im Dienst des Kardinals Giovanni Colonna. Nach langen Reisen (seit 1333) lebte er seit 1337 meist auf seinem Landgut bei Avignon. 1341 wurde er in Rom zum Dichter gekrönt. Er begeisterte sich vorübergehend für Cola di Rienzo und dessen Versuch der Wiedererrichtung der röm. Rep. und überwarf sich deshalb mit Kardinal Colonna. 1353–61 im Dienst der Visconti in Mailand, reiste er als deren Gesandter u. a. 1356 zu Kaiser Karl IV. nach Prag. 1362–68 lebte er in Venedig, dann in Padua und auf seinem Landgut in Arquà. P. ist der erste bed. italien. Humanist. Er arbeitete intensiv an der Erforschung und Herausgabe der antiken Autoren und verfasste selbst an Cicero orientierte lat. Werke, u. a. eine umfangreiche Briefliteratur, so die 24 Bücher der »Epistolae familiares« (entstanden 1364, gedruckt 1496, dt. Ausw. u. d. T. »Briefe«), der »Brief an die Nachwelt« (entstanden um 1370, gedruckt 1496), das unvollendete Epos »Africa« (begonnen 1338, gedruckt 1496), philosoph. und histor. Schriften. Bei den Zeitgenossen war v. a. das Trostbüchlein »De remediis utriusque fortunae« (entstanden 1354–66, gedruckt 1468) berühmt. Für die Literaturgeschichte von größter Bedeutung sind seine Ge-

Francesco Petrarca: Initialbild des Dichters aus einer Handschrift des Trostbüchleins »De remediis utriusque fortunae« (um 1380; Venedig, Biblioteca Nazionale di San Marco)

dichte in italien. Sprache (zusammengefasst als »Il Canzoniere«, hg. 1470). Die Sonette, Kanzonen, Sestinen, Balladen und Madrigale besingen mit höchster formaler Kunst, die sie zu Mustern ihrer Gattung machen, die Liebe zu Laura, für den Dichter das unerreichbare Symbol sittl. Vollkommenheit, ähnlich auch in der Allegorie »Die Triumphe« (entstanden 1357–75, gedruckt 1470, gleichfalls italienisch). Die Lyrik P.s fand in der Renaissance viele Nachahmer. Der **Petrarkismus** lehnte sich zwar eng an Formen, Motive und Stilelemente P.s an, förderte aber auch die Dichtung in den Nationalsprachen. Vertreter waren in Frankreich die Dichter der →Pléiade, in Dtl. M. Opitz und P. Fleming.

📖 *P., 1304–1374. Beiträge zu Werk u. Wirkung, hg. v.* F. Schalk. *Frankfurt am Main 1975.* – Buck, A.: *P. Darmstadt 1976.* – Elwert, W.-T.: *Die italien. Literatur des Mittelalters. Dante, P., Boccaccio. München 1980.*

Petrarcameister (Meister des Trostspiegels), im 1. Viertel des 16. Jh. tätiger Holzschneider, benannt nach den 258 Zeichnungen für die Holzschnittillustrationen zur dt. Ausgabe von F. Petrarcas Trostbüchlein »De remediis utriusque fortunae« (1520 vollendet, 1532 gedruckt), auch »Trostspiegel« genannt.

Petrassi, Goffredo, italien. Komponist, *Zagarolo (bei Rom) 16. 7. 1904; begann im Gefolge des Neoklassizismus, ließ sich später von der Zwölftonmusik A. Schönbergs und seriellen Techniken anregen; schrieb Orchesterkonzerte, Chorwerke, Opern, Ballette und Filmmusiken.

Petri, 1) Laurentius, eigtl. Lars Petersson, schwed. Reformator, *Örebro 1499, †Uppsala 26. 10. 1573, Bruder von 2); seit 1531 erster luther. Erzbischof Schwedens; Herausgeber der ersten schwed. Bibelübersetzung (»Gustav-Wasa-Bibel«, 1541); Verfasser der 1572 angenommenen schwed. Kirchenordnung.

2) Olaus, eigtl. Olof Petersson, schwed. Reformator, *Örebro 6. 1. 1493, †Stockholm 19. 4. 1552, Bruder von 1); 1531–33 Kanzler Gustavs I. Wasa; durch seine volkstümlichen reformator. Schriften Wegbereiter der Reformation in Schweden; beeinflusste die Entwicklung der schwed. Sprache.

Petrie ['pi:trɪ], Sir (seit 1923) William Matthew Flinders, brit. Ägyptologe, *Charlton (heute zu London) 3. 6. 1853, †Jerusalem 28. 7. 1942; Begründer der wiss. Grabungsmethoden in Ägypten und Palästina.

Petrikau, Stadt in Polen, →Piotrków Trybunalski.

Petri-Schale [nach dem Arzt J. R. Petri, *1852, †1921], flache Schale aus Glas oder Kunststoff mit Deckel, v. a. zur Züchtung von Bakterien und niederen Pilzen.

Petróbras [-braʃ], Abk. für **Petró**leo **Bras**ileiro S. A., Rio de Janeiro, brasilian. staatl. Öl- und Petrochemieunternehmen, größtes Industrieunternehmen Brasiliens, gegr. 1954.

Petrochemie (Petrolchemie), Zweig der chem. Großindustrie, der chem. Stoffe aus Erdölprodukten und Erdgas herstellt und damit Bindeglied zw. Erdölverarbeitung und eigentlicher chem. Industrie ist. Anlagen der P. sind entweder in Erdölraffinerien integriert oder in speziellen petrochem. Werken angesiedelt, die häufig als gemeinsame Tochterfirmen von Mineralöl- und Chemieunternehmen betrieben werden. Die Anlagen zeichnen sich durch große Kapazität und hohen Automatisierungsgrad aus. Olefine und Aromaten werden durch →Steamcracken erzeugt, in Westeuropa überwiegend aus Rohbenzin, z. T. aus Flüssiggas oder Gasöl. In den USA ist Äthan aus Erdgas bevorzugter Rohstoff für die Äthylenherstellung. Die aufwendige Trennung der Crackprodukte erfolgt u. a. durch Destillation, Extraktion, Extraktivdestillation und Molekularsiebverfahren. Zur Herstellung von Synthesegas werden bevorzugt Erdgas (→Steamreforming) und Schweröle verwendet. Die wichtigsten Primärprodukte der P. sind Äthylen, Propylen, Butadien, Isobuten, Benzol, Toluol und Xylole sowie Synthesegas für die Herstellung von Methanol, Ammoniak, Alkoholen und Essigsäure. Sekundärprodukte der P. werden durch Polymerisation (z. B. Kunststoffe wie Polyäthylen), Oxidation (z. B. Acetaldehyd), Alkylierung (z. B. Äthylbenzol), Hydratisierung (z. B. Isopropylalkohol), Dehydrierung (z. B. Styrol) oder andere chem. Verfahren gewonnen.

Goffredo Petrassi

Petrodollar (Erdöldollar), in US-Dollar gehaltene Überschüsse der OPEC-Länder aus ihren Erdölexporten, die auf internat. Finanzmärkten angelegt werden.

Petrodworez (bis 1944 Peterhof), westl. Vorort von Sankt Petersburg, 77 000 Ew., am Finn. Meerbusen; Uhrenfabrik, Hafen. – P. entstand als Sommerresidenz Peters d. Gr. In einer der prachtvollsten barocken russ. Parkanlagen liegt auf einer von Terrassen mit Kaskaden abgestuften Anhöhe das Große Schloss (1714–28 begonnen, 1747–52 von B. F. Rastrelli erweitert). An der Küste des Finn. Meerbusens inmitten eines nach holländ. Art angelegten Gartens stehen das Schlösschen Monplaisir (1714–23, Seitenflügel um 1750 von Rastrelli) im Stil eines holländ. Backsteinhauses mit hohem Satteldach sowie die Wasserschlösser Eremitage (1721–24) und Marly (1721–23). Bild S. 472

Pétrofina S. A., belg. Mineralölkonzern, Sitz: Brüssel, gegr. 1920; Tochtergesellschaft: Fina Dtl. GmbH, Frankfurt am Main.

Petrogenese [grch. »Gesteinsbildung«] *die,* Zweig der Petrologie.

Petrodworez: Das in einer barocken Parkanlage gelegene Große Schloss wurde 1714–28 für Peter den Großen als Sommerresidenz erbaut, 1747–52 von Bartolomeo Rastrelli erweitert und nach schweren Zerstörungen im Zweiten Weltkrieg originalgetreu wiederhergestellt

Petrograd, 1914–24 Name von →Sankt Petersburg.

Petrographie [grch.] *die,* →Petrologie.

Petrolchemie, →Petrochemie.

Petroleum [zu grch. pétra »Stein« und lat. oleum »Öl«] *das, Chemie:* Fraktionen des Erdöls, Siedebereich 150–280 °C; früher fast ausschl. als **Leuchtöl** verwendet; heute als Flugturbinenkraftstoff bedeutend (→Kerosin); in der engl. Sprache ist P. gleichbedeutend mit Erdöl.

Petrologie [grch.] *die* (Gesteinskunde), das Teilgebiet der Mineralogie, das die Geschichte der Gesteine, bes. ihre Herkunft, ihre Bildung (Petrogenese) und Umwandlungsvorgänge erforscht. Die P. gliedert sich in zwei Arbeitsrichtungen: Die **Petrographie** beschreibt und klassifiziert die natürl. Gesteine nach Auftreten, Gesteinsgefüge, Mineralbestand, chem. Zusammensetzung, physikalisch-techn. Eigenschaften usw. Die **experimentelle P.** untersucht in erster Linie die physikalisch-chem. Bedingungen bei der Bildung eines Gesteins, die im Labor simuliert werden.

Petronius, Gaius (Titus?), gen. P. Arbiter, röm. Schriftsteller, †(Selbstmord) 66 n.Chr., lebte am Hof Neros als Meister der Kunst feinsten Lebensgenusses **(Arbiter Elegantiarum).** Sein in Bruchstücken erhaltener Roman »Satyricon« ist eine glänzende Sittenschilderung von zügellosem Witz und Realismus. Am besten erhalten ist die »Cena Trimalchionis«, das Gastmahl eines Emporkömmlings.

Petropawlowsk (kasach. Petropawl), Gebietshptst. im N von Kasachstan, am Ischim, 248 300 Ew.; Bahnknotenpunkt an der Transsib; Maschinenbau, Nahrungsmittel-, Leder-, Bekleidungsindustrie. – P. wurde 1752 als Festung gegründet; 1807 Stadtrecht.

Petropawlowsk-Kamtschatski, Hauptstadt des Gebiets Kamtschatka, an der SO-Küste der Halbinsel, Russland, 269 000 Ew.; vulkanolog. und seism. Institut; Fischverarbeitung, Reparaturwerft; eisfreier Marine-, Fischerei- und Handelshafen. – 1740 gegründet.

Petrópolis, Stadt im Staat Rio de Janeiro, Brasilien, 813 m ü. M., in einem Hochtal des Küstengebirges, 255 300 Ew.; kath. Univ., Kurort. – 1845 von dt. und schweizer. Einwanderern gegr., wurde die Stadt nach dem brasilian. Kaiser Peter II., der sich hier eine Sommerresidenz errichten ließ, benannt. – Im **Vertrag von P.** (1903) trat Bolivien den größten Teil des Acre-Gebiets an Brasilien ab.

Petroşani [petroˈʃanj] (ungar. Petrozsény), Stadt im Bezirk Hunedoara, Rumänien, in den westl. Südkarpaten, 53 000 Ew.; TU, Inst. für Kohleforschung, Bergbaumuseum; Bau von Bergbauanlagen, Möbel-, Trikotagen-, Nahrungsmittelindustrie; in der **P.-Senke** Abbau von Stein- und Braunkohle (größte Vorkommen des Landes).

Petrosawodsk, Hauptstadt der Rep. Karelien innerhalb der Russ. Föderation, Hafen am W-Ufer des Onegasees und Verkehrsknotenpunkt an der Murmanbahn, 269 500 Ew.; Univ.; Traktorenwerk, Zellstoff- und Papierfabrik, Möbelind., Werkzeugmaschinenbau.

Petrópolis: Der Palast war die Sommerresidenz des brasilianischen Kaisers Peter II. und später der brasilianischen Präsidenten; 1903 wurde hier der Vertrag mit Bolivien über die Abtretung des Acre-Gebiets unterzeichnet

Petrovaradin (dt. Peterwardein), ehem. selbstständige Stadt in der Wojwodina, Jugoslawien, seit 1945 Stadtteil von Novi Sad. – Im 17./18. Jh. österr. Grenzfestung gegen die Türken. – Bei P. besiegte Prinz Eugen am 5. 8. 1716 das osman. Hauptheer.

Petrow-Wodkin, Kusma Sergejewitsch, russ. Maler, *Chwalynsk (Gebiet Saratow) 5. 11. 1878,

†Leningrad (heute Sankt Petersburg) 15. 2. 1939; führender Vertreter des Symbolismus in Russland. Eine Italienreise (1908) vermittelte ihm Eindrücke der Malerei der Renaissance, die in der Folgezeit neben der russ. Volkskunst und der Ikonenmalerei für seine Werke bestimmend wurde.

Petrucci [peˈtruttʃi], Ottaviano, italien. Buchdrucker, *Fossombrone (bei Urbino) 18. 6. 1466, †Venedig 7. 5. 1539; erfand ein Notendruckverfahren zur Wiedergabe von Mensuralnoten mit beweglichen Typen; Musikverleger.

Petrus, eigtl. Simon [aramäisch Kephas; grch. Petros »Stein«], Apostel, führende Persönlichkeit im Jüngerkreis Jesu und in der →Urgemeinde; †(Martyrium?) Rom (?) zwischen 64 und 67 (?); Fischer; stammte aus Betsaida (heute Et-Tell) am See Genezareth. Der Beiname P. (»Stein«) wurde ihm von Jesus bei seiner Berufung zum Apostel verliehen; in Mt. 16, 18 theologisch als »Fels« (Fundament) gedeutet, auf dem Jesus Christus seine Gemeinde (»Ekklesia«) baut. Ab etwa 44 widmete er sich der Mission unter den Juden. Auf dem Apostelkonzil befürwortete er die Mission des Paulus unter den Nichtjuden (→Heidenchristen), geriet später mit ihm darüber in Konflikt. Sicher ist sein späterer Aufenthalt in Rom. Nach kirchl. Überlieferung starb er dort unter Nero als Märtyrer. Seine überragende kirchengeschichtl. Bedeutung erhielt P. durch das im Anschluss an Mt. 16, 18 f. auf ihn zurückgeführte **P.-Amt** des Papstes. – Heiliger; Patron u. a. der Fischer und Schiffer; im Volksglauben »Himmelspförtner« und Wettermacher; Tag: 29. 6. (zus. mit Paulus) und 22. 2. (»Petri Stuhlfeier«, Gedächtnis der Übertragung des Hirtenamtes an P.). – Die bildende Kunst fand schon früh einen feststehenden Typus: kräftige gedrungene Gestalt, runder Kopf mit kurzem Bart, Glatze mit Lockenkranz. Attribute: Buch/Schlüssel, auch Kreuzstab oder Handkreuz, Hahn, Schiff, Ketten.

📖 CULLMANN, O.: *P. Jünger, Apostel, Märtyrer. Zürich* [3]*1985.* – *Das Petrusbild in der neueren Forschung, hg. v.* C. P. THIEDE. *Wuppertal 1987.*

Petrusamt, der vom →Papst beanspruchte universalkirchl. Primat.

Petrusbriefe, N. T.: zwei der →Katholischen Briefe, von der frühchristl. Tradition dem Apostel Petrus zugeschrieben. Adressaten sind heidenchristl. Gemeinden in Kleinasien bzw. (2. P.) die Christen überhaupt. Der 1. P. entstand um 100 in Rom, der 2. P. wahrscheinlich in der 2. Hälfte des 2. Jh. (Abfassungsort unbekannt). Die heutige Forschung schließt für beide Briefe die Autorschaft des Petrus aus.

Petruschewskaja, Ljudmila Stefanowna, russ. Schriftstellerin, *Moskau 26. 5. 1938; Journalistin; schreibt Dramen (»Cinzano«, 1977; »Drei Mädchen in Blau«, 1983; »Die Hinrichtung«, 1990) und Erzählungen (»Meine Zeit ist die Nacht«, 1991) in der Sprache der Straße und zeigt in oft bitterer Darstellung die Schwere des Alltags auf. P. war jahrelang mit Publikationsverbot belegt.

Petrus: »Die Berufung Petri«, Mosaik aus dem ersten Viertel des 6. Jh. in der Kirche Sant'Apollinare Nuovo in Ravenna

Petrus Chrysologus [grch. »Goldredner«], Bischof von Ravenna (nach 431), Kirchenlehrer, *Forum Cornelii (heute Imola) um 380, †ebd. 3. 12. 450; Heiliger, Tag: 30. 7.

Petrus Damiani, italien. Kirchenlehrer, Benediktiner, *Ravenna um 1007, †Faenza 22./23. 2. 1072; seit 1035 Einsiedler in Fonte Avellana; seit 1043 dort Prior einer Einsiedlergemeinde; seit 1057 Kardinal; Vertreter strengster Askese; erstrebte eine Reform von Klöstern und Kirche. Sein umfangreiches literar. Werk wurde v. a. in den Reformbewegungen des 14. und 15. Jh. rezipiert.

Petrus de Vinea (Pier della Vigna), italien. Jurist, Staatsmann und Dichter, *Capua um 1190, †(Selbstmord) San Miniato (bei Pisa) April 1249; war seit 1225 Großhofrichter am Hof Kaiser Friedrichs II., dann Großkanzler, beeinflusste erheblich die kaiserl. Politik. Des Amtsmissbrauchs verdächtigt, wurde er 1249 gefangen gesetzt und geblendet. Er machte die provenzal. Minnedichtung in Italien heimisch.

Petrus Lombardus, italien. scholast. Theologe, *Lumellologno (heute zu Novara) um 1095, †Paris 21./22. 7. 1160; Schüler Abaelards, seit 1159 Bischof von Paris; verfasste die vier Bücher der Sentenzen (»Libri quattuor sententiarum«, 1148–52; Erstdruck um 1471), das wichtigste theolog. Handbuch des Mittelalters.

Petrus Venerabilis [lat. »der Ehrwürdige«], frz. Benediktiner, *Montboissier (Dép. Eure-et-Loir) 1092 oder 1094, †Cluny 25. 12. 1156; seit 1122 Abt in Cluny; betrieb Reformen in seinem Orden; veranlasste eine lat. Übersetzung des Korans und begründete damit die geistige Auseinandersetzung mit dem Islam; Heiliger, Tag: 25. 12.

Petsamo [finn.] (russ. Petschenga), Gebiet im äußersten NW Russlands, an der Barentssee und der Grenze zu Norwegen, 10 481 km²; reiche Kupfer-Nickel-Erzlager (Förderung in Nikel). Am 15 km langen eisfreien **P.-Fjord** liegen der Hafen Liinahamari und als Hauptort der Hafen P. (etwa 3 500 Ew.). P. kam 1920 an Finnland; 1939 von sowjet. Truppen erobert, 1940–44 wieder finnisch; im Frieden von Paris (1947) an die UdSSR abgetreten.

Petschaft [tschech.] *das,* Siegel, bestehend aus einem Stiel und einer Platte aus Metall oder Stein. Auch Ringe mit gravierter Platte werden als P. benutzt **(Siegelringe).**

Petschenegen, nomad. Turkvolk, lebte im Gebiet zw. Wolga und Ural, 834 erstmals erwähnt, stieß im 10. Jh. in die heutige Ukraine vor. Die P. belagerten 1090/91 Konstantinopel, wurden aber 1091 von den Kumanen vernichtend geschlagen. Im 12. Jh. gingen sie in Kämpfen mit den Byzantinern zugrunde.

Petschenga, Gebiet in Russland, → Petsamo.

Petschora *die,* Fluss im NO des europ. Teils von Russland, 1809 km lang, entspringt im N-Ural, mündet mit einem 45 km breiten Delta in die P.-Bucht der Barentssee. Im Flussgebiet der P. befinden sich das **P.-Kohlenbecken** (rd. 90 000 km², Gesamtvorrat rd. 344 Mrd. t), das seit dem 2. Weltkrieg abgebaut wird (Workuta, Inta, Chalmer-Ju), sowie ein Erdöl- und Erdgasfördergebiet.

Max von Pettenkofer

Petschorabahn, Eisenbahnlinie im N des europ. Teils von Russland, von Kotlas über Uchta und Petschora nach Workuta, 1176 km lang, 1937–42 erbaut, später durch Zweigstrecken zum unteren Ob und zur Halbinsel Jamal verlängert; dient v. a. dem Kohle-, Erdöl- und Holztransport.

Pettau, Stadt in Slowenien, → Ptuj.

Pettenkofer, Max Josef von (seit 1883), Hygieniker, *Lichtenheim (heute zu Weichering) 3. 12. 1818, †(Selbstmord) München 10. 2. 1901; Prof. in München, erster dt. Ordinarius für Hygiene; Begründer der naturwiss.-experimentellen Hygiene.

William Petty

Petticoat [-kəʊt, engl.] *der,* weiter Unterrock der 1950er- und frühen 60er-Jahre aus synthet. Gewebe mit Steifausrüstung oder gestärkter Baumwolle.

Petting [engl. to pet »liebkosen«] *das,* sexuell erregende Berührungen ohne Geschlechtsverkehr.

Petty ['petɪ], Sir (seit 1661) William, engl. Nationalökonom und Statistiker, *Romsey (bei Southampton) 26. 5. 1623, †London 16. 12. 1687; urspr. Physiker und Arzt, später u. a. Sekretär O. Cromwells, Mitbegründer der Royal Society und Vorläufer der klass. Nationalökonomie. P. vertrat einen gemäßigten Merkantilismus. Er begründete die Arbeitswerttheorie und führte statistische und demograph. Methoden in die ökonom. Analyse ein.

Petunie [von Tupí petyn »Tabak«] *die* (Petunia), krautige Gattung der Nachtschattengewächse, bes. in S-Brasilien, mit drüsig-klebrigen Blättern und trichterförmigen Blüten. Die P. wird in vielen Sorten als Zierpflanze (bes. Balkonpflanze) kultiviert, z. B. die Gartenpetunie.

Petunie: Gartenpetunie (Höhe bis 45 cm)

Peuckert, Will-Erich, Volkskundler und Schriftsteller, *Töppendorf (Niederschlesien) 11. 5. 1895, †Darmstadt 25. 10. 1969; 1946–60 Prof. in Göttingen; Arbeiten über Persönlichkeiten des 16./17. Jh., magisch-myst. Tradition (»Geheimkulte«, 1951) sowie schles. Volkskunde und Erzählforschung (»Volkskunde des Proletariats«, 1931).

Peugeot-Citroën-Gruppe [pø'ʒo-sitrɔ'ɛn-], Abk. **PSA,** zweitgrößter frz. Automobilkonzern, entstanden 1976 aus der Fusion von Peugeot S. A. (gegr. 1896) und Citroën S. A. (gegr. 1915); Sitz: Paris; übernahm 1978 die europ. Werke der amerikan. Chrysler Corp.

Peul [pøl], Volk in W-Afrika, → Fulbe.

Peutinger, Konrad, Humanist, *Augsburg 15. 10. 1465, †ebd. 28. 12. 1547; war 1497–1534 Stadtschreiber in Augsburg; als Kaiserl. Rat wiederholt diplomat. Aufträge; seine humanist. Studien beeinflussten die Geschichtsschreibung; er besaß die sog. **Peutingersche Tafel,** eine im 12. Jh. entstandene Kopie einer röm. Weltkarte (um 250 n. Chr.) von den Brit. Inseln bis China; sie kam über Prinz Eugen nach Wien (heute Nationalbibliothek).

Pevsner, 1) [pɛvs'nɛ:r], Antoine, eigtl. Nathan Borisowitsch P., frz. Maler und Bildhauer russ. Herkunft, *Orel 18. 1. 1886, †Paris 12. 4. 1962; lebte nach Aufenthalten in Paris in Oslo und Moskau, wo er mit seinem Bruder N. Gabo das »Realist.

Manifest«, die Programmschrift der Konstruktivisten, veröffentlichte, zog 1923 nach Paris. P. schuf konstruktivist. Plastiken (meist dicht aneinander gelegte Metallstäbe), die auf eine dynam. Definition räumlicher Gegebenheiten zielen. BILD abstrakte Kunst

2) ['pe:fsnər], Sir (seit 1969) Nikolaus, brit. Kunsthistoriker dt. Herkunft, *Leipzig 30. 1. 1902, †London 18. 8. 1983; emigrierte 1934 nach England; 1941 Prof. in London, 1949–55 in Cambridge, 1968 in Oxford; Herausgeber der »Pelican history of art« (1953 ff.) und Mitherausgeber des »Lexikons der Weltarchitektur« (1966). – *Weitere Werke:* Die italien. Malerei vom Ende der Renaissance bis zum ausgehenden Rokoko (1928); Europ. Architektur von den Anfängen bis zur Gegenwart (1943); Architektur und Design (2 Bde. 1968).

Peymann, Claus, Regisseur, *Bremen 7. 6. 1937; wirkte in Frankfurt am Main, Berlin, 1972–79 Schauspieldirektor in Stuttgart, dann in Bochum, 1986–98 am Wiener Burgtheater; bekannt wurde er v.a. als Regisseur von Stücken P. Handkes und T. Bernhards.

Peynet [pɛ'nɛ], Raymond, frz. Zeichner, *Paris 16. 11. 1908; schildert in Bildbänden aus heiter-iron. Sicht die Traumwelt eines Liebespaares. Er zeichnete ferner für Zeitungen, illustrierte Bücher, entwarf Bühnenbilder und Theaterkostüme.

Peyotl [aztek. »Wurzel«] *die* (Peyote, Pellote, Mescalbuttons), getrockneter, in Scheiben geschnittener, oberird. Teil der mexikan. Kakteenart

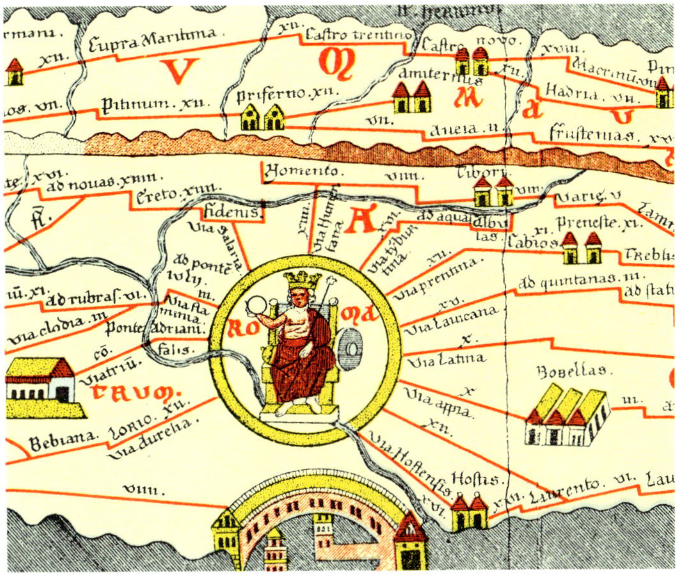

Konrad Peutinger: Ausschnitt der Peutingerschen Tafel mit der Darstellung von Mittelitalien (12. Jh.; Wien, Österreichische Nationalbibliothek)

Lophophora williamsii; enthält v.a. →Mescalin; wird als Halluzinogen gekaut.

Peyrefitte [pɛr'fit], Roger, frz. Schriftsteller, *Castres (Dép. Tarn) 17. 8. 1907, bis 1945 im diplomat. Dienst; schrieb erfolgreiche Romane, die vorgeblich Geheimnisse aus der Welt der Diplomaten, des Vatikans und der Freimaurer enthüllen (»Diplomaten«, 1951; »Die Schlüssel von Sankt Peter«, 1955; »Die Söhne des Lichts«, 1961; »Manouche«, 1972; »Die rote Soutane«, 1983).

Pezold, Friederike, österr. Künstlerin, *Wien 14. 8. 1945; entwickelte in Zeichnungen, Fotoserien und Videofilmen, die die Rolle der Frau thematisieren, eine gezielte Zeichensprache.

Pf, Abk. für →**Pf**ennig.

Pfadfinder, größte freiwillige internat. Jugendbewegung. Zu den Grundprinzipien gehören die Arbeit in kleinen Gruppen und nach Altersstufen (Wölflinge, 7–11; Jung-P., 11–14; P., 14–17; Rovers 17–20 Jahre), die »Tracht« als gemeinsame Kleidung, die persönl. Verpflichtung auf die Grundideen der Solidarität, Toleranz und Mitverantwortung und internat. Verständigung. Die über 120 nat. Organisationen sind in der Weltpfadfinderbewegung (Sitz: Genf) und im Weltbund der Pfadfinderinnen (Sitz: London) zusammengeschlossen (insgesamt über 26 Mio. Mitgl.). – Die P.-Bewegung wurde 1907/08 in Großbritannien von R. S. S. Baden-Powell gegründet (Boyscouts). 1911 entstand der Dt. P.-Bund; nach dem 1. Weltkrieg Neugründungen von P.-Bünden als Teil der dt. Jugendbewegung (seit 1927 →Deutsche Freischar);

Raymond Peynet: »Sieh mal an! Der Poet hat die Nacht beim Blumenmädchen verbracht ...«, Federzeichnung aus dem Jahr 1966

Nikolaus Pevsner

Claus Peymann

Pfaffenhofen a. d. Ilm 2): Der Innenraum der um 1400 erbauten und 1671/72 eingewölbten Pfarrkirche Sankt Johannes Baptist ist mit Stukkaturen von Matthias Schmuzer ausgeschmückt

Pfadfinder: Abzeichen des Weltpfadfinderbundes

1933 verboten. Nach 1945 entstanden interkonfessionelle und konfessionelle P.-Verbände neu, heute in mehreren Zusammenschlüssen: Ring dt. P.-Verbände, Ring dt. P.innenverbände, Bund dt. Pfadfinder/-innen.

📖 WITTKE, H.: *Freiheit in Bindung. Der Dt. Pfadfinderverband. Baunach 1990.*

Pfaffenhofen a. d. Ilm, 1) Landkreis in Bayern, 759 km², (1996) 106 700 Einwohner.

2) Kreisstadt von 1) in Bayern, im SW der Hallertau, 21 600 Ew.; Hopfenbaufachschule; Nährmittel-, pharmazeut., Metallwarenind.; Hopfenhandels- und -aufbereitungsplatz. – Pfarrkirche St. Johannes Baptist (um 1400 erbaut, 1671/72 eingewölbt). – 1318 Stadtrecht.

Pfahlbauten: Rekonstruktion eines jungsteinzeitlichen Pfahlbautendorfes in Chalain (Ostfrankreich)

Pfaffenhütchen, *Botanik:* Art der Gattung →Spindelstrauch.

Pfäffikon, Bezirkshauptort im Kt. Zürich, Schweiz, 9 000 Ew., am N-Ufer des **Pfäffiker Sees** (537 m ü. M., 3,3 km², bis 35 m tief); Maschinenbau u. a. Industrien. – Am Seeufer wurden vorgeschichtl. Uferrandsiedlungen (»Pfahlbauten«) der Jungsteinzeit und Bronzezeit gefunden. Östlich von P. liegen die Grundmauern des Römerkastells **Irgenhausen** aus der Zeit Kaiser Diokletians.

Pfahl, 1) *Bauwesen:* ganz oder teilweise in den Baugrund eingebautes stabartiges Bauelement, überträgt Bauwerkslasten durch Spitzendruck oder Mantelreibung.

2) *Heraldik:* ein in der Schildmitte liegender senkrechter Streifen von etwa einem Drittel der Schildbreite.

Pfahl, Quarzausfüllung einer geradlinigen tekton. Spalte im Bayer. Wald, riffartig aus Gneisen und Graniten herausgewittert, etwa 150 km lang, zw. Freyung und Schwarzenfeld. Ähnlich ist der **Böhm. P.** zw. Furth i. W. und Tachau.

Pfahlbauten, auf eingerammte Pfähle gestellte, frei über dem Untergrund stehende Wohn- und Speicherbauten; errichtet zum Schutz vor feindl. Überfällen, vor Tieren und Bodenfeuchtigkeit, auch vor Überschwemmungen; können im Wasser oder auf dem Land stehen. Sie sind v. a. in Südostasien und Ozeanien weit verbreitet.

Vorgeschichte: Seit 1853/54 wurden in den Uferzonen der Schweizer Seen Siedlungsfunde der Jungsteinzeit und der Bronzezeit entdeckt und als Überreste von P. gedeutet. Da auch Gegenstände aus organ. Material (Holzgeräte, Textilien) erhalten waren, ließ sich ein Kulturbild jener Periode entwerfen. Exaktere Ausgrabungsbefunde lassen jedoch darauf schließen, dass die meisten P. in alter Zeit wegen niedriger Wasserstände der Seen (in trockenheißen Klimaperioden) nicht im Wasser, sondern auf dem Strand in normaler ebenerdiger Bauweise errichtet und erst später vom steigenden Wasser überdeckt wurden. Die Pfähle dienten vermutlich nur der Sicherung des Untergrundes. Der Begriff P. wurde deshalb durch den Begriff »Feuchtbodensiedlungen« ersetzt.

📖 SCHLICHTHERLE, H. *u.* WAHLSTER, B.: *Archäologie in Seen u. Mooren. Stuttgart 1986.*

Pfahlbürger, etwa ab 1200 Bez. für Leute, die das Bürgerrecht einer Stadt erlangten, aber nicht innerhalb der Mauern, sondern vor und hinter den das Außenwerk bildenden Pfählen wohnten.

Pfahler, Georg Karl, Maler, *Emetzheim (heute zu Weißenburg i. Bay.) 8. 10. 1926; schuf

Farb-Form-Objekte sowie flächenhafte Konstruktionen mit Beziehungen zur →Hardedge.

Pfahlmuschel, die →Miesmuschel.

Pfahlwurm, eine →Schiffsbohrmuschel.

Pfalz (Palatium), mittelalterl., auf Königsgut angelegter Gebäudekomplex unterschiedl. Struktur; Grundelemente sind die Palastbauten (einschl. der Kapelle) zur Aufnahme des Königs und seines Gefolges und der Wirtschaftshof: Aufenthalt des reisenden Herrschers in der **Kaiser-P.** bzw. im Königshof, Abhaltung von Hoftagen unter Beisitz des Pfalzgrafen, Grenzschutz, in stauf. Zeit Verwaltungsmittelpunkt von Reichsland. – *Karoling. P.:* Aachen, Ingelheim, Worms, Frankfurt a. M., Forchheim, Paderborn, Nimwegen; *otton. P.:* Quedlinburg, Magdeburg, Tilleda, Pöhlde, Grona, Werla; *sal.-stauf. P.:* Goslar, Hagenau, Gelnhausen, Wimpfen, Trebur, Speyer, Kaiserswerth, Nürnberg.

Pfalz, 1) mittlerer und südl. Teil des RegBez. →Rheinhessen-Pfalz, Rheinl.-Pf., grenzt im S an Frankreich; umfasst den Pfälzerwald, das Nordpfälzer Bergland, den Westrich, das Pfälzer Gebrüch und die Pfälz. Rheinebene (Teil des nördl. Oberrhein. Tieflands; zus. mit der →Haardt als **Vorder-P.** bezeichnet).

📖 *Pfälz. Landeskunde, mit Beiträgen v.* M. Geiger *u. a., 3 Bde. Landau in der Pfalz 1981.*

2) (Kur-P., Pfalzgrafschaft bei Rhein, Rhein-P., rhein. P.), histor. dt. Territorialstaat v. a. im Nahe-Rhein-Neckar-Gebiet und in der Oberpfalz).

Geschichte: Ausgehend von der Pfalzgrafschaft Lothringen am Niederrhein (→Pfalzgraf), verlagerte sich der pfalzgräfl. Machtbereich im Laufe des 11./12. Jh. in den Eifel-, Mosel- und Neckarraum, seit dem 13. Jh. mit Heidelberg als Zentrum. 1214 wurde die Pfalzgrafschaft bei Rhein von Kaiser Friedrich II. den Wittelsbachern verliehen. 1329 wurde die P. mit der Ober-P. (Hauptteil des alten bayerischen Nordgaus) von Bayern getrennt (eigenständige Wittelsbacher Linie). Die Goldene Bulle (1356) sprach die auch von Bayern beanspruchte Kurstimme der P. **(Kur-P.)** zu. Nach dem Tode Ruprechts III. (1398–1410, seit 1400 als Ruprecht von der P. Röm. König) gründeten seine Söhne vier Linien: Kur-P. (ältere Kurlinie; 1559 erloschen), Ober-P. (P.-Neumarkt; 1448 ausgestorben), P.-(Zweibrücken-)Simmern und P.-Mosbach (1499 erloschen). Durch Kurfürst Friedrich I. (1452–75) wurde die pfälz. Vormachtstellung am Oberrhein begründet. Mit dem Wechsel der Linien beim Reg.antritt Friedrichs III. (1559; mittlere Kurlinie **P.-Simmern**) wurde die P. zu einem Zentrum des aktiven ref. Protestantismus (→Heidelberger Katechismus), verbunden mit reichsständ. Opposition gegen den Kaiser. Kurfürst Friedrich V. ließ sich als Haupt der unter Friedrich IV. 1608 gegr. prot. Union 1619 zum böhm. König wählen, verlor jedoch nach der Schlacht am Weißen Berg (1620) sowohl sein kurzzeitiges Königtum (daher der »Winterkönig« gen.) als auch sein Stammland mit der Kur an Bayern; erst sein Sohn Karl Ludwig konnte Letzteres, verbunden mit einer neu geschaffenen 8. Kurwürde, jedoch ohne die Ober-P., 1648 durch den Westfäl. Frieden wiedergewinnen. Nach Erlöschen der mittleren Kurlinie 1685 führten die Erbansprüche, die Ludwig XIV. erhob, zum →Pfälzischen Erbfolgekrieg. Der Reg.antritt der (1569 gegr.) kath. Linie **P.-Neuburg** (junge Kurlinie; Residenz 1720–78 Mannheim) brachte der P. eine Art nachgeholter Gegenreformation. Mit der Hausunion von 1724 fand der Ggs. zu den bayer. Wittelsbachern ein Ende. 1742 folgte mit Karl Theodor, dem Erben P.-Neuburgs, die Linie **P.-Sulzbach** (seit 1777 auch in München als Erbe der bayer. Wittelsbacher) und 1799 die Linie **P.-Zweibrücken-Birkenfeld.** 1801 wurden die linksrhein. Gebiete der P. an Frankreich abgetreten, der rechtsrhein. Teil gelangte 1803 an Baden, Leiningen, Nassau und Hessen-Darmstadt. Bei der polit. Neugliederung der linksrhein. Gebiete des Dt. Bundes wurde 1816 der Bayer. Rheinkreis gebildet, seit 1838 Rhein-P. genannt. Der »Pfälzer Aufstand« (1849) wurde von preuß. Truppen niedergeworfen. 1918–30 waren die linksrhein. Gebiete der P. frz. besetzt (1920 Anschluss des W-Teils der P. an das Saargebiet). Die Rhein-P. (bis 1940 bei Bayern, dann mit dem Saargebiet zum Gau Saar-P. vereinigt) kam 1945 zur frz. Besatzungszone, 1946 größtenteils zu Rheinland-Pfalz. Karte S. 478

Georg Karl Pfahler: Rot, Blau/Rot, Metro Blau

📖 Moersch, K.: *Geschichte der P. von den Anfängen bis ins 19. Jh. Landau in der Pfalz [5]1994.*

Pfälzer Gebrüch (Kaiserslauterner Senke, Westpfälzer Senke), Senke in Rheinl.-Pf. und im Saarland, trennt das Nordpfälzer Bergland (im N) vom Westrich und Pfälzerwald, 200–240 m ü. M. Das vermoorte P. G. (bis 4 m mächtige Torfschichten) wurde seit 1745 kultiviert.

Pfälzerwald (Pfälzer Wald), Buntsandsteinbergland in Rheinl.-Pf., bis 673 m ü. M. (Kalmit), bildet den **Naturpark Pfälzerwald** (1799 km²; eingerichtet 1958). Der P. reicht vom Pfälzer Gebrüch (im N) bis ins Elsass hinein; im O bricht er mit der →Haardt zum Oberrhein. Tiefland ab, im W wird er durch die Muschelkalkhochfläche des Westrich begrenzt; weitgehend von Mischwald bedeckt.

Pfälzer Weine, die Weine des Weinbaugebietes Pfalz an der Haardt und in ihrem Vorland, Rheinl.-Pf.; umfasst die Bereiche »Südl. Weinstraße« (südlich von Neustadt an der Weinstraße, dem Zentrum des Gebietes) und »Mittelhaardt/Dt. Weinstraße« mit den Spitzenlagen an der Mittelhaardt (u.a. um Forst und Deidesheim). Die Pfalz erbringt fast ein Viertel der dt. Weinernte.

Pfalzgraf (lat. Comes palatinus), in fränk. Zeit Beisitzer oder als königl. Stellvertreter Vors. im Königsgericht, oberster Urkundsbeamter. Seit Otto I. (936–973) kontrollierten die P. die Herzöge in den (neuen) Stammesherzogtümern Lothringen, Schwaben, Bayern, Sachsen und verwalteten verstreute Reichsgutkomplexe. Größere Bedeutung erlangte nur der lothring. P. (später: **P. bei Rhein**), der im Hl. Röm. Reich Kurfürst, Erztruchsess und Reichsvikar bei Thronvakanz (zus. mit dem Herzog von Sachsen) wurde. Die Amtsbereiche der P., die **Pfalzgrafschaften,** gingen im Allg. in den (herzogl.) Territorien auf.

Pfälzischer Erbfolgekrieg (Orléansscher Krieg), 1688–97 zw. Frankreich und dem Hl. Röm. Reich geführter Krieg um Teile der Pfalz, ausgelöst durch die Erbansprüche, die Ludwig XIV. für seine Schwägerin, Herzogin Elisabeth Charlotte von Orléans (→Elisabeth), erhob. Kaiser Leopold I. verbündete sich in der »Großen Allianz« mit England, den Niederlanden, Spanien und Savoyen. Die Feldzüge begannen 1689 mit der Verwüstung der Pfalz durch frz. Truppen unter E. de Mélac (u.a. Zerstörung von Heidelberg), bei den Verbündeten war die englisch-niederländ. Flotte siegreich (Schlacht bei La Hogue, 1692); die Seeblockade schwächte Frankreich gleichfalls. Im Frieden von Rijswijk (20. 9./30. 10. 1697) gab Frankreich seine rechtsrhein. Eroberungen und Lothringen zurück, es verzichtete auf die Pfalz; der Besitz Straßburgs und der elsäss. →Reunionen wurde bestätigt.

Pfand, zur Sicherung einer Verpflichtung dienende Sache; auch das in ihr bestehende Recht (→Pfandrecht, →Pfändung).

Pfandbriefanstalten, Realkreditinstitute, deren Hauptaktivgeschäft in der Gewährung von langfristigen, hypothekarisch gesicherten Krediten besteht, wobei die Beschaffung der Finanzierungsmittel durch Ausgabe von Pfandbriefen und Kommunalobligationen erfolgt; umfasst private Hypothekenbanken, öffentlich-rechtl. Kreditinstitute sowie Schiffspfandbriefbanken.

Pfandbriefe, langfristige (10–25 Jahre) Schuldverschreibungen der Realkreditinstitute, die durch Hypotheken gedeckt sind. Die Emission von P. un-

Pfälzische Territorien ab 1410

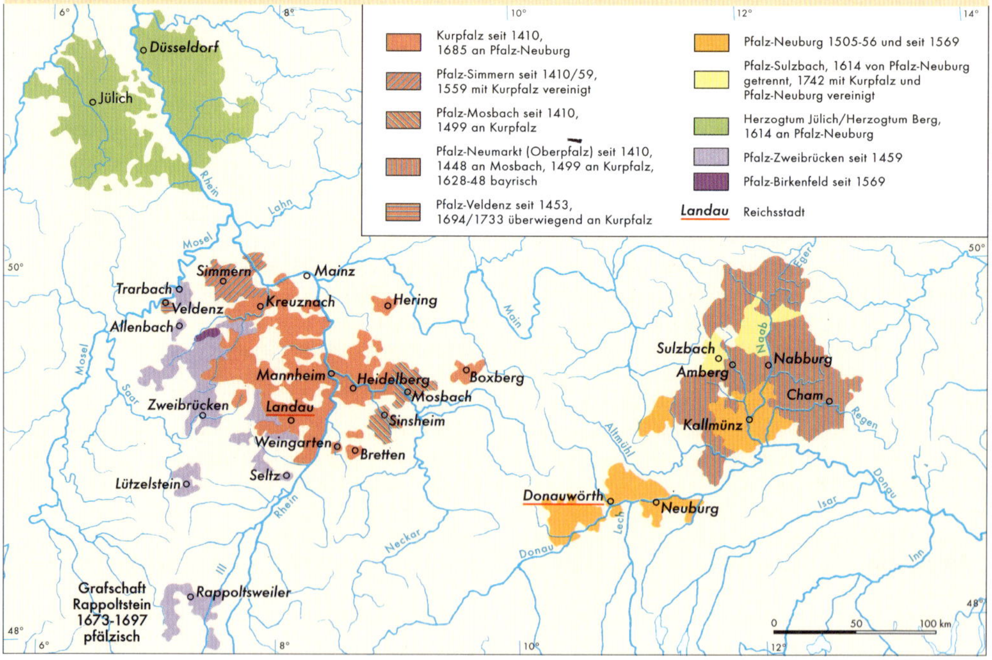

terliegt strengen gesetzl. Vorschriften (Hypothekenbank-Ges., P.-Ges.). P. sind börsennotiert, also jederzeit vor dem Rückzahlungstermin verkäuflich. Als festverzinsl. Wertpapiere mit grundpfandrechtl. Sicherung und relativ geringen Kursschwankungen dienen P. v.a. als Kapitalanlage für institutionelle Anleger.

Pfandbruch, *Recht:* →Verstrickungsbruch.

Pfandleihe, das Ausleihen von Geld gegen ein Pfand. Die P. wird bes. von kommunalen Pfandleihanstalten (→Leihhaus) betrieben. Die gewerbsmäßige P. durch private Pfandleiher bedarf der behördl. Erlaubnis (§34 GewO).

Pfandrecht, das dingl. Recht eines Gläubigers, eine fremde, ihm verpfändete Sache zur Befriedigung seines Anspruchs zu verwerten. Man unterscheidet P. an bewegl. Sachen (§§1204–1258 BGB) und an Rechten (§§1273–1296 BGB) sowie an Grundstücken (→Hypothek, →Grundschuld, →Rentenschuld, §§1113ff. BGB). Das **P. an bewegl. Sachen** entsteht entweder dadurch, dass der Eigentümer die Sache an den Gläubiger übergibt und beide darüber einig sind, dass dem Gläubiger das P. zustehen soll (Vertrags- oder Faust-P.), oder kraft Gesetzes (gesetzl. P., z.B. das des Vermieters, §§559ff. BGB) sowie durch →Pfändung im Wege der Zwangsvollstreckung (Pfändungs-P.). Der Gläubiger ist nur zum Besitz des Pfandes berechtigt, zu dessen Nutzung nur, wenn dies vereinbart wurde; das Pfand ist bei Erlöschen des P. zurückzugeben. Zum Pfandverkauf, der regelmäßig durch öffentliche Versteigerung erfolgt, ist der Gläubiger erst einen Monat nach Androhung gegenüber dem Eigentümer und nach Fälligkeit der gesicherten Forderung (»Pfändungsreife«) berechtigt. Das P. wurde, weil es i.d.R. mit der Übertragung des Besitzes verbunden ist, im Geschäftsleben durch die →Sicherungsübereignung verdrängt, bei der dem Schuldner Besitz und Nutzung der Sache verbleiben. Für das **P. an einem Recht** sind die Bestimmungen über P. an Sachen bis auf die in den §§1274–1296 BGB geregelten Ausnahmen entsprechend anzuwenden. Die Bestellung des P. an einem Recht erfolgt nach den für die Übertragung des Rechts geltenden Vorschriften (→Forderungsübergang). – Das *österr.* Recht hat ähnl. Regelungen wie das BGB, weicht jedoch in Einzelheiten stark von den dt. Vorschriften ab (§§447–470, 1368–1374 ABGB u.a. Gesetze). Auch in der *Schweiz* gelten ähnl. Grundsätze wie in Dtl. (Art. 884ff. ZGB für P. an bewegl. Sachen und Rechten, Art. 793ff. ZGB für Grundpfandrechte).

Pfändung, im Zivilprozess eine hoheitl. Rechtshandlung, durch die zur Sicherung oder Befriedigung des Gläubigers wegen einer Geldforderung dem Schuldner der Besitz oder die Verfügung über einen Gegenstand entzogen wird. Regelmäßig erfolgt die P. durch →Zwangsvollstreckung in das bewegl. Vermögen des Schuldners. Sie setzt die vollstreckbare Ausfertigung eines Vollstreckungstitels (Urteil, vollstreckbare notarielle Urkunde) voraus. Die P. bewirkt die öffentlich-rechtl. Verstrickung (Beschlagnahme), die für den Gläubiger ein P.-Pfandrecht entstehen lässt (→Pfandrecht). Die P. bewegl. Sachen erfolgt durch den Gerichtsvollzieher, indem dieser sie in Besitz nimmt oder die P. durch Anheften eines Pfandsiegels (volkstümlich »Kuckuck«) kenntlich macht. Die gepfändeten Sachen werden i.d.R. öffentlich versteigert. Die Über-P. ist verboten, d.h., der Wert der Pfandsache darf die Forderung nicht wesentlich übersteigen. Die P. von Forderungen und anderen Vermögensrechten des Schuldners erfolgt durch **P.-Beschluss** des Amtsgerichts. Er verbietet dem Drittschuldner, an den Vollstreckungsschuldner Leistungen zu erbringen, und gebietet Letzterem, sich jeder Verfügung über die Forderung zu enthalten. Die Verwertung erfolgt i.d.R. durch Überweisung der gepfändeten Forderung an den Gläubiger zur Einziehung.

Pfändungsschutz, die aus sozialen Gründen bestehenden Pfändbarkeitsbeschränkungen an bestimmten Sachen und Rechten des Vollstreckungsschuldners. P.-Bestimmungen finden sich in mehreren Gesetzen. Unpfändbar sind nach §§811ff. ZPO u.a. die dem persönl. Gebrauch oder Haushalt dienenden Sachen (z.B. Kleidungsstücke, notwendiges Mobiliar, Radio) und die zur persönl. Erwerbstätigkeit erforderl. Gegenstände (z.B. das Kfz eines Handelsvertreters). Nur beschränkt der Pfändung unterworfen sind das Arbeitseinkommen (→Lohnpfändung), Sozialleistungen, Renten u.a. Versorgungsbezüge. Gesondert geregelt ist der P. für Landwirte sowie für Miet- und Pachtzinsen (§§851aff. ZPO). – Ähnl. Vorschriften bestehen in *Österreich* und der *Schweiz*.

Pfanne [zu grch. pátanē »Schüssel«], **1)** *Bautechnik:* versch. →Dachziegel.

2) *Geomorphologie:* (afrikaans Pan) flache Hohlmulde in Trockengebieten mit dauernder oder zeitweiliger Wasserführung, bes. im südwestl. Afrika, mit Tonen, Mergeln oder Kalkablagerungen gefüllt, oft salzhaltig (z.B. →Etoschapfanne).

3) *Metallurgie:* feuerfest ausgekleidetes Transport- und Gießgefäß (Gieß-P.) aus Stahlblech für flüssiges Metall und flüssige Schlacken.

Pfarrei (Pfarre, Parochie), *kath. Kirchenrecht:* eine territorial bestimmte Gemeinschaft von Gläubigen, die einem Pfarrer als ihrem Seelsorger anvertraut wird und eine eigene Kirche (Pfarrkirche) hat; unterster rechtlich selbstständiger Teilverband einer Teilkirche (i.d.R. der Diözese); perso-

Pfauen: frühchristliche Wandmalerei aus dem 3. Jh. in der Priscillakatakombe in Rom

nal bestimmte P. (z. B. in der Militärseelsorge) sind nur als Ausnahmen vorgesehen. Der P. entspricht in evang. Kirchen die Kirchengemeinde (→Gemeinde).

Pfarrer, der Inhaber eines Pfarramtes, dem die selbstständige und verantwortl. Betreuung der Pfarrei bzw. Gemeinde (Wortverkündigung, Sakramentsverwaltung, Seelsorge, Unterricht und Verwaltung) obliegt; in der kath. Kirche vom Diözesanbischof, in den evang. Kirchen durch landeskirchl. Verfügung oder Wahl durch die Gemeinde beauftragt. Voraussetzungen für die Amtseinsetzung sind i. d. R. ein Theologiestudium, eine kirchlich-prakt. Ausbildung (Prediger-, Priesterseminare) sowie die Priesterweihe (kath. Kirche) bzw. die Ordination (evang. Kirchen).

Pfauen

Die frühesten Darstellungen von Pfauen finden sich auf Gefäßen der Harappakultur (seit etwa 2500 v. Chr.) im Industal; in der indischen Mythologie treten sie u. a. als Reittiere von Gottheiten in Erscheinung. Die Bibel bringt in dem Bericht über Salomos Schiffe die erste schriftliche Erwähnung der Vögel. Im alten Griechenland wurden Pfauen auf der Insel Samos im Tempel der Hera gehalten. Nach dem 5. Jahrhundert v. Chr. breitete sich ihre Zucht im Mittelmeerraum rasch aus. In Italien wurden die Tiere herdenweise gehalten; sie waren ein beliebtes Motiv der römischen Kunst. In der frühchristlichen Kunst waren Pfauen Symbol des Paradieses und der Auferstehung, weil ihr Fleisch als unverderblich galt. In Mitteleuropa kennt man sie seit Karl dem Großen. Pfauenfedern wurden in vielen Ländern als Zierde und Würdezeichen angesehen. In China etwa dienten sie, differenziert nach der Zahl ihrer Augen, seit der Mingzeit (1368–1644) zur Kennzeichnung von Beamtenrängen und wurden auch als Anerkennung für verdienstvolle Taten verliehen.

Pfarrernotbund, die Vorläuferorganisation der →Bekennenden Kirche.

Pfarrgemeinderat, *kath. Kirchenrecht:* nach dem 2. Vatikan. Konzil geschaffenes Organ der Pfarrei, in dem Laien mit der Pfarrgeistlichkeit die Seelsorgearbeit beraten und fördern sollen.

Pfarrkirchen, Krst. des Landkreises Rottal-Inn, Niederbayern, im Rottal, 11 600 Ew.; Gemüsekonserven-, Schuhfabrik; Zentrum der Rottaler Pferdezucht (Pferderennbahn). – Roman. Pfarrkirche (um 1500 umgebaut), ehem. Rathaus (um 1500). – 1257 als Markt bezeugt; erhielt 1862 Stadtrecht.

Pfarrvikar, 1) *evang. Kirchenrecht:* (Vikar, Vikarin) Theologe in der kirchlich-prakt. Ausbildung vor der Einstellung als Pfarrer.

2) *kath. Kirchenrecht:* vom Bischof ernannter Geistlicher, der statt eines Pfarrers oder zu seiner Unterstützung tätig ist.

Pfau (lat. Pavo), ein Sternbild am Südhimmel.

Pfauen (Pavo), mit den Fasanen verwandte Gattung sehr großer Hühnervögel mit zwei Arten, v. a. in Wäldern und dschungelartigen Landschaften Südasiens und der Sundainseln; Männchen mit verlängerten, von großen schillernden Augenflecken geschmückten Oberschwanzdeckfedern, die beim Hahn bei der Balz zum »Rad« fächerartig aufgerichtet werden, Weibchen unscheinbar gefärbt; Federkrone auf dem Kopf und blau, grün, rot schillerndem Gefieder. Der **Ährenträger-P.** (Pavo muticus) lebt in Südostasien, Hals und Brust des Männchens sind vorwiegend metallisch grün gefärbt, der Bestand ist bedroht; der aus Indien stammende **Blaue P.** (Pavo cristatus) wird häufig als Ziervogel gehalten. – In der frühchristl. Kunst erscheint der P. als Sinnbild der Auferstehung des Fleisches. Die Neuzeit fasst den Rad schlagenden P. als Sinnbild der Eitelkeit auf. Weiteres BILD Imponiergehabe

Pfauenauge, Bez. für Schmetterlinge mit Augenfleck auf verschiedenfarbigen Flügeln: 1) **Tagpfauenauge** (Inachis io, Vanessa io), Tagfalter aus der Familie der Fleckenfalter, mit Vorder- und Hinterflügelauge, als Raupe an Nesseln. 2) **Abendpfauenauge** (Smerinthus ocellatus), Schwärmer, rotbraun, mit Hinterflügelauge, als Raupe an Weiden u. a. 3) Familie **Nachtpfauenaugen** (Attacidae), Augenspinner mit hellgrauen, schwärzlich gezeichneten Flügeln, Vorder- und Hinterflügelauge.

Pfaueninsel, Havelinsel im Bezirk Zehlendorf, Berlin, etwa 1,5 km lang, 500 m breit, 76 ha; Gartenanlage und Park (von P. J. Lenné gestaltet) mit Schloss in Form einer Burgruine (1794–96 erbaut; Sommerresidenz Friedrich Wilhelms III.), Kavalierhaus (1804, 1826 von K. F. Schinkel erweitert), Pfauenhof, Voliere sowie Wasseranlagen (UNESCO-Weltkulturerbe).

J. RIZZI